Freiherr Victor von

Enzyklopädie des Eisenbahnwesens

Neunter Band

Freiherr Victor von Röll

Enzyklopädie des Eisenbahnwesens

Neunter Band

ISBN/EAN: 9783737226929

Auflage: 1

Erscheinungsjahr: 2015

Erscheinungsort: Norderstedt, Deutschland

Printed in Germany

VERO Verlag

ENZYKLOPÄDIE

DES

EISENBAHNWESENS

HERAUSGEGEBEN VON

DR. FREIHERR VON RÖLL

EHEM. SEKTIONSCHEF IM ÖSTERREICHISCHEN EISENBAHNMINISTERIUM.

IN VERBINDUNG MIT ZAHLREICHEN EISENBAHNFACHMÄNNERN.

Redaktionsausschuß:

Staatsbahndirektor Hofrat **Blaschek,** Villach; Ministerialdirektor **Breusing,** Berlin; Geheimer Baurat Professor **Cauer,** Berlin; Geheimer Regierungsrat Professor Dr.-Ing. **Dolezalek,** Berlin; Verbandsdirektor Professor Dr.-Ing. **Giese,** Berlin; Wirklicher Geheimer Oberregierungsrat a. D. **Herrmann,** Berlin; Wirklicher Geheimer Rat, Staatsminister a. D. **Hoff,** Berlin; Geheimer Oberbaurat **Hoogen,** Berlin; Wirklicher Geheimer Rat Professor Dr. **v. der Leyen,** Berlin; Hofrat Professor Dr.-Ing. **Melan,** Prag.

An den Redaktionsarbeiten beteiligt:

Baurat **Obermayer;** Staatsbahnrat **Pollak;**
Bahnoberkommissär Dr. **Grünthal.**

ZWEITE, VOLLSTÄNDIG NEUBEARBEITETE AUFLAGE.

NEUNTER BAND.

Seehafentarife – Übergangsbogen.

Mit 492 Textabbildungen, 9 Tafeln und 2 Eisenbahnkarten.

URBAN & SCHWARZENBERG

BERLIN — N., FRIEDRICHSTRASSE 105b.

WIEN — I., MAXIMILIANSTRASSE 4.

1921.

Mitarbeiter.

Es sind nur jene Fachmänner genannt, die für den vorliegenden Band Beiträge geliefert haben. Ein vollständiges Mitarbeiterverzeichnis folgt im nächsten Bande.

Baltzer, Geh. Oberbaurat, ordentlicher Honorar-Professor an der Technischen Hochschule Berlin
Beyerle, Finanzrat bei der Generaldirektion der württembergischen Staatseisenbahnen Stuttgart
Birk, Hofrat, Professor an der Deutschen Technischen Hochschule . . . . Prag
Breidsprecher, Geh. Baurat, Professor . . . . Wiesbaden
Breusing, Ministerialdirektor . . . . Berlin
Cauer, Geh. Baurat, Professor an der Technischen Hochschule . . . . Berlin
Cimonetti, Ministerialrat im Staatsamt für Verkehrswesen . . . . Wien
Dietler, Dr.-Ing., Direktionspräsident der Gotthardbahn a. D. . . . . Luzern
Dolezal, Hofrat, Professor an der Technischen Hochschule . . . . Wien
Dolezalek, Dr.-Ing., Geh. Regierungsrat, Professor an der Technischen Hochschule . . Berlin
Enderes, Sektionschef im Staatsamt für Verkehrswesen . . . . Wien
Feil, Dr.-Ing., Baurat im Staatsamt für Verkehrswesen . . . . Wien
Fink, Geh. Baurat a. D. . . . . Hannover
† **Firnhaber,** Dr., Oberregierungsrat a. D. . . . . Marburg
Giese, Dr.-Ing., Professor, Verkehrsdirektor des Verbandes Groß-Berlin . . . . Berlin
† **Gölsdorf,** Dr.-Ing., Sektionschef im Eisenbahnministerium . . . . Wien
Grunow, Geh. Oberregierungsrat . . . . Berlin
Grunow, Oberregierungsrat . . . . Bremen
Guillery, Baurat . . . . München
Hausmann, Geh. Regierungsrat im Reichswirtschaftsamt . . . . Berlin
Haußmann, Geh. Regierungsrat, Professor an der Technischen Hochschule . . . . . Berlin
Hoogen, Geh. Oberbaurat, Vortragender Rat im Ministerium der öffentlichen Arbeiten Berlin
Hoyer, Baurat, Professor an der Technischen Hochschule . . . . Hannover
Igel, Professor an der Technischen Hochschule . . . . Berlin
Jahn, Professor an der Technischen Hochschule . . . . Danzig
Januschka, Senatspräsident beim Verwaltungsgerichtshof a. D. . . . . Wien
Kemmann, Dr.-Ing., Geheimer Baurat . . . . Berlin
Kleinwächter, Professor, Generaldirektor der Aussig-Teplitzer Eisenbahn . . . . . . Teplitz
† **Launhardt,** Dr.-Ing., Geh. Regierungsrat, Professor an der Technischen Hochschule Hannover
v. der Leyen, Dr., Wirkl. Geh. Rat, ordentlicher Honorar-Professor an der Universität Berlin
Littrow, Hofrat im Eisenbahnministerium a. D. . . . . Wien
Lucas, Geh. Hofrat, Professor an der Technischen Hochschule . . . . Dresden
Melan, Dr.-Ing., Hofrat, Professor an der Deutschen Technischen Hochschule . . . . Prag
Mertens, Dr., Geh. Regierungsrat . . . . Berlin
Metzeltin, Regierungsbaumeister . . . . Hannover
Micke, Dr., Regierungsrat, Direktor der Großen Berliner Straßenbahn . . . . Berlin
Obermayer, Baurat im Staatsamt für Verkehrswesen . . . . Wien
Pernt, Dr.-Ing., Oberbaurat im Elektrisierungsamt . . . . Wien
Pichler, Sektionschef im Staatsamt für Verkehrswesen . . . . Wien
Pollak, Staatsbahnrat im Elektrisierungsamt . . . . Wien
Rihosek, Ministerialrat im Staatsamt für Verkehrswesen . . . . Wien
Sanzin, Dr.-Ing., Professor, Oberbaurat im Staatsamt für Verkehrswesen . . . . . . Wien
Scheibner, Oberbaurat a. D. . . . . Berlin
Seefehlner, Direktor der Union-Elektrizitätsgesellschaft . . . . Wien
Seidel, Regierungsrat . . . . Berlin
Spitzner, ehem. Sektionschef im Eisenbahnministerium . . . . Wien

S.

Seehafentarife *(sea port rates; tarifs speciaux d'exportation et d'importation par mer; tariffe speciale d'esportazione e d'importazione per mare)* sind differentiell gebildete Tarife, die den Zweck verfolgen, den Güterverkehr über bestimmte Seehäfen zu fördern. Sie sind ein sehr geeignetes Mittel zur Erzielung wirtschaftspolitischer Wirkungen und bilden daher einen wichtigen Faktor der protektionistischen Eisenbahntarifpolitik. Die wirtschaftlichen Ziele sind im wesentlichen zweifacher Art. Vor allem soll durch diese Tarife die Ausfuhr inländischer Güter und die Einfuhr namentlich von Rohstoffen erleichtert werden, deren die inländische Wirtschaft bedarf. Durch eine entsprechende Herabminderung der Bahnfrachten im Verkehr zwischen den Seehäfen und den im Binnenland gelegenen Erzeugungs- und Verbrauchsorten sollen dem in Betracht kommenden Güterversand und Güterbezug dieser Orte die Vorteile des billigen Seewegs möglichst ungeschmälert zugänglich gemacht werden. Da durch die S. die im Binnenland gelegenen Erzeugungs- und Verbrauchsorte den Seehäfen gleichsam örtlich nähergerückt werden sollen, werden bei der differentiellen Bildung dieser Tarife insbesondere die Transporte auf große Entfernungen eine vorzugsweise Behandlung zu erfahren haben. Außer der Unterstützung der heimischen Aus- und Einfuhr verfolgen die S. auch das weitere Ziel, den Güterumschlag und den Handel in den eigenen Häfen im Interesse der Hebung des Volkswohlstandes zu fördern. Von diesem Gesichtspunkt ausgehend wird bei der Erstellung von S. auf die Heranziehung von Verkehren zwischen ausländischen Wirtschaftsgebieten über die eigenen Seehäfen und auf die Bekämpfung des Wettbewerbs der über fremde Seehäfen führenden Verkehrswege Bedacht zu nehmen sein. Derartige Wettbewerbsbestrebungen können dazu führen, daß bezüglich des Verkehrs mit den eigenen Seehäfen die Frachtsätze für größere Entfernungen sogar absolut niedriger gehalten werden als jene für geringere Entfernungen. Die Hebung des Verkehrs der eigenen Seehäfen kommt mittelbar auch wieder der eigenen Aus- und Einfuhr zu gute, da sich dieser infolge der Belebung der Seeschiffahrt im eigenen Hafen vermehrte Verschiffungsgelegenheiten bieten. Wenn es auch klar ist, daß die Aufnahme des Wettbewerbs zwischen den Seehäfen verschiedener Staaten zu großen finanziellen Einbußen der beteiligten Eisenbahnen führen muß, so stellen sich doch den Bestrebungen, einen solchen Wettbewerb durch strikte Vereinbarungen auszuschließen, bei der Wichtigkeit und Mannigfaltigkeit der in Frage kommenden Interessen große Schwierigkeiten entgegen. Ein Versuch in dieser Richtung wurde im Jahre 1874 unternommen; durch die Schaffung einer als „Seehafenvereinigung" bezeichneten Organisation und durch die Festsetzung eines bestimmten Spannungsverhältnisses zwischen den Frachtsätzen für die einzelnen deutschen, belgischen und niederländischen Häfen sollte damals der durch das Nebeneinanderbestehen von Staatsbahnen und großen Privatbahnen geförderte schrankenlose Wettbewerb der Bahnen bezüglich des Verkehrs der Nord- und Ostseehäfen mit Österreich-Ungarn geregelt werden. Nach verschiedenen Wandlungen kam es schließlich zu der „Konvention betreffend die Regelung der Verkehrsbeziehungen zwischen den Nord- und Ostseehäfen einerseits, Wien, Prag und Budapest anderseits", die mit 1. August 1882 in Kraft trat. Bereits im Jahre 1884 wurden abermalige Verhandlungen zwecks Abänderung dieser Konvention eingeleitet, die jedoch ergebnislos verliefen, worauf die Seehafenvereinigung ohne ausdrückliche Kündigung und ohne förmliche Auflösung im allseitigen stillschweigenden Einverständnis ihre Tätigkeit einstellte. Die vereinbarten Tarifbildungsgrundsätze wurden jedoch in den einzelnen Spezialverbänden, so u. a. im deutsch-österreichisch-ungarischen Seehafenverband, im niederländisch-österreichisch-ungarischen sowie im belgisch-österreichisch-ungarischen Eisenbahnverband als „usuelle Tarifbildung" mit gewissen, im Jahre 1911 beschlossenen Änderungen im wesentlichen bis heute beibehalten. Neben den erörterten beiden Hauptzielen kann mit den S. auch noch das weitere Ziel der Förderung der heimischen Seeschiffahrt verfolgt werden. Für diesen Fall werden die S. an die Bedingung geknüpft, daß die an den Bahntransport nach oder von den heimischen Seehäfen anschließende Beförderung der Güter zur See mit Schiffen bestimmter heimischer Seeschiffahrtsunternehmungen zu erfolgen habe. S. finden sich in den Tarifen der Eisenbahnen aller am Weltverkehr beteiligten Länder. Ihr Aufbau ist im Hinblick auf die Vielfältigkeit der zu berücksichtigenden Verhältnisse ein ganz verschiedener und meist sehr umständlicher.

Sehvermögen s. Hör- und Sehvermögen.

Seilbahnen *(ropeways; chemins de fer funiculaires; ferrovie funiculare)*, Bahnen, bei denen die bewegenden Kräfte durch Seile auf die Fahrzeuge übertragen werden. Seile sind ein vorzügliches Kraftübertragungsmittel, da jede Anspannung unmittelbar Zugkräfte ergibt, ihr Gewicht verhältnismäßig gering ist und die große Biegsamkeit die Anpassung der Kraftleitung an alle Verhältnisse ermöglicht. Nach der Lage der Fahrzeuge zur Bahn unterscheidet man:

1. Seilstandbahnen. Der Schwerpunkt der Fahrzeuge liegt oberhalb der Bahn, die in der Regel zweischienig, auf festem Erd- oder Brückenunterbau angeordnet ist.

2. Seilhängebahnen. Der Schwerpunkt der Fahrzeuge liegt unterhalb der Bahn, die meist einschienig, aber auch zwei- und mehrschienig ist und seltener durch eine auf festem Gerüst gelagerte Schiene, zumeist durch Seile (Tragseile oder Laufseile) gebildet ist.

Bei den Seilstandbahnen sind daher nur Zugseile, bei den Seilhängebahnen in der Regel Zug- und Tragseile vorhanden, wenn nicht Zug- und Tragseile vereinigt sind. In einigen Fällen finden noch Gewichts- und Gegenseile, auch Brems- und Sicherheitsseile sowie Führungsseile Verwendung. Die sog. Elektrohängebahnen werden, da der Antrieb nicht durch Vermittlung eines Seiles erfolgt, nicht zu den Seilhängebahnen gezählt. Der Antrieb der Zugseile bei Seilstandbahnen und Seilhängebahnen erfolgt durch:

1. Schwerkraft,
2. Kraftmaschinen.

Im zweiten Fall wird bei geneigten Bahnen auch die Schwerkraft ausgenutzt.

Als Seile werden Drahtseile verschiedener Bauart gebraucht.

Drahtseile.

1. Litzenseile,
2. Spiralseile und Spirallitzenseile,
3. verschlossene Seile.

1. Litzenseile.

Diese bestehen aus mehreren, 5 – 9 dünnen Seilen (Litzen), die durch schraubenförmige Windungen um eine Seele (zumeist geteerter Hanf) ver-

Abb. 1. Abb. 2.

einigt werden. Die Litzen bestehen aus mehreren, zumeist 5 – 25 Gußstahldrähten von etwa 1 bis 3 *mm* Stärke, die zur Erreichung gleichmäßiger Beanspruchung schraubenförmig gewunden werden. Die Windungen der Litzen im Seil sind entweder entgegengesetzt zu denen der Drähte in der Litze Kreuzschlagseile (Abb. 1) – oder gleichgerichtet – Langschlag- oder Albertschlagseile (Abb. 2).

Letztere haben den Vorteil einer größeren langgestreckten Arbeitsfläche, daher langsamerer äußerer Abnutzung sowie größerer Biegsamkeit; dagegen wird bei den Kreuzschlagseilen eine gleichmäßigere Beanspruchung aller Drähte sicherer erreicht.

Zur Vergrößerung der Arbeitsfläche und Verteilung der Abnutzung auf möglichst viele

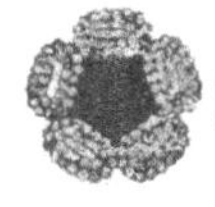

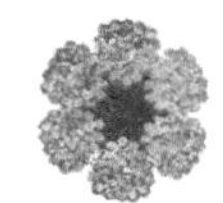

Abb. 3. Abb. 4.

Drähte werden auch flachlitzige Seile nach Langschlag (Abb. 3) und 3kantlitzige Seile (Abb. 4) hergestellt.

2. Spiral- und Spirallitzenseile.

Der Abnutzung wird durch Drähte mit größerem Durchmesser entgegengewirkt, daher werden Spiralseile (Abb. 5) und Spirallitzenseile (Abb. 6) mit starken Drähten (3 - 7 *mm*), letztere in Kreuz- und Langschlag und ohne Hanfseele hergestellt, wodurch sie auch bei gleichem Durchmesser größere Tragfähigkeit erhalten.

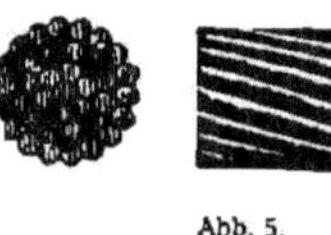

Abb. 5.

Abb. 6.

Diese Seile finden zumeist als Tragseile bei Seilhängebahnen Verwendung.

3. Verschlossene Seile.

Die Seile erhalten glatte Oberflächen, ergeben daher geringste Abnutzung; sie werden

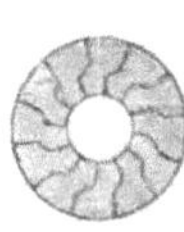
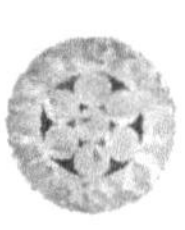

Abb. 7. Abb. 8. Abb. 9. Abb. 10.

hauptsächlich aus schraubenförmig gewundenen Formdrähten hergestellt (Abb. 7 – 10).

Wenn die Seile nicht gestaucht werden, besteht keine Gefahr des Heraustretens gerissener

Drähte, die namentlich bei den nach dem Kreuzschlag ausgeführten Litzenseilen groß ist. Infolge des dichten Schlusses wird auch das Eindringen von Feuchtigkeit in das Innere verhindert. Die Seile sind aber weniger biegsam, die Formdrähte haben geringere Festigkeit wie Runddrähte und die Stoffausnutzung ist wegen ungleicher Drahtstärken und -formen ungünstiger wie bei den Seilen mit gleichstarken Runddrähten. Die „verschlossenen Seile" finden meist als Tragseile bei Seilhängebahnen Verwendung. In letzter Zeit traten an ihre Stelle mehrfach die starkdrähtigen Spirallitzenseile, die die Vorteile größerer Drahtfestigkeit und wegen gleicher Drahtquerschnitte günstigere Stoffausnutzung ergeben, dagegen etwas größere Biegungsbeanspruchungen erleiden wie die verschlossenen Seile. Dem Übelstand des Heraustretens gerissener Oberflächendrähte bei den Litzen- und Spiralseilen kann der Vorteil des leichteren Erkennens der Drahtbrüche gegenübergestellt werden.

Ausreichende Erfahrungen hierüber, welcher der beiden Seilarten für Tragseile der Vorzug zu geben ist, liegen noch nicht vor.

Beanspruchung der Drahtseile.

Eine zutreffende rechnerische Ermittlung der Beanspruchung der Drahtseile ist infolge der verwickelten Vorgänge bei ihrer Herstellung und Benutzung und der noch fehlenden eingehenderen Versuche nicht durchführbar. Man muß daher in erster Linie die vorliegenden Erfahrungen und die von den Seilfabrikanten durchgeführten Einzelbruchversuche heranziehen oder sich mit Annäherungsrechnungen und Formeln begnügen, wobei zu unterscheiden ist zwischen „Zugseilen", die die Zugkräfte übertragen und um Seilscheiben geschlungen werden, und „Tragseilen", die in der Regel an einem Ende festgehalten, am andern mit einem Spanngewicht versehen sind und durch die Raddrücke der Fahrzeuge belastet werden.

Zugseile.

Die Beanspruchung σ der runddrähtigen Litzenseile, die in der Regel als Zugseile gebraucht werden, setzt sich hauptsächlich aus Zugbeanspruchung σ_1 und Biegungsbeanspruchung σ_2 zusammen; sieht man von den nicht zu vermeidenden dynamischen Beanspruchungen ab, so ist

$$\sigma = \sigma_1 + \sigma_2 = \frac{S}{n \cdot \frac{\pi \delta^2}{4}} + C \cdot E \cdot \frac{\delta}{D} \quad \ldots\ldots 1)$$

Es bezeichnen: S die Seilzugkraft; δ den Durchmesser der gleichstarken Runddrähte; n die Anzahl der Runddrähte; E den Elastizitätswert, der mit 1800—2000 t/cm^2 durchschnittlich angenommen wird; C einen Abminderungswert; D den Seilscheibendurchmesser.

Der verschieden angenommene Abminderungswert schwankt von

$$C = 0{\cdot}375 \text{ bis } C = 1,$$

abgesehen von noch größerer Abminderung, die Hrabák (s. Literatur) für 3mal geflochtene Rundseile annahm. Da außer den durch die Verseilung bedingten Vorspannungen noch zusätzliche, durch Reibungskräfte, Pressen der Drähte gegeneinander, gegen die Rollen und Scheiben entstehende Spannungen sowie auch Verdrehungsspannungen auftreten, so empfiehlt es sich in allen Fällen, $C = 1$, außerdem noch einen dem Zweck des Seiles entsprechend hohen Sicherheitsgrad anzunehmen (s. hierüber Literatur: Benoit, Woernle).

Für runddrähtige Litzenseile ist der

wirksame Querschnitt .... $F = n \cdot \frac{\pi \delta^2}{4}$,

der Seildurchmesser .... $d^{mm} = 1{\cdot}5\, \delta^{mm} \sqrt{n}$

das Seilgewicht .... $q^{kg/m} = 0{\cdot}0076\, n\, \delta^2$.

Die Biegungsbeanspruchung σ_2 wird umso kleiner, je größer der Seilscheibendurchmesser D und je kleiner die Drahtstärke δ ist.

Tragseile.

Für Seilhängebahnen werden zumeist „verschlossene" Seile (Abb. 7—10) oder runddrähtige „Spiralseile" und Spirallitzenseile (Abb. 5 u. 6) als Tragseile gebraucht.

Die Beanspruchung σ setzt sich zusammen aus der Zugspannung σ_1, die meist die durch ein Spanngewicht bewirkte Seilspannung erzeugt, und aus der Biegungsspannung σ_2, hervorgerufen durch die Raddrücke der rollenden Last, die außerdem noch Scherspannungen ergeben.

Sieht man von letzteren sowie von dynamischen Beanspruchungen ab, die im vorliegenden Fall nur einen geringen Beitrag zu den Gesamtspannungen liefern, so ist annähernd

$$\sigma = \sigma_1 + \sigma_2 = \frac{H}{F} + \frac{G \cdot e}{2} \sqrt{\frac{E}{H \cdot I}} \quad \ldots\ldots 2)$$

Es bezeichnen:

H die Seilspannung; ihre Größe ergibt sich aus dem Spanngewicht und wird zweckmäßig größer gewählt, als dem Kleinstwert der Beanspruchung entspricht; häufig geschieht dies auch zur Einschränkung des Seildurchhanges;

F den wirksamen Seilquerschnitt, der für verschlossene Seile mit dem Durchmesser d etwa $F = 0{\cdot}9\, \frac{\pi \delta^2}{4}$ gesetzt werden kann;

Q das Gewicht des Fahrzeugs, daher der Raddruck $G = \frac{Q}{2}$ bis $\frac{Q}{4}$ als Einzellast zu setzen ist, je nachdem 2 oder 4 Laufräder vorhanden sind (bei Anordnung von 4 Laufrädern werden also die Biegungsbeanspruchungen etwas vermindert);

I die Summe der Trägheitsmomente (Querschnitts-Nullinie) der Querschnitte der einzelnen Drähte;

e der vorkommende Größtabstand der äußersten Faser von der Nullinie des Drahtes;

E der Elastizitätswert, der mit 18.000 bis 20.000 kg/mm^2 angenommen werden kann.

Die Biegungsbeanspruchung σ_2 nimmt ab mit zunehmendem I und zunehmender Seilspannung H.

Die Gleichung 2 ergibt sich aus den Ableitungen von Winkler (bei Vernachlässigung des Eigengewichts) (s. Literatur Isaachsen u. Woernle).

Für Seile (Spiral- und Spirallitzenseile) mit n gleichstarken Runddrähten von δ Durchmesser wird der wirksame Querschnitt $F = n \cdot \frac{\pi \delta^2}{4}$, das Trägheitsmoment $I = n\, \frac{\pi \delta^4}{4} = F \left(\frac{\delta}{4}\right)^2$, $e_{max} = \frac{\delta}{2}$, daher

$$\sigma = \sigma_1 + \sigma_2 = \frac{H}{F} + G \sqrt{\frac{E}{H \cdot F}} \quad \ldots\ldots 3)$$

Die Beanspruchung ist also unabhängig von der Drahtstärke. Da der Unterschied in der Stärke der einzelnen Formdrähte „verschlossener Seile" meist nicht beträchtlich ist, so gibt die bequemere Formel 3 auch für diese Fälle annähernd brauchbare Werte.

Für die Drahtseile der S. wird im allgemeinen Gußstahldraht von 90–250 *kg/mm²* Bruchfestigkeit verwendet; meist geht man über 180 *kg/mm²* nicht hinaus. Unter sonst gleichen Verhältnissen hat der dünne Runddraht größere Festigkeit wie der Formdraht.

Für Seile von Güterbahnen mit kurzer Benutzungsdauer, wie namentlich für Bauzwecke, begnügt man sich mit 3–5facher Sicherheit; für Personenbahnen mit dauernder Benutzung wird 8–10fache Sicherheit, oft auch noch mehr gegen die Bruchgrenze verlangt.

Seilbrüche auf den S. gehören zu den Seltenheiten, da sie meist richtig überwacht große Sicherheit verlangt, Zeichen der Schwächen des Seiles meist äußerlich sichtbar und häufige Erneuerung gefordert werden. Auf der Dolder S. bei Zürich trat am 7. Juli 1909 ein Seilbruch ein. Die Untersuchung ergab, daß trotz des äußerlich günstigen Aussehens des Seiles im Innern starke Verrostungen stattfanden, so daß der Querschnitt der einzelnen Drähte kaum mehr ⅓ des ursprünglichen betrug. Das Seil hat etwa 10 Jahre in Betrieb gestanden und sollte demnächst ausgewechselt werden.

Die Seillängen sind hauptsächlich durch die Transport- und Montierungsverhältnisse beschränkt und werden daher meist nicht über 1000 *m* geliefert; die erforderlichen größeren Längen werden besser durch Seilkupplungen verschiedener Art erreicht, die so angeordnet sind, daß sie ohne Gefahr von den Wagen befahren werden; sie haben sich auch ausreichend bewährt. Abb. 11 zeigt eine von Bleichert, Leipzig-Gohlis, eingeführte Seilkupplung.

Abb. 11. Bleichertsche Seilkupplung.

Die mit ringförmigen Eisenkeilen erweiterten Seilenden werden in Stahlmuffen *H* eingeführt, die durch ein Schraubenschloß *M* verbunden werden.

Die Drahtseilfabriken geben Tabellen heraus, aus denen für die verschiedenen Seilarten Abmessungen, Gewichte und Bruchfestigkeiten zu entnehmen sind, wovon bei Entwürfen für S. zweckmäßig Gebrauch gemacht werden kann.

Literatur: Benoit u. Woernle, Die Drahtseilfrage. Karlsruhe 1915. – Rudeloff, Erfahrungen über das Unbrauchbarwerden der Drahtseile. Mitt. d. kgl. Material-Prüfungsamtes Berlin 1915. – Heilandt, Vergleich der Seilsicherheiten. München 1915. – Wahrenberger, Beanspruchung und Lebensdauer von Drahtseilen für Aufzüge. Ztschr. dt. Ing. 1915. – Woernle, Zur Beurteilung der Drahtseilschwebebahnen. Karlsruhe 1913. – Bach, Maschinenelemente 1913. – Bonte, Versuche über den Wirkungsgrad von Seilen. Ztschr. dt. Ing. 1913. – Bock, Die Bruchgefahr der Drahtseile. Hannover 1909. – Isaachsen, Die Beanspruchung von Drahtseilen. Ztschr. dt. Ing. 1907. –. Hirschland, Die Formänderung von Drahtseilen. Hannover 1906. – Benndorf, Beiträge zur Theorie der Drahtseile. Ztschr. d. Öst. Ing.-V. 1905. – Hrabák, Die Drahtseile. 1902. – Divis, Über Seildraht und Drahtseile. Öst. Zt. f. Berg- u. Hüttenwesen. 1900.

Seilstandbahnen.

Seilbetrieb auf Steilbahnen, Bergbahnen.

A. Schwerkraftantrieb.

1. Bremsberge. Bremsberge nennt man in der Regel S. in stärkerer Neigung, wobei der abwärts gehende beladene Wagen den unten geleerten Wagen wieder aufwärts zieht. Beide Wagen hängen an einem Zugseil, das am oberen Ende der Bahn um eine Seilscheibe geschlungen oder mit ihr befestigt ist.

Der mit der Bahnneigung wechselnde Kraftüberschuß des abwärts gehenden Wagens wird zur Regelung eines gleichmäßigen Ganges der Fahrzeuge mit begrenzter Geschwindigkeit durch die an der Seilscheibe angeordnete Band- oder Backenbremse nach Erfordernis abgebremst.

Die Bremsberge finden zumeist im Bergbau, in Steinbrüchen, zur Holz-, Baustoff- und Erdförderung Verwendung (s. Bremsberge, Bd. III, S. 8).

2. Bahnen mit Übergewichtsbetrieb. Die Förderung einer Nutzlast nur nach aufwärts oder sowohl auf- wie abwärts macht die Verwendung eines Gewichtswagens oder die Anordnung einer Überlastung des jeweils abwärts gehenden Wagens erforderlich. Als Belastung ist in den meisten Fällen Wasser zweckmäßig, da es vielfach am oberen Bahnende billig zu gewinnen, am unteren leicht abzulassen ist; daher wird Wassergewicht anderen Belastungsarten vorgezogen.

a) Gewichtswagenbetrieb. Zur Förderung von Rohgütern oder Baustoffen von unten nach oben wird ein abwärts gehender Gewichtswagen (Wasserkasten oder Faß) ohne Nutzlast benutzt, der mit dem aufwärts gehenden beladenen Förderwagen durch ein Seil verbunden ist, das am oberen Bahnende um eine Seilscheibe gewunden oder mit ihr befestigt wird. Die Regelung der Fahrgeschwindigkeit und das Anhalten der Fahrzeuge erfolgt wie bei den Bremsbergen durch eine an der Seilscheibe angeordnete Backen- oder Bandbremse. Weitere Sicherheitsvorkehrungen sind in der Regel nicht vorhanden. Um billige Anlagen zu ermöglichen, wird die Bahn dem Gelände tunlichst angeschmiegt; sie weist daher meist verschiedene Neigungsverhältnisse auf.

Kürzere Bahnen sind meist zweigleisig, größere eingleisig mit Ausweiche in der Mitte, die auch so angeordnet sein kann, daß an der Begegnungsstelle der Gewichtswagen unter dem Förderwagen durchgeleitet wird.

Im Bergbau und beim Bau von Gebirgsbahnen findet diese Seilbahnart mehrfach Verwendung.

b) Wasserübergewichtsbetrieb. Die Förderung auf stark geneigter zweischieniger Bahn mit wechselnder Nutzlast nach ab- und aufwärts erfolgt so, daß der abwärts gehende Wagen nach Maßgabe der Belastungen der beiden Wagen mit einem entsprechenden Wassergewicht versehen wird.

Beide Wagen, deren Fahrtrichtung wechselt, erhalten daher Wasserkästen, die oben nach Erfordernis gefüllt und unten wieder entleert werden; sie hängen an einem, ausnahmsweise auch an 2 Seilen, die in den Gleisen zur Vermeidung größerer Widerstände und Abnutzung auf Rollen laufen und am oberen Bahnende über eine Seilscheibe geführt sind (Abb. 12).

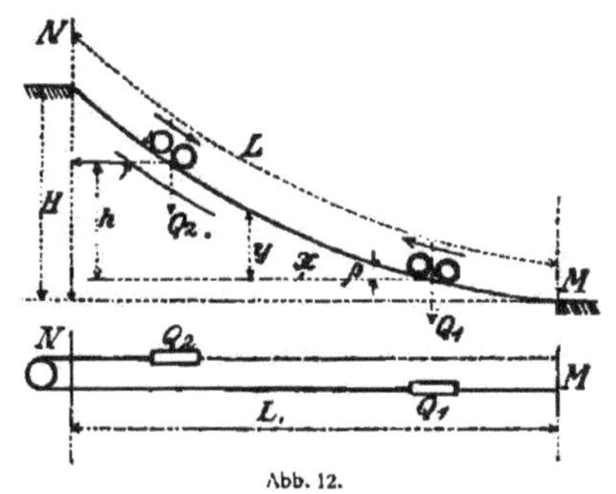

Abb. 12.

Bedingungsgleichung für den Betrieb:

$$(Q_2 + P) \sin \alpha = Q_1 \sin \beta + (Q_1 + Q_2 + P)\, w \mp qh + R \quad \ldots 1)$$

daher die erforderliche Wassermenge P für den abwärts gehenden Wagen:

$$P = \frac{Q_1 \sin \beta - Q_2 \sin \alpha + (Q_1 + Q_2)\, w \mp qh + R}{\sin \alpha - w} \quad \ldots 2)$$

Es bezeichnen: Q_1 die größte aufwärts, Q_2 die kleinste abwärts gehende Wagenlast. Der ungünstigste Fall tritt ein für den voll belasteten Wagen aufwärts und den leeren abwärts; α und β die Neigungswinkel der Bahn an den jeweiligen Stellungen von Q_2 und Q_1; w den Laufwiderstand der Wagen, der wegen geringer Fahrgeschwindigkeit mit 3–5 *kg t* angenommen wird und der sich in Bögen, die meist 200–1000 *m* Halbmesser haben, um 1–3 *kg/t* erhöht, daher auch im teilweise gekrümmten Gleis der Laufwiderstand der beiden Wagen verschieden groß sein kann; q das Seilgewicht für 1 *m* Länge; h den Höhenunterschied in der jeweiligen Stellung der beiden Wagen; qh die abwärts wirkende Seitenkraft des Seilgewichts; sie ändert sich während der Fahrt und wird positiv, Null und negativ; R den Widerstand der Seilbewegung auf den Laufrollen im Gleis und auf der Seilscheibe; seine Größe wächst mit der Seillänge und im Bogen. Bei 10 teilweise in Bogen liegenden Bahnen von 100–1700 *m* Länge haben die Versuche die Widerstände auf Laufrollen und Seilscheibe mit 0·2–1·0 *kg/m*, also im Durchschnitt mit 0·6 *kg/m* ergeben.

Für eine Bahn mit wechselnden Neigungsverhältnissen wird wegen der Winkeländerungen der Wasserbedarf im allgemeinen verschieden und für die ungünstigsten Stellungen der Wagen aus Gleichung 2 zu ermitteln sein, indem für α und β die entsprechenden Winkelwerte zu setzen und die richtigen Vorzeichen für qh zu berücksichtigen sind.

Für die Bahn mit gleicher durchgehender Neigung auf volle Länge wird $\alpha = \beta$.

Die abwärts gerichteten Seitenkräfte der Wagengewichte, daher auch die erforderlichen Wassergewichte ändern sich in diesem Fall nicht. Für ein gewichtloses Seil würde daher die die Endpunkte M und N (Abb. 12) verbindende Gerade die richtige Form des Längenschnitts der Bahn ergeben.

Durch die mit der Wagenstellung sich ändernde Seilbelastung tritt aber eine Änderung in den beiderseitigen Wagenbelastungen ein, was Geschwindigkeitsänderungen zur Folge hat.

Auch die Laufwiderstände der beiden Wagen können verschieden sein, wenn ein Wagen in der Geraden, der andere dagegen im Bogen sich bewegt.

Den Änderungen des Seilgewichts kann durch entsprechendes streckenweises Ablassen des Wassers aus dem abwärts gehenden Wagen oder durch Anordnung eines gleich schweren Gegenseils, das am unteren Bahnende um eine Seilscheibe geführt wird, Rechnung getragen werden. Das Gesamtgewicht der Anlage wird durch das Gegenseil ungünstig erhöht. Am zweckmäßigsten ist es daher, das Bahnneigungsverhältnis in dem Maß zu mindern, wie die Wagenbelastungen durch die wechselnden Seillängen geändert werden. Das führt zur Anordnung des sog. theoretischen Längenschnitts, der von der die Endpunkte verbindenden Geraden MN umsomehr abweicht, je größer das Seilgewicht ist.

Der theoretische Längenschnitt ergibt sich als eine gemeine Zykloide, an deren Stelle namentlich bei kleinen Anlagen mit geringem Seilgewicht die quadratische Parabel gesetzt wird.

Die für die etwas umständliche rechnerische Ermittlung des zykloidischen Längenschnitts erforderlichen Gleichungen und Werte hat v. Reckenschuß (s. Literatur) gegeben. Die quadratische Parabel hat Vautier (s. Literatur) als theoretischen Längenschnitt vorgeschlagen.

Für die Ermittlung der parabolischen Bahn gibt v. Reckenschuß die Gleichungen:

$$y = -\frac{B \cdot H \cdot L}{L_1^2}\, x^2 + \frac{H}{L_1}(1 - BL)\, x \quad \ldots\ldots 3)$$

Es bezeichnen nach Abb. 12 L die Länge der Bahn, x und y die Koordinaten, L_1 die wagrechte Projektion der Länge, H die Höhe der Bahn.

$$B = q \cdot \frac{H - w \cdot L}{2 Q_1 \cdot H \mp R \cdot L} \quad \ldots\ldots 4)$$

Die Bezeichnungen q, w, R und Q_1 wie in Gleichung 1.

Als erster Näherungswert ist anzunehmen:

$$L = L_1 + \frac{H^2}{2L_1} \dots\dots\dots\dots 5)$$

als zweiter Näherungswert dann:

$$L = G + \frac{8}{3}\,\frac{D^2 \cdot L_1^2}{G^3} \dots\dots\dots 5a)$$

wenn $G = \sqrt{L_1^2 + H^2}$ die Verbindungsgerade der beiden Bahnendpunkte M und N und $D = \frac{H}{2} - y_1$ den lotrechten Parabelpfeil bezeichnet für y_1 bei $x_1 = \frac{L_1}{2}$.

Die zweite Näherung für L ist ausreichend genau.

Die quadratische Parabel weicht von der Zykloide ab und liegt etwas höher als diese.

Die Abweichungen von dem theoretischen Längenschnitt (Zykloide) bedingen größere Wasserbelastungen, daher größere Wagengewichte und stärkere Seile und infolge ungleichförmiger Bewegung häufigere Geschwindigkeitsregelung durch die Bremsen, die allerdings auch bei dem theoretischen Längenschnitt infolge der doch wechselnden Widerstandswerte w und R zumal bei den teilweise in Bögen liegenden Bahnen und sonstigen Unregelmäßigkeiten nicht zu vermeiden sind. Da die Abminderung der Baukosten die tunlichste Anschmiegung der Bahn an das Gelände bedingt, so wird in der Regel der theoretische Längenschnitt, dem man sich anzunähern sucht, nicht eingehalten.

In diesen Fällen ist aber darauf zu achten, daß die Kettenlinie (Parabel) des freihängenden Seiles bei größter Seilspannung noch unterhalb des Längenschnitts verläuft, damit ein Abheben des Seiles von den in den Gleisen angeordneten Laufrollen, das bei Anordnung des theoretischen Längenschnitts nicht vorkommt, sicher vermieden wird. Gefällsbrüche sind daher auch mit großen Krümmungshalbmessern auszurunden. Der für das Anfahren erforderliche Mehraufwand an Kraft ist durch Vergrößerung des Wasserübergewichts, was aber wegen Erhöhung des Gesamtgewichts nicht günstig ist, daher besser durch Vergrößerung des Gefälles am oberen und Verminderung am unteren Ende zu erreichen.

Wenn das Seilabheben von den Laufrollen durch eine entsprechende einheitliche Längenschnittsform, wie namentlich beim Übergang aus einem starken in ein schwaches Gefälle nicht verhindert wird, kann man in anderer Weise für das Aufliegen des Seiles auf den Laufrollen sorgen, wie durch Teilen der Bahn in 2 voneinander unabhängige Seilstrecken mit entsprechenden Längenschnitten oder, wie z. B. auf der S. von Charlanne nach Bourboule (s. Literatur), wo ein besonderer kleiner Seilwagen mit 2 Seilscheiben, der durch Untergreifen der Schienenköpfe vom Abheben gesichert wird, dem Personenwagen auf dem starken Gefälle abwärts bis an den Gefällsbruch unmittelbar folgt, dort aber durch die zu beiden Seiten des Gleises angeordneten Böcke

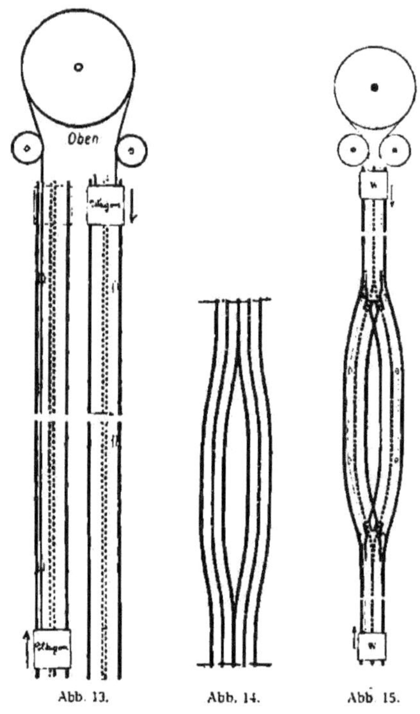

Abb. 13. Abb. 14. Abb. 15.

festgehalten wird, so daß der Personenwagen im schwachen Gefälle allein weitergeht und das Seil durch die Seilscheiben in der erforderlichen Lage auf den Laufrollen festgehalten wird.

Die Bahnen für Wasserübergewichtsbetrieb weisen Größtneigungen bis 620 ‰ auf.

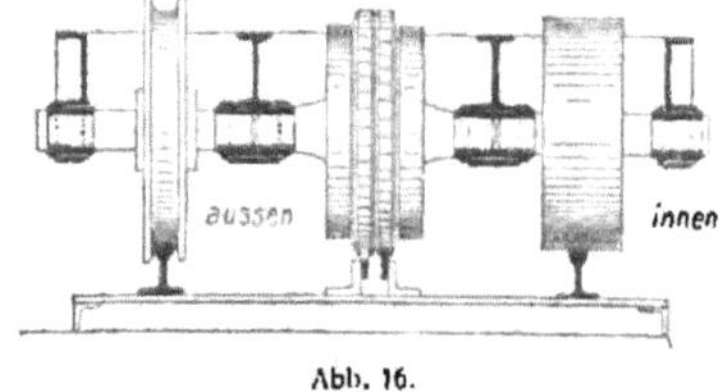

Abb. 16.

Die Gleise erhalten Spurweiten von 0·75 bis 1·2 *m*, zumeist 1 *m*. Sie werden tunlichst gerade geführt, doch sind Bögen nicht nur in den Ausweichen, sondern auch in den übrigen Strecken nicht zu vermeiden. In der Regel liegen in den Gleisachsen Zahnstangen (Leiter- oder Stufenstangen), in die Zahnräder der Wagen zur Regelung der Fahrgeschwindigkeit und Bremsen eingreifen, denn an der Seilscheibe sind Bremsen nicht vorhanden. Nur ausnahmsweise, wie z. B. an der S. Regoledo am Comersee, ist im Gleis keine Zahnstange. Die Geschwindigkeitsregelung geschieht hier durch eine Stationsbremse.

Für kurze S. sind zweigleisige (Abb. 13), für größere Längen dreischienige Anlagen mit Ausweiche an der Kreuzungsstelle der Wagen (Abb. 14) oder eingleisige Anlagen mit selbsttätiger Ausweiche (Abb. 15) zweckmäßig. Die Ausweichen haben meist 50 – 120 *m* Länge. Die selbsttätige Ausweiche bedingt die aus Abb. 16 ersichtliche Räderbauart; hiernach erhalten die Außenräder 2 Spurkränze, dagegen die Innenräder, die die Schienenunterbrechungen übersetzen, große Breiten, aber keine Spurkränze. Ausnahmsweise wurden die Ausweichen auch so angeordnet, daß ein Fahrzeug 2 innere und das andere 2 äußere Spurkränze erhielt. In besonderen Fällen, die namentlich durch die Form des Längenschnitts gegeben sind, werden die Gleise ohne Ausweiche angeordnet; die beiden Wagen gehen nur bis zur Gleismitte, wo ein Umsteigen der Reisenden stattfindet. Die Wasserfüllung der abwärts gehenden Wagen erfolgt dann nicht nur in der oberen, sondern auch in der Mittelstation.

Die zur Verhütung des Schleifens des Seiles in Abständen von 10 – 15 *m* dem Seildurchhang entsprechend in den Krümmungen etwas enger angeordneten Laufrollen sind zumeist aus Gußeisen mit 240 – 300 *mm* Durchmesser und zur Verminderung der Seilabnutzung häufig mit Holz- oder Weichmetallfütterung der Rillen ausgeführt. In den Gleisbogen werden die entsprechend geformten Rollen geneigt gestellt. Die Zugseile werden auf der oberen Bahnstation über Seilscheiben (Umleitungsrollen) aus Gußeisen oder Gußstahl geführt (s. Abb. 17 u. 18) mit Durchmessern von 3 – 4 *m*, deren Rillen zur Erhöhung der Seilreibung mit Holz, ausnahmsweise auch mit Leder gefüttert sind. Die Seilreibung wird noch erhöht durch Ablenkrollen von 1 – 3 *m* Durchmesser wegen größerer Umspannung der Seilscheibe; sie sind auch zur

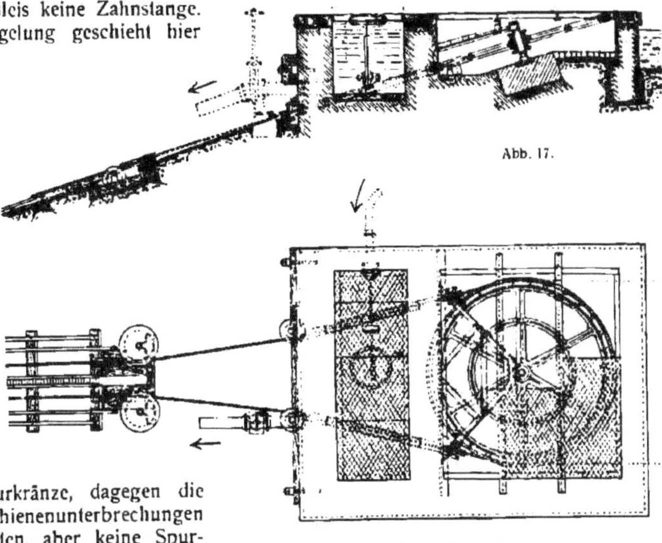

Abb. 17.

Abb. 18. Umleitungsrollen.

Zusammenführung der Seile im Gleis erforderlich. Vor der Seilscheibe ist in der Regel der Wasserbehälter angeordnet, von dem die Zuleitung nach dem Gleis führt, in dem der Wagen steht.

Abb. 19.

Die Wagen für den Personenverkehr haben ungefähr die aus Abb. 19 ersichtliche Form mit stufenförmig angeordneten, etwa 25 – 50

Sitz- und Stehplätzen und einem unter dem Fußboden liegenden Wasserkasten (bis etwa 7000 *l* Fassungsraum). Auf einer oder auf beiden Laufachsen befinden sich Zahnräder (Abb. 16), die in die Zahnstangen des Oberbaues eingreifen. Die Bremsen wirken auf die Zahnräder; sie haben nicht nur die Regelung und Begrenzung der Fahrgeschwindigkeit, sondern auch das Feststellen der Fahrzeuge an jeder Stelle des Gleises, namentlich im Fall eines Seilrisses zu bewirken. Die Seilscheibe erhält keine Bremsen. Meist sind 4 Arten von Bremsen vorhanden, u. zw. eine Handbremse zur Regelung der Fahrgeschwindigkeit, eine selbsttätig wirkende Bremse beim Seilbruch, eine Fliehkraftbremse, die bei Überschreitung der zulässigen Geschwindigkeit wirkt, und eine Rücklaufbremse, eine selbsttätig sich schließende Spindelbremse, die zunächst ein Fortlaufen der Wagen auf der Station verhindert; der Führer des Wagens, der die Bremskurbel dauernd hält, kann den Wagen rasch bremsen. Die Fahrgeschwindigkeit beträgt meist nicht mehr wie 1 – 2 *m* Sek.

Die Hauptverhältnisse von 10 Schweizer S. mit Wasserübergewichtsbetrieb sind folgende:
Betriebslängen 106 – 1700 *m*;
Höhenunterschied der Endstationen 30 – 440 *m*;
Größtneigungen 130 – 570 ‰;
Krümmungshalbmesser 120 – 320 *m*;
Spurweite 0·75 – 1·2 *m*;
Zahnstangen Riggenbach und Abt;
Seile: Litzenseile nach Langschlag;
Seilgewichte 2 – 3·7 *kg*/*m*;
Seildurchmesser 25 – 33 *mm*;
Größte normale Seilbelastung 1·6 – 7·2 *t*;
Wagengewichte 4 – 10 *t*;
Wagenplätze 20 – 50;
Erforderliche Wassermenge für eine Leerfahrt 0·7 – 4·7 *t*;
Anlagekosten für 1 *km* Bahn 297.000 – 1,116.000 Fr.

Der Betrieb mit Wasserübergewicht erscheint, wenn Wasser billig zur Verfügung steht, für kurze, steile Bahnen mit geringerem Verkehr zweckmäßig, denn Maschinenanlagen und deren Bedienung fallen fort. Für größere Anlagen treten aber die Nachteile dieser Betriebsweise in den Vordergrund, wie das Wassergewicht, das größere Belastungen, daher größeres Seilgewicht sowie größere lebendige Kräfte (größere Gefahr im Fall eines Seilbruches) bedingt, die durch Bremsarbeit einzuschränken sind. Auch die hierbei notwendige Einschaltung der Zahnstange in das Gleis erfordert Mehrkosten.

B. Maschinenantrieb.

Von beiden am Seil hängenden Wagen geht der eine abwärts, der andere aufwärts; was hierbei von der Schwerkraft nicht geleistet wird, übernimmt die Kraftmaschine, die somit an die Stelle der Wasserbelastung tritt. Zumeist sind elektrische, auch Verbrennungsmaschinen, ausnahmsweise Dampfmaschinen und Wasserkraftmaschinen in Verwendung.

Der elektrische Antrieb wird in der Regel vorgezogen, namentlich wenn Wasserkräfte zur Verfügung stehen, so daß den zumeist an der oberen, seltener an der unteren Station oder in der Bahnmitte angeordneten Maschinen der im Tal erzeugte Strom billig zugeführt werden kann. Nur in wenigen Fällen erfolgt der Antrieb der Elektromotoren durch Gas-, Benzin- oder Dampfmaschinen.

Die für den Maschinenantrieb erforderliche Kraft ist nach Abb. 12

$$P = Q_1 \sin\beta - Q_2 \sin\alpha + (Q_1 + Q_2)\, w \pm qh + R \quad \ldots 6)$$

Die Bezeichnungen und die Werte für Lauf- und Seilwiderstände sind die gleichen wie für die S. mit Wassergewichtsbetrieb (Gleichung 1).

Die erforderliche Maschinenkraft ist daher:

$$N^{\text{PS.}} = \frac{P^{kg}\, v^{m/\text{Sek.}}}{\eta \cdot 75} = \frac{P \cdot V^{km/\text{Std.}}}{\eta \cdot 270} \quad \ldots\ldots 7)$$

wobei v die Geschwindigkeit, 1 – 4 *m* Sek., η den Wirkungsgrad der Maschine bezeichnen.

Für einen mehrfach gebrochenen Längenschnitt ist P für die ungünstigsten Wagenstellungen zu ermitteln.

Wegen der Veränderlichkeit des Wertes qh des Seilgewichts ist wie bei den Bahnen mit Wassergewichtsbetrieb tunlichste Anpassung der Bahn an den theoretischen Längenschnitt, der ebenfalls die Form der gemeinen Zykloide (Fortfall des Wassergewichts) (s. Literatur v. Reckenschuß) erhält, zu empfehlen.

An Stelle der Zykloide kann namentlich für kleinere Anlagen die quadratische Parabel treten, die etwas höher liegt wie die Zykloide.

Für die Gleichungen der Parabel gilt Gleichung 3, nur ist für den Maschinenantrieb statt Gleichung 4: $B = \frac{q}{Q_1 + Q_2}$ zu setzen.

Zur Ermittlung von L dienen wieder Gleichungen 5 und 5 *a*.

Aus baulichen Gründen wird der theoretische Längenschnitt zumeist nicht eingehalten, es ist dann darauf zu achten, daß die Seillinie bei größter Seilspannung so tief liegt wie die Linie des Längenschnitts, damit ein Abheben des Seiles von den Rollen vermieden wird, aber nicht zu tief, damit die Rollen nicht zu stark belastet werden und der Bewegungswiderstand wie die Seilabnutzung nicht zu groß ausfallen. Gefällsbrüche sind daher entsprechend auszurunden. Die Größtneigungen der Bergbahnen mit Maschinenantrieb gehen bis 700‰ (Virglbahn, Tirol). Vorkommende Krümmungen haben Halbmesser von 120 – 600 *m*. Die Spurweiten der Gleise betragen 0·75 – 1·2 *m*, zumeist 1 *m*. Die Gleisanordnung ist die gleiche wie für die Bahnen mit Wasserübergewichtsbetrieb nach

Abb. 13–15, nur fehlt die Zahnstange mit wenigen Ausnahmen (z. B. Bürgenstockbahn, Monte Salvatore-Bahn, Schweiz). Eingleisige Anlagen mit der Antriebsstelle in der Bahnmitte können nach Abb. 20 (Salvatorebahn) angeordnet werden. Lange Bahnen werden zweiteilig (Niesenbahn, 3524 *m* lang), auch dreiteilig (Stanzerhornbahn, 3915 *m* lang) ausgeführt, bedingen also

Der Oberbau der in der Regel eingleisigen Anlagen mit Ausweichen in der Mitte hat zumeist die Form Abb. 25. Schienen mit Keilkopfform (durch die Zangenbremsen bedingt), auf meist eisernen Schwellen; die beiden Seilrollen in der Mitte; für die Ausweichen und in sonstigen Krümmungen sind die Rollen schräg gestellt (Abb. 26); Rollenabstand je nach Seilspannung

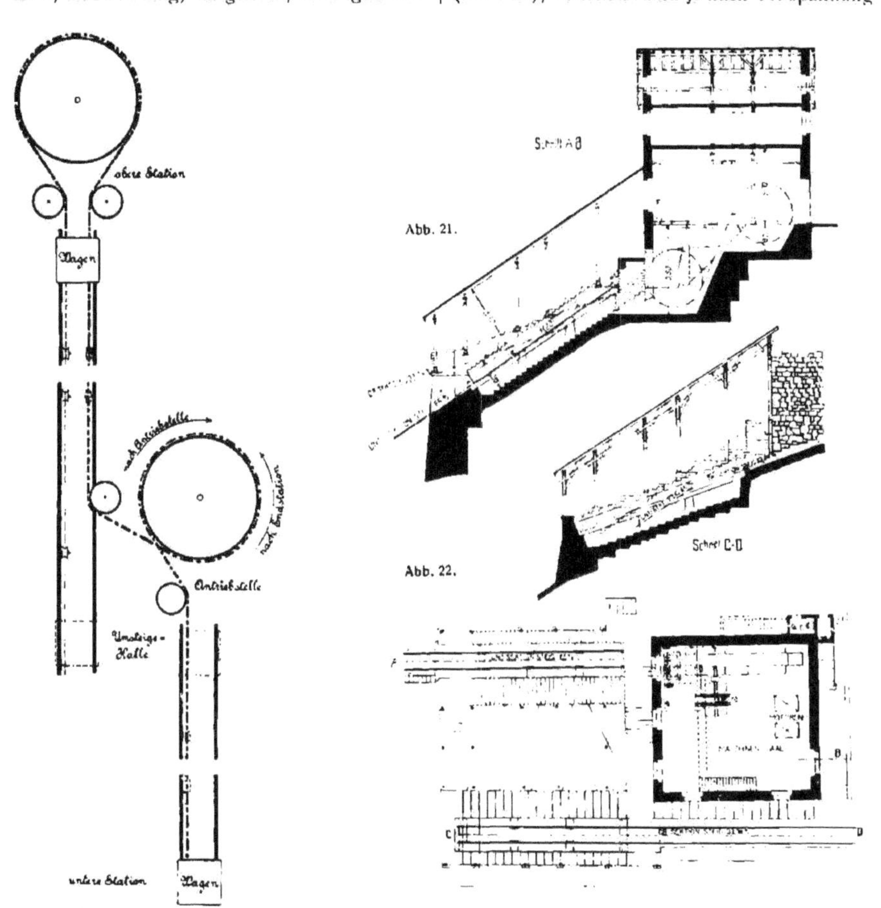

Abb. 20. Anordnung der Salvatorebahn.

Abb. 23. Umsteigstation der Niesenbahn.

ein- und zweimaliges Umsteigen; für jeden Abschnitt sind besondere Maschinenanlagen vorhanden, die voneinander unabhängig sind.

Die Umsteigstation der zweiteiligen Niesenbahn zeigen Abb. 21–23, die Endstation Abb. 24 (Schwz. Bauztg.).

Zumeist sind Litzenseile nach Langschlag von 2–5 *kg/m* Gewicht und 25–40 *mm* Durchmesser verwendet.

und Seilgewicht 5–10 *m*. Der Oberbau wird zumeist auf gemauerten Unterbau verlegt, mit dem er zeitweise verankert und gegen Verschiebungen gesichert wird (Abb. 27, Anordnung Niesenbahn, für 4 Schnitte). Auch die Bahngräben werden, wenn nicht im Felsboden liegend, gemauert; neben der Bahn ist bei stärkerer Bahnneigung eine Treppe für die Begehung durch die Aufsichtsbeamten vorhanden.

Abb. 24. Endstation der Niesenbahn.

Der Antrieb erfolgt durch Vermittlung von 2, auch 3 Scheiben mit einfacher oder mehrfacher Umschlingung des Seiles, um die erforderliche Reibung zu sichern. Die Anordnung einer

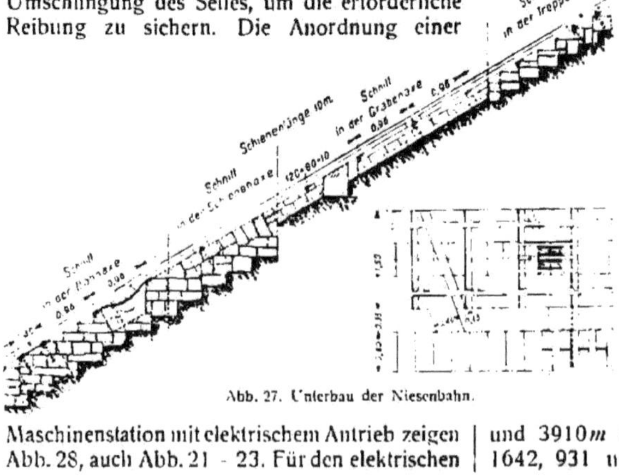

Abb. 27. Unterbau der Niesenbahn.

Maschinenstation mit elektrischem Antrieb zeigen Abb. 28, auch Abb. 21 - 23. Für den elektrischen Antrieb sind hauptsächlich Dreiphasenwechselstrom-, dann auch Hauptschlußgleichstrom-, Nebenschlußgleichstrom- und Verbundgleichstrommotoren mit 30 – 150 PS. Leistung, ausnahmsweise weniger in Verwendung. Der Antriebsmotor wird durch den Schwerkraftantrieb des abwärts gehenden Wagens unterstützt. Die Regelung der Fahrgeschwindigkeit und das Anhalten des Zuges erfolgt durch die Bremsen von der Maschinenstation aus. Ein hiervon unabhängiges Feststellen des Wagens, das namentlich im Fall eines Seilbruches erforderlich ist, erfolgt selbsttätig durch die an den Wagen angebrachten Zangenbremsen (Abb. 29), die die Köpfe der keilförmig geformten Bahnschienen umfassen und sichere Bremswirkung ermöglichen. Diese Bremse kann auch vom Führer bedient werden und ist nur eine Notbremse, dient also nicht zur Regelung der Fahrgeschwindigkeit. Weiteres hierüber s. Art. Elektrische Bahnen, Bd. IV, S. 282.

Auf 28 einteiligen Seilbahnen der Schweiz betragen die Längen 290 – 2200 *m*, die Höhenunterschiede der Endstationen 72 – 685 *m*, die Größtneigungen 180 – 680‰. Die Anlagen sind eingleisig mit mittlerer Ausweiche und 120 bis 735 *m* Krümmungshalbmesser, die Spurweite ist durchwegs 1 *m*. Die verwendeten Litzenseile

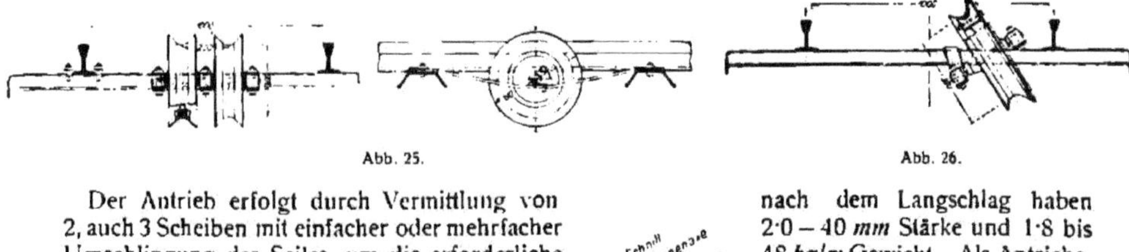
Abb. 25. Abb. 26.

nach dem Langschlag haben 2·0 – 40 *mm* Stärke und 1·8 bis 48 *kg*/*m* Gewicht. Als Antriebsmaschinen sind Dreiphasenwechselstrom- sowie Haupt- und Nebenschluß-Gleichstrommotoren in Verwendung. Bremsen sind auf der Antriebsstation, die von Hand und selbttätig wirken, sodann Zangenbremsen am Wagen. Die Wagen haben 4·5 – 7·8 *t* Eigengewicht und 32 – 70 Plätze. Die kilometrischen Kosten werden mit 147.000 bis 1,320.000 Fr. angegeben.

Unter den Schweizer S. finden sich auch drei zweiteilige und eine dreiteilige mit Gesamtlängen von 1600, 3500, 4235 *m* und 3910 *m* mit Höhenunterschieden von 623, 1642, 931 und 1400 *m*.

Bauweise Agudio. Wie schematische Darstellung Abb. 30 zeigt, wird ein Seil ohne Ende, also ein geschlossenes Triebseil von einer feststehenden Maschine, durch dieses Seil dann ein besonderer Triebwagen (Lokomotor) bewegt, mit dem die erforderlichen bergwärts gestellten Förderwagen für die Nutzlast verbunden werden. Durch die Übersetzungen im Triebwagen wird die Seilgeschwindigkeit von etwa 12 m/Sek. auf ungefähr 3 m/Sek. herabgesetzt, so daß eine etwa vierfache Übersetzung ins Langsame stattfindet und das Triebseil nur etwa $^1/_4$ der Stärke erhält, die es als unmittelbar wirkendes Zugseil erhalten müßte. Auch ist die Einrichtung so getroffen, daß der Wagenzug unabhängig von der Antriebsmaschine vom Triebwagen aus bewegt und angehalten werden kann. Die Zugkraftübertragung erfolgt durch Vermittlung eines Schleppseils oder einer Zahnstange mit wagrechten Zähnen, die in der Gleismitte (Abb. 31) angeordnet ist und in die die Zähne der wagrechten Räder des Triebwagens eingreifen. Bei der Talfahrt bleibt das Triebseil in Ruhe; es wickelt sich an den Seilscheiben des Triebrades ab. Die Geschwindigkeit wird durch Bremsen geregelt.

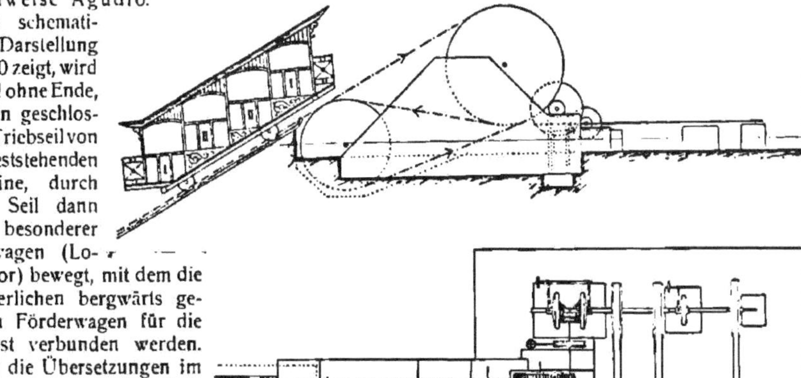

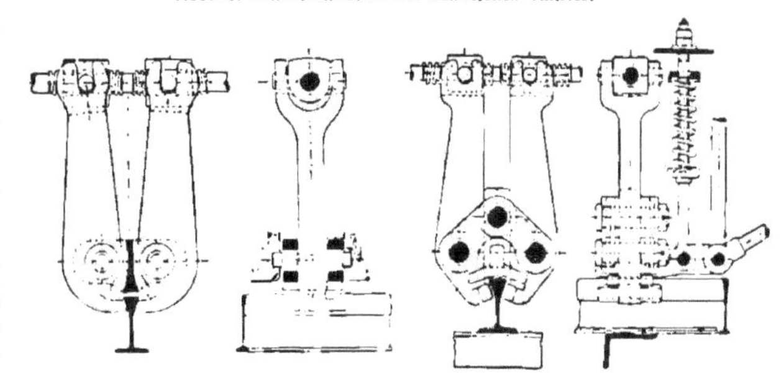

Abb. 28. Maschinenstation mit elektrischem Antrieb.

Abb. 29. Zangenbremsen.

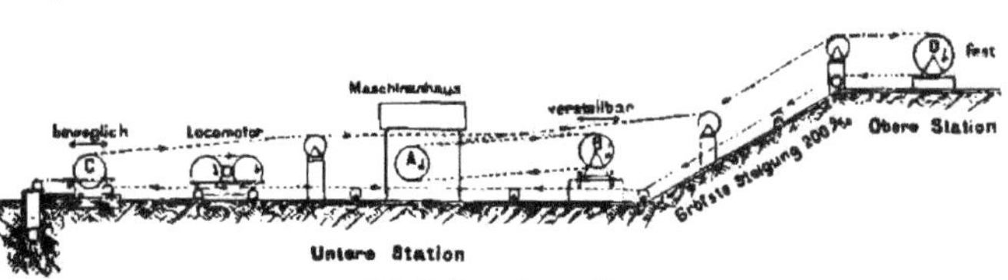

Abb. 30. Bauweise Agudio.

Eine Bahn dieser Bauart führt von Turin auf die Superga (Gruftkirche Viktor Amadeus II., des ersten Königs von Sardinien, und Aussichtspunkt); eine Versuchsstrecke wurde bei Dusino ausgeführt. Die Hoffnung Agudios aber, diese Seilbahnbauweise für die Überschienung der Alpen verwenden zu können, hat sich aus begreiflichen Gründen nicht erfüllt.

Literatur: Fliegner, Bergbahnsysteme vom Standpunkte der theoretischen Maschinenlehre. Zürich 1877. – Abt, Seilbahn am Gießbach. Zürich 1880. – Grueber, Die Agudio-Drahtseilbahn auf die Superga bei Turin. Wschr. d. Österr. Ing.-V. 1885. – Leu, Drahtseilbahn Bürgenstock. Schwz. Bauztg. 1888. – Strub, Drahtseilbahn Territet-Montreux-Glion. Aarau 1888. – Vautier, Etude des chemins de fer funiculaires. Paris 1892. – Strub, Drahtseilbahn auf den Monte Salvatore. Schwz. Bauztg. 1892. – Smallenburg, Bergbahn Lauterbrunnen - Mürren.

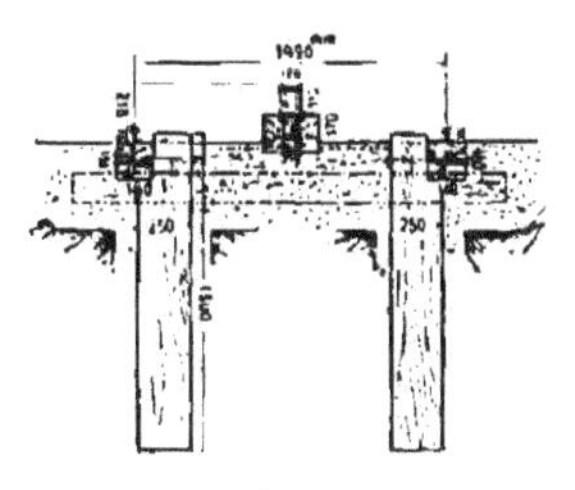

Abb. 31.

Schwz. Bauztg. 1892. Walloth, Die Drahtseilbahnen der Schweiz. Wiesbaden 1893. – Reichhardt, Die Stanserhornbahn. Ztschr. dt. Ing. 1896. – Wetzel, Davos Platz-Schatzalp-Bahn. Schwz. Bauztg. 1901. – Schleich, Drahtseilbahn des Rigiviertels in Zürich. Schwz. Bauztg. 1901. – Strub, Die Mendelbahn. Schwz. Bauztg. 1903. – N., Funiculaire de Charlanne à la Bourboule. Gén. civ. 1904. – Abt, Seilbahnen. Hb. d. Ing. W. 1906. – Schmidt, Bergbahn Heidelberg. Ztschr. dt. Ing. 1908. – Schwarz, Virglbahn bei Bozen. Organ 1908. – E. Seefehlner, Beitrag zur Theorie und Praxis der Seilbahnen. Elektrotechnik und Maschinenbau. Wien 1909. – Müller, Wirtschaftlichkeit der Schweizer Bergbahnen. Elektr. Kraftbetr. u. B. 1909. – Lambert, Chemins de fer funiculaires. Paris 1911. – Strub, Die Drahtseilbahnen der Schweiz. Wiesbaden. – Zehnder-Spörry, Die Niesenbahn. Schwz. Bauztg. 1911. – v. Reckenschuß, Der theoretische Längenschnitt von Drahtseilbahnen mit Doppelbetrieb. Organ 1913. – Armbruster, Die Tiroler Bergbahnen. Wien 1913. – Hunziker, Drahtseilbahn Engelberg-Gerschnialp. Ztschr. dt. Ing. 1913. – Schweizer. Eisenbahndepartement, Hauptverhältnisse der Schweizer Drahtseilbahnen. Ende 1913; Längenprofile der Schweizer Drahtseilbahnen. 1914.

Seilbetrieb auf Straßenbahnen.

Straßenseilbahnen, auch Kabel- oder Taubahnen.

Bahnen, meist auf städtischen Straßen, bei denen die Fortbewegung der Fahrzeuge durch ein Seil ohne Ende K (Abb. 32) erfolgt,

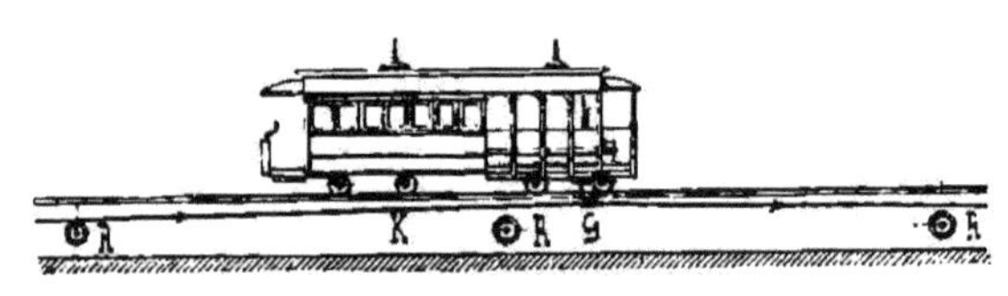

Abb. 32. Straßenseilbahn.

das unter der Bahn in einem besonderen, oben mit einem Schlitz versehenen Rohr oder

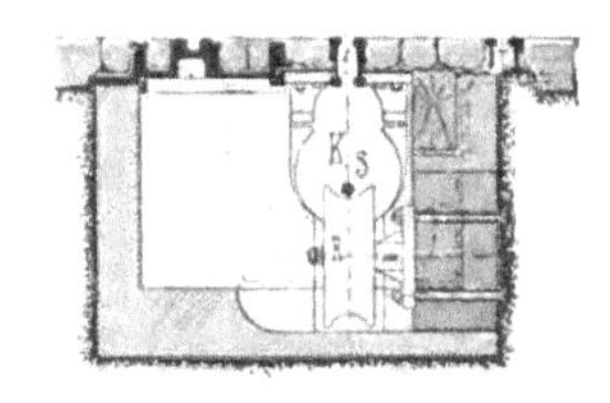

Abb. 33.

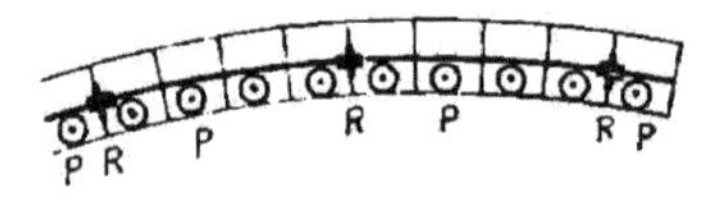

Abb. 34.

Kanal auf Rollen R von 0·25 – 0·45 m Durchmesser gelagert ist und von einem feststehenden Motor bewegt wird; die Fahrzeuge erhalten besondere Klemmvorrichtungen, Greifer G, die

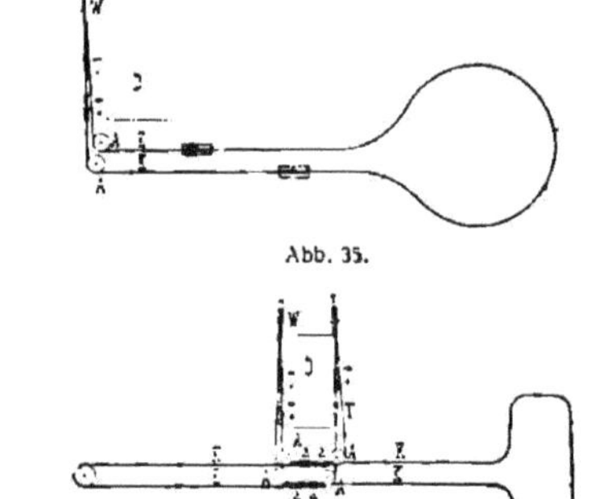

Abb. 35.

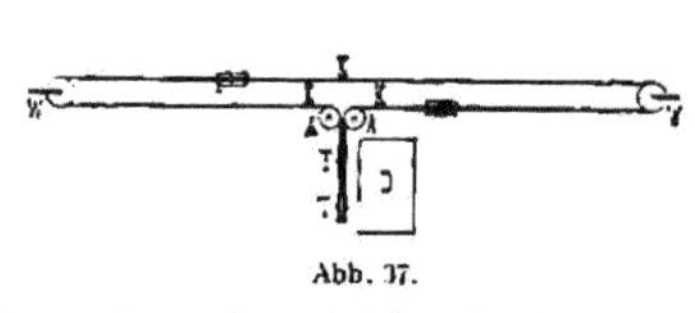

Abb. 37.

in den stellenweise mit Einsteigschächten versehenen Schlitzkanal (Abb. 33) reichen und die Verbindung mit dem in steter Bewegung befindlichen Seil bewerkstelligen. Auf städtischen Straßen ist ein besonderer Schutz des Seiles erforderlich, damit Hinderungen des Straßenverkehrs und Seilbeschädigungen vermieden werden. Die Bahnen wurden meist zweigleisig hergestellt. Mit den Bogenhalbmessern ist man bis auf 10·5 m herabgegangen; in den Bögen sind nach Abb. 34 außer den senkrechten Rollen R noch wagrechte Rollen P vorhanden. Die Größtsteigungen gehen bis 190‰. Die Spurweiten betragen 1·0 – 1·5 m, ausnahmsweise 0·5 m und 1·8 m.

Die Maschinenanlage befindet sich je nach den örtlichen Verhältnissen und Seillängen an einem der beiden Enden oder in der Mitte der Bahn. Abb. 35 – 37, worin D die Maschinenanlage, T die Seilscheiben, W die Seilspannvorrichtungen, A und a die Ablenkrollen und K das Seil bezeichnen. Die Umkehrung der Wagen findet durch Schleifen oder Weichen statt. Man kann annehmen, daß die Bewegung des Seiles 40 – 50 %, die der unbelasteten Wagen 30 – 40 % der motorischen Kraft beanspruchen. Die Fahrgeschwindigkeit bewegt sich von 10 – 25 km/Std. Die Baukosten waren im allgemeinen sehr hohe, sie betrugen etwa 200.000 – 900.000 M *km*. Straßenseilbahnen bestanden und bestehen namentlich in nordamerikanischen Städten, auch in Frankreich, England, Portugal, in Australien und Neuseeland; sie werden durch die meist zweckmäßigeren und billigeren elektrischen Straßenbahnen verdrängt. Ein besonderer Seilbetrieb ist für die Straßenbahn Palermo-Montreale eingerichtet (s. Elektrische Bahnen, Bd. IV, S. 281).

Seilbetrieb auf Lokomotivbahnen.

Auf stärker geneigten Strecken von Lokomotivbahnen hat man in den Reibungsbetrieb Seilbetrieb eingeschaltet, um größere Längenentwicklung der Bahn zu vermeiden und ausreichende Sicherheit bei Berg- und Talfahrt zu erzielen. So hatte man früher z. B. auf der zweigleisigen Bahn Düsseldorf-Elberfeld auf einer 2·5 *km* langen, mit 33‰ geneigten Strecke zwischen Erkrath und Hochdahl die Züge mittels eines am oberen Ende der Strecke über die dort angeordnete Umkehrrolle geführten Drahtseils, das mit einer auf dem zweiten Gleis nach abwärts gehenden Lokomotive verbunden war, aufwärts gezogen. Auch auf anderen Bahnen hatte man ähnliche, zurzeit meist wieder verlassene Anordnungen getroffen, auch solche, wobei am oberen Ende der Steilstrecke eine feststehende Maschine die Bewegung des mit dem Drahtseil verbundenen Zuges nach auf- oder abwärts bewerkstelligte.

Von solchen noch in Betrieb befindlichen Anlagen sind besonders bemerkenswert die Seilbahnstrecken, die in die mit 1·6 *m* Spurweite ausgeführte Reibungsbahn vom Hafen Santos nach der Stadt Sao Paulo in Brasilien, die Serrabahn genannt, die einen ganz bedeutenden Güterverkehr hat, eingeschaltet wurden. Mit 5 hintereinander liegenden Seilstrecken von je 154 – 164 *m* Höhenunterschied, 1·9 – 2·0 *km* Länge und rd. 80‰ Neigung, zwischen die 130 – 154 *m* lange, wagrechte Strecken eingeschaltet sind, wird ein Höhenunterschied von 800 *m* auf einer etwa 10 *km* langen Strecke überwunden. Am Ende jeder Seilstrecke befindet sich in einem Schacht unter dem Gleis eine Fördermaschine, die ein zwischen den Schienen liegendes Seil ohne Ende bewegt, mit dem die Lokomotive des etwa 150 *t* schweren Zuges durch Vermittlung einer Seilzange verbunden wird. Die Lokomotive hat den Zug in den wagrechten Zwischenstücken zu fördern und auch bei Berg- und Talfahrt im Fall eines Seilrisses zu bremsen. Die Strecken sind dreischienig, an den Ausweichestellen der berg- und talwärts gehenden Züge jedoch vierschienig und im erforderlichen Gleisabstand auseinandergezogen. Auf der Bahn verkehren täglich etwa 40 Güterzüge zu 150 *t* und 30 Personenzüge.

Auf der Centralbahn von New Jersey sind bei Ashley auf einer 20 *km* langen Strecke 3 Seilstrecken von 1524, 914 und 1128 *m*, also zusammen 3·6 *km* Länge mit Neigungen von 57, 147 und 93‰ eingeschaltet, durch die eine Höhe von rd. 310 *m* überwunden wird. Die Bahn ist zweigleisig; die 3 Antriebsmaschinen stehen an den oberen Enden der 3 Seilstrecken. Die Seilenden sind mit besonderen Schiebekarren von etwa 6·5 *t* Gewicht verbunden, durch deren Vermittlung der Zug mit etwa 6 Wagen hochgezogen wird. Die Schiebekarren befinden sich an den unteren Enden der Strecken in besonderen Gruben unter den beiden Gleisen; die hinteren Enden der beiden Karren sind durch ein Gegenseil verbunden. Die Förderungsgeschwindigkeit beträgt 20 – 45 *km*/Std. In der Stunde können auf den 3 Seilebenen etwa 60 Wagen befördert werden.

Auf der Ugandabahn (Afrika) hatte man zur Vermeidung eines Durchstichs den bedeutenden Kikuyu-Höhenzug mit 4 Seilbahnstrecken mit Steigungen von 90, 140, 420 und 480‰ übersetzt. Für die beiden ersten Strecken wurde Schwerkraftbetrieb, für die beiden letzteren außerdem noch Maschinenantrieb (Lokomobilen 30 PS.) eingerichtet. Die etwa 15 *t* schweren Güterwagen werden wegen starker Bahnneigung mit Hilfe besonderer, etwa 7 *t* schwerer Plattformwagen gefördert (s. Abb. 38). Die Fördergeschwindigkeit beträgt etwa 1·5 *m*/Sek.

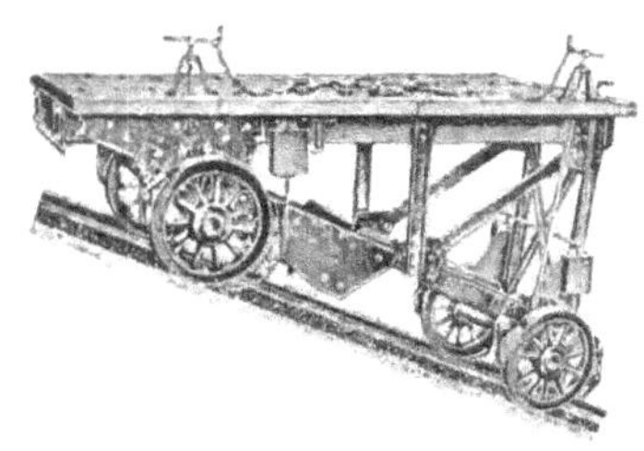

Abb. 38. Plattformwagen der Ugandabahn.

Auf Güter-, Kohlen-, Fabriksbahnhöfen erscheint der Seilbetrieb für die Verschiebung einzelner Wagen und Wagengruppen in vielen Fällen zweckmäßig.

Neben den Gleisen laufen endlose Zugseile auf Rollen (Abb. 39), an die die Wagen mittels eines Kuppelseils und besonderer Kupplungen oder Greifer (Bleichert, Hasenclever, Heckel) angeschlossen werden. Das Seil kann an mehreren Stellen gleichzeitig benutzt werden. Eine Unterführung des Seiles von einer auf die andere Gleisseite oder an das nächste Gleis ist, wie die Abbildung zeigt, leicht zu bewerkstelligen. Auch die Bewegung der Drehscheiben, Schiebebühnen und Spills kann mittels des Seiles erfolgen. Der Antrieb geschieht entweder durch eine besondere Maschine oder durch eine bestehende, auch sonst anderen Zwecken dienende Anlage. Die Anordnung eines Schwungrades in Verbindung mit einer Reibungskupplung ist zweckmäßig, weil zum

Abb. 39. Seilverschubanlage.

Anfahren eine größere Kraft nötig ist wie für die Förderung des bereits in Bewegung befindlichen Wagens. Die Maschinenanlage kann in diesem Fall sehr klein gehalten werden.

Seilbetrieb auf Grubenbahnen s. Art. Grubenbahnen, Bd. V, S. 395.

Literatur: Leißner, Amerikanische Bahnen mit Seilbetrieb. Ztschr. f. Bw. 1886. – Riedler u. Reichel, Seilstraßenbahnen in Amerika. Ztschr. dt. Ing. 1893. – Müller, Grundzüge des Kleinbahnwesens. Berlin 1895. – Ugandabahn. Eng. 1901, Ztschr. dt. Ing. 1901; Seilebenen bei Ashley, Pennsylvanien. Engg. News 1909; Organ 1909. – Jänecke, Serrabahn in Brasilien. Zentralbl. d. Bauverw. 1910. – Dolezalek, Kabelbahnen (Straßenseilbahnen). Luegers Lex. d. ges. Technik, 1. Aufl.

Seilhängebahnen.

Der Schwerpunkt der Fahrzeuge liegt unterhalb der Bahn, die aus einem oder mehreren Tragseilen besteht; ihre Bewegung wird entweder durch das Tragseil selbst oder durch ein oder mehrere besondere Zugseile bewerkstelligt. Man unterscheidet Seilhängebahnen, die nur dem Güterverkehr dienen, und solche, die auch für den Personenverkehr eingerichtet sind.

A. Seilhängebahnen für den Güterverkehr.

1. Bahnen mit beweglichem Tragseil ohne Zugseil. Wie Abb. 40 zeigt, wird nach

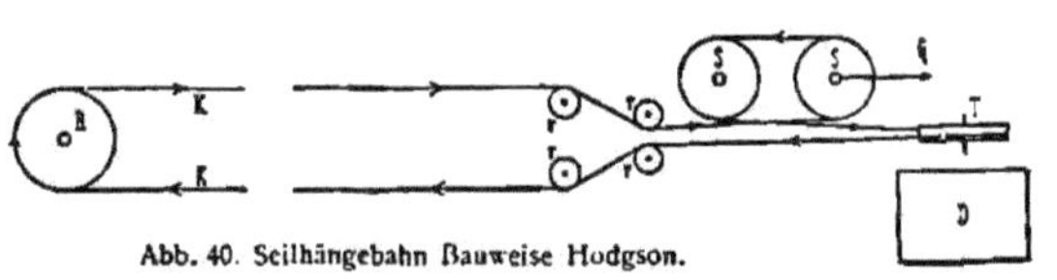

Abb. 40. Seilhängebahn Bauweise Hodgson.

Bauweise Hodgson das Tragseil *K* als Seil ohne Ende über die Seilscheiben *R*, *S* und *T* geschlungen. Die Scheibe *T* wird vom Motor bei *D* angetrieben; die Scheiben *S* sind mit der Spannvorrichtung *G* versehen. Das Seil *K* wird in Abständen von 50 – 150 *m* von Stützen (Holz, Eisen) getragen (s. Abb. 41) (Bleichert).

Diese Stützen erhalten nach Abb. 42 Rollen, auf denen das Seil *K* läuft; das Seil erfährt hierbei stärkere Biegungen, namentlich bei großen Belastungen und großer Stützenentfernung wegen des stärkeren Durchhangs. Man hat daher statt einer auch 2 oder 4 nebeneinander liegende Rollen mit gegenseitig beweglicher Lage zur gleichmäßigen Lastverteilung angeordnet (Bauart Roe). Die Förderwagen *W* erhalten ein Gehänge *g* mit einem Schlitten *S*, der mit Holz oder Kautschuk gefüttert ist, damit die Reibung zum Mitnehmen der Wagen durch das bewegte Tragseil ausreicht. Die

Abb. 41. Seilstütze aus Holz.

Rollen n dienen zur Führung der Wagen nach Verlassen des Seiles auf den meist festen Hängebahnen der Endstationen.

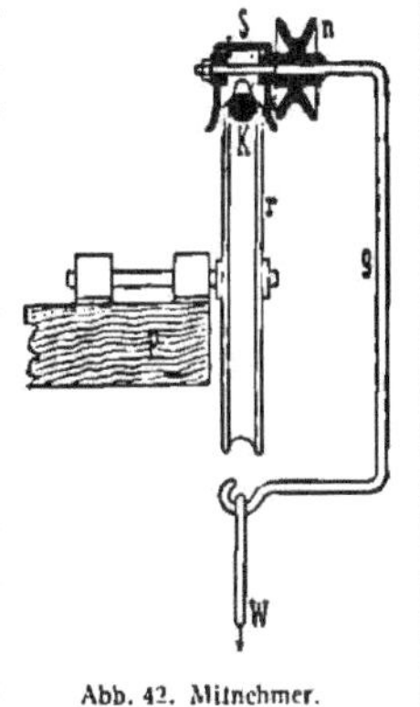

Abb. 42. Mitnehmer.

Bei größeren Neigungen ist das Mitnehmen der Wagen hierdurch nicht gesichert. Deshalb verwenden Bleichert und Pohlig (Abb. 43) als Mitnehmer Klemmen, die sich fest an das Seil anschließen, in starken Steigungen entsprechen und sich auch verschiedenen Seilstärken (verdickte Spleißstellen, abgenutzte Seile) anpassen.

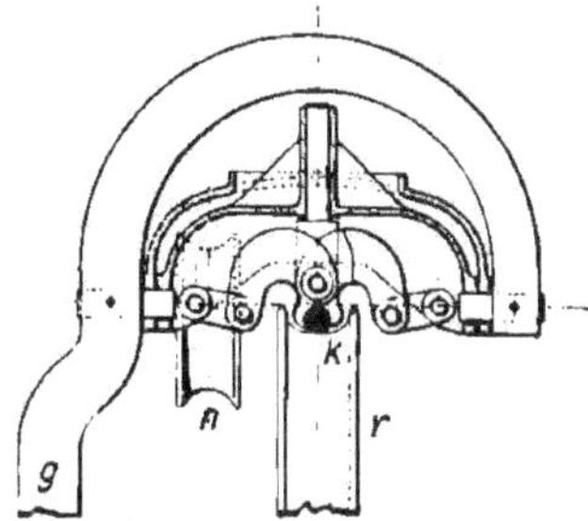

Abb. 43. Mitnehmer nach Bleichert und Pohlig.

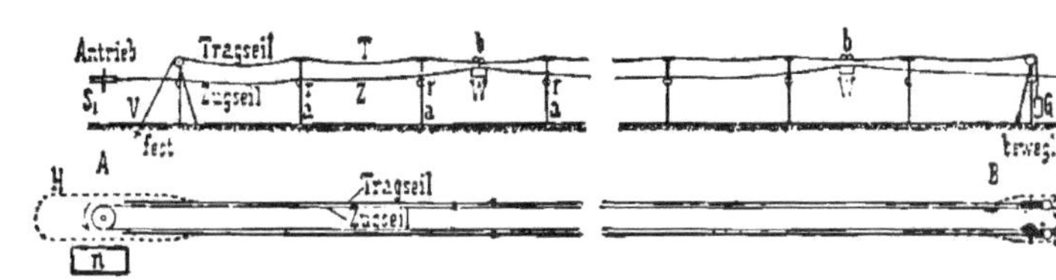

Abb. 44. Anordnung von Trag- und Zugseil.

Die Fördergeschwindigkeit bewegt sich von 1·5 – 3·0 m/Sek., die Einzellast meist von 100 – 300 kg, ausnahmsweise auch mehr. Den Vorteilen dieser Bauweise, wobei nur ein Seil erforderlich ist, weshalb die Anlagekosten gering werden, stehen die Nachteile größerer Betriebskosten infolge Antriebs des schweren Tragseils sowie des größeren Seilverschleißes und bei Verwendung der Schlitten als Mitnehmer auch der geringen Sicherheit wegen Rutschens der Schlitten auf dem Seil und der größeren Gefahr des Herabfallens der Wagen beim Übergang der Tragrollen gegenüber. Pohlig hat diese Bauart mit sicheren Mitnehmern, besonders auch für militärische Zwecke eingerichtet, die im Kriege vielfach verwendet wurde.

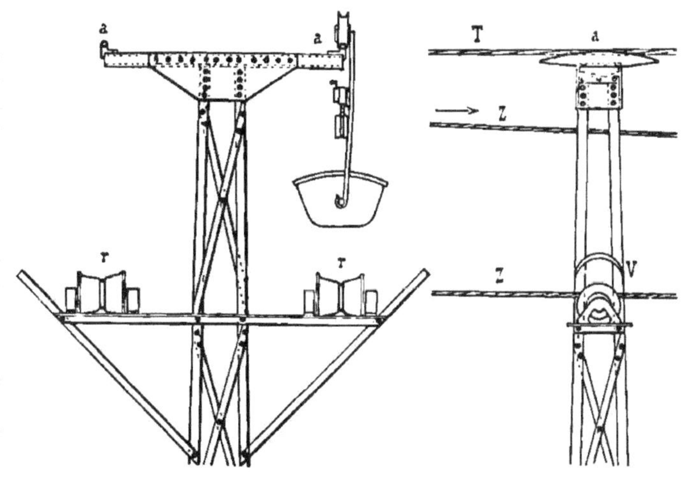

Abb. 45. Auflagerung der Tragseile.

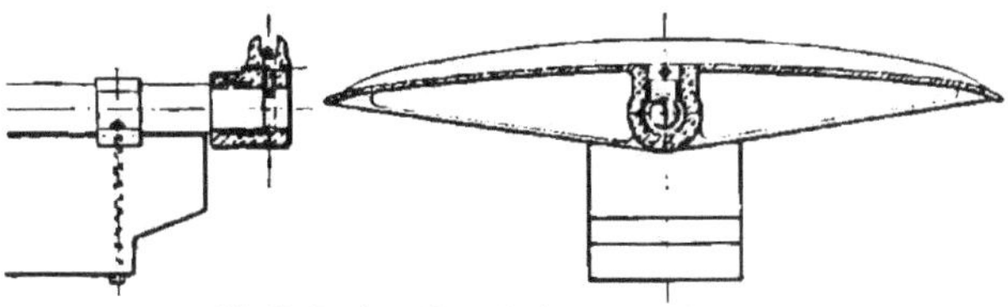
Abb. 46. Drehbares Tragseilauflager nach Pohlig.

2. Bahnen mit Trag- und Zugseil (deutsche Bauart). Nach Abb. 44 sind die Tragseile T bei A befestigt, bei B mit einem entsprechend großen Spanngewicht G, um Zugspannungen von Längen- und Belastungsänderungen unabhängig zu machen, versehen. Das endlose Zugseil Z geht um die Scheibe S_1, die vom Motor u (Dampf, Elektrizität, Wasserkraft) angetrieben wird, und an der zweiten Endstation über die Scheibe S_2, die mit einem Spanngewicht g verbunden ist. Das eine Tragseil ist für die hingehenden, das andere für die zurückgehenden Wagen bestimmt.

Abb. 47.

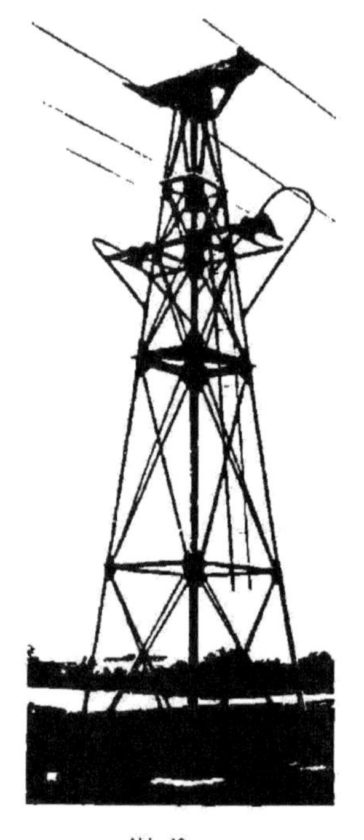

Abb. 48.

Abb. 49.

Seilbahnstützen aus Holz, Eisen, Beton.

Die Tragseile T (Abb. 45) liegen auf den Auflagern a der Stützen, die fest oder besser in der Seilrichtung drehbar (nach Abb. 46, Anordnung Pohlig) sein können, damit der Auffahrstoß gemildert wird.

Ungünstige Druckbelastungen des über der Stütze festliegenden Seiles durch die Räder wird durch erhöhte Ränder der Rille der Auflager vermieden.

Das Zugseil Z läuft, soweit es nicht von den Wagen getragen wird, auf Rollen r. Starkes Schwanken der Zugseile wird durch Fangarme verhindert, die nicht nur nach außen, sondern auch nach innen gegen den Pfeiler angeordnet werden können. Die sicherste Führung zeigt Abb. 51, wobei das Zugseil durch 2 Fangarme in einen Schlitz geleitet wird, der in der Ebene der Seilrollen liegt. An den beiden Endstationen A und B wird die Verbindung der Wagen mit dem Zugseil meist selbsttätig gelöst; die Wagen werden dann auf besonderen Zubringerbahnen H (steife Hängebahnen) (Abb. 44) den Be- und Entladestellen zugeführt.

Die Stützen der Bahn sind aus Holz (Abb. 47), Eisen (Abb. 48), Eisenblech (Abb. 49), Beton, Betoneisen (Abb. 50 u. 51) und haben verschiedene Formen und Höhen. Die Höhen der Stützen betragen 5 - 15 m und gehen ausnahmsweise bis etwa 50 m, ihr Abstand beträgt in der Regel 50 – 100 m; in Ausnahmefällen, bei Übersetzungen von Flüssen, Schluchten, tief eingeschnittenen Tälern, sind Stützweiten bis etwa 1200 m zur Ausführung gekommen, wobei natürlich der Seildurchhang sehr groß wird.

Der Seildurchhang ergibt sich nach Abb. 52 unter der Annahme einer parabolischen Stützlinie für das Eigengewicht q und hierdurch hervorgerufenen wagrechten Seitenkraft der Seilspannung H_1 bei geringen Längenunterschieden von a und $A\,B$ ungefähr, aber genau genug

$$\text{bei } D \cdot f_1 = \frac{q \cdot c \cdot d}{2\,H_1},$$

$$\text{in der Mitte } f_1' = \frac{q\,a^2}{8\,H_1}.$$

Kommt noch eine Last P hinzu, so wird der Durchhang bei einer gesamten wagrechten Seitenkraft der Seilspannung H_2 an der Belastungsstelle

$$f_2' = \frac{a \cdot q \cdot c \cdot d + 2\, Pc \cdot d}{2\, a\, H_2}$$

für die Mitte $f_2' = \frac{q a^2 + 2\, Pa}{8\, H_2}$;

bei geringem Höhenunterschied der beiden Stützen $S_A = S_B = S$; setzt man $S = H_2$, so wird

$$f_2' = \frac{q a^2 + 2\, P \cdot a}{8\, S}$$

Abb. 50. Seilbahnstütze aus Eisenbeton.

Für mehrere Einzellasten werden die Senkungen, die für einen Punkt rechnerisch ermittelt werden, zu den durch das Eigengewicht erzeugten Senkungen hinzugerechnet.

Der Seildurchhang muß auch ergeben, daß bei Übersetzung einer Geländesenkung das Tragseil sicher auf den dazwischen liegenden Stützen lagert.

Die Wagen haben verschiedene, der Art der Förderlast angepaßte Formen (Abb. 53 – 57). Das Laufwerk hat 2 oder 4, ausnahmsweise 8 Rollen. Anordnungen mit 4 Rollen, wie sie von Bleichert und Pohlig (Abb. 55 u. 56)

Abb. 51.
Seilbahnstütze aus Eisenbeton mit gesicherter Zugseilführung.

ausgeführt werden, sind wegen Verminderung der Biegungsbeanspruchung des Tragseils und besserer Führung der Wagen vorteilhaft; dagegen wird das Wagengewicht etwas vergrößert.

Die Mitnehmer, Klemm- oder Kupplungsvorrichtungen, durch die die Wagen mit dem Zugseil verbunden werden, sollen rasche, in starken Neigungen und auch bei Unterschieden in den Seilstärken sichere Verbindung mit tunlichster Seilschonung sowie leichte und selbsttätige Lösung vom Seil beim Übergang der Wagen auf die festen Hängebahnen der Endstationen ermöglichen.

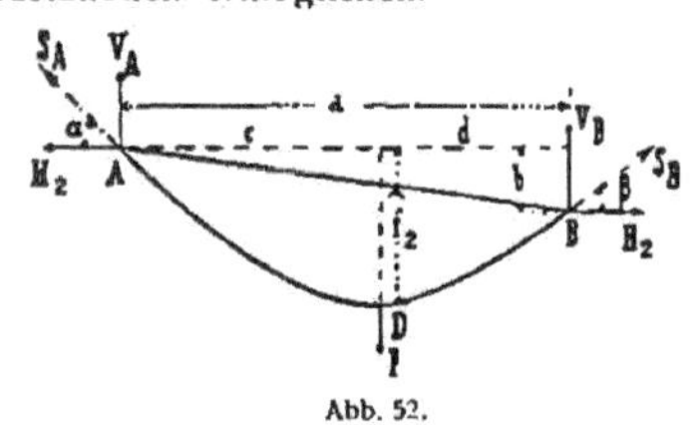

Abb. 52.

Sie sind entweder unterhalb (Unterseilbetrieb) oder oberhalb (Oberseilbetrieb) des Laufwerks angeordnet. Im ersten Fall sind sie mit dem Wagengehänge (Abb. 54) oder mit dem Laufwerk (Abb. 53) selbst fest verbunden; im zweiten Fall sind sie oben am Laufwerk angebracht (Abb. 57). Die anfänglich durchwegs gebrauchte

Abb. 53. Seilbahnwagen. Mitnehmer mit Laufwerk fest verbunden.

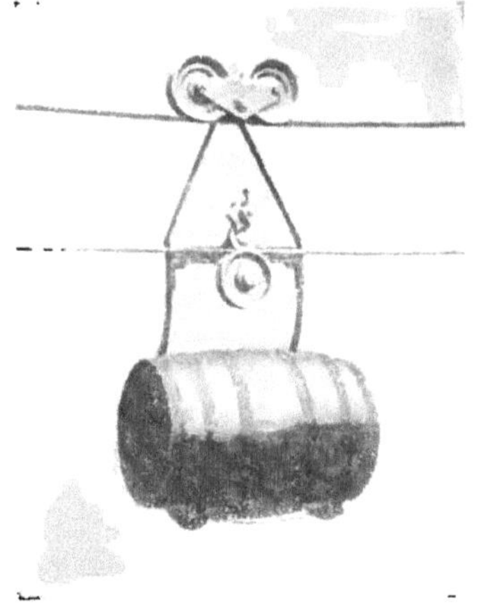

Abb. 54. Mitnehmer mit dem Wagengehänge fest verbunden.

Abb. 55. Laufwerk mit 4 Rollen nach Bleichert und Pohlig.

ältere Anordnung am Wagengehänge (Abb. 54) ist weniger günstig, weil in geneigten Strecken infolge der Zugseilwirkung der Wagen sich

Abb. 56. Mitnehmer mit dem 4 Rollen-Laufwerk fest verbunden.

Abb. 57. Anordnung des Zugseils ober dem Tragseil.

nicht lotrecht einstellt. Bei der Anordnung eines Oberseils (Abb. 57) ist dieser Übelstand vermieden, auch wirken die Zugkräfte ungefähr in der Tragseilrichtung. Da hierbei das Zugseil wegen des Durchhangs nicht über das Tragseil gelegt werden kann, daher seitwärts angreift, so besteht Entgleisungsgefahr. Am meisten sind daher Anordnungen Abb. 53 u. 56 in Verwendung, wobei die Kupplung mit dem Laufwerk und knapp unter diesem verbunden ist. Es sind verschiedene Kupplungsvorrichtungen von den Seilbahnfabrikanten ausgeführt und vorgeschlagen worden, worüber näheres der Literatur zu entnehmen ist. Als Tragseile werden meist Spiralseile oder geschlossene Seile, als Zugseile in der Regel Litzenseile verwendet. Tragseile über

400 *m* Länge werden zweckmäßig gekuppelt. Die Trag-, auch Zugseile werden geschmiert, wozu für längere Strecken besondere Schmierwagen dienen. Die Linienführung erfolgt tunlichst in gerader Richtung. Bei Längen von mehr als 10 *km* werden in der Regel Zwischenstationen ausgeführt, in denen der Zugseilbetrieb unterbrochen wird. Im schwierigen Gelände jedoch werden Zwischenstationen auch in geringeren Abständen angeordnet. Da Abweichungen von der geraden Richtung wegen Geländeschwierigkeiten nicht immer zu vermeiden sind, so werden an den Knickstellen mit beliebigen Winkelgrößen sog. Winkelstationen eingeschaltet. Für kurze Strecken von 3 – 5 *km* Länge sind Kurvenstationen zweckmäßig, die bei Anwendung einer entsprechenden Kupplung ohne Unterbrechung des Zugseilantriebs von den Wagen selbsttätig durchfahren werden können. Bei der Führung durch Tunnel hat man an Stelle des Tragseils ein festes Gestänge im Gewölbe aufgehängt. An den beiden Eingängen findet daher der Übergang vom Tragseil auf das Gestänge statt. Bei Übersetzung von Verkehrswegen (Straßen, Eisenbahnen, Kanälen) werden in der Regel Schutznetze oder Schutzbrücken (Abb. 58) verlangt, damit Schädigungen durch herabfallende Teile der Förderlast oder der Wagen selbst vermieden werden. Tragseile über 2000 *m* Länge erhalten mittlere Spannvorrichtungen und Verankerungen.

Die Neigungsverhältnisse sind nicht beschränkt. Ausgeführt sind Neigungen bis etwa 100 %. Als Beispiel sind in Abb. 59 Lageplan und Längsschnitt der etwa 9 *km* langen, von Bleichert ausgeführten Usambarabahn (Afrika) gegeben, auf der ungeteilte schwere Baumstämme mit etwa 1000 *kg* Einzellasten zu fördern sind. Der größte Stützenabstand beträgt 900 *m*, die größte Höhe des Tragseils über Bodenfläche 130 *m*, die Größtsteigung 86 %.

Die für den Betrieb der Seilhängebahnen erforderlichen Zugkräfte betragen

$$P^{kg} = \Sigma W \pm n \cdot Q \cdot \sin \alpha$$

in der Steigung und im Gefälle.

Die Summe der Widerstände ist genau genug:

$$\Sigma W_{kg} = n\,(Q + 2\,Q_1 + 2\,q e)^t \cos \alpha \cdot w^{kg\,t}$$

daher die erforderliche Maschinenleistung

Abb. 58. Schutzbrücke bei Straßenübersetzung.

$$N^{PS.} = \frac{P^{kg} \cdot v^{m/Sek.}}{75} + N_0^{PS.}$$

Hierin bezeichnen:

ΣW die Gesamtwiderstände der Fahrzeuge und des Zugseils;

n die halbe Anzahl der Wagen, vorausgesetzt, daß ebensoviele beladene Wagen in einer Richtung fahren, wie leere in der andern;

Q die Nutzlast eines Wagens;

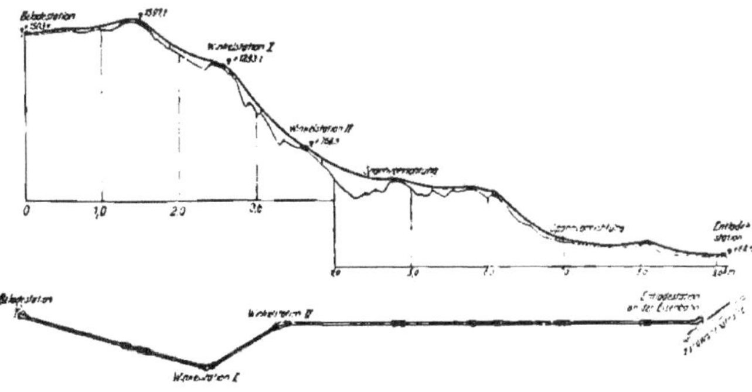

Abb. 59. Lageplan und Längsschnitt der Usambarabahn.

Q_1 das Eigengewicht eines Wagens;

q das Einheitsgewicht des Zugseils in *kg/m*;

l Abstand der Wagen, auf denen das Zugseil lastet;

α Neigungswinkel der Bahn zwischen den beiden Endpunkten einer Strecke;

$$\operatorname{tg} \alpha = \frac{h}{L} = \frac{\text{Höhenunterschied}}{\text{Seilbahnlänge}};$$

w der Laufwiderstand der Wagen (Rollreibung, Zapfenreibung, Seilwiderstand). Meist wird w mit 0·01 – 0·02 oder 10 – 20 kg/t anzunehmen sein;

P die erforderliche Zugkraft;

v die Geschwindigkeit, $v = 1 - 4$ m/Sek.;

$N^{PS.}$ die erforderliche Maschinenleistung;

$N_0^{PS.}$ Zusatzleistung für Widerstände in den Endstationen, $N_0 = 1 - 5$ PS.;

Für $\lessgtr W = n \cdot Q \cdot \sin \alpha$ oder

$$(Q + 2\,Q_1 + 2\,qe)\, w \cos \alpha = Q \sin \alpha,$$

daher

$$\operatorname{tg} \alpha = \frac{(Q + 2\,Q_1 + 2\,qe)\, w}{Q}$$

ergibt die Neigungsgrenze, bis zu der noch Maschinenkraft erforderlich ist; darüber hinaus ist Bremskraft nötig; solche Anlagen nennt man **Bremshängeseilbahnen**.

Die Zahl der zu fördernden Wagen ist:

$$n = \frac{G^{kg/Std.}}{Q^{kg}} \cdot \frac{L^m}{3600 \cdot v^{m/Sek.}}$$

G Gesamtfördermenge in kg/Std.;

Q Nutzlast eines Wagens in kg;

L Streckenlänge in m.

Man kann annehmen, daß bei gerader Strecke, auf ebenem Boden und bei gleicher Höhenlage der beiden Endstationen die erforderliche Betriebskraft etwa 0·1 PS. f. d. km Bahnlänge und für 1 t stündliche Leistung beträgt. Es ist tunlich, in jeder Minute etwa 3 Wagen zu fördern, die einander in Zwischenräumen von 20 Sekunden folgen. Die Belastung der einzelnen Wagen beträgt 150 – 1000 kg und nur ausnahmsweise mehr. Bei Förderungen von mehr als 800 t täglich (10 Arbeitsstunden) empfiehlt es sich, eine Doppelseilbahn auszuführen.

Über die Anlagekosten von Luftseilbahnen lassen sich allgemein zutreffende Angaben nicht machen, da die Verhältnisse, unter denen sie erbaut werden müssen, zu verschieden sind.

Länge der Bahnlinie in m	Tägliche Fördermenge in t				
	100	200	300	400	500
500	15·00	16·50	18·00	20·50	22·00
1000	12·50	14·25	16·25	18·00	19·25
2000	11·25	13·50	15·50	17·00	18·75
5000	10·75	13·00	14·75	16·50	18·25
Förderkosten in Mark für je 10 t:					
500	0·92	0·62	0·53	0·48	0·47
1000	1·20	0·82	0·65	0·60	0·54
2000	1·70	1·12	0·90	0·78	0·75
5000	2·95	2·00	1·55	1·35	1·20

Bleichert & Co. geben für ebene Bodenoberfläche bei ungefähr gleicher Höhenlage der beiden Endstationen die in obenstehender Tabelle verzeichneten Preise für Luftseilbahnen und deren Förderkosten an.

Die Preise sind für einen laufenden m Bahn in Mark angegeben; darin sind nicht enthalten längere Weichenanlagen, der zum Betrieb erforderliche Motor sowie die Kosten für die Einrichtung der Bahnlinie, die von den lokalen Verhältnissen abhängen und bei ebener Bodenoberfläche unter Ausschluß größerer Schutzbauten mit etwa 4 M. für einen laufenden m Bahn angenommen werden können.

Die Seilhängebahnen finden vorteilhafte Verwendung für die Förderung leicht teilbarer Massengüter, so daß eine Ladung das Gewicht von 300 – 1000 kg nicht wesentlich überschreitet; die Überwindung ungünstiger Bodenverhältnisse sowie der Grunderwerb sind mit verhältnismäßig geringen Kosten zu ermög-

Abb. 60. Meerseilbahn in Neu-Kaledonien.

lichen; meist ist der Ankauf der Grundflächen, über die die Bahn geführt wird, nicht erforderlich, es genügt die Zahlung von Entschädigungen an die Grundbesitzer, da der unter der entsprechend hoch geführten Seilhängebahn liegende Boden seiner früheren Verwendung nicht entzogen wird. Für die Be- und Entladung von Schiffen, wie z. B. (Abb. 60) die von Bleichert erbaute **Meerseilbahn** in Neu-Kaledonien, auch für die Rettung Schiffbrüchiger, wie die von Bleichert am Hoek van Holland ausgeführte Meerseilbahn, werden Seilhängebahnen mit Vorteil verwendet. Der Betrieb ist unter allen Witterungsverhältnissen möglich, eine Beeinträchtigung durch Schnee oder Hochflut findet nicht statt, er erfordert geringe Bedienung, wozu auch ungeschulte Arbeitskräfte genügen. Infolge Anordnung eines Zugseils ohne Ende wird die Schwerkraft der abwärts gehenden Wagen zur Hebung der aufwärts gehenden ausgenutzt, daher an motorischer Kraft gespart. Sowohl der Bau wie der Betrieb ist ein billiger.

Zur Schüttung von Halden oder Dämmen werden zur Beseitigung des Abraums und sonstiger Abfälle der Bergwerke und Hüttenanlagen auch ausnahmsweise im Erdbau die sog. **Haldenseilbahnen** verwendet. Hierbei können die Wagen an jeder beliebigen Stelle der S. mit Hilfe eines an der betreffenden Stelle des Tragseils befestigten und beliebig verschiebbaren Rahmens oder Anschlags (Abb. 61) selbsttätig gekippt und entleert werden. Die Tragseile können für die Hin- und Rückfahrt, also für beladene und leere Wagen, verschiedene Stärken erhalten.

3. Seilbahnkrane. Seilhängebahnen mit einem oder 2 Tragseilen, auf denen die Aufzugvorrichtung, die Laufkatze, sich bewegt.

Die Tragseile liegen auf 2 Endpfeilern oder Türmen, die feststehend oder beweglich sein können.

Die Laufkatze wird entweder (Abb. 62, Anordnung Bleichert) durch ein endloses Zugseil bewegt, wobei das Heben und Senken der Last an jeder beliebigen Stelle der Bahn durch ein Hubseil erfolgt, das vom Führerstand am Turm mittels einer Winde bedient wird; oder (Abb. 63) der Führerstand befindet sich nicht am Turm, sondern auf der Laufkatze selbst, wobei das Fahr- und Windwerk sowie auch die Antriebsmaschine auf der Laufkatze sich befinden und vom mitfahrenden Führer bedient werden.

Die zweite Anordnung ist die teuerere wegen nennenswerter Vermehrung der Belastung der Laufkatze, wodurch stärkere Seile und Türme bedingt werden, ist aber die

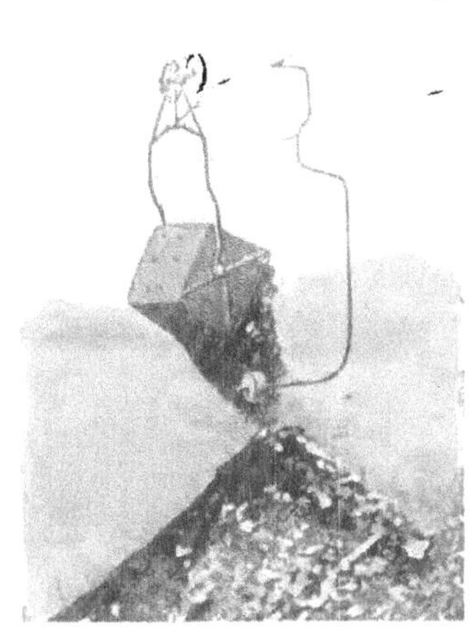

Abb. 61. Haldenseilbahn.

Abb. 62. Seilbahnkran.

sicherere und leistungsfähigere. Bei neueren Anlagen hat man die Vorzüge der beiden Bauarten zu vereinigen versucht in der Weise, daß man die Antriebsmaschine mit der Bremse in einem der beiden Türme, die Fahr- und Hubeinrichtungen auf der Laufkatze unterbringt, wodurch ihre Belastung erheblich vermindert wird.

Der auf der Laufkatze tätige Führer kann mittels elektrischer Fernsteuerung die Bewegungen der Antriebsmaschine im Turm veranlassen.

Die Seilspannweiten gehen bis etwa 500 *m*, die Größtbelastungen durch die Laufkatze bis 5 *t*, ausnahmsweise bis 10 *t*; die Fahrgeschwindigkeit der Laufkatze bewegt sich von 1 – 5 *m*/Sek. und die des Hubseils meist von 0·75 – 1·5 *m*/Sek. Die Seilbahnkrane finden vielseitige Verwendung für Eisenbahn-, Brücken- und Kanalbauten, für Steinbruch- und Hafenbetrieb, für Bekohlung von Schiffen und Lokomotiven.

Abb. 63. Laufkatzenanordnung nach Bleichert.

Literatur: Dolezalek, Luftseilbahnen. Luegers Lex d. ges. Technik, 1. Aufl., 1898. -- Kotzschmar, Moderne Drahtseilbahnen und Verladevorrichtungen. Verh. d. V. z. Beförd. d. Gewerbefleißes. 1903. Dieterich, Erschließung der nordargentinischen Kordilleren mittels Bleichertscher Drahtseilbahnen. Ztschr. dt. Ing. 1906; Aufschließung der Nickelerzlagerstätten in Neukaledonien. Ztschr. dt. Ing. 1907. – Stephan, Luftseilbahnen. Berlin 1907. – Goetzke, Theorie und Berechnung der Drahtseilluftbahnen. Verh. d. V. z. Beförd. d. Gewerbefleißes. 1908. – Buhle, Seilbahnen. Luegers Lex. d. ges. Technik. 2. Aufl., 1910; Kabelhochbahnkrane. Ztschr. dt. Ing. 1910. – Feldhaus, Zur Geschichte der Drahtseilschwebebahnen. Berlin 1911. – Wettich, Die Entwicklung Usambaras. Verh. d. V. z. Beförd. d. Gewerbefleißes 1911. – v. Hanffstengel, Ungewöhnliche Drahtseilbahnen. Ztschr. dt. Ing. 1912; Die Förderung von Massengütern. Bd. II, Berlin 1915. – Buhle, Kabelkrane und Luftseilbahnen. Glasers Ann. 1915. – Stephan, Beitrag zur Berechnung der Seilbahnen. Fördertechnik 1915. – Wille, Seilbahnen zum Anschütten von Halden. Fördertechnik 1916. – Heinold, Seilbahnkrane neuerer Bauart. Ztschr. dt. Ing. 1916. – A. Bleichert, Schriften über Seilhängebahnen. Fabrik Leipzig-Gohlis. — Pohlig, Schriften über Seilhängebahnen. Fabrik Köln-Zollstock.

B. Seilhängebahnen für den Personenverkehr.

Ausnahmsweise dienen die geschilderten Güter-Seilhängebahnen auch dem Personenverkehr. In der Regel aber werden namentlich für Bahnen, die überwiegend für den Personenverkehr bestimmt sind, größere Sicherheitsmaßnahmen getroffen. Zunächst wird die Anzahl der Seile vermehrt, so daß bei Bahnen mit Trag- und Zugseilen mindestens 3 Seile, bei Bahnen, bei denen die Tragseile gleichzeitig als Zugseile wirken, mindestens 2 Seile vorhanden sind. Vielfach werden 4 und 5, ausnahmsweise noch mehr Seile angeordnet. Für die Seile wird größere Bruchsicherheit gefordert. Die Wagen erhalten, sofern sie auf den Tragseilen laufen, mindestens 4 Laufräder; stellenweise sind Einrichtungen gegen das Abheben der Räder von den Tragseilen getroffen. Die Laufwerke erhalten Brems- oder Fangvorrichtungen, um die Wagen an den Tragseilen oder an einem besonderen Bremsseil an jeder Stelle der Bahn festhalten zu können. Für stärker geneigte Bahnen, also für Bergbahnen, ist ein endloses Zugseil nicht erforderlich; wohl findet man auch ein endloses Zugseil oder ein Gewichts- oder Gegenseil, um die veränderlichen Gewichte des Zugseils auszugleichen. Selbst die Anwendung eines Führungsseils, das stärkere Seitenschwingungen der Wagen verhindern soll, hat man im einzelnen Fall für nötig erachtet. Die Tragseile sind in der Regel Spiral- oder verschlossene Seile, die Zugseile Litzenseile. Die Unterstützung der Tragseile erfolgt entweder nur an beiden Enden oder auch durch Zwischenstützen, in der Regel durch Eisenpfeiler in verschiedenen Abständen; freie Weiten bis 800 *m* kommen vor, wo tiefe Schluchten oder Täler zu übersetzen sind. Die Fahrgeschwindigkeiten bewegen sich meist zwischen 1·5 und 4·0 *m*/Sek., ausnahmsweise etwas weniger oder mehr. Bei Bergbahnen stehen die in der Regel elektrisch betriebenen Antriebsmaschinen auf der oberen, auch wohl auf der unteren Station.

1. Bauweisen mit einem Trag-, einem Zug- und einem Bremsseil.

Wie Abb. 64 zeigt, hat das Laufwerk 4 Räder mit Doppelspurkränzen, die auf dem Tragseil *t* laufen. Die Bewegung der Wagen erfolgt durch das Zugseil *z*, das auf geneigter Bahn ein Gegenseil *g* erhält. Das von der Anfang- bis zur Endstation durchgehende, in Ruhelage sich befindliche Bremsseil *b* geht durch den mittleren Teil des Laufwerks, in dem sich die Bremsklemmen befinden. Im Fall eines Zugseilbruches wird der Wagen selbsttätig an das Bremsseil gekuppelt. Zum Anpressen der Bremsbacken an das Seil wird das Eigengewicht der Wagen und der Zug des Gegenseils benutzt. Die Bremse kann auch vom Wagenführer betätigt werden. Das sonst festliegende Bremsseil tritt im Fall des Zugseilbruches an dessen Stelle; die Wagen werden dann durch das von einer Winde bewegte Bremsseil an die Endstation gezogen.

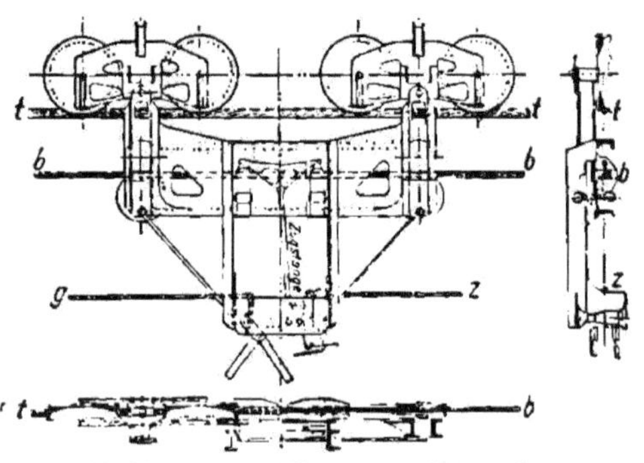

Abb. 64. Bauweise mit Trag-, Zug- und Bremsseil.

Darin liegt der Hauptvorteil des Bremsseils. Nach dieser Bauweise sind die Seilhängebahnen auf die Aiguille du Midi im Montblancgebiet (s. Art. Montblancbahnen, Bd. VII, S. 300) und von Lana auf das Vigiljoch in Tirol (s. Art. Lana-Vigiljochbahn, Bd. VII, S. 69) ausgeführt; nur hat man bei letztgenannter Anlage zur Verminderung von Seitenschwankungen an der Seite der Fahrzeuge noch ein Führungsseil anzuordnen für nötig erachtet. Die Seile der Lana-Vigiljochbahn werden von Eisenstützen mit dem Größtabstand von 260 *m* (s. Abb. 65) getragen, deren größte Höhe 31 *m* beträgt.

Abb. 65. Lana-Vigiljochbahn.

2. Bauweisen mit 2 Trag- und 2 Zugseilen.

Zwei Tragseile liegen in einer Ebene entweder über- oder nebeneinander; dazwischen die beiden Zugseile.

Die erste Anordnung mit übereinander liegenden Seilen behufs Vermeidung von Wagenschwankungen (Abb. 66) findet sich auf der

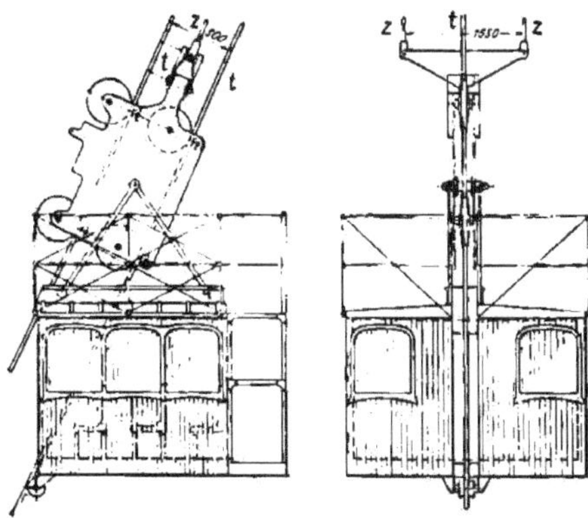

Abb. 66. Bauweise mit 2 übereinanderliegenden Tragseilen.

Wetterhornseilbahn (Schweiz) (Bauart Feldmann) (s. Art. Bergbahnen, Bd. II, S. 222). Zwei Rollen laufen auf den oberen, 2 auf den unteren Tragseilen *t*. Die beiden Zugseile *Z* fassen das Laufwerk, an welchem der Wagen hängt.

Die Tragseile *t* werden zur Vermeidung von Entgleisungen vom Laufwerk umfaßt, was nicht ganz einwandfrei ist, und sind am oberen Ende befestigt, unten dagegen aus den bei den Seilhängebahnen für Güterverkehr mitgeteilten Gründen mit einem Spanngewicht *G* versehen, das aber im vorliegenden Fall an einem Winkelhebel hängt (s. Abb. 67).

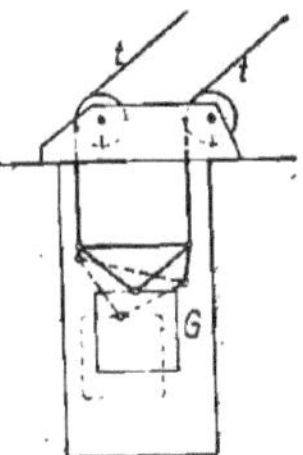

Abb. 67.

Der Wert des Winkelhebels, das länger gewordene Seil zu entlasten und das kürzere entsprechend stärker zu belasten, erscheint zweifelhaft, daher die voneinander unabhängige Belastung beider Tragseile, wie bei anderen S., einfacher und besser erscheint.

Abb. 68. Kohlererbergbahn.

Diese Bauweise ist für Bahnen mit Zwischenstützen nicht geeignet, daher große Spannweite und starker Seildurchhang erforderlich werden; sie könnte deshalb nur für ähnliche Verhältnisse, wie an der Wetterhornbahn, in Frage kommen.

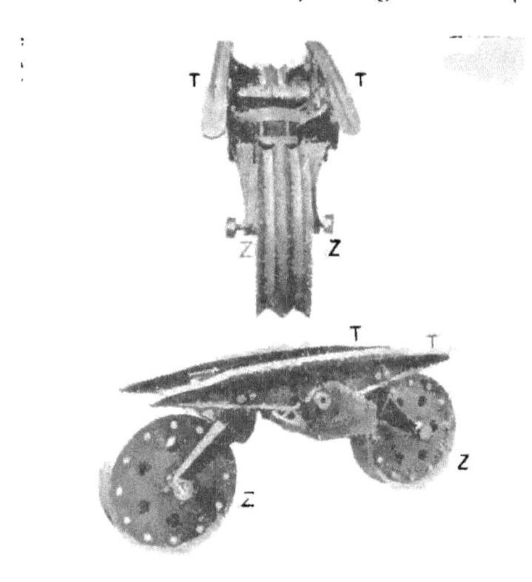

Abb. 69. Seilführung an den Stützen der Kohlererbergbahn.

Abb. 70. Laufwerk der Kohlererbergbahn.

nebeneinander liegenden Tragseilen sind die beiden Zugseile angeordnet. Die Tragseile liegen auf den Zwischenstützen auf Schuhen *TT*, die sowohl in der Richtung der Tragseile wie senkrecht dazu drehbar gelagert sind, damit ein stoßfreies Überfahren über die Schuhe und eine gleichmäßige Verteilung der Belastung auf beide Tragseile erreicht wird, was aber nicht in dem gewünschten Maß eintreten wird. Sie sind oben verankert und an der unteren Station mit Spanngewichten versehen. Die Zugseile laufen auf den Rollen *ZZ* (Abb. 69), also nahezu auf der Höhe der Tragseile, was günstig ist. Das Laufwerk, an dem der Wagen hängt, hat 8 Räder (s. Abb. 70), die die Wagenbelastung gleichmäßig auf die beiden Tragseile übertragen sollen, was nur teilweise zutreffen wird. In dem Laufwerk sind die Bremsvorrichtungen eingebaut, die auf die beiden Tragseile wirken. Hierdurch kann auch die Fahrgeschwindigkeit geregelt werden.

Eine Bahn mit 2 Tragseilen und 2 endlosen Zugseilen, die von Pohlig am Zuckerhut bei Rio de Janeiro erbaut wurde, unterscheidet sich von den vorher besprochenen vornehmlich dadurch, daß in der Regel von den beiden Zugseilen nur das eine die Zugkraft überträgt, während das andere durch den Wagen mitgezogen wird, also leer mitläuft und zur Kraftübertragung erst dann herangezogen wird, wenn das erste Seil die doppelte Beanspruchung gegenüber der regelrechten erfährt.

Eine Schonung des zweiten, also in der Regel leer mitlaufenden Seiles wird aber durch diese Anordnung kaum erzielt, da es ungefähr gleichen Biegungs- und Zugspannungen ausgesetzt ist wie das erste Seil. Es erscheint also richtiger, beide Zugseile gemeinsam und gleichmäßig ziehen

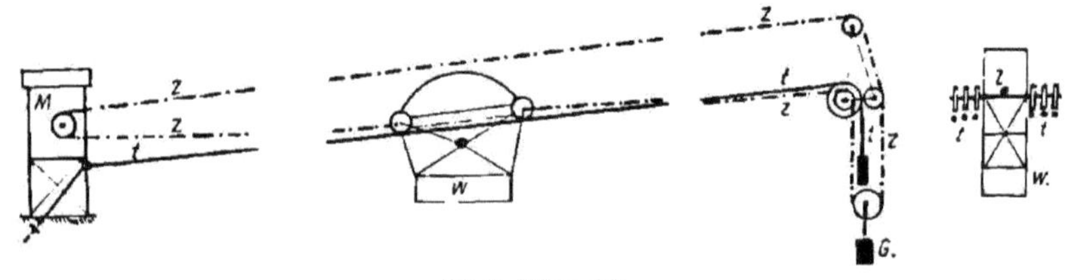

Abb. 71. Uliabergbahn.

Nach der zweiten Anordnung ist die Kohlererbergbahn (Tirol) (Abb. 68; s. Art. Bd. VI, S. 385) von Bleichert ausgeführt. Zwischen den beiden im Abstand von 400 *mm* zu lassen, wie das bei den vorher besprochenen Anordnungen der Fall ist.

Über die Einzelheiten dieser Bahn s. Art. Zuckerhutseilbahn.

3. Bauweisen mit mehr als 2 Tragseilen. Es sind Bahnen mit 4 und 6 Tragseilen zur Ausführung gekommen.

Mit 6 Tragseilen und einem Zugseil ist die Uliabergbahn in Spanien nach Patent Torres ausgeführt. Wie Abb. 71 zeigt, sind je 3 nebeneinander liegende Tragseile *t* zu beiden Seiten des Fahrzeugs *W* angeordnet, am unteren Ende befestigt, am oberen mit Spanngewichten versehen. Das endlose Zugseil *Z* wird in der unteren Station *M* durch einen Elektromotor angetrieben, in der oberen durch ein Gewicht *G* gespannt.

Abb. 72.

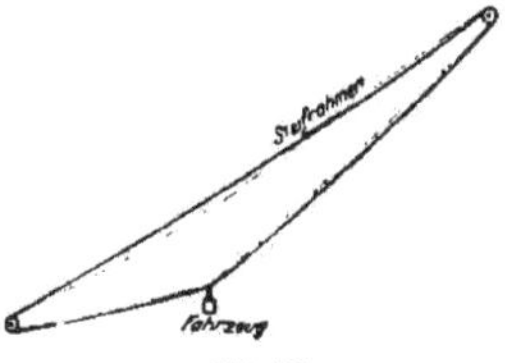

Der Wagen hat 12 Räder, die die Belastung auf die Seile übertragen sollen. Eine gleichmäßige Lastverteilung auf die 6 Tragseile ist aber nicht zu erwarten. Es ist eine selbsttätige und eine Handbremse vorhanden. Im Fall eines Zugseilbruches kann der Wagen mittels eines Notseils zur Endstation gezogen werden. Da die Bahn eingleisig ist, so findet nur Pendelverkehr statt.

Abb. 73.

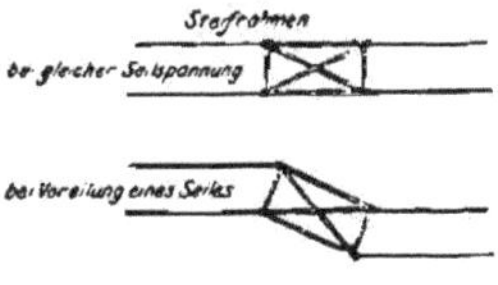

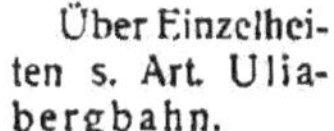

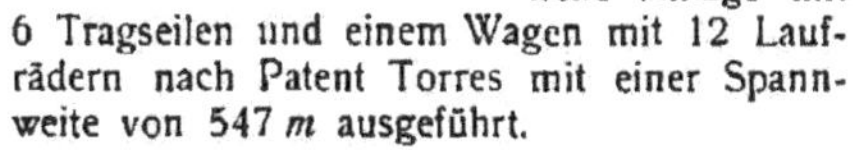

Abb. 74. Bauweise Petersen.

Über Einzelheiten s. Art. Uliabergbahn.

Über den Niagarafluß (V. St. A.) ist eine ähnliche Anlage mit 6 Tragseilen und einem Wagen mit 12 Laufrädern nach Patent Torres mit einer Spannweite von 547 *m* ausgeführt.

4. Bahnen mit vereinigtem Trag- und Zugseil.

Nach der von Petersen vorgeschlagenen Bauweise (Abb. 72 – 74) sollen 2 parallel laufende endlose Seile als Trag- und Zugseile wirken. Der Wagen wird gelenkig in die beiden Seile eingehängt, so daß er sich der Kraftrichtung entsprechend einstellen kann, wodurch Biegungsspannungen im Seil an den Aufhängestellen des Wagens fast vermieden werden. Der Wagen ist daher mit den Seilen dauernd fest verbunden. Die beiden Seile sollen an der oberen oder unteren Station getrennt angetrieben und gebremst werden. Zum Ausgleich verschiedener Bewegungsgeschwindigkeiten der Seile ist in deren oberer Hälfte ein Steifrahmen eingeschaltet. Die Anlage ist für Pendelverkehr gedacht und nur ohne Zwischenstützen und für größere Höhen ausführbar.

Literatur: Mehrtens, Erfindung und Entwicklung der Seilschwebebahn. Eisenbau 1915. – Wettich, Kritik über Konstruktion und Verhalten von Personen-Seilschwebebahnen. Fördertechnik 1914. – Sproecke, Personen-Luftseilbahnen. Schweiz. Elektrotechn. Ztschr. 1914. – Woernle, Beurteilung der Drahtseilschwebebahn für Personenförderung. Fördertechnik 1913. – Wintermeyer, Seilschwebebahnen für Personenverkehr. Elektr. Kraftbetr. u. B. 1913. – Dantin, Personen-Schwebebahnen. Gén. civ. 1913. – Buhle, Seilschwebebahnen für Fernverkehr von Personen und Gütern. Ztschr. dt. Ing. 1913; Organ 1913; Dt. Bauztg. 1910. – Wettich, Personenschwebebahnen auf den Kohlererberg. Dt. Bauztg. 1913. – Fühles, Schwebebahn Lana-Vigiljoch. Ztschr. dt. Ing. 1913. – Petersen, Seilhängebahn mit beweglichem Tragseil. Patentschrift 242.693, 1912. – Frank, Seilhängebahnen. Ztschr. d. Österr. Ing.-V. 1912. – Espitallier, Seilschwebebahn für Personenverkehr auf den Mont Ulia. Gén. civ. 1909. – Armbruster, Bergbahnen Tirols. 1913. – R., Die Wetterhornbahn. Schwz. Bauztg. 1908. – Niagara-Seilschwebebahn. Eng. 1916 u. Ztschr. dt. Ing. 1916. *Dolezalek.*

Sekundärbahnen, insbesondere in Österreich vor gesetzlicher Festlegung des Begriffs der Lokalbahnen angewendete Bezeichnung für Bahnen untergeordneter Bedeutung, die derzeit nach ihrer Bauanlage und ihren Betriebseinrichtungen nicht als Lokalbahnen, sondern als Kleinbahnen zu bezeichnen wären (z. B. Fahrgeschwindigkeit 12 – 15 *km*). Die Bezeichnung S. (ferrovie secondarie) findet sich auch in Italien und Spanien.

Selbstentladewagen *(self discharging wagons; wagons à déchargement automatiques; vagoni a scarico automatico),* Selbstentlader, Güterwagen, die derart eingerichtet sind, daß die Entladung durch die Schwerkraft der aus Massengut (Schüttgut) bestehenden Ladung bewirkt wird. Die hierfür zuweilen vorkommende Bezeichnung „Schnellentlader" ist nicht sachgemäß, weil die „Schnellentladung" des Massenguts nicht immer gleichzeitig „Selbstentladung" sein muß, d. h. der Schnellentlader ist nicht immer Selbstentlader. Aber auch die Bezeichnung S. ist insofern nicht ganz zutreffend, als die Entladung nicht durch den Wagen selbst, sondern durch die Schwerkraft der Ladung erst nach Einstellung, d. i. Lösung des Verschlusses der Entladevorrichtung erfolgt. Die Einstellung wird entweder durch Arbeiter von Hand oder zuweilen unter Benutzung von Preßluft bewerkstelligt.

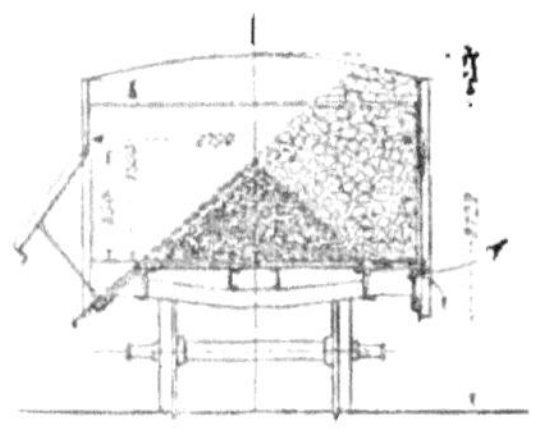
Abb. 75.

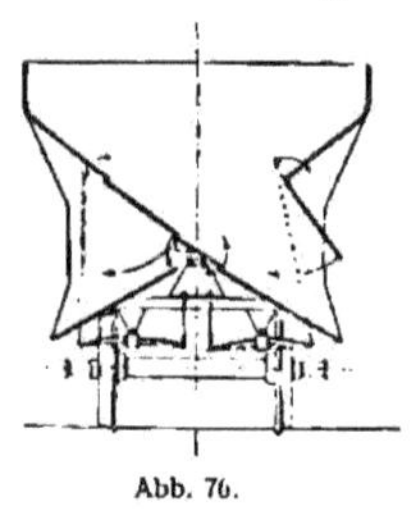
Abb. 76.

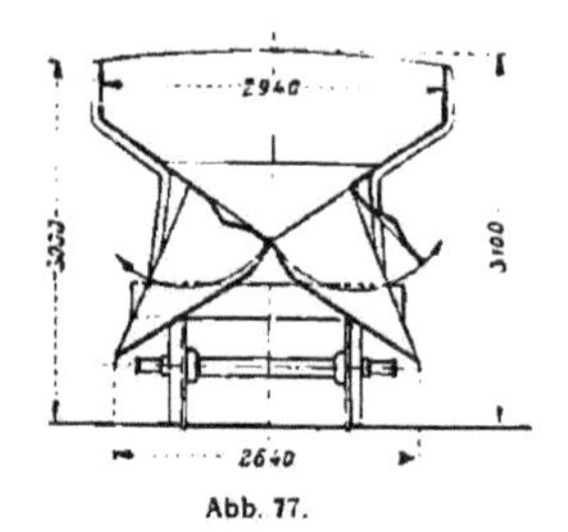

Abb. 77.

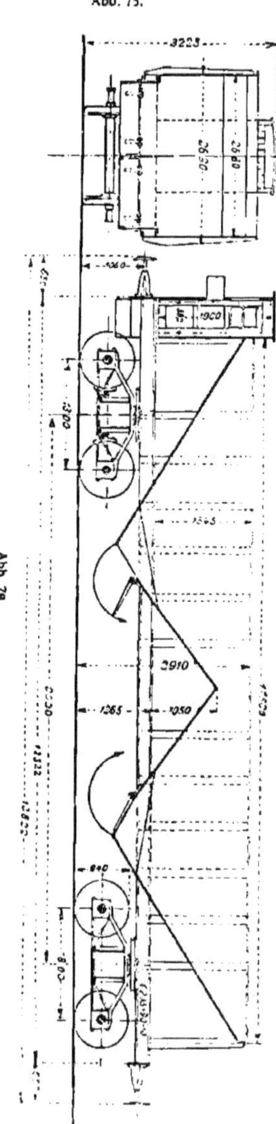

Abb. 78.

Die Massengüter, mit Ausschluß von Getreide, gebranntem Kalk und einigen Düngemitteln, werden bekanntlich in offenen Güterwagen verfrachtet; auf diesen Umstand ist es zurückzuführen, daß bisher die Selbstentlader auf offene Güterwagen beschränkt sind, obgleich gewisse Selbstentladevorrichtungen für gedeckte Güterwagen wohl verwendbar wären.

Als Massengut für die bisher gebräuchlichen S. kommt insbesondere in Betracht: Steinkohle und Braunkohle (ausschließlich Salon-, Braunkohle, Briketts), Koks (in begrenztem Umfang), Erze, Kalk, Steine (ausschließlich bearbeitete Steine und Ziegelsteine), Schotter, Kies, Sand, Erde, Schlacken, Rüben und Fabrikkartoffeln. Aber auch Getreide, Düngemittel und gebrannter Kalk würden als Massengut für die Selbstentladung in gedeckten S. in Frage kommen. Das verschieden große spezifische Gewicht der Massengüter, ihr Verhalten gegenüber den Witterungseinflüssen, ihre Porosität, Korn- oder Stückgröße u. s. w. stellen naturgemäß hohe Anforderungen an die bauliche Ausgestaltung der Selbstentladevorrichtung. Hieraus sowie aus den verschiedenartigen, auch mit Bezug auf den Betrieb und Verkehr gestellten Forderungen der Eisenbahnverwaltungen und der Industrie haben sich im wesentlichen die in Gebrauch befindlichen, nicht unerheblich voneinander abweichenden Bauarten der S. ergeben. Im allgemeinen lassen sich die gebräuchlichen S. in 2 Gruppen einreihen:

a) Selbstentlader, die v o r Beladen mit Massengut besonders hergerichtet werden müssen, um eine Selbstentladung zu ermöglichen (Seitenentladung, Bodenentladung, Seiten- und Bodenentladung);

b) trichterförmige Selbstentlader, bei denen die Selbstentladung durch Öffnen von Bodenklappen und zuweilen auch von Seitenwänden oder Seitenklappen erfolgt (Boden- oder Seitenentladung, zuweilen auch Boden- und Seitenentladung). Bei den trichterförmigen S. ist ein besonderes Herrichten für die Selbstentladung nicht erforderlich.

Eine andere Einteilung ist:

1. Seitenentlader, bei dem die Selbstentladung durch Öffnen von beweglichen Boden- oder Seitenklappen erfolgt, wobei das Massengut seitlich des Gleises, u. zw. nach beiden Seiten oder nur nach einer Seite des Gleises abgleitet. Der Seitenentlader kann ein Flachboden- (Abb. 75) oder Trichterwagen (Abb. 76 u. 77) sein.

2. Bodenentlader, bei dem die Selbstentladung durch Öffnen von beweglichen Bodenklappen erfolgt, wobei das Massengut innerhalb des Gleises abstürzt. Auch der Bodenentlader kann ein Flachboden- oder Trichterwagen sein (Abb. 78).

3. Boden- und Seitenentlader, bei dem die Selbstentladung durch gleichzeitiges Öffnen

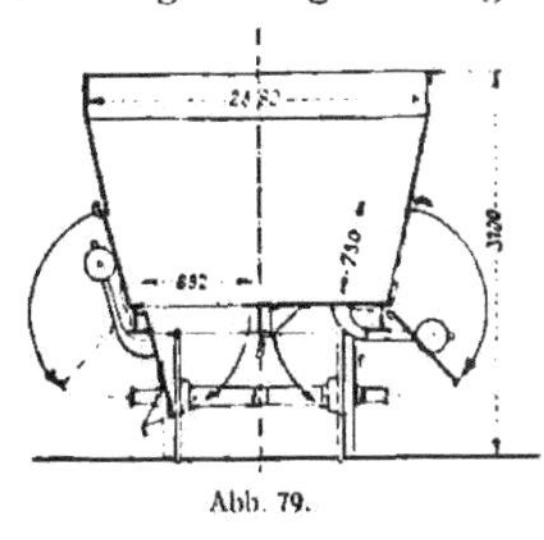
Abb. 79.

von beweglichen Boden- und Seitenklappen erfolgt, wobei das Massengut seitlich und innerhalb des Gleises entladen wird. Der Wagenkasten hat meist einen flachen Boden mit schräggestellten Längswänden (Abb. 79).

(Wegen der Seitenkipper, die im allgemeinen zu den Schnellentladern gehören, vgl. Bd. VII, S. 49 ff.).

Die Abb. 75 – 79 veranschaulichen Bauarten von S. in grundsätzlicher Anordnung. Die Entladung des Massenguts aus dem Selbstentlader erfolgt meist von Pfeilergleisen aus, die aus Mauerwerk, Holz, Eisen oder Eisenbeton hergestellt werden. Seitenentlader können aber auch von wenig auf Schüttung erhöhten Gleisen benutzt werden, während für Bodenentlader ein Pfeilergleis unerläßlich ist. Trotzdem werden von den amerikanischen und englischen Bahnen meist Bodenentlader verwendet, während in Deutschland meist Seitenentlader gebräuchlich sind. Die Verschiedenheiten sind im wesentlichen durch die Bauarten der Selbstentlader begründet. Die Bauarten zeigen nämlich hinsichtlich der Schwerpunktlage des Wagenkastens, der Lage der Langträger unter dem Kastenboden, des Ladegewichts, der Achsenzahl, der Höhe der Kastenwände und deren Neigung, der Entladeklappen und deren Verschlüsse sowie Zubehörteile der Seiten- oder Bodenentladeeinrichtung u. s. w. erhebliche Verschiedenheiten, je nachdem sie für bestimmte Massengüter bzw. gewisse Verhältnisse eines industriellen Werkes oder einer Eisenbahnverwaltung hergerichtet sind. Hieraus ergeben sich mancherlei Vorteile für die Industrie und Eisenbahnverwaltungen, aber auch viele Nachteile für die letzteren.

Die Vorteile bei Verwendung der bisherigen S. bestehen im wesentlichen für die Industrie in der Ersparnis an Entladekosten und Arbeitern, für die Eisenbahnverwaltungen hingegen in der Erhöhung der Nutzleistung der Wagen infolge Einschränkung der Entladezeit sowie in der Ersparnis an Entladekosten, während die Nachteile insbesondere durch die Vermehrung der Leerläufe und Verschlechterung des Verhältnisses des Ladegewichts zum Eigengewicht des Wagens sich stark bemerkbar machen, so daß in betrieblicher Beziehung die Nachteile für die Eisenbahnverwaltungen die Vorteile überwiegen. Die Eisenbahnverwaltungen sind daher in richtiger Erkenntnis der großen wirtschaftlichen Bedeutung, die der Erzielung eines allen Anforderungen und auch denen des gewöhnlichen Dienstes entsprechenden Selbstentladers zukommt, seit Jahren bemüht, einen im Eisenbahnbetrieb unbeschränkt für Massengüter und gewöhnliche Güter verwendbaren S. zu erhalten. Die Forderungen, die an einen derartigen Güterwagen, z. B. für das Verkehrsgebiet des

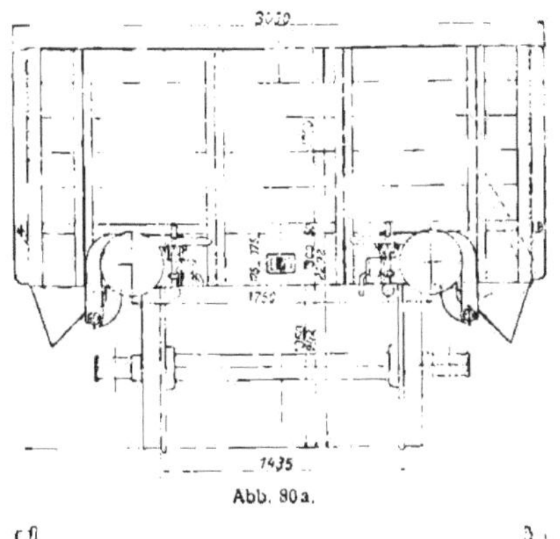

Abb. 80a.

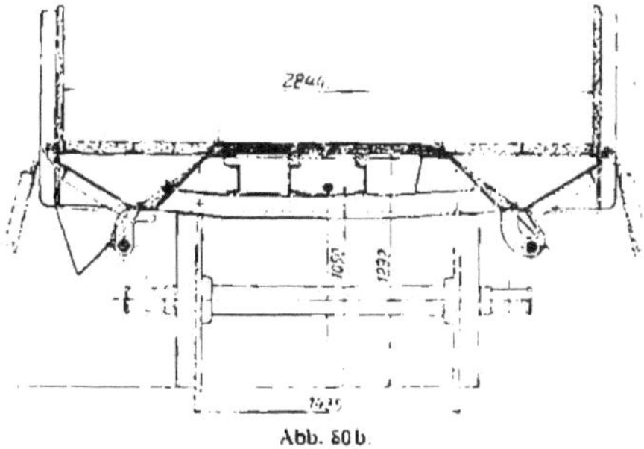

Abb. 80b.

VDEV. zu stellen sein möchten, ergeben sich im wesentlichen aus dem Preisausschreiben, das der preußische Minister der öffentlichen Arbeiten zwischen den deutschen Eisenbahnwagenbauanstalten auf den 1. September 1907 zur Gewinnung eines S. ausgesetzt hat. „Hiernach müßte der Wagen ein zweiachsiger offener Güterwagen sein, der, als Kohlenwagen mit flachem Boden, auch für gewöhnliche Güter und als Stirnkipper benutzbar, bei einem Laderaum von etwa 32·5 m^3 15 *t* Koks oder 20 *t*

Abb. 81.

Massenguts nach jeder Seite des Wagens ohne Nachhilfe durch die Schwerkraft der Ladung entleert werden kann. Außerdem sollten die Beschaffungs- und Unterhaltungskosten des S. die der bisherigen offenen Güterwagen von gleichem Ladegewicht nicht wesentlich überschreiten."

Die Forderungen ergeben, daß der „Zukunftswagen" ein für beiderseitige Selbstseitenentleerung eingerichteter Flachbodenwagen sein müßte, wodurch die Hauptziele der Eisenbahnverwaltungen, u. zw.

a) Verbilligung der Beförderungskosten durch Erhöhung der Nutzleistung der Wagen infolge Einschränkung der Entladefristen;

b) Verringerung der Betriebsleistungen im Zugdienst durch Herabminderung der Leerläufe und

c) Verringerung der laufenden Betriebsausgaben durch Minderbedarf an Wagen, obgleich jeder Wagen teurer wird, erreicht würden. Außerdem würden sowohl für die Eisenbahnverwaltungen als Verfrachter als auch für die Verkehrtreibenden erhebliche Ersparnisse an Entladekosten gegenüber der bisherigen Handentladung erzielt, und, was in volkswirtschaftlicher Beziehung besonders in die Wagschale fällt, es würden recht viel

Kohlen fassen sollte, bei voller Belastung unter 8 *t* Raddruck auf die Schienen ergeben darf und bei dem ein möglichst großer Teil des

Arbeiter erspart. Die Beschränkung in der Verwendung der bisherigen S. würde entfallen, da ein derartiger S. im allgemeinen Verkehr mit

Abb. 82.

offenen Güterwagen, mithin auch für Stückgüter und auf längere Strecken verwendbar sein würde. Auch würden die bis zu 50 % betragenden Leerläufe der bisherigen S. vermieden werden können.

Ein solcher neuzeitlicher S. ist in den Abb. 80 – 82 dargestellt. Abb. 80 a u. b zeigen Querschnitt und Stirnansicht des Flachbodenwagens, Abb. 81 die Draufsicht des zur Aufnahme von Massengut hergerichteten Selbstentladers und Abb. 82 zeigt die Ansicht des Selbstentladers mit geöffneter Selbstentladevorrichtung.

Die Abbildungen und die bisherigen Probeentladungen ergeben, daß die an den Zukunftswagen zu stellenden, voraufgeführten Forderungen durch den Flachbodenwagen mit Selbstentladevorrichtung für Seitenentleerung erfüllt werden dürften. Über die Bewährung des Wagens liegen zurzeit größere Betriebserfahrungen noch nicht vor; umfangreiche Erprobungen sind aber dem Vernehmen nach bereits eingeleitet. Über die wirtschaftliche Bedeutung eines geeigneten S. für die Eisenbahnverwaltungen und Industrie sowie über die Verwendung von S. erforderlichen Einrichtungen auf den Bahnhöfen und industriellen Werken vgl. die Aufsätze des Verfassers in Glasers Ann. 1915, Ztg. d. VDEV. 1915, Deutsche Bahnmeister-Zeitung 1915, Verkehrstechn. W. 1916 und Zeitung des Vereins der Ingenieure der österr. Staatsbahnen 1916. Vgl. Lade- und Entladevorrichtungen; Die Gießerei 1918; Fortschritte der Technik, H. 3; Über die Verwendung von Selbstentladern im öffentlichen Verkehr der Eisenbahnen, von F. Dütting, Berlin 1919. *Scheibner.*

Selbstkosten der Beförderung von Personen und Gütern, die Summe der Ausgaben, die der Bahnverwaltung aus der Durchführung des Beförderungsgeschäftes selbst erwachsen. Die Erfassung dieser S. ist äußerst schwierig und kann mit voller Sicherheit nie gelingen.

Vgl. die ausführlichere Behandlung dieses Gegenstandes in den Art. Betriebsergebnisse, Bd. II, S. 299 ff. und Gütertarife, Bd. V, S. 456.

Selbsttätige Bremsen s. Bergbahnen, Bremsen und Elektrische Eisenbahnen.

Selbsttätige Kuppelungen der Eisenbahnfahrzeuge sind nur in vereinzelten Fällen zur Ausführung gelangt. Alle bisher versuchten Formen der S. verdanken ihre Entstehung dem Bestreben, das immer mit Gefahr verbundene Handverkuppeln der Fahrzeuge entbehrlich zu machen.

Die bisher versuchten Bauarten der S. sind im Art. Kuppelungen, Bd. VII, S. 34 ff. beschrieben.

Selbsttätige Signale *(automatic signals; signals automatiques; segnali automatici)*, Signale, bei denen die sichtbaren oder hörbaren Signalzeichen durch unmittelbare Einwirkung der Züge oder einzelner Betriebsmittel hervorgerufen werden. Im weiteren Sinn gehören dazu die selbsttätigen Läutewerke, die durch den Zug ausgelöst werden (s. Überwegsignale), die Führerstandsignale (s. d.), die auf die Annäherung an ein feststehendes Signal aufmerksam machen oder die Stellung eines solchen Signals anzeigen, die Signale, die anzeigen, ob ein Gleis oder ein Gleisabschnitt besetzt oder frei ist u. a.

Im engeren Sinn versteht man unter S. die Blocksignale, bei denen der fahrende Zug das in der Grundstellung „Fahrt frei" zeigende Signal hinter sich auf „Halt" bringt und das Signalzeichen „Fahrt frei" in beschränktem oder vollem Umfang erst wieder herstellt, nachdem er eine bestimmte Stelle der Strecke erreicht hat (s. Blockeinrichtungen, Bd. II, S. 407). *Hoogen.*

Semaphor *(semaphor signal; sémaphore; semaforo)*, Zeichentelegraph; im Eisenbahnsignalwesen wird damit das Arm- oder Flügelsignal bezeichnet, das aus einem Mast mit einem oder mehreren Armen oder Flügeln besteht. Durch verschiedene Stellung der Arme oder Flügel werden die Begriffe „Halt", „Langsam fahren" und „Fahrt frei" ausgedrückt (s. Signalwesen). *Hoogen.*

Semmeringbahn, Teilstrecke der Linie Wien-Triest der österreichischen Südbahngesellschaft, beginnt in der Station Gloggnitz in Niederösterreich mit der Seehöhe von 438·861 *m*, überschreitet die Ausläufer der Norischen Alpen in der Nähe des Semmeringpasses (898·056 *m* ü. M.) und endet in Steiermark in der Station Mürzzuschlag (680·945 *m* ü. M.). Die S., bekannt wegen der landschaftlich prächtigen Ausblicke, besitzt als erste Gebirgsbahn Europas hervorragende geschichtliche Bedeutung. Bau und Betrieb wurden für die Entwicklung des Eisenbahnwesens, besonders aber für jene des Lokomotivbaues, von bahnbrechender Bedeutung. Erbaut wurde die S. von Karl Ritter von Ghega (s. d.). Ghega wurde im Jahre 1841 zur Leitung des Baues der staatlichen Linie Wien-Triest berufen, von der damals die Teilstrecke Wien-Gloggnitz im Betrieb stand. Die Bahn von Neustadt aus über Ödenburg (Ungarn) zu führen, war aus politischen Gründen nicht zulässig; es mußten also die Ausläufer der Norischen Alpen überschritten werden, was nur mit Anwendung großer Neigungen und scharfer

Krümmungen möglich war; diese Umstände erregten wegen der Wahl einer richtigen Betriebsweise so große Bedenken, daß man die Entscheidung hierüber vorläufig in Schwebe ließ und zunächst die Bahn von Mürzzuschlag aus weiterbaute. Auf Grund eingehender Studien, die Ghega in Amerika gemacht hatte, wo schon einige Gebirgsbahnen im Betrieb standen, empfahl er die Überschienung des Semmerings mittels einer gewöhnlichen Lokomotiv-Reibungsbahn. Daneben wurde aber auch die Anlage einer atmosphärischen Eisenbahn näher studiert. Die Frage der Überschienung des Semmerings erregte im In- und Ausland lebhaftes Interesse, das in verschiedenen Vorschlägen ihren Ausdruck fand. So schlug der damalige Oberingenieur Karl Keißler vor, die Bahn von Gloggnitz über Payerbach durch die Prein zu führen und die Kammalpe mittels eines 6 *km* langen Tunnels unter dem Semmeringkogel in der Richtung gegen Spital zu durchbrechen. Von Seite des Österreichischen Ingenieurvereins wurde unter ausführlicher Begründung die Verbindung der Bahnhöfe Gloggnitz und Mürzzuschlag durch Seilbahnen empfohlen. Die Regierung entschied sich jedoch für eine Lokomotivbahn, deren Bau im Jahre 1848 begann. Im Jahre 1850 wurde von der Regierung über Vorschlag Ghegas ein Preis für die zum Betrieb der S. geeignetste Lokomotive ausgeschrieben. Über die Ergebnisse dieses Wettbewerbs s. Art. Lokomotive (Bd. VII, S.165). Am 24. September 1853 fand eine Probefahrt von Mürzzuschlag bis zum Viadukt über die „kalte Rinne“ statt und am 23. Oktober desselben Jahres konnte, nach Vollendung des einen Gleises, die ganze S. das erste Mal, u. zw. mit der Lokomotive „Lavant“ der südlichen Staatsbahn befahren werden. Anfangs Dezember 1853 wurde der Güterverkehr eröffnet, am 17. Mai 1854 fuhr Kaiser Franz Joseph I. über die S. und am 17. Juli 1854, nachdem auch das zweite Gleis fertig war, wurde die Bahn dem allgemeinen Betrieb übergeben.

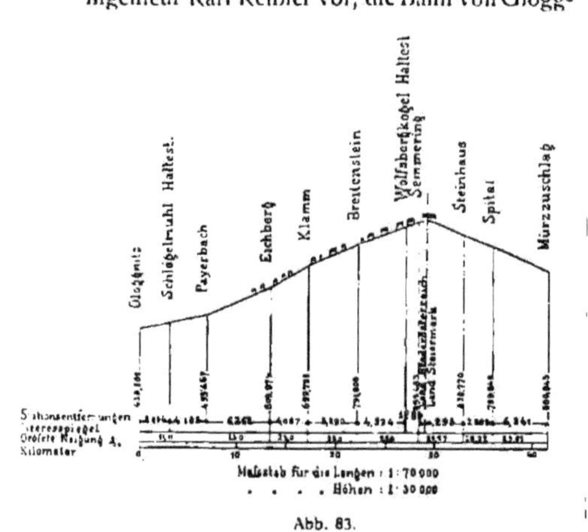

Abb. 83.
Längenschnitt der Semmeringbahn nach dem Ausführungsplan.

Die S. (Abb. 83) läuft von Gloggnitz aus an der südlichen Bergwand des Schwarzatals bis Payerbach, übersetzt mit einem Viadukt das Tal und zieht an der gegenüberliegenden Bergwand, von der Richtung Gloggnitz-Payerbach wenig abweichend, bis zur Station Eichberg, die 171·118 *m* über Gloggnitz angelegt ist. Hier biegt sich die Linie nach rechts und läuft an der südöstlichen Berglehne in bedeutender Höhe über der Sohle des Schottwienertals bis in die Nähe der Ruine Klamm, von wo aus sie stetig steigend längs des Adlitzgrabens in vielfachen Krümmungen bis zur Polleroswand zieht, die „kalte Rinne“ mit einem Viadukt von 184 *m* Länge und 46 *m* Höhe im Bogen von 190 *m* Halbmesser überschreitet und sich dann an der Nordseite des Gebirges zur Einsattlung des Semmerings emporwindet. Sie unterfährt diese mit einem Tunnel von 1430 *m* Länge in gerader Richtung und senkt sich sodann, an der rechten Seite des Fröschnitztals hinziehend, nach Mürzzuschlag hinab. Während des Betriebs wurde die Haltestelle Küb zwischen Payerbach und Eichberg eröffnet.

Die Länge der Bahn von der Stationsmitte in Gloggnitz bis zu jener in Mürzzuschlag beträgt 41·813 *km*; hiervon liegen 50% in der Geraden; der kleinste Krümmungshalbmesser beträgt 190 *m*; die mit ihm ausgeführten Bögen haben eine Gesamtlänge von 6·680 *km*. Die stärkste Neigung beträgt 25‰; sie hat zwischen Eichberg und Klamm auf eine ununterbrochene Länge von 3·57 *km* und im ganzen auf 22·911 *km* Anwendung gefunden; wagrecht liegen außer den Stationen nur 5 kleinere Strecken von zusammen 0·416 *km* Länge. Die Zahl der Tunnel beläuft sich auf 15; der kürzeste ist 14 *m*, der längste 1430 *m* lang; ihre Gesamtlänge beträgt 4·533 *km*. Im Zug der Bahn kommen 118 gewölbte Brücken von 2 – 15 *m* Spannweite, 11 eiserne Brücken und 16 Viadukte vor, von denen mehrere mit 2 Bogenstellungen übereinander ausgeführt sind. Diese Viadukte liegen zumeist in sehr scharfen Bögen und starken Neigungen und sind zusammen rd. 1500 *m* lang; sie besitzen Spannweiten bis zu 20 *m*; der längste Viadukt ist jener über die Schwarza bei Payerbach (228 *m*). Einschnitte sind möglichst vermieden; von Erddämmen, Steinpflasterungen u. s. w.

wurde wenig Gebrauch gemacht, die Bahn vielmehr fortwährend unter ausgedehnter Anwendung von Stütz- und Wandmauern mit 2 – 15 *m* Höhe, deren Gesamtlänge ungefähr 13 *km* beträgt, an die Berglehnen angeschmiegt.

Der Oberbau wurde beim Bau sehr sorgfältig hergestellt. Die aus Schlägelschotter gebildete Einbettung erhielt Grundbau und Steinbanketts, die Schienen (42·52 *kg/m*) lagen auf einem aus Lang- und Querschwellen gebildeten Rost, wobei auf jeder Schwelle Unterlagsplatten in Anwendung kamen. In dem Maß, als die Schwellen unbrauchbar wurden, beseitigte man diese Bauweise vollständig und ging zu der auf den übrigen Strecken der Linie Wien-Triest gebräuchlichen Bauart mit einfachen hölzernen Querschwellen über. Gegenwärtig besteht der Oberbau aus 12·5 und 15 *m* langen Schienen von 44 *kg/m* auf Holzschwellen von 72 – 74 *cm* Entfernung mittels Spannplatten, die in Bögen ab 300 *m* Halbmesser auf allen Schwellen, in allen übrigen schwächeren Bögen und in der Geraden auf jeder zweiten oder dritten Mittelschwelle und auf den Stoßschwellen liegen.

Die Hochbauten sind teils aus Bruchsteinen, teils aus Ziegeln und Fachwerk.

Die Kosten der Herstellung und Betriebseinrichtungen der S. stellten sich auf rd. 50 Mill. Kronen.

Der Haupttunnel erfuhr nach Ablauf des ersten Betriebsjahres eine größere Ausbesserung, indem man einen Teil der Ziegelmauerung durch Quadern ersetzte. An den Enden wurden Tore angebracht, die im Winter nur für den Verkehr der Züge geöffnet wurden; dennoch mußte bei starker Kälte der Tunnel geheizt werden, zu welchem Zweck im Jahre 1857 in der Station Semmering eine Gasanstalt errichtet wurde und 4 Öfen im Tunnel zur Aufstellung gelangten. Die stetig anwachsende Dichte des Zugverkehrs zwang zur Beseitigung der Tunneltore. Im Jahre 1916 gelangte ein elektrisch betriebener Ventilator von 100 PS. zur Aufstellung, der durch Lufteinpressung wirkt. Die im Lauf der Zeit infolge Abwitterung schadhaft gewordenen Ziegelwölbungen der Kunstbauten wurden auf 30 – 60 *cm* Tiefe durch Stampfbeton und Betonformsteine ausgebessert; bei dem Haupttunnel und einigen kleineren Tunneln erneuerte man die Kappe des Gewölbes mit Klinkerziegeln, um eine größere Widerstandsfähigkeit gegen die Einwirkung der Rauchgase zu erzielen; abgewittertes Quadermauerwerk wurde durch Stampfbeton mit Eiseneinlage ersetzt.

Für die Beförderung der Schnell- und Personenzüge dienen zweizylindrige Verbundlokomotiven mit 4 gekuppelten Achsen und einer radial einstellbaren Laufachse, 56·6 *t* Reibungsgewicht, 67·8 *t* Dienstgewicht und mit dreiachsigem Schlepptender; diese Lokomotiven befördern in der Strecke Payerbach-Semmering 230 *t* mit 45 *km* Geschwindigkeit; ferner stehen zweizylindrige Heißdampflokomotiven mit 5 gekuppelten Achsen und radial einstellbarer Laufachse von 69 *t* Reibungsgewicht, 81·1 *t* Dienstgewicht, mit Schlepptender in Verwendung; sie befördern in obgenannter Strecke 300 *t*; auch vierzylindrige Verbundlokomotiven ähnlicher Bauart sind im Betrieb. Für die Güterzüge werden vorwiegend zweizylindrige Verbundlokomotiven mit 5 gekuppelten Achsen, verschiebbarer Vorder-, Mittel- und Endachse, 66·5 *t* Gewicht, Schlepptender und mit einer Leistung von 280 *t* in den stark geneigten Strecken verwendet; Geschwindigkeit 18 – 35 *km*/Std. Überschreitet die Belastung die für eine Lokomotive aufgestellte Grenze, so werden die Züge mit Vorspann befördert; von einer bestimmten Höchstbelastung an werden die Züge nachgeschoben, z. B. Personenzüge von 320 bzw. 350 *t* an; Güterzüge können bei Nachschiebedienst 650 *t* schwer sein.

Literatur: Schmid, Bericht über den gegenwärtigen Stand der Anwendung der Eigenschaften der atmosphärischen Luft zur Fortschaffung von Eisenbahnzügen. Wien 1849. – Programm zu dem Konkurs über die geeignetste Semmeringlokomotive. Wien 1850. – Schmid, Mitteilungen über die Vorbereitungen der materiellen Mittel zum Betrieb der Eisenbahn über den Semmering. Wien 1852. – Ghega, Übersicht der Hauptfortschritte des Eisenbahnwesens von 1840 – 1850. Wien 1852. – Engerth, Die Lokomotive der Staatseisenbahn über den Semmering. Wien 1854. – Aichinger u. Birk, Beschreibung der Anlage und des Betriebs der Semmering-Eisenbahn. Wien 1861. – Gottschalk, Bericht über den Zugförderungs- und Werkstättendienst der österreichischen Südbahn während der Jahre 1868 – 1877. Wiesbaden 1878. – Kramer, Maschinendienst auf der Brennerbahn. Wien 1878. – Birk, Die Semmeringbahn, Denkschrift zu dem 25jährigen Jubiläum ihrer Betriebseröffnung. Wien 1879. – Lihotzky, Das 25jährige Jubiläum der S. Wien 1879. – Geschichte der Eisenbahnen der österreichisch-ungarischen Monarchie (1898 u. 1908). Abhandlungen finden sich auch in der „Eisenbahnzeitung 1848 – 1850 und in der Ztschr. d. Österr. Ing.-V. (1848 ff.).

Birk.

Senegal s. Französisch-Westafrika.

Sequestration, Zwangsverwaltung im Fall der Verhängung des Konkurses über das Vermögen einer Eisenbahn oder aus anderen Gründen (zur Erzwingung der dem Unternehmer obliegenden konzessionsmäßigen oder sonstigen öffentlich rechtlichen Verpflichtungen, ferner im Zusammenhang mit der Inanspruchnahme einer staatlichen Zinsengarantie u. s. w.), s. Zwangsverwaltung.

Serbische Eisenbahnen. Für Teilstrecken der S. besaß ein belgisch-französisches Konsortium schon 1867 die Konzession. Auch die österreichisch-ungarische Staatseisenbahngesellschaft beschäftigte sich zu jener Zeit mit serbischen Bahnplänen, ohne daß es indessen damals zu ihrer Ausführung gekommen wäre. Erst durch den Berliner Vertrag vom Jahre 1878 wurden diese Pläne der Verwirklichung näher gerückt (vgl. Orientalische Eisenbahnen und Orientbahnen).

Auf Grund des Berliner Vertrags zwischen der österreichisch-ungarischen Monarchie, der Türkei, Serbien und Bulgarien verpflichtete sich die serbische Regierung, folgende Linien zu bauen und bis 15. Oktober 1886 dem Betrieb zu übergeben:

1. Eine Eisenbahnlinie von Belgrad nach Nisch zum Anschluß an die ungarischen Bahnen;
2. eine Verbindungslinie von Nisch bis zur serbisch-bulgarischen Grenze über Pirot gegen Bellova in der Richtung gegen Konstantinopel;
3. eine Verbindungslinie von Nisch über Vranja nach einem im gemeinsamen Einverständnis zu bestimmenden Punkt der serbisch-ottomanischen Grenze zum Anschluß an die ottomanische Eisenbahnlinie Saloniki-Mitrovitza.

Zur Ausführung der serbischen Strecken Belgrad-Nisch-Vranja-Ristovac (damalige türkische Grenze) wurde laut Beschluß der serbischen Skupschtina im Jahre 1881 ein Vertrag mit der Union générale wegen Gründung einer Aktiengesellschaft, Compagnie de Construction et Exploitation des Chemins de fer de l'Etat Serbe, mit einem Nominalkapital von 100 Mill. Fr. geschlossen. Die serbische Regierung übernahm die Verpflichtung, diese Summe im Laufe von 50 Jahren (von 1881 angefangen) zu tilgen.

Im Januar 1882 geriet die Gesellschaft, nachdem sie den Bau begonnen hatte, in Konkurs. Es gründeten hierauf die österreichische Länderbank und das Comptoir d'Escompte in Paris eine neue Bau- und Betriebsgesellschaft (Compagnie de Construction et de l'Exploitation des Chemins de fer de l'Etat Serbe), die an Stelle der Union générale trat.

Die neue Gesellschaft übernahm die Verpflichtungen der Union générale und später auch den Bau der Linie Nisch-Pirot.

Die Linie Belgrad-Nisch (244 *km*) wurde im Jahre 1884 in Betrieb gesetzt, ihre Fortsetzung Nisch-Leskovac-Vranja-Ristovac (damalige türkische Grenze, 122 *km*) im Jahre 1886. Die Linie Nisch-Bela Palanka-Pirot-Zaribrod (97·6 *km*) blieb infolge des serbisch-bulgarischen Krieges im Rückstand und erfolgte ihre Eröffnung erst 1887.

1886 wurden die Zweigbahnen Velika-Plana-Semendria (Smederovo) und Lapovo-Kragujevac eröffnet.

Die Zweigbahn nach Semendria wurde ursprünglich als Materialbahn für die Hauptlinie hergestellt, über Beschluß der Skupschtina jedoch für den öffentlichen Verkehr umgebaut. Die normalspurige Abzweigung von Lapovo nach Kragujevac (29·2 *km*), dem Arsenal von Serbien, wurde ursprünglich, und bis zur Übernahme des Betriebs durch den Staat, als Militärbahn betrieben.

1890 erfolgte die gesetzliche Sicherstellung des Baues einer 20 – 25 *km* langen Bahn von Cuprija nach den Kohlenwerken von Senje. Diese Bahn wurde 1892 mit einer Spur von 75 *cm* dem Verkehr übergeben.

Am 2. Juni 1889 hat die Regierung den der Gesellschaft für den Bau und Betrieb der serbischen Staatsbahnen vertragsmäßig obliegenden Betrieb der S. selbst übernommen, und wurde für die Betriebführung eine Generaldirektion der serbischen Staatsbahnen errichtet.

So wurde im Jahre 1890 der serbische Staat Besitzer eines 540 *km* langen Eisenbahnnetzes, das erst im Jahre 1909 um 14·6 *km* (die Strecke Stalač-Kruševac) verlängert wurde, also im ganzen etwa 555 *km*, welche Länge unverändert bis zum Jahre 1912, vor dem Balkankrieg, blieb. 1912 wurde noch die Strecke Prahovo (a. d. Donau)-Zaječar-Knjaževac (119 *km*) eröffnet. Im Jahre 1913, nach dem Balkankrieg, besetzte, wie bekannt, Serbien die Eisenbahnen in Mazedonien: Üsküb-Mitrovitza (119·5 *km*), Üsküb-Gewgheli (bis zur neuen Grenze mit Griechenland, 150·7 *km*) und von Üsküb-Ristovac-Sibevca (die frühere Grenze zwischen Griechenland und der Türkei, 85·4 *km*), Bitolia-Kinali (18 *km*, bis zur neuen serbischen Grenze), im ganzen 372·9 *km* mazedonische Eisenbahnlinien.

Außer diesen normalspurigen Eisenbahnen besaß Serbien an schmalspurigen staatlichen Bahnen (0·76 *m*-Spur), die Strecken: Mladenovac (an der Eisenbahnlinie Belgrad-Velika Plana nach Nisch)-Arangjelovac-Lazarevac-Laikovac (nach Valjevo, 74·2 *km*), eröffnet 1904 und 1910; Sabrej (a. d. Save)-Obrenovac-Laikovac-Valjevo (67·5 *km*, eröffnet 1906); Cuprija (an der Eisenbahnlinie Belgrad-Nisch, südöstlich von Kragujevac)-Senski Rudnik Ravna Reka (westlich von Zaječar, 31·2 *km*, zum Transport der Steinkohlen, die von 75 auf 76 *cm* umgebaut wurde; ferner (unter Einlegung einer dritten Schiene auf der Strecke Stalač-Kruševac) Stalač (an der Bahnlinie Belgrad-Nisch, südlich von Cuprija)-Kruševac-Kraljevo-Čačak-Požega-Užice (167·1 *km*); gleichzeitig wurde ein nicht dem öffentlichen Verkehr dienender Flügel nach der Pulverfabrik Obilicevo eröffnet. Die Linien Paraćin-Izvor-Krivivir-Zaječar-

Vrazogrnce (105·1 *km*) folgten am 1. Januar 1911, ausgenommen die Bergstrecke Izvor-Krivivir, die erst Januar 1912 eröffnet wurde; 1912 besaß Serbien im ganzen 422 *km*. Außerdem war eine Verbindung von Čačak nach Lazarevac geplant, die sich dort an die Linie nach Zabrež anschließen sollte.

Zur Erbauung der normalspurigen Bahnen hat der serbische Staat bis zum Jahre 1912 115,850.166 Dinar (Fr.) ausgegeben, für Inventar und bewegliches Material 29,783.733 Fr. Außer den staatlichen Schmalspurbahnen bestehen noch die Privatschmalspurbahnen Šabac a. d. Save-Lesnica-Ložnica nächst der Drina in der Mačvaebene, Spur 76 *cm*, Dubravica a. d. Donau-Pozarevac der Pozarevacer Kreisbahn, Spur 76 *cm*, die Kohlenbahn Radujevac a. d. Donau-Vrazogrnce-Vrska Čaka am Timok der belgischen Société Industrielle Serbe, Spur 76 *cm*.

Im Bau standen bei Kriegsbeginn noch die Staatslinien Arangelovac und Kragujevac nach Terstenik, die Linie Knjazevac-Nisch sowie die Fortsetzung der Pozarevacer Kreisbahn gegen Zagubica. Durch Gesetz vom 6./18. Dezember 1898, betreffend den Bau und Betrieb neuer Eisenbahnen (abgeändert durch Gesetze vom 5./17. Oktober 1899, 2./15. April 1902, 12./25. März 1909 und zuletzt in umfassender Weise durch Gesetz vom 30. Mai/12. Juni 1913) wurde die Durchführung des aufgestellten Eisenbahnbauprogramms, das sich nach dem Gesetz vom Jahre 1913 auf 24 Linien erstreckte und teils im Wege des Staatsbaues, teils in jenem der Konzessionierung genehmigte. Die Durchführung scheiterte an finanziellen Schwierigkeiten und infolge der Kriegsereignisse. Die österreichisch-ungarische Verwaltung nahm nach der Besetzung Serbiens den Eisenbahnbau, der Čačak mit der Grenzstation Zabrež verbinden sollte, in Angriff. Die Arbeiten wurden derart gefördert, daß die Strecke Čačak-Gornji Milanovac dem Verkehr übergeben werden konnte, während von der Zabrežer Seite aus die Arbeiten bis zur Station Banjani fertiggestellt sind. Es verbleibt also noch die kurze Strecke Gornji Milanovac-Banjani. Nach Vollendung dieses Baues wird dem Verkehr ein Gebiet erschlossen werden, das zu den landwirtschaftlich fruchtbarsten, in bergbaulicher Hinsicht aber infolge des Erzreichtums des Rudniker Gebirges, das die neue Bahn durchschneidet, zu den wichtigsten Gebieten Serbiens gezählt werden kann.

Technisches. Die Linie Belgrad-Nisch beginnt im Kopfbahnhof Belgrad, in den auch die ungarischen Staatsbahnen einfahren. Es folgt 5‰ Steigung, dann ab Kijevo 12‰ Steigung zum Ripanjtunnel, 1613 *m* lang, dann Gefälle mit 12‰ mit 2 kleineren Tunneln und einer Brücke bis Mladenovac. Ab Mladenovac enthält die ganze Hauptlinie Mindesthalbmesser von 500 *m* und sehr selten 300 *m* Halbmesser und Höchstneigungen von 5‰. Es folgt Selo Planina, bereits im Moravatal und Velika Plana, Ende des für 14·5 *t* Achsdruck verstärkten Oberbaues, ab hier nach Süden beträgt der Achsdruck nur 13 *t*. Die Bahn steigt im Moravatal nach Lapovo und überschreitet hinter Jagodina mit eisernen Brücken die Lutomira und Morava, fällt nach Cuprija, steigt nach Paračin bis Stalač. Es folgen in *km* 181 der Stalačtunnel, 223 *m* lang, in *km* 190, bei Zerovo, die zweite Moravabrücke, sodann die größere Station Aleksinac, die dritte Moravabrücke und sodann Nisch. Es folgt weiters Leskovac, Vranja und Ristovac (alt Zibeftché), *km* 366 ab Belgrad, *km* 238 ab Saloniki. Die Wasserscheide zwischen Morava und Vardar wird erreicht in Preševo, Von Kumanovo folgt Gefälle von 13—15 ‰ bis Aleksandrovo (vorm. Adjarlar) und Skoplje (vorm. Üsküb), dann zwischen Zelenika und Veles (vorm. Köprülü), die 23 *km* lange Vardarenge mit 2 Vardarbrücken und einem 300 *m* langen Tunnel. Zwischen Demirkapija und Strumica tritt die Bahn in die zweite Vardarenge mit einer großen Vardarbrücke und einem Tunnel. Die letzte serbische Station ist Gewgheli, es folgt die dritte Enge Cingane Derbent und die Betriebswechselstation Goumendje, ab Saloniki der ottomanischen Bahnen in griechischem Betrieb.

Die regelspurigen Abzweigungen sind: Velika Plana-Selo Plana, Lapovo-Kragujevac, Stalac-Obilicevo. — Nisch-Zaribrod. Diese Strecke enthält 6 kürzere Tunnel und überquert 4mal den Nišavafluß, sie steigt von Pirot bis zur Grenze mit 7–8‰ und enthält auch einige Bogen unter 500 *m* bis 300 *m* Halbmesser herab. — Skoplje-Mitrovitza, Bogen bis 300 *m* herab, Neigungen bis zur Wasserscheide in Feri sovič, 578 *m* ü. M. bis 25 ‰, 6 Tunnels in der Steilstrecke. Ganz getrennt vom übrigen Netz ist der Regelspurabschnitt Bitolia (Monastir)-Monastir-Kinali. An Schmalspurlinien bestehen, sämtlich mit der Spurweite 76 *cm*, die Privatbahn Šabac a. d. Donau (Dampfschiffstation)-Lesnica-Loznica, ganz abgetrennt vom übrigen Netz in der Ebene verlaufend. Die Abzweigung Mladenovac-Arangjelovac-Laikovac-Abzweigung. — Zabrezje a. d. Donau-Obrenovac a. d. Donau (Dampfschiffstation)-Laikovac-Valjevo (Kreisstadt), weiters Dubravica a. d. Donau-Pozarevac, ohne Zusammenhang mit dem übrigen Netz. — Die Kohlen und Industriebahn Cuprija-Sv Petar-Senje Ravna Reka, eröffnet 1908 mit 75 *cm* Spurweite, umgebaut auf 76 *cm*. Die Bahn steigt anfangs mit 17 und 32 ‰, in der Endstrecke mit 42 ‰ und enthält außer mehreren kleinen Brücken einen großen Sturzviadukt für Kohlenumladung zur Hauptbahn. — Die bedeutendste Seitenlinie beginnt in Paračin und steigt von Donja Mutnica an zur Siljakwasserscheide 28 ‰ mit Tunnel, um sofort wieder mit gleicher Neigung nach Krivivir zu fallen, der Rest der Linie bis Zaječar geht durch Hügelland. In Zaječar schließt die Schleppbahn zum Kupferwerk Boran, das 60.000 *t* Erz jährlich erzeugt. Ebendaselbst mündet die 7 *km* lange Schmalspurverbindung mit Regelspurunterbau nach Vrazogrnce, die einen Teil der zukünftigen Donau-Adria-Bahn bilden soll und jetzt die Zufuhr von Kohle aus dem Bergwerk Vrska Čaka am Timok ermöglicht. Von Vrazogrnce nach Süden am westlichen Timokufer besteht bereits seit Jahren eine Privatkohlenbahn von 60 *km* Länge nach dem (minderwertigen) Donauhafen Radujevac. Daneben, bzw. unter teilweiser Benutzung derselben bis Romanovo Most, ist die Normalspur (Donau-Adria-Bahn) nach Negotin (64 *km* ab Zaječar) und der guten Donaulände zwischen Prahovo und Kusjak erbaut und feldmäßig in Betrieb gesetzt worden. Ebenso feldmäßig ist die Fortsetzung dieser Bahn nach Süden gegen Knjazevac, ungefähr 40 *km*, fertiggestellt worden, während der Paßübergang (Gramadjasattel) nach Nisch (117 *km* ab Zaječar) noch mit 20 kleineren Tunnels im Bau steht. – In Cicevac zweigt von der Hauptlinie die Holzschleppbahn nach Sveti Petar und Bela Reka ohne Personenverkehr ab. In Stalač mündet mit der Schleppbahn zur Pulverfabrik Obilicevo die 164·1 *km* lange Linie nach Užice im Tal der westlichen Morava. Die Strecke berührt sodann Trstenik, Vrnjacka Banja, Kraljevo, Čačak und Užice, von wo ein stark benützter Saumweg über Mokragora nach Višegrad in Bosnien führt.

Die Längen der Bahnen in Serbien betrugen Ende 1912:

Regelspur: Staatsbahnen (574 Tarif*km*) 555·4 *km*
Schmalspur: Staatsbahnen (nicht inbegriffen die damals noch im Bau gestandene Linie Prahovo-Zaječar-Knjazevac-Nisch) . . . . . . 476·9 „
Ottomanische Regelspurbahnen in serbischem Betrieb . . . . . 387·6 „
Privatschmalspurbahnen (Mlava b. Pozarevac Kreisbahn, Timok Kohlenbahn, Bor Kupferbergbahn) . 180·0 „
Zusammen . . 1599·9 *km*

An Fahrbetriebsmitteln waren Ende 1912 vorhanden auf den Staatsbahnen 44 Lokomotiven für Schnell-, Personen- und gemischte Züge (nachgeschafft im Jahre 1913 18 Stück), 43 Güterzuglokomotiven (nachgeschafft 1913 5 Stück) und 14 Tenderlokomotiven, außerdem 33 Schmalspurlokomotiven (nachgeschafft 1913 5 Stück), 271 regelspurige, 98 schmalspurige Personen-, Post- und Gepäckwagen sowie 3517 regelspurige und 787 schmalspurige Güterwagen. Über den Fahrpark der ottomanischen Bahnen in serbischem Betrieb sind noch keine Vereinbarungen getroffen.

Die Anlagekosten des staatlichen Regelspurnetzes, inbegriffen den Fahrpark, betrugen Ende 1912 149·6 Mill. Dinar, der staatlichen Schmalspurlinien 38·4 Mill. Dinar, d. s. 262.000 Dinar f. d. *km* Regelspur und 81.000 Dinar f. d. *km* Schmalspur.

Befördert wurden auf der staatlichen Regelspur im Jahre 1912 Reisende I. bis III. Kl. und Militär mit 5·98 Mill. Dinar Einnahmen, 1103 Mill. *t* Gepäck und Güter (132 Mill. *tkm*) mit 9·28 Mill. Dinar Einnahmen.

Literatur: Offizieller Statistički Pregled. Aufsätze von M e i n h a r d in Sofia in verschiedenen Zeitschriften.

Serientarife s. Gütertarife.

Severntunnel. Der zweigleisige, von der Great Western-Eisenbahn in den Jahren 1874 bis 1886 erbaute Tunnel, der den Bristolkanal in der Nähe der Severnflußeinmündung unterfährt und Bristol mit den Eisenbahnen in Südwales verbindet, ist 7262 *m* lang, wovon 3701 *m* unter dem Wasser liegen. Den Längenschnitt der unter Wasser liegenden Tunnelstrecke mit den Neigungsverhältnissen und dem 29 *m* tiefen Schacht auf der Bristolseite und den beiden 62 *m* tiefen, im Abstand von 15 *m* zueinander liegenden Schächten auf der Südbrookseite zeigt Abb. 84.

Die beiderseitigen Zufahrtstrecken zu dem Unterwassertunnel sind ebenfalls mit Hilfe von Schächten ausgeführt worden.

Der Lichtquerschnitt des Tunnels hat 7·9 *m* größte Breite und 6·1 *m* größte Höhe über Schienenoberkante.

Die Ausmauerung erfolgte mit Ziegeln in Zementmörtel (2 Z. 1 S.); im Firstgewölbe mit 0·68 - 0·92 *m*, im Sohlgewölbe mit 0·48 bis 0·55 *m* Stärke. Die Längen der Zonen betrugen 3·7 – 7·3 *m*. Das durchfahrene Gebirge bestand der Hauptsache nach aus klüftigem Kohlensandstein, Kohlenschiefer, Konglomeraten und Mergel.

Vorerst teufte man einen Schacht auf der Südbrookseite ab, von dessen Sohle ein etwa 4·5 m^2 großer Entwässerungsstollen vorgetrieben, und im Tunnel als Sohlstollen fortgesetzt wurde; ist größtenteils mit Stoßbohrmaschinen von Mac Kean, hauptsächlich aber von Geach aufgefahren worden. Als Sprengmittel wurden Tonit und Sprenggelatine verwendet.

Der zwischen den Uferschächten 3701 *m* lange Sohlstollen wurde Ende September 1881 durchgeschlagen.

Der Ausbruch des Tunnels erfolgte nach englischer und streckenweise nach belgischer Bauweise, die Auszimmerung mit Längsträgern.

Die Bauarbeiten wurden ganz besonders erschwert durch einen Wassereinbruch an der Grenze des Kohlenkalks auf der Südbrookseite mit etwa 450 *l*/Sek., der mit den vorhandenen Mitteln nicht bewältigt werden konnte. Da auch der Wasserzudrang des von der Bristolseite im Gefälle vorgetriebenen Stollens sehr

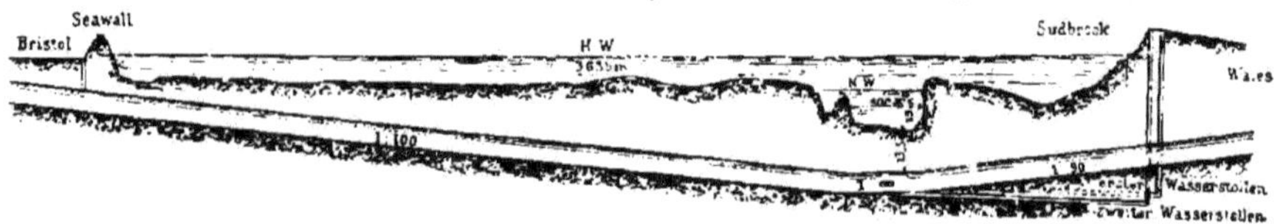

Abb. 84. Severntunnel.

groß wurde, mußten auch hier die Arbeiten eingestellt werden. Man vertiefte die Tunnelsohle und trieb von dem zweiten Schacht auf der Südbroockseite einen zweiten, tiefer gelegenen Entwässerungsstollen und dann den Sohlstollen vor, so daß der frühere Stollen Mittelstollen wurde und entwässert werden konnte. Durch Schließung eines eingebauten Dammtores, durch Taucher und bedeutende Verstärkung der Pumpenanlagen gelang es, das Wasser zu halten.

Außerdem traten noch mehrere Unfälle, wie namentlich ein Tagbruch auf der Bristoler Landseite ein, so daß die besonderen Schwierigkeiten, besonders aber die unzulänglichen Vorkehrungen für Wasserhaltung und die wenig sorgsame und zweckmäßige Baudurchführung die bedeutende Bauzeit von über 12 Jahren und einen Kostenaufwand bedingte, der mit über 20 Mill. M. angegeben wird.

Literatur: Severn Tunnel. Eng. 1876. – Severn Tunnel. Engg. 1880. – Severn Tunnel. Ann. d. ponts 1882. – Severn Tunnel. Ann. d. trav. publ. d. Belg. 1886. – Forchheimer, Englische Tunnelbauten. Aachen 1884. *Dolezalek.*

Short haut Clause s. unter Long and short haut Clause.

Shapingmaschine s. Hobelmaschinen.

Siam, Königreich in Hinterindien, an Französisch-Indochina und Britisch-Ostindien (Birma) und südlich an die Halbinsel Malakka grenzend, 634.000 *km*², 6,320.000 Einwohner. Der Bau von Eisenbahnen geht zurück bis zum Jahre 1893, in welchem Jahre die Regierung englischen Unternehmern die Herstellung einer Eisenbahn zunächst von der Hauptstadt Bangkok nach Khorat konzessionierte. Mit diesen Unternehmern wurden aber so schlechte Erfahrungen gemacht, daß die Regierung im Jahre 1897 beschloß, die Anlage und den Betrieb der Eisenbahnen selbst in die Hand zu nehmen, und den weiteren Bau einem deutschen Ingenieur, dem preußischen Baurat Bethge, übertrug. Von der Bahn Bangkok-Khorat wurde die erste Strecke Bangkok-Geng Koi (125 *km*) am 1. November 1897 dem Betrieb übergeben. Diese Bahn und ihre weiteren Fortsetzungen und Zweigbahnen haben die Vollspur. Außerdem wurde eine schmalspurige Bahn (1 *m*-Spur) von Bangkok nach Petschaburi (151 *km*) in Angriff genommen, die zunächst die reichen Holz- und Reisgebiete von Ratburi und Petschaburi dem Verkehr erschließen sollte. Sie ist am 31. März 1903 dem Betrieb übergeben worden. Seit dem Jahre 1897 werden regelmäßig Berichte über den Bau und Betrieb der siamesischen Bahnen in englischer Sprache veröffentlicht (Administration reports on the traffic of the Royal State Railways of Siam). Aus diesen Berichten, die für die Hauptbahnen seit 1902, für die Schmalspurbahn seit 1903 vollständige Zahlen enthalten, sind die nachstehenden Tabellen über die langsame, aber stetige Entwicklung der siamesischen Staatsbahnen zusammengestellt.

1. Vollspurige Hauptbahnen[1].

Jahr	Länge *km*	Anlagekapital	Verzinsung %	Einnahmen	Ausgaben	Überschuß	Beförderte Personen Anzahl	Beförderte Güter *t* Anzahl
1902	306	19,400.000	3·6	1,450.783	669.512	781.271	1,073.290	91.154
1905	424	27,055.387	5·10	2,031.665	749.123	1,282.522	1,324.562	118.395
1910	744	48,877.770	3·86	3,544.769	1,416.832	2,127.937	2,142.682	222.148
1911	781	50,761.822	3·78	3,697.992	1,505.162	2,192.830	2,240.623	274.544
1912	797	53,334.123	3·92	3,777.377	1,404.417	2,370.960	2,199.682	250.293
1913	804	54,013.090	3·34	3,509.328	1,333.105	2,176.228	2,111.099	241.031

2. Schmalspurbahn Bangkok-Petschaburi.

Die Länge (151·4 *km*) ist unverändert geblieben, das Anlagekapital hat sich nur unerheblich von 7·880 auf 8·241 Mill. Tikal vermehrt.

Jahr	Verzinsung des Anlagekapitals %	Einnahmen	Ausgaben	Überschuß	Beförderte Personen Anzahl	Beförderte Güter *t* Anzahl
1903	3·21	486.559	214.064	272.495	fehlen	fehlen
1905	5·23	749.071	277.747	471.330	892.676	31.450
1910	5·19	758.923	289.370	469.553	812.715	35.047
1911	6·11	828.773	283.324	545.439	914.537	48.645
1912	6·46	846.306	270.362	575.944	933.221	56.869
1913	6·24	859.108	291.509	567.599	1,003.501	59.229

v. der Leyen.

[1] Die Geldbeträge sind in Tikal angegeben, deren Wert zwischen M. 1·10 und 1·50 geschwankt hat.

Sibirische Eisenbahn (s. Karte Abb. 85).

Inhaltsübersicht: I. Geschichte. – II. Bau und Ausrüstung. – III. Finanzierung. – IV. Verkehr.

I. Geschichte.

Schon in den Fünfzigerjahren wurde im fernen Osten die erste Anregung zum Bau von Eisenbahnen in Sibirien gegeben. Damals (1857) erteilte der Generalgouverneur von Ostsibirien den Auftrag, eine Kunststraße zu erbauen, die den Ort Ssophiisk (am Amur) mit dem Hafen Alexandrowsk (an der Tatarenstraße) verbinden und so hergestellt werden sollte, daß sie jederzeit als Damm für eine Eisenbahn gebraucht werden könne. Die Straße ist im Laufe der Jahre erbaut worden, mit der Eisenbahn dauerte es länger. Immerhin gab dieser Auftrag die erste Anregung für die Erbauung von Eisenbahnen in Sibirien, namentlich aber zum Bau der ersten dortigen Eisenbahn – der Ussuribahn – von Wladiwostok-Chabarowsk (1893 – 1897). Seit jener Anregung ist die Erörterung und Förderung der Frage, Sibirien in seiner ganzen Ausdehnung vom Ural bis zum Stillen Ozean durch eine Eisenbahn zu erschließen, nicht von der Tagesordnung abgesetzt worden. Eine tatkräftige Förderung ließen jedoch die Zeitverhältnisse nicht zu. Der Orientkrieg hatte die Erkenntnis von der Notwendigkeit des Baues von Eisenbahnen mit zwingender Gewalt aufgedrängt. Kaiser Alexander II. (1855 – 1881) richtete indes sein Augenmerk auf das europäische Rußland. Jahrelang wurde darüber gestritten, ob die Verbindung einer S. mit dem europäischen Eisenbahnnetz in nördlicher Linienführung, d. h. St. Petersburg-Rybinsk-Wjätka-Perm, oder in südlicher Richtung, d. h. Moskau-Nishni-Nowgorod-Kasan-Jekaterinburg erfolgen solle. 1875 trat zum ersten Mal das Ministerium der Verkehrsanstalten mit einem Entwurf hervor. Darnach sollte die S. zunächst nur bis Irkutsk, u. zw. „auf dem mathematisch kürzesten Weg" geführt werden. Es blieben hierbei sämtliche Städte bis zu 105 Werst (111 *km*) seitlich liegen. Dieser Entwurf schlug vor, die Bahn im Anschluß an Ssamara über Ufa-Slatoust-Tscheljäbinsk bis Irkutsk (3043 Werst = 3247 *km*) weiter zu bauen. Die Verhandlungen zogen sich jahrelang hin. Inzwischen war der Zar Alexander III (1881 bis 1894) zur Regierung gekommen, dessen Interesse sich ganz besonders den asiatischen Besitzungen zuwandte.

Das änderte die Stellungnahme der Regierung. Es wurde von Ssamara aus zunächst weiter gebaut, so daß die Teilstrecken bis Ufa (453 Werst = 483 *km*) 1888, bis Slatoust (299 Werst = 319 *km*) 1890 und bis Tscheljäbinsk (148 Werst = 158 *km*) 1892 für den Verkehr eröffnet werden konnten. Damit war der Ausgangspunkt der S. erreicht, wenngleich der Punkt Tscheljäbinsk immer noch etwa 200 Werst von der geographischen Grenze Sibiriens entfernt liegt.

Inzwischen wurden die Vorarbeiten gefördert. Namentlich wurden geologische Untersuchungen gemacht, um die Fundstätten von Gold, Kupfer, Eisen, Steinkohle abzugrenzen, auch die für Besiedlungszwecke geeigneten, in großem Umfang vorhandenen Ländergebiete festzustellen und so die Punkte zu finden, die bei der Linienführung der Bahn berücksichtigt werden mußten, abgesehen von den spärlich gesäten, wenigen größeren Städten, an die, entgegen den früheren Absichten, die Bahn möglichst herangeführt werden sollte. Unter dem Druck des Zaren entschloß sich dann das Ministerkomitee, zu bestimmen, daß der Bau mit der Ussuribahn begonnen werden solle. Am 17. März 1891 erließ der Zar ein Handschreiben an den Thronfolger, durch das dieser beauftragt wurde, bei seiner Rückkehr von der Weltreise in Wladiwostok den ersten Spatenstich zu tun und zu verkünden, daß es des Zaren Wille sei, daß eine u n u n t e r b r o c h e n e E i s e n b a h n vom Stillen Ozean zum Ural geführt werde, um hier Anschluß an das europäische Eisenbahnnetz zu finden. Gleichzeitig bestimmte der Zar, daß die Bahn für Rechnung und unter Leitung der Regierung erbaut werden soll. Der Thronfolger erfüllte den Befehl am 19. Mai 1891. Gleich darauf wurde der Bau der Ussuribahn in Angriff genommen. Ebenso wurde mit den Vorarbeiten für die Strecke Tscheljäbinsk-Tomsk begonnen. Nach Rückkehr des Thronfolgers wurde das Komitee für den Bau der S. eingesetzt. Zum Vorsitzenden wurde der Thronfolger ernannt und das Komitee mit ganz besonderen Vollmachten ausgestattet.

Nicht nur die bauliche Durchführung des ganzen Unternehmens ruhte in erster Linie in der Hand des Komitees, sondern namentlich auch die sämtlichen zahlreichen Hilfsunternehmungen, die für die gedeihliche Entwicklung der Bahn und des Landes sehr wichtig waren.

Die Linienführung verursachte zunächst in dem wenig erforschten, wenig bekannten Lande außerordentliche Schwierigkeiten. Allerdings waren bei der Ussuribahn in dieser Beziehung wenig Bedenken; denn sie war durch den Flußlauf auf der einen und den Ozean auf der andern Seite von selbst gegeben. Anders lagen die Verhältnisse auf dem westlichen Teil des großen Schienenwegs. Hier wuchsen die Schwierigkeiten beim Vorschreiten nach Osten ständig und machten zunächst eine Unterbrechung des Bahnbaues mit Erreichung des Baikalsees notwendig, weil die Baikal-

Umgehungsbahn sehr große und schwierige Vorarbeiten forderte. Das gewählte Aushilfsmittel, die Einstellung großer Prähme, die den Verkehr über den großen See vermitteln sollten, entsprachen nicht den Anforderungen des Verkehrs, was auch besonders hervortrat, als der Boxeraufstand in China die schnelle Beförderung von Truppen notwendig machte[1]. 1899 wurde der Bau der Baikal-Umgehungsbahn (244 Werst = 260 *km*) genehmigt. Am 1. Juni 1904 war er so weit fertiggestellt, daß ein Verkehr aufgenommen werden konnte. Es war dadurch der Anschluß an die Transbaikalbahn 1031 Werst (= 1100 *km*) erreicht und ein durchgehender Verkehr mit letzterer ermöglicht. Hiermit war der Bau in der Richtung nach Chabarowsk zunächst zu einem gewissen Abschluß gekommen, denn die erstmaligen (1894/95), ganz allgemein gehaltenen Untersuchungen der ursprünglich geplanten Linienführung der Reststrecke Ssrjetensk-Chabarowsk rd. 1900 Werst (= 2027 *km*) hatten ein wenig günstiges Ergebnis gehabt. Die vollständige Menschenleere, die außerordentlich niedrige Temperatur im Winter, sehr starke Niederschläge im Sommer, Krankheiten, die die Arbeiter der Forschungsexpedition ergriffen (Skorbut u.s.w.), dazu das Fehlen jeglicher Verkehrswege mit einziger Ausnahme des Amur gaben Anlaß, den Plan, auf dem direkten Wege weiter fortzuschreiten, nochmals nachzuprüfen. Dazu kamen politische Erwägungen, die es Rußland wünschenswert erscheinen ließen, Wladiwostok auf dem Weg durch die nördliche Mandschurei möglichst schnell zu erreichen. Verhandlungen mit der chinesischen Regierung führten (1896) zu einer Verständigung dahin, daß mit Hilfe der russisch-chinesischen Bank von dem Grenzpunkt Mandschurija – Station der chinesischen Ostbahn – eine Bahn in der Richtung nach Wladiwostok zum Punkt Pogranitschnaja — Endstation der chinesischen Ostbahn — 1388 Werst (= 1481 *km*) zunächst erbaut werden solle und daß Rußland dann zu den beiden genannten Punkten Anschlußlinien erbauen werde, sowohl von der Transbaikalbahn 353 Werst (= 377 *km*), als auch von der Ussuribahn 115 Werst (= 123 *km*). Auch kam in Betracht, daß der Weg durch die Mandschurei kürzer, und keine erheblichen Bauschwierigkeiten bot, daher auch billiger war und daß vor allem in kürzerer Zeit die Verbindung mit Wladiwostok herzustellen sein würde. Die Chinesische-Ostbahn-Gesellschaft begann die Bauarbeiten im August 1897 zunächst auf der Strecke Mandschurija-Charbin-Pogranitsch-

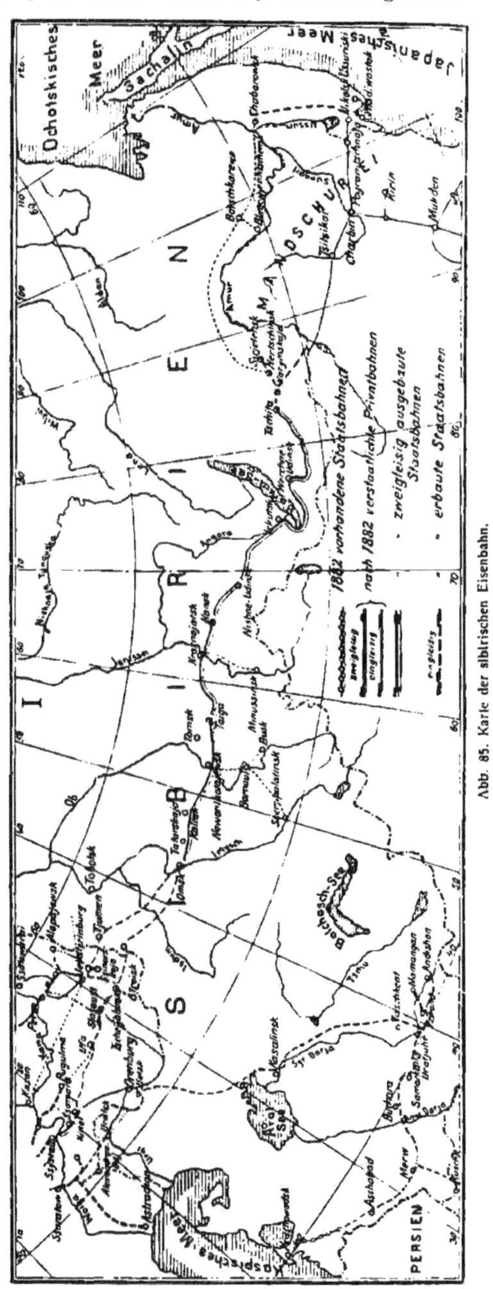

Abb. 85. Karte der sibirischen Eisenbahn.

[1] Es handelte sich in der Zeit vom 28. August bis 28. September 1900 nur um 40.052 Mann, 10.125 Pferde und 1976 Fuhrwerke nebst Zubehör.

naja[1] 1388 Werst (= 1481 *km*). Der Bau wurde außerordentlich beschleunigt, namentlich als die Unruhen (1900) drohten und damit die Notwendigkeit eintrat, größere Truppenkörper aus Rußland in die Mandschurei zu bringen. Es gelang schon am 21. Oktober 1901 den Verkehr auf der Bahn zu eröffnen.

Um diese große Verbindungsbahn dem durchgehenden Verkehr dienstbar zu machen, mußten, wie oben ausgeführt, 2 Anschlußlinien erbaut werden.

Zum Anschluß an die Transbaikalbahn mußten bei der Station Karymskaja bis Mandschurija 353 Werst (377 *km*) und anderseits zum Anschluß an die Ussuribahn bei der Station Nikolsk von der Endstation der chinesischen Ostbahn Pogranitschnaja 115 Werst (123 *km*) erbaut werden. Die Bauzeit war bis 1902 vorgesehen, doch mußte auch hier mit Rücksicht auf die politischen Ereignisse in der Mandschurei an der schnelleren Fertigstellung mit allem Nachdruck gearbeitet werden. Es gelang, die Anschlußstrecken bis zum Februar 1901 in der Hauptsache fertigzustellen, am 12. Oktober 1901 waren sie für den Verkehr frei.

Während der Bau der großen Bahn so den Ussurifluß erreicht hatte, war von Wladiwostok aus an der Fertigstellung der östlichsten Teilstrecke bis Chabarowsk gearbeitet. Es konnte schon am 30. November 1894 der Verkehr eröffnet werden.

Damit war das ursprünglich gesteckte Ziel, ganz Sibirien mit einer Eisenbahn zu durchqueren, nur zum Teil und nur unvollkommen erreicht. Einmal war der Baikalsee ein Hindernis geworden, das den ununterbrochenen Schienenweg störte, und sodann fehlten die letzten rd. 2000 Werst (2134 *km*) (die Amurbahn). Beide Fehlstücke sind ja wohl durch Hilfsunternehmungen, soweit die Zeitverhältnisse das möglich machten, ergänzt worden, es waren aber offenbar Notbehelfe. Dazu erwies sich vor allem der Ersatz der fehlenden Baikal-Umgehungsbahn sehr bald als wenig leistungsfähig, obgleich alle Vorkehrungen getroffen und keine Mittel gespart worden waren, um diesen Verkehr möglichst sicherzustellen. Es mußte vor allem das fehlende Stück – die Baikal-Umgehungsbahn – hergestellt werden. Am 23. Juni 1899 wurde der Bau genehmigt. Zu Anfang 1902 waren die Pläne für die vielen und schwierigen Kunstbauten hergestellt. 3 Jahre sollte mindestens der Bau in Anspruch nehmen. Da brach im Februar 1904 der Krieg mit Japan aus. Es mußte die Fertigstellung beschleunigt werden. Am 12./25. September 1904, gegen 2 Jahre früher, als es in Friedenszeiten gelungen wäre, wurde der durchgehende Verkehr ermöglicht und Rußland in die Lage gebracht, Truppen beschleunigt dem Kriegsschauplatz zuzuführen.

Die Erfahrungen, die Rußland mit der Leistungsfähigkeit der S. gemacht hatte, traten zum Teil in dem unglücklichen Ausgang des Krieges, zum Teil in den durchgreifenden Änderungen und Ergänzungen, die sehr bald nach Beendigung des Krieges vorgenommen werden mußten, deutlich zu tage. Der Frieden mit Japan wurde in Portsmouth im September 1904 geschlossen und obgleich Rußland erschöpft durch die schweren Opfer des Krieges war, so wurde doch alsbald an die Ergänzung der Leistungsfähigkeit der ganzen S. geschritten (s. Bau und Ausrüstung).

Aber noch eine zweite schwerwiegende Folge hatte der Krieg mit Japan. Kaiser Nikolai II., der nur widerwillig die Richtlinien verlassen, die sein Vater für die Durchführung des großen, russischen, ununterbrochenen Schienenwegs vorgezeichnet, und dem Bau der chinesischen Ostbahn zugestimmt hatte, griff jetzt von neuem den Gedanken auf und bestimmte, daß nunmehr, u. zw. mit Beschleunigung, der Bau der Amurbahn durchgeführt werde (s. Bd. I, S. 147 ff.).

Seit dem Oktober 1913 sind für den Verkehr bis zum Januar 1915 bereits 1646 Werst (1756 *km*) eröffnet worden. Die Reststrecke von 452 Werst (482 *km*) mit der großen Brücke über den Amur bei Chabarowsk befindet sich seit der zweiten Hälfte 1912 im Bau. Ist auch diese Teilstrecke vollendet, so wäre die S., wie ursprünglich beabsichtigt, als „rein russisches" Unternehmen durchgeführt worden. Mag auch der leitende Gedanke Alexander III. die wirtschaftliche Erschließung und Hebung des großen asiatischen Besitzes gewesen sein, die Durchführung ist bestimmt und zweifellos von politischen Erwägungen getragen worden. Die militärische Sicherung der entfernten Grenzen des Reiches mag zunächst vorgeschwebt haben, aber schon die Führung der Bahn durch die Mandschurei zeigt deutlich das Streben nach Machterweiterung. Die Gründe für die Wahl der Linienführung der S. durch die Mandschurei – große, technische Schwierigkeiten beim Bau der Amurbahn, kürzerer Weg – galten nur so lange, bis das vorgesteckte Ziel erreicht war, dann wurde das alte Programm wieder aufgenommen und schnell durch-

[1] Für das hier behandelte Thema kommt nur diese Strecke in Betracht, weil sie die Verbindung mit Wladiwostok herstellt. Das Unternehmen der chinesischen Ostbahn umfaßt jedoch auch die Strecke Charbin-Mukden-Port-Arthur und Kuantschenzsy-Dalni, rd. 1050 Werst (= 1120 *km*). Die Vereinbarung über den Bau dieser Strecke wurde am 21. März 1898 geschlossen

geführt. Dieses Mal unter der ausdrücklichen Begründung, Rußland müsse, sicher vor feindlichen Kanonen Wladiwostok, den Stillen Ozean erreichen können. Das Ziel wird aller Wahrscheinlichkeit nach bald erreicht sein, wenngleich an der allerempfindlichsten Stelle, beim Überschreiten des Amurstroms auf einer großen Brücke bei Chabarowsk die Bahn ganz nahe an die Grenze herantritt.

Gleichzeitig mit dem Bau der S. förderte die Staatsregierung eine große Zahl von „Hilfsunternehmungen", die dazu bestimmt waren, die wirtschaftliche Entwicklung zu beleben, zum Teil diese erst zu ermöglichen. Hierher gehört in erster Reihe die Besiedelung des Landes mit Bauern aus dem europäischen Rußland. Soweit es sich bisher übersehen läßt, ist das Werk tatsächlich in seinen Hauptpunkten geglückt. Der Ansiedlerstrom bewegte sich regelmäßig und mächtig dorthin. Allerdings hat die Staatsregierung durch Wegebauten, landwirtschaftliche Schulen, Niederlagen landwirtschaftlicher Maschinen und sonstiger Bedarfsgegenstände, geologische Untersuchungen, Schiffbarmachung von Flußläufen, Hilfsleistung durch Geldunterstützungen und Darlehen bei Errichtung der Ansiedelungen viel getan, um das Einleben der Siedler und deren wirtschaftliches Gedeihen zu fördern. Neben dieser wichtigen Vorbedingung für die Hebung von Ackerbau, Viehzucht und Gewerbe ging die Erziehung in Schule und Kirche gleichmäßig einher.

Alle diese Aufgaben zu lösen, war um so schwieriger, als der weitaus größte Teil des Landes, der erschlossen werden sollte, eine völlig menschenleere Einöde war. Daß es trotzdem gelungen ist, die Produktivität des Landes in so kurzer Zeit so gewaltig zu heben, ist zweifellos ein glänzendes Zeugnis für die Fähigkeit des russischen Volkes auf kolonisatorischem Gebiet.

Die Rückwirkung dieser Unternehmungen kommt in dem wachsenden Verkehr deutlich zum Ausdruck. So groß und schnell ist der Verkehr auf der Bahn gewachsen, daß diese den Anforderungen bald nicht mehr zu genügen vermochte und den Ausbau eines zweiten Gleises bis Karymskaja, Anschlußstation für die chinesische Ostbahn, und den Umbau der Gebirgsstrecke notwendig machte.

Dieser sehr schnell wachsenden Verkehrszunahme und den damit gleichermaßen wachsenden Verwaltungsgeschäften ist es wohl auch zuzuschreiben, daß die bisher unter dem Namen S. zusammengefaßte Teilstrecke Tscheljäbinsk-Innokentjewskaja in 2 Verwaltungsbezirke zerlegt worden ist. Es sind nunmehr an Stelle der „Sibirischen Eisenbahnverwaltung" eine in Omsk und eine in Tomsk getreten.

Zum Bezirk **Omsk** gehören die Strecken: Tscheljäbinsk-Nowonikolajewsk (frühere S.), ferner Jekaterinburg-Tjumen, Bogdanowitsch-Ssinarskaja, Jekaterinburg-Tscheljäbinsk, zusammen 2549 Werst (2720 *km*). Zum Bezirk **Tomsk** gehören die Strecken: Nowonikolajewsk-Innokentjewskaja, Taiga-Tomsk, zusammen 1821 Werst (1943 *km*).

II. Bau und Ausrüstung.

A. Bau.

Allgemeines zum Bau.

Die S. hat russische Normalspur 0·714 Faden (= 1·523 *m*). Auf der Strecke Tscheljäbinsk-Ssrjetensk sind Schienen von 18 Pfund auf den laufenden Fuß verlegt worden. Die Schienen erwiesen sich sehr bald als viel zu leicht. Schienenbrüche häuften sich, die auch durch Erhöhung der Zahl der Schwellen nicht verhindert werden konnten, so daß schon 1899 mit dem Ersatz dieser leichten Schienen durch solche von 24 und 24⅓ Pfund auf den laufenden Fuß vorgegangen werden mußte. Es waren aber nicht nur die zu schwachen Schienen der Entwicklung des Betriebs hinderlich, sondern ebenso bildeten die hölzernen Brücken, die viel zu kleinen Stationsanlagen, die übermäßig großen Abstände der Stationen voneinander, die ungenügenden Vorkehrungen für die Wasserversorgung die wichtigsten Hindernisse. Kurz bereits in den Jahren 1898/99 wurden alle diese Mängel festgestellt und gleichzeitig beschlossen, Abhilfe zu schaffen. 57 Zwischenstationen wurden erbaut. Ferner mußten die Schwellen größere Abmessungen erhalten und die Kiesbettung bis auf 0·22 Faden (0·469 *m*) verstärkt werden. Die Arbeiten sollten in 5–8 Jahren vollendet sein. Während sie in vollem Gang begriffen waren und der Betrieb allmählich günstig beeinflußt wurde, stellte es sich heraus, daß mit Rücksicht auf das Profil der Bergstrecken die Zugbelastung eine so ungleichmäßige war, daß auch hierdurch eine nicht unerhebliche Behinderung dem Betrieb erwuchs. Es handelte sich um die Strecken Atschinsk-Nishneudinsk 699 Werst (= 746 *km*) und Sima-Polowina 138 Werst (= 147 *km*), auf denen Steigungen bis 0·0174 und kleinste Krümmungshalbmesser von 120 Faden (256 *m*) zugelassen waren. 1903 wurde eine Besserung dieser Verhältnisse beschlossen. Bald darauf brach der Krieg gegen Japan aus und die Arbeiten wurden zunächst verschoben. Aber im Krieg stellte sich die geringe Leistungsfähigkeit mit ihren bedenklichen Folgen für die Kriegführung heraus und nun wurde außer dem Umbau der Gebirgsstrecken auch ein 2gleisiger Ausbau der gesamten Bahn von Omsk bis Tanchoi auf die Tagesordnung gesetzt. Bereits 1906 wurde die Durchführung dieser großen, umfangreichen und mehr als 200 Mill. Rubel in Anspruch nehmenden Arbeiten beschlossen und gleich im nächsten Jahre wurde mit dem Bau begonnen. So weit bekannt, ist der zweigleisige Ausbau bis Karymskaja (Abzweigestation zur chinesischen Grenze) durchgeführt, so daß von der Station Karymskaja, woselbst die Amur- und die chinesische Ostbahn zusammentreffen, bis Omsk, woselbst eine Teilung des sibirischen Verkehrs über Tjumen und Tscheljäbinsk stattfindet, bereits gegenwärtig ein zweigleisiger Betrieb durchgeführt wird.

Neben diesen gewaltigen Umbauten sind an der Ussuribahn, die zurzeit sich im Betrieb der chinesischen Ostbahn befindet, umfangreiche Bauten, um deren Leistungsfähigkeit zu erhöhen, seit 1913 in Durchführung begriffen. Der Kostenanschlag beträgt 40 Mill. Rubel.

Im Besonderen.

a) Die westsibirische Teilstrecke 1328 Werst (= 1417 *km*) beginnt bei der Station Tscheljäbinsk, führt über Kurgan (Werst 241), Petropawlowsk (Werst 490), Omsk (Werst 745), Kainsk (Werst 1049) und endet nach Überschreitung des Ob bei Werst 1328. Für den Bau der Bahn sind 15.362 Deßjätinen (16.789 *ha*) Land in Anspruch genommen, von denen 2577 Deßjätinen (2816 *ha*) käuflich erworben werden mußten. Die Bauarbeiten wurden 1892 begonnen, der Verkehr bis Omsk konnte schon am 30. August 1894, für die Reststrecke am 19. August 1895 eröffnet werden. Nur die Brücke über den Ob wurde erst am 31. März 1897 fertig. Diese Brücke hat eine Länge von 380 Faden (811 *m*). Die höchste Steigung beträgt 0·0074, wobei von der Gesamtlänge der Bahn 56·5% in einer Steigung, 92·5% in der Geraden und nur der kleine Rest von 7·5% in Krümmungen liegen. Der kleinste Krümmungshalbmesser beträgt 120 Faden (256 *m*). Eine Werstbahnlänge (1067 *m*) erforderte nur 1223 Kubikfaden (11.876 m^3) Bodenbewegung. Trotz dieser günstigen Verhältnisse hatte die Bauleitung doch mit erheblichen Schwierigkeiten zu kämpfen, denn einmal war die kurze Bauperiode (120 Tage) namentlich bei den Kunstbauten störend und sodann mußten Holz, Zement, Ziegelsteine u. s. w. auf sehr große Entfernungen herangeschafft werden. Z. B. Steine zum Bau der Brücke über den Irtysch und der Station Omsk 740 Werst (= 789 *km*). Ganz besondere Schwierigkeiten verursachte die Wasserversorgung. Das Wasser der vielen Seen konnte zur Speisung der Lokomotiven und als Gebrauchswasser für die Menschen nicht ohneweiters wegen des starken Salz- und Eisengehalts Verwendung finden. Es mußte auf chemischem Weg gebrauchsfähig gemacht werden.

b) Die mittelsibirische Strecke, 1715 Werst (1830 *km*). Dazu kommen die Anschlußbahnen zur Stadt Tomsk 82 Werst (= 87 *km*) und von Irkutsk zum Baikalsee 64 Werst (= 68 *km*), dieser zweite Teil der S. umfaßt also 1861 Werst (1986 *km*). Die Bahn beginnt am rechten Ufer des Ob und führt dann weiter über Mariinsk (Werst 353), Atschinsk (Werst 542), Krasnojarsk (Werst 708), überschreitet den Jenissei, erreicht Kansk (Werst 933), Nishneudinsk (Werst 1236) und endet am linken Ufer der Angara bei Irkutsk (Werst 1715). Für den Bau sind in Anspruch genommen 24.718 Deßjätinen (25.911 *ha*) oder für eine Werstbahnlänge 13·8 Deßjätinen (15·1 *ha*). Die ganze Baulänge ist in 2 Teile zerlegt: I. bis Krasnojarsk und II. von hier bis Irkutsk. Bald nach Beginn des Baues der ersten Teilstrecke im Frühjahr 1893 ergab sich das Bedürfnis, die ganze mittelsibirische Strecke früher, als ursprünglich in Aussicht genommen, fertigzustellen. Es wurde daher die zweite Teilstrecke bereits 1894 in Angriff genommen und damit erreicht, daß die Strecke zu I am 15. Februar 1897, zu II am 16. August 1898 für den Betrieb eröffnet werden konnte.

Dieser zweite Teil der großen Bahn hat einen gebirgigen Charakter und erforderte erheblich viel größere Erdarbeiten (2060 Kubikfaden = 20.005 m^3 Bodenbewegung auf 1 Werst). Es liegen zu I nur 25%, zu II 33% in der Wagrechten. Die größte Steigung beträgt 0·0174. In der Geraden liegen zu I 70%, zu II 68%. Der kleinste Krümmungshalbmesser beträgt 200 Faden (427 *m*). Die Arbeiten mußten, um die Fertigstellung zu beschleunigen, in Angriff genommen werden, bevor die Baupläne im einzelnen vollkommen hergestellt waren, selbst die Linienführung war nur ganz allgemein festgelegt. Dazu kam, daß sich verhältnismäßig nur wenig Unternehmer fanden. Auf den westsibirischen Strecken konnten 77% der Arbeiten im Ausgebotverfahren vergeben werden, an der mittelsibirischen Strecke nur 56%. Auch die Anmietung von Arbeitern in dem dünnbevölkerten Land war schwierig; die Mehrzahl mußte aus dem europäischen Rußland herangebracht werden. 23.000 Arbeiter wurden zeitweise beschäftigt, darunter 1472 Arrestanten. Namentlich zu den Kunstbauten, darunter 8 größeren Brücken, den Stationsgebäuden u. s. w. konnten nur europäische Arbeiter Verwendung finden. Unter den Brücken ist namentlich die über den Jenissei 408 Faden (870·3 *m*) lang und überspannt den Strom auf 6 Bogen von je 68 Faden (145 *m*).

Besondere Erschwernisse für den Bau boten auch die klimatischen Verhältnisse (bis 40° unter Null) und die Bodenbeschaffenheit (nicht selten bis Anfang Juli noch gefroren). Dazu trat die Taiga (der Urwald) mit ihrem undurchdringlichen Waldbestand und dem metertiefen, sumpfigen Boden, die auf sehr weiten Strecken durchschnitten werden mußte. Auch wurden infolge des gebirgigen Charakters der Bahn viele Kunstbauten notwendig. Im Zusammenhang mit dem Bau der mittelsibirischen Bahn steht der Bau zweier Anschlußbahnen, u. zw.:

1. Zweigbahn nach Tomsk, ausgehend von der Station Taiga, 82 Werst (87 *km*) lang, nebst deren Fortsetzung bis zum Hafenplatz Tscheremoschnika am Tom, 7 Werst (7 *km*). Auch diese Bahn führt durch gebirgiges Taigagelände.

2. Zweigbahn Irkutsk – Station der Hauptbahn – zum Baikalsee. Sie führt durch gebirgiges Gelände auf dem linken Ufer der Angara, das von tiefen Einschnitten durchbrochen ist und auf weite Strecken hin steil ins Tal abfällt. Am Endpunkt ist am Ufer des Sees eine Anlagestelle für die großen Eisbrecher-Prähme hergestellt worden. Auch der Bau der Hafenanlagen auf beiden Seiten des Sees verursachte große, bauliche Schwierigkeiten, die durch den Charakter des riesigen Gebirgssees begründet sind. Außerdem mußten die Prähme, die in England erbaut waren, in auseinandergenommenem Zustand bis an den See geschafft, hier zusammengesetzt werden, wozu wiederum ein ganzer Bestand an geschulten Arbeitern aus Europa herangeführt werden mußte. Im April 1900 konnte der Verkehr eröffnet werden.

c) Die Baikal-Umgehungsbahn. Die Wahl der Linienführung war schwer zu entscheiden. Für den ersten Teil der 244 Werst (260 *km*) langen Strecke standen mehrere Möglichkeiten offen, unter denen einem Bau am Ufer des Baikalsees, dem über das Syrkusunskgebirge oder durch das Tal des Irkut, der Vorzug gegeben wurde, namentlich auch weil dadurch der Bau eines 3·5 Werst langen Tunnels vermieden werden konnte. Die Linienführung bewegte sich hiernach von der Station Baikal-Osero über Kultuk-Murino bis Myssowaja. Namentlich auf dem ersten Teil der Umgehungsbahn wurde der Bau durch die vielen Krümmungen, die Vorsprünge und die tief und scharf einschneidenden Buchten des felsigen Ufers außerordentlich erschwert, so daß, um große Stützmauern zu vermeiden, die wegen des hohen Ufers und des tiefen Sees schwer zu erbauen waren, 31 Tunnel durchgeschlagen, sowie Brücken über tief eingeschnittene Täler und Buchten errichtet werden mußten. Auf der Strecke Kultuk bis Murino ist das Gelände auch noch felsig, die Felsen steil abfallend und mit Wald bestanden. Nach Verlassen der Station Murino treten die Felsen vom See mehr zurück, so daß die Bahn bis zur Endstation Myssowaja in gewöhnlichem Gelände geführt werden konnte. Dazu trat das rauhe Klima und der fast stets unruhige, ein Erreichen der

Baustellen behindernde See. Der Bahnkörper sollte nach dem Bauplan 2·60 Faden (5·55 *m*) breit sein, der Krümmungshalbmesser in der Regel 300 (640) und in Ausnahmefällen nicht weniger als 150 Faden (320 *m*), die Steigungen nicht mehr als 0·008 betragen. Die durchschnittliche Bodenbewegung auf eine Werstbahnlänge hat 4734 Kubikfaden (10.098 m^3), darunter 1893 Kubikfaden (4038 m^3) Felsen betragen. Auch ist für die Umgehungsbahn ein Schienengewicht von 24 Pfund (1 *ℓℓ* = 0·4095 *kg*) auf den laufenden Fuß (0·3047 *m*) zugelassen worden.

Begonnen wurde der Bau 1899; im Herbst 1904 war er vollendet.

d) Die Transbaikalbahn. Die gewählte Linienführung geht von Myssowaja aus und zieht sich dann durch das Tal der Sselenga hin, erreicht bei Werst 155 Werchneudinsk, überschreitet den Höhenzug von Zagan-Daban, folgt darauf dem Lauf der Flüsse Chilka und Baljaga, um bei Werst 328 die steilen Ufer der Chilka und darauf das Jablonoigebirge bei Werst 590 in einer Höhe von etwa 1000 *m* zu überschreiten. Endlich wird Tschita bei Werst 675, Nertschinsk bei Werst 952 und darauf die Endstation Ssrjetensk bei Werst 1031 erreicht. Die größte Steigung beträgt 0·174, der kleinste Krümmungshalbmesser 150 Faden (320 *m*). Der Bau wurde 1895 begonnen und sollte 1898 beendet sein. Allein ein Hochwasser im Jahre 1897, das das Niveau der Flüsse bis 3 *m* über den bis dahin beobachteten höchsten Hochwasserstand hob, zerstörte auf einer Strecke von 357 Werst mehr oder minder die Bauten. Sie mußten z. T. erneuert, z. T. mußte die Linienführung geändert werden, wodurch ein Schaden von 12·5 Mill. Rubel und eine Verzögerung in der Fertigstellung der Bahn hervorgerufen wurde. Der Betrieb konnte erst 1. Januar 1900 eröffnet werden. Die Schwierigkeiten nahmen mit jedem Kilometer weiter nach Osten zu, je mehr die Entfernung von der Basis – dem europäischen Rußland – wuchs. Große Mengen der Baumaterialien, wie Zement, Eisenteile, zu den Kunstbauten, namentlich aber auch die vielen geschulten Arbeitskräfte mußten über Wladiwostok herangeschafft werden. Auf diesem Bauabschnitt wurden bereits viele Chinesen neben den Verbannten und Sträflingen, aus den russischen Gefängnissen, verwendet. Diese Verhältnisse brachten es auch mit sich, daß sich Unternehmer nur schwer fanden. 72% aller Arbeiten mußte die Bauverwaltung selbst ausführen. Zu allen diesen Erschwernissen kamen auch hier noch die klimatischen Verhältnisse hinzu, die Kälte, der gefrorene Boden, die kurze Arbeitszeit im Winter, im Sommer die hohe Temperatur und in ihrem Gefolge Mücken u. s. w., Plagen, die die Arbeit außerordentlich erschwerten und vielfach zu einer Qual machten. Auch dieser Teil der Bahn mußte größtenteils durch felsiges Gelände geführt werden. Der gefrorene Boden stellte auch ganz besonders schwierige Aufgaben an die Sicherstellung der Wasserversorgung. Kurz, an die Tatkraft und die Opferwilligkeit des ganzen Personals, vom obersten Leiter bis zum letzten Arbeiter, waren fast übermenschliche Anforderungen gestellt.

e) Die Amurbahn ist bereits in Bd. I, S. 147 ff. behandelt worden. In der Zwischenzeit ist der Bau so weit fortgeschritten, daß die ganze westliche Hälfte der Bahn Kuenga-Alexjejewsk 1207 Werst (= 1288 *km*) am 15. Oktober 1913, die Endstrecke Alexjejewsk-Botschkarewo 50 Werst (= 53 *km*) im Dezember 1913 für den Betrieb eröffnet werden konnten. Desgleichen sind die Zweigbahnen Boljschoi Newer-Reinowo 64 Werst (= 68 *km*), Taptugary-Tschassowenskaja 26 Werst (= 28 *km*) im Oktober 1913, Alexjejewsk-Blagowjeschtschensk 103 Werst (= 110 *km*) im Dezember 1913, endlich Uschumun-Tschernjäjewo 37 Werst (= 39 *km*) für den Betrieb eröffnet worden; für die letztere ist allerdings der Zeitpunkt nicht genau festzustellen. Damit ist die westliche Hälfte der Amurbahn seit Ende 1913 dem Verkehr dienstbar. Während der Bauausführung dieser Strecke sind 5 Arbeitsbahnen von zusammen 170 Werst (181 *km*) zum Amurstrom hergestellt worden. Diese Hilfsgleise sind dann in der Folgezeit als wertvolle Verbindungsglieder zwischen der Hauptbahn und dem Strom regelrecht ausgebaut worden, um ständig dem Verkehr zu dienen. Von größeren Bauwerken können hervorgehoben werden: die Brücken über den Sejafluß bei Alexjejewsk, 382 Faden (815 *m*) lang mit 8 Bogen und bei Bjelogorja, 570 Faden (1216 *m*) lang mit 11 Bogen. Nähere Mitteilungen über den Bau der Amurbahn fehlen, weil der Krieg die Verbindungen unterbrochen hat. Das Gewicht der verlegten Schienen beträgt hier 24·13 Pfund (1 *ℓℓ* = 0·4095 *kg*) auf den laufenden Fuß (0·3047 *m*).

Der Bau der östlichen Teilstrecke vom Fluß Bureja-Chabarowsk 611 Werst (= 652 *km*) ist im Herbst 1912 begonnen worden. Er sollte Anfang 1916 vollendet sein. Allein der Krieg ist hier störend dazwischen getreten. Aus Anordnungen der Regierung, die eine Umleitung der Transporte von Wladiwostok auf dem Wasserweg (Amur) bis Blagowjeschtschensk bezwecken, ergibt sich, daß der direkte Weg über Chabarowsk und die Amurbahn zurzeit (Oktober 1916) noch nicht für den Verkehr eröffnet worden ist. Aus erreichbaren Quellen ist zu erkennen, daß die Strecke Botschkarewo-Bureja 159 Werst (= 170 *km*) im Mai 1914 eröffnet worden ist. Die Fertigstellung der Reststrecke von 452 Werst (= 482 *km*) wurde durch den Ausbruch des Krieges verzögert. An großen Kunstbauten auf diesem Teil der Amurbahn sind vorhanden 8 Tunnel mit einer Gesamtlänge von 2373 Faden (4962 *m*), darunter der längste von 746 Faden (1591 *m*) und die Brücke über den Amurstrom bei Chabarowsk. Mit 18 Öffnungen zu je 58 Faden (124 *m*) überspannt die Brücke mit 1044 Faden (2227 *m*) den Amur. Rd. 1,100.000 Pud (18.018 *t*) Eisen und rd. 6000 Kubikfaden (58.266 m^3) Mauerwerk sind zu ihrer Herstellung erforderlich gewesen. Hier sind Chinesen in großer Zahl herangezogen worden.

f) Ussuribahn. Auch die Ussuribahn ist in 2 Bauabschnitte, den südlichen, Wladiwostok-Murawjew-Amurski, 378 Werst (403 *km*), und den nördlichen, von hier bis Chabarowsk, 344 Werst (367 *km*), geteilt worden. Der Bau des südlichen Teiles wurde im Mai 1891 begonnen und dem Betrieb im November 1894 übergeben; auf dem nördlichen Teil begann der Bau 1894 und der Betrieb 15. Oktober 1897. Für die Ausführung ist eine leichtere Bauart gewählt. Auf dem südlichen Teil sind zugelassen: Steigungen von 0·015 und kleinste Krümmungshalbmesser von 120 Faden (260 *m*), auf dem nördlichen Teil Steigungen von 0·010 und kleinste Krümmungshalbmesser von 200 Faden (427 *m*). Vor Erreichung der Endstation überschreitet die Bahn den Ussurifluß auf einer festen Brücke. Das fast vollständige Fehlen von Wegen erschwerte das Fortschreiten des Baues. Viele Wege mußten neu geschaffen werden. Dazu kam, daß reichlicher Regen den Bau aufhielt. Der Arbeitermangel war auch hier sehr groß und konnte nur durch Einstellung von Sträflingen bis zu 2000 Mann und von Chinesen bis zu 15.000 Mann behoben werden.

Zur Ussuribahn gehört noch die Verbindungsbahn zwischen dieser und der chinesischen Ostbahn. Sie zweigt bei der Station Nikolsk ab und erreicht nach 110 Werst (117 *km*) die Grenzstation Pogranitschnaja, wo sie Anschluß an die chinesische Ostbahn findet.

B. Ausrüstung.

Die erste[1] Ausrüstung der S. mit Betriebsmitteln am 1. Mai 1903 und der Bestand Ende 1910 ergeben sich aus der folgenden Tabelle:

Bahn	Jahr	Lokomotiven		Personenwagen	Spezialwagen	Güterwagen	
		Personenzug	Güterzug			Gedeckte	Sonstige
Sibirische	1903	52	683	939	310	9.735	3542
	1910	222	1052	2617	117	16.388	5244
Transbaikal	1903	–	196	273	73	2.224	1312
	1910	58	512	351	105	10.168	3394
Ussuri	1903	–	118	73	47	1.572	674
	1910	–	182	130	27	1.443	1071

III. Finanzierung.

Bald nachdem die Absichten der Staatsregierung, tatkräftig an den Bau der großen S. heranzutreten, bekannt wurden, gingen ihr Pläne und Angebote zur Durchführung des riesigen Unternehmens in großer Zahl, auch aus England und Frankreich zu. Es fanden sich darunter Angebote, die die Durchführung des Baues und des Betriebs ohne jede staatliche Beihilfe zu übernehmen bereit waren. Alle diese Angebote scheiterten an dem festen Willen Alexanders III., der bestimmt hatte, daß die S. als ein rein russisches Unternehmen aus staatlichen Mitteln und unter staatlicher Leitung durchgeführt werden solle. Darnach war es Aufgabe des Finanzministers, Quellen zu erschließen, aus denen die großen Summen beschafft werden konnten.

Die Baukosten der einzelnen Teilstrecken der S., wie sie 1903 durch das Komitee für die S. festgestellt worden sind, wobei der Kostenvoranschlag der Baikal-Umgehungsbahn mit in den Kostenanschlag eingesetzt ist, ergeben für:

	Länge in Werst (= 1067 *m*)	Voranschlag für 1903		Ende 1911 betragen die Baukosten	
		Gesamtkosten	Kosten für 1 Werst	überhaupt	für 1 Werst
		in 1000 Rubel			
1. Westsibirische Bahn	1328	51.110	38	279.089 (1.–4.)	94·2
2. Mittelsibirische Bahn	1715	101.481	59		
3. Zweigbahn nach Tomsk	89	2.573	29		
4. Zweigbahn zum Baikalsee	64	3.172	50		
5. Baikal-Umgehungsbahn	244	53.626	220	230.507 (5.–8.)	135·4
6. Transbaikalbahn	1036	79.943	77		
7. Zweigbahn bei Karymskaja } zur chinesischen Ostbahn	324	31.564	97		
8. Zweigbahn bei Nikolsk } zur chinesischen Ostbahn	110	8.114	74		
9. Ussuribahn	717	46.267	65	70.489	76·9
10. Amurbahn	1976	337.400	(letzter Kostenanschlag 1915)		
11. Für Erhöhung der Leistungsfähigkeit der Bahn	–	94.321	22	200.000 (annähernd)	–

Soweit handelt es sich hier ausschließlich um die bauliche Herstellung der S. Nun kommen aber noch, wenn man sich ein Bild von den Gesamtkosten des Unternehmens machen will, die Kosten der Hilfsunternehmungen in Betracht, u. zw.:

1. Dampffähre auf dem Baikalsee . . . . 6,744.340 Rubel
2. Chinesische Ostbahn . . . . 253,496.850 „
3. „ „ Schutz der Bahn . . . . 46,293.386 „
4. „ „ Verluste durch Zerstörung bei den Unruhen 1900 70,000.000 „

Ferner rechnet das Komitee für die S. hierher auch noch Ausgaben, die sich als eine Folge des großen Unternehmens darstellen, so:

Bau von Stadt und Hafen Dalni . . . . 18,850.000 Rubel
Unterstützung oder Begründung von Dampferlinien auf dem Stillen Ozean 11,427.000 „
Verbesserung der Wasserwege in Sibirien . . . . 10,321.000 „

Wenn auch zugegeben werden mag, daß die vorstehenden Ausgaben eine Folge sind, mindestens im Zusammenhang mit dem Bau der Bahn stehen, so würde es anderseits doch sehr das Bild über die Kosten der Bahn verschieben, wenn solche Nebenunternehmungen gleichfalls dem Konto des Bahnbaues zur Last gebracht würden. Es ist deswegen in der vorstehenden Zu-

[1] Staatssekretär Kulomsin: Die S. in Vergangenheit und Gegenwart. Festschrift zur Feier des 10jährigen Bestehens des Komitees der S. (1893–1903). Petersburg 1903.

sammenstellung eine Trennung streng durchgeführt worden.

Aus allem ergibt sich, daß es sich zurzeit noch nicht übersehen läßt, was das sibirische Unternehmen schließlich kosten wird.

Die Form der Aufbringung der großen Geldmittel läßt sich auch nicht klar erkennen. Dem äußeren Anschein nach sind die notwendigen Beträge von der Reichsduma für jedes Baujahr besonders aus den verfügbaren Mitteln bewilligt; ob es der Finanzverwaltung geglückt ist, diese großen Aufwendungen wirklich, wie es gedacht war, aus etwaigen Einnahmeüberschüssen zu decken oder ob ausländische Anleihen helfen mußten. In seiner Wirkung ist es aus dem Grund bedeutungslos, woher das Geld stammt, weil das russische Reichsbudget sehr häufig, um nicht zu sagen in der Regel, Zugänge aus „finanziellen Operationen" notwendig macht, um Einnahme und Ausgabe ins Gleichgewicht zu bringen.

IV. Verkehr.

Der Verkehr auf den Bahnen Sibiriens hat sich schnell entwickelt, wie das der 16jährige Beobachtungsabschnitt deutlich zeigt. Im besonderen haben die Jahre 1904 und 1905 Aufnahme gefunden, um zu zeigen, was diese Bahnen, die ihre Erbauung nicht zuletzt politisch-militärischen Erwägungen verdanken, während des Krieges mit Japan zu leisten vermochten, obgleich sie bautechnisch nur in der Hauptsache fertiggestellt waren.

Im Personenverkehr (einschließlich Militär) gelangten zur Beförderung auf der Bahn:

Jahr	Sibirische	Transbaikal	Ussuri
	in Tausenden		
1899	1020	–	398
1904	1755	1500	613
1905	1845	1870	961
1910	3466	1869	1320
1911 [1]	3750	2200	1373

[1] Für spätere Jahre liegen keine endgültigen Angaben vor.

Im Güterverkehr wurden bewegt auf der Bahn:

Jahr	Sibirische	Transbaikal	Ussuri
	in 1000 Pud (1 Pud = 16·38 *kg*)		
1899	89.399	–	69.961
1904	202.408	80.825	47.006
1905	249.035	157.295	69.072
1910	316.139	112.648	122.825
1911	395.647	173.101	142.231

Mertens.

Sicherheitsstreifen, Schutzstreifen (*safety belt, protection strip; bande de sureté; zona di preservazione*), sind allgemeine Begriffe für alle in der Umgebung des Bahnkörpers vorzusehenden Schutzflächen, teils zur Sicherung für die Bahnen gegen Gefahren, die ihr von angrenzenden Grundstücken oder unterirdischen Anlagen drohen können, teils zum Schutze der Nachbargrundstücke gegen die Gefahren, die der Bahnbetrieb im Gefolge hat. Da die Gefahren aus dem Bahnbetrieb im allgemeinen größer sind, so haben die letzteren mehr Bedeutung. Im einzelnen unterscheidet man Grenzschutzstreifen, Torfschutzstreifen, S. im Bergbaugebiet, Windbruchstreifen, Brand- oder Feuer-, Forst- oder Waldschutzreifen.

A. Grenzschutzstreifen. Die zur Vermarkung der Bahngrenze dienenden Grenzsteine werden nicht unmittelbar an den Fuß der Bahnböschung oder an die Kante der Einschnitte gestellt, sondern mit Rücksicht auf die Gefahr des Abrutschens der Böschung vorwiegend zum Schutze des Nachbargeländes 0·50 – 1·50 *m* (meist 0·60 – 0·80 *m*) von den Damm- und Einschnittsböschungen entfernt errichtet. Die Breite des Streifens ist in der Regel veränderlich, weil gern ein möglichst gleichmäßig verlaufender Grenzzug gewählt wird, der sich nicht dem meist unregelmäßigen Verlauf des Dammfußes oder des Böschungsrandes anpaßt.

B. Torfschutzstreifen werden dort neben der Bahn angelegt, wo in Torfmooren eine Gefahr für den Fuß des Bahndammes durch das Torfstechen eintreten kann. Ihre Breite wird von der Kante der Bahnkrone an gerechnet bei $1\frac{1}{2}$facher Bahnböschung zu $(1·5\,H + 2)$ *m* gewählt, wenn H die Höhe der Bahnkrone über dem festen Untergrund ist.

C. Sicherheitsstreifen im Bergbaugebiet. Führt eine Bahn durch die Grubenfelder des Bergbaubetriebs, so können sich Bahn und Bergbau gegenseitig gefährden. In solchem Fall sind daher für den Bahnbetrieb und für den Bergbaubetrieb besondere Sicherungen zu treffen. Sie bestehen hauptsächlich in dem Stehenlassen von Sicherungspfeilern seitens des Bergbauunternehmens (vgl. Bergbaubeschränkungen).

D. Windbruchstreifen. Holzbestände, die einen das Bahngleis gefährdenden Umbruch befürchten lassen, sind nach § 27[3] der TV. zu beseitigen. Ist daher der von der Bahn durchschnittene Baumbestand hoch und sturmgefährdet, so wird dort mit Rücksicht auf die Sicherheit des Bahn- und Telegraphenbetriebs der Bestand so weit abgetrieben, als es erforderlich ist. Die abgetriebene Fläche wird alsdann aber bis an den Wundstreifen (vgl. unter *E*) längs der Bahnböschung sofort wieder aufgeforstet.

E. Brand- oder Feuerschutzstreifen, auch Forst- oder Waldschutzstreifen *(fire-protection belt or strip; bande protectrice contre le feu; striscia di terreno quale protezione contro l'incendio)* genannt, werden in den Waldungen, Heiden und trockenen Mooren zu beiden Seiten der Bahn angelegt, um diese Kulturarten vor der ihnen durch Auswurf glühender Kohlenteilchen aus den Lokomotiven drohenden Feuersgefahr zu schützen, die leicht zur Vernichtung von ganzen Waldbeständen führen kann.

Um den Lokomotivführern anzuzeigen, wo Feuersgefahr besonders zu befürchten und daher das Feuer der Lokomotive vorsichtig zu behandeln ist, wird zuweilen auf solchen Strecken längs der Bahnlinie ein Merkmal in Form eines weißen Streifens an den Telegraphenstangen angebracht.

Haben alle diese Maßnahmen auch eine gewisse Verringerung des Funkenfluges herbeigeführt, so läßt es sich doch nicht vermeiden, daß besonders beim Beschicken der Feuerung Glutteilchen aus der Feuerung mitgerissen werden, die – zumal bei der lebhaften Luftbewegung, die hinter dem schnellfahrenden Zug erzeugt wird – die Flammenbildung herbeiführen. Da nicht nur das Bahnnetz, sondern mehr noch die Zahl der gefahrenen Zug*km* von Jahr zu Jahr wächst, so haben die Eisenbahnverwaltungen der Verhütung der durch Lokomotivflugfeuer verursachten Waldbrände in den letzten Jahren mehr und mehr ihre Aufmerksamkeit zugewendet. Die TV. enthalten im § 27, Absatz 1 und 2 zur Vermeidung solcher Brände folgende Bestimmung:

In Waldungen, Heiden und trockenen Mooren ist längs der mit Dampfkraft betriebenen Bahnen zur Sicherung gegen Brände ein Streifen wund zu halten oder nur so zu benutzen, daß die Ausbreitung des Feuers behindert wird. Die Breite des Streifens ist nach der Örtlichkeit zu bestimmen. Derselbe Zweck kann auch durch Anlage von Schutzgräben erreicht werden, die in angemessenem Abstand vom Bahngleis anzulegen und von brennbaren Gegenständen freizuhalten sind.

Die Erfahrungen haben gelehrt, daß jeder Waldbrand mit der Entzündung des Bodenüberzugs entsteht. Die zündenden Auswürfe verursachen hier zunächst ein leicht zu löschendes Lauffeuer. Aus diesem entsteht ein Wipfelfeuer erst dann, wenn die Flammen brennbare Stoffe zwischen Bodenüberzug und Wipfel erreichen. Das Lauffeuer erlischt am Anfang von selbst an jedem kleinen Hindernis, das durch einen nicht brennbaren Gegenstand geboten wird (Pflugfurche, Fußsteig). Das Wipfelfeuer erlischt, sobald das Bodenfeuer gelöscht ist.

Als beste Schutzanlagen gegen die von den Eisenbahnen drohende Feuersgefahr ergeben sich daher auf Grund der bei den preußischen Staatsbahnen gemachten Erfahrungen nach nebenstehender Abb. 86 mit Holz bestandene, 12–15 *m* breite Streifen, durch die die glühenden, aus den Lokomotivschornsteinen herausgeschleuderten Kohlenstückchen nicht hindurch und über die sie nicht hinwegfliegen können. Der Boden dieser Streifen ist, damit das Flugfeuer nicht durch den Bodenüberzug auf die Bäume überspringen kann, freizuhalten von brennbaren Stoffen (Heide, hohes trockenes Gras, Wacholder, trockene Zweige, trockenes Gestrüpp, Rohhumusmassen u. s. w.); außerdem sind die Bäume bis zu einer Höhe von 1·5 *m* von allen trockenen Ästen und, soweit grüne Äste auf den Boden herunterhängen, auch von diesen zu befreien. Nur die grünen Äste der am bahnseitigen Rande der Schutzstreifen stehenden Stämme sind niemals zu beseitigen. Um nun das Überlaufen der häufigen Böschungsfeuer in den Bestand des Schutzstreifens zu verhindern, ist zwischen diesem und der Böschung ein 1 *m* breiter Wundstreifen dauernd frei von allen brennbaren Stoffen zu halten. Der bestandene Streifen ist von dem hinter ihm liegenden Forste durch einen von brennbaren Stoffen dauernd und vollständig freizuhaltenden, 1,5 *m* breiten Wundstreifen zu trennen. Die beiden Wundstreifen – längs der Bahnböschung und längs des sie schützenden Waldes – sind je nach der Größe der Gefahr in Abständen von 20–40 *m* durch 1 *m* breite Querwundstreifen miteinander zu verbinden. Das so entstehende Netz von Wundstreifen (vgl. die schraffierten Streifen der Abb. 86) beschränkt die im Bodenüberzug entstehenden Lauffeuer auf einen abgegrenzten kleinen Fleck.

Die Wundstreifen sind dauernd rein und wund zu halten. Sie müssen jährlich mindestens einmal im Frühling sofort nach Schneeabgang von Nadeln, Laub u. s. w. gereinigt werden. Dasselbe gilt von den jung angepflanzten Schutzstreifen. Als Längswundstreifen können befahrene Wege (s. den Lageplan der Abb. 86 rechts), vorhandene Wassergräben u. s. w. mitbenutzt werden. Moorige und torfige Flächen sind innerhalb der Wundstreifen 30 *cm* hoch zu besanden.

Beim Neubau von Bahnen ist der Bestand längs des Bahnkörpers nur so weit abzutreiben, wie dies für die Übersichtlichkeit der Strecke für Lokomotivführer und Bahnwärter, insbesondere an Wegübergängen (vgl. die in der Abb. 86 eingetragene Sehlinie), sowie für die Sicherheit des Bahn- und Telegraphenbetriebs vor überfallendem Holz (vgl. unter *D*) erforderlich ist. Je breiter die Bahngasse durch den Wald gelegt wird, desto leichter und weiter werden durch den Luftzug die glühenden Kohlen seitwärts in den Bestand getrieben. Beiderseits der Bahn wird der vorhandene Bestand in der vorstehend angegebenen Weise durch Anbringung von Wundstreifen u. s. w. zu einem bestandenen Schutzstreifen umgewandelt. Ist der Bestand noch nicht hoch genug, um die Funken aufzufangen, oder ist das Gelände dem Winde besonders ausgesetzt, so ist die Anlage eines zweiten oder dritten Parallelschutzstreifens hinter dem ersten nötig. Ebenso können Bestände, die an der Außenseite einer Kurve oder gegenüber von Blößen und neben hohen Bahndämmen liegen, die Anlage eines zweiten Parallelschutzstreifens an der gefährdeten Bahnseite erforderlich machen. Liegen vor einem gefährdeten Bestande Höhe muß der hinter dem altbestandenen Schutzstreifen angelegte junge Bestand erreicht haben, ehe der Schutzstreifen selbst abgetrieben werden darf. Bis der auf dem Schutzstreifen angelegte junge Bestand eine Höhe von etwa 3 *m* erreicht hat, ist hinter ihm ein bestandener Schutzstreifen von etwa 12 15 *m* Höhe zu unterhalten.

Das vorstehend beschriebene Verfahren zur Herstellung von Wundstreifen wird nach dem Erfinder auch das Kienitzsche Verfahren benannt. Es hat den Vorteil, daß es die forstliche Bewirtschaftung bis dicht an den Bahnkörper heran nicht behindert.

Die Kosten der Wundhaltung der Schutzstreifen sind dauernd gestiegen. Während sie längs der vollspurigen Staats- und Privateisenbahnen Deutschlands im Jahre 1890 nur rd. 197.000 M. ausmachten, betrugen sie im Jahre 1909 über 560.000 M. Immerhin sind diese Kosten noch geringer als die Entschädigungen für Schadenfeuer, die durch Funkenflug entstehen; diese haben allein bei den preußischen Staatseisenbahnen im Jahresdurchschnitt der letzten 20 Jahre etwa 1 Mill. M. betragen.

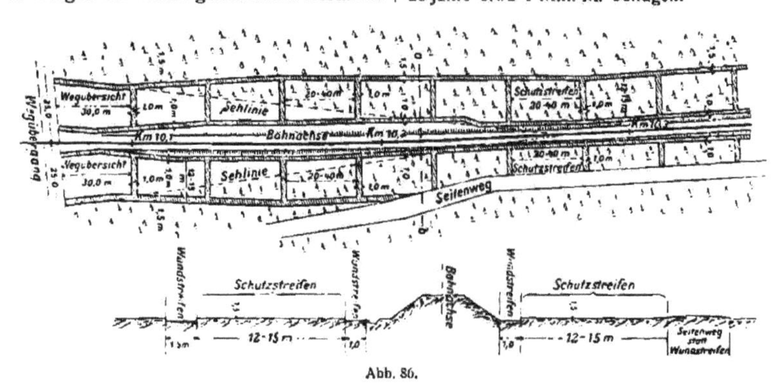

Abb. 86.

nur kahle Streifen, so ist der Waldrand in der angegebenen Weise zu einem Schutzstreifen herzurichten, der kahle Schutzstreifen jedoch möglichst aufzuforsten.

In trockenen Gegenden, wo die Gefahr des Lokomotivflugfeuers besonders groß ist, werden Schutzstreifen am besten mit 3jährigen Kiefern (in einem Verband 1,5 : 0,5 *m*) aufgeforstet, weil die früh sich entwickelnde Borke die Kiefer besonders gegen Lauffeuer widerstandsfähig macht und die Kiefer als immergrüner Baum die Funken zu jeder Jahreszeit mit gleicher Sicherheit auffängt und zurückhält. Laubhölzer entwickeln sich dagegen auf trockenem Boden nur kümmerlich und unterdrücken hier den gefährlichen Gras- und Heidewuchs weniger gut als die Kiefer. Für die besseren Standorte kommen dagegen zum Aufforsten die Fichte und Laubhölzer in Betracht. Der Bestand auf dem Schutzstreifen ist in einem 60–80jährigen Umtrieb zu bewirtschaften. Muß er verjüngt werden, so darf dies niemals gleichzeitig auf beiden Seiten, sondern nur einseitig der Bahn geschehen. Der Bestand auf der zweiten Seite der Bahn darf erst verjüngt werden, wenn die Anpflanzung auf der ersten verjüngten Seite genügend Höhe (die des Lokomotivschornsteins) erreicht hat. Die gleiche

Zur Anlage der S. sind bedeutende Flächen erforderlich, die, wenn sie erworben werden müßten, die Baukosten der Bahn nicht unerheblich erhöhen. Um dies zu verhindern, wird von dem Erwerbe des Geländes im allgemeinen abgesehen, wenn sich der Eigentümer durch grundbuchliche Belastung verpflichtet, eine mit der Verwendung des Geländes als Schutzstreifen unvereinbare Bewirtschaftung des Geländes zu vermeiden. Bei den preußischen Staatsbahnen ist die Anlage solcher Schutzstreifen infolge der vielen Staatsforste sehr erleichtert.

Neben der Anlage von Wundstreifen werden noch folgende Anlagen und Verfahren zur Verhütung der Waldbrände verwendet. An den Grenzen der Waldungen werden zuweilen besonders breite und vertiefte Streifen (Feuer- oder Schutzgräben) angelegt und unterhalten, in die Äste nicht hineinreichen dürfen. Ferner werden sog. Laubholzschutzmäntel verwendet, über die aber genügende Erfahrungen noch nicht vorliegen. Zuweilen nimmt man bei windstillem Wetter und bei genügender Aufsicht und Abgrenzung ein Abbrennen des dürren Grases vor und endlich stellt man wohl auch an besonders gefährdeten Punkten zu Zeiten größerer Dürre Wächter auf, denen es obliegt, entstandene Brände im Keime zu ersticken.

Über die Abwendungen von Feuersgefahr bei Errichtung von Gebäuden und Lagerung von Stoffen in der Nähe der Eisenbahn s. Feuerpolizei und Anliegerbauten; vgl. ferner die Art. Bahnunterhaltung, Anlieger u. Bannlegung, dann Bergbaubeschränkungen.

Literatur: Dr. M. Kienitz, Maßregeln zur Verhütung von Waldbränden. Berlin 1904. — Ztg. d. VDEV. 1903, S. 1280; 1904, S. 1566 u. 1906, S. 99. — Erlaß des preußischen Ministers der öffentlichen Arbeiten vom 13. Febr. 1905, Eisenbahn-Nachrichtenblatt, S. 63 u. Erlaß vom 3. Okt. 1905. — Winkler, Funkenflugschaden der Dampflokomotiven. Glasers Ann. 1912, S. 101. — F. Seydel, Das Gesetz über Enteignung von Grundeigentum. Berlin 1903, S. 166 u. 167. *Giese.*

Sicherheitsventile *(safety valves; soupapes de sûreté; valvole di sicurezza)*, Vorrichtungen an innerem Flüssigkeitsdruck ausgesetzten Gefäßen (Kessel, Dampfzylinder, Reservoire, Rohrleitungen) zur selbsttätigen Herstellung eines teilweisen Ausströmens der gespannten Flüssigkeit bei Erreichung eines Druckes von bestimmter Größe, um dadurch den Eintritt dieses Spannungszustands in sichtbarer und hörbarer Weise anzuzeigen und eine Überschreitung des höchsten erlaubten Druckes entweder ganz auszuschließen oder mindestens die Druckzunahme möglichst zu verzögern.

Die an Dampfkesseln angebrachten einfachen S. entsprechen (wenige schwerfällige und umständliche Bauarten ausgenommen) nur der Bedingung, die Überschreitung des höchsten erlaubten Druckes anzuzeigen, hindern aber nicht, daß trotz des Entströmens von Dampf der Druck immer mehr zunimmt. Sie sind daher nicht eigentliche Sicherheits-, sondern nur Warnungsvorrichtungen. Da es noch kein in bezug auf bauliche Durchführung und stets sichere Wirksamkeit vollständig einwandfreies S. gibt, das eine Druckerhöhung verhindert, da ferner das zu diesem Zweck notwendige rasche Freimachen großer Ausströmquerschnitte ein so starkes Mitreißen von Kesselwasser bewirken würde, daß anderweitige, ernste Übelstände eintreten könnten, wird in den neueren Gesetzen die Größe (Durchmesser) der S. im Verhältnis zur Größe (Heizfläche) des Kessels nicht vorgeschrieben, sondern dem Erbauer des Kessels vollständig überlassen; die heute zu Recht bestehenden Vorschriften beziehen sich daher nur mehr auf Anzahl und Belastungsart der S.

Nicht gesetzlich vorgeschrieben ist die Anbringung von S. an Gefäßen, die mit Druckwasser gefüllt sind, da das Bersten derartiger Gefäße nicht unbedingt mit Lebensgefahr für die in der Nähe beschäftigten Personen verbunden ist.

Bauart der S. In der einfachsten Form besteht das S. aus einer Platte (Ventil oder Ventilkegel), die derart belastet ist, daß sie von einer Öffnung im Kessel (Ventilsitz) durch den Flüssigkeitsdruck erst dann abgehoben wird, wenn dieser Druck eine bestimmte Größe erreicht hat. Gegen Herabfallen und vollständiges Wegschleudern des Ventils sind entsprechende Führungen und Hubbegrenzungen angebracht.

Die Belastung des Ventils erfolgt durch Gewichte oder durch Federn. Wegen der Größe des notwendigen Gewichts (bei kleinen Ventilen schon einige hundert Kilogramm) wird das Ventil in der Regel nicht unmittelbar beschwert, sondern vermittels eines Hebels, an dessen äußerstem Ende ein Gewicht angebracht ist. Die Größe dieses Gewichts ist abhängig von der Wahl des Hebelverhältnisses (s. Taf. I, Abb. 1 u. 2).

Bei Lokomotiven und in gesetzlich beschränktem Maß auch bei Lokomobilen wird die Belastung der Ventile nicht durch Gewichte, sondern durch Spiralfedern bewirkt.

Zweck dieser Anordnung ist die Verminderung des Gesamtgewichts der Anlage und Schonung der Ventilsitze, da die beim Lauf der Lokomotive eintretenden Erschütterungen bei Anwendung von Gewichtsbelastung ein vom Dampfdruck unabhängiges Öffnen und darauf folgendes stoßartiges Schließen der Ventile zur Folge haben.

Die in Taf. I, Abb. 3 u. 4 gezeichnete Belastungsvorrichtung heißt Federwage oder Springbalance; sie besteht aus einer Spiralfeder, die in den übereinander verschiebbaren Messinghülsen befestigt ist, aus einer Schraubenspindel und einem Griffrad.

In manchen Fällen (s. Bauart Ramsbottom, Taf. I, Abb. 5, Wilson, Abb. 6, und Adams, Abb. 7) erfolgt die Belastung des S. unmittelbar durch eine starke Spiralfeder, eine Ausführung, die in Deutschland, England, Italien, Frankreich und in der Schweiz große Verbreitung gefunden hat.

Als ein theoretischer, in der Praxis jedoch nicht fühlbarer Nachteil der unmittelbaren Federbelastung und der Belastung durch Federwagen ist anzuführen, daß der Druck, den die Feder und die Federwage auf das Ventil ausüben, nicht unveränderlich ist (wie dies bei dem Druck eines Gewichts der Fall ist), sondern in dem Maß zunimmt, als das Ventil gehoben wird.

Um diesen allerdings unbedeutenden Übelstand zu beheben, wurden verschiedene Anordnungen ersonnen, von denen die Ausführungen

Meggenhofen (Taf. I, Abb. 4) und Kitson (Taf. I, Abb. 8 u. 8a) weitere Verbreitung gefunden haben.

Das Bestreben, das S. nicht allein als Warnungs-, sondern auch als wirkliche Sicherheitsvorrichtung auszubilden, führte sowohl zum Bau von ganz geschlossenen Ventilen, bei denen der ausströmende Dampf keine Rückwirkung auf das einmal gehobene Ventil ausübt, als auch zur Herstellung von Ventilen, bei denen der ausströmende Dampf von dem Dampf getrennt ist, durch den das Ventil gehoben wird.

Als Beispiel der ersten Ausführungsarten möge das S. der Coale Muffler and Safety Valve Co. (Taf. I, Abb. 9 u. 9a) dienen und als Beispiel der zweiten Art die früher in Österreich sehr verbreiteten S. nach Bauart Klotz (Taf. I, Abb. 10).

Beschreibung einzelner Bauarten.

In Taf. I, Abb. 1 ist ein einfaches S. mit Gewichtsbelastung dargestellt, wie solche als „Marktware“ von Armaturfabrikanten ausgeführt werden. *G* ist ein Gehäuse aus Gußeisen, aufgeschraubt auf dem Dampfdom (s. Dampfkessel).

G_1 ist der aus Metall (Bronze) angefertigte Ventilsitz, der in das Gehäuse *G* eingepreßt ist, *V* das Ventil, *A* Fixpunkt des Hebels *H*, *B* Druckstift, *F* Führung für den Hebel und *C* das Belastungsgewicht.

Um die Reibung, die in den Bolzengelenken *A* und *B* eintritt, möglichst zu verringern, werden an Stelle von Bolzen oft gehärtete Schneiden angewendet; s. Taf. I, Abb. 2 (die Buchstaben haben dieselbe Bedeutung wie in Abb. 1).

Bei Lokomotiven werden die S. mit Federwagenbelastung im allgemeinen nach der in Taf. I, Abb. 3 gezeichneten Form ausgeführt. Die Ventilsitze bestehen entweder mit dem flachen Untersatz aus einem Stück (Taf. I, Abb. 3) oder sie haben keinen besonderen Untersatz und sind unmittelbar in den Domdeckel eingepreßt.

Damit die gehärtete Spitze des Druckstifts *B* nicht eine Vertiefung im Ventil *V* bilde, ist ein Stahlkörper *U* im Ventil eingelegt.

Die in Taf. I, Abb. 3 gezeichnete Federwage oder Springbalance ist mit einer Spiralfeder *S* versehen.

Oft werden deren 2 (eine stärkere äußere und eine schwächere innere), in manchen Fällen (Bauart Teudloff) auch 6 Stück gleich starke Spiralfedern angewendet.

M und M_1 sind die Metallhülsen, von denen die untere mit dem Kessel durch das Zwischenstück *Z* und Bolzen, die obere durch eine mit Schraubengewinde versehene Spindel vermittels des Griffrads (eigentlich eine Mutter) und Unterlagsplatte *p* mit dem Ventilhebel verbunden ist.

Die innere Metallhülse M_1 trägt meist eine Teilung (ganze und halbe Atmosphären). Die Feder oder das Federsystem soll derart bemessen sein, daß die einer Atmosphäre Dampfdruck entsprechende Verlängerung der Feder mindestens 15–20 *mm* beträgt, damit beim Abblasen der Druck auf das Ventil möglichst unverändert bleibe.

Um eine willkürliche Mehrbelastung des Ventils durch stärkeres Anziehen der Springbalance unmöglich zu machen, ist zwischen Ventilhebel und äußerer Messinghülse ein Kupferrohr oder Messingrohr *h* auf die Schraubenspindel aufgesteckt; diese Hülse trägt, um eine Verkürzung durch Abfeilen leicht bemerkbar zu machen, auf der oberen und unteren Fläche irgend einen Stempel, oder auf der Außenseite eingeschlagen die Länge der Hülse in *mm*.

Bei den Springbalancen von Meggenhofen (Taf. I, Abb. 4) ist die Schraubenspindel nicht unmittelbar mit der äußeren Metallhülse bzw. Feder verbunden; es ist ein Hebelwerk eingeschaltet, durch das die beim Abblasen eintretende Mehrspannung der Feder an einem kürzeren Hebelarm auf den Ventilhebel wirkt, wodurch für alle Stellungen des Ventilhebels gleiche Druckmomente in bezug auf das Ventil erreicht werden.

In der schematisch gezeichneten Nebenfigur bedeutet *a* die bei Öffnen des Ventils eintretende Verkürzung des Ventilhebels. In ähnlicher Weise wird bei der Ausführung Kitson (Taf. I, Abb. 8 u. 8a) eine Druckerhöhung durch die Belastungsfeder auf das Ventil vermieden. Der Ventilhebel ist kurz, liegt mit Schneiden auf und ist derart in seinen Längen und in der gegenseitigen Lage der Drehpunkte ausgemittelt, daß ein „Heben“ des Ventils ein Verkürzen des Armes, an dem die starke Spiralfeder angreift, zur Folge hat.

Ein Ventil Bauart Ramsbottom mit unmittelbarer Federbelastung ist in Taf. I, Abb. 5 gezeichnet.

Eine starke Spiralfeder wirkt auf den Hebel *H*, der auf das vordere Ventil vermittels Druckstifts, auf das rückwärtige Ventil vermittels einer angeschweißten Nase drückt; der Ventilhebel *H* ist in das Führerhaus hinein verlängert, damit der Führer durch Heben oder Drücken am Hebel irgend eines der Ventile lüften kann. Eine Mehrbelastung des Ventils durch Heben oder Drücken am Hebel ist durch die Bauart des S. ausgeschlossen.

Um die durch das längere Hebelende auf das rückwärtige Ventil ausgeübte geringfügige Mehrbelastung auszugleichen, trägt der Hebel *H* in manchen Ausführungen „vorne“ ein kleines Gegengewicht.

In ähnlicher Weise sind S. ausgeführt, die auf Dampfleitungsrohren, z. B. Receivern von Verbundlokomotiven angebracht sind (Taf. I, Abb. 11). Die Feder, die das Ventil unmittelbar belastet, ist in einem Gehäuse eingeschlossen und kann nach Abschrauben der Kappe *K* mit dem Sechskant *m* nach Bedarf angezogen oder nachgelassen werden. Um ein unbefugtes Verändern des Druckes unmöglich zu machen, ist die Ventilspindel mit der Kappe *K* durch eine Plombe verbunden.

An den Dampfzylindern von Lokomotiven werden auch S. angebracht, insbesondere dann, wenn die Lokomotiven mit Gegendampfbremse (Le Chatelier) versehen sind. Diese Ventile (Taf. I, Abb. 12, einfache Tellerventile durch 2 Blattfedern belastet) sind auch geeignet, ein Brechen der Zylinderdeckel und Zylinder infolge von mitgerissenem Wasser wirksam zu verhindern.

Alle bisher beschriebenen S. zeigen eine Drucküberschreitung an, hindern aber nicht eine Zunahme des Druckes.

Nach angestellten Versuchen heben sich selbst die größten Ventile nur um etwa 1 bis $1^1/_2$ *mm*. Die freie Ausströmöffnung beträgt daher weit weniger als der Ventilquerschnitt. Die Hubhöhe müßte, um dem Ventilquerschnitt gleich zu sein, $^1/_4$ des Ventildurchmessers betragen (bei einem Ventil von 100 *mm* Durchmesser, wie es bei Lokomotiven meist angewendet wird, 25 *mm*). Wenn auch nach den praktischen Versuchen und theoretischen Untersuchungen diese große Hubhöhe für die nach den üblichen Abmessungen ausgeführten Ventile nicht notwendig ist, um den überschüssigen Dampf vollständig abzuführen, müßten doch, um diesen Zweck zu erreichen, bei gewöhnlichen einfachen Ventilen die Durchmesser etwa 3–4 mal größer sein.

Diese Erscheinung kann ihre Erklärung in dem Umstand finden, daß der ins Freie entweichende Dampf seine Spannung nicht plötzlich verliert; die Druckverminderung dürfte sich bei geöffnetem Ventil bis in dieses hinein erstrecken, und außerdem dürfte der ausströmende Dampf eine Rückwirkung (Druck) auf die Ventiloberseite ausüben. Tatsächlich geben die S., deren obere Fläche vom Sitz der Ausströmöffnung weit entfernt ist, eine größere Hubhöhe.

Fast vollständig sind die Einflüsse des ausströmenden Dampfes auf das Ventil bei der Konstruktion der Coale Muffler and Safety Valve Co. vermieden (Taf. 1, Abb. 9 u. 9a).

Das Ventil V greift mit einem hohen Ringansatz in einen Cylinder hinein, in dem sich die Druckfeder befindet; der ausströmende Dampf kann daher keinen oder doch nur einen unbedeutenden Druck auf die Ventiloberseite ausüben. Der ausströmende Dampf geht nicht sofort ins Freie; er durchströmt erst die Hohlräume G und E und gelangt dann durch die kleinen Öffnungen O in die Atmosphäre, wodurch das Geräusch des ausströmenden Dampfes wesentlich vermindert wird. Unmittelbar beim Ventilsitz hat der Dampf noch beinahe Kesselspannung, infolgedessen findet keine Druckverminderung unter dem Ventil statt.

Sorgsamste Instandhaltung vorausgesetzt, schließt das Ventil erst dann, wenn der Druck im Kessel eine bestimmte Verminderung erfahren hat; der Druckunterschied zwischen „Öffnen" und „Schließen" kann durch Heben oder Senken eines eingeschraubten zweiten Ventilsitzes C innerhalb bestimmter Grenzen geregelt werden.

Bezeichnet D_i den inneren Ventildurchmesser, D_a den äußeren wirksamen Durchmesser, p den Dampfdruck, unter dem das Ventil sich heben soll, $p_x = p - a$ den Dampfdruck, unter dem das Ventil schließen soll, a den Unterschied zwischen Öffnungs- und Schließungsdruck, so bestehen folgende Gleichungen:

$$\frac{D_i^2 \cdot \pi}{4} p = P \ldots\ldots\ldots\ldots 1)$$

Druck auf das Ventil im Augenblick des Öffnens

$$\frac{D_a^2 \cdot \pi}{4} p = P_1 \ldots\ldots\ldots\ldots 2)$$

Druck auf das geöffnete Ventil.

Infolge des größeren Drucks P_1 auf das geöffnete Ventil bleibt es länger offen als ein Ventil mit nur einem Sitz; es kann sämtlicher überschüssiger Dampf entweichen.

Das Ventil schließt sich, wenn der Druck auf die Feder wieder P geworden ist; dann ist

$$P = \frac{D_a^2 \cdot \pi}{4} \cdot (p - a) \ldots\ldots\ldots\ldots 3)$$

Aus Gleichung 1 und 3 folgt

$$\frac{D_i^2 \cdot \pi}{4} \cdot p = \frac{D_a^2 \cdot \pi}{4} (p - a),$$

mithin

$$a = p\left(1 - \frac{D_i^2}{D_a^2}\right)$$

Der eingeschraubte Ventilsitz C, der nach Entfernung der Schraube B mit Hilfe eines Dornes nach links oder rechts gedreht, mithin um ein geringes Maß gesenkt oder gehoben werden kann, wird gewöhnlich derart eingestellt, daß das Ventil auf dem inneren Sitz noch nicht aufliegt, wenn auf dem äußeren Sitz dampfdichter Schluß stattfindet.

Infolge der absichtlich herbeigeführten Undichtheit am inneren Ventilsitz kommt für das Öffnen und den Schluß des Ventils nicht der Durchmesser D_i in seiner wirklichen Größe in Betracht, sondern ein der Undichtheit entsprechend höherer Wert. Durch Heben und Senken des zweiten Ventilsitzes läßt sich der Druckunterschied a (verkehrt proportional dem Grad der Undichtheit) auf ein beliebiges Maß verringern. Bei amerikanischen Lokomotiven beträgt z. B. bei einem Kesseldruck von 180 Pfund f. d. Quadratzoll der Druck beim Schließen des Ventils 177 Pfund, mithin $a = 3$ Pfund.

Diese Ventile werden oft paarweise angewendet, derart, daß bei einem Ventil jede unbefugte Mehrbelastung der Feder vollkommen ausgeschlossen ist (Taf. 1, Abb. 9), während das zweite Ventil (Taf. 1, Abb. 9a) derart eingerichtet ist, daß der Ventilkegel durch einen Hebel und Zug vom Führer aus gehoben werden kann.

Nach demselben Grundsatz, nur in Einzelteilen verschieden, sind die S. System Ashton Crossby, Star u. s. w. ausgeführt.

Sicherheitsventile.

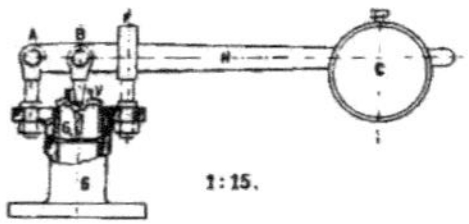

1:15.

Abb. 1. S. mit Gewichtsbelastung.

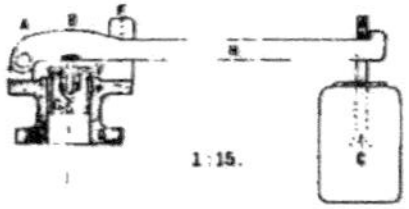

1:15.

Abb. 2. S. mit Gewichtsbelastung.

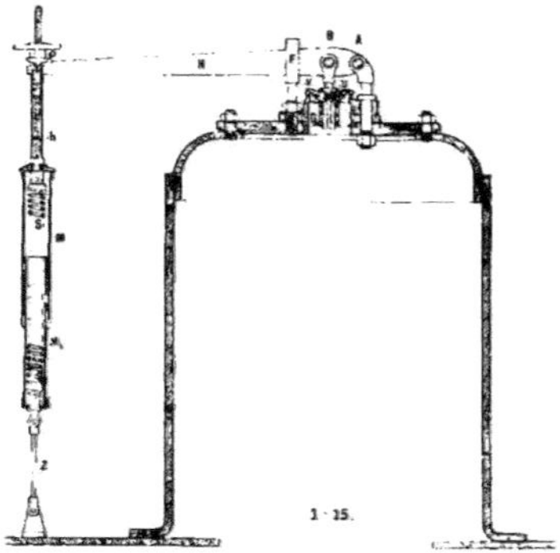

1:15.

Abb. 3. S. mit Federbelastung.

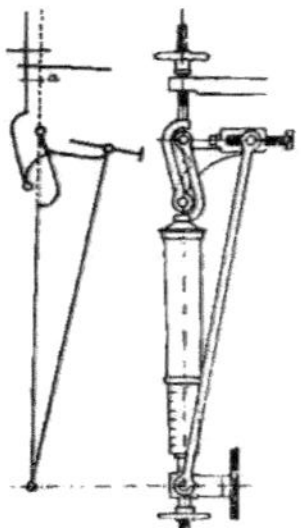

Abb. 4. Bauart Meggenhofen.

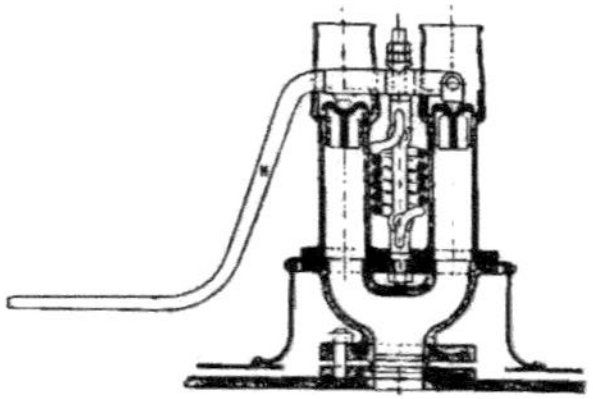

1:15.

Abb. 5. Bauart Ramsbottom.

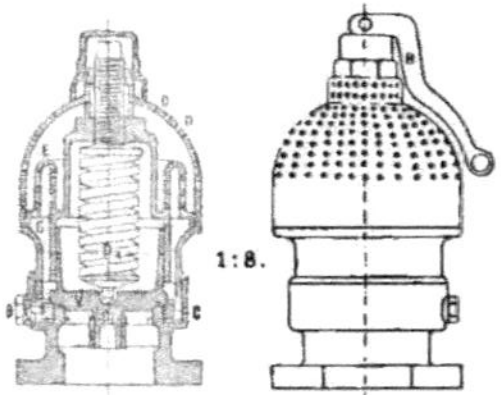

1:8.

Abb. 9 u. 9a. Bauart Coale Muffler and Safety Valve Co.

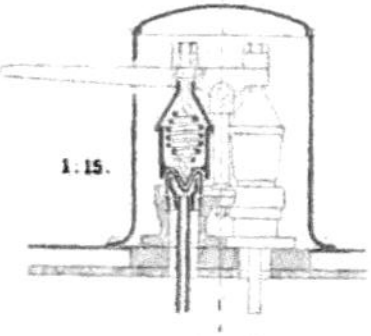

1:15.

Abb. 6. Bauart Wilson.

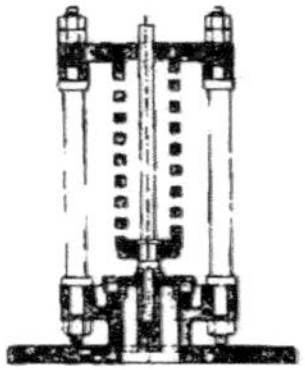

1:10.

Abb. 7. Bauart Adams.

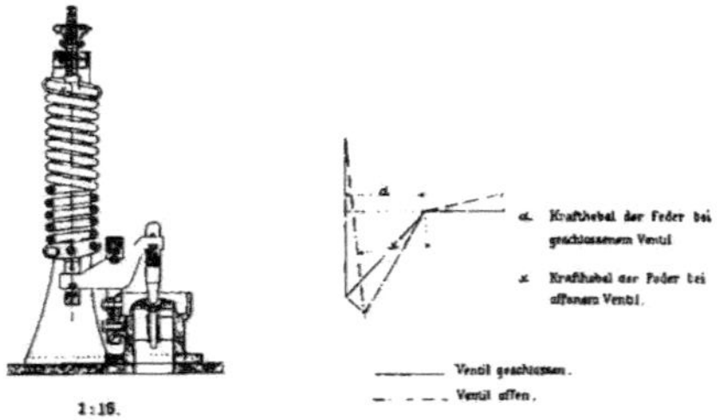

1:16.

α. Krafthebel der Feder bei geschlossenem Ventil

x. Krafthebel der Feder bei offenem Ventil.

—— Ventil geschlossen.

– – – Ventil offen.

Abb. 8 u. 8a. Bauart Kitson.

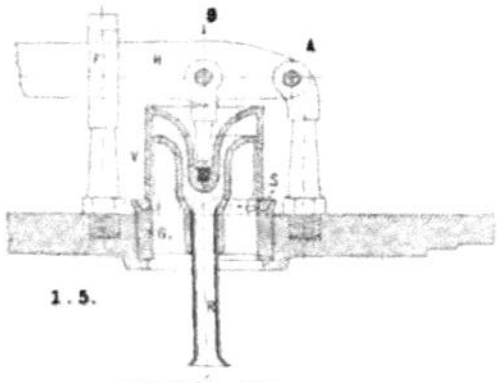

1:5.

Abb. 10. Bauart Klotz.

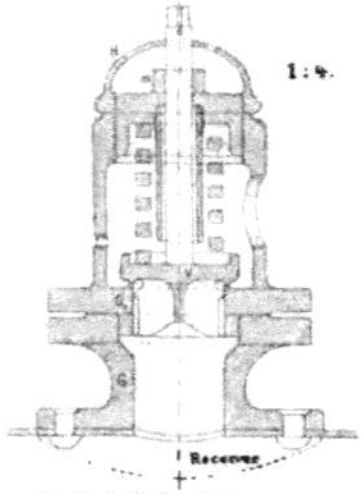

1:4.

Abb. 11. S. für Dampfleitungsrohre.

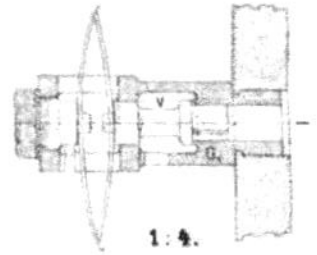

1:4.

Abb. 12. S. für Dampfzylinder von Lokomotiven.

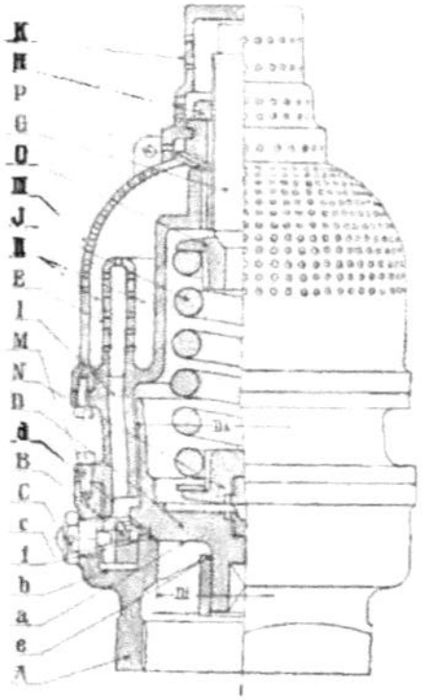

Abb. 13. Bauart Pop-Coale.

Bei den österreichischen Staatsbahnen sind die auf den gleichen Grundsätzen entworfenen Bauart Pop-Coale in Verwendung (Taf. I, Abb. 13).

Wirkungsweise. Erreicht die Dampfspannung das zu gestattende Höchstmaß, so wird das Ventil *D* vom Sitz *f* des Untersatzes *A* abgehoben, der ausströmende Dampf in der Spalte zwischen dem Ventil *D* und dem Zahnring *B* gedrosselt und hierbei durch nunmehr vergrößerte wirksame Ventilfläche ein weiteres Abheben herbeigeführt. Der Schluß des Ventils kann erst dann eintreten, wenn die Dampfspannung so weit gesunken ist, daß der Dampfdruck auf die vergrößerte Ventilfläche von der Feder überwunden wird.

Einstellen. Das Einstellen geschieht, solange hierfür keine eigene Vorrichtung vorhanden, am montierten Ventil unter Dampfdruck. Das vollständig zusammengestellte Ventil wird bei abgenommener Kappe *K* und gelüfteter Gegenmutter *H* durch Niederdrehen der Federspannschraube *G* so belastet, daß es voraussichtlich unter der Wirkung der zulässigen Höchstdampfspannung nicht abbläst. Der Zahnring *B* wird unter Benutzung eines spitzigen Werkzeugs (Reißnadel) so lange nach abwärts geschraubt, bis man fühlt, daß er an dem Ventiluntersatz *A* anliegt. Nun wird die Dampfspannung im Kessel unter Anwendung eines verläßlichen Druckmessers bis zur höchsten erhöht. Mit Hilfe eines langgestielten Schlüssels wird sodann die Federspannschraube *G* erfaßt und so lange vorsichtig gelüftet, bis das Abblasen bei der Höchstdampfspannung erfolgt. Der Zahnring *B* wird während des Abblasens mittels eines langgestielten Werkzeugs durch sehr geringe Drehung von 1 : 1 Zahn eingestellt, bis das Ventil kräftig bläst und nach Druckabnahme von 0·2–0·3 Atm. unter der Höchstspannung plötzlich schließt. Ist die genaue Arbeitsweise durch mehrmaliges Steigen des Dampfdrucks bis zum Abblasen festgestellt, so wird die Gegenmutter *H* gut angezogen, um das Aufdrehen der Federspannschraube *G* und eine dadurch vielleicht eintretende Betriebsstörung zu verhüten, die Kappe *K* aufgestellt, wie auch der Zahnring *B* durch die Arretierungsschraube *C* gesichert und die Plombe bei *P* angebracht. Ventile ohne Plombe dürfen nicht in Betrieb genommen werden.

Größere Hubhöhe als die gewöhnlichen Platten- oder Tellerventile geben die früher in Österreich vielfach angewendeten S. Bauart „Klotz“ (Taf. I, Abb. 10). Das eigentliche Ventil *V* ist topfartig gestaltet und wird durch Dampf gehoben, der durch ein Rohr *R* an einer Stelle im Kessel entnommen wird, die von der Ausströmöffnung weit entfernt ist. Der bei *S* ausströmende Dampf hat keine Hebearbeit zu leisten; die Ausströmöffnung liegt so weit von der Ventiloberfläche entfernt, daß eine Rückwirkung nicht in dem Maß eintreten kann wie bei gewöhnlichen Ventilen.

Ähnlich ausgeführt ist das S. Bauart „Wilson“ (Taf. I, Abb. 6). Es ist im Wesen eine Verbindung der Bauart Klotz und Ramsbottom.

Das ganze Ventil ist in einem Blechgehäuse eingeschlossen und dadurch gegen unbefugtes Nachspannen gesichert.

Ein sehr einfaches, große Hubhöhe gebendes S. ist das S. von Adams (Taf. I, Abb. 7).

Das Ventil legt sich mit 2 Schneiden gegen den Ventilsitz; für das „Heben“ ist der innere Durchmesser maßgebend. Einmal gehoben, drückt der Dampf – ähnlich den Ventilen der Coale Muffler and Safety valve Co. – auf eine größere Fläche, läßt daher das Ventil länger offen unter gleichzeitiger Vergrößerung der Hubhöhe. Die Belastung erfolgt unmittelbar durch eine starke Spiralfeder, die durch ein Querstück und 2 seitliche Schrauben niedergehalten wird. Zwischen Querstück und Ansätzen an den Schrauben sind Stellringe eingelegt zur Regelung der Federspannung. Anwendung findet dieses S. bei vielen französischen Bahnen (Est, Nord, Midi) und in neuerer Zeit auch in England.

S. dieser und ähnlicher Bauart sind, wenn nicht besondere Vorkehrungen zur Schalldämpfung getroffen werden, äußerst lästig für die Bahnhöfe, da sie sich mit schußartiger Detonation heben und den Dampf (infolge der großen Hubhöhe) mit starkem, scharfem Geräusch entweichen lassen.

Abgesehen von der Bauart Kitson, bei der der Ventilhebel eine gebrochene Linie darstellen muß, sollen die Stützpunkte *A* und *B* und der Angriffspunkt des Gewichts oder der Federwage in einer geraden Linie liegen. Um ein Ecken und Festklemmen des Ventils selbst zu verhindern, soll es sicher geführt sein (Führung durch Rippen, Taf. I, Abb. 5 u. 12, oder Führung durch einen Mittelzapfen, Abb. 3 u. 9), außerdem aber soll die Spitze des Druckstifts *B* womöglich in der Ebene oder unter der Ebene des Ventilsitzes auf das Ventil drücken. In der Hebelführung soll so viel Seitenspiel sein, daß ein seitliches Festklemmen nicht eintreten kann; nach obenhin soll die Führung ein Heben des Ventils um 3 *mm* gestatten.

Berechnung des Ventil-Belastungsgewichts (Taf. I, Abb. 1, 2, 3). Bezeichnet d den mittleren Ventildurchmesser in *cm*, gleich dem inneren Durchmesser D_i vermehrt um die Sitzbreite, p den Dampfdruck in kg/cm^2, G das Eigengewicht des Ventils in *kg*, g das Gewicht des Druckstifts in *kg*, h das nach statischen Gesetzen auf den Aufhängepunkt C überrechnete Gewicht des Ventilhebels, a den Abstand des Gelenks B vom Drehungspunkt A, b die ganze Hebellänge, so ergibt sich die Größe des Aufhängegewichts C in *kg* aus der Gleichung:

$$\left(\frac{d^2\pi}{4}\cdot p - G - g\right) a = b\,(C + h)$$

mit

$$C = \frac{a}{b}\left(\frac{d^2\pi}{4}\cdot p - G - g\right) - h.$$

Bei Anwendung einer Federwage ist die Stärke der Feder oder des Federsystems derart zu wählen, daß sie einem um mindestens 3 Atm. höheren Druck widerstehen kann als dem normalen Kesseldruck.

Die auf der inneren Hülse aufzutragende Teilung ist empirisch auszumitteln durch Anhängung von den einzelnen Dampfspannungen entsprechenden Gewichten, vermindert um das halbe Gewicht der Federwage.

Dem Ventilhebel sollen solche Abmessungen gegeben werden, daß selbst die bei der Wasserdruckprobe angehängten Belastungsgewichte keine größeren Beanspruchungen als etwa 3 – 4 kg/mm^2 hervorrufen.

Gesetzliche und andere Vorschriften. Schlechte Bauart, mangelhafte Ausführung und sorglose Behandlung von Kesseln bergen derartige Gefahren für Leben und Gut in sich, daß in vielen Industriestaaten – Deutschland (Preußen), Österreich, Frankreich – bald nachdem die Anwendung der Dampfkraft eine größere Verbreitung gefunden hatte, Vorschriften über Größe, Anzahl und bauliche Durchführung der S. erlassen wurden, da nach dem damaligen Stand der Wissenschaft die S. als wirkliche Sicherheitsvorrichtungen angesehen wurden.

Nach der in Preußen bis zum Jahre 1861 bestandenen Verordnung mußte die Ventilöffnung mindestens $^1/_{3000}$ der Heizfläche des Kessels betragen.

Eine in Österreich bis zum Jahre 1871 bestandene Verordnung bestimmte, daß jeder Kessel mit 2 S. versehen werden müsse, deren lichter Durchmesser d in Zollen, abhängig von der Heizfläche F in Wiener Quadratfuß und dem effektiven Dampfdruck n in Atmosphären, mindestens gleich sein soll:

$$d = 0·312 \sqrt{\frac{F}{n + 0·588}}$$

Eine im Jahre 1843 in Frankreich erlassene Verordnung, aufgehoben mit 1. Mai 1880, bestimmte den Durchmesser der S. nach der Formel:

$$d = 2·6 \sqrt{\frac{F}{m - 0·412}}$$

worin d Durchmesser des Ventils in cm, F Heizfläche in m^2, m die absolute Dampfspannung bedeutet.

Aus früher angegebenen Gründen ist in den neueren Gesetzen die Größe der Ventile nicht mehr an bestimmte Formeln gebunden.

Die in Österreich heute bezüglich der S. geltenden Gesetze sind:

1. Verordnung des Handelsministeriums im Einverständnis mit dem Ministerium des Innern vom 1. Oktober 1875, RGB. Nr. 130, betreffend die Sicherheitsvorkehrungen gegen Dampfkesselexplosionen.

Der auf S. sich beziehende Teil des § 3 lautet: An jedem Dampfkessel müssen folgende Armaturstücke vorhanden sein, für deren guten Zustand der Kesselbesitzer verantwortlich ist:

a) Wenigstens ein S., und wenn der Dampfkessel mehr als 2·5 m^2 Heizfläche hat, mindestens 2 S.

Ihre Belastung muß der Dampfspannung, für die der Kessel erprobt wurde, entsprechen und sie dürfen bei stationären Kesseln nur mit Gewichten in der Art belastet werden, daß bei mittelbarer Belastung das Gewicht am äußersten Angriffspunkt des Hebels wirkt. Bei anderen Dampfkesseln, die mit Federwagen versehen sind, muß die Maximalspannung der Feder der Maximalspannung des Dampfes entsprechend begrenzt und bei Lokomobilen wenigstens ein Ventil mit einem Gewicht belastet sein.

2. Erlaß des k. k. Handelsministeriums vom 1. Oktober 1875, Z. 25.021, enthaltend die Vollzugsvorschrift zu dem Gesetz vom 7. Juli 1871, betreffend die Erprobung und periodische Untersuchung der Dampfkessel, und zu der Verordnung vom 1. Oktober 1875, betreffend die Sicherheitsvorkehrungen gegen Dampfkesselexplosionen.

In diesem Erlaß ist der unter „Berechnung des Ventilbelastungsgewichts“ allgemein dargestellte Vorgang ausführlich erörtert und durch Zahlenbeispiele belegt. Der Erlaß enthält weiters eine Anleitung, wie das auf das Hebelende C reduzierte Gewicht h des Ventilhebels H empirisch ermittelt wird.

Weitere Vorschriften über Anbringung von S. an Dampfpflugmaschinen, Straßenlokomotiven, Lokomobilen, Dampfkochapparaten u. s. w. s.: Thaa, Das Dampfkesselwesen in Österreich. Sammlung der auf diesen Gegenstand bezüglichen Gesetze, Verordnungen und Normalerlässe.

Nach der in Frankreich bestehenden Verordnung vom 1. Mai 1880 ist die französische Regierung von der Bestimmung der Größe des Durchmessers der S. abgegangen, indem sie statt jeder solchen Bestimmung im Art. VI. der betreffenden Verordnung an die Kesselkonstrukteure die Anforderung stellt, die Gesamtöffnung der beiden auf jedem Dampfkessel anzubringenden S., die auch auf mehrere Kessel verteilt werden dürfen, so groß zu machen, daß, wenn die Ventile nach Bedarf entlastet werden oder ihre Hubhöhe vergrößert wird, selbst bei fortgesetzter Feuerung die voraus bestimmte größte Spannung im Kessel nicht überschritten werde.

Die technischen Vereinbarungen über den Bau und die Betriebseinrichtungen der Haupt- und Nebeneisenbahnen des VDEV. bestimmen im § 91:

„Jede Lokomotive muß mit wenigstens 2 S. versehen sein, von welchen mindestens das eine so eingerichtet ist, daß seine Belastung nicht über das bestimmte Maß gesteigert werden kann.

Die S. sind so einzurichten, daß sie vom gespannten Dampf nicht weggeschleudert werden können, wenn eine unbeabsichtigte Entlastung eintritt.

Die Sicherheitsventile müssen mindestens 3 mm Hubhöhe haben.“

Literatur: Burg, Über die Wirksamkeit der Sicherheitsventile bei Dampfkesseln. Sitzungsberichte der kais. Akademie der Wissenschaften, Bd. LXXX, II. Abt., Novemberheft, Jg. 1879; Über die Wirksamkeit der Sicherheitsventile bei Dampfkesseln (Vortrag), Wien 1880. – Heusinger, Hb. f. spez. E-T., Bd. III, Leipzig 1882, woselbst auch ein Verzeichnis über ältere Literatur. – Reiche, Anlage und Betrieb der Dampfkessel, Bd. II, Leipzig 1886 bis 1888. – American Railway Mester Mechanic's Association. Lokomotive Dictionary, New York 1909. – Maurice Domoulin, Traité Pratique de la Machine Locomotive, Tome IV, Paris 1898. – Das Eisenbahnmaschinenwesen der Gegenwart. 2. Aufl., Wiesbaden 1903. *Gölsdorf †.*

Siebenbürger Eisenbahn, teils in Ungarn (101·835 km), teils in Siebenbürgen (188·244 km) gelegene Eisenbahn, ehemals Privatbahn mit dem Sitz der Gesellschaft in Budapest, seit 1884 verstaatlicht. Sie umfaßte zur Zeit der Verstaatlichung die Hauptstrecke Arad-Karlsburg (eröffnet 1868) und die Zweigbahn Piski-Petrozseny (eröffnet 1870). Das Anlagekapital war auf 70 Mill. K festgesetzt.

Der Vertrag über die Einlösung der S. durch den Staat (gegen Übernahme der gesellschaftlichen Anleihe und Einlösung der Aktien mittels Verlosung in 66 Jahren zum vollen Nennwert) wurde am 10. Januar 1884 abgeschlossen und mit Gesetzartikel XXIX vom Jahre 1884 genehmigt.

Auf Grund dieses Vertrags wurde am 15. Februar 1884 die Übernahme der Bahn durch den Staat vollzogen.

Die Linien der S. unterstehen gegenwärtig der Betriebsleitung Arad der ungarischen Staatsbahnen.

Siechrowsky, Heinrich Ritter von, Generalsekretär der Kaiser-Ferdinands-Nordbahn, geb. zu Wien 1794, gest. 1866 in Baden bei Wien, trat nach Beendigung der kommerziellen Studien in ein Bankhaus ein. In Begleitung seines Chefs unternahm er 1825 bis 1832 Reisen nach Frankreich, England, Italien, Spanien und Rußland, und mag in ihm wohl vor allem die Reise nach England zuerst die Idee, Eisenbahnen in Österreich zu errichten, wachgerufen haben. Als S. von seinen Reisen nach Wien zurückkehrte, lernte er Baron Rothschild kennen. Dieser fand die Anschauungen S. bezüglich der Notwendigkeit von Eisenbahnen durch Professor Riepl vollinhaltlich bestätigt und entsendete nunmehr beide zum Studium der Eisenbahnen nochmals nach England; sie wendeten ihre Aufmerksamkeit besonders der Liverpool-Manchester-Eisenbahn zu und arbeiteten nach deren Vorbild ein Organisationsstatut für den technischen und kommerziellen Dienst der Nordbahn aus. S. wurde zum Generalsekretär der Nordbahn ernannt. Das von ihm in Gemeinschaft mit Riepl vorgeschlagene Organisationsstatut bewährte sich in der Praxis so vorzüglich, daß die Nordbahn bald zu den bestverwalteten und rentabelsten Eisenbahnen zählte.

Signalantrieb *(signal-operating mechanism; commande des signaux; commando del segnale)* ist die meist am Signalmast angebrachte Vorrichtung, die beim Umlegen und Zurückstellen des Signalhebels am Signalflügel oder der Signalscheibe das der Hebelstellung entsprechende Signalzeichen hervorbringt. Die Einwirkung vom Signalhebel auf den S. erfolgt bei mechanischen Stellwerken durch einen Doppeldrahtzug, bei Kraftstellwerken durch elektrische Steuerung eines elektrischen, Druckluft- oder Preßgasantriebs (Näheres s. Kraftstellwerke u. Stellwerke). *Hoogen.*

Signalausleger ist ein Ständer mit einem ausgekragten Träger, der zur Anbringung eines Haupt- oder Vorsignals dient.

Signalbrücken *(signal bridges; passerelles à signaux; passerelle dei segnali)* dienen zur Anbringung von Haupt- und Vorsignalen über den Gleisen, wo die Aufstellung von Masten zwischen oder neben den Gleisen wegen Platzmangel oder ungenügender Sichtbarkeit der Flügel oder Scheiben nicht angängig ist (vgl. Signalwesen). *Hoogen.*

Signalbude *(signal box, signal cabin; cabine de signaleur; cabina del segnalatore)*, der Raum, von dem aus Signale gestellt werden (Signalstellwerk) oder die Aufträge zum Ziehen der Signale erteilt werden (Befehlstelle); s. Stellwerkshaus.

Auch die Glockenhäuschen der elektrischen Streckenläutewerke werden wohl als S. bezeichnet. *Hoogen.*

Signalfahnen s. Signalwesen.

Signalfestlegefeld, ein Blockfeld, das einen Signalhebel im abhängigen Stellwerk unter Verschluß des Fahrdienstleiters hält.

Signalflügelkontakt(Flügelstromschließer) ist ein Stromschließer, der mit dem oberen Flügel der Einfahr- und Blocksignale in Verbindung steht und bei Haltstellung dieses Flügels die Streckenblockleitung schließt, sie aber öffnet, sobald der Flügel um mehr als 10° aus der Haltstellung gebracht ist. Er soll verhüten, daß die Blockung des Endfeldes und damit die Freigabe der rückliegenden Strecke stattfindet, wenn der Signalhebel zurückgelegt, aber der Signalflügel der Hebelbewegung nicht vollständig gefolgt ist.

Auch bei Zählweckeranlagen, Vorsignalen mit Kraftantrieb u. s. w. finden S. Anwendung. In besonderen Fällen wird außer dem ersten Flügel auch der zweite Flügel eines Hauptsignals mit einem Flügelkontakt ausgerüstet. *Hoogen.*

Signalflügelsperre ist eine elektrische Sperre, die verhüten soll, daß ein Signalflügel ohne Umlegen des Signalhebels durch einen unerlaubten Eingriff aus der Haltlage bewegt wird.

Signalfreigabefeld, ein Blockfeld, mit dem ein im abhängigen Stellwerk unter Blockverschluß liegender Signalhebel vom Fahrdienstleiter freigegeben wird.

Signallaternen *(signal lamps; lanternes de signal; lanterne da segnale)*, die zur Hervorbringung der Lichtsignale (s. Signalwesen) dienenden Beleuchtungsvorrichtungen. Am meisten werden dabei Petroleumlampen verwendet. Aber auch elektrisches Licht, Azetylenlicht und gewöhnliche Gasbeleuchtung ist dafür in Gebrauch.

Petroleumlampen der Haupt- und Vorsignale erhalten nach vorn oder nach vorn und rückwärts parabolische Blender (Reflektoren). Bei den preußischen Staatsbahnen sollen diese Blender aus weißem Neusilber hergestellt werden. Für die Haupt- und Vorsignale werden dort 10'''- und für die Wärtersignale 8'''-Brenner verwendet. Es wird eine Brenndauer von 18

Stunden verlangt. Bei den gebräuchlichen Petroleumarten sollen die Laternen folgende Lichtstärken ergeben:

a) Laternen für Haupt- und Vorsignale.

Brenner mit Zylinder . .	12	Hefnerkerzen
Vorderblender mit weißer Glasscheibe	250	„
Rückblender mit weißer Glasscheibe	110	„

b) Wärtersignallaternen.

Brenner mit Zylinder . .	8·5	„
Blender mit weißer Glasscheibe	110	„

Bei guter Wartung sind die Signallichter solcher Laternen sehr weit zu sehen.

Besonderer Wert ist auf die Sturmsicherheit der Laternen zu legen. Diese wird nach den preußischen Vorschriften bei einem bestimmten Teil der zur Abnahme bereitgestellten Lampen durch Versuche in einer Gebläsevorrichtung festgestellt.

Die farbigen Signallichter werden dadurch hervorgerufen, daß die Laternen farbige Scheiben erhalten oder daß farbige, in Rahmen gefaßte Gläser (Blenden) vor die weiße Scheibe der Laternen geschoben werden (s. Blenden der S.).

Um die S. bei den Mastsignalen an ihre richtige Stelle zu bringen, sind die Maste mit einem Laternenaufzug (s. d.) ausgerüstet.

Die elektrische Beleuchtung der S. ist bei elektrisch betriebenen Bahnen allgemein üblich; sie wird neuerdings aber auch bei anderen Bahnen, insbesondere für die Weichenlaternen vielfach verwendet.

Bei den Haupt- und Vorsignalen hat man entweder die bei Petroleumbeleuchtung übliche Anordnung, daß zur Hervorbringung der farbigen Signallichter sich farbige Blenden vor eine weißleuchtende Laterne legen, beibehalten und nur die Petroleumlampe durch eine elektrische Glühlampe ersetzt oder man hat mehrere Lampen mit verschiedenfarbigen Gläsern oder Linsen nebeneinander angebracht, von denen durch Schaltung jedesmal die aufleuchtet, die der Signalstellung entspricht.

Bei den Weichenlaternen wird in dem Weichensignalkasten statt der Petroleumlampe eine aufrechtstehende elektrische Glühlampe angebracht. Die Anordnung wird dabei meist so getroffen, daß die Glühlampe feststeht und beim Umstellen der Weiche nur der Signalkasten sich dreht.

Die elektrische Beleuchtung ermöglicht dadurch, daß im Stellwerksraum angebrachte Kontrollampen in den Stromkreis der Signallampen eingeschaltet werden, eine einfache Überwachung der Signallichter. Es ist das besonders für Haupt- und Vorsignale, die vom Stellwerk aus nicht gut übersehen werden können, von Wert. Die Gefahr, daß die Beleuchtung versagt, kann leicht dadurch auf ein sehr geringes Maß herabgesetzt werden, daß in jeder Laterne 2 Glühlampen angebracht werden, die in getrennten Stromkreisen liegen. Bei den Weichenlaternen beruht ein besonderer Vorteil der elektrischen Beleuchtung darin, daß sämtliche Weichen oder einzelne in einem besonderen Stromkreis liegende Gruppen von Weichen leicht ein- und ausgeschaltet werden können, so daß die Beleuchtung der Weichen auf die Zeit beschränkt werden kann, in der der Betrieb sie erfordert.

Bei Azetylenbeleuchtung wird das Gas den mit Schnittbrennern ausgerüsteten S. aus einer unten am Mast angebrachten Flasche durch ein dünnes Rohr zugeführt, in das ein Druckregler und ein Absperrhahn eingebaut ist. Das Anzünden der Laternen erfolgt nach Öffnung des Absperrhahns durch eine dauernd brennende Zündflamme. Neuerdings wird zu dieser Beleuchtung gelöstes Azetylen (Azeton) verwendet, das als vollständig ungefährlich gilt. Auf den schwedischen Bahnen und versuchsweise bei einzelnen Strecken der österreichischen Staatsbahnen ist die Azetylenbeleuchtung seit einiger Zeit benutzt, um ein Blinklicht zu erzeugen und hierdurch einzelne Hauptsignale vor anderen besonders hervorzuheben.

Gewöhnliches Leuchtgas wird in der auch für sonstige Beleuchtungszwecke üblichen Weise bei Weichenlaternen und anderen Kastensignalen verwendet. *Hoogen.*

Signalmast *(signal post; poteau* oder *mât de sémaphore; asta semaforica)* dient bei den Flügel- und Scheibensignalen zum Anbringen der Flügel, Scheiben und Signallaternen und ihrer Antriebsvorrichtungen.

Ursprünglich wurden die S. aus Holz hergestellt, jetzt werden meistens eiserne Maste aus Rohren (Rohrmaste), aus Formeisen oder aus Stabwerk (Gittermaste) verwendet. Die Höhe der S. soll so bemessen werden, daß das Signal für den Lokomotivführer gut sichtbar ist. Bei ein- und zweiflügeligen Einfahrsignalen ist die gebräuchlichste Masthöhe etwa 8 *m*, bei mehrflügeligen 10 *m*. Ausfahrsignale können niedriger sein.

Zur Erreichung guter Sichtbarkeit werden vielfach auch höhere Maste – bis zu 14·0 *m* und ausnahmsweise auch darüber hinaus – verwendet. Die Maste der Scheibensignale sind im allgemeinen nicht höher als 3·5 – 5 *m*. Die Standsicherheit der S. wird durch schmiedeeiserne oder gußeiserne Erdfüße erreicht. Bei sehr hohen Masten muß die Standfestigkeit bei Winddruck besonders ermittelt werden.

An einem S. können mehrere Flügel für eine Fahrrichtung angebracht werden (2flügelige, 3flügelige Signale); es werden aber auch die Flügel für verschiedene Fahrrichtungen an einem S. angeordnet (Doppelsignale). Es war das früher bei Blocksignalen vielfach üblich, jetzt werden mitunter noch die Flügel für Ausfahr- und Wegesignale an einem Mast angebracht.

Zur Ausrüstung der S. gehören die Signalflügel, die Signallaternen und Signalblenden mit den Aufzugvorrichtungen und die Signalantriebe (s. Stellwerke).

Die Signalflügel haben im allgemeinen eine langgestreckte rechteckige Form. Das äußere Ende wird häufig kreisförmig oder pfeilförmig ausgebildet (s. auch Formsignale). Die Länge der Flügel beträgt, von der Mitte des Mastes an gerechnet, 1·5 – 1·8 *m*, ihre Breite 0·20 – 0·25 *m*. Sie werden aus Randeisen mit senkrechten Stegen oder aus vollem Eisenblech hergestellt. Am Maß ist eine Lagerplatte befestigt, auf deren Achse der Flügel sich dreht. Der Hub wird durch Anschläge begrenzt. Bei den mit elektrischer Flügelkupplung (s. d.) versehenen Signalen werden die Stöße beim Fallen der Flügel auf Halt durch eine Flügelbremse (s. d.) gemildert. Sonst werden die Flügel zu diesem Zweck mit Gegengewichten versehen. Die Signalflügel werden meistens rot und weiß gestrichen, wobei die Verteilung der roten und weißen Flächen sehr verschieden ist. Neuerdings wird statt des Anstrichs mit Ölfarbe oder besonderer Signalfarbe vielfach mit sehr gutem Erfolg ein Schmelzüberzug verwendet. Dazu eignen sich besonders die Flügel aus vollem Blech.

Die Signallaternen sind mit einer sog. Tasche versehen, mit der sie auf den Laternenschlitten gesteckt werden. Mit diesem werden sie durch den Laternenaufzug (s. d.) hochgezogen und herabgelassen. Die farbigen Lichter werden durch gefärbte Glasscheiben – Blenden – hervorgebracht, die sich vor die weiß leuchtenden Laternen legen (s. Blenden der Signallaternen).

Die Signalantriebe (s. Stellwerke) übertragen die Bewegung des Signaldrahtzugs auf die Signalflügel. Sie sind Endantriebe, wenn der Signaldrahtzug am S. endet, oder Zwischenantriebe, wenn der Signaldrahtzug zu einem andern Hauptsignal oder zu einem Vorsignal weiter führt.

Der Endantrieb besteht in einer Kurvenscheibe, die oben oder unten am Mast befestigt ist. Ist er oben angebracht, so geht der Drahtzug über eine Ablenkrolle am unteren Teil des Mastes. Der Zwischenantrieb sitzt unten am Mast; die zugehörige Kurvenscheibe ist mit ihm vereinigt oder oben am Mast angebracht.

Bei Kraftstellwerken wird der Antrieb fast ausschließlich unten am Mast befestigt; nur bei amerikanischen Anlagen findet man ihn auch oben am Mast, unmittelbar am Flügel.

Die S. erhalten einen Anstrich, der sie leicht erkennbar machen soll. Meistens werden sie in einzelnen Absätzen von etwa 1 – 2 *m* Höhe abwechselnd schwarz und weiß oder rot und weiß gestrichen. Zuweilen wird diese Art des Anstrichs auf die der Fahrtrichtung zugekehrte Seite des Mastes beschränkt und die andere Seite in einer unauffälligen Farbe – grau – gestrichen.

Hoogen.

Signalordnung *(signal code; code des signaux; regolamento dei segnali)* ist die in fast allen Ländern bestehende gesetzliche Festlegung der für den Betrieb der Eisenbahnen maßgebenden Signalbegriffe und der dafür zu verwendenden Signalzeichen (s. Signalwesen).

Signalverschlußfeld, ein Blockfeld, das beim Blocken des Endfeldes die Einfahrsignalhebel so lange gesperrt hält, bis sie durch das Signalfestlegefeld wieder verschlossen sind.

Signalwesen *(signalling; signalisation; i segnali).*

Inhalt: I. Signalbegriffe. – II. Signalzeichen und Signalmittel. – III. Signalordnungen. – IV. Neuere Bestrebungen auf dem Gebiete des S.

Befehle und Meldungen, die im Eisenbahnbetrieb zwischen den beteiligten Bediensteten ausgetauscht werden müssen, können in vielen Fällen nicht mündlich oder schriftlich übermittelt werden. Sie werden durch hörbare oder sichtbare Signalzeichen ersetzt, denen durch besondere Signalordnungen bestimmte, fest umschriebene Signalbegriffe untergelegt sind. Ein wagrechter Flügel an einem Mast, ein rotes Licht, ein Knall sind Signalzeichen, die den Signalbegriff „Halt“ ausdrücken. Der Signalmast mit dem Flügel, die rot geblendete Laterne, die an der Schiene befestigte Knallkapsel sind die Signalmittel.

I. Signalbegriffe.

Als Signalbegriffe kommen hauptsächlich in Betracht die Befehle „Halt“, „Fahrt frei“ und „Langsam fahren“, ferner Mitteilungen über den Lauf der Züge und Hinweise auf den Zustand der Bahn. Mitteilungen über den Lauf der Züge enthalten z. B. die Signalbegriffe: „Ein Zug fährt in der Richtung von A nach B“, „Zugverkehr ruht“, „Ein Sonderzug folgt nach“. Den Zustand der Bahn betreffen die Signalbegriffe: „Die Weiche steht auf dem krummen Strang“, „Die Telegraphen- und Fernsprechleitung ist zu untersuchen“.

Die Signalbegriffe, die den Zustand der Bahn anzeigen, decken und vermischen sich zuweilen mit denen, die „Halt“ und „Langsam fahren“ ausdrücken.

Die erste Signalvorschrift in Deutschland – die von der Versammlung Deutscher Eisenbahntechniker zu Berlin im Februar 1850 aufgestellten Grundzüge für die Gestaltung der Eisenbahnen Deutschlands – hatte sich in der Zahl der Signalbegriffe eine weise Beschränkung auferlegt. Sie stellte ihrer 10 auf. Bei der weiteren Entwicklung des Eisenbahnsignalwesens nahm die Zahl der Signalbegriffe, die man durch besondere Signalzeichen auszudrücken suchte, immer mehr zu. Die Einführung einheitlicher Signalordnungen für größere Gebiete – z. B. für Deutschland und Österreich – wirkte dem Übermaß entgegen. Die deutsche Signalordnung weist gegenwärtig 34, die österreichische 45 verschiedene Signalbegriffe auf.

II. Signalzeichen und Signalmittel.

Die Signalzeichen sind sichtbar oder hörbar; zuweilen werden auch sichtbare und hörbare Zeichen vereinigt verwendet.

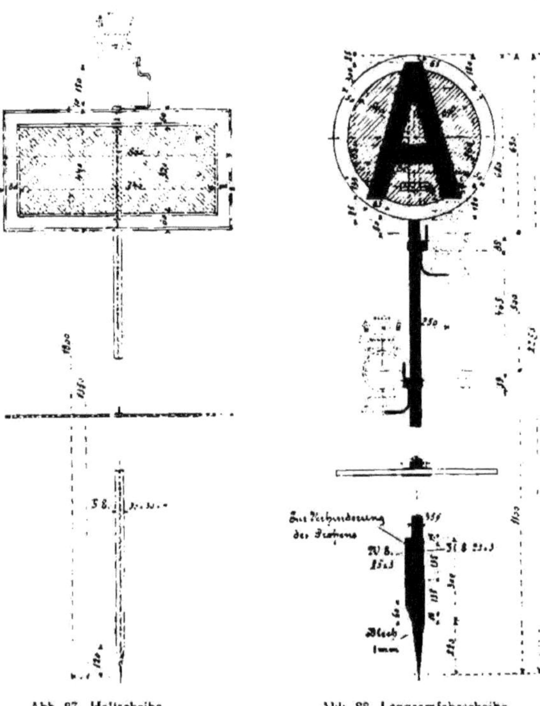

Abb. 87. Haltscheibe. Abb. 88. Langsamfahrscheibe.

Die sichtbaren Zeichen sind für Tag und Nacht meistens verschieden. Als Tagessignale sind im allgemeinen Formsignale, als Nachtsignale Lichtsignale in Gebrauch. Es werden aber auch dieselben Signalzeichen als Tages- und Nachtsignale verwendet. So sind z. B. die Weichensignale vielfach aus Milchglasscheiben gebildet, die bei Dunkelheit durch Beleuchtung erkennbar gemacht werden und dann dasselbe Signalbild zeigen wie bei Tag. Bei der Elberfelder Schwebebahn werden die farbigen Lichter der Nachtsignale auch bei Tag benutzt. Anderseits wird hier und da wieder versucht, die Tagessignale auch bei Dunkelheit brauchbar zu machen, indem man sie künstlich beleuchtet.

Als Formsignale kommen Flaggen-, Scheiben-, Flügel- und Kastensignale vor.

Bei den Flaggensignalen bedeutet die im Kreis geschwungene Flagge überall „Halt“. Ruhiges Halten der Flagge wagrecht oder schräg wird bei manchen Bahnen als Zeichen für „Langsam fahren“ benutzt. Sonst findet sich die Flagge meistens als Signalzeichen am Zug. Nach der deutschen Signalordnung z. B. dient eine grüne Flagge zur Kennzeichnung der mit Personen besetzten Bahnpost-, Speise- oder Schlafwagen während eines Stilllagers. Bei den holländischen Bahnen zeigt eine blaue Flagge am vordersten oder einem der letzten Wagen an, daß der Telegraph gestört ist. Auf der französischen Ostbahn dient eine rote Flagge an der Lokomotive zur Kennzeichnung der Fahrt auf falschem Gleis.

Scheibensignale haben meistens viereckige oder runde Form; es kommt aber auch die Dreiecksform mit der Spitze nach oben oder nach unten vor. Die Signalscheibe ist entweder fest oder in ihrer Lage zu dem Schaft oder dem Mast, der sie trägt, beweglich. Feste Scheiben sind z.B. die Haltscheibe (Abb. 87) und die Langsamfahrscheibe (Abb. 88) der deutschen Signalordnung, bewegliche Scheiben das deutsche Vorsignal (s. d.) und das französische Haltsignal.

Die beweglichen Scheiben werden um eine senkrechte oder eine wagrechte Achse gedreht. Sie zeigen dem Zug entgegen in der einen Stellung die volle Fläche, in der andern nur die schmale Kante der Scheibe. Ein bestimmtes Signalzeichen ist daher nur dann vorhanden, wenn die volle Fläche dem Zug zugekehrt ist. Dieser Mangel ist bei dem bayerischen Vorsignal durch die Vereinigung eines Scheiben- und Flügelsignals vermieden.

Feste Scheiben werden meistens als Wärtersignale an Stellen verwendet, wo nur vorübergehend Signale zu geben sind. Bewegliche Scheiben kommen selbständig oder in Verbindung mit Flügelsignalen als Vorsignale vor.

Bei Flügelsignalen wird das Signalzeichen durch die Stellung eines oder mehrerer beweglicher Flügel zu einem festen Mast gebildet. Als Signalzeichen für die verschiedenen Signalbegriffe dient die wagrechte Lage des Flügels, seine Stellung unter 45° nach oben oder nach unten und die senkrechte Lage des Flügels nach oben oder nach unten. Die Form der Flügel ist im allgemeinen ein längliches Rechteck, dessen dem Mast abgekehrtes Ende winkelrecht abgeschnitten, pfeilförmig oder schwalbenschwanzförmig ausgebildet oder auch kreisförmig gestaltet ist. Diese Ausbildung des Flügelendes dient dazu, neben dem durch die Flügelstellung ausgedrückten Signalbegriff noch besondere Angaben über den Fahrweg oder die zulässige Fahrgeschwindigkeit zu machen (bei den belgischen und englischen Bahnen), oder noch besonders hervorzuheben, für welche Fahrrichtung der Flügel gilt (bei den deutschen Bahnen). Auf den deutschen und österreichischen Bahnen weist der Flügel in der Fahrrichtung gesehen nach rechts, auf den französischen, englischen und manchen anderen Bahnen nach links.

Die wagrechte Lage des Flügels gilt überall als Haltzeichen, mit der Maßgabe jedoch, daß dort, wo Flügelsignale als Vorsignale verwendet werden, die wagrechte Stellung nicht ein unbedingtes Fahrverbot darstellt. Die übrigen Flügelstellungen werden in verschiedener Weise zur Kennzeichnung der Signalbegriffe „Fahrt frei“ und „Langsam fahren“ benutzt.

Kastensignale sind fest oder beweglich. Sie zeigen für Tag und Nacht dasselbe Signalbild.

Lichtsignale werden aus weißen und farbigen Lichtern gebildet. Rotes Signallicht ist in allen Signalordnungen das Zeichen für „Halt“. Ein unbedingtes Fahrverbot ist es nicht dort, wo es, wie bei den englischen Bahnen, am Vorsignal verwendet wird.

Grünes Licht bedeutet „Fahrt frei“, „Langsam fahren“, „Vorsicht“.

Weißes Licht zeigt, wo es als Signalzeichen verwendet wird, „Fahrt frei“ an.

Die meisten Signalordnungen waren ursprünglich auf der Verwendung von weißem, grünem und rotem Licht aufgebaut. Rot bedeutete „Halt“, Grün „Vorsicht“, „Langsam fahren“ und Weiß „Fahrt frei“.

Das weiße Licht ist als Signallicht aber immer mehr abgekommen, weil es unter Umständen aus den zur Beleuchtung dienenden Lichtern nicht klar genug sich heraushebt und dort, wo es neben farbigen Signallichtern auftritt, diese leicht überstrahlt und undeutlich macht. Beim Bruch der roten oder grünen Blende eines Signallichts kann ein gefährliches Signalbild entstehen, wenn weißes Licht als Signalzeichen für „Fahrt frei“ gilt. Wo das weiße Licht beseitigt wurde, trat an seine Stelle das grüne Licht mit der Bedeutung „Fahrt frei“. Für den Begriff „Vorsicht“, „Langsam fahren“ wurde vielfach eine neue Signalfarbe eingeführt. Meistens wird hierfür jetzt „Gelb“ verwendet, wie z. B. bei den neuen Vorsignalen der deutschen Signalordnung.

Blaues Licht kommt in der Bedeutung „Ruhe“ (auf den bayerischen Bahnen) und als „Verbot der Verschiebung“ (auf den österreichischen Bahnen) vor. Für weite Entfernungen ist es nicht geeignet.

Violettes Licht findet sich an den Wegesignalen der französischen Eisenbahnen bei Fahrverbot.

Auch aus Gruppen von Lichtern werden Signalzeichen gebildet. Solche Signalzeichen sind z. B. die untereinander angebrachten grünen Lichter an den mehrflügligen Hauptsignalen der deutschen Bahnen sowie die in schräger Linie zum Mast stehenden Doppellichter an dem neuen deutschen Vorsignal.

Bei solchen Signalbildern aus Lichtergruppen müssen die einzelnen Lichter so weit auseinander stehen, daß sie auf die Entfernung, in der sie erkannt werden müssen, nicht ineinander übergehen. Das Erlöschen eines Lichtes einer Lichtergruppe sollte kein gefährliches Signalbild hervorrufen, eine Forderung, die indes nicht überall erfüllt ist.

Die farbigen Signallichter werden nicht von allen Personen in gleicher Weise wahrgenommen. Es gibt „Farbenuntüchtige“, die einzelne Farben, besonders die für das Signalwesen wichtigsten Farben rot und grün verwechseln (s. Farbenblindheit).

Hörbare Signale sind Knall-, Glocken-, Pfeifen- und Hornsignale.

Knallsignale bedeuten immer „Halt“. Man hat auch vereinigte Knall- und Lichtsignale verwendet, bei denen die zur Erzeugung des Knalls dienende Entladung eines Sprengstoffs unter Entwicklung eines roten Lichtes vor sich geht.

Die Glockensignale bestehen entweder aus einer bestimmten Anzahl von einzelnen Glockenschlägen oder Gruppen von Glockenschlägen oder aus dem eine gewisse Zeit ununterbrochen fortdauernden Anschlagen der Glocke (Klingel- und Rasselwerke). Durch mehr oder weniger häufige Wiederholung einer bestimmten Anzahl einzelner Glockenschläge und durch verschiedenartige Gruppen von Glockenschlägen läßt sich eine große Anzahl von Signalbegriffen ausdrücken. Die österreichische Signalordnung z. B. bildet auf diese Weise für die den Lauf der Züge betreffenden Mitteilungen 14 Signalbegriffe (s. Durchlaufende Liniensignale).

Pfeifen- und Hornsignale bestehen aus einer bestimmten Folge von langen und kurzen Tönen. Ein mäßiger langer Ton (—) mit der Dampfpfeife z. B. heißt „Achtung", 3 kurze Töne (◡ ◡ ◡) mit der Dampfpfeife bedeutet „Bremsen stark anziehen".

Signalzeichen, die aus Tönen verschiedener Höhe zusammengesetzt sind, kommen wohl nur noch vereinzelt vor.

III. Signalordnungen.

a) Die Signalordnung für die Eisenbahnen Deutschlands. Die erste einheitliche Signalordnung für die Eisenbahnen Deutschlands, die auf Grund der Art. 42 und 43 der Verfassung des Deutschen Reiches vom Bundesrat beschlossen wurde, ist unter dem 4. Januar 1875 veröffentlicht und mit dem 1. April 1875 in Kraft getreten. Sie ist seitdem mehrfach geändert und ergänzt worden. Gegenwärtig gilt die unter dem 24. Juni 1907 veröffentlichte, am 1. August 1907 in Kraft getretene Eisenbahnsignalordnung (SO.). Sie gilt für Haupt- und Nebenbahnen.

Für den Dienstgebrauch ist auf den meisten deutschen Bahnen das Signalbuch (SB.) eingeführt. Es enthält außer den Vorschriften der Signalordnung noch Ausführungsbestimmungen und meistens einen Anhang über besondere in der Signalordnung nicht vorgesehene Signale.

Die deutsche Signalordnung unterscheidet:

I. Läutesignale.
II. Wärtersignale.
III. Hauptsignale.
IV. Vorsignale.
V. Signal am Wasserkran.
VI. Weichen- und Gleissperrsignale.
VII. Signale am Zuge.
VIII. Signale an einzelnen Fahrzeugen.
IX. Signale des Zugpersonals.
X. Rangiersignale.

Durch die Läutesignale – Signal 1 bis 4 – werden Mitteilungen über den Lauf der Züge an das Stations-, Bahnbewachungs- und Bahnunterhaltungspersonal gemacht (s. Durchlaufende Liniensignale).

Die Wärtersignale – Signale 5 und 6 – werden benutzt, um den Auftrag zum Langsamfahren und Halten der Züge zu erteilen. Sie werden auch Rangierabteilungen und einzelnen Fahrzeugen gegenüber angewendet (s. Wärtersignale).

Ein Hauptsignal zeigt an, ob der dahinterliegende Gleisabschnitt von einem Zug befahren werden darf oder nicht. Es besteht aus einem Mast, woran als Tagsignal 1 – 3 Flügel und für die Nacht ebensoviele Laternen angebracht sind. Die Ablenkung vom durchgehenden Hauptgleis wird durch zweiflüglige, in beson-

Abb. 89. Halt.

Abb. 90. Fahrt frei für das durchgehende Gleis.

deren Fällen auch durch dreiflüglige Signale gekennzeichnet.

Die Hauptsignale werden verwendet als Einfahrsignale (s. d.), Ausfahrsignale (s. d.), Wegesignale (s. d.), Blocksignale (s. d.) und sonstige Deckungssignale vor Gefahrpunkten, wie Bahnkreuzungen in Schienenhöhe, beweglichen Brücken, Gleisabzweigungen. Im Signalbuch sind sie als Signale 7 und 8 wie folgt beschrieben:

Signal 7. „Halt" (Abb. 89).

Bei Tag:

Vom Zug aus gesehen steht der Signalflügel – bei mehrflügligen Signalen der oberste Flügel – wagrecht nach rechts.

Bei Dunkelheit:

Dem Zug entgegen rotes Licht der Signallaterne – bei mehrflügligen Signalen der obersten Laterne –.

Signal 8. „Fahrt frei" (Abb. 90).

a) Für das durchgehende Gleis.

Bei Tag:

Vom Zug aus gesehen steht der Flügel des einflügligen Signals oder der oberste Flügel der mehrflügligen Signale schräg aufwärts nach rechts (unter einem Winkel von etwa 45°).

Bei Dunkelheit:

Dem Zug entgegen grünes Licht der Laterne des einflügligen Signals oder der obersten Laterne der mehrflügligen Signale.

b) Für ein abzweigendes Gleis (Abb. 91).

Bei Tag:

Vom Zug aus gesehen stehen beide Flügel des zweiflügligen oder die beiden oberen Flügel des dreiflügligen Signals schräg aufwärts nach rechts (unter einem Winkel von etwa 45°).

Bei Dunkelheit:

Dem Zug entgegen grünes Licht beider Laternen des zweiflügligen oder der beiden oberen Laternen des dreiflügligen Signals.

c) Für ein anderes abzweigendes Gleis (Abb. 92).

Bei Tag:

Vom Zug aus gesehen stehen die Flügel des dreiflügligen Signals schräg aufwärts nach rechts (unter einem Winkel von etwa 45°).

Bei Dunkelheit:

Dem Zug entgegen grünes Licht der Laternen des dreiflügligen Signals.

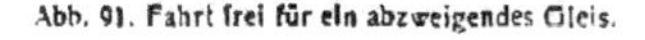

Abb. 91. Fahrt frei für ein abzweigendes Gleis.

Abb. 92. Fahrt frei für ein abzweigendes Gleis.

Die Hauptsignale gelten nur für Züge, nicht aber für Verschubbewegungen. In der Grundstellung zeigen sie, von wenigen Ausnahmen abgesehen, „Halt". Die Hauptsignale stehen in der Regel rechts neben oder in der Mitte über dem Gleis, zu dem sie gehören. Abb. 93 zeigt die Anordnung über den Gleisen auf einer Signalbrücke. Auf den bayerischen Staatsbahnen bestehen bezüglich der Hauptsignale zum Teil abweichende Vorschriften.

Durch ein Vorsignal – 9 und 10 des Signalbuches – wird in einer gewissen Entfernung vor einem Hauptsignal angezeigt, welche Stellung am Hauptsignal zu erwarten ist (s. Vorsignale).

Das Signal am Wasserkran – Signal 11 des Signalbuches – zeigt die Querstellung der drehbaren Ausleger der Wasserkrane an. Es besteht aus einer über dem Ausguß sitzenden Laterne, die bei Dunkelheit zum Zeichen, daß die Durchfahrt gesperrt ist, rotes Licht zeigt.

Die Weichensignale – Signal 12 und 13 des Signalbuches – zeigen die Stellung der Weichen, die Gleissperrsignale (Abb. 94 u. 95) – Signal 14 u. 14a – die Sperrung eines Gleises oder die Aufhebung dieser Sperrung an. Das Signalbild ist bei Tag und bei Dunkelheit dasselbe (s. auch Weichensignale).

Die Signale am Zug – Signale 15 bis 20 – dienen teils dazu, die Züge, einzeln fahrende Triebwagen und Lokomotiven als geschlossene Züge zu kennzeichnen, teils dazu, dem Strecken- und Stationspersonal gewisse Mitteilungen zu machen (s. Zugsignale).

Die Signale an einzelnen Fahrzeugen – Signal 21 bis 24 – kennzeichnen: Lokomotiven bei Verschubbewegungen (bei

Abb 93. Signalbrücke.

Dunkelheit vorn und hinten eine weiß leuchtende Laterne), mit Personen besetzte Bahnpost-, Speise- und Schlafwagen während eines Stillagers (bei Tag an jeder Langseite eine grüne Flagge), mit explosiven Gegenständen beladene Wagen (viereckige schwarze Flaggen mit einem weißen P) und endlich Kleinwagen (bei Dunkelheit rotes Licht).

Die Signale des Zugpersonals werden vom Lokomotivführer mit der Dampfpfeife, vom Zugführer mit dem Horn oder der Mundpfeife gegeben. Es sind die Signale – 25 bis 27 – des Lokomotivführers „Achtung", „Bremsen anziehen (mäßig und stark)" und „Bremsen lösen" sowie die Signale des Zugführers – 28 bis 30 – mit der Bedeutung „das Zugpersonal soll seine Plätze einnehmen", „Abfahren" und „Halt".

Die Rangiersignale – 31 bis 34 – mit den Begriffen „Vorziehen", „Zurückdrücken", „Abstoßen" und „Halt" werden vom Rangierleiter mit der Mundpfeife oder dem Horn und mit dem Arm gegeben.

Bei den preußisch-hessischen Staatseisenbahnen sind im Anhang zum Signalbuch u. a. noch vorgesehen die Rangierhaltetafel, über die hinaus das Rangieren auf dem Einfahrgleis der Regel nach verboten ist, Haltetafeln für Schiebelokomotiven, durch die die Stellen angezeigt werden, bis zu der die Schiebelokomotive einen Zug schieben soll und wo sie bei der Rückkehr vor Einfahrt in den Bahnhof weitere Befehle abwarten muß. Ferner ist für das Verschieben von Ablaufbergen ein Ablaufsignal eingeführt, das anzeigt, ob das Abdrücken verboten ist oder ob es langsam oder mäßig schnell erfolgen soll.

Der bayerischen Signalordnung eigentümlich ist das Ruhesignal. Es wird bei Tag dadurch dargestellt, daß der Signal-

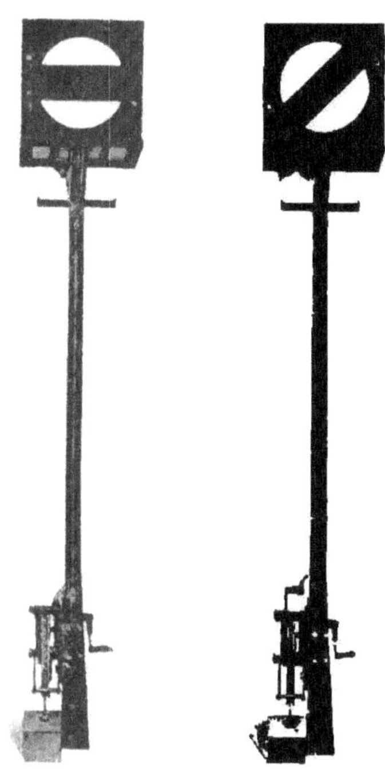

Abb. 94. Gleissperrsignal. Das Gleis ist gesperrt.

Abb. 95. Gleissperrsignal. Die Sperrung des Gleises ist aufgehoben.

flügel senkrecht abwärts hängt (Abb. 96); bei Dunkelheit zeigt die Laterne blaues Licht. Durch dieses Signal wird angedeutet, daß auf dem Gleis ein Zug weder ein-, aus- oder durchfährt, noch zur Abfahrt bereitsteht, das Gleis daher von Rangierabteilungen befahren werden darf.

Ähnlichen Zwecken dient die im Anhang des Signalbuches für die sächsischen Staatseisenbahnen vorgesehene Räumungsscheibe (Abb. 97 u. 98), durch die die Räumung und Freihaltung bestimmter Gleisstrecken in Bahnhöfen angeordnet wird, wenn fahrplanmäßige Zugfahrten im Bereich dieser Gleise zu erwarten sind. Das Signal besteht aus einer oder mehreren runden, weiß und rot gestrichenen Scheiben an einem Mast; bei Dunkelheit erscheint statt der vollen weiß und rot gestrichenen Scheibe eine Laterne mit rechteckiger mattweißer Scheibe.

b) Die Signalordnung für die Eisenbahnen Österreich-Ungarns.

Die ersten gesetzlichen Bestimmungen über das Signalwesen sind in der Eisenbahnbetriebsordnung vom 16. November 1851 enthalten. Sie beschränken sich auf die Festsetzung der wichtigsten Signalbegriffe und die Bezeichnung der Fälle, in denen Signale dafür anzuwenden waren. Mit dem 1. Juli 1877 trat eine einheitliche „Signalordnung für die Eisenbahnen Österreich-Ungarns" in Kraft, die für Österreich durch Verordnung vom 20. April 1904 mit Wirkung vom 1. April 1906 durch eine neue „Signalordnung für die Haupt- und Lokalbahnen" ersetzt wurde. Damit verlor auch die Signalordnung ihre Gültigkeit, die in den „Grundzügen der Vorschriften für den Betrieb auf Lokalbahnen" enthalten war.

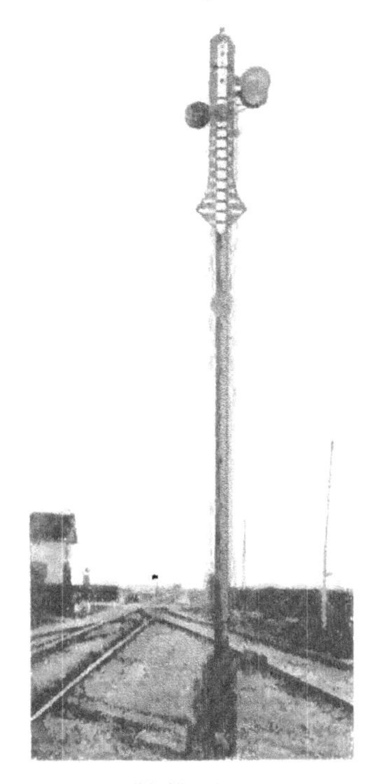

Abb. 96. Ruhe.
Signal 7a des bayerischen Signalbuches.

Auf Grund der Signalordnung für die Haupt- und Lokalbahnen sind für alle österreichischen Bahnen die zum Dienstgebrauch bestimmten „Signalvorschriften" herausgegeben.

Die österreichischen Signalvorschriften unterscheiden:

I. Durchlaufende hörbare Liniensignale.
II. Signale der Streckenbediensteten.
III. Feststehende Signale.
IV. Signale an Fahrzeugen.
V. Signale der Zugmannschaft.
VI. Signale für den Verschubdienst.

Die durchlaufenden hörbaren Liniensignale werden auf den österreichischen Bahnen nicht nur, wie in Deutschland, von den Stationsbeamten, sondern auch von den Streckenbediensteten und der Zugmannschaft gegeben. Ihre Zahl beträgt 14 (s. Durchlaufende Liniensignale).

Die Signale der Streckenbediensteten – Signal 15 bis 18 – dienen dazu, einem Zug den Befehl „Halt" und „Langsam" und als Signal „Frei" die Aufhebung eines Halt- oder Langsamsignals zu übermitteln. Es sind Scheiben-, Flaggen-, Licht- und Knallsignale (s. Wärtersignale).

Unter den feststehenden Signalen – 19 bis 27 – sind verzeichnet die Vorsignale, die Raumabschluß-, Einfahr-, Wege- und Ausfahrsignale, die ständigen Langsamfahrsignale auf der Strecke, die Verschubsignale und die Weichensignale.

Die Vorsignale dienen dazu, dem Zug anzuzeigen, ob das zugehörige Hauptsignal auf „Frei" oder auf „Halt" gestellt ist (s. Vorsignale).

Die Raumabschlußsignale sind bestimmt, dem Zug anzuzeigen, ob in den vorgelegenen Streckenabschnitt eingefahren werden darf oder nicht. Sie werden am Anfang der Streckenabschnitte aufgestellt und zeigen in der Grundstellung „Halt", sofern sie nicht wegen zeitweise unbesetzter Block- oder Zugmeldeposten in der Freistellung zu belassen sind.

Das Signal „Halt" wird dargestellt bei Tag durch den nach rechts in der Richtung der Fahrt wagrecht gestellten Arm des Signalmastes, bei Dunkelheit durch ein rotes Licht dem Zug entgegen. Als „Frei" oder „Frei in gerader Richtung" gilt bei Tag ein nach rechts in der Richtung der Fahrt schräg aufwärts gerichteter Arm des Signalmastes, bei Dunkelheit ein weißes Licht dem Zug entgegen. Bei Tag 2 Arme des Signalmastes nach rechts in der Richtung der Fahrt schräg aufwärts gerichtet, und bei Dunkelheit 2 weiße Lichter dem Zug entgegen bedeutet „Frei in die Ablenkung".

Abb. 97. Räumungsscheibe der sächsischen Staatseisenbahnen.
Die Fahrstraße (des Zuges) ist freizuhalten.

Abb. 98. Räumungsscheibe der sächsischen Staatseisenbahnen.
Die Fahrstraße (des Zuges) ist freizuhalten.

Die ständigen Langsamfahrsignale (s. d.) – Signal 24 – dienen dazu, Bahnstrecken zu bezeichnen, die dauernd langsam zu befahren sind.

Die Verschubsignale – 25 und 26 – bezeichnen den Punkt, über den hinaus Verschiebungen nicht stattfinden dürfen, wenn dieses Signal auf „Verbot der Verschiebung" (26) gestellt ist.

Die Weichensignale zeigen die Stellung der Weichen an (s. Weichensignale).

Der Standort des Wasserkrans wird bei Dunkelheit durch mattweißes Licht gekennzeichnet.

Die Signale an Fahrzeugen (s. Zugsignale), die Signale der Zugmannschaft und die Signale für den Verschubdienst entsprechen im wesentlichen denen der deutschen Signalordnung.

Während einer vom Eisenbahnministerium festgesetzten Übergangszeit sind an Stelle von mit Vorsignalen verbundenen Einfahrsignalen noch Distanzsignale (s. d.) und Richtungssignale zulässig.

c) Die französischen Signalvorschriften.

In Frankreich sind durch einen Ministerialerlaß vom 15. November 1885 unter der Bezeichnung code des signaux allgemeine Vorschriften über das Signalwesen der Eisenbahnen erlassen worden. Es sind darin folgende Signalgruppen vorgesehen:

I. Streckensignale (signaux de la voie):
  a) bewegliche (signaux mobiles),
  b) feste (signaux fixes).
II. Zugsignale (signaux de trains):
  a) Signale am Zug (signaux ordinaires portés par les trains),
  b) Signale des Lokomotivführers (signaux du mécanicien),
  c) Signale des Zugführers (signaux des conducteurs des trains).

Die Streckensignale werden benutzt, um „Fahrt frei" anzuzeigen, den Auftrag „Halt" und „Langsam fahren" zu erteilen oder einen Fahrweg zu bezeichnen.

Das Fehlen eines Signals zeigt an, daß die Bahn frei ist.

Die beweglichen Signale entsprechen den deutschen Wärtersignalen (s. d.) und den österreichischen Signalen der Streckenbediensteten.

Die festen Signale sind:

Les disques ou signaux ronds, rote runde Scheiben mit 2 Stellungen, senkrecht oder parallel zur Bahn. Die Stellung senkrecht zur Bahn – nachts durch rotes Licht gekennzeichnet – bedeutet ein bedingtes „Halt", die Stellung parallel zur Bahn – nachts durch weißes Licht gekennzeichnet – zeigt „Fahrt frei" an. An der „Halt" zeigenden Scheibe darf der Lokomotivführer vorbeifahren, er hat aber bei Wahrnehmung der geschlossenen Scheibe die Fahrgeschwindigkeit seines Zuges so zu ermäßigen, daß er beim Erscheinen eines Hindernisses oder eines weiteren Haltsignals sofort halten kann. Jeder solchen Scheibe folgt im allgemeinen ein Pfahl (poteau de protection), der die Stelle bezeichnet, von der an die geschlossene Scheibe Deckung gewährt.

Les signaux d'arrêt absolu, viereckige, schachbrettartig rot und weiß gestrichene Scheiben mit 2 Stellungen, senkrecht und parallel zur Bahn. Die Stellung senkrecht zur Bahn – nachts durch 2 rote Lichter gekennzeichnet – bedeutet „unbedingtes Halt", die Stellung parallel zur Bahn – nachts durch ein weißes Licht gekennzeichnet – zeigt „Fahrt frei" an. Diese Scheiben dienen als Bahnhofabschlußsignale.

Les sémaphores, Signale mit einem oder mehreren Flügeln, die in der Fahrrichtung nach links zeigen. Ein wagrechter Flügel bedeutet „Halt", ein schräg nach unten zeigender Flügel „Langsam fahren", ein senkrecht herabhängender Flügel „Fahrt frei". Bei Dunkelheit wird dargestellt „Halt" durch ein grünes und ein rotes Licht, „Langsam fahren" durch ein grünes Licht, „Fahrt frei" durch ein weißes Licht. Sie werden als Blocksignale verwendet.

Les signaux de ralentissement, runde grüne Scheiben mit 2 Stellungen, senkrecht und parallel zur Bahn. Die Stellung senkrecht zur Bahn – nachts durch ein grünes Licht gekennzeichnet, bedeutet „Langsam fahren", die Stellung parallel zur Bahn – nachts durch ein weißes Licht gekennzeichnet – zeigt „Fahrt frei" an. Diese Signale finden vor spitz befahrenen Weichen, Abzweigungsweichen u. dgl. Anwendung.

Les indicateurs de bifurcation, viereckige schachbrettartig grün und weiß gemusterte Scheiben, gestrichen oder aus Glasscheiben zusammengesetzt. Sie werden – vielfach gleichzeitig mit der runden roten Scheibe – vor einem signal d'arrêt absolu vor Abzweigungen auf freier Strecke aufgestellt. Statt dieses Signals ist dort auch eine weiße Scheibe mit der Aufschrift BIFUR zulässig. Bei Dunkelheit werden dieselben Signalbilder durch Außenbeleuchtung oder Laternen hinter den durchscheinenden Glasscheiben verwendet.

Meistens aber wird dieses Schachbrettsignal als signal d'avertissement – Vorsignal – benutzt, um ein unbedingtes Haltsignal – signal d'arrêt absolu – anzukündigen.

Beim Antreffen eines der Schachbrettsignale muß der Lokomotivführer die Geschwindigkeit so regeln, daß er den Zug an der Abzweigung oder am nachfolgenden Haltsignal erforderlichenfalls zum Halten bringen kann.

Les signaux indicateurs de direction des aiguilles, Weichensignale.

Die Zugsignale (s. d.) unterscheiden sich nicht wesentlich von den auf den deutschen und österreichischen Bahnen üblichen.

Im Jahre 1910 wurde die Kommission des technischen Betriebsausschusses (Commission du Comité de l'Exploitation technique) vom Minister der öffentlichen Arbeiten mit der Aufgabe betraut, die Vorschriften über das Signalwesen zu prüfen und sie, soweit erforderlich, zu vervollständigen und mit den gegenwärtigen Betriebserfordernissen in Einklang zu bringen. Der Ausschuß hat im Jahre 1911 seine Arbeiten beendigt. Er hat davon abgesehen, eine vollständig einheitliche Signalordnung für alle Bahnen vorzuschlagen. Die wesentlichste Neuerung, die er in Anregung gebracht hat, ist die Verwendung eines drehbaren Vorsignals.

d) Signalvorschriften der englischen Bahnen.

Für die englischen Bahnen sind allgemeine Vorschriften über das Signalwesen vom Handelsamt (Board of Trade) erlassen. Zum Dienstgebrauch haben die dem Abrechnungsamt (Clearing House) angeschlossenen Eisenbahngesellschaften Regelbücher (Rules and Regulations) für den äußeren Betriebsdienst vereinbart, die auch die Signalvorschriften enthalten. Jede Gesellschaft pflegt jedoch den allgemeinen Vorschriften Zusätze für ihren Bereich zuzufügen; in manchen Fällen werden auch abweichende Bestimmungen aufgenommen oder einzelne Abschnitte der allgemeinen Vorschriften für bestimmte Strecken als nicht gültig erklärt.

Allgemein bedeutet Rot „Gefahr“ (Danger), Grün „Fahrt frei“ (All right).

Die Signalvorschriften unterscheiden:
Feststehende Signale (Fixed Signals);
Handsignale (Hand Signals);
Knallsignale (Detonating Signals);
Zugsignale (Train Signals).

Zu den feststehenden Signalen gehören Vorsignale (Distant Signals), Einfahrsignale (Home Signals), Ausfahrsignale (Starting Signals) und vorgeschobene Ausfahrsignale (Advanced Starting Signals), Nebengleissignale (Siding Signals), Vorziehsignale (Calling-on Signals) und Rangiersignale (Shunting Signals).

Als feststehende Signale sind meistens Flügelsignale in Gebrauch. Die Grundstellung der feststehenden Signale ist „Gefahr“ (Halt) (Danger). Sie wird bei Tag durch die wagrechte Stellung des Flügels, bei Nacht durch ein rotes Licht gekennzeichnet. Das Signal „Fahrt frei“ (All right) wird bei Tag durch den schräg abwärts gerichteten Flügel, bei Nacht durch grünes Licht gegeben.

Bei der in England bisher nur bei Stadtbahnen angewendeten selbsttätigen Signalstellung ist die Grundstellung der Signale „Fahrt frei“.

Distant Signals (Vorsignale) sind dadurch gekennzeichnet, daß ihr Flügel am freien Ende einen dreieckigen Ausschnitt hat. Sie werden in einer Entfernung von 250 *m* und mehr – bei der North Western-Bahn z. B. 725 bis 900 *m* – vor dem Einfahrsignal aufgestellt. Ein Vorsignal darf nur auf „Fahrt frei“ gestellt werden, wenn das zugehörige Hauptsignal auf „Fahrt frei“ steht. Findet der Lokomotivführer ein Vorsignal in der Gefahrstellung, so hat er den Dampf abzusperren und vorsichtig bis zum Einfahrsignal vorzurücken.

Home Signals (Einfahrsignale) unterscheiden sich von den Vorsignalen nur dadurch, daß ihr Flügel am freien Ende rechteckig abgeschnitten ist. Die Nachtsignale stimmen beim Vorsignal und Einfahrsignal vollständig überein. Rotes Licht und wagrecht stehender Flügel bedeuten in England am Einfahrsignal „Halt“, am Vorsignal verbieten sie die Vorbeifahrt am Signal nicht. In dieser ungenügenden Unterscheidung von Einfahr- und Vorsignal liegt ein schwerer Mangel der englischen Signalordnung.

Einfahrsignale werden vor oder auf Stationen, vor Abzweigungen auf freier Strecke, vor Ausweichgleisen und an Signalbuden so aufgestellt, daß ihre Stellung der Lage der Bahngleise entspricht, zu denen sie gehören. Die Signale an Abzweigungen sollen an getrennten Pfosten sitzen, die jedoch auf einem gemeinsamen Querträger stehen dürfen. Auf Bahnhöfen ist die Anbringung mehrerer Signalflügel an einem Mast gestattet, wenn das wichtigste Gleis links von dem Signal liegt. Es gelten dann die Flügel, von oben nach unten gerechnet, für die Gleise in der Reihenfolge von links nach rechts.

Calling-on Signals (Vorziehsignale) sind kurze Flügel unter dem Hauptflügel von Einfahrsignalen. Wenn nicht ausdrücklich etwas anderes bestimmt ist, darf der Flügel eines Vorziehsignals erst gezogen werden, wenn der Zug vor dem Einfahrsignal zum Halten gekommen ist. Bei gezogenem Vorziehsignal muß der Lokomotivführer über den Einfahrsignalmast vorrücken, soweit die Strecke frei ist, jedoch in keinem Fall über ein auf „Gefahr“ (Halt) stehendes Ausfahrsignal hinaus.

Starting Signals und Advanced Starting Signals (kurz auch starters und advanced

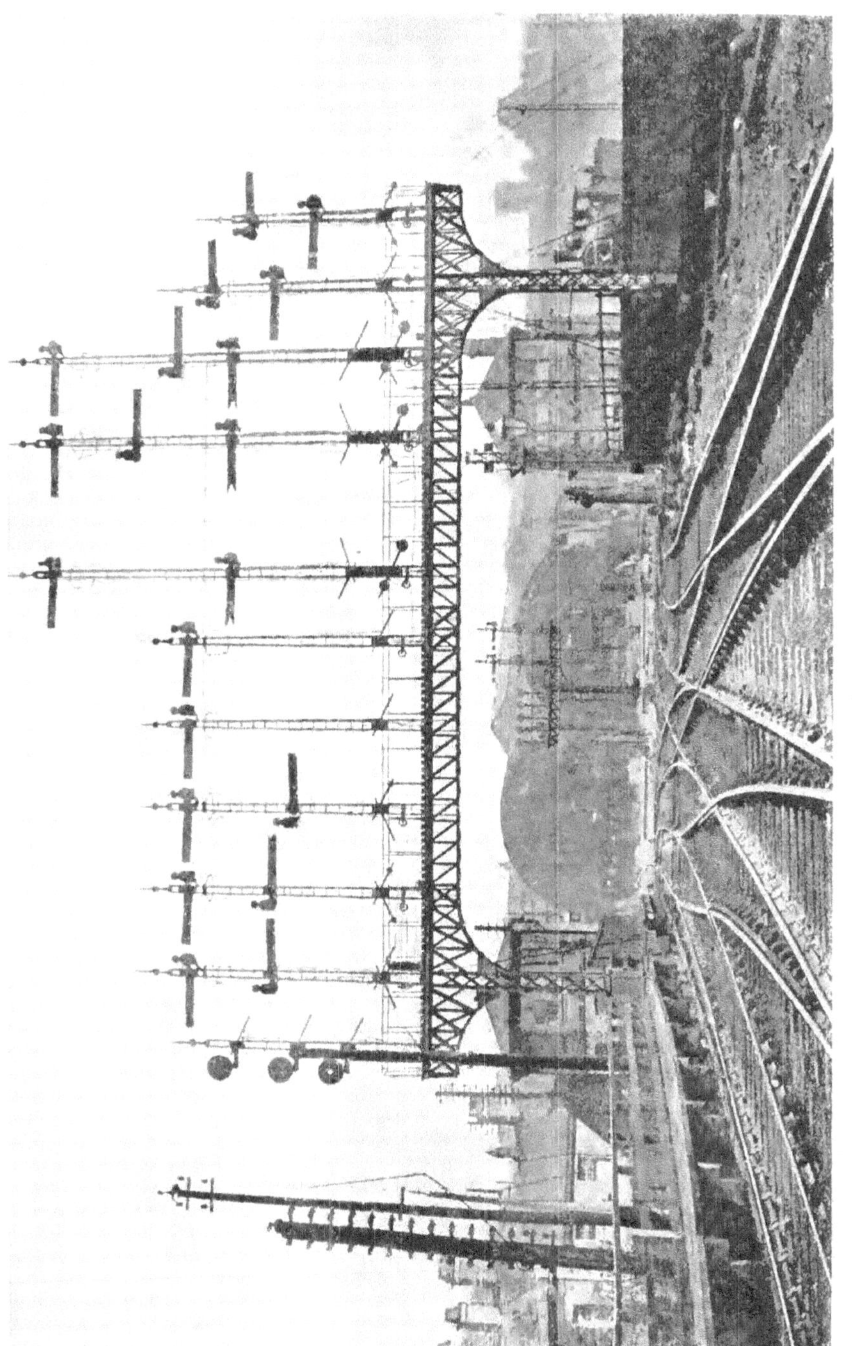

Abb. 99. Signalbrücke auf einem englischen Bahnhof.

starters genannt) (Ausfahrsignale und vorgeschobene Ausfahrsignale) dienen zur Regelung der Einfahrt der Züge in den an einen Bahnhof anschließenden Streckenabschnitt. Die vorgeschobenen Ausfahrsignale stehen in der Fahrrichtung um eine Zuglänge hinter den Ausfahrsignalen. Es darf an beiden nicht vorbeigefahren werden, wenn sie „Gefahr" (Halt) zeigen. Ist der Streckenabschnitt zwischen dem Ausfahrsignal und dem vorgeschobenen Ausfahrsignal frei, so kann der Wärter durch Ziehen des Ausfahrsignals erlauben, bis zu dem „Gefahr" (Halt) zeigenden vorgeschobenen Ausfahrsignal vorzurücken.

Shunting Signals (Rangiersignale) bestehen aus kurzen Flügeln mit dem Buchstaben S oder anderen Zeichen, die an den Masten der Hauptsignale befestigt sind, oder aus Flügeln und Scheiben an besonderen, etwa 3·5 *m* hohen Pfosten.

Abb. 100. Belgisches Kandelabersignal.

Die Hauptsignale dürfen bei gezogenem Rangiersignal in Haltstellung überfahren werden. Zu den Rangiersignalen gehören auch die sog. Ground Signals, die als Dwarf Signals (Zwergsignale) und Disc Signals (Scheibensignale) in den verschiedensten Formen vorkommen.

Siding Signals (Nebengleissignale), gleichfalls als Zwerg- oder Scheibensignale ausgebildet, regeln die Ausfahrt aus Nebengleisen in die Hauptgleise.

Rücklichter an festen Signalen sind im allgemeinen nur bei der Haltstellung des Signals in Gebrauch; sie sind dann weiß. Es kommt aber auch Purpurlicht als Rücklicht für „Fahrt frei" vor.

Die Zahl der auf der Strecke und in den Bahnhöfen sich findenden Signale ist in England sehr groß. Es hat das seinen Grund darin, daß die allgemeinen Vorschriften einerseits die Anbringung mehrerer Flügel an einem Mast nur in beschränktem Umfang zulassen, anderseits aber eine weitgehende Kennzeichnung der bei großen Bahnhöfen meistens sehr zahlreichen Fahrwege durch besondere Signale üblich ist. Abb. 99 zeigt eine Signalbrücke auf einem englischen Bahnhof.

Die Handsignale werden, wie überall üblich, bei Tag mit der Hand oder mit Fahnen, bei Nacht mit Laternen gegeben.

Die Knallsignale dienen zur Deckung unfahrbarer Gleisstrecken und liegen gebliebener Züge sowie zur Ankündigung der Gefahr-(Halt-) Stellung feststehender Signale bei Nebel.

Zugsignale werden in den verschiedensten Formen und Zusammenstellungen von Scheiben und Lichtern verwendet. Vorgeschrieben ist, daß jeder Zug bei Tag und bei Nacht als Schlußsignal eine Laterne führt, die am Tag angezündet wird, wenn Nebel oder Schneewetter eintritt. Die Laterne ist rot geblendet. Außer dieser Schlußlaterne muß der Zug noch 2 rote Oberwagenlaternen führen.

e) Die Signalvorschriften für die belgischen Staatsbahnen sind in Bd. IV des Règlement général des voies et travaux enthalten. Sie unterscheiden feststehende Signale (signaux fixes de la voie), Zugsignale (signaux des trains) und Wärtersignale (signaux mobiles de la voie).

Die Vorsignale sind wie die Hauptsignale als Flügelsignale ausgebildet. Der Flügel des

Vorsignals unterscheidet sich von dem des Hauptsignals durch die Form. Die verschiedene Gestalt der Flügel wird auch bei den Hauptsignalen viel ausgenutzt zur Bezeichnung der zulässigen Fahrgeschwindigkeit (s. Formsignale). Bemerkenswert sind die sog. Kandelabersignale (sémaphores à chandelier) zur Bezeichnung mehrerer Einfahrwege (s. Wegesignale). Abb. 100 zeigt ein solches Kandelabersignal.

f) Die holländischen Bahnen haben Streckensignale (Seinen op den weg), die als Läutesignale (Geluidseinen) und sichtbare Signale (Optische of gezichtseinen) unterschieden werden, Zugsignale (Treinseinen) und Rangiersignale (Rangeerseinen). Für Haupt- und Vorsignale werden meistens Flügelsignale verwendet. „Fahrt frei" wird durch den schräg aufwärts, „Vorsicht" (Langsamfahren) durch den schräg abwärts gerichteten Flügel angezeigt. Nachts wird „Fahrt frei" durch weißes Licht, „Vorsicht" (Langsamfahren) durch grünes Licht dargestellt. „Halt" wird durch wagrechte Flügel und rotes Licht angezeigt.

g) Für die schweizerischen Eisenbahnen ist das im Jahre 1866 erlassene „allgemeine Reglement über den Signaldienst" mit Ausführungsbestimmungen vom Jahre 1889 maßgebend. Es sieht Läute- und Rasselwerke vor für den Zuglauf betreffende Meldungen, sehr weit ausgebildete Wärtersignale und die sonst üblichen Signale. Bahnhofsabschlußsignale, die allgemein vorgeschrieben sind, kommen in der Form von Wendescheiben und Flügelsignalen vor. Die Flügel zeigen nach rechts; die wagrechte Stellung bedeutet „Halt", die unter 45° nach oben geneigte Stellung „Fahrt frei". Bei Dunkelheit ist rotes Licht das Zeichen für „Halt", grünes Licht das Zeichen für „Fahrt frei". Als Blocksignale werden ebenfalls Wendescheiben oder Flügelsignale verwendet; Ausfahrsignale sind immer Flügelsignale. Vorsignale zu Abschlußsignalen werden als runde grüne gestrichene Wendescheiben mit schrägem weißen Balken ausgebildet. Bei Tag zeigen sie durch die volle oder die schmale Seite der Scheibe, bei Dunkelheit durch grünes oder weißes Licht an, ob das Abschlußsignal geschlossen oder geöffnet ist.

h) In Italien besteht für die Staatsbahnen eine Signalvorschrift „Il regolamento dei segnali" vom Jahre 1906. Außer den festen Signalen gibt es bei den italienischen Bahnen Läutesignale mit 6 Signalbegriffen, Wärtersignale, die mit Fahnen und Laternen in der allgemein üblichen Weise gegeben werden, Weichensignale und Signale an den Zügen. Die festen Signale sind Scheiben oder Flügelsignale. Bei den Flügelsignalen bedeutet die wagrechte Lage des Flügels „Halt", der schräg abwärts gerichtete Flügel „Fahrt frei". Die Flügelsignale werden auch als Vorsignale verwendet; die Flügel erhalten dann gelben Anstrich, während sie bei den Hauptsignalen rot gestrichen sind. Bei Dunkelheit wird „Halt" durch rotes, „Fahrt frei" durch grünes Licht angezeigt. Bei „Halt" am Hauptsignal erscheint am Vorsignal gelbes Licht.

i) Für die dänischen Bahnen wurde im Jahre 1903 eine allgemeine Signalordnung – Almindeligt Signalreglement – erlassen, die später einige Änderungen und Ergänzungen erfahren hat. Sie enthält die allgemein üblichen Signale einschließlich der Läutesignale. Ein eigenartiges Signal ist das „Wimpelsignal", das durch eine weiße Flagge anzeigt, daß die Strecke durch einen Arbeitszug besetzt ist. Die Einfahr-, Ausfahr- und Wegesignale und ebenso auch die Vorsignale sind Flügelsignale, deren Flügel in der Fahrrichtung gesehen nach rechts weisen. Die Flügel der Einfahrsignale enden in einer runden Scheibe, die Ausfahr- und Wegesignale sind am Ende rechteckig abgeschnitten, bei den Vorsignalen ist das freie Ende schwalbenschwanzförmig gestaltet. Bei Blocksignalen endet der Flügel in einem über Eck gestellten Viereck. Wagrechte Stellungd er Flügel bedeutet bei den Einfahr-, Ausfahr-, Block- und Wegesignalen „Halt", bei den Vorsignalen „Langsam fahren", die unter 45° nach oben geneigte Stellung der Flügel bedeutet „Fahrt frei". Bei Stationen, auf denen nicht alle Züge halten, ist an den Einfahrsignalmasten unter dem Einfahrsignalflügel ein Vorsignalflügel angebracht. Für Züge, die in der Station halten sollen, wird die Einfahrerlaubnis erteilt durch den unter 45° nach oben geneigten Einfahrflügel und deu wagrecht stehenden Vorsignalflügel. Für durchfahrende Züge werden beide Signalflügel unter 45° nach oben geneigt gestellt. Bei Dunkelheit wird „Halt" durch rotes, „Fahrt frei" durch grünes, „Langsam fahren" durch gelbes Licht (brandgult) dargestellt.

k) Die Signalvorschriften der schwedischen Staatsbahnen sind in der im Jahre 1906 erlassenen, später ergänzten „Säkerhets- och signalordningar vid Statens järngar" enthalten. Als feststehende Signale sind Scheiben- und Flügelsignale in Gebrauch. Die Flügelsignale, deren Flügel in der Fahrrichtung gesehen nach links weisen, sind ein-, zwei- oder dreiflüglig. Durch die mehrflügligen Signale wird die Ablenkung vom durchgehenden Hauptgleis angezeigt. Mit den Einfahrsignalen sind

Vorsignale in Scheibenform verbunden. Bei Dunkelheit bedeutet am Hauptsignal rotes Licht „Halt", grünes Licht „Fahrt frei", am Vorsignal grünes Licht, daß das Hauptsignal „Halt" zeigt, weißes Licht, daß am Hauptsignal „Fahrt frei" zu erwarten ist.

l) Auf den amerikanischen Bahnen herrscht im Signalwesen eine große Mannigfaltigkeit. Als feststehende Signale werden jetzt meistens Flügelsignale verwendet. Außer der sonst üblichen wagrechten und unter 45° nach oben und unten geneigten Stellung wird mit Vorliebe auch die senkrechte Stellung des Flügels ausgenutzt. Es bedeutet dann im allgemeinen die senkrechte Stellung „Fahrt frei", die wagrechte „Halt" und die schräg nach oben „Vorsicht", „Langsam fahren" (Abb. 101). Unter dem Flügel des Hauptsignals wird vielfach ein Vorsignalflügel angebracht, der auf die Stellung des folgenden Hauptsignals hinweist. Der Vorsignalflügel, der ebenfalls 3 Stellungen einnehmen kann, ist in Form und Farbe vom Hauptsignalflügel verschieden. Für die Nachtsignale werden rote, purpurrote, grüne und gelbe Lichter verwendet. Rotes Licht bedeutet „Halt", gelbes Licht an Vorsignalen „Vorsicht", grünes Licht „Fahrt frei". Als Scheibensignal ist das Hall-Signal (s. d.) vielfach verwendet worden. Neuerdings bemüht sich die Vereinigung der Signalingenieure, das S. zu vereinheitlichen und dabei zu vereinfachen.

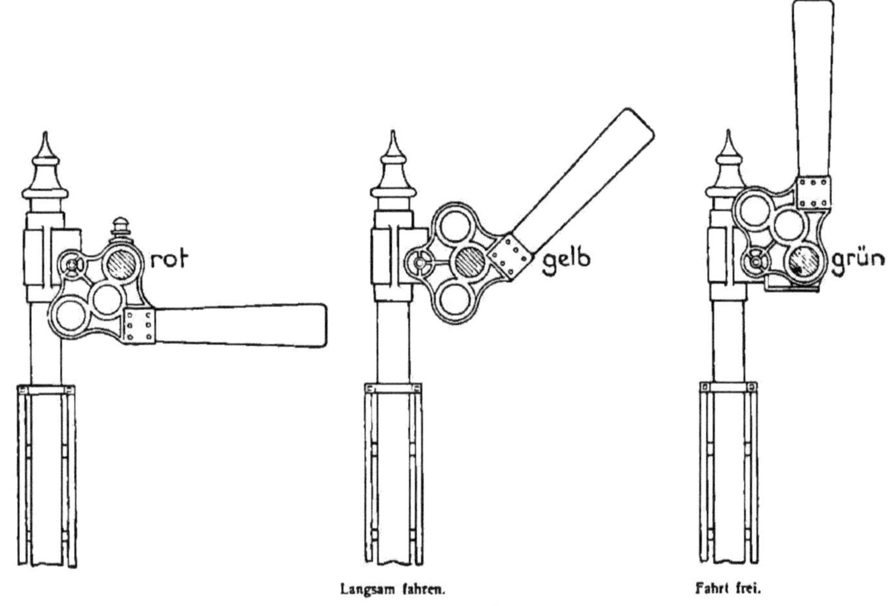

Langsam fahren. Fahrt frei.

Abb. 101. Amerikanisches Flügelsignal.

IV. Neuere Bestrebungen auf dem Gebiete des S.

Die Steigerung der Fahrgeschwindigkeit auf den Hauptbahnen und die Erhöhung der Zugdichte auf den elektrisch betriebenen Stadtbahnen hat für das S. neue Forderungen entstehen lassen. Es handelt sich dabei hauptsächlich um die Ausbildung der Signale, die zur Sicherung der Zugfolge und der Fahrten durch die Bahnhöfe und die Abzweigungsstellen auf freier Strecke dienen. Die Bestrebungen zur Vervollkommnung der Signaleinrichtungen richten sich vor allem auf folgende Punkte:

a) Rechtzeitige Ankündigung des am Hauptsignal zu erwartenden Signalzeichens durch das Vorsignal. Man hat zu diesem Zweck auch für das Vorsignal möglichst große Fernsichtbarkeit gefordert und demgemäß auch für dieses die Form des Flügels an hohem Mast statt der vielfach üblichen, etwa in Augenhöhe des Lokomotivführers angebrachten drehbaren Scheibe vorgeschlagen.

Den Vorteilen, die für die leichtere Erkennbarkeit des Vorsignals aus größerer Entfernung auf diese Weise gewonnen werden könnten, steht als Nachteil die Verwischung des Unterschieds zwischen Hauptsignal und Vorsignal beim Tagessignal gegenüber.

b) Die Kennzeichnung der Ablenkung aus dem Hauptgleis am Hauptsignal und Vorsignal.

Nach der deutschen und der österreichischen Signalordnung wird die Ablenkung aus dem durchgehenden Hauptgleis am Hauptsignal durch besondere Signalbilder gekennzeichnet, dagegen geschieht das nicht am Vorsignal. Diese bis jetzt noch nirgends bestehende Ankündigung der Ablenkung am Vorsignal wird von vielen Seiten als erforderlich erachtet. Man will dazu entweder das Scheibensignal umgestalten oder das Vorsignal soll als einflügliges Mastsignal ausgebildet werden und dieselben Stellungen einnehmen wie das ebenfalls einflüglig zu gestaltende Hauptsignal. Am Haupt- wie am Vorsignal soll dann „Halt" (Warnung) durch den wagrechten, „Fahrt frei" durch den um 45° nach oben und „Ablenkung" (Langsam fahren) durch den um 45° abwärts geneigten Flügel gekennzeichnet werden.

Die Folge einer solchen Anordnung ist, daß die Vorbeifahrt am wagrecht stehenden Flügel des Vorsignals gestattet werden muß. Für das Nachtsignal dem wagrechten Flügel entsprechend am Vorsignal rotes Licht zu verwenden, wie es in England üblich ist, hat man bei den Neuerungsvorschlägen wohl allgemein Bedenken getragen.

Es werden vielmehr als Nachtsignale der Vorsignale bei den meisten Vorschlägen – z. B. von Martens (s. Literaturverzeichnis) – die schrägen Doppellichter mit Doppelgelb für „Warnung" und Doppelgrün für Vorbereitung auf „Fahrt frei" beibehalten. Als Vorbereitung auf Ablenkung soll dann ein grün-gelbes Doppellicht in Schräglage dienen.

c) Einsetzung von Lichtsignalen als Tagessignale.

Die amerikanischen Signaltechniker beschäftigen sich in letzter Zeit viel damit, wie es möglich sein würde, die Lichtsignale auch am Tag brauchbar zu machen. Es ist das von besonderer Bedeutung für elektrisch betriebene Bahnen mit selbsttätiger Streckenblockung. Bei dieser wird die Ausführung sehr erleichtert, wenn die Signalbilder lediglich durch Ein- und Ausschaltung von Signallichtern hervorgebracht werden und die mechanische Bewegung von Flügeln oder Scheiben entbehrlich wird.

Literatur: M. M. v. Weber, Das Telegraphen- und Signalwesen der Eisenbahnen. Weimar 1867. – E. Schmitt, Das Signalwesen. Prag 1878. – G. Kecker, Vergleichende Studien über Eisenbahnsignalwesen. Wiesbaden 1883. – L. Kohlfürst, Signal- und Telegraphenwesen. Sonderabdruck aus dem Werk „Geschichte der Eisenbahnen der österreichisch-ungarischen Monarchie". Wien 1898. – H. Martens, Grundlagen des Eisenbahnsignalwesens. Wiesbaden 1909. – J. Frahm, Das englische Eisenbahnwesen. Berlin 1911. – Kecker, Glossen zur Signalordnung. Arch. f. Ebw. 1895, S. 793. – Blum, Glossen zur Signalordnung. Arch. f. Ebw. 1895, S. 910. – Jäger, Zur deutschen Signalordnung. Arch. f. Ebw. 1896, S. 1090 u. 1899, S. 50. – Blum, Zur deutschen Signalordnung. Arch. f. Ebw. 1897, S. 806 u. 1899, S. 51. – Förderreuther, Zur Signalordnung für die Eisenbahnen Deutschlands. Ztg. d. VDEV. 1906, S. 209. – Cauer, Zur deutschen Signalordnung. Ztg. d. VDEV. 1906, S. 669. – Ulbricht, Zur deutschen Signalordnung. Ztg. d. VDEV. 1906, S. 889. *Hoogen.*

Signierungsgebühr, eine Nebengebühr für die bahnseitige Signierung der Stückgüter und für ihre Bezeichnung mit dem Namen der Bestimmungsstation. Die Gebühr gründet sich auf die Befugnis der Eisenbahn, zu verlangen, daß Stückgüter vom Absender mit dem Namen der Bestimmungsstation dauerhaft bezeichnet werden, wenn es ihre Beschaffenheit ohne besondere Schwierigkeit zuläßt.

Für die Dauer des Krieges wurde in Deutschland diese Bestimmung dahin erweitert, daß der Absender Stückgüter nicht nur mit dem Namen der Bestimmungsstation, sondern auch mit dem Namen der Versandstation und dem Tag der Aufgabe dauerhaft zu bezeichnen hat.

Simplonbahn (Schweiz), ursprünglich als Walliser Bahn oder Ligne d'Italie bezeichnet. Als solche war eine Linie von St. Gingolph, schweizerisch-französische Landesgrenze am südlichen Ufer des Genfer Sees über St. Maurice bis Brig mit Verlängerung durch den Simplon bis zur italienischen Grenze bei Gondo geplant.

Die Bahn sollte hiernach, den Lauf der Rhone verfolgend, der Länge nach den größten Teil des Kantons Wallis durchziehen und faßte den vielbesprochenen Alpenübergang bzw. Alpendurchstich des Simplons in sich. Sie schloß bei St. Gingolph und bei St. Maurice an das französische und schweizerische Bahnnetz und sollte es bei Gondo mit dem italienischen verbinden. Die erste Konzession bis Sitten wurde A. de Lavalette in Paris im Jahre 1853 erteilt und es gelangten, hierauf gestützt, am 14. Juli 1859 die Linie Bouveret-Martigny (38·3 *km* bauliche Länge) und am 10. Mai 1860 die Linie Martigny-Sitten (25·8 *km* bauliche Länge) zum Betrieb. Am 1. August 1867 gingen diese Linien an eine neue Gesellschaft mit dem gleichen Titel über und diese eröffnete am 15. Oktober 1868 die Linie von Sitten nach Sierre (15·5 *km* bauliche Länge) dem Betrieb. Die Gesellschaft war jedoch nicht im stande, den Bau fortzusetzen und gelangte in Konkurs. Es entstand 1874 die Simplonbahn-Gesellschaft, die die vorhandene, 80 *km* lange Bahn am 22. April 1874 zum Preis von 202.422 Fr. kaufte und dann am 1. Juni 1877 die Strecke Sierre-Leuk (9·5 *km*), am 1. Juli 1878 diejenige von Leuk bis Brig (27·6 *km*) in Betrieb setzte. Am 28. Juni 1881 fand ihre Vereinigung mit der Suisse-Occidentale-Bahn statt (s. Jura-Simplon-Bahn).

Dietler.

Simplontunnel (Schweiz). Mit der Durchstechung der penninischen Alpen unter dem Massiv des Monte Leone hatten sich seit längerer Zeit die hervorragendsten Techniker beschäftigt.

Man kann die aufgestellten Entwürfe je nach deren Höhenlage und Haupttunnellänge in 3 Gruppen teilen: Basistunnel-, Zwischentunnel- und Scheiteltunnelentwürfe.

Die ersten Entwürfe waren meistens solche mit Scheitel- oder Zwischentunnel, weil man in Ermanglung von Erfahrungen der Durchbohrung von Alpentunneln die Haupttunnellänge möglichst zu beschränken suchte.

Die ersten Entwürfe mit Basistunnel, wobei die unschachtbare Länge bis 16 *km* angenommen wurde, sind von Vauthier 1860, Lommel 1864, Stockalper 1869, Favre-Clo 1875, Simplonbahn 1878, 1882, 1886, 1891; die mit Zwischentunnel von Clo-Venetz 1857, de Bange 1886, Masson 1892 und die mit Scheiteltunnel von Flachat 1860, Jaquemin 1860 – 1862, Thouvenot 1863, Lehaître 1863.

Alle Entwürfe mit Zwischen- oder Scheitel-haupttunnel setzten starke Zufahrtsrampen von 50 – 60‰ voraus und gingen im weiteren von dem Gesichtspunkt aus, die Baukosten möglichst zu verringern, wobei die Betriebskosten weniger im Auge behalten wurden. Mit Rücksicht auf die schon bestehenden Alpenbahnen wurde von allen diesen Entwürfen mit starken Zufahrtsrampen abgegangen und bei Basistunnelentwürfen verblieben, als der wirtschaftlichsten Lösung, um in Wettbewerb mit den benachbarten Alpenbahnen treten und eine Verzinsung des erforderlichen Anlagekapitals ermöglichen zu können.

Je mehr sich indessen die technische Frage klärte, um so schwieriger schien sich somit die finanzielle Seite des Unternehmens zu gestalten und die Schweiz gewissermaßen auf sich angewiesen zu sein.

Der erste Schritt zur Kräftigung der zur Ausführung berufenen Bahngesellschaft geschah durch die Vereinigung der Suisse-Occidentale-Simplon-Bahn mit der Jura-Bern-Luzern-Bahn. Die Jura-Simplon-Bahn (s. d.) arbeitete auch ungesäumt einen neuen Entwurf (1891) aus, der einen Basistunnel von rd. 20 *km* vorsah, auf der Nordseite mit einer Zufahrtsrampe von 2·5 *km* und auf der Südseite von 19·5 *km* mit größten Neigungen von 20‰.

Am 20. September 1893 wurde mit der Firma Brandt, Brandau & Cie. in Hamburg ein Präliminarforfaitvertrag vereinbart, auf Grund dessen der Staatsvertrag mit Italien vom 25. November 1895 zu stande kam. Dieser Vertrag regelt die technischen und die finanziellen Verhältnisse für die Eisenbahn von Brig bis Domodossola. Diese wurde zunächst einspurig, jedoch gleichzeitig der Übergang zur Doppelspur vorgesehen. Der Entwurf der neuen Gesellschaft, der auch die Gebrüder Sulzer und Locher & Co. angehörten, sah ein neues Bauverfahren vor, das der schweizerische Bundesrat durch die Herren Colombo (Mailand), Fox (London) und Wagner (Wien) begutachten ließ. Die Experten stimmten diesem zu und befürworteten gleichzeitig die spätere Einführung des elektrischen Betriebs. Am 15. April 1898 wurde der endgültige Bauvertrag abgeschlossen, im Oktober mit den Bauarbeiten, am 22. November mit der mechanischen Bohrung auf der Nordseite, am 21. Dezember auf der Südseite begonnen. Infolge der tiefen Lage des Tunnels und der hohen Gebirgsüberlagerung wurden Tunneltemperaturen bis zu 42° C vorausgesetzt. Dies veranlaßte die Tunnelbauunternehmung, neben dem einspurigen Haupttunnel I in einem Abstand von 17 *m* von Achse zu Achse einen Parallelsohlstollen zu bauen, der nach dem Grundsatz viel Luft mit mäßiger Pressung als mächtiges Luftzuführungsrohr für den Haupttunnel, mit dem er in Abständen von 200 *m* durch Querstollen verbunden wurde, zu dienen hatte. Indem die den Portalen nächstliegenden Querschläge geschlossen gehalten wurden, gelangte die Preßluft vor Ort in den Haupttunnel, um durch diesen wieder zurückzuströmen. In der Mitte des Haupttunnels wurde für die Dauer des einspurigen Betriebs unter Benutzung des Parallelstollens eine 500 *m* lange Ausweichstelle erbaut, für so lange, als der Parallelstollen nicht zum einspurigen Haupttunnel II ausgebildet werden würde. Ein weiterer Vorteil dieses Verfahrens neben denjenigen, die für die Wasserabfuhr und Materialförderung während des Baues sich ergaben, wurde darin gefunden, daß vorerst nur die Ausgabe für einen eingleisigen Tunnel zu machen war. Dieser konnte am 1. Juni 1906 dem Betrieb übergeben werden, der elektrisch geführt wurde (vgl. Schweizerische Eisenbahnen, im besonderen Bundesbahnen).

Die Länge des einspurigen Tunnels ist endgültig auf 19.803·1 *m* festgestellt, nachdem er durch einen Nachtragsvertrag eine südliche Verlängerung erhalten hatte.

Die Schwellenhöhe am Nordmund beträgt 685·77 *m* ü. M., am Südmund 633·48 *m* ü. M., am höchsten Punkt der Ausweichstelle und des Tunnels 704·98 *m* ü. M. Von hier aus ergibt sich nach Norden ein Gefälle von 2‰, nach Süden ein solches von 7‰. Die Tunnelhälfte nördlich der Ausweichstelle liegt auf Schweizer Gebiet, die südliche in Italien. Der Tunnel verbindet die Station Brig im Rhonetal mit der Station Iselle im Diveriatal. Die größte Höhe des Gebirges über dem Tunnel befindet sich bei 9100 *m* von der Nordmündung und beträgt 2135 *m* gegen 1706 *m* beim Gotthard. Auf einer Länge von 19.318·63 *m* befindet sich der Tunnel in einer Geraden und nur an beiden Enden läuft er in kurze Bögen aus, die den Übergang zu der Stations- und Talrichtung vermitteln. Der einspurige Tunnelquerschnitt hat im Lichten eine größte Höhe von 5·5 *m*, eine Breite in Schwellenhöhe von 4·5 *m* und 2 *m* über Schwellenhöhe von 5 *m* und 23·2 m^2 Lichtfäche. Der Kanal von 40 – 50 *cm* lichter Weite wurde nachträglich erweitert, nachdem die am Nord- und Südmund ausfließende Wassermenge 800 – 1000 Sek/*l* erreichte. Alle 50 *m* sind einseitige kleine Nischen (im Tunnel II auf beiden Seiten), alle 1000 *m* kleine Kammern und im ganzen 4 große Kammern angebracht. Der Richt- und Sohlstollen hatte einen Querschnitt von 5 – 7 m^2, der Parallelstollen 3·2 *m* Breite und 2·4 *m* Höhe. Das durchfahrene Gebirge bestand in der Hauptsache aus Gneis, dann Jura und Trias. Die Luftzufuhr steigerte sich von 17·4 m^3 auf der Südseite im II. Quartal 1902 bis zu 57 m^3 auf der Nordseite im IV. Quartal 1905 in der Sekunde. Unter Benutzung der Wasserkräfte der Rhone und der Diveria, die je 1500 bis 2200 PS. lieferten, wurden neben der nördlichen und südlichen Tunnelmündung die hauptsächlich von Gebrüder Sulzer gelieferten Turbinen, Kompressionspumpen, Reservedampfanlagen, Luftkompressoren und Zentrifugalpumpen untergebracht, die zur Lieferung des Betriebswassers für die Brandtschen Bohrmaschinen, des Kühlwassers, der Luftzufuhr erforderlich waren. In besonderen Gebäuden waren Badeeinrichtungen für die Arbeiter vorhanden. Preßpumpen lieferten das Druckwasser für die Bohrmaschinen mit 80 – 100 Atm.

Sulzers- Hochdruckkreiselpumpen lieferten Kühlwasser mit 22 Atm., das an den Anschlußstellen im Tunnel 10 – 15 Atm. Druck hatte.

Zweistufige Luftpressen erzeugten Preßluft bis 100 Atm. für die im Tunnel tätigen Luftlokomotiven.

Die Luft für die Lüftung ging in der Regel durch den mit Türen geschlossenen Stollen II. Nur bei Absteckungen der Tunnelachse wurde die Luft aus dem Tunnel II ausgesaugt, so daß frische Luft durch den Tunnel I eintrat. Die Lüftungsanlagen waren sowohl für den Bau wie für den Betrieb bestimmt. Im Innern des Tunnels kamen nach Bedarf noch besondere Stollenventilatoren zur Verwendung. Die im Simplontunnel für den Vortrieb der Stollen I und II angewendeten Bohrmaschinen waren die von Gebrüder Sulzer verbesserten Gesteins-Drehbohrmaschinen System Brandt. Für die Förderung des Ausbruchmaterials aus dem Tunnel, des Baumaterials in den Tunnel, der Mannschaft u. s. w. waren auf jeder Tunnelseite in den äußeren Tunnelabschnitten Dampflokomotiven der Schweizer Lokomotivfabrik im Betrieb, in den inneren Tunnelabschnitten dagegen Luftlokomotiven, beide für 80 *cm*-Spur.

Die zu überwindenden Bauschwierigkeiten waren groß. Die höchste gemessene Gesteinstemperatur betrug 50° C (vgl. Abb. 102). Die Kühlung durch die zugeführte äußere Luft, durch das Betriebswasser der Brandtschen Bohrmaschine genügten nicht. Eine besondere Kühlwasseranlage war Ende Mai 1902 auf der Nordhälfte in Betrieb gekommen; ihr Erfolg war vollständig. Zur Übertragung der im Kühlwasser enthaltenen Kälte an die Luft wurden Streudüsen verwendet. Vorsorglich beschaffte Eiswagen zur weiteren Abkühlung der Luft vor Ort erwiesen sich als entbehrlich. Auf der Südhälfte des Tunnels wurde eine bei *km* 4·4 vom Südmund angeschlagene große Quelle von 12° C Temperatur gefaßt und zuerst unter ihrem natürlichen Druck von 6 Atm., später unter erhöhtem, künstlich erzeugtem Druck zur Abkühlung der Luft bis vor Ort verwendet.

Bedeutende Erschwernisse der Arbeiten verursachte das Auftreten heißer Quellen. Auf der Nordhälfte mußte der Stollenvortrieb deshalb vom 18. Mai 1904 an, als bei 10.382 *m* von der Nordmündung abermals eine große heiße Quelle angeschlagen wurde, eingestellt und der Südseite die noch bis zum Durchschlag aufzufahrende Strecke von rund 1 *km* überlassen werden. Aber auch auf der Südseite waren bei Annäherung an die Durchschlagsstelle, 9385 *m* von der Südmündung, neue heiße Quellen aufgetreten, so daß die

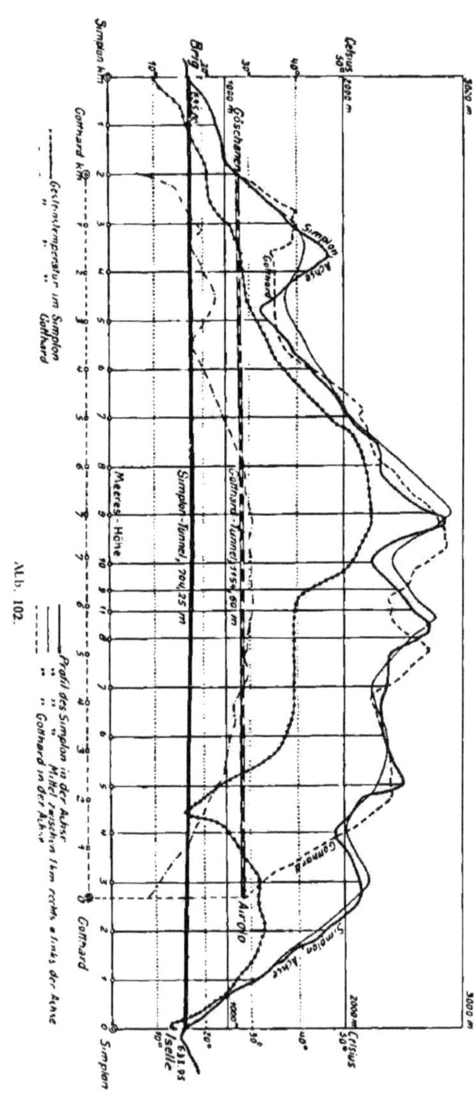

Abb. 102.

Überwindung der letzten 245 *m* Stollenvortrieb fast 6 Monate gekostet hatten.

Das durchfahrene Gebirge war im ganzen auf der Nordseite dem Stollenvortrieb günstig wegen des auf lange Strecken starken Einfallens der Schichten. Doch fehlt es nicht an Strecken, in denen der Fels gebrech- und druckhaft war und deshalb zu Handbetrieb und zeitraubendem Einbau zwang, letzteres von 8189 – 8199 *m*, bei 8774 *m*, von 8934 – 9000 *m* von der Nordmündung, wo vollständige Geviere mit Sohlschwellen eingebaut werden mußten. Auf der Südseite dagegen waren die Vortriebsarbeiten neben den Einbrüchen kalten und heißen Wassers im allgemeinen durch die wagrechte Lagerung des Gesteins und durch Strecken mit außergewöhnlich hohem Druck behindert. Namentlich von 4450 – 4492 *m* vom Südmund, somit auf 42 *m* Länge, war man in weichen Glimmerkalk geraten. Unter Zuhilfenahme eiserner Geviere wurde auf dieser Strecke der Sohlstollen im Haupttunnel so widerstandsfähig und mit solchem lichten Querschnitt hergestellt, daß auch während der nachfolgenden Arbeiten des Ausbruchs und der Mauerung die Förderungen nach dem weiteren Vortrieb des Sohlstollens sowie nach den übrigen Vollausbruch- und Mauerungsarbeitstellen ungehindert stattfinden konnten. Nach dem allgemeinen Bauverfahren hatte dem Sohlstollen der Firststollen oder der Firstschlitz, dann die Ausweitung und die Mauerung zu folgen. Am 20. Mai 1902, fast 7 Monate nach Anfahren der Druckstrecke, wurde die Maschinenbohrung wieder aufgenommen und führte im Anhydrit zur höchsten Tagesleistung von 11·2 *m*. Die Mauerung des Gewölbes der Druckstrecke erforderte Lehrbögen von ungewöhnlicher Widerstandsfähigkeit. Sie wurden in Mauerwerk erstellt. Statt eines Sohlengewölbes wurde ein Block aus wagrecht geschichtetem Mauerwerk, die Widerlager in Schichtenmauerwerk, das Gewölbe in der Gesamtstärke von 1·67 *m* aus Hausteinen erstellt (Abb. 103). Die Herstellung des Gewölbes hatte mehr als $1^1/_2$ Jahre gedauert. Das Mauerwerk gab zu keinerlei Rekonstruktionen Anlaß.

Der Durchschlag des Richtstollens erfolgte am 24. Februar 1905 bei 9385 *m* vom Südmund. Die Abweichung in der Richtung betrug 202 *mm*, in der Höhe 87 *mm*, in der Länge 790 *mm*. Der durchschnittliche Tagesfortschritt seit Beginn der mechanischen Bohrung im Stollen ergab 8·84 *m*. Die Bestimmung der Tunnelachse, ihrer Länge und der Höhenverhältnisse war auf trigonometrischem Wege ohne besondere Basismessung und im Anschluß an das schweizerische Präzisionsnivellement erfolgt. Die Übertragung der Achse in den Tunnel erfolgte zuerst durch Observatorien außerhalb des Tunnels und nachher im Innern selbst.

Der Pauschalpreis für den Tunnel I nebst Parallelstollen und Installationen betrug 54·5

Mill. Fr., für den Ausbau des Tunnels II, wenn er innerhalb 2 Jahre von der Betriebseröffnung des Tunnels I begehrt wurde und dann innerhalb 4 Jahren zu erstellen war, 15 Mill. Fr. Infolge der eingetretenen Bauschwierigkeiten war die vertragliche Baufrist von $5^1/_2$ Jahren um 2 Jahre überschritten worden. Überdies wurde der Unternehmung eine Erhöhung des Erstellungspreises des Tunnels I von zirka 2·5 Mill. Fr. einschließlich gewisser Mehrleistungen von etwa 3·9 Mill. Fr. sowie des Tunnels II von 4·5 Mill. Fr. bewilligt. Dazu kamen Leistungen der Bahnverwaltung im Betrag von 5·54 Mill. Fr.

Infolge Einwirkung des Baues des Tunnels I auf den Parallelstollen erwies sich die Ausführung des Tunnels II als dringlich, bevor die entsprechende Verkehrssteigerung eingetreten war. Nach einer bezüglichen Verständigung mit der Bauunternehmung beschloß der Verwaltungsrat der Bundesbahnen am 12. Juli 1912, die Arbeiten in Regie auszuführen. Als Bauleiter wurde Ingenieur Rothpletz ernannt, die Kosten wurden auf 34·6 Mill. Fr., für die eigentlichen Tunnelarbeiten auf 27·5 Mill. Fr. veranschlagt. Der Tunnel II hat eine nördliche Mehrlänge von 22 *m* gegenüber Tunnel I, ist also 19.825 *m* lang. Die Bauten sind Ende des Jahres 1912 begonnen worden und stehen Mitte 1919 noch in Arbeit. Beim Ausbau des Tunnels II werden nur mehr pneumatische Bohrhämmer verwendet.

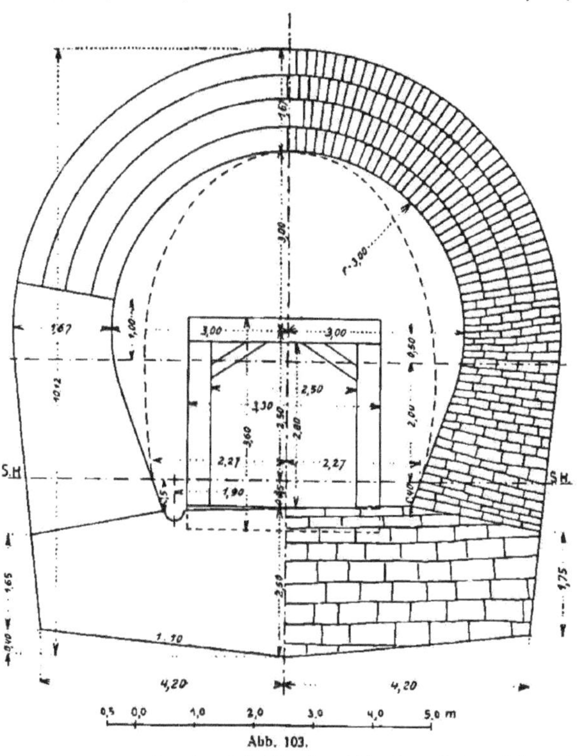

Abb. 103.

Literatur: Flachat, De la traversée des Alpes par un chemin de fer. Etude du Passage par le Simplon. Neuilly 1860. – Compagnie des chemins de fer de la ligne d'Italie par la vallée du Rhône et le Simplon. Etudes de la traversée du Simplon entre Gliss, Brig et Domo d'Ossola. Paris 1863. Imprimerie administr. et des chemins de fer de Paul Dupont. – Lommel, Simplon, St. Gottard et Lukmanier. Etude comparative de la valeur technique et commerciale des voies ferrées projetées par ces passages Alpins Italo-Suisse. Lausanne 1865. – Stockalper, Les avantages du Simplon sous le rapport de la construction et de l'exploitation d'un chemin de fer. Lausanne 1869. – Vauthier, Le percement du Simplon et l'intérêt commercial de la France. Détermination des données techniques du problème et limite de la zone commerciale desservie dans le cas d'un tracé bas avec long tunnel. Paris 1874. – Meyer, Le Gottard et le Simplon. Lausanne 1876. – Lommel, Chemin de fer alpin par le Simplon. Note explicative sur les détails techniques du projet de le ligne Brigue-Domo d'Ossola. Lausanne 1878. – Dreyfus, Le tunnel du Simplon et les intérêts français. Paris 1879. – Lommel, Etudes de la question de chaleur souterraine et de son influence sur les projets et systèmes d'exécution du grand tunnel alpin du Simplon. Lausanne 1880. – Comité du Simplon, Percement du Simplon. Mémoire technique à l'appui de plans et devis dressés en 1881–1882. Lausanne 1882. – Vauthier, Le percement du Simplon devant les chambres et les intérêts de la France. Paris 1881. – Neufville, Notes sur le tunnel du Simplon, présentées à la société de la géographie commerciale des Paris. Paris 1881. – Lommel, Quelques apperçus sur un programme pratique propre à assurer la plus prompte réalisation du percement du Simplon. Lausanne 1884. – Meyer, Traversée du Simplon par un chemin de fer. conférence faite à la société des ingénieurs civils. Paris 1883. – Bureau du Simplon, Bulletin du tunnel du Simplon. Paris 1882–1884. – Direction des chemins de fer du Jura-Simplon, Traversée du Simplon, rapport sur les études 1890–1891 avec devis. Berne 1891. – Molo, La ferrovia del Sempione e gli interessi italiani. Roma 1891. – Dolezalek, Der Simplontunnel. Dt. Bauztg. 1899. – Monats- und Vierteljahrsberichte der Jura-Simplon-Bahn und der

Schweizerischen Bundesbahnen. Schwz. Bauztg. Bd. XXXIII u. ff. – Jura-Simplon-Bahn, Recueil des pièces officielles relatives au Percement du Simplon. Lausanne 1902. – Rosenmund, Bestimmung der Richtung, der Länge und der Höhenverhältnisse des Simplontunnels. Bern 1901. – Schardt, Rapport sur les venues d'eau dans le tunnel du Simplon du côté d'Iselle. Lausanne 1902; Note sur le profil géologique et la tectonique au massif du Simplon, Rapport supplémentaire sur les venues d'eau dans le tunnel du Simplon du côté d'Iselle. Lausanne 1903. – Möller, Der Bau des Simplontunnels. Ztschr. dt. Ing. 1904. – Pestalozzi, Die Bauarbeiten am Simplontunnel. Sonderabzug der Schwz. Bauztg. Bd. XXXVIII, 1901 u. XXXIX, 1902. – Pressel, Bauarbeiten am Simplontunnel. Sonderabzug der Schwz. Bauztg. Bd. XLVII, 1906, welcher Arbeit auch die Abbildungen entnommen sind. – Pometta, Sanitäre Einrichtungen und ärztliche Erfahrungen beim Bau des Simplontunnels. Winterthur 1906. – Francis Fox, The Simplon Tunnel. London 1907. – Karl Brandau, Das Problem des Baues langer, tiefliegender Alpentunnel und die Erfahrungen beim Bau des Simplontunnels. Schwz. Bauztg. Bd. LIII u. LIV, 1909. – Rothpletz, Bergschläge im Simplontunnel. Der Ausbau der Druckpartie im Simplontunnel II, *km* 4·452–4·5 ab Südportal. Schwz. Bauztg. Bd. LXIV, 1914 und LXV, 1915. *Dietler.*

Slipfahrt, Kunstfahrt, englischer Verschub *(switching off a vehicle; lancement d'une partie d'un train sur un changement de voie; spinta di una parte di un treno in un binario biforcato o deviato),* eine Verschubbewegung, bei der die am Schluß laufenden Wagen während der Fahrt abgehängt und vom Fahrgleis der vorauffahrenden Fahrzeuge abgelenkt werden. Dieses sog. „Abschneppern" von Wagen erfordert besondere Geschicklichkeit. Nachdem die Lokomotive den Wagenzug in Bewegung gebracht hat, verzögert sie in gewisser Entfernung vor der Abzweigungsweiche die Fahrgeschwindigkeit und verursacht hierdurch ein Auflaufen der Wagen und eine Lockerung der Kupplungen, die sodann durch einen Verschieber vom Wagen aus gelöst werden. Die Lokomotive erhöht jetzt ihre Fahrgeschwindigkeit, während die abgehängten Wagen mit geringerer Fahrgeschwindigkeit folgen. Die zwischen den vorangefahrenen und den abgehängten Fahrzeugen entstehende Lücke wird nun zur Umstellung der Ablenkungsweiche benutzt, so daß die abgehängten Wagen einen andern Weg einschlagen als die voraufgefahrenen. Das Abkuppeln während der Fahrt und das Umstellen der Weiche zwischen den bewegten Fahrzeugen lassen sich mit den heute für die Sicherheit des Betriebs getroffenen Anordnungen und den geltenden Vorschriften nicht vereinbaren. Das Abschneppern von Wagen kann deshalb nur unter ganz einfachen Betriebsverhältnissen beim Vorhandensein von Fahrzeugen, deren Kupplungen vom Wagen aus ohne Gefahr für den Verschieber gelöst werden können, sowie bei Bedienung der Weichen von Hand und auch dann nur bei Gleisanlagen von derartiger Einschränkung, daß die Verschublokomotive den Wagenzug nicht umfahren kann, zugelassen werden. Bei den Verwaltungen mit geordneten Einrichtungen für die Abwicklung des Zug- und Verschiebeverkehrs sind Slip- oder Kunstfahrten nicht gebräuchlich und auch nicht gestattet (s. Slipwagen). *Breusing.*

Slipwagen *(slip carriage; voiture à décrocher en marche; carozza da staccare o da rilasciare in marcia),* ein während der Fahrt abzukuppelnder Wagen. S. werden auf einigen englischen Eisenbahnen am Schluß von Schnellzügen mitgeführt. Sie sind dazu bestimmt, während der Durchfahrt des Zuges durch einen Bahnhof abgehängt zu werden, um den Verkehr nach diesem Bahnhof oder einer dort abzweigenden Bahnstrecke zu vermitteln, ohne daß für den weiterfahrenden Zug ein Aufenthalt entsteht. Auf den Bahnen des Festlandes hat man von dieser Einrichtung keinen Gebrauch gemacht, deshalb fehlt auch ein deutscher Ausdruck für den S. Selbst im Verschubdienst, wo früher sog. Kunstfahrten üblich waren, bei denen Güterwagen während der Fahrt abgehängt und „abgeschneppert" wurden, um sie in ein von dem durch die voranfahrende Verschublokomotive benutzten Gleis abzweigendes Gleis zu leiten, gestattet man heute zur Verhütung von Unfällen im allgemeinen ein solches Verfahren nicht mehr. In England verdankt die Einrichtung der S. ihr Entstehen dem Wettbewerb der Eisenbahngesellschaften, deren Linien große Verkehrspunkte mit London verbinden und die durch lange aufenthaltlose Fahrten die größte Reisegeschwindigkeit für ihre Züge im Wettbewerb mit den Nachbarbahnen zu erreichen suchten, ohne dabei auf die Vermittlung des Verkehrs nach den größeren Zwischenorten durch dieselben Züge verzichten zu müssen. So sehr nun auch die dem Reiseverkehr durch die S. gebotenen Vorteile einzuschätzen sein mögen, so liegen doch gegen die Einrichtung so erhebliche Bedenken vor, daß die Bahnverwaltungen außerhalb Englands von ihr niemals Gebrauch gemacht haben. Das Aushängen der Kupplung während der Fahrt, das Lösen der Leitungsschläuche für die durchgehende Bremse und die Heizung vom Innern des Wagens aus erfordern eigenartige Anordnungen, deren Bedienung eine Gewandtheit voraussetzt, wie man sie von den hierfür in Frage kommenden Bediensteten nicht zu fordern pflegt und die sonst nur bei sportlichen

Leistungen vorkommt. Die Einrichtung steht deshalb mit den Anschauungen über die Betriebssicherheit nicht recht im Einklang.

S. sind u. a. auf der großen englischen Westbahn in Gebrauch, wo sie den Verkehr von London nach Westbury, Taunton und Exeter vermitteln. Auf der London und Nordwestbahn laufen S. zwischen London und Coventry in den Schnellzügen London-Birmingham. Bei Ausbruch des Krieges wurde dieser Wagenlauf aus wirtschaftlichen Gründen eingestellt und ein Aufenthalt der Schnellzüge in Coventry eingeführt. Für den bedienenden Schaffner ist in den S. ein besonderes Abteil eingerichtet, von dem aus die Bahnstrecke übersehen werden kann und in dem die nötigen Handgriffe zum Lösen der Kupplungen und zum Bedienen der Bremse angebracht sind. Die neueren S. sind ebenso wie die D-Zug-Wagen mit Übergangsbrücken und Faltenbälgen versehen. *Breusing.*

Solothurn-Bern-Bahn (Schweiz), elektrisch betriebene Meterspurbahn, auf eigenem Bahnkörper von Solothurn bis Zollikofen geführt; dieser Teil bildet die erste Bausektion. Als zweite Bausektion ist die Strecke Zollikofen-Bern in Aussicht genommen, wobei z. T. das jetzt schon bestehende Gleis der Bern-Zollikofen-Bahn benutzt werden soll.

Der Hauptzweck der Bahn besteht in der direkten Personenverbindung der Städte Solothurn und Bern und in der Bedienung der Zwischenstationen. Durch Rollschemelanschluß in Solothurn und Schönbühl, durch entsprechende Anlagen auf den Zwischenstationen kann der Güterverkehr mit der Vollbahn und auch der Durchgangsverkehr auf Normalspurwagen vermittelt werden. Überdies werden schmalspurige Güterwagen zur Verfügung stehen. Der Betrieb der Bahn auf der Strecke Solothurn-Zollikofen wurde am 9. April 1916 eröffnet.

Um die Bahn leistungsfähig zu machen, wurden günstigere Krümmungs- und Neigungsverhältnisse als bei den umliegenden schmalspurigen Bahnen gewählt. Mindestkrümmungshalbmesser 120 *m*, auf offener Linie 200 *m*. Überall Anwendung von langen Übergangsbögen für Geschwindigkeiten bis 50 *km*. Gefällsausrundungsradien 4000 *m* auf offener Linie. Höchststeigung 28 ‰ an einer einzigen Stelle, sonst 25‰.

Elektrische Anlage. In Verwendung steht Gleichstrom von 1200 Volt Spannung. Die Motoren sind so gebaut, daß die Züge auf der Wagrechten 50 *km*/Std. fahren und daß für die Strecke Zollikofen-Bern die dortige Fahrdrahtspannung von 750 Volt benutzt werden kann. Die Umformerstation ist in Bätterkinden. Kraft von den Bernischen Kraftwerken. Die Fahrdrahtleitung ist mit Kettenaufhängung und Eisenmasten in 60 *m* Distanz ausgeführt. Kupferquerschnitt aller Leitungen 100 mm^2. Speiseleitungen 100 – 200 mm^2, auf einzelnen Strecken verdoppelt. Die in der Umformerstation aufgestellte Batterie leistet bei einer Spannung von 1200 Volt 644 Ampere während 1 Stunde, 930 Ampere während $1/2$ Stunde, 1300 Ampere während 5 Minuten und 1960 Ampere während 1 Minute.

Rollmaterial. Die Personen- und ein Güter-Motorwagen sind vierachsig mit je 4 Motoren von 90 PS. Die S. ist die erste größere Bahn in der Schweiz mit der automatischen Kupplung. Die Motorwagen sind 17 *m* lang, haben Kugellager und Vakuumbremse. Die Rollschemel sind für 30 *t* ebenfalls mit Kugellager erbaut.

Das Führen von Schnellzügen ist vorgesehen.

Die Baukosten waren ursprünglich zu 3·17 Mill. Fr. veranschlagt, haben aber 3·95 Mill. Fr. und damit eine Nachsubvention von 680.000 Fr. erfordert. *Dietler.*

Solothurn-Münster-Bahn (Weißensteinbahn, Schweiz), eröffnet 1908, Normalspurbahn mit Dampfbetrieb, 22 Bau*km*, 23 Betriebs*km*, durchbricht den Jura (Weißenstein) nördlich von Solothurn mit einem 3700 *m* langen, einspurigen Tunnel im einseitigen Gefälle nach Süden von 18‰, verbindet das Aaretal und damit die schweizerische Hochebene mit dem Birstal im Jura und bildet ein Teilstück der kürzesten Linie Delle-Zentralschweiz. Höchstneigung in der Geraden 28‰, zugleich maßgebende Neigung im Sinne einer Linie gleichen Widerstandes der südlichen Tunnelzufahrt. Kleinster Bogenhalbmesser 300 *m*. Scheitelhöhe auf Station Gänsbrunnen, 722 *m* ü. M. Ursprünglich als Zufahrtslinie zum Lötschberg gedacht, wurde sie hauptsächlich aus Mitteln der Kantone Bern und Solothurn und der beteiligten Städte und Gemeinden finanziert. Trotz großer Tarifentfernungszuschläge bewirkt sie erhebliche Abkürzungen im internen und internationalen Verkehr und erfüllt damit eine namhafte wirtschaftliche Aufgabe.

Die Linie weist bedeutende Bauwerke auf. Der Weißensteintunnel (s. d.) ist geologisch wohl der interessanteste Juradurchstich. Er durchschneidet eine Doppelfalte und trifft im Berginnern als älteste Schicht den Gipskeuper (Trias). Auf jeder Zufahrtsrampe befindet sich ein großer Viadukt, auf der südlichen der Geißlochviadukt, auf der nördlichen der Corcellesviadukt. Im übrigen ist die Linie nach den Grundsätzen einer Hauptbahn gebaut und wies Ende 1914 ein Baukapital von 8,658.475 Fr., für 1 *km* von 400.909 Fr. auf.

Literatur: W. Luder, Vom Bau der Weißensteinbahn. Sonderabzug aus der Schwz. Bauztg. 1911, Bd. LVIII. *Dietler.*

Sommerzeit *(summer time; heure d'été; tempo da estate).* Der Gedanke, die Lebensweise während der Sommermonate oder während der Gültigkeitsdauer des Sommerfahrplans an die Zeit des Tageslichts besser anzupassen, konnte sich wegen der großen Schwierigkeiten eines einheitlichen Vorgehens der am europäischen Eisenbahndurchgangsverkehr beteiligten Länder bisher keine Geltung verschaffen. Durch den Ausbruch des großen Krieges sind diese Schwierigkeiten für die mitteleuropäischen Staaten im wesentlichen beseitigt, während das Bedürfnis, Brenn- und Beleuchtungsstoffe durch möglichste Ausnutzung des Sonnenlichts zu sparen, sich mehr als sonst geltend machte. Der Eisenbahnverkehr nach den feindlichen Staaten wurde durch den Krieg gänzlich unterbrochen. Auch nach den neutralen Staaten mußte der Durchgang der Personenwagen in Rücksicht auf die aus militärischen Gründen notwendige Überwachung des Grenzverkehrs eingeschränkt oder ganz eingestellt werden. Unter diesen Umständen beschloß der deutsche Bundesrat, einer Anregung des preußischen Herrenhauses folgend, am 6. April 1916, als gesetzliche Zeit die mittlere Sonnenzeit des 30. Längengrades östlich von Greenwich vom 1. Mai bis 30. September 1916 an Stelle der durch Reichsgesetz vom 12. März 1893 in Deutschland eingeführten mitteleuropäischen Zeit anzunehmen. Es sind also für diesen Zeitraum die Uhren um 1 Stunde vorzustellen. Der 1. Mai beginnt bereits am 30. April 11 Uhr nachts und der 30. September wird um 1 Stunde verlängert. Österreich und Ungarn entschlossen sich zu einer gleichen Maßnahme. Auch die neutralen Staaten, Luxemburg, Dänemark, Schweden und Norwegen folgten dem Beispiel, ja sogar in den feindlichen Ländern Frankreich, England und Italien wurde die S. eingeführt. Nur die Schweiz konnte sich bisher nicht entschließen, die alte Zeiteinteilung aufzugeben. Sie befürchtet eine weitere Verschiebung der bei der Eigenart des Landes ohnehin schon früh beginnenden Tagesverrichtungen in die Morgenstunden hinein. – Der Übergang zur S. und die Rückkehr zur mitteleuropäischen Zeit haben sich anstandslos vollzogen. Schwierigkeiten bestanden nur in der Durchführung der Eisenbahnzüge, deren Lauf sich über die Nacht hinaus erstreckt. Ein Teil dieser Züge mußte bereits am 30. April nach dem neuen Fahrplan abgelassen oder am 1. Mai mit Verspätung befördert werden, wobei nicht alle Anschlüsse eingehalten werden konnten. Im übrigen sind ungünstige Einwirkungen der S. nur von landwirtschaftlichen Betrieben, insbesondere von Milchwirtschaften und Obstzüchtern geltend gemacht. Sie müssen aber zurücktreten gegen die erreichten Vorteile, insbesondere die erheblichen Ersparnisse an künstlicher Beleuchtung. Gelegentlich der Fahrplankonferenz in Stuttgart am 18. und 19. Juli 1916, auf der die Eisenbahnverwaltungen Deutschlands, Österreichs, Ungarns und der Schweiz vertreten waren, wurden die Vorteile der S. anerkannt und für den Übergang zur Winterzeit vereinbart, die Uhr in der Nacht zum 1. Oktober von eins auf zwölf zurückzustellen. Die dann abgelaufene Stunde soll den Zusatz A, die folgende den Zusatz B erhalten.

Der Übergang in die S. wird erleichtert, wenn er in der Nacht nach einem Sonntag stattfindet, weil dann ein großer Teil der Güterzüge nicht gefahren wird (s. Sonntagsruhe). Es war deshalb in Aussicht genommen, den Übergang zur S. nicht auf den 1. Mai, sondern in die Nacht nach dem ersten Sonntag im April zu verlegen. Im Jahre 1919 ist von der Einführung der S. allgemein Abstand genommen worden. *Breusing.*

Sonderabteil *(separate compartment; compartiment séparé; compartimento separato),* ein Wagenabteil, das auf Bestellung bei einem Zug zur Verfügung des Bestellers und seiner Begleitung gehalten wird. Auf den deutschen und den österreichischen Bahnen sind nach § 14 des BR. und nach § 15 der Verkehrsordnung (Deutscher Eisenbahn-Personen- und Gepäcktarif Teil I) ganze Abteile den Reisenden auf Verlangen für den tarifmäßigen Preis zur Verfügung zu stellen, wenn keine Rücksichten des Betriebs oder des Verkehrs entgegenstehen. Die Bestellung muß mindestens 30 Minuten vor der Abfahrzeit erfolgen. Für ein Abteil sind höchstens so viele Fahrkarten zu bezahlen, wie es Plätze enthält. In das Abteil dürfen nicht mehr Personen aufgenommen werden, als Fahrkarten bezahlt sind. Bestellte Abteile müssen durch eine Aufschrift kenntlich gemacht werden. Nach dem Ermessen der Verwaltungen können geschlossene Abteile in der I. Kl. schon gegen Lösung von 4, in der II. Kl. von 6, in der III. Kl. von 8 Fahrkarten überlassen werden. Wo Halbabteile geführt werden, genügt die Hälfte dieser Mindestanzahl. Fahrkarten zum halben Preis werden als eine Fahrkarte gerechnet.

Mindestens ist für jede Person eine Fahrkarte zu lösen.

Nach diesen Grundsätzen wird auch in anderen Ländern verfahren. Die Einzelheiten werden durch die Tarifbestimmungen bekanntgegeben. Sie hier aufzuführen, erübrigt sich, weil die Einführung numerierter Plätze in den Schnellzügen des großen Durchgangsverkehrs (s. D-Züge und Luxuszüge) und die Möglichkeit der Vorausbestellung dieser Plätze das Bedürfnis für die Bereithaltung von S. wesentlich eingeschränkt hat. Anderseits sind die Eisenbahnverwaltungen aber auch ohne Rücksicht auf etwaige Tarifvorschriften bemüht, die Reisenden im Zug ihren Wünschen entsprechend unterzubringen und die nötigen Plätze hierfür so bereitzustellen, daß das Ein- und Aussteigen in kürzester Zeit vor sich geht und die Zugabfertigung dadurch beschleunigt wird. Sie werden daher den Wünschen von Reisegesellschaften auf Bereithaltung von S. nach Möglichkeit entgegenkommen, auch wenn die Tarifbestimmungen nicht in allen Punkten erfüllt sind, während sie sich anderseits vorbehalten, nicht bezahlte freie Plätze in den S. bei Platzmangel zeitweise oder dauernd mit anderen Reisenden zu besetzen.

S. werden im allgemeinen nur in Übereinstimmung mit dem Lauf der im Zug befindlichen Wagen bereitgehalten, u. zw. auch dann, wenn die Reisenden im Besitz von durchgehenden Fahrkarten sich befinden. Beim Übergang auf einen andern Zug ist ein Umsteigen erforderlich. Anders ist es bei Benutzung von Sonderwagen, deren Bereitstellung vielfach gerade zu dem Zweck erfolgt, um den Reisenden ein Umsteigen beim Wechsel des Zuges zu ersparen (s. Sonderwagen u. Krankenbeförderung).

Über S. für dienstliche Zwecke, für Frauen, Raucher und Nichtraucher s. Dienstabteil, Frauenabteil u. Raucherabteile.

Breusing.

Sonderwagen *(special wagon; wagon spécial; carrozza speciale)*, Salon-, Schlaf-, Kranken-, sonstige Personen-, Gepäck- oder andere Wagen, die gegen Entrichtung bestimmter Gebühren zum ausschließlichen Gebrauch des Bestellers in einen Zug eingestellt werden. Die Bestellung muß eine gewisse Zeit vorher erfolgen. Auf die Höhe der Gebühren ist es in der Regel ohne Einfluß, ob der S. der Eisenbahnverwaltung oder dem Besteller gehört (s. Privatwagen). — Für den Bereich des VDEV. ist nach §§ 10 u. 11 des BR. und für die deutschen Eisenbahnen nach §§ 11 u. 12 der EVO. die Einstellung von S. für Reisende, die mit bestimmt bezeichneten Krankheiten behaftet sind, vorgeschrieben. Im übrigen kann sie auf Bestellung allgemein erfolgen.

Wenn die Einstellung bahneigener oder Privaten gehöriger Salon-, Schlaf- oder sonstiger Personenwagen sowie besonders eingerichteter Krankenwagen (s. Krankenbeförderung) gestattet wird, so sind für die Benutzung ohne Rücksicht auf die Achsenzahl in der Regel Fahrkarten I. Kl. für so viel Personen, wie den Wagen benutzen, mindestens für 12 Personen für jeden eingestellten Wagen, zu lösen.

Werden auf Verlangen zur Beförderung des Gepäcks besondere Wagen eingestellt, so wird hierfür eine Gebühr von 0·40 M. für die Achse und das Tarif*km* erhoben.

Wird für die Beförderung von Kranken ein Gepäck- oder Güterwagen, ein Wagen IV. Kl. oder ein Wagen III. Kl. mit herausgenommenen Sitzen eingestellt, so sind für die Kranken, ohne Rücksicht auf ihre Zahl, 6 Fahrkarten II. Kl. der betreffenden Zuggattung zu lösen. Auf den preußisch-hessischen und den oldenburgischen Staatsbahnen sowie auf einigen nord- und mitteldeutschen Privatbahnen erfolgt die Durchführung von S. III. Kl. zur Krankenbeförderung schon gegen Lösung von 4 Fahrkarten III. Kl. in Personen- und Eilzügen. Vgl. die Ausführungsbestimmungen zu § 12 der EVO. im Deutschen Eisenbahn-Personen- und Gepäckstarif.

Die vorstehend aufgeführten Gebührensätze gelten nach § 11, B, 1 des BR. auf den österreichischen und ungarischen Bahnen nur für zwei- und dreiachsige Wagen. Bei Bestellung von vier- und mehrachsigen Wagen sind 18 Fahrkarten I. Kl. der betreffenden Zuggattung zu lösen. Diese Bestimmung gilt auch für den inneren Verkehr der genannten Bahnen. Wenn die Züge Wagen I. Kl. nicht führen, so sind nach dem österreichischen und bosnisch-hercegovinischen Eisenbahn-Personen- und Gepäcktarif Teil I für einen zwei- oder dreiachsigen Personenwagen 18, für einen vier- oder mehrachsigen Wagen 27, für einen Gepäck- oder Güterwagen zur Krankenbeförderung 9 Fahrkarten II. Kl. der betreffenden Zuggattung zu lösen. Für Kranke in öffentlicher Armenpflege werden nur 3½, sonst 6 Fahrkarten I. Kl. und wenn diese nicht geführt wird, 4½ Fahrkarten II. Kl. verlangt.

Auf den schweizerischen Eisenbahnen können auf allen Stationen S., die bis zur Endstation der Reise innerhalb der Schweiz durchlaufen, gemietet werden. Die Gebühr beträgt 25 Ct. für die Achse und *km* eines Wagens II. Kl. und 20 Ct. für die Achse und *km* eines Wagens III. Kl. als Miete. Außerdem sind von den Reisenden Fahrkarten zu lösen, u. zw. mindestens 4 für jede Wagenachse. Für die Miete bestimmter Salonwagen werden besondere Zuschläge erhoben. Für Gesellschaftsreisen gelten besondere Bestimmungen.

Auf der französischen Ostbahn müssen für einen zwei- oder dreiachsigen Wagen 12 Fahrkarten I. Kl. und für einen vier- oder mehrachsigen Wagen 18 Fahrkarten I. Kl. gelöst werden. Reisende über diese Zahl hinaus haben weitere Fahrkarten I. Kl. zu lösen. Im übrigen sind die Gebühren für die Einstellung von S. in die Züge sehr verschieden festgesetzt. Um ihre Berechnung und Einziehung im direkten Verkehr auch anderen Verwaltungen zu ermöglichen, sind in den Verbandstarifen Preistafeln enthalten, aus denen die Gebühren für häufiger benutzte Reiseverbindungen unmittelbar entnommen werden können.

In Rußland bestehen für die Verwaltungen, die den allgemeinen Personentarif angenommen haben, einheitliche Bestimmungen über die Beförderung von S. Sie sind veröffentlicht in der Tarifsammlung Nr. 2323 vom 6. Februar 1914, Teil III des Tarifbuches für den Personenverkehr. Hiernach werden die Gebühren für S. nach der Anzahl der von den Reisenden benutzten Plätze berechnet, u. zw. müssen auf der Nowgoroder Linie der Moskau-Windau-Rybinsker Eisenbahn mindestens 8 Fahrkarten I. Kl. für einen Wagen I. Kl., 14 Fahrkarten II. Kl. für einen Wagen II. Kl. und 20 Fahrkarten III. Kl. für einen Wagen III. Kl. gelöst werden, während auf allen übrigen den allgemeinen Personentarif anwendenden Bahnen die entsprechenden Mindestzahlen auf 12, 20 und 30 festgesetzt sind. Wird an Reisende ein Bahndienstwagen oder ein Personenwagen mit Abteilen I. und II. Kl. überlassen, so sind ebenfalls Fahrkarten für die besetzten Plätze, mindestens aber 12 Fahrkarten I. Kl. für den Dienstwagen und 20 Fahrkarten II. Kl. für einen Wagen mit Plätzen I. und II. Kl. zu lösen. Auch Wagen IV. Kl. werden in gleicher Weise unter Berechnung der besetzten Plätze bereitgestellt. Für einen Wagen müssen jedoch mindestens 40 Fahrkarten gelöst werden. – Eine Verpflichtung der Überführung von S. im Personenverkehr von Bahn zu Bahn wird nicht übernommen.

Erstrecken sich die in S. zurückgelegten Reisen über mehrere Bahngebiete, so bedürfen sie, auch wenn nach den Tarifen eine durchgehende Abfertigung möglich ist, in jedem Fall einer vorhergehenden Vereinbarung zwischen den an der Beförderung beteiligten Verwaltungen, damit der Übergang der S. von Zug zu Zug in der für durchgehende Wagen (s. d.) üblichen Weise sichergestellt werden kann. Die für den inneren Verkehr in der Regel vorgeschriebene Bestellfrist von 24 Stunden vor dem Reiseantritt reicht für solche Fälle nicht aus. *Breusing.*

Sonderzug *(special train; train spécial; treno speciale)*, ein Zug, der nur auf besondere Anordnung aus besonderem Anlaß gefahren wird, im Gegensatz zu einem regelmäßig verkehrenden Zug, der nach den Angaben des Dienstfahrplans (s. d.) täglich oder an bestimmt bezeichneten Tagen zu befördern ist (FV. § 5, 3). Zu den S. rechnen auf den deutschen Bahnen auch die Bedarfszüge (s. d.), die Vor- und Nachzüge, Arbeitszüge, Lokomotivfahrten und Probezüge, soweit nicht die Tage oder Zeiträume, für die sie in Verkehr gesetzt werden sollen, ein für allemal bekanntgegeben sind. Auf den österreichischen Bahnen findet eine hiervon abweichende Einteilung der Züge statt. Hier bestimmt Art. 70 der Vorschriften für den Verkehrsdienst, daß die Züge in gewöhnliche Züge, die nach dem Dienstfahrplan täglich verkehren, und außergewöhnliche Züge eingeteilt werden. Die außergewöhnlichen Züge zerfallen in: 1. Züge, die nach dem Fahrplan nur an bestimmten Tagen verkehren; 2. Erforderniszüge, die im Bedarfsfall nach dem Dienstfahrplan verkehren; 3. abgeteilte Züge, die dadurch entstehen, daß ein Zug geteilt werden muß; 4. S., die nach einem im Dienstfahrplan nicht enthaltenen Fahrplan bei besonderen Anlässen verkehren, und 5. Dienstzüge, die bei außergewöhnlichen Anlässen ohne Fahrplan abgelassen werden müssen. Die Einteilung der Züge ist grundlegend für die Ausbildung der Vorschriften für den Fahrdienst, wobei die sichere Durchführung der S. ganz besonderer Fürsorge bedarf. Die von den Aufsichtsbehörden und den Eisenbahnverwaltungen für die Sicherheit des Betriebs erlassenen Vorschriften enthalten deshalb in allen Ländern mehr oder weniger eingehende Bestimmungen über die Beförderung von S.

Nach der deutschen BO. § 69 dürfen S. nur befördert werden, solange die Schrankenwärter im Dienst sind. Für jeden S. ist ein Fahrplan aufzustellen und den Stationen und Blockstellen rechtzeitig bekanntzugeben. Für die Ablassung eines zweiten Teiles eines Zuges, der dem fahrplanmäßig fahrenden ersten Teil im Abstand der Zugfolgestellen mit gleichen Fahr- und Aufenthaltszeiten folgt, gilt die Bekanntgabe dieser Maßnahme als Mitteilung des Fahrplans. Für den zweiten Zug gelten dann dieselben Stationen wie für den ersten Zug als fahrplanmäßige Kreuzungs- und Überholungsstationen. Bei unerwarte auftretendem dringenden Bedürfnis gilt die Verständigung zwischen den Zugmeldestellen (s. Fahrdienstleitung) als Aufstellung des Fahrplans (FV. § 65). S. sind den Schrankenwärtern und dem Bahnunterhaltungspersonal in der Regel anzukündigen. Dies hat wenn tunlich schriftlich, andernfalls durch Fernsprecher oder, wo ein solcher nicht vorhanden, durch ein Signal an dem in der einen oder andern Fahrrichtung vorhergehenden Zuge zu erfolgen (Signal 17 u. 18 des deutschen Signalbuches). Ist die Ankündigung nicht möglich, so dürfen die S. nur dann mit mehr als 30 *km*/Std. verkehren, wenn anzunehmen ist, daß die Wegschranken rechtzeitig geschlossen werden. Dasselbe gilt für Hilfszüge und Hilfslokomotiven, die unter Verantwortlichkeit des zuständigen Beamten aus Anlaß von Eisenbahnunfällen, Bränden und sonstigen außergewöhnlichen Ereignissen oder zur Beförderung der bewaffneten Macht eingelegt werden dürfen, auch wenn die Schrankenwärter nicht im Dienst sind und die Zugfolgestellen nicht benachrichtigt werden konnten. – Für die Beförderung von S. auf Lokalbahnen ist im § 107 der Grz. nur vorgeschrieben, daß die Züge womöglich vorher angezeigt, andernfalls nur mit 20 *km* Geschwindigkeit gefahren werden sollen. – Die Zuständigkeit zum Einlegen von S. ist in der Regel den betriebsleitenden Stellen vorbehalten, die mit der Aufstellung des Fahrplans betraut sind, also den Eisenbahndirektionen. Im übrigen richtet sie sich nach den Einrichtungen der Verwaltung und dem Verkehrsbedürfnis. Auf den preußischen Staatsbahnen sind die Betriebsämter ermächtigt, Arbeitszüge einzulegen, und die Stationen befugt, Bedarfszüge, zweite Teile fahrplanmäßiger Züge, Hilfszüge, einzeln fahrende Lokomotiven und in bestimmten Fällen auch Züge zur Versorgung nahegelegener Bedarfsstationen mit Wagen abzulassen. In Österreich dürfen S. nach Art. 87 der Verkehrsvorschriften nur durch Auftrag der Eisenbahndirektion und nur ausnahmsweise auch ohne solchen Auftrag durch die Dispositionsstationen (s. d.) eingeleitet werden. Da der Begriff der S., wie oben hervorgehoben, in Österreich ein wesentlich eingeschränkter ist, die darüber hinaus in Deutschland als S. bezeichneten Züge aber in beiden Ländern gleichmäßig behandelt werden, so besteht in der Übertragung der Befugnis zur Ablassung von S. kein nennenswerter Unterschied. Dasselbe gilt für die sonst zur Sicherung der Fahrten der S. vorgeschriebenen Maßnahmen, wenn auch hier der erweiterte Begriff für S. zu grunde gelegt wird. Die österreichischen Verkehrsvorschriften beschäftigen sich in Art. IX – XIII eingehend mit diesen Maßnahmen, die insbesondere die Fahrplanaufstellung und die zuverlässige Benachrichtigung des beteiligten Personals bezwecken. Für die schriftliche Vormeldung der S. werden auf den österreichischen Stationen für jede angrenzende Strecke und nötigenfalls auch für die einzelnen Bahnhofsbezirke Laufzettelbücher (Avisobücher) geführt, aus denen der Zugexpedient einen Laufzettel mit zugehörigem Stamm entnimmt, nachdem er darauf die vorzumeldende Fahrt, ihren Verkehrstag und, wenn ein Fahrplan im Dienstfahrplan nicht enthalten ist, auch die Abfahr- und Ankunftzeit eingetragen hat. Der Laufzettel wird dann von Wärter zu Wärter den Bahnhof und die Strecke entlang getragen, bis er mit dem von der Nachbarstation entsendeten Zettel in der Mitte der Strecke zusammentrifft. Kann der Laufzettel nicht mehr rechtzeitig vor Abfahrt des S. abgesendet werden, so hat die Vormeldung telegraphisch oder durch Fernsprecher, nötigenfalls unter vollständiger Mitteilung des Fahrplans zu erfolgen. Ist auch dies nicht mehr möglich, so ist dem S. eine besondere Lokomotive vorauszusenden, die ein mit den Verkehrsvorschriften vollkommen vertrauter Beamter zur Verständigung der Bediensteten auf der Strecke und den Stationen zu begleiten hat. Mußte auch die Vorausfahrt einer Lokomotive unterbleiben, so hat der Beamte den S. zu begleiten. In solchem Fall hat der S. auf allen Stationen zu halten. Ist die Fernsicht gestört, wirken die Glockensignale nicht zuverlässig oder stellen sonstige Umstände den sicheren Gang des S. in Frage, so darf ein in keiner Weise vorgemeldeter S. überhaupt nicht abgelassen werden.

In ähnlicher Weise wird auch in den übrigen Ländern anschließend an die allgemeinen Vorschriften für die Sicherheit der Zugfahrten für die unbehinderte Durchführung der S. Sorge getragen. In Rußland beschränken sich die Bestimmungen der Aufsichtsbehörde auf die Verpflichtung des Bahnvorstandes oder der von ihm zur Ablassung von Zugfahrten bevollmächtigten Person, Maßregeln zu treffen, daß bei Ablassung von S. Verwirrung im Zugverkehr nicht entstehen kann. Die Ablassung eines S., d. h. eines Zuges, für den ein Fahrplan nicht bekanntgegeben wurde, darf nur auf schriftlichen Auftrag der bezeichneten Personen durch Aufstellung eines „Fahrscheines“ erfolgen.

Die S. werden in ihrer überwiegenden Mehrzahl aus dienstlichen Gründen abgelassen. Die auf Bestellung von Reisenden oder Versendern gefahrenen S. treten hiergegen erheblich zurück. Im Güterverkehr liegt nur in seltenen Fällen ein Anlaß vor, S. auf Bestellung zu fahren. Diese beschränkt sich daher im allgemeinen auf den Personenverkehr, sei es, daß einzelne Personen (s. Hofzüge) oder daß Reisegesellschaften und Vereine die Benutzung der fahrplanmäßigen Züge für ihren Reisezweck nicht für geeignet halten (bestellte S.). Aus Anlaß von Festlichkeiten, bei Ausstellungen oder Truppenübungen, bei Beginn oder Schluß der Schulferien sieht sich vielfach auch die Eisenbahnverwaltung veranlaßt, aus eigenem Antrieb oder einer Anregung folgend, zur Bewältigung des Personenverkehrs S. einzulegen, die dann als Verwaltungssonderzüge bezeichnet werden. Gestatten die Tarife in solchem Fall die Gewährung von Preisermäßigungen, so ist diese schon deshalb geboten, weil es zur Abwicklung des gesamten Fahrdienstes erwünscht ist, die regelmäßigen Züge vom Massenverkehr möglichst zu entlasten, also einen besonderen Anreiz zur Benutzung der S. zu bieten (s. Feriensonderzüge). Für die Ablassung von Personensonderzügen im innern Verkehr der deutschen Eisenbahnen sind die nachstehenden Ausführungsbestimmungen zu §§ 4 u. 12 der EVO. maßgebend (s. Personentarife):

Für S., die Einzelbestellern gestellt werden, werden für das Tarif*km* erhoben:

Für die Lokomotive 1·20 M., für jede Achse eines auf Verlangen gestellten Personenwagens 0·40 M., für jede Achse eines auf Verlangen gestellten oder aus Betriebsrücksichten erforderlichen anderen Wagens 0·20 M., mindestens jedoch 4 M. für das Tarif*km* und 100 M. im ganzen.

Erfolgt Hin- und Rückfahrt des S. innerhalb 24 Stunden, so gelten für die Berechnung des Mindestbetrags beide Fahrten als eine Fahrt.

Werden auf Antrag des Bestellers besonders bezeichnete Wagen gestellt, so werden für ihre Beförderung auf Strecken, die der S. nicht befährt, sowohl für den Hinweg wie für den Rückweg 7 Pf. für die Achse und das Tarif*km* erhoben.

Der Beförderungspreis ist auf der Abgangsstation vorauszubezahlen.

Wird ein S. abbestellt oder nicht benutzt, so sind der Eisenbahn alle durch Ausführung der Bestellung erwachsenen Kosten zu erstatten. Dabei werden für jedes Tarif*km*, das die Lokomotive oder die Wagen bei der Beförderung von der Heimatsstation nach der Ausgangsstation des S. oder auf dem Rückweg durchlaufen haben, berechnet:

Für die Lokomotive 1·20 M., für jede Achse eines Wagens 0·07 M.

Bei S., die auf Antrag zu gemeinschaftlichen Reisen größerer Gesellschaften gestellt werden (Gesellschaftssonderzüge), werden, soweit die Tarifteile II keine Abweichungen enthalten, für Fahrkarten zur einfachen Fahrt in I. Kl. 4 Pf., in II. Kl. Pf. 2·5 und in III. Kl. 1·75 Pf. für das Tarif*km* erhoben. Wird die Hinfahrt und die Rückfahrt im S. zurückgelegt, so wird das Doppelte des Fahrpreises für die einfache Fahrt erhoben. Es sind mindestens zu lösen: bei Benutzung der I. Kl. 100, der II. Kl. 160, der III. Kl. 230 ganze Fahrkarten von der Ausgangs- bis zur Bestimmungsstation des S., bei Benutzung verschiedener Klassen so viel Fahrkarten von der Ausgangs- bis zur Bestimmungsstation des S., daß der Preis der Mindestzahl an Fahrkarten für die niedrigste im S. geführte Wagenklasse (160 II. oder 230 III.) erreicht wird.

In jedem Fall sind für die ganze Sonderzugstrecke mindestens 100 M. zu entrichten. Der Preis jeder Fahrkarte für einfache Fahrt wird bei Beträgen unter 1 M. auf 5 Pf., bei höheren Beträgen auf 10 Pf. aufgerundet. Je 2 Fahrkarten zum halben Preis werden als eine Fahrkarte gerechnet.

Wenn in Ausnahmefällen ein S. auf Antrag aus D-Zugwagen gebildet wird, so erhöht sich der für die einzelne Fahrkarte zu berechnende Fahrpreis sowie die Mindestgebühr um 25%.

Soweit zu den S. nicht Fahrkarten mit Fahrpreisen einschließlich Fahrkartensteuer ausgegeben werden, ist diese mit 10% der Sonderzuggebühren besonders zu berechnen. Ebenso ist für beladene Güterwagen in S. der Frachturkundenstempel zu erheben (vgl. Kundmachung 5 des DEVV).

Bei S. zu Schulausflügen und Fahrten zum Zweck der Jugendpflege kann anstatt der Fahrpreisermäßigung für Gesellschaftssonderzüge auch die für diese Zwecke bei Benutzung gewöhnlicher Züge übliche Fahrpreisermäßigung zugestanden werden, wenn der Preis der vorgeschriebenen Mindestzahl von Fahrkarten für Gesellschaftssonderzüge und die vorgeschriebene Mindestgebühr erreicht wird.

Bei Einstellung von Schlaf- und Salonwagen in Gesellschaftssonderzüge werden die für die Beförderung von Sonderwagen (s. d.) in gewöhnlichen Zügen festgesetzten Gebühren besonders erhoben. Eine Fahrpreisermäßigung tritt hierbei nicht ein.

Für S., die von der Eisenbahn zur Erleichterung von Ferienreisen für den allgemeinen Verkehr gefahren werden, werden, soweit die Tarifteile II keine Abweichungen enthalten, Fahrkarten II. und III. Kl. ausgegeben, die zur Hinfahrt mit dem S., zur Rückfahrt mit den fahrplanmäßigen Zügen einschließlich der Schnellzüge berechtigen. Die Fahrkarten haben eine Geltungsdauer von 2 Monaten, vom Abfahrtstag gerechnet.

Soweit für einzelne Züge nicht besondere Fahrpreise veröffentlicht werden, werden an Fahrgeld für die zur Hin- und Rückfahrt geltenden Fahrkarten in II. Kl. 6·75 Pf., in III. Kl. 4·5 Pf. für das Tarif*km* erhoben; für die Rückfahrt ist, soweit die Tarifteile II nichts anderes bestimmen, in die Fahrkarten der Schnellzugzuschlag einzurechnen.

Fahrtunterbrechung im S. ist ausgeschlossen.

Kinder genießen die übliche Fahrpreisermäßigung.

Für S., die von der Eisenbahn aus besonderem Anlaß für den allgemeinen Verkehr gefahren werden, werden die Beförderungsbedingungen von Fall zu Fall veröffentlicht.

Bei Beförderung von Gütern in S. kommen die gewöhnlichen Tarife in Anwendung.

Seitdem auf den preußischen Staatsbahnen in größerem Umfang Triebwagen (s. d.) in Dienst gestellt sind, werden für die von diesen gefahrenen S. 1·5 M. f. d. *km*, im ganzen aber mindestens 50 M. erhoben. Bei Beförderung größerer Gesellschaften sind mindestens 86 Fahrkarten III. Kl. (1·75 Pf. f. d. *km*) für jede Triebwagenfahrt zu lösen. – Anträgen gewerbsmäßiger Unternehmer auf Stellung von S. mit Fahrpreisermäßigung wird nur stattgegeben, wenn diese als zuverlässig bekannt sind und anzunehmen ist, daß die Preisermäßigung den Reisenden zu gute kommt. Ein Betriebs- oder Verkehrsbedürfnis muß auch hier vorliegen. Lediglich zu gunsten eines Unternehmens oder als Mittel zu geschäftlichen Anpreisungen werden S. mit Fahrpreisermäßigung nicht gewährt. – Bei Festlichkeiten zur Eröffnung neuer Bahnen kann am Tag vor der Betriebseröffnung ein S. für die Teilnehmer an der Einweihungsfeier kostenlos gestellt werden.

Für den Verkehr von S. im Gebiet des VDEV. sind den vorstehenden Bestimmungen der EVO. ähnlich lautende Vorschriften in den §§ 3 und 11 des Betriebsreglements getroffen. Hiernach betragen die unter Ziffer 1 zu 1a angegebenen Gebühren für die österreichischen Eisenbahnen 1·50 K, 0·50 K und 0·24 K für das Tarif*km* der Zuglokomotive, der Personenwagenachse und der Güterwagenachse einschließlich Fahrkartensteuer. Die Mindestgebühren sind dieselben wie auf den deutschen Eisenbahnen, doch ist in ihnen auch die Fahrkartensteuer enthalten. – Für den inneren Verkehr der österreichischen Eisenbahnen beträgt die Mindestgebühr nach dem hierfür maßgebenden österreichischen und bosnisch-hercegovinischen Eisenbahn- Personen- und Gepäcktarif Teil I, Anhang I, 4·50 K für das Tarif*km* und mindestens 100 K für den Zug. Dieser Betrag ist als Sicherheit bei der Bestellung zu hinterlegen. Für ein

Warten des S. über die festgesetzte Abfahrzeit hinaus wird eine Wartegebühr von 80 K berechnet. Für Motorwagensonderzüge werden für den Motorwagen 0·50 K, für jede Personenwagenachse ebenfalls 0·50 K, mindestens jedoch 2 K f. d. *km* und 30 K für die Fahrt erhoben. Stellen sich die tarifmäßigen Fahrpreise für die mit dem S. beförderten Personen und Gegenstände höher als die vorstehenden Sätze, so sind die tarifmäßigen Fahrpreise zu zahlen. – Für gemeinschaftliche Reisen von Gesellschaften in S. auf Entfernungen über 50 *km* werden, falls eine Mindesteinnahme von 5 K f. d. *km* gewährleistet wird, ermäßigte Fahrpreise gewährt. Bei Hin- und Rückfahrt innerhalb 3 Tagen wird der Fahrpreis für die einfache Fahrt erhoben. Andernfalls tritt ein im Spezialtarif 1 besonders festgesetzter Fahrpreis in Kraft. Soll der S. mit Schnellzuggeschwindigkeit verkehren, so werden erhöhte, ebenfalls im Spezialtarif festgesetzte Gebühren erhoben. Die ermäßigten Gebühren des Spezialtarifs finden auch Anwendung auf die von der Verwaltung bei bestimmten Anlässen eingelegten S. – Bei S. für Güter erheben die österreichischen Staatsbahnen mindestens die Gebühr für 60.000 *kg* nach Klasse 1.

In den Niederlanden gelten im wesentlichen die vorstehend für das Gebiet des VDEV. mitgeteilten Bestimmungen auch für den inneren Verkehr.

In der Schweiz werden S. nach § 7 des Transportreglements vom 1. Januar 1894 ebenfalls nur nach dem Ermessen der Eisenbahnverwaltung gestellt. Nach § 26 sind die Bahngesellschaften verpflichtet, einen S. abzulassen, wenn infolge einer auf schweizerischer Bahn erfolgten Zugverspätung mindestens 10 mit Fahrkarten nach der gleichen Linie versehene Reisende einen Anschluß verfehlten, der durch einen nachfolgenden Zug nicht, wohl aber durch den S. zu erreichen ist, insofern dies mit der Betriebssicherheit zu vereinbaren ist und die Betriebsmittel ausreichen. Nachzahlungen dürfen in solchem Fall nicht verlangt werden. Die Verpflichtung entfällt bei Vergnügungszügen, falls höhere Gewalt vorliegt oder der Bundesrat Ausnahmen gestattet hat. Die Gebühren für S. auf besondere Bestellung werden entweder nach den Sätzen der allgemeinen Personentarife oder nach dem Tarif für die Beförderung von Gesellschaften und Schulen berechnet, wobei Mindestsätze von 8 Fr. f. d. *km* der einfachen Fahrt und je nach dem Zeitpunkt der Rückfahrt von 12 oder 16 Fr. f. d. *km* der Hin- und Rückfahrt, mindestens aber von 100 Fr. bei einfacher und 160 oder 200 Fr. bei Hin- und Rückfahrt für den Zug zur Anwendung kommen. Die gewöhnlichen Einheitssätze betragen in I. Kl. 10·4 Ct., II. Kl. 7·3 Ct., III. Kl. 5·2 Ct. für die einfache Fahrt und in I. Kl. 15%, II. Kl. 20%, III. Kl. 25% Ermäßigung für Hin- und Rückfahrt. Für Gesellschaftsreisen von mindestens 16 Personen sind besondere Sätze im Tarif vorgesehen für Gemeinschaftsreisen von 16–60, 61–120, 121–180 und über 180 Personen.

In Italien können S. sowohl für den Personenverkehr als für den Güterverkehr bestellt werden. Bei der Bestellung ist der Betrag von 40 Lire zu hinterlegen. Die Verwaltung kann die Stellung eines S. aus Sicherheitsgründen ablehnen. Neben einer festen Gebühr von 45·20 Lire sind mindestens 6·78 Lire f. d. *km* und 67·80 Lire für den Zug zu zahlen. Ergibt die Anwendung des gewöhnlichen Tarifs einschließlich 10% Zuschlag für die Reisenden, das Gepäck und sonstigen Gegenstände einen höheren Betrag, so wird dieser erhoben. Für die Rückfahrt des S. innerhalb 12 Stunden nach Ankunft werden die Kosten nach denselben Sätzen, aber ohne die feste Gebühr berechnet und um 10% ermäßigt. Die Mindestgebühr beträgt auch in diesem Fall 67·80 Lire. Wenn der S. durch Verschulden des Bestellers nicht zur festgesetzten Zeit abfahren kann, so ist die Verwaltung berechtigt, ihn ausfallen zu lassen und den hinterlegten Betrag einzuziehen. – Wenn ein S. bei Festlichkeiten, Massenversammlungen von Stadtvertretungen u. dgl. verlangt wird, so werden 3·955 Lire f. d. *km* sowie eine Gebühr von 45·20 Lire erhoben unabhängig von den Fahrkarten, mit denen die Reisenden außerdem versehen sein müssen. Im übrigen werden auch auf den italienischen Bahnen für Gesellschaftsreisen unter ähnlicher Tarifabstufung wie auf den schweizerischen Bahnen S. gestellt und hierbei Einheitspreise in I. Kl. von 0·1276 Lire, in II. Kl. von 0·08932 Lire, in III. Kl. von 0·0580 Lire für die einfache Fahrt erhoben. Bei Hin- und Rückfahrt treten je nach Entfernung und Gültigkeitsdauer 20–35% Ermäßigung der Fahrkartenpreise ein. Diese Einheitssätze wurden nach Ausbruch des Krieges erhöht.

In Belgien beträgt die Mindestgebühr 5 Fr. f. d. *km* und 125 Fr. für den S. Im einzelnen werden 1·5 Fr. für die Lokomotive, 0·5 Fr. für die Personenwagenachse und 0·25 Fr. für die Güterwagenachse erhoben, während für einen 4achsigen Güterwagen 0·75 Fr. berechnet werden. Bei Gesellschaftsreisen in S. wird die Gebühr ohne Rücksicht auf die wirkliche Teilnehmerzahl nach den gestellten Plätzen berechnet. Mindestens werden erhoben 160 Fr. bei Entfernungen bis 30 *km* und 5·25 Fr. für jedes weitere *km*. Die Einheitssätze betragen für die I. Kl. 9·4 Ct., II. Kl. 6·4 Ct., III. Kl. 3·8 Ct. für die einfache Fahrt. Für Hin- und Rückfahrt innerhalb einer bestimmten Frist tritt eine Ermäßigung von 20% ein.

In Frankreich bestehen keine einheitlichen Bestimmungen und Tarife. Die Gebühren werden in der Regel auf Grund der gewöhnlichen Tarifsätze berechnet unter Erhebung eines Mindestsatzes. Für Gesellschaftsreisen in S. gewähren die meisten Bahnen Ermäßigungen von 40–50% des gewöhnlichen Fahrpreises. Die Höhe der Gebühren sind bei einzelnen Verwaltungen durch Wettbewerbsrücksichten stark beeinflußt.

In Rußland werden S. für Dienstreisen der Staatsbeamten gegen Zahlung ermäßigter Gebühren gestellt. Die letzteren betragen nach dem Tarifbuch für Reisen von Personen und Beförderung ihres Gepäcks (Tarif Nr. 7757), Teil III, veröffentlicht in der Tarifsammlung der Russischen Eisenbahnen Nr. 2323 vom 6. Februar 1914, 1·50 Rubel für Werst und Zug, bestehend aus einem Wagen I. Kl., einem Wagen III. Kl. und Gepäck- oder Plattformwagen. Für jeden weiteren Wagen tritt der gewöhnliche Personentarif nach der Platzzahl und dem vollen Wagenraum in Kraft. Die Gebühren für derartige S. sind von der Steuerpflicht befreit. S. zur Beförderung von Feuerwehren, ihrer Fahrzeuge und Geräte werden zum Löschen von Bränden im Geltungsbereich des allgemeinen Personentarifs gebührenfrei befördert. – Für bestellte S. wird von Privatpersonen Bezahlung nach den allgemeinen, um 10% erhöhten Personentarifen für die benutzten Plätze und das beförderte Gepäck erhoben. Hierzu tritt die Staatssteuer mit 15% der Eisenbahngebühr. Für einen S., bestehend aus 3 Personenwagen verschiedener Klassen und einem Gepäck- oder Plattformwagen muß jedoch mindestens 2·50 Rubel f. d. Werst bis auf Entfernungen von 100 Werst und mindestens 250 Rubel für den Zug von 100–125 Werst Entfernung bezahlt werden, während die Mindestgebühr für Entfernungen über 125 Werst nur 2 Rubel f. d. Werst beträgt. Für jeden weiteren Wagen wird Bezahlung nach den gewöhnlichen Tarifen zuzüglich 10% Aufschlag oder mindestens 60 Kopeken f. d. Wagen und Werst erhoben. In allen Mindestbeträgen ist die Staatssteuer einbegriffen. – Für schnellzugmäßig beförderte S. und Einstellung von Wagen mit Schlafplätzen treten besondere Zuschläge zu den aufgeführten Tarifsätzen hinzu. *Breusing.*

Sonntagsfahrkarten (*billets du dimanche*), ermäßigte Fahrkarten zur einmaligen Hin- und Rückfahrt an Sonntagen, werden von einzelnen Bahnverwaltungen für kürzere Strecken ausgegeben. S. geben unter anderen aus die preußischen Staatsbahnen, die Elsaß-Lothringische Eisenbahn und die österreichische Südbahn für Sonntagssonderzüge (vgl. Personentarife) sowie die schweizerischen Eisenbahnen.

Sonntagsruhe (*Lord's day rest; repos du dimanche; riposo domenicale*). Die Unterbrechung der Arbeit am Sonntag entspringt dem kirchlichen Gebot der Sonntagsfeier und dem Bedürfnis nach Ruhe und Erholung. Die S. hat sich je nach dem Verhältnis zwischen Kirche und Staat und der hierdurch beeinflußten Gesetzgebung in den verschiedenen Ländern verschieden entwickelt. Während sie in England, Schottland und Nordamerika schon früh eine strenge Form annahm und diese auch beim Emporblühen von Handel und Industrie bis heute erhalten hat, wurde in Frankreich nach der großen Revolution jede Unterscheidung zwischen Sonntag und Wochentag gesetzlich verboten. Ebenso wurden in Italien alle Strafbestimmungen beseitigt, die über Nichtbeachtung der S. erlassen waren. Aber auch auf diese Länder haben sich später die allgemein sehr lebhaft auftretenden Bestrebungen ausgedehnt, für die arbeitende Bevölkerung auf gesetzlichem Wege die Gewährung der S. sicherzustellen. Bereits im September 1876 tagte in Genf ein internationaler Kongreß für die Sonntagsheiligung, der auch für die Einführung der S. im Eisenbahndienst eintrat und zu dem Zweck eine Einschränkung des Güterdienstes an den Sonn- und Festtagen empfahl. Dies gab Anlaß, daß die 1878 in Bern zur Aufstellung eines Entwurfs für das internationale Übereinkommen über den Eisenbahnfrachtverkehr einberufene Konferenz ihre Beratungen auch auf die Frage der S. ausdehnte. Die Konferenz erklärte, daß die empfohlene Maßnahme, so erwünscht sie auch sei, als undurchführbar angesehen werden müsse. Aber schon im folgenden Jahre sprach sich ein zweiter internationaler Kongreß in Bern abermals für Einführung der S. im Eisenbahndienst aus. Er empfahl den Verwaltungen, den Sonntagsdienst derart einzuschränken, daß künftig jeder Bedienstete wenigstens jeden zweiten Sonntag vom Dienst befreit werden würde (s. die Aufsätze Dienst- und Ruhezeiten sowie Arbeiterschutz). Auch der erste internationale Eisenbahnkongreß in Brüssel beschäftigte sich 1885 mit der Frage der S., allerdings ebenfalls mit geringem Erfolg, denn er beschränkte sich auf die Erklärung, daß eine Ausdehnung der regelmäßig wiederkehrenden Ruhepausen und deren Verlegung auf die Sonn- und Feiertage sowohl den Verwaltungen wie den Bediensteten zum Vorteil gereichen würde. Während der Weltausstellung im Jahre 1889 tagte in Paris ein Congrès international du repos hebdomadaire au point de vue hygienique et social (Paris, Genf 1890). Dieser Kongreß stellte folgende Grundsätze auf: 1. An Sonntagen soll der gewöhnliche Güterdienst ruhen mit Ausnahme der Abfertigung von Vieh und leicht verderblichen Waren. 2. Die Zahl der Güterzüge ist an Sonntagen tunlichst einzuschränken. 3. Die Eilgutabfertigungen sind Sonntags nur während bestimmter Stunden geöffnet zu halten. 4. Neubau-, Bahnunterhaltungs- und Werkstättenarbeiten sind an Sonntagen womöglich einzustellen. 5. Bei den Liefer- und Abfertigungsfristen der gewöhnlichen Güter sind Sonntage nicht in Rechnung zu stellen. 6. Bei Festsetzung der Besoldung ist zu berücksichtigen, daß die Bediensteten nicht wünschen, an Sonntagen zu arbeiten. 7. Die den Sonntagen gleich zu rechnenden Festtage sind durch die Landesregierungen festzusetzen.

Einer der ersten Erfolge der in dieser Weise immer von neuem geltend gemachten Forderungen war die Aufnahme von Bestimmungen zur Einschränkung des Güterverkehrs in den erwähnten Entwurf des internationalen Übereinkommens über den Eisenbahnfrachtverkehr, das am 1. Januar 1893 in Kraft trat, nachdem über den Entwurf bereits seit 1878 verhandelt war. Nach diesem Übereinkommen, dessen jetzt gültiger Wortlaut in Abschnitt V der VBR. mit Ausführungsbestimmungen bekannt gegeben ist, beginnt die Lieferfrist für die Beförderung der Ware 24 Stunden später, wenn der auf die Auflieferung folgende Tag ein Sonntag ist (Art. 14, Ausf.-Best. § 6). Ist der letzte Tag der Lieferfrist ein Sonntag, so läuft die Frist erst am darauffolgenden Tag ab. Auf Eilgut sind diese Ausnahmen nicht anwendbar. Nimmt ein Staat in die Gesetze oder in die genehmigten Eisenbahnreglemente eine Bestimmung über Unterbrechung der Warenbeförderung an

Sonn- und gewissen Feiertagen auf, so werden die Beförderungsfristen im Verhältnis verlängert. Eine ähnliche Berücksichtigung der Lieferfristen findet auch bei den innerstaatlichen Vorschriften statt (s. Lieferfristen u. Avisieren).

In Deutschland wurde die Einschränkung der Sonntagsarbeit schon 1869 bei Erlaß der Gewerbeordnung des Norddeutschen Bundes erwogen, aber erst durch die Novelle zur Gewerbeordnung vom 1. Juni 1891 am 1. April 1895 eingeführt. Demnach ist die Arbeit an Sonn- und Feiertagen, abgesehen von besonders zugelassenen Ausnahmen, für den größten Teil der unter die Gewerbeordnung fallenden Betriebe grundsätzlich verboten. Die Ruhezeit soll 24 Stunden betragen. Wenn die Gewerbeordnung auf den Betrieb der Eisenbahnen auch keine Anwendung findet, so mußte sie doch die auf Ausdehnung der S. auf den Eisenbahndienst gerichteten Bestrebungen kräftig fördern. Die Arbeiten in den Werkstätten, die Bauarbeiten, die Unterhaltungsarbeiten an den Bahnanlagen, der Dienst bei den Verwaltungsbehörden pflegten zwar mit geringen Einschränkungen überall an den Sonntagen zu ruhen, aber der Fahrdienst hatte bis dahin nennenswerte Einschränkungen nicht erfahren. Bei den nun einmal bestehenden Lebensgewohnheiten mußte der Ausfall von Personenzügen an den Sonntagen im allgemeinen als ausgeschlossen angesehen werden. Der Personenverkehr erforderte sogar an den Sonntagen erhöhte Leistungen, namentlich seitdem durch den Ladenschluß und die Ausgabe von Sonntagskarten der Ausflugsverkehr Sonntags eine erhebliche Steigerung erfahren hatte. Im Personenverkehr war deshalb an Einschränkungen nicht zu denken, wohl aber konnten diese auf dem Gebiet des Güterverkehrs erreicht werden. Im Jahre 1853 war bereits das Fahren von Kohlenzügen auf der königlichen Saarbrücker Eisenbahn von der Aufsichtsbehörde untersagt worden. Auch hatte man bei weiterer Entwicklung des Verkehrs die Beobachtung gemacht, daß infolge der Sonntags eingeschränkten und später gänzlich ruhenden gewerblichen Arbeit zu Beginn der Woche ein merklicher Rückgang in der Belastung der Güterzüge einzutreten pflegte, der auf verkehrsreichen Strecken sogar eine Verminderung der Zugzahl gestattete. Es lag daher nahe, eine Anzahl von Güterzügen schon am Sonntag ausfallen zu lassen und die entstehenden Rückstände durch vollen Zugverkehr am Montag wieder auszugleichen. Dem Gedanken wurde auch durch einen Erlaß des Ministers der öffentlichen Arbeiten an die preußischen Eisenbahndirektionen im April 1883 Ausdruck gegeben. Auf diese Anregung hin gelang es nach und nach, bis zum Jahre 1891 30% aller Güterzüge in dem Fahrplan der preußischen Staatsbahnen für den Sonntag als ausfallend zu bezeichnen. Da der Durchführung der S. im größeren Umfang sich aber mancherlei Schwierigkeiten entgegenstellten, so beauftragte der Minister durch Erlaß vom 8. Dezember 1891 einen Ausschuß mit der Prüfung der weiter zu ergreifenden Maßnahmen. Hierbei handelte es sich besonders auch um die Frage der Notwendigkeit der Herstellung von Aufstellungsgleisen für die in ihrem Lauf am Sonntag aufgehaltenen Güterzüge, der Unterbringung der Lokomotiven für die Zeit des ruhenden Zugverkehrs, der erhöhten Aufwendung von Wagenmieten für die nunmehr eine längere Zeit im Bezirk sich aufhaltenden fremden Wagen und endlich um die wichtige Frage des erhöhten Wagenbedarfs, hervorgerufen durch die Verzögerung des Wagenumschlags und damit zusammenhängend um die Schaffung von Aufstellgleisen für einen größeren Wagenbestand. Daß durch den Ausfall der Güterzüge an den Sonntagen der Wagenumlauf verzögert werden würde, stand fest. Strittig war aber der Umfang der Verzögerung und der daraus folgende Mehrbedarf an Wagen. Nach eingehenden Erhebungen gelangte der Ausschuß zu dem Ergebnis, daß bei Einführung voller Sonntagsruhe annähernd 8% der Wagen fehlen und durch Neubeschaffung zu ersetzen sein würden. Die zur Durchführung aller dieser Maßnahmen erforderlichen, sehr erheblichen Aufwendungen (vgl. Ztg. d. VDEV. 1894, S. 630) konnten vermieden oder eingeschränkt werden, wenn von vornherein auf eine volle Durchführung der S. verzichtet und diese auf die Zeit des gewöhnlichen Verkehrs beschränkt und der Zugverkehr unbeschränkt in den Monaten des großen Herbstverkehrs beibehalten wurde (s. Arch. f. Ebw. 1894, S. 201, Aufsatz von Seydel).

Aus wirtschaftlichen Gründen war diese Lösung der Frage durchaus gerechtfertigt und mit dieser Beschränkung wurde die S. im Güterverkehr durch Erlaß vom 20. November 1893 auf den preußischen Staatsbahnen eingeführt.

Inzwischen hatte das Reichseisenbahnamt die deutschen Regierungen zu gemeinsamem Vorgehen aufgefordert. Nach einer Vorverhandlung am 4. November 1892 wurde auf Grund einer Beratung der Regierungsvertreter am 8. Mai 1894 dem Vorgehen zugestimmt und die S. im Güterverkehr der deutschen

Eisenbahnen, soweit dies inzwischen nicht schon geschehen war, vom 1. Mai 1895 ab nach folgenden Grundsätzen eingeführt: 1. Der Eisenbahngüterverkehr ausschließlich des Vieh- und Eilgutverkehrs ist an Sonn- und Festtagen so weit einzustellen, als solches möglich ist, ohne daß umfassende bauliche Einrichtungen nötig werden und ohne daß die Betriebsmittel oder das Personal vermehrt werden müssen. Auch abgesehen hiervon ist es zulässig, an Sonn- und Festtagen einzelne Güterzüge zu fahren, sofern und insoweit das durch besondere Bedürfnisse des Verkehrs und des Wettbewerbs mit dem Ausland erforderlich werden sollte. 2. Es ist zulässig, Güter, die aus besonderen wirtschaftlichen Rücksichten eine Verzögerung in der Beförderung nicht vertragen, z. B. leicht verderbliche Güter, regelmäßig auch an Sonn- und Festtagen zu fahren. 3. Als Festtage gelten der Neujahrstag, Karfreitag, der zweite Ostertag, Himmelfahrt, der zweite Pfingsttag und die beiden Weihnachtstage. Über sonstige Festtage bleibt Vereinbarng vorbehalten. 4. Volle Ruhe im Güterverkehr tritt ein für die Zeit von 4 Uhr morgens bis 8 Uhr abends. Die übrigen Stunden dienen zur Überleitung des Dienstes in die Ruhe und umgekehrt. 5. Die Fahrbediensteten sind bis 4 Uhr morgens in die Heimat zurückzuführen und bis 6 Uhr abends außer Dienst zu stellen. 6. Für die Zeit des stärksten Verkehrs ist eine zeitweilige Einschränkung oder völlige Aufhebung der S. zulässig. 7. Es bleibt vorbehalten, Erfahrungen über die Frage zu sammeln, ob eine Verlängerung der Lieferfristen unvermeidlich sein wird. – Zur Durchführung der Ziffern 1, 2, 4 und 6 der Grundsätze vom 8. Mai 1894 ist zwischen den süddeutschen Staatseisenbahnen ein besonderes Übereinkommen getroffen worden. Eine Verlängerung der Lieferfristen haben die deutschen Eisenbahnen nicht eintreten lassen. – Die an die Einführung der S. im Güterverkehr geknüpften Erwartungen haben sich erfüllt. Es konnten einzelne Güterbahnhöfe oder Bahnhofsteile Sonntags vollständig geschlossen werden. Es wurde erreicht, daß nunmehr $^1/_3$ sämtlicher Eisenbahnbediensteten grundsätzlich an allen Sonn- und Festtagen vom Dienst befreit werden konnte. Durch die allgemeine Bestimmung, daß auch den diese Vergünstigung nicht genießenden Bediensteten des Fahrdienstes, des Verkehrs- und Bahnbewachungsdienstes an jedem zweiten, mindestens aber an jedem dritten Sonntag Gelegenheit zum Kirchenbesuch zu geben ist, sowie durch tunlichste Verlegung der planmäßigen Ruhetage auf die Sonntage ist auch diesen Bediensteten Gelegenheit zur Erfüllung ihrer religiösen Pflichten gegeben.

Über die Bedienung des Güterverkehrs an den Sonn- und Festtagen bestimmt § 63 der EVO., daß die Eisenbahn Frachtgut nicht anzunehmen braucht. Eilgut anzunehmen ist sie verpflichtet, wenn Zoll- und steueramtliche Behandlung kein Hindernis bieten. Die Dienststunden, während der die Güter aufzuliefern sind, hat die Eisenbahn festzusetzen und durch Aushang am Schalter bekanntzugeben. Wagenstandgeld ist nur zu zahlen, wenn die Ladefrist schon am Tage vorher nachmittags 2 Uhr ablief. Folgen mehrere Sonn- und Festtage aufeinander, so ist nur für einen Tag Wagenstandgeld zu erheben. Die Fristen für Lagergeld und Standgeld ruhen an Sonn- und Festtagen für die Dauer einer Zoll- oder steueramtlichen oder polizeilichen Abfertigung. Bei Eilgut, das an Sonn- und Festtagen ankommt, kann die Benachrichtigung des Empfängers erst am folgenden Morgen verlangt werden (§ 79). Endlich bestimmt § 80, daß an Sonn- und Festtagen nur Eilgut auszuliefern ist. Auch die Annahme von Tieren zur Beförderung findet an Sonn- und Festtagen nicht statt (§ 43).

Seit Einführung der S. hat der Güterverkehr dauernd zugenommen und häufig die Anspannung aller Kräfte erfordert. Es ist deshalb notwendig geworden, die S. im Güterverkehr nicht nur, wie es von vornherein vorgesehen war, regelmäßig während der Herbstmonate, sondern auch zu anderen Zeiten einzuschränken oder ganz aufzuheben. Das Bedürfnis hierfür macht sich zuerst bemerkbar durch Knappheit oder Mangel an Wagen. Um nun jedesmal nur solche Züge während der S. in Gang zu setzen, die am meisten geeignet sind, den Umlauf derjenigen Wagengattung zu beschleunigen, an der es hauptsächlich fehlt, so sind über das Fahren von Zügen während der S. zwischen den einzelnen Verwaltungen des Staatsbahnwagenverbandes eingehende Vereinbarungen getroffen. Sie lauten auszugsweise für die westlichen Eisenbahndirektionen:

Das Ablassen von Bedarfsgüterzügen mit Ausnahme der Bedarfseilgüter- und Viehzüge ist bei voller S. nur in dringenden Fällen gestattet.

An Sonnabenden oder Tagen vor Festtagen dürfen auch von Zwischenstationen hinter dem als letzten fahrplanmäßigen Güterzug vereinbarten Zug Bedarfszüge nicht mehr abgelassen werden. Die ausnahmsweise Ablassung von Bedarfsgüterzügen darf nur nach Verständigung seitens der Abgangsstation mit der Zielstation und den Zwischenstationen, für die der Zug Wagen befördern soll, geschehen. Die Züge sind den Stationen vorzumelden und der Eisenbahndirektion telegraphisch mitzuteilen.

Bei drohendem Wagenmangel sind jedoch auf besondere Anordnung der Eisenbahndirektion die Bedarfsleerwagenzüge auch an Sonn- und Festtagen zu befördern.

Bei Mangel an offenen und bedeckten Wagen wird die S. im Güterzugdienst nach besonderen Plänen teilweise eingeschränkt. Es bedeutet:

Plan S: Kleiner Mangel an offenen Wagen im Ruhrgebiet.

Plan SS: Größerer Mangel an offenen Wagen und Abfuhrschwierigkeiten infolge erheblicher Wagenansammlung im Ruhrgebiet.

Plan A: Mangel an offenen Wagen.

Plan B: Mangel an bedeckten Wagen.

Plan C: Allgemeinen Wagenmangel.

Die Einschränkung der S. tritt nicht schon ohneweiters bei Bekanntgabe von Wagenmangel ein, sondern wird durch Umlauftelegramme seitens der Direktion angeordnet.

Die Aufnahme der Arbeiten auf den Güterböden bei Plan B und C wird in den Umlauftelegrammen der Direktion besonders angeordnet.

In Österreich und Ungarn hat sich die Einführung der S. im Eisenbahndienst in ähnlicher Weise vollzogen wie in Deutschland. Durch die Novelle zur Gewerbeordnung vom 8. März 1885, an deren Stelle das Gesetz vom 16. Januar 1895 trat, wurde die S. in Österreich und durch das Gesetz vom 14. Mai 1891 in Ungarn eingeführt. Hierzu wurde vom österreichischen Handelsminister im RGB. 1895, Nr. 58 eine Verordnung erlassen, nach der Eilgut bei den Eisenbahnen und Dampfschiffen auch Sonntags aufgegeben und den Empfängern zugestellt werden darf. Auch das Be- und Entladen der Wagen auf Anschlußgleisen ist hiernach erlaubt, wenn andernfalls im Vergleich zur Abfertigung auf den Gleisen des öffentlichen Verkehrs erhöhte Kosten für Standgeld u. s. w. entstehen würden. Auch in Österreich-Ungarn sind die Eisenbahnen der Gewerbeordnung nicht unterworfen. Ihren Einwirkungen konnten sich die Eisenbahnverwaltungen aber nicht entziehen. Sie beschlossen deshalb nach eingehenden Erhebungen eine Einschränkung des Güterverkehrs nach ähnlichen Leitsätzen, wie sie auf den deutschen Eisenbahnen eingeführt sind. Durch ministerielle Anordnung trat dieser Beschluß am 1. Mai 1898 in Kraft. Als Feiertage, die wie Sonntage zu behandeln sind, wurden der Neujahrstag, der zweite Ostertag, Himmelfahrt, der zweite Pfingsttag, Fronleichnam, Allerheiligen sowie die beiden Weihnachtstage festgesetzt und die Lieferfristen um diese Tage allgemein verlängert. Über die Einschränkung der Eilgut- und Güterbeförderung enthält das österreichisch-ungarische Betriebsreglement die auch in das VBR. aufgenommenen Bestimmungen, die mit den für die deutschen Eisenbahnen durch die EVO. getroffenen Anordnungen sachlich übereinstimmen.

In Belgien gilt das Gesetz über die S. vom 17. Juli 1905 auch für die Eisenbahnen (s. Dienst- und Ruhezeiten). Nach ministerieller Vorschrift sind die Stationen der belgischen Staatsbahnen an Sonn- und Feiertagen nur für den Verkehr von Personen, Gepäck und Frachtstücken, die durch Eilboten zu bestellen sind, Geldsendungen, Wertpapiere, von Pferden und Fahrzeugen als Eilgut und von Leichen, frischen Fischen und einigen anderen Gegenständen geöffnet. Die Stadtbureaus sind vollständig geschlossen. Die Anschlußgleise werden nicht bedient.

In Dänemark ist am 3. April 1891 und in Norwegen am 27. Juni 1892 die gesetzliche S. eingeführt.

In Frankreich ist die S. gesetzlich nicht geregelt, doch werden die Bahnhöfe auf ministerielle Anordnung an Sonn- und Festtagen um 9 Uhr vormittags für Frachtgut und um 10 Uhr vormittags auch für eilgutmäßig zu befördernde Gegenstände geschlossen. Das gesamte Personal der Direktionen und ihrer Abteilungen, der Hauptmagazine und Werkstätten ist Sonn- und Festtags dienstfrei. Für ausnahmsweise Heranziehung zum Dienst werden Ersatzruhepausen gewährt, so daß für jeden Bediensteten 52 Ruhetage sich ergeben (s. Dienst- und Ruhezeiten). Nach Ministerialerlaß vom 9. Mai 1891 darf Eil- und Frachtgut den Empfängern, die es beantragen, Sonn- und Festtags nicht zugestellt werden.

In Italien ist die S. nicht gesetzlich geregelt. Für den Eisenbahndienst an Sonn- und Feiertagen sind daher die von der Verwaltung getroffenen Bestimmungen maßgebend. Die den Eisenbahnbediensteten zu gewährenden Ruhezeiten sind durch königliche Verordnung festgesetzt, doch enthält diese keine Vorschriften über Dienstbefreiungen an Sonn- und Festtagen.

In den Niederlanden besteht keine gesetzliche Regelung der S. Die Eisenbahnen lassen aber den Güterzugverkehr seit dem 1. Juli 1895 an Sonn- und Festtagen ruhen, nachdem die Regierung sie von der Pflicht entbunden hat, an diesen Tagen Güter anzunehmen, abzuholen oder auszuliefern und zu bestellen sowie die Sonn- und Festtage bei den hierfür festgesetzten Fristen anzurechnen. Ebenso fallen diese Tage bei Berechnung der Lager- und Magazingelder und der Wagenmieten aus.

In der Schweiz ist die Sonntagsarbeit durch Bundesgesetz vom 23. März 1879 verboten. Durch Gesetz vom 27. Juni 1890 wurde die S. auf die Eisenbahnanlagen ausgedehnt und für den Güterdienst mit Ausnahme der Beförderung von Vieh und Eilgut an Sonn- und Festtagen unbedingte Ruhe angeordnet. Als Festtage gelten Neujahr, Karfreitag, Himmelfahrt, Weihnachten und weitere kantonale Festtage, aber nicht über 8 einschließlich der genannten. Nach § 59 des Transportreglements wird die Annahme von Gütern an den Vorabenden von Sonn- und Festtagen um 5 Uhr nachmittags geschlossen. Nach § 106 ist die Verwaltung zur Abholung, Zustellung und Avisierung von Gütern an Sonn- und Festtagen nicht verpflichtet.

In Rußland bezeichnet das Fabrikgesetz vom 2. (14.) Juni 1897 die Sonntage und eine Anzahl Feiertage als Ruhetage. Auch nach dem russischen Handelsgesetz darf an Sonn- und hohen Feiertagen nicht gearbeitet werden. Im Eisenbahndienst schreitet die Regelung der S. im Sinne der in den westlichen Nachbarländern getroffenen Maßnahmen nur langsam vorwärts.

In England wird an den Sonntagen Dienst und Arbeit mehr als in anderen Ländern vermieden. Die strenge Einhaltung der S. hat die Entwicklung des Eisenbahnverkehrs von seiner Entstehung an so stark beeinflußt, daß auch im Fahrdienst eine in anderen Ländern ganz unbekannte S. stattfindet. Der Güterverkehr ruht gänzlich und selbst für den Personenverkehr wird nur eine beschränkte Anzahl von Zügen gefahren. Der Zugverkehr an Sonntagen weicht deshalb vom Verkehr an den Wochentagen so erheblich ab, daß für den Sonntagsdienst besondere Fahrpläne aufgestellt werden müssen. In den Bureaus der Verwaltungen wird, wie auch im sonstigen Geschäftsleben, am Samstag nur bis 1 Uhr mittags gearbeitet. Die Schalter für den Güterempfang werden um 3 Uhr, für den Versand um 4 Uhr nachmittags geschlossen. Um dieselbe Zeit beginnt ein starker Personenverkehr von den Geschäftsplätzen hinaus nach den Wohnstätten und Erholungsorten, dem dann am Sonntag eine völlige Ruhe bis zum Abend, wo die Rückkehr beginnt, folgt. Während der S. verkehren im Fernverkehr nur einige wenige Züge, deren Ausfall eine unzulässige Unterbrechung wichtiger Verkehrsbeziehungen zur Folge haben würde. – Sonntagsarbeit und Sonntagsdienst wird in England ähnlich behandelt wie Überstunden über die gewöhnlichen Tagesleistungen hinaus oder wie der Nachtdienst (s. d.). Die Eisenbahnen vergüten die Sonntagsleistungen auch höher und gewähren hierfür Zuschläge von 25–50%. Der Sonntagsdienst wird nur dann nicht besonders angerechnet, wenn ihm eine Ruhe von 24 Stunden vorausging oder wenn er die Verlängerung einer Wochentagsschicht bildet. Auf der Midlandbahn erhält das Lokomotivpersonal der Güterzüge für den nach 7 Uhr endenden Dienst der abgelaufenen Woche, soweit er in den Sonntag fällt, 50% Lohnzuschlag, für andern Sonntagsdienst wie das übrige Personal aber nur 25%. Auf der großen Westbahn erhält das ganze Personal 50% Lohnzuschlag, soweit der Dienst die wöchentlich zu leistenden 6 Schichten überschreitet. Die große Ostbahn vergütet 25% Zuschlag. Ihre Stellwerksweichensteller erhalten ihn aber nur dann, wenn eine besondere Sonntagsschicht über 5 Stunden geleistet wird und sie keinen Ruhetag in der Woche gehabt haben (vgl. Arch. f. Ebw. 1912, S. 677).

In den nordamerikanischen Staaten besteht ebenfalls gesetzliche S. und eine fast ebenso strenge Auffassung über ihre Einhaltung, auch im Eisenbahndienst wie in England. *Breusing.*

South Eastern and Chatham Railway (619 engl. Meilen). Die Linien der South Eastern Railway und jene der London Chatham and Dover Railway wurden auf Grund einer Parlamentsakte vom Jahre 1899 zu einer Betriebsgemeinschaft vereinigt. Die Hauptlinie der ersteren (gegründet 1836) führt von London über Tonbridge, Ashford nach Folkestone und Dover. Die Hauptlinie der London Chatham and Dover Railway (gegründet 1853) führt von London über Farmingham, Chatham, Faversham, Canterbury nach Dover.

Southern Railway (Vereinigte Staaten von Amerika) erhielt ihren Freibrief am 20. Februar 1894 vom Staate Virginia, hat ihren Sitz in Richmond (Virginia). Länge 11.330 *km*, davon im Eigentum 6825 *km*. Ihre Hauptlinien durchziehen die Staaten Virginia, Nord- und Südcarolina, Georgia, Tennessee, Alabama, Mississippi, Kentucky, Indiana, Illinois. Ihre westlichen Endstationen sind St. Louis und Memphis, die östlichen Ausgangspunkte Washington, Norfolk, Charleston, Savannah bis hinunter nach Florida. Die Richtung der Hauptstrecke ist eine westöstliche und nordsüdliche. An die Hauptlinien schließen sich eine große Anzahl Nebenbahnen an, die wesentlich als Zufuhrbahnen dienen. Das durch den Freibrief genehmigte Anlagekapital besteht aus 350 Mill. $ Aktien, wovon aber erst 120 Mill. $ gewöhnliche und 60 Mill. $ Vorzugsaktien ausgegeben sind, und 195 Mill. $ Bonds. Die Bahn hat in den ersten Jahren $1\frac{1}{2}$% Dividende auf die Vorzugsaktien verteilt, im Jahre 1912 $4\frac{1}{2}$%, 1913 5%.

Die S. hat eine lange Vorgeschichte. Ihre Vorgängerin war die Richmond Terminal Cy., eine Gemeinschaft von einer Reihe größerer und kleinerer Bahnen, deren Hauptbestandteile die Richmond und Danville-Eisenbahn (gegründet 1856) und die East Tennessee, Virginia und Georgia-Eisenbahn (gegründet 1869) bildeten. Diese beiden und eine Anzahl kleinerer Bahnen haben sich wiederholt zusammengeschlossen und wieder getrennt, eine Zeitlang standen sie unter der Kontrolle der Pennsylvaniabahn, die sich aber dieses unsicheren Besitzes bald entäußerte. Die meisten der Bahnen haben wiederholt ihre Zahlungen eingestellt, sind auch zwangsweise verkauft worden. Sie waren fast alle mangelhaft gebaut und schlecht mit Betriebsmitteln ausgestattet. Bei den verschiedenen, immer erneuerten Reorganisationsplänen ging es nicht sauber her, die Aktionäre und die Obligationäre haben viel Geld eingebüßt, bis der letzte, von der Firma Drexel, Morgan & Cie. im Jahre 1893 vorgeschlagene Plan mit allerdings großen Verlusten der verschiedenen Interessenten zum Ziel führte. Die S. hat sich seitdem langsam erholt, wenngleich ihre Finanzverhältnisse immer noch nicht gesichert sind. Sie gehört jetzt zu den 5 großen Eisenbahngruppen, die das südliche Gebiet der Vereinigten Staaten zwischen dem Atlantischen Ozean und dem Mississippi beherrschen. Es sind dies außer ihr die Atlantic Coast Line, die Seaboard Air Line, die Louisville, Nashville und die Illinois Central-Eisenbahn.

Literatur: Daggett, Railroad reorganization (1908): The Southern (S. 146–191). *v. der Leyen.*

Southern Pacific Company (südliche Überlandbahn) ist eine der größten Eisenbahn- und Dampfschiffahrtsunternehmungen der Vereinigten Staaten. Die Gesellschaft ist am 17. März

1884 unter den Gesetzen des Staates Kentucky gegründet. Obgleich sie ihren Schwerpunkt in dem Staat Kalifornien hat, zogen die Gründer – an erster Stelle die großen Eisenbahnkönige des Westens der Vereinigten Staaten, C. P. Huntington (s. d.) und Leland Stanford – vor, sich von Kentucky die Konzession erteilen zu lassen, weil sie fürchteten, daß die Gesetzgebung des Staates Kalifornien ihnen einmal unbequem werden könnte. Die Eisenbahnlinien der Gesellschaft erstrecken sich von Portland in Oregon über San Francisco und Los Angelos bis nach New Orleans und Galveston in einer Länge von fast 5000 *km*. Von dieser Hauptlinie gehen nach verschiedenen Richtungen Seitenlinien ab, die insbesondere die südlichen und westlichen Gebiete Kaliforniens durchziehen. Die Gesellschaft hat mehrere größere Eisenbahnlinien, die früher selbständig waren, teils durch Kauf, teils durch Pachtung erworben und zu einem Ganzen vereinigt. Die hauptsächlichsten dieser Gesellschaften sind die Central Pacific-Eisenbahn (s. d.), die Southern Pacific Gesellschaften von California, von Arizona und von Neu-Mexico, die Oregon and California-Eisenbahn (von Portland in Oregon nach San Francisco), die Galveston, Harrisburgh and San Antonio-Eisenbahn und mehrere kleinere Linien. Durch Neubau und Erwerb anderer Bahnen sowie durch Verkauf einzelner Strecken hat sich das Netz im Lauf der Jahre wiederholt geändert. Die S. war lange Zeit zu einer Betriebs- und Finanzgemeinschaft mit der Union Pacific Ry. verbunden (s. d.). Durch Urteil des höchsten Gerichtshofs vom 2. Dezember 1912 ist diese Gemeinschaft auf Grund des Sherman- (Antitrust-) Gesetzes aufgelöst und die beiden Netze sind am 30. Juni 1913 getrennt worden. Der Verkehr zwischen New Orleans, Galveston, Veracruz und den übrigen südöstlichen Häfen der Vereinigten Staaten und Mexicos mit New York und den anderen nordöstlichen Hafenplätzen wird durch Dampfer vermittelt, die Strecken in einer Gesamtlänge von etwa 7000 *km* durchfahren.

Das Gesamtnetz der S. hatte am 30. Juni 1913 einen Umfang von 16.196 *km*, wovon 10.658 *km* im Eigentum und 5538 *km* im Pachtbetrieb der Gesellschaft standen. Das Anlagekapital betrug 272,672.406 $ in Aktien und 165,581.910 $ in Bonds. An Dividenden sind seit 1907 regelmäßig 6% auf die gewöhnlichen Aktien ausgeschüttet worden. Wie bei den meisten der großen amerikanischen Bahnen, sind auch bei der S. die Finanzverhältnisse höchst unklar. Über den Betrieb und die auf den wettbewerbsfreien Strecken erhobenen unverhältnismäßig hohen Tarife wurde früher viel geklagt.

Literatur außer den Jahresberichten, den Mitteilungen in Poors Manual: van Oss, The Southern Pacific system in dessen Buch: American Railroads as investments. 1893, S. 689 ff. *v. der Leyen.*

Spanische Eisenbahnen (mit Karte, Taf. II.).

Inhaltsübersicht: 1. Geschichte. *a)* Bis 1876. *b)* Die neuere Zeit. *c)* Der gegenwärtige Zustand. – 2. Bau. – 3. Betriebsmittel. – 4. Betrieb. – 5. Verkehr und Tarifwesen. – 6. Nebenbahnen. – 7. Aufsichts- und Verwaltungsbehörden.

1. Geschichte.

a) Bis 1876.

Der im Mittelalter so blühende Handel und Verkehr Spaniens war im Lauf der Jahrhunderte immer mehr zurückgegangen. Besonders das von jeher arg vernachlässigte Straßenwesen entsprach in keiner Weise den Bedürfnissen des Verkehrs. Erst unter Carl XIII. wurden etwa 2000 *km* Landstraßen gebaut, im übrigen gab es nur für Reiter und Viehherden zugängliche Saumpfade und Wege.

Mit dem Aufschwung des Eisenbahnwesens schien auch für Spanien eine bessere Zeit anbrechen zu wollen. Die erste Konzession wurde schon 1830 erteilt, u. zw. für eine Eisenbahn von Jerez nach der Hafenstadt Santa Maria Rota nördlich von Cadiz. Allein diese Bahn kam nicht zur Ausführung. Erst gegen 1843 nach Beendigung der Bürgerkriege wurden wieder Eisenbahngenehmigungen erteilt, so für Barcelona-Mataro und für Madrid-Aranjuez. Erstere Linie wurde 1848 als erste Eisenbahn der pyrenäischen Halbinsel eröffnet. Infolge Genehmigung weiterer Eisenbahnen – Madrid-Cadiz, Avila-Léon – wurden durch königliche Verordnung vom 31. Dezember 1844 die ersten Grundsätze für Eisenbahnbewilligungen festgestellt. Ein vom Generalrat der Ingenieure auf Veranlassung der Regierung erstatteter Bericht empfahl Unterstützung der Bewerber, Forderung der Vorlage vollständig ausgearbeiteter Bau- und Betriebspläne und Stellung eines Haftgeldes von $^1/_{10}$ der veranschlagten Baukosten. Die Regierung trat diesem Gutachten mit der Maßgabe bei, daß vorläufige Genehmigungen jedem Bewerber erteilt werden sollten. Hierbei sollten für Vorlage des Bauplans und des Haftgeldes 12 – 18 Monate Frist bewilligt und es sollte den Bewerbern das Vorrecht vor anderen Bewerbern zugestanden werden. Die Folge hiervon war ein schwungvoller Handel mit Baugenehmigungen. Wenn alle damals genehmigten Eisenbahnen zur Ausführung gekommen wären, würde Spanien das dichtmaschigste Eisenbahnnetz Europas haben. Statt dessen entwickelte sich dieses recht langsam.

Es waren im Betrieb: 1848 28 *km*, 1855 475 *km*, 1860 1912 *km*, 1865 4823 *km*, 1870 5469 *km*, 1875 6134 *km*, 1880 7537 *km*, 1885

8933 *km*. Von allen in den Jahren 1845/46 genehmigten Bahnen sind, abgesehen von Barcelona-Mataro, zunächst nur die Linien Madrid-Aranjuez (eröffnet 1852), Sama de Langreo-Gijon (eröffnet 1852) und Valencia-Jativa (eröffnet 1854) ausgeführt worden.

Der Mangel eines einheitlichen, weitausblickenden Anlageplans oder vielmehr das Unterlassen einer folgerichtigen Durchführung eines solchen, ferner der Kampf der Gesellschaften untereinander trugen nicht wenig dazu bei, viele Erwartungen und berechtigte Hoffnungen zu täuschen. Auf Grund weitläufiger, jedoch ungleichwertiger Vorarbeiten wurde im Jahre 1854 der erste allgemeine Plan eines Eisenbahnnetzes veröffentlicht. Er umfaßte 7798 *km* Eisenbahnen mit einem Kostenvoranschlag von 1296 Mill. Pesetas[1], wobei der Staat eine Beihilfe in unterschiedlicher Form, als gewöhnliche Unterstützung, rückzahlbare Vorschüsse oder Zusatzunterstützung bis zu 42½% des Voranschlags, zu leisten sich verpflichtete.

Um dem Handel mit Baugenehmigungen entgegenzuwirken, brachte die Regierung 1848 einen Gesetzentwurf ein, der die vorläufigen Bewilligungen untersagte und den Unternehmern eine 6%ige Kapitalsverzinsung zusicherte. Zugleich ließ sie Ermittlungen über den Bau von 4 großen, von Madrid ausgehenden Bahnen anstellen nach Frankreich, Portugal, Cadiz und einem Mittelmeerhafen. Obwohl der Entwurf nicht Gesetz wurde, dienten seine Grundsätze doch als Richtschnur für die Verwaltung.

1850 erschien ein neuer Gesetzentwurf, der die Eisenbahnen in solche allgemeiner und solche örtlicher Wichtigkeit einteilte, für jede Baugenehmigung ein besonderes Gesetz verlangte und eine Zinsgewähr von höchstens 6% vorsah. Auch diese Vorlage blieb Entwurf, es wurde dann 1851 ein vorläufiges Gesetz erlassen, das 6% Zinsgewähr vorsah, aber die Unternehmer verpflichtete, der Zinsgewähr zu entsagen, wenn das endgültige Gesetz sie verweigern sollte. Die politischen Wirren verhinderten die Annahme des Gesetzes, die Regierung wandte indessen seine Bestimmungen eigenmächtig auf die Bahnen Madrid-Aranjuez und Madrid-Irun an. Einen weiteren, sich an belgisches Vorbild anlehnenden Gesetzentwurf bereitete der Minister der öffentlichen Arbeiten Reinoso vor, der aber auch nicht beraten, trotzdem jedoch von der Regierung für rechtsgültig erklärt wurde, die auf ihn gestützt mit dem bekannten Finanzmann José Salamanca zur Erbauung der Bahnen Madrid-Miranda- und Miranda-Burgos Verträge abschloß, die aber später hinfällig wurden. Gleichzeitig kaufte die Regierung die Linie Madrid-Aranjuez und baute für Rechnung des Staates die Linien Malaga-Almodovar del Rio, Socnellasnos-Cuidad Real und Sevilla-Cadiz. Der Betrieb wurde der Salamanca-Eisenbahn auf 5 Jahre verpachtet. Um sich die nötigen Mittel zu verschaffen, gab sie ferner „Aktien der Eisenbahnen und Straßen“ aus und erteilte trotz des Widerspruchs des königlichen Rates weitere Baugenehmigungen mit Unterstützungen oder Zinsgewähr von 6%. Allein dieses und weiteres ungesetzliches Verhalten der Regierung regte die öffentliche Meinung in hohem Grade auf und führte wesentlich mit zur Revolution von 1854. Die neue Regierung beschäftigte sich alsbald wieder mit der Eisenbahnfrage. Zuvörderst setzte sie einen Ausschuß ein zur strengen Untersuchung der seitherigen Genehmigungs- und Vertragswirtschaft. Er erklärte die meisten Bewilligungen für nichtig, die anderen wurden durch besondere Verordnungen geregelt.

Ein Ausschuß wurde mit Ausarbeitung eines Gesetzentwurfs über Eisenbahnen betraut. Das von ihm unterm 3. Juni 1885 vorgelegte Gesetz bestimmte folgendes:

1. Die Eisenbahnen werden eingeteilt in solche allgemeiner und solche besonderer Bedeutung. Von den ersteren sind die von Madrid ausgehenden Hauptbahnen erster Ordnung und sollen als Bestandteil des Staatseigentums behandelt werden.

2. Die Genehmigung von Linien, die vom Staat oder Privaten gebaut werden, kann nur die Regierung aussprechen mit Bewilligung von Unterstützung oder Zinsengewähr. Genehmigungen sind Gegenstand öffentlichen Zuschlags, ihre Dauer ist bei Hauptbahnen 99 Jahre und ihr hat eine Haftgeldbestellung von 1% des Anschlags vorherzugehen.

3. Die Spurweite der Hauptbahnen beträgt 1·674 *m*.

4. Die Tarife setzen sich aus Wegegeld und Beförderungsgebühr zusammen.

5. Die Bauausführung hat auf Grundlage der von Staatsbaubeamten oder von Gesellschaften aufgestellten Pläne zu erfolgen.

Dieses Gesetz bildet die Grundlage für spätere Eisenbahngesetze ebenso wie eine am 14. November 1855 erlassene Polizeiverordnung für ähnliche Verordnungen.

Die Revolution von 1868 änderte vorübergehend wieder alles, dem Eisenbahnbau wurden die vollsten Freiheiten gewährt, dagegen die den Gesellschaften bewilligten Unterstützungen aufgehoben. Doch schon ein Gesetz von 1870 billigte wieder kilometrische Beihilfen bis zu 60.000 Franken zu.

[1] 1 Pesetas = 0·80 M. = 0·95 Kr.

Anfangs war es englisches Geld, später auch französisches, das unter anscheinend günstigen Bedingungen zum Eisenbahnbau herangezogen wurde. Die Regierung entschloß sich auch noch zur Gewährung weitgehender Steuer- und Zollbefreiungen. Letzteres schien geboten, weil in Spanien weder Eisenbahnbau-, noch rollendes Material erzeugt wurde. Den Genehmigungsanträgen war zu diesem Zweck ein Verzeichnis der einzuführenden Gegenstände, ihr ungefährer Wert, Gewicht, etwaige Höhe des Zolles und Angabe des Einfuhrhafens beizufügen. Die Zollbefreiung für festes und rollendes Material erstreckte sich auf 10 Jahre nach Vollendung des Baues. Die Gesellschaft hinterlegte den Zoll, doch war das Erstattungsverfahren langwierig.

Durch ein Ges. vom 31. Dezember 1891 wurden alle früheren Verordnungen über Zollbegünstigungen aufgehoben und wesentlich abgeänderte Vorschriften über die Verzollung einzuführender Eisenbahnmaterialien erlassen.

Das Genehmigungswesen lag in den ersten Jahrzehnten des spanischen Eisenbahnbaues ziemlich im argen. Viele Genehmigungen wurden planlos nachgesucht und erteilt, oft gar nicht oder nur stückweise, meist zunächst die leichtesten Strecken verwirklicht. Schon in den Sechzigerjahren des vorigen Jahrhunderts hatten der Mangel einer namhaften Industrie und politische Wirren viele Unternehmungen trotz oder vielleicht gerade wegen der verhältnismäßig hohen Genehmigungstarife in eine mißliche Lage gebracht. Um aber einem Bankrott der Eisenbahnen vorzubeugen, verfügte das Cortesgesetz vom 12. November 1869, daß Eisenbahngesellschaften, die Zinsen- und Tilgungsbeträge zu zahlen nicht in der Lage seien, den Gläubigern einen Vergleich (convenio) anbieten können durch Vermittlung des Gerichts, das entsprechende Fristen zur Erklärung der Gläubiger festsetzt. Häufig kam es der hohen Kosten wegen auch zum außergerichtlichen Vergleich. Aber auch wenn die Gesellschaft für bankbrüchig erklärt wird, darf der Betrieb doch keinesfalls unterbrochen werden.

1856 wurde einem Pariser Finanzmann die Genehmigung für den Bau der nordspanischen Eisenbahn erteilt, d. h. für die Hauptlinie Madrid-Irun nebst Zweigbahn Venta de Bagnos-Alar del Rey. Diese erste Bahn nach Frankreich wurde am 15. August 1864 bis Irun eröffnet. Die nordspanische Eisenbahn dehnte ihr Netz aus, geriet aber in Geldschwierigkeiten. Es gelang ihr jedoch, sich emporzuarbeiten, so daß sie 1885 das ganze Netz der asturischen, galicischen und der Eisenbahnen bei Leon an sich bringen, bald nachher auch die französische und katalonische Inhabergruppe von Aktien mit sich vereinigen konnte. Die spanische Nordbahn (s. d.) hatte als Hauptwettbewerberin zunächst die Tarragona-Barcelona Francia- und die Almansa-Valencia-Tarragona-, sodann die Madrid-Saragossa-Alicante-Eisenbahn, es kam aber im Lauf der Jahre zu Verständigungen, besonders als eine Gesellschaft der großen spanischen Zentralbahn auftrat. Die erstgenannten Bahnen wurden von der spanischen Nordbahn erworben. Die Grundlage der großen spanischen Zentralbahn aber bildeten die Madrid-Caceres-Portugal-Eisenbahn und die spanische Westbahn. Bei beiden war die königlich portugiesische Eisenbahngesellschaft beteiligt (s. Portugiesische Eisenbahnen).

Um das Jahr 1895 hatten sich die spanischen Eisenbahnverhältnisse einigermaßen gefestigt und es hatten sich die 4 großen spanischen Eisenbahnnetze gebildet, deren Gesellschaften noch heute die Hauptverkehrsbeziehungen Spaniens regeln.

b) Die neuere Zeit.

In den Jahren 1876 und 1877 wurden die Grundlagen für den Begriff der öffentlichen Arbeiten und was damit zusammenhängt in Spanien gesetzlich festgelegt. Darnach sind öffentliche Arbeiten entweder allgemeine, oder provinziale, oder Gemeindearbeiten. Zu den allgemeinen öffentlichen Arbeiten gehören die Eisenbahnen von nationaler Bedeutung und die übrigen Eisenbahnen von allgemeiner Bedeutung hinsichtlich der Bewilligung überhaupt, der Prüfung und Genehmigung der Entwürfe, der Aufsicht und Sicherheit. Die öffentlichen Arbeiten können ausgeführt und ausgebeutet werden entweder durch die Verwaltung, d. h. durch den Staat, die Provinz, die Gemeinde, oder durch Vertrag, d. h. durch Übertragung der Arbeiten an einen Dritten. Die öffentlichen Arbeiten unterstehen einer Generaldirektion, die dem Ministerio di fomento, d. h. dem Ministerium für Volkswohl angehört.

Die Eisenbahnen werden in der Regel durch Privatunternehmungen gebaut, aber unter Mitwirkung des Staates. Letztere kann bestehen 1. in einem Zuschuß zum Bau, 2. in der Einreihung der Eisenbahnen in das öffentliche Eigentum und der Erklärung des öffentlichen Nutzens für die Enteignung, 3. in der Verleihung der Baubewilligung, 4. in der Regelung des Betriebs, der Polizei u. s. w.

Die Bestimmungen über Bahnbau, Betrieb und Polizei finden sich in dem noch gültigen Eisenbahngesetz vom 23. November 1877 und in dem Polizeigesetz vom gleichen Tage sowie in den zugehörigen Ausführungsbestimmungen vom 24. Mai und 8. September 1878. Nach dem Gesetze werden die Eisenbahnen eingeteilt in Linien für den allgemeinen Dienst und für besondere Zwecke. Die ersteren sind für die Beförderung von Personen und Gütern, die letzteren ausschließlich für private Zwecke bestimmt. Dem Bau hat ein Genehmigungsgesetz vorherzugehen.

Voraussetzung für jede Bewerbung um eine Eisenbahnlinie ist, daß sie in den von der Regierung aufgestellten Generalplan aufgenommen ist oder durch besonderes Gesetz aufgenommen wird. Dieser gesetzlich festgelegte und nur gesetzlich abänderbare Generalplan ist eine Besonderheit der spanischen Eisenbahnen. Ursprünglich wohl aufgestellt, um die Baulust anzuregen und den einzelnen Landesteilen die Fürsorge der Regierung vor Augen zu führen, hat er sich in seiner gesetzlichen Starrheit dem Eisenbahnbau eher hinderlich als förderlich erwiesen.

Will ein Unternehmer eine Bahnlinie bauen, so hat er sich mit seinen Vorschlägen unter Aufbringung einer dem Voranschlag entsprechenden Hinterlegungssumme von 1,3,5 % an die Regierung zu wenden. Diese trifft mit dem Unternehmer ein vorläufiges Übereinkommen und sucht bei den Cortes um die zuständige Ermächtigung nach. Diese Ermächtigung ist indes noch keine endgültige, weil der Zuschlag von Eisenbahnen wie der aller öffentlichen Bauten an den Meistbietenden bzw. Wenigstfordernden zu geschehen hat. Die Unternehmer können aus öffentlichen Mitteln Unterstützung erhalten, indem sie entweder mit solchen bestimmte Bauten ausführen, oder in bestimmten Fristen einen Teil des aufgewendeten Kapitals als Zuschuß, oder die Benutzung bereits bestehender Bauten zu Eisenbahnzwecken eingeräumt erhalten, oder endlich durch Bewilligung von Steuerbegünstigung. Als Grundlage für die Ausbietung und den Zuschlag dient die vom Gesetz bestimmte Beisteuer, auf deren Unterbietung sich die Steigerer einzurichten haben. Die Genehmigung wird höchstens auf 99 Jahre erteilt, nach deren Ablauf die Bahnen an den Staat heimfallen sollen.

Wird eine Gesellschaft aus irgend einem Grund aufgelöst, sei es freiwillig oder unfreiwillig, so ergreift der Verkehrsminister von der Eisenbahn mit allem Zubehör Besitz und übernimmt den Betrieb durch einen Verwaltungsrat, in dem die Aktionäre, Hypothekeninhaber und die Gläubiger der Unternehmer Vertretung finden. Zwangsvollstreckung in das bewegliche oder unbewegliche Eigentum der Eisenbahnen ist verboten.

Auch die Befugnis, eine Eisenbahn zu betreiben, ist Gegenstand öffentlicher Ausbietung, doch betreiben eine Eisenbahn im allgemeinen diejenigen, die die Baugenehmigung erhalten haben.

Diese auf dem Gesetz von 1877 beruhenden Bestimmungen haben in den Jahren 1881 und 1883 einige wesentliche Abänderungen erfahren, die wohl auf den Einfluß der bestehenden großen Privateisenbahngesellschaften zurückzuführen sind. Nach Art. 2 der königlichen Verordnung vom 10. Juni 1881 wurde die Bestimmung, daß die für eine Bahnlinie beantragte Staatsunterstützung für eine Bahn des allgemeinen Dienstes nur auf Grund öffentlicher Ausschreibung genehmigt wird, dahin abgeändert und eingeschränkt, daß diese Ausschreibung nicht von Amts wegen zu veranlassen ist, sondern nur erfolgen darf, wenn sie von privater Seite beantragt wird unter gleichzeitiger Hinterlegung der gesetzlichen Sicherheit von 1 % des Kostenanschlags. Ein Ges. vom 16. August 1883 hob die Bestimmung der Ausführungsverordnung vom 24. Mai 1878 auf, wonach dem Urheber des ausgebotenen Entwurfs unter bestimmten Voraussetzungen gestattet war, in das Bestgebot einzutreten. Es liegt auf der Hand, daß namentlich die letztgenannte Einschränkung wenig geeignet war, zur Anregung von Eisenbahnbauten zu ermutigen. Diesem Umstand wird es mit zuzuschreiben sein, daß manche vom Verkehrsbedürfnis geforderte, wichtige Eisenbahnlinien noch heute der Ausführung harren, zum Vorteil der bestehenden Bahnen, denen dadurch ein lästiger Wettbewerb erspart wurde. Den hierdurch erwachsenen offenbaren Übelständen abzuhelfen, entschloß sich die Regierung durch ein Ges. vom 25. Dezember 1912. Darnach soll neben dem bestehenden Generalplan ein „Sonderplan zur Ergänzung des Hauptbahnnetzes" angelegt werden. In diesen werden die Hauptbahnlinien aufgenommen, die von besonderer Verkehrsbedeutung sind, zur Abkürzung der im Betrieb befindlichen Linien dienen, aus Rücksichten der Landesverteidigung gefordert werden müssen, oder die geeignet sind, wichtige Hafenorte untereinander oder mit dem Landesinnern zu verbinden. Dieser Ergänzungsplan wird ebenso wie der Hauptgeneralplan in Gruppen eingeteilt. Bestimmend für die Zusammenfassung der einzelnen Gruppen ist aber im Gegensatz zum Generalplan nicht nur die geographische Lage der einzelnen Linien zur Hauptstadt Madrid, als vielmehr ihr Verkehrswert. Als erste Gruppe des Ergänzungsplans sind folgende Linien vorgesehen:

1. Von Zamora nach Orente am Minho, wodurch Madrid eine erheblich verkürzte Verbindung nach der Küste des Atlantischen Ozeans, besonders dem Handelshafen Vigo erhält.
2. Von Segovia nach Burgos über Aranda am Duero, wodurch der Weg nach Bilbao, San Sebastian

und Südfrankreich wesentlich abgekürzt wird und der spanischen Nordbahn ein starker Wettbewerb droht, wenn sie nicht selbst den Bau der Linie zugeschlagen erhält.

3. Von dem bedeutenden Eisenbahnknotenpunkt Medina del Campo nach Benevente, wodurch ebenfalls die Verbindung nach dem Atlantischen Ozean verbessert wird.

4. Von Cuenca, dem Endpunkt der von Madrid über Aranjuez kommenden Stichbahn, nach Utiel zum Anschluß an die Bahn nach Valencia. Der Weg von Madrid nach Valencia wird hierdurch so bedeutend abgekürzt, daß die sehr erheblichen Baukosten durch die zu erwartenden Verkehrseinnahmen voraussichtlich reichlich werden aufgewogen werden. Es ist sogar zur Erwägung gestellt, direkt von Madrid nach Utiel eine neue Linie zu bauen, was den Weg nach Valencia noch weiter kürzen würde.

5. Von Soria nach Castejon, einer Teilstrecke der bereits durch Ges. vom 25. Juni 1911 genehmigten, aber nicht zur Ausführung gekommenen Bahn von Soria nach Sanguesa am Südfuß der Pyrenäen.

6. Von Lerida nach St. Girons, Station der französischen Südbahn, soweit die Linie auf spanischem Gebiet liegt. Der Pyrenäentunnel soll den Paß von Salau unterfahren.

Die Frage eines Pyrenäendurchstichs spielt schon viele Jahre. 1864 wurden spanische Ingenieure nach Frankreich gesandt, um die Sache zu studieren. Ein königliches Dekret vom 14. Oktober 1881 genehmigte den Bau einer Bahn von Huesca nach der französischen Grenze durch den Col de Somport bei Confranc. Die Bahn wurde 1893 bis Jaca eröffnet. Zum Pyrenäendurchstich kam es damals nicht, da der Plan auf Widerspruch stieß bei den Verfechtern der Bahn durch das Val Noguera Pallaresa mit Tunnel bei Salau. Spanien stimmte 1889 auch diesem Plan zu. 1907 kam es zum Staatsvertrag darüber zwischen Spanien und Frankreich, der im Gesetz vom 25. Dezember 1912 niedergelegt ist. Näheres bei Decomble (s. Literatur). Hiermit in Verbindung stehen noch verschiedene weitere wichtige Baupläne. Als der Präsident Poincaré am 10. Oktober 1913 seinen amtlichen Besuch in Cartagena abstattete, wurde vereinbart, daß die Confrancbahn normalspurig und daß eine neue Bahn Saragossa-Caminreal gebaut werden sollte zur Herstellung einer direkten Verbindung französische Grenze-Valencia, auf die Frankreich wegen des Weges nach Algier hohen Wert legte. Infolge der politischen Wirren wurde die Ausführung aufgehalten. Da erschien plötzlich im spanischen Staatsblatt vom 27. Januar 1914 die Nachricht, daß eine Abteilung des Ausschusses für transpyrenäische Eisenbahnen beauftragt sei, schleunigst einen Vorentwurf für eine normalspurige, zweigleisige, elektrisch zu betreibende Bahn Madrid-französische Grenze auszuarbeiten, um eine allerschnellste und unmittelbare Verbindung mit Frankreich zu schaffen. Sie soll vom Staat gebaut und betrieben werden, als Schule für Eisenbahnpersonal und für Kriegszwecke dienen, also Truppentransporte ohne Umladung ermöglichen. Anschluß an die im Umbau für elektrischen Betrieb befindliche französische Südbahn soll größtmögliche Zugfolge sichern. Die Linie Saragossa-Caminreal ist inzwischen genehmigt und gebaut und da die in letzter Zeit im Bau geförderte Verbindung Jaca-Confranc durch den Tunnel von Somport im Jahre 1915 fertiggestellt sein sollte – ob es geschehen, war wegen des Krieges nicht festzustellen – so würde dadurch eine direkte Verbindung Paris-Valencia geschaffen sein, die etwa 100 *km* kürzer ist wie die bisherige über Miranda. Es ist anzunehmen, daß die meisten dieser neuen Linien, soweit sie den Anschluß nach Frankreich haben, normalspurig gebaut werden sollen. Die Beseitigung der überlebten und für den Durchgangsverkehr immer lästiger werdenden spanischen Breitspur und ihre Ersetzung durch Normalspur ist in den letzten Jahren zwar in Anregung, aber über die Erörterung des Kostenbedarfs kaum hinausgekommen. Nur bei einigen, die Fortsetzung der aus Frankreich kommenden direkten Linien bildenden Bahnen nimmt man an, daß sie umgebaut oder bei Neubauten gleich normalspurig angelegt werden, so die Verbindung Madrid-Valencia, namentlich eine etwaige direkte Bahn Madrid-Utiel und die nach Algeciras führende Linie der andalusischen Bahnen, ein Glied der großen Linie Paris-Algeciras-Fez. Übrigens hat ein Abgeordneter die Regierung ersucht, die Frage einer allgemeinen Einführung der Normalspur zu prüfen, und die Regierung hat schleunige Prüfung zugesagt.

Von Gesetzen, die die Verwaltung der Eisenbahnen betreffen, ist hier hervorzuheben ein Gesetzentwurf vom Jahre 1912 über die Beziehungen der Eisenbahngesellschaften zu ihrem Personal. Er enthält Vorschriften über Schiedsgerichte, bedroht den Streik mit Verlust aller persönlichen und vermögensrechtlichen Ansprüche des Personals, soweit nicht höhere Strafen verwirkt sind, und macht die Wiederannahme vom Urteil des Arbeiterausschusses abhängig. Hierbei sind aber diejenigen ausgeschlossen, die ihre Streitfragen nicht zunächst vor den Ausschuß gebracht haben. Der Entwurf enthält außerdem Strafbestimmungen gegen den Betrieb hindernde Sachbeschädigung (Sabotage). Wird dabei ein Mensch verletzt, so tritt Gefängnisstrafe (bagno) ein; die Höchststrafen werden gegen solche Personen angedroht, die nicht Eisenbahner sind, was vom Gesichtspunkt der Disziplin aus zu beanstanden ist.

Gegen diesen Gesetzentwurf, der in erster Linie Ausständen vorbeugen sollte, erhob sich lebhafter Einspruch. Die Konservativen verwarfen ihn, weil sie den Eisenbahnerstreik als Kraftprobe herbeiwünschten, die Gesellschaften, weil sie eine übermäßige Belastung befürchteten und die Verhältnisse ihres Personals selbst regeln wollten, wohl mit dem Hintergedanken, durch Zugeständnisse an dieses eine Verlängerung ihrer Genehmigung zu erzielen. Die Republikaner bekämpften verzweifelt das Streikverbot, da ihnen der Eisenbahnerverband als Kampfmittel dienen sollte. Wie die Entscheidung gefallen ist, ist nicht bekannt geworden.

c) Der gegenwärtige Zustand.

Die Mißstände im Eisenbahnwesen scheinen in den letzten Jahren erfolgreich bekämpft worden zu sein und scheinen eine günstigere Entwicklung der S. bewirkt zu haben. Ende 1914 waren in Spanien im ganzen 15.205 *km* Eisenbahnen im Betrieb, darunter etwa $^1/_3$ Nebenbahnen. Die Herstellungskosten betrugen f. d. *km* im Durchschnitt:

	km	Pesetas
Spanische Nordbahn . . .	3692	312.964
Madrid-Saragossa-Alicante-Eisenbahn	3683	270.893
Andalusische Eisenbahnen .	1083	248.747
Madrid-Caceres-Portugal-Ges.	429	222.677
Plasencia-Astorga-Ges. . . .	348	290.828
Spanische Südbahn	332	341.193

Abgesehen von den Gesellschaften unter 1 – 3 waren die Eisenbahnen in Spanien bis in die neuere Zeit nichts weniger als ertragsreich. Außer den genannten Bahnen gibt es in Spanien noch eine große Anzahl kleinerer und kleinster Bahnen, nach französischen Quellen 81 – 208 Eisenbahngesellschaften, doch sind in letzterer Zahl die Klein- und Trambahnen zweifellos mitenthalten. Die Madrid-Saragossa-Alicante-Bahn zahlt seit 1902, die Nordbahn seit 1908 Gewinnanteile. Abgesehen von der Armut des Landes lag die Ursache der geringen Ertragsfähigkeit einmal in der Höhe der ersten Anlagekosten bei meist großen Geländeschwierigkeiten und dann sehr wesentlich darin, daß die Gesellschaften alle Abgaben an den Staat in Gold leisten müssen, während sie ihre Einnahmen in entwerteten Peseten bezogen. Hierzu kommt, daß die großen Linien der zubringenden Nebenbahnen und Landstraßen entbehrten. Hierin ist nun in den letzten Jahren eine wesentliche Besserung eingetreten. Das Nebenbahnenwesen beginnt sich zu heben, wie am Schluß dieses Artikels gezeigt werden wird. Einige Jahre vor Ausbruch des Weltkriegs waren die Einnahmen der Hauptlinien sehr wesentlich in die Höhe gegangen. Die Nordbahn hatte 1912 und 1913 24% Dividende verteilt, die Madrid-Saragossa-Bahn 1913 desgleichen. Von 1909 1913 stiegen die Eisenbahneinnahmen in Spanien durchschnittlich jährlich um 13 Mill. Pesetas. Der Krieg brachte vorübergehend einen Rückschlag, einzelne kleinere Bahnen mußten den Betrieb sogar einstellen, die Nordbahn und die Madrid-Saragossa-Bahn konnten 1914 noch 15% Gewinnanteil zahlen, für 1915 sind für die Aktie 18% verteilt worden. Der Grund der Steigerung lag fast ausschließlich in der Hebung des Güterverkehrs und dem Darniederliegen der Küstenschiffahrt infolge des Krieges. Letzterer beeinflußte auch die Ausgaben durch Steigerung der Kohlen- und Materialienpreise, doch halten sich die Ausgaben infolge niedriger Löhne und bedürfnisloser Einrichtungen im allgemeinen so niedrig, daß die Betriebszahl 50 kaum überschritten wurde.

2. Bau.

Die vorwiegend gebirgige Beschaffenheit des Landes brachte es mit sich, daß viele kostspielige Kunstbauten erforderlich wurden. Bis auf die neuere Zeit hat man wenig darauf gesehen, den Mittelpunkt des Landes mit den äußeren Grenzbezirken, besonders mit den Häfen zu verbinden, obwohl sich dort die Hauptgewerbebetriebe befinden und das gewerbliche Leben Spaniens abspielt. Auch der beliebte Weg, den Bau durch kilometrische staatliche Unterstützungen zu fördern, hat schädlich gewirkt, indem man die Längenentwicklung der Bahnen über Bedarf ausdehnte, um die größere Unterstützung einzustecken. So z. B. beträgt bei der Strecke Madrid-Coruna die Eisenbahnlinie 831 *km*, die Kartenlinie 630 *km*, bei Madrid-Sevilla 500 bzw. 320 *km*, Madrid-Irun 633 bzw. 450 *km* u. s. w., wobei die vielfach vorhandenen Geländeschwierigkeiten die künstliche Längenentwicklung doch nicht rechtfertigen. Andererseits harren noch weite Gebiete des Eisenbahnaufschlusses. Die Küstenorte untereinander sind nur in wenigen Fällen durch Eisenbahnen verbunden. An Kunstbauten seien unter den vielen Tunneln der 3074 *m* lange Tunnel bei Perruca, Linie Leon-Gijon, und der 2954 *m* lange Tunnel bei Oazazin an der Bahnstrecke Madrid-Irun erwähnt. Unter den Viadukten verdienen der bei La Chanca mit 283 *m* Länge, an der Bahn Palencia-La Carogna und der bei Ormairtegui an der Linie Madrid-Irun mit 284·4 *m* Länge genannt zu werden, unter den Brücken die beiden Brücken über den Guadiana von 564 *m* und 605 *m*, erstere auf der Linie Ciudad-Real-Badajoz, letztere auf der Linie Merida-Sevilla, beide mit je 11 Öffnungen. Die große Zahl tief eingeschnittener Flußtäler machte eine große Zahl von Brücken und anderen Kunstbauten erforderlich. Zu erwähnen ist die 172 *km* lange Bahnstrecke Leon-Gijon, auf der 58 Tunnel zu durchfahren sind. Dabei beträgt zwischen den Stationen Busdongo und Puente de los Fierros die geradlinige Entfernung 11 *km*, der Höhenunterschied 767 *m*, was eine Längenentwicklung der Bahnlinie von 42 *km* bedingt. Für die Bewältigung der ganzen 172 *km* langen Strecke braucht der Schnellzug 6½ Stunden. 1884 überschritten 5 Eisenbahnen den asturischen Gebirgszug: von Alsasua über den 658 *m* hohen Gebirgszug des Puerto de Idiogabal nach Guipuzcoa und Irun, von Miranda nach Bilbao, von Palencia durch das tiefe Tal des Besaya nach Santander, von Leon durch den Pajares nach Oviedo und über Montannas de Leon nach Corunna.

Die Steigungen bewegen sich zwischen 30‰ und 15‰, letztere bildet im allgemeinen die Regel.

Das Signalwesen ist wegen der verhältnismäßig geringen Zugfolge auf den S. weniger ausgebildet, früher gab es meist nur Einfahrtsignale; Morse- und mehr noch Zeigertelegraphen.

Der Oberbau besteht vorwiegend aus Vignolestahlschienen im Gewicht von 30 *kg/m*, die auf 2·8 *m* langen Schwellen aus Eichen- oder Fichtenholz ruhen. Die Anzahl der Querschwellen beträgt 7 auf eine Schienenlänge von 6 *m*, erhöht sich in den Krümmungen unter 400 *m*. Letztere gehen in der Regel nicht unter 300 *m*, ausnahmsweise bis auf 250 *m* Halbmesser herab.

In neuerer Zeit ist, besonders auf denjenigen Strecken, auf denen schnell fahrende Züge verkehren, ein schwererer Stahlschienenoberbau eingeführt worden (42 *kg*, seltener 35 *kg* Gewicht f. d. laufenden Meter).

Die meisten spanischen Bahnlinien sind von französischen Baumeistern ausgeführt und ähneln infolgedessen den französischen Bahnen.

3. Betriebsmittel.

Auch die Betriebsmittel der S. haben ihr Vorbild in Frankreich. Die Personenwagen sind des heißen Sommerklimas wegen meist doppelwandig. Auf größeren Durchgangslinien stehen die Personenwagen den besten Europas gleich.

Die Lokomotiven sind der Steigungsverhältnisse halber im allgemeinen von schwerer Bauart. Sie stammen gleich den Wagen meist aus Frankreich, z. T, sind auch englische, belgische und deutsche Lokomotivfabriken beteiligt.

Aus einem der letzterschienenen Annuario de Ferrocarriles stammen die nachstehenden relativen Ziffern über das rollende Material der S.:

392	Lokomotiven für	Personenzüge
1060	„ „	gemischte Züge
1141	„ „	Güterzüge

zusammen 2593 Lokomotiven mit nahezu 1,560.380 Pferdekräften. Hiervon sind 2198 Lokomotiven für spanische Normalspur und 395 für Schmalspur. Der Bau von Bahnen mit eigentlicher Normalspur (1·435 *m*) wird selbstverständlich auch den Lokomotiv- und Wagenbau beeinflussen.

Der Gesamtfuhrpark an Personenwagen betrug insgesamt 6334 Wagen mit 270.032 Plätzen.

An normalspurigen Güter- und Viehwagen waren vorhanden: 1943 Packwagen für Gepäck, 22.749 bedeckte Güter- und Viehwagen, 30.375 offene Güter- und Plattformwagen.

Die Schmalspurbahnen besaß: 305 Packwagen, 1316 bedeckte Güterwagen, 5669 offene Wagen.

Der Bestand an Spezialwagen beträgt 699, der gesamte Fuhrpark der S. besteht aus 61.351 Einheiten.

4. Betrieb.

Im allgemeinen weicht der Betrieb der S. insofern von dem anderer Länder ab, als der bauliche Zustand die Anwendung größerer Geschwindigkeiten vielfach verbietet. Auch ist die Zahl der Züge auf den einzelnen Linien häufig eine geringe. Nur auf den großen, nach Frankreich und Portugal führenden Linien verkehren gute Schnellzüge, die den französischen nicht nachstehen. Diese führen z. T. nur I. und II. Klasse, die Luxuszüge nur I. Klasse; in den Expreß- und Luxuszügen gibt es Speise- und Schlafwagen. Daneben gibt es Omnibuszüge I. – III. Klasse, die im wesentlichen den deutschen Personenzügen entsprechen, gemischte Züge mit II. und III. Klasse und Arbeiterzüge mit III. Klasse. Die Einrichtungen für den Personenverkehr auf den Bahnhöfen sind meist sehr einfacher Art. In neuerer Zeit ist man daran, Abhilfe zu schaffen, wohl auf Grund der königlichen Verordnung vom 6. Oktober 1905, die bestimmt ist, den Fremdenverkehr nach Spanien zu heben. Sie setzte einen besonderen Ausschuß ein, der unter dem Vorsitz des Ministers für Landwirtschaft, Handel, Industrie und öffentliche Arbeiten seine Tätigkeit auf folgende Punkte richten sollte: 1. Bekanntgabe im Ausland der besten Reisewege nach Spanien und der zweckmäßigsten Reiseeinteilung, 2. Schaffung besserer Eisenbahntarife und bequemerer Züge, 3. Verbesserung der spanischen Gasthofsverhältnisse und 4. Verbreitung im Ausland von Veröffentlichungen über die Sehenswürdigkeiten Spaniens. Zur Deckung der dem Ausschuß erwachsenden Kosten sollte ein Betrag im Staatshaushalt ausgeworfen werden.

5. Verkehr und Tarifwesen.

Die Personentarifsätze sind im allgemeinen auf den S. einheitlich. Die Einheitssätze sind 12 Ct. für die I. Kl., 9 Ct. für die II. Kl., 5·4 Ct. für die III. Kl. Rückfahrkarten bestehen nicht, wohl aber Vergünstigungen durch Kilometer- und Rundreisehefte, die z. T. auf die Hälfte des einfachen Preises herabgehen. Es kosten:

km	Einfache Fahrt		Kilometerhefte		Rundreisehefte	
	I. Kl.	II. Kl.	I. Kl.	II. Kl.	I. Kl.	II. Kl.
1500	187·50	146·25	–	–	129·90	97·70
2000	250	195	173·60	127·80	162·10	126·25
2600	325	253·50	225·35	165·55	189·70	148·30
3200	400	312	277·10	203·50	216·15	170·15
3800	475	370·15	328·35	241·45	246·05	192
4400	550	429	365·45	274·35	267·90	211·55
5000	625	487·50	403·60	305·85	288·60	227·65
6000	750	585	470·30	350·90	311·60	247·20

Zu erwähnen ist noch, daß die meisten größeren Bahnen Stadtgeschäftsstellen haben, die die Abfertigung, auch des Gepäcks, wesentlich erleichtern, und daß zur Sicherheit der Reisenden, namentlich in den weniger bevölkerten Gegenden, die Züge durch Gendarmerie begleitet werden, die den anerkennenden Spitznamen la benemerita führt.

Bezüglich der Gütertarife besteht bei den S. keine Einheitlichkeit. Sie werden bei jeder Baugenehmigung von der Regierung in den Höchstsätzen nach den fallweisen Verhältnissen festgesetzt, so daß auf den verschiedenen Strecken derselben Gesellschaft abweichende Frachtsätze gelten können. Im übrigen haben die Gesellschaften freie Hand, gesetzlich sind sie berechtigt, Wege- (Bahn-) Geld und den eigentlichen Beförderungspreis zu erheben. Dem Mangel an Einheit im Tarifwesen wollte das königliche Dekret vom 26. Juni 1882 abhelfen. Es berief einen Ausschuß, dem Senatoren, Cortesmitglieder, Vertreter der Eisenbahngesellschaften und Staatsbeamte angehörten. Sein Bericht vom Sommer 1884 schlägt Erhöhung des Einflusses der Regierung auf die Gesellschaften und Verstärkung des Aufsichtspersonals vor. Es wird Prüfung des Anlagekapitals der Eisenbahnen gefordert, um darnach die Angemessenheit der Tarifsätze beurteilen und diese möglichst einheitlich gestalten zu können. Auch die Einführung einer einheitlichen Güterklasseneinteilung wird empfohlen. Ermäßigungen der Höchstsätze sind der Regierung anzuzeigen.

Spezialtarife zwischen 2 Stationen sollen auf die zwischenliegenden Stationen derart einwirken, daß nie der Satz für eine kürzere Strecke höher ist als der für eine längere, ausgenommen bei der Schiffahrt und bei den ausländischen Verbandverkehren. Bei letzteren sollen die Tarife von der Regierung bezüglich ihres Einflusses auf die wirtschaftlichen Verhältnisse des Inlands nachgeprüft werden, wobei Änderungen verfügt werden können. Zulässig sollen Verträge sein über Beförderung bestimmter Gütermengen zu verabredeten Preisen. Solche Zugeständnisse sollen aber auch anderen zu gute kommen, die sich den betreffenden Vertragsbedingungen unterwerfen. Der Ausschuß befürwortete auch eine genügende Veröffentlichung der Tarife. Inwieweit seine Vorschläge Geltung gewonnen haben, ließ sich nicht feststellen.

6. Nebenbahnen.

Neben den Hauptbahnen werden in Spanien noch Sekundär-, ökonomische und sog. strategische Bahnen unterschieden. Als Sekundärbahnen werden die Zuleitungslinien zu den Hauptlinien, die einem bedeutenden Verkehr dienen sollen, bezeichnet. Sie haben z. T. die spanische Normalspur von 1·674 *m*, meist aber eine bis unter 1 *m* herabgehende Spurweite. Für die Bemessung der letzteren sind die Geländeverhältnisse und die Kostenfrage maßgebend. Zu den ökonomischen Eisenbahnen rechnen die Linien, die vorwiegend dem Ortsverkehr zu dienen haben. Ihre Spurweite darf nicht mehr als 1 *m* betragen und die Anlagekosten sollen möglichst niedrig gehalten werden. Das spanische Neben- und Kleinbahngesetz vom 26. März 1908 hatte diesen Gegenstand geregelt, jedoch ohne den erhofften Erfolg. Zwar konnten von den 10.000 *km* des zum Gesetz gehörenden Generalplans mehr als die Hälfte zur Ausführung genehmigt werden, auch fehlte es nicht an Gesuchen um Aufnahme neuer Linien in den Generalplan. Allein diese Erfolge waren nur scheinbare, es stand die zu einer Änderung des Gesetzes drängende Tatsache gegenüber, daß von den genehmigten 5254 *km* nur 88 *km* in Angriff genommen wurden, die übrigen Genehmigungen aber ihren Erwerbern nur zur Erlangung von Abfindungssummen dienten. Zur Behebung letzteren Übelstandes hatte im Jahre 1911 der Verkehrsminister einen Gesetzentwurf eingebracht, der an die Stelle des im geltenden Gesetz vorgesehenen privaten Ausbietungsverfahrens mit Staatsunterstützung grundsätzlich die Erbauung der Neben- (Klein-) Bahnen durch den Staat vorsah. Dieser Entwurf hat die Zustimmung der gesetzgebenden Körperschaften nicht gefunden. Unterm 23. Februar 1912 wurde ein Abänderungsnachtrag zum Gesetz von 1908 eingebracht und angenommen, der bestimmt ist, die hauptsächlichsten Mängel des letzteren zu beseitigen. Grundsätzlich ist auch bei den Nebenbahnen an dem staatlich aufgestellten Generalplan festgehalten, nur den in diesem enthaltenen Linien wird staatliche Zinsbürgschaft zugesichert bis zur Höhe von 5% des Baukapitals. Hierbei muß jedoch der Unternehmer im Fall der

Unterwirtschaft den Fehlbetrag zwischen der Roheinnahme und den Betriebskosten ausschließlich selbst tragen. Als Neben- (Klein-) Bahnen im Sinn des Gesetzes sind alle Bahnen anzusehen, die dem öffentlichen Verkehr dienen, mit Maschinen betrieben werden und im ersten Kapitel des Eisenbahngesetzes vom 23. Februar 1877 nicht erwähnt sind. Hierdurch ist ihr Begriff gesetzlich festgelegt. Bei den strategischen Bahnen überwiegt die militärische Bedeutung die für den öffentlichen Verkehr, anderseits sind auch Nebenbahnen ohne staatliche Zinsbürgschaft zugelassen. Die im Gesetz von 1908 allgemein auf 1 *m* festgesetzte Spurweite soll nach dem neuen Gesetz von Fall zu Fall bestimmt werden. Auf Antrag der Provinzial- und Kommunalbehörden dürfen unter besonderen Voraussetzungen weitere Linien von örtlicher oder allgemeiner Bedeutung in den Generalplan aufgenommen werden. Der Verkehrsminister kann ebenso wie jeder Privatunternehmer die Ausführung von Vorermittlungen für eine oder mehrere Linien veranlassen, um die Unterlagen für die Bau- und Betriebsbedingungen und einen Kostenanschlag zu erlangen. Auf Grund der Ergebnisse wird ein Wettbewerb unter denjenigen veranstaltet, die Entwürfe für die betreffende Nebenbahn bearbeitet haben. Aus letzteren wählt die Regierung den ihr am bauwürdigsten scheinenden aus und legt ihn der nun vorzunehmenden öffentlichen Ausbietung zu grunde. Dieses an manchen Bedenken leidende Ausbietungsverfahren ist also beibehalten. In demselben wird auf Grund der eingereichten Angebote über die Höhe der Zinsbürgschaft, die Genehmigungsdauer und den Betriebskoeffizienten verhandelt, ein Verfahren, das nicht ein gesundes genannt werden kann. Der Bestbieter, d. h. der den geringsten Prozentsatz für die Staatsbürgschaft, die geringste Genehmigungsdauer verlangt und die für die angenommene Ertragsberechnung günstigste Betriebszahl angibt, erhält den Zuschlag, der Eigentümer des der Ausbietung zu grunde gelegten Entwurfs ist berechtigt, in das Bestgebot einzutreten. Lehnt er dies ab, so hat ihm der Bestbieter die vor Eintritt in das Verfahren festgesetzte Entschädigung für seine Aufwendungen zu zahlen. Auch die beteiligten Gemeinden und Kreise sind berechtigt, in das Bestgebot einzutreten. Nach längstens 99 Betriebsjahren fällt die Bahn an den Staat, der berechtigt ist, die Bahn gegen festzustellende Entschädigung in einer bei der Genehmigung festzusetzenden kürzeren Frist zu erwerben. Das Heimfallrecht wird übrigens nur in wenigen Fällen für den Staat von Vorteil sein, weil die Nebenbahnen nur selten sich genügend verzinsen, geschweige ihr Anlagekapital innerhalb der Heimfallfrist getilgt haben werden.

Von den Bestimmungen, die für alle Neben- (Klein-) Bahnen gelten, sind noch zu nennen: Das Enteignungsrecht, die 10jährige Befreiung von der Transportsteuer, die Benutzung öffentlicher Anlagen und andere Erleichterungen, die gewährt werden können. Bau und Betrieb werden vom Staat überwacht. Das Heimfallrecht umfaßt den kostenlosen Übergang in das Eigentum des Staates.

Schließlich möge erwähnt werden, daß der Stadt Madrid der Bau einer 4 Linien umfassenden Untergrundbahn genehmigt ist.

7. Aufsichts- und Verwaltungsbehörden.

Die Oberaufsicht über die S. liegt in der Hand des Ministerio di fomento. Es ist zuständig für die Genehmigung der Hauptbahnen, soweit sie im Generalplan stehen. Darüber hinaus entscheiden die Cortes. Neben dem Ministerium stehen dem königlichen Rat bezüglich der Eisenbahnen gewisse Befugnisse zu. Die Baupläne prüft der Minister, die Bauaufsicht erfolgt durch die staatlichen Baubehörden. Nach der Polizeiordnung vom 23. November 1877 werden Verstöße der Genehmigungsträger oder Pächter gegen das Bedingnisheft oder andere Verordnungen mit Geldstrafen von 250 – 2500 Pesetas geahndet. Sie werden vom Statthalter der beteiligten Provinz verhängt und können nur vom Minister im Einvernehmen mit dem Staatsrat erlassen werden.

Den Betrieb und Verkehr beaufsichtigen nach der Verordnung vom 8. September 1878 technische und Verwaltungsbehörden. Die einzelnen Netze sind ähnlich wie in Frankreich in sog. Divisionen geteilt und unterstehen in technischer Hinsicht der Aufsicht eines Oberingenieurs.

Literatur: Kupka, Arch. f. Ebw. 1896. – Weltverkehr und Weltwirtschaft. 1912 – 1916; L'information Paris. 1912 – 1916; – Adolfo Posada, Span. Staatsrecht in „Das öffentl. Recht der Gegenwart" von Huber, Jellinek, Laband und Piloty. Bd. XXIV. — Carl Andrees, Geographie des Welthandels, 1912, Bd. II. – Dr. Manuel Campos, Spanisches Staatsrecht. Freiburg i Br. 1889, Akad. Buchhandl. F. C. B. Mohr. — Berichte über Handel und Industrie, zusammengestellt im Reichsamt des Innern, Bd. XIV, H. 10. – Angel-Marvand, L'Espagne au XXème Siècle. Paris 1913. – Annuaire des chemins de fer et des tramways (ancien Marchal), 29e année, Paris 1914. – Schrader, Arch. f. Ebw. 1913; Ztschr. f. Kleinb. 1911 – 1913. – Ztg. d. VDEV. – Clément Decomble, Les chemins de fer transpyrénéens, leur histoire diplomatique, leur avenir économique. Toulouse 1913, A. Nouge (Doktorbewerbungsschrift). – José Torino, Legislacion de Ferrocariles.

Firnhaber.

Spanische Nordbahn *(Compania de los caminos de hiero del Norte de España)*, zurzeit die größte der spanischen Eisenbahnen. Sie übertrifft an Länge selbst die Madrid-Saragossa-Alicante-Eisenbahn (s. d.). Ihre Gesamtlänge betrug nach dem Annuaire ancien Marchal von 1914 (s. Lit.) 3759 *km*. Der Sitz der Hauptverwaltung ist Madrid, daneben besteht ein Ausschuß in Paris. Geldwirtschaftlich steht sie unter Leitung der Gruppe Pereire-Banque Espagnole de Crédit.

1856 wurde einem Pariser Geldmann die Genehmigung zum Bau der S. für die Hauptlinie Madrid-Irun nebst Zweigbahn Venta de Bagnos-Alar del Rey erteilt. Anlagekapital 100 Mill. Fr. Diese erste spanische Eisenbahn nach Frankreich wurde 1864 eröffnet. Die Linie bildet die Stammbahn der S. und ist 645 *km* lang. Zum Anschluß an sie erwarb die S. die Bahn Barcelona-Saragossa-Alsasua (591 *km*) und von dieser bei Tudela abzweigend die 249 *km* lange Bahn Tudela-Miranda-Bilbao. Die S. hat ihr Netz fast ausschließlich durch Erwerb bestehender Bahnen oder Baugenehmigungen vergrößert. 1874 erwarb sie Alar del Rey-Santander 138·384 *km*, 1877 Quintanilla-Barruela 13·208 *km*, 1878 Saragossa-Barcelona 365·780 *km*, Tardiente - Huesca 21·719 *km*, Casetas-Alsasua 221·762 *km*, Castejon-Bilbao 249·037 *km*, 1881 erhielt die S. neben der Genehmigung einiger Schmalspurbahnen eine solche zum Bau der Bahn Medina del Campo-Segovia 92·414 *km* und Segovia - Villalba 62·685 *km*. Größere Erwerbungen erfolgten von der Gesellschaft Astorias-Galicias-Léon: Palencia-Ponferrada 251·038 *km*, Ponferrada-La Corunna 296·032 *km*, Léon-Gijon 170·787 *km*, Oviedo-Trubia 12·916 *km*, Toral de los Vados-Villafranca del Viergo 9·149 *km* und von der Eisenbahn Lerida-Reus-Tarragona die Strecken Reus-Monblanch 27·545 *km*, Lerida-Monblanch 59·312 *km*, Reus-Tarragona 15·758 *km*.

Die Eisenbahnkreditgesellschaft übertrug 1886 der S. die Bahn Villabona-Avilas-San Juan de Nieva 19·835 *km*, die Arragonische Gesellschaft 1888 die Baugenehmigung der Linien Zuera-Turmana und Huesca-französische Grenze über Confranc 138 *km*, wovon die 111 *km*-Linie Huesca-Jaca 1893 eröffnet wurde. 1889 erwarb die S. von dem Genehmigungsträger die Linie Selgua-Barbastro 18·9 *km*. 1890 trat die Gesellschaft der Eisenbahnen und Bergwerke von Sao Juan de las Abadesas der S. die Bahn Sao Juan de las Abadesas-San Andres 88·373 *km* und San Martin de Provensales-Clerona 31·39 *km*, eröffnet 1886, ab. 1891 wurden weiter erworben: Von der Gesellschaft Almansa-Valencia-Tarragona die Linien Encina-Valencia-Tarragona 288 *km*, Valencia-Grao 6 *km*, Cargagente-Denia 65·572 *km*, Jativa-Alcoy 67·028 *km*, endlich 1892 von der spanischen Ostbahn die Linie Valencia-Utiel 87·626 *km*. Ende 1892 stellte sich die Gesamtlänge der S. auf 3407 *km* eröffnete Bahnen und 265 *km* Neubauten, sie hat sich also seitdem nicht mehr wesentlich vergrößert. Die Baukosten stellten sich auf 1.013,633.507 Pesetas, durchschnittlich auf das *km* 312.964 Pesetas. Die gebirgige Natur des Landes hat zur Anlage sehr zahlreicher Tunnel, Brücken und Viadukte geführt (s. Spanische Eisenbahnen).

Das Aktienkapital betrug 1892 232,750.000 Pesetas, 490.000 Aktien zu 475 Pesetas im Nennwert. Die Schuldverschreibungen beliefen sich auf 734,788.553 Pesetas, die staatlichen Unterstützungen ergaben 149,609.792 Pesetas. 1913 waren die Schuldenunkosten auf über 54 Mill. Pesetas gestiegen. Die Verzinsung betrug: bei den Aktien 5·05%, bei 3%igen Schuldverschreibungen 1. Hyp. 4·20%, desgleichen Pamplona 4·45%.

Nachstehende Übersicht zeigt die von der S. in den letzten 10 Jahren bis einschließlich 1913 erzielten Betriebsergebnisse.

Jahr	Brutto-einnahmen	Betriebs-kosten	Netto-einnahmen	Betriebs-zahl
1904	117.850	59.229	58.622	50·41
1905	117.401	57.627	60.774	48·39
1910	133.464	59.192	74.272	44·56
1913	155.051	78.195	76.856	50·44

1914 betrugen die Bruttoeinnahmen 146·019 Mill., gegen 1913 ein Ausfall von 8·775 Mill. Pesetas. In 1915 sind die Einnahmen anscheinend wieder gestiegen, für 1916 wurde sogar eine Dividende von 16% beantragt.

Literatur: Economista. — Estadista de obras publicas en España. — Annuaire des chemins de fer et des Tramways (ancien Marchal). 29. année. Paris 1914.

Firnhaber.

Spannwerk *(wire compensator; tendeur de fil; apparecchio tenditore del filo)*, ein in die Doppeldrahtzugleitung der Stellwerke eingehängtes einfaches oder doppeltes Gewicht, das dazu bestimmt ist, die durch Wärmeschwankungen und Dehnung in den Leitungen auftretenden Längenänderungen auszugleichen. Wird die Drahtleitung bei zunehmender Wärme länger, so läßt sie das Spanngewicht sinken, wird die Leitung bei abnehmender Wärme kürzer, so sucht sie das Spanngewicht zu heben. Zum Ausgleich der Längenänderungen muß daher das Spanngewicht frei beweglich sein. Beim Umlegen des Stellhebels muß es dagegen festgehalten werden, damit die durch den Stellhebel auf die Stelleitung übertragene Bewegung voll auf den Weichen- oder Signalantrieb wirkt und nicht in dem Anheben des S. verzehrt wird.

Zu dieser Sperrung des Spanngewichts wird der Spannungsunterschied benutzt, der während der Hebelumstellung in dem Zugdraht und Nachlaßdraht entsteht.

Abb. 104 zeigt ein S. für Signalleitungen. An dem einen Ende der beiden in einem Bock gelagerten zweiarmigen Hebel sind verstellbare Gewichte angebracht, an dem andern Ende tragen diese Hebel bewegliche Klemmbacken, zwischen denen eine kreisförmig gebogene, gezahnte Stange liegt (Abb. 105). Die Drahtleitung ist um Seilrollen geführt, von denen 4 in dem festen Gestell, 2 in den beweglichen Gewichtshebeln gelagert sind. Wird beim Umlegen des Stellhebels der eine Draht der Doppelleitung angezogen, der andere nachgelassen, so hebt sich das eine Gewicht, das andere senkt sich. Die Klemmbacken stellen sich schräg. Dabei greift die höher stehende unter einen Zahn der Sperrstange und hindert das weitere Anheben des Spanngewichts. In der Ruhestellung des Hebels, bei der die Spannungen der beiden Drähte gleich oder nur wenig verschieden sind, gleiten die Klemmbacken beim Auf- und Niedergehen der Gewichte an der Zahnstange entlang.

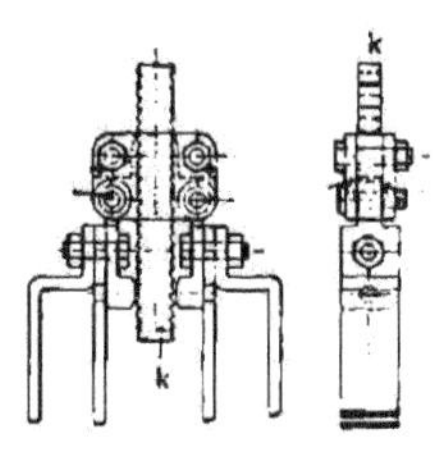

Abb. 105. Sperrvorrichtung.

Abb. 106 stellt ein mit dem vorbeschriebenen im wesentlichen übereinstimmendes S. für Weichenleitungen nach der Einheitsform der preußischen Staatsbahnen dar.

Eine abweichende Bauart findet sich bei den sog. Hängespannwerken (Abb. 107), bei denen die Spanngewichte ohne Hebelübertragung in die Drahtleitung eingehängt werden.

Die S. haben aber nicht nur die Längenänderungen der Drahtleitung auszugleichen, sondern auch gewisse Sicherungsbedingungen zu erfüllen, die für den Fall eines Bruches der Drahtleitung gefordert werden. Nach diesen sog. Reißbedingungen soll:

Abb. 104. Hebelspannwerk für Signalleitungen.

Abb. 106. Hebelspannwerk für Weichenleitungen.

bei einem Bruch in der Leitung eines Hauptsignals ohne Vorsignal das Hauptsignal in der Haltstellung festgehalten oder aus der Fahr- in die Haltstellung gebracht werden;

bei einem Bruch in der Leitung eines mit einem Vorsignal verbundenen Hauptsignals soll das Hauptsignal in der Halt- und das Vorsignal in der Warnstellung festgehalten oder in diese Stellung gebracht werden, wenn der Bruch zwischen Hebel und Hauptsignal eintritt;

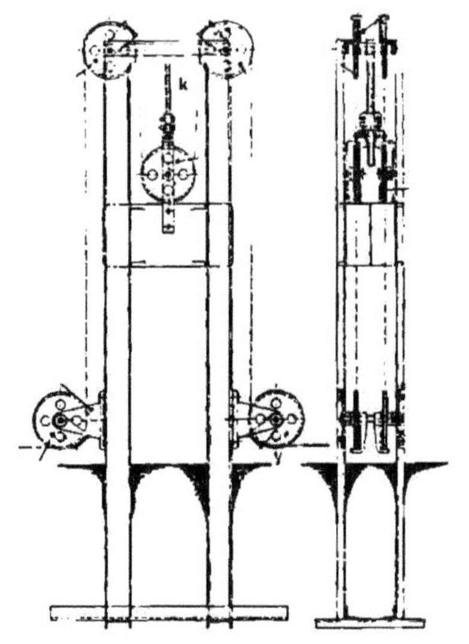

Abb. 107. Hängespannwerk für Signalleitungen.

bei einem Bruch der Leitung zwischen Hauptsignal und Vorsignal soll bei „Fahrt frei" wenigstens das Vorsignal in die Warnstellung gelangen;

bei einem Bruch in einer Weichen- oder Riegelleitung soll die Fahrstellung eines Signals verhütet werden, das von der Stellung dieser Weiche oder dieses Riegels abhängig ist, und endlich

bei Weichen- und Riegelleitungen jeder Drahtbruch im Stellwerk angezeigt werden.

Die hierzu erforderliche Einwirkung auf die Signal- und Weichenantriebe und die Weichen- und Riegelhebel bei Drahtbruch wird durch das den heil gebliebenen Draht nachziehende Gewicht des S. hervorgebracht. Die Spanngewichte müssen daher eine Fallhöhe haben, die auch bei größter Wärme, wo die Gewichte am tiefsten stehen, ausreicht, um den Draht so weit nachzuholen, als zur Erfüllung der Reißbedingungen nötig ist.

Die S. werden entweder unter der Hebelbank im Stellwerksgebäude oder im Freien aufgestellt. *Hoogen.*

Spar- und Vorschußkassen (Darlehensvereine). Zur Pflege der Sparsamkeit sind bei vielen Verwaltungen teils von diesen, teils auf ihre Anregung oder aus freiem Antrieb des Personals S. errichtet worden, an die die Mitglieder regelmäßig Beiträge zahlen, auch einmalig größere Einlagen machen können. Die Beiträge werden am Gehalt und Lohn einbehalten und der Kasse überwiesen, die die Gelder in mündelsicherer Weise gewinnbringend anlegt und dem Personal verzinst. Diesem ist so beste Gelegenheit zur Ansammlung eines kleinen Kapitals geboten, auf das es in Zeiten der Not zurückgreifen kann. Auch kann es aus der Kasse unter günstigen Bedingungen (mäßiger Zinsfuß und ratenweise Abtragung) ein Darlehen erhalten, wodurch es vor Wucherhänden bewahrt wird. Voraussetzung für das Gedeihen ist Fernhaltung von jeder Spekulation, unsicherer oder zweifelhafter Kapitalanlage, Ansetzung eines niedrigen Zinsfußes für die Spareinlage verbunden mit Ausschüttung von Dividenden nach Abschreibung wirklicher oder wahrscheinlicher Verluste und nach Zuweisung eines bestimmten Anteils an den Reservefonds. Darlehen etwa im Rahmen von einem Monatseinkommen bis zum Jahresgehalt (höchstens) sind zur Unterstützung von Notlagen oder zu wirtschaftlichen Zwecken und gegen einen den üblichen Satz nur mäßig überschreitenden Zins zu gewähren, wobei im einzelnen ausreichende Bürgschaften zu fordern sind, soweit sie nicht durch einen Bürgschaftsfonds ersetzt werden. Darlehen zu unwirtschaftlichen Zwecken oder an Mitglieder mit selbstverschuldetem, andauernd ungeordnetem Haushalt sind abzulehnen.

Die Eisenbahnverwaltungen unterstützen diese Vereine, die bei guter Leitung sehr segensreich wirken, durch kostenfreie Führung der Kassengeschäfte, durch Ersatz der Verwaltungskosten oder auf andere Weise, insbesondere auch durch eine Beaufsichtigung hinsichtlich der Kassenverwaltung.

In Deutschland sind bei allen größeren Staatsbahnverwaltungen S. eingerichtet, die vom Personal durch einen gewählten Vorstand, auch durch einen Ausschuß (Bayern) unter Mitwirkung der Mitglieder in einer Hauptversammlung selbständig geführt werden. Die Eisenbahnverwaltungen besorgen die Kassengeschäfte kostenfrei und behalten sich die Genehmigung der Satzungen und ihrer Änderungen vor, so in Baden, Bayern, Sachsen und Württemberg; in Preußen sind die S. vom Staat geförderte Einrichtungen der Eisenbahnervereine und erst in der

Entwicklung begriffen. Während in Deutschland mehr der Sparzweck betont und erfüllt wird, ist in Österreich mehr das Vorschußwesen ausgebildet worden. Die Kassen sind hier vielfach Organe der Bahnverwaltung, wobei das Personal von Amts wegen in der Regel zu ehrenamtlicher Mitwirkung berufen wird.

Speiseanstalten (Personalküchen) sind Einrichtungen, die dem Personal Gelegenheit zur Einnahme eines (insbesondere warmen) Essens zu mäßigem Preis während des Dienstes oder in dessen Pausen geben. Sie finden sich am Sitz größerer Werkstätten, deren Personal vielfach von der Arbeitstätte weit entfernt wohnt, oder an den Knotenpunkten mit zahlreichem auswärtigen Personal oder auf größeren Stationen (Verschiebebahnhöfen) für das Stationspersonal.

Der Betrieb liegt – ähnlich wie bei Kantinen – in den Händen teils von Pächtern, teils der Verwaltung oder des Personals, in der Regel unter kräftiger Förderung und Unterstützung durch die Verwaltung. Mitunter werden sie auch von gemeinnützigen Wohlfahrtsvereinen geleitet Mit den Anstalten sind meistens auch Vorkehrungen zum Wärmen und Verzehren mitgebrachter Speisen verbunden. Mit solchen Wärmevorrichtungen sind auch die Aufenthaltsräume, Gepäckwagen und Lokomotiven ausgestattet. Wo keine Speiseanstalten bestehen oder zu deren Ergänzung sind in der Regel die Bahnhofwirte gehalten, Speisen billig (etwa zu 3/4 der ordentlichen Sätze) an das Personal abzugeben.

Besondere Bedeutung gewannen die Speiseeinrichtungen während des Weltkriegs mit seinen besonders für die Mittelmächte schweren Folgen auf dem Gebiet der Volksernährung. Die Verwaltungen haben Nahrungsmittel im großen beschafft und an das Personal abgegeben, sie haben Dörrvorrichtungen eingerichtet und dem Personal kostenfrei oder gegen mäßige Vergütung zur Verfügung gestellt. Zur Verpflegung des Personals, z. T. auch der Familien wurden Personalküchen errichtet, wo Speisen teils als Eintopfgerichte, teils nach Suppe, Fleisch und Gemüse getrennt, billig abgegeben werden. Wie in der Heimat, so hat die Not auch in den besetzten Gebieten zu mannigfachen Einrichtungen hinsichtlich der Personalverpflegung geführt, die meist von gutem Erfolg begleitet waren und ihren Zweck in harter Zeit erfüllt haben.

Welche Einrichtungen von diesen Kriegsmaßnahmen sich besonders bewähren und welche sich zur dauernden Übernahme in die Friedensverhältnisse empfehlen, läßt sich nicht voraussagen.

In letzter Zeit ist in Österreich auch an die Versorgung des auf der Strecke arbeitenden Personals mit warmem Essen von den Personalküchen mittels Kochkisten geschritten worden. Die S. haben einen ganz bedeutenden Umfang angenommen, da vielfach Metzgereien, Wursterzeugung, Kleintierzucht u. s. w. mit den Küchen in Verbindung gebracht worden sind.

Speisekopf *(clack box, injector check valve; boite à clapet de retenue; valvola d'alimentazione)*, jenes Ausrüstungsstück am Lokomotivkessel, das, gegen den Kessel absperrbar, das Zurücklaufen des durch das Speiserohr in den Kessel eingeführten und einzuführenden Wassers mittels eines Rückschlagventils (Speiseventil) verhindert.

Der S. besteht in der Regel aus einem gußeisernen Gehäuse, das im unteren Teil ein Rückschlagventil (Kugel- oder Tellerventil), im oberen Teil eine von außen stellbare Schraubenspindel enthält, die mit ihrem birnenförmig gehaltenen Ende die Mündung des S. in den Kessel zu schließen gestattet. Das Ende der Spindel (die Birne) ist so gestaltet, daß „zugeschraubt“ ein dichter Schluß gegen den Kessel und in der Stellung „offen“ ein Anliegen des rückwärtigen Birnenendes an einem Bord des Muttergewindes der Spindel stattfindet, so daß die Schraubenspindel keiner weiteren Dichtung durch eine Stopfbüchse mehr bedarf.

Das durch die Wirkung der Speisepumpe (Kolbenpumpe oder Injektor) vermittels des Speiserohrs und S. in den Kessel eingeführte Wasser hat eine bedeutend niedrigere Temperatur als das Kesselwasser.

Es findet daher an der Einmündungsstelle des S. im Kessel eine bedeutende Ablagerung von Kesselstein statt, die mit der Zeit zu einer Verengung des Einmündungsloches führt. Um diesem Übelstand möglichst zu begegnen, mündet der S. gewöhnlich dort in den Kessel ein, wo die geringste Wassertemperatur herrscht, also „vorn“ in der Nähe der Rauchkastenrohrwand. Außer den in der Regel vorkommenden 2 Absperrvorrichtungen am S. hat man neuestens in Amerika eine dritte Absperrung „im Kessel“ angebracht, u. . bei etwaigem Abbrechen des S. (bei Zugstreifungen, Entgleisungen u. s. w.) ein Verbrühen von Zugbegleitern oder Reisenden zu verhindern.

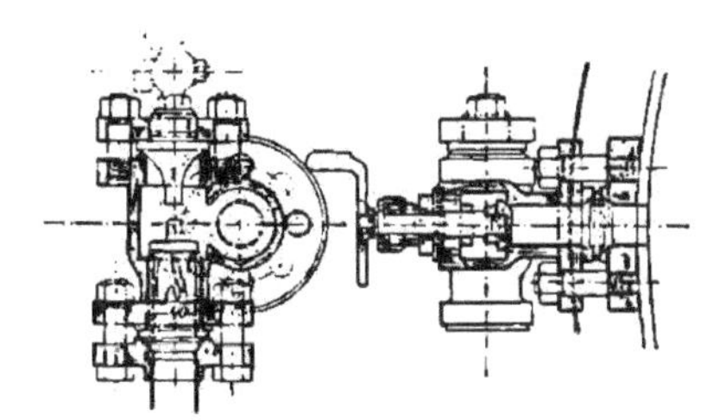

Abb. 108. Bauart der preußischen Staatsbahnen.

Abb. 108 zeigt die bei den preußischen Staatsbahnen in Verwendung stehende Bauart der S. Diese S. haben außer dem Absperrkegel noch ein gewöhnliches Kegelventil, dessen Sitz nach unten herausgezogen werden kann. Die in Abb. 109 dargestellte, bei den österreichischen Staatsbahnen verwendete Bauart hat statt des Kegelventils eine Bronzekugel als selbsttätiges Absperrorgan. Beide Bauarten haben gewöhn-

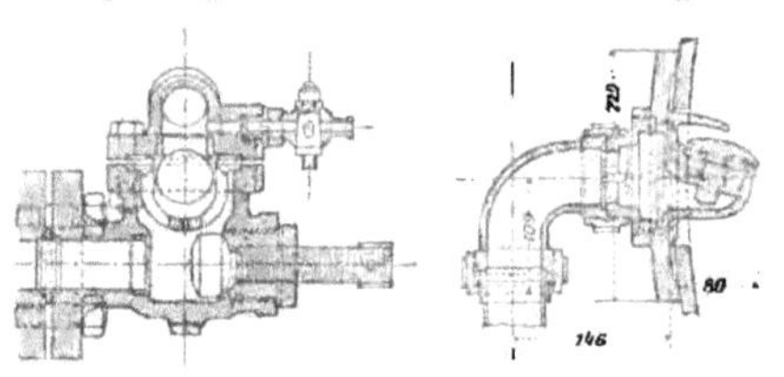

Abb. 109. Bauart der österreichischen Staatsbahnen. Abb. 110. Amerikanische Bauart.

lich noch auf dem einen der S. auf den Lokomotiven einen kleinen von Hand mittels eines Zuges zu betätigenden Spritzhahn für Rauchkammereinspritzung vorgesehen.

Abb. 110 zeigt die in Amerika übliche Bauart der S. Sie hat den Vorteil, daß die selbsttätige Absperrvorrichtung (in Abb. 110 ein Ventil) im Kessel selbst liegt. Wird der S. infolge einer Beschädigung abgerissen, so schließt das im Kessel selbst liegende Ventil nach außen ab, verhindert das Entströmen des Kesselwassers und somit Verbrühungen von Personen. *Gölsdorf †.*

Speisepumpe *(feed pump; pompe d'alimentation; pompa d'alimentazione)*, eine Kolbenpumpe zur Förderung des Speisewassers in den Dampfkessel. An den ältesten Lokomotiven wurde die S. von Hand aus angetrieben; später erfolgte der Antrieb durch Exzenter von einer der Achsen aus, daher auch der früher oft gebrauchte Ausdruck „Fahrpumpe". Um auch während des Stillstandes der Lokomotive speisen zu können, hat man vereinzelt S. mit Antrieb durch eine kleine Dampfmaschine, sog. Schwungradpumpen, ausgeführt.

Die S. sind ab Anfang der Sechzigerjahre vorigen Jahrhunderts immer mehr durch die Dampfstrahlpumpen (s. d.) verdrängt worden, da diese die vielen Unzukömmlichkeiten der damaligen Bauarten der S., wie Einfrieren, Defekte am Antrieb u. s. w. nicht aufweisen und überdies ermöglichen, während der Fahrt und während des Stillstandes zu speisen.

Der Vorteil der S., beträchtlich vorgewärmtes Wasser aus dem Tender ansaugen zu können, ist den Dampfstrahlpumpen nicht eigen; es hat daher nicht an Bestrebungen gefehlt, die S. weiter zu verbessern (z. B. London-Brighton-Bahn, Paris-Orleans-Bahn u. s. w.).

Durch die in neuester Zeit in brauchbarer, betriebssicherer Ausführung entstandenen „Vorwärmer" sind auch die S. wesentlich verbessert worden. Da sie in dieser Form einen wesentlichen Teil der Vorwärmeranlage bilden, sind sie dort behandelt (s. Vorwärmer). *Gölsdorf †.*

Speiserohre *(feed pipes; tuyaux d'alimentation; tubi d'alimentazione)*, jene Rohrleitungen, die das von der Speisevorrichtung (Injektor oder Dampfstrahlpumpe) oder der Kolbenpumpe angesaugte Speisewasser in den Kessel führen. Im allgemeinen sind in jeder Speiserohrleitung 2 Absperrvorrichtungen angebracht: eine dicht am Kessel, um Ausbesserungen (Reinigung der Speiserohrleitung u. s. w.) vornehmen zu können, ohne den Kessel kalt machen zu müssen, und eine zweite (Speiseventil), die selbsttätig das Zurücklaufen des im Kessel befindlichen Wassers in die Speiserohrleitung bzw. in die Speisepumpen verhindert. Getrennte Anordnung dieser 2 Absperrvorrichtungen kommt viel bei Stabilkesseln vor, insbesondere dann, wenn von einer Hauptspeisevorrichtung aus mehrere Kessel gespeist werden. Bei Lokomotiven sind diese beiden Absperrungen stets in einem Konstruktionsglied, dem Speiskopf (s. d.), vereinigt. In neuerer Zeit werden fast alle Lokomotiven so eingerichtet, daß sie im Bedarfsfall als Feuerspritze verwendet werden können. Zu diesem Behuf ist in die Speiserohrleitung, dicht an der Speisepumpe (Injektor), ein Zwischenstück aus Metallguß eingeschaltet, das eine für gewöhnlich mit einer Überwurfmutter geschlossene Zweigmündung besitzt; an diese kann ein Feuerspritzenschlauch angeschraubt werden. *Gölsdorf †.*

Speisevorrichtung *(feed apparatus; appareil d'alimentation; apparecchi per alimentatione)*, Gesamtbezeichnung für die aus verschiedenen Einzelteilen bestehende Einrichtung, die bestimmt ist, das Speisewasser einem Dampfkessel zuzuführen. Die S. besteht aus: dem Apparat, der das Wasser aus dem Wasserkasten der Lokomotive oder dem Tender ansaugt, d. i. einer Dampfstrahlpumpe (s. d.) oder einer Kolbenpumpe; aus den Speiserohren (s. d.) und dem Speisekopf (s. d.).

Bezüglich der an Lokomotiven vorkommenden S. enthalten die T. V. im § 94 folgende Bestimmungen:

1. Jeder Kessel ist mit wenigstens 2 voneinander unabhängigen S. zu versehen, von denen jede einzelne zum Speisen des Kessels ausreicht und mindestens eine unabhängig von der Bewegung der Lokomotive wirken kann.

2. An der Einmündung der S. in den Kessel müssen selbsttätige Ventile zur Verhinderung des Wasserabflusses aus dem Kessel angebracht sein.

3. Bei neuen Lokomotiven sind diese selbsttätigen Ventile von außen verschließbar herzustellen oder es sind zwischen ihnen und dem Kessel besondere Abschlüsse einzuschalten. *Gölsdorf †.*

Speisewagen s. Personenwagen.

Speisewasser *(feed-water; eau d'alimentation; aqua d'alimentazione)* zur Wasserversorgung der Dampfkessel.

Über Art und Verunreinigung des S., Kesselsteinbildung, Ablagerung des Kesselsteins und Einfluß des Kesselsteins auf die Wirtschaftlichkeit sowie über Verhütung der Bildung des Kesselsteins s. Kesselstein.

Über Einrichtungen zur Abscheidung des Kesselsteins aus dem S. – entweder im Dampfraum, im Wasserraum oder auch außerhalb des Kessels – s. Kesselsteinabscheider.

S. muß beim Eintritt in den Kessel möglichst warm sein. Warmes S. vermindert Wärmeschwankungen im Dampfkessel. Es werden ungünstige Materialbeanspruchungen vermieden und Kohlen erspart. Daher Vorwärmung erwünscht. Über Anlagen zur Vorwärmung des S. s. Speisewasservorwärmung.

S. muß rein und weich, d. h. möglichst frei von mechanischen und chemischen Verunreinigungen sein. Schädliche Stoffe werden beseitigt durch Reinigung und Enthärtung.

Reinigung von Schlamm, Lehm, Abfällen, Öl u. s. w. Schwere Beimengungen läßt man in Klärbehältern sich absetzen. Für leichtere Stoffe erfolgt die mechanische Reinigung durch Filter. Die Größe des Filters ist derart zu bemessen, daß die Wassergeschwindigkeit höchstens 1·2 *mm* für 1 Sekunde beträgt. Als Material des Filters empfiehlt sich am besten Kies und zerkleinerter Koks in mehreren Schichten mit $^1/_2$ - 3 *mm* Korngröße. Die Filter sind häufig durch Umrühren und Auswaschen zu reinigen. Für geringen Raumbedarf und große Leistung kommen Schnellfilter mit mehreren übereinanderliegenden, auf je einem Siebboden gelagerten Quarzsandschichten in Verwendung.

Öle und Fette sind aus dem S. durch Ölabscheider und Filter zu entfernen. Schon ein Zusatz von 0·005 – 0·01 *g* im *l* ist bedenklich. Das Filtermaterial besteht hierbei aus Koks, Holzwolle, Sägespänen oder Schwamm.

Bei erheblichem Eisengehalt ist Reinigung erforderlich, da sich unlösliches Eisenoxyd bildet, das Kessel und Rohre verschlammt. Das Wasser wird in Enteisenungsanlagen durchlüftet und gefiltert. Über neuere Anlagen s. Guillery, Neuere Wasserversorgungsanlagen.

Die Enthärtung des S. erfolgt, um Kesselsteinbildner, insbesondere Kalk- und Magnesiasalze, unschädlich zu machen. Die wichtigsten Kesselsteinbildner sind die Sulfate und Karbonate von Kalzium und Magnesium. Kesselstein entsteht dadurch, daß durch Wärmesteigerung bzw. Verdampfen des Wassers die Löslichkeit der im Wasser gelösten Verbindungen sich verringert und die unlöslich gewordenen Mengen sich in festem Zustand ausscheiden.

Für die Beurteilung eines S. kommt nicht ausschließlich die Menge der Kesselsteinbildner in Frage, sondern auch der Gesamtgehalt an gelösten Stoffen, der als Abdampfrückstand bezeichnet wird. Auch die bei starkem Eindampfen gelöst bleibenden Salze wirken schädlich, da sie durch Siedeverzug Spucken, d. i. Wasserauswurf aus dem Rauchfang der Lokomotive verursachen. Stark salzhaltige S. führen zu Korrosionen der Kesselbleche.

Nach den vom preußischen Ministerium der öffentlichen Arbeiten herausgegebenen Grundzügen für die Errichtung von Bahnwasserwerken und Vorschriften für die Wasseruntersuchung ist S. als gut anzusehen, wenn in 1 *l* klarem Wasser der Verdampfungsrückstand nicht mehr als 100 – 200 *mg* beträgt. Wasser mit einem Verdampfungsrückstand von 200 bis 300 *mg* ist ziemlich gut, mit einem solchen von 300 – 500 *mg* noch eben brauchbar. Wasser mit mehr als 500 *mg* Verdampfungsrückstand auf 1 *l* muß chemisch gereinigt werden. Der Zusatz ist nach dem Ergebnis einer chemischen Untersuchung zu bemessen.

Außer nach den Verdampfungsrückständen wird die Güte des S. auch nach Härtegraden gemessen. Ein deutscher Härtegrad = 1 Gewichtsteil Kalk auf 100.000 Gewichtsteile Rohwasser (1 deutscher Härtegrad = 1·25 englischem = 1·79 französischem Härtegrad). Die Gesamthärte des S. ist die Summe der Gewichtsteile an Kalk und der auf Kalk umgerechneten Gewichtsteile Magnesia. Dabei entspricht 1 Gewichtsteil Magnesia 1·4 Gewichtsteilen Kalk.

S. von 10 – 15 deutschen Härtegraden gilt im allgemeinen noch als weich. Die Enthärtung des S. ist für leicht zu reinigende Kessel notwendig und nutzbringend, wenn die Härte mehr als 12 deutsche Härtegrade beträgt, wogegen bei schwer befahrbaren Kesseln, also auch Lokomotivkesseln, schon 6 – 7 deutsche Härtegrade die äußerste Grenze bilden, bis zu der ungereinigtes Wasser ohne wesentlichen Nachteil verwendet werden kann.

Bestimmung der Härte. Sie erfolgt am genauesten durch Errechnung aus der durch die chemische Untersuchung des S. ermittelten Zusammensetzung. Ungenauer wird sie durch Titrieren mit einer Seifenlösung bis zur bleibenden Schaumbildung nach dem Schütteln bestimmt. Die zum Titrieren benutzte Seifenlösung wird auf ein Wasser von bekannter Härte oder auf eine Chlorbariumlösung von bekanntem Gehalt eingestellt. Man unterscheidet Gesamthärte, bleibende Härte und vorübergehende Härte. Bleibende Härte ist der nach längerem Kochen verbleibende Rest an Härte. Sie wird im wesentlichen durch den Gehalt des S. an schwefelsaurem Kalk (Gips) und schwefelsaurer Magnesia bedingt. Die Abnahme der Härte, vorübergehende Härte, wird durch den Gehalt an saurem kohlensauren Kalk bzw. Magnesia verursacht, die beim Kochen unter Verlust an Kohlensäure sich als unlösliche kohlensaure Salze abscheiden.

Ein Wasser von hoher bleibender Härte bei gleicher Gesamthärte ist schlechter als ein solches von niedrigerer bleibender Härte, da der sich ausscheidende Kesselstein infolge seines höheren Gehalts an Gips (schwefelsaurem Kalk) wesentlich härter und schwerer abklopfbar ist.

Bei der Enthärtung werden die Kesselsteinbildner chemisch in unlösliche Kalk- und Magnesiaverbindungen umgesetzt. Die festen Teile, die sich dabei bilden, werden auf mechanischem Wege entfernt.

Nach den Zusätzen, die dem S. beigegeben werden, unterscheidet man Enthärtung durch: 1. Kalk, 2. Soda, 3. Kalk und Soda, 4. Ätznatron, 5. Bariumhydroxyd, 6. Bariumkarbonat und 7. Permutit.

1. Bei der Enthärtung durch Kalk wird Kalkwasser (Lösung von gebranntem Kalk) dem zu reinigenden S. hinzugesetzt. Aus dem im Wasser gelösten sauren kohlensauren Kalk entsteht unlöslicher einfach kohlensaurer Kalk.

$$Ca(HCO_3)_2 + Ca(OH)_2 = 2\,CaCO_3 + 2\,H_2O$$
$$Mg(HCO_3)_2 + Ca(OH)_2 = MgCO_3 + CaCO_3 + H_2O$$

Die Ausfällung der kohlensauren Magnesia ist unvollständig. Auf *ag* des in der Analyse angegebenen kohlensauren Kalks sind 0·56 *ag* gebrannter Kalk erforderlich. Wasser, das freie Kohlensäure enthält, erfordert eine größere Menge gebrannten Kalks, als die vorgenannte Rechnung ergibt.

2. Bei der Enthärtung durch Soda (kohlensaures Natron) wird der schwefelsaure Kalk in kohlensauren Kalk umgewandelt.

$$CaSO_4 + Na_2CO_3 = CaCO_3 + Na_2SO_4.$$

Die Umwandlung erfordert längere Zeit, die der schwefelsauren Magnesia ist unvollständig. Auf *bg* schwefelsauren Kalk sind $\frac{106}{136}\,b\,g = 0{\cdot}78\,b\,g$ wasserfreie Soda (Ammoniaksoda) erforderlich.

3. Die Enthärtung durch gleichzeitigen Zusatz von Kalk und Soda wird am häufigsten angewendet und ist am meisten zu empfehlen. Berechnung der Zusätze wie oben unter 1 und 2.

4. Die Enthärtung durch Ätznatron zielt auf Entfernung des schwefelsauren Kalks und Verringerung des sauren kohlensauren Kalks hin.

$$Ca(HCO_3)_2 + 2\,NaOH = CaCO_3 + Na_2CO_3 + 2\,H_2O$$
$$CaSO_4 + Na_2CO_3 = CaCO_3 + Na_2SO_4$$
$$CaSO_4 + Ca(HCO_3)_2 + 2\,NaOH = 2\,CaCO_3 + Na_2SO_4 + 2\,H_2O$$

Auf *ag* schwefelsauren Kalk sind 0·6 *ag* Ätznatron (Natriumhydroxyd) erforderlich, außerdem wird der Gehalt des Wassers an doppeltkohlensaurem Kalk um 1·5 *ag* vermindert.

5. Bariumhydroxyd wirkt in ähnlicher Weise durch Bindung der Kohlensäure. Außerdem wird die im Gips enthaltene Schwefelsäure als unlöslicher schwefelsaurer Baryt entfernt.

$$CaSO_4 + BaCO_3 = BaSO_4 + CaCO_3$$
$$Ca(HCO_3)_2 + Ba(OH)_2 = CaCO_3 + BaCO_3 + 2\,H_2O$$
$$Ca(HCO_3)_2 + CaSO_4 + Ba(OH)_2 = 2\,CaCO_3 + BaSO_4 + 2\,H_2O$$

Auf *ag* $CaSO_4$ sind erforderlich 2·3 *ag* kristallisiertes Bariumhydroxyd. Außerdem werden von dem im Wasser gelösten doppeltkohlensauren Kalk noch 1·5 *ag* als kohlensaurer Kalk ausgefällt.

6. Bariumkarbonat wirkt nur, wenn es künstlich gefällt ist. Gemahlenes natürliches Bariumkarbonat (Witherit) ist wirkungslos. Auf *ag* schwefelsauren Kalk sind 1·45 *ag* Bariumkarbonat erforderlich. Zweckmäßig wird diese Enthärtung mit der Enthärtung durch Kalk (vgl. 1 der Aufzählung) verbunden.

7. Permutit ist ein durch Zusammenschmelzen von Feldspat, Kaolin, Sand und Soda erhaltenes, dem in der Natur vorkommenden Zeolith ähnliches Produkt, das die Eigenschaft hat, Kalksalze in Natriumsalze umzuwandeln. Das über Permutit langsam filtrierte Wasser enthält an Stelle des sauren kohlensauren Kalks Natriumbikarbonat. Die Permutitfilter werden mit der Zeit unwirksam, lassen sich aber durch Behandlung mit Chlornatriumlösung wieder wirksam machen.

Die Zusätze können dem Wasser beigegeben werden, bevor es in den Kessel gelangt oder im Kessel selbst. Das letztere Verfahren ist nicht zu empfehlen, da die bei der Enthärtung sich bildenden Rückstände im Kessel verbleiben und diesen verunreinigen.

Für die Enthärtung außerhalb des Kessels sind besondere Vorrichtungen erforderlich, die für die Verfahren zu 1 – 6 (s. o.) keine grundsätzlichen Unterschiede aufweisen.

Die als Beispiel dargestellte Kalk-Soda-Enthärtungsanlage von Reisert, Köln (s. Abb. 111), besteht aus dem Kalksättiger *S*, dem Klärbehälter *D*, dem darüber angeordneten Verteilungsbehälter und dem Kiesfilter *F*. Letzterer ist bei Platzmangel in den Klärbehälter eingebaut. Die in dem Raum *J* des Verteilungsbehälters bereitete Kalkmilch wird durch den Hahn *K* und das darunter befindliche Rohr unten in den Kalksättiger eingeführt. Durch das Ventil *V* und das Rohr *T* fließt aus dem Raum *B* eine bestimmte, dem Ergebnis der chemischen Untersuchung entsprechende Wassermenge unter die Kalkmilch und wirbelt diese in die Höhe. Bei dem nach oben zunehmenden Querschnitt des Sättigers wird die Geschwindigkeit des aufsteigenden Wassers ständig geringer. Die Kalkteilchen fallen daher wieder zurück. Das gesättigte Kalkwasser gelangt durch das Rohr *U* in das Mischrohr *E* des Klärbehälters. Hierhin fließt auch aus dem Raum *C* des Verteilungsbehälters die genau bemessene Menge der Sodalösung und aus dem Raum *B* das Rohwasser. Die ausgefällten Kesselsteinbildner setzen sich in dem Klärbehälter als Schlamm ab, der von Zeit zu Zeit durch den Hahn *W* abgelassen wird. Das Wasser steigt aus dem

Mischrohr E in dem Behälter D in die Höhe, fließt durch ein Überfallrohr in das Kiesfilter F und verläßt durch ein Ventil die Enthärtungsanlage.

Zur Reinigung des Filters wird mit einem Ejektor Luft durch das Filter gedrückt.

Über die verschiedenen Bauarten und über Einzelheiten der Vorrichtungen s. Wehrenfennig, Über die Untersuchung und das Weichmachen des Kesselspeisewassers.

Die Klärbehälter werden entweder oben offen (vgl. Abb. 111) oder geschlossen ausgeführt. Bei den geschlossenen Behältern kann das Wasser mit nur einer Pumpe durch die Enthärtungsanlage in den Wasserturm gedrückt werden. Für offene Behälter sind 2 Pumpen, eine für Rohwasser, die zweite für das enthärtete Wasser, erforderlich. Zudem bedingt die offene Anlage noch einen Zwischenbehälter, aus dem das enthärtete Wasser gepumpt wird. Offene Bauart

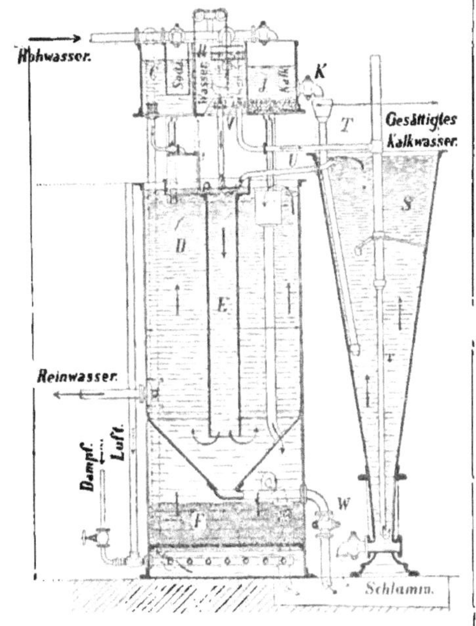

Abb. 111. Kalk-Soda-Enthärtungsanlage Bauart Reisert.

ist zu empfehlen, wenn für das Wasser, etwa wegen starken Eisengehalts, Durchlüftung erwünscht ist. Bei geschlossener Bauart ist Durchlüftung nur durch Druckluft herzustellen. Die Zusätze können hierbei dem Rohwasser nur durch genau eingestellte Hähne und Ventile zugeführt werden. Bei offenen Behältern ist Zuleitung der Lösung durch Heberleitung, Schöpfwerk oder Kippschale erforderlich.

Die Klärbehälter müssen möglichst groß sein, da für die Nachreaktion, die nach der ersten Ausfällung der Kesselsteinbildner stattfindet, eine geraume Zeit — wenigstens 3 Stunden — erforderlich ist.

Auf dem üblichen kalten Wege läßt sich mit obigen Vorrichtungen die Enthärtung bis auf etwa 5 deutsche Härtegrade erreichen. Bei starker Vorwärmung des Rohwassers ist eine Enthärtung bis auf etwa 2 Härtegrade erzielbar.

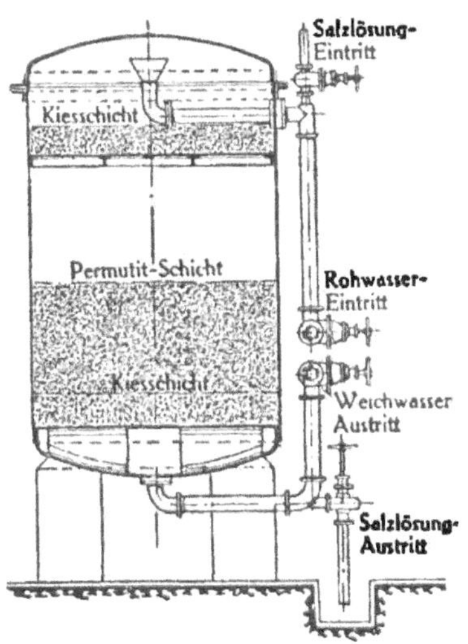

Abb. 112. Permutitfilteranlage.

Eine noch weitere Enthärtung erfolgt bei Permutitbehandlung des Wassers. Eine Filteranlage hierfür — in geschlossener Ausführung — ist in Abb. 112 dargestellt.

Das Rohwasser fließt von einem oberen Behälter dem Filter zu, durchströmt die Permutitschicht und wird in enthärtetem Zustand in einen hochstehenden Reinwasserbehälter gedrückt. Zur Erhaltung der Wirksamkeit der Anlage wird in den Betriebspausen eine Kochsalzlösung in das Filter geleitet.

Literatur: Hütte, 22. Aufl., Bd. II, S. 57 f. — Heidepriem, Die Reinigung des Kesselspeisewassers. — Wehrenfennig, Über die Untersuchung und das Weichmachen des Kesselspeisewassers; Bahnhofsanlagen, Reinigung des Speisewassers. Eis. T. d. G. — Stockert, Handbuch des Eisenbahnmaschinenwesens, Wasserspeisung von Schäfer. Berlin 1908, Julius Springer. — Guillery, Das Maschinenwesen der preußisch-hessischen Staatseisenbahnen, neuere Wasserversorgungsanlagen.

Speisewasservorwärmung. Sie dient dazu, das für die Speisung von Dampfkesseln erforderliche Wasser vor Eintritt in den Kessel auf eine höhere Temperatur zu bringen. Die Vorteile, die damit erlangt werden, sind hauptsächlich: 1. Verbesserung der Wirtschaftlichkeit, da das bereits vorgewärmte Wasser im Kessel keinen so großen Wärmeaufwand zur Überführung in Dampf erfordert als kaltes Wasser; 2. Steigerung der Leistungsfähigkeit, da bei

Aufwand derselben Wärmemenge im Kessel bei vorgewärmtem Speisewasser mehr Dampf erzeugt werden kann als bei kaltem; 3. Verminderung der Kesselsteinbildung, da bei der Vorwärmung sich ein großer Teil des Kesselsteins ausscheidet und im Vorwärmer zurückbleibt; 4. Schonung der Kessel, da durch das vorgewärmte Speisewasser der Temperaturunterschied in den Kesseln nicht nur örtlich, sondern auch zeitlich gleichmäßiger verläuft, hierdurch werden schädliche Spannungen vermindert oder ganz hintangehalten. Alle diese Vorteile haben bewirkt, die an ortsfesten Kesseln bereits fast allgemein verwendete S. in den letzten Jahren auch bei Lokomotiven einzuführen.

Das im Lokomotivbetrieb verwendete Speisewasser hat ohne Vorwärmung im Jahresdurchschnitt eine Temperatur von etwa 10° C. Bei Verwendung der bisher allgemein gebräuchlichen Injektoren wird das Speisewasser auf etwa 70° vorgewärmt, es ist hierzu jedoch eine nicht unbedeutende Menge frischen Kesseldampfes zum Betrieb der Injektoren erforderlich. Soll eine stärkere Vorwärmung in Betracht kommen, so ist jedoch die Verwendung von Injektoren unzweckmäßig. Wird der Vorwärmer zwischen den Wasserkasten und den Injektor gelegt, in das Saugrohr eingebaut, so müßte der Injektor heißes Wasser ansaugen, was bei größeren Temperaturen (mehr als 50°) mit Rücksicht auf die Wirkungsweise des Injektors unmöglich ist. Wird anderseits der Vorwärmer zwischen Injektor und Kessel, ins Druckrohr eingebaut, so würde das bereits auf 70° vorgewärmte Wasser wegen des geringeren Temperaturgefälles nur mehr wenig Wärme aufnehmen und trotz großer Heizflächen im Vorwärmer einen ungünstigen Wirkungsgrad ergeben. Es ist daher bei S. die Verwendung von Dampfpumpen notwendig. Diese sichern auch bei Temperaturen des Wassers von mehr als 100° die Speisung.

Beträgt die Temperatur des Speisewassers vor dem Eintritt in den Vorwärmer 10° und ermöglicht dieser eine Erwärmung auf 100°, so müssen dem Speisewasser durch den Vorwärmer 90·5 Wärmeeinheiten zugeführt werden. Um Speisewasser von 10° in Naßdampf von rund 14 Atm. Überdruck zu verwandeln, sind 656·7 Wärmeeinheiten erforderlich, bei der Vorwärmung auf 100° aber nur 656·7 – 90·5 = 466·2 Wärmeeinheiten. Es ist somit bei Naßdampf auf eine Wärmeersparnis von

$$100 \frac{656 \cdot 7}{656 \cdot 7 - 90 \cdot 5} = 14 \cdot 1\,\%$$

zu rechnen. Bei Heißdampf mit 14 Atm. Überdruck und einer Temperatur von 330° ist der Wärmeaufwand bei Speisewasser von 10° C 729·7 Wärmeeinheiten, wenn die spezifische Wärme mit 0·55 vorausgesetzt ist. Die Wärmeersparnis ist daher bei Heißdampf nur mit

$$100 \frac{729 \cdot 7}{729 \cdot 7 - 90 \cdot 5} = 11 \cdot 4\,\%$$

zu bewerten.

Unter Annahme dieser Grundwerte sind in nachfolgender Zusammenstellung 1 für eine Kohle von 7000 Wärmeeinheiten die Ersparnisse angeführt, die bei Naß- und Heißdampf-, Zwilling- und Verbundlokomotiven im Durchschnitt zu erlangen sind. Wie zu erwarten, ist bei den wärmetechnisch vollkommener ausgebildeten Lokomotiven der Gewinn durch die S. wesentlich geringer als an der Naßdampflokomotive mit einfacher Dampfdehnung. Hieraus ist abzuleiten, daß namentlich an den älteren Naßdampflokomotiven durch die S. eine merkliche Steigerung der Wirtschaftlichkeit zu erwarten ist, während an den neueren Heißdampflokomotiven der Erfolg ein begrenzter ist. Immerhin ist an den Heißdampflokomotiven der Erfolg durch Verwendung von S. ungefähr gleich dem Erfolg durch Anwendung der Verbundwirkung.

Im Betrieb erweist sich der Gewinn gewöhnlich noch etwas günstiger, als die Rechnung ergibt,

Zusammenstellung 1.

Lokomotivbauart	Wärme in der Kohle für eine indizierte PS. und Stunde	Kohlenverbrauch für eine indizierte PS. und Stunde	Verhältnis der Kohlenersparnis gegen die Naßdampf-Zwillinglokomotive	Kohlenverbrauch für eine indizierte PS und Stunde	Verhältnis der Kohlenersparnis gegen die Naßdampf-Zwillinglokomotive ohne Speisewasservorwärmung	Steigerung der Kohlenersparnis durch die Vorwärmung
	ohne Speisewasservorwärmung			mit Speisewasservorwärmung		
	Wärmeeinheiten	kg	%	kg	Prozent	
Naßdampfzwilling	12.000	1·71	0·0	1·47	14·1	14·1
Naßdampfverbund	10.000	1·43	16·4	1·23	28·1	11·7
Heißdampfzwilling	9.000	1·28	25·1	1·13	33·8	8·7
Heißdampfverbund	8.000	1·14	33·3	1·01	40·9	7·6

da bei gleichbleibender Leistung die Beanspruchung des Kessels durch die S. vermindert wird. Die geringere Kesselbeanspruchung führt aber eine Besserung des Kesselwirkungsgrades herbei und bringt hierdurch eine weitere Brennstoffersparnis mit sich. So ist z. B. ohne Verwendung der S. an einer Naßdampf-Zwillinglokomotive eine bestimmte Leistung mit einer Rostbeanspruchung von 500 *kg* Kohle für 1 m^2 Rostfläche und Stunde zu erreichen. Die Verdampfungsziffer stellt sich hierbei auf 5·99 und der Gesamtwirkungsgrad des Kessels auf 62·7 %. 1 m^2 Kesselheizfläche erzeugt 58·5 *kg* Dampf in der Stunde, wobei für jedes *kg* Dampf 655 Wärmeeinheiten aufgewendet werden, um Speisewasser von 10° in Dampf von 12·5 Atm. Überdruck zu verwandeln. Wird nun das Kesselspeisewasser auf 100° vor Eintritt in den Kessel durch S. erwärmt, so sind jetzt im Kessel nur 655·0 – 90·5 = 564·5 Wärmeeinheiten für die Erzeugung eines *kg* Dampf erforderlich. Die Beanspruchung kann daher wesentlich zurückgehen. Statt einer Rostbeanspruchung von früher 500 *kg* ist jetzt nur mehr eine solche von 390 *kg* notwendig. Der Wirkungsgrad des Kessels stellt sich jetzt mit etwa 69·0 % ein und durch die Besserung des Kesselwirkungsgrades allein werden nun unabhängig von der S. etwa

$$100 \frac{69·0 - 62·7}{62·7} = 10\,\%$$

Brennstoff gespart. Hierdurch ist der günstige Erfolg der S. im Betrieb hauptsächlich zu erklären.

Hinsichtlich der Anordnung der Einrichtungen für S. sind hauptsächlich 2 Bauarten zu unterscheiden: 1. Abdampfvorwärmer, die den von der Lokomotivdampfmaschine abströmenden Dampf für die S. verwenden, und 2. Rauchgasvorwärmer, die die hohe Temperatur der in die Rauchkammer entweichenden Heizgase für die S. ausnutzen. Bei ersterer Bauart ist mit einer Temperatur des Dampfes von etwa 110 – 130° zu rechnen. Das Speisewasser kann daher kaum auf viel mehr als etwa 100° vorgewärmt werden. Bei den Abdampfvorwärmern muß etwa $^1/_5 - ^1/_6$ des abströmenden Dampfes zur S. Verwendung finden. Diese Dampfmenge wird dem Ausströmrohr entnommen und somit dem Blasrohr entzogen. Die Blasrohrwirkung ist daher etwas vermindert, was namentlich bei Heißdampflokomotiven merkbar wird. Gewöhnlich wird der Abdampf etwa vorhandener Luftpumpen von Druckbremsen und der Abdampf der Speisepumpen selbst in den Vorwärmer geleitet. Da die Rauchgase der Lokomotive in der Rauchkammer noch Temperaturen von 300 – 400° besitzen, so ist durch Rauchkammervorwärmer eine Erhitzung des Speisewassers auf 130 – 160° leicht möglich. Rauchgasvorwärmer gestatten wegen des größeren Temperaturgefälles auch die Verwendung von Injektoren. Einrichtungen, bei welchen hochgespannter Kesseldampf oder heißes Kesselwasser verwendet wird, um den Kesselstein niederzuschlagen, können als eigentliche S. nicht angesehen werden. Sie bringen in thermischer Beziehung auch keinen Gewinn.

Die erste Einrichtung für S. wurde um 1852 von Kirchweger eingeführt. Bei dieser wurde Tenderwasser durch einen Rohrkörper im Boden des Wasserbehälters vom Abdampf der Lokomotive erwärmt. Diese Einrichtung war ziemlich verbreitet, wurde jedoch sobald verlassen, als an Stelle der damals wenig zuverlässigen Speisepumpen Injektoren eingeführt wurden.

Große Ähnlichkeit mit der S. von Kirchweger besitzt eine Bauart von Drummond, die an zahlreichen Lokomotiven in England in Verwendung steht. Bei dieser Einrichtung werden einzylindrige, doppeltwirkende Dampfpumpen der Bauart G. u. J. Wair benutzt, die als Speisepumpen für ortsfeste Dampfmaschinenanlagen und Schiffsmaschinen vielfach eingeführt sind. Die Fördermenge dieser Speisepumpe kann innerhalb weiter Grenzen eingestellt werden. Neuerdings haben auch die Erzeuger der G. u. J. Wair-Speisepumpe einen besonderen Speisewasservorwärmer ausgebildet.

Die S. nach der Bauart Caille-Potonié benutzt ebenfalls einen Teil des Abdampfes der Lokomotivdampfmaschine für die Vorwärmung. Ein besonderer Druck- und Temperaturregler beeinflußt die Zuströmung des Abdampfes, damit dem Blasrohr nicht mehr Dampf entzogen wird, als für die Vorwärmung durchaus notwendig ist. Der Abdampf tritt durch ein Rohrbündel eines walzenförmigen Vorwärmers, ohne umzukehren. Der Austritt des ausgenützten Abdampfes wird durch ein federbelastetes Ventil geregelt, das für einen Überdruck von 0·1 Atm. eingestellt ist. Bei der neueren S. von Caille-Potonié ist eine doppeltwirkende Speisepumpe vorhanden, die nicht nur das kalte Wasser vom Tender in den Vorwärmer saugt, sondern auch gleichzeitig durch synchron arbeitende Kolben das Wasser vom Vorwärmer in den Kessel drückt. Hierdurch ist das sonst schwierige Ansaugen heißen Wassers durch die Pumpe umgangen, ohne daß der Vorwärmer unter hohem Druck steht. Von S. nach Caille-Potonié wird an Lokomotiven der französischen Eisenbahnverwaltungen in ziemlich bedeutenden Umfange Gebrauch gemacht.

Durch zahlreiche sehr eingehende Versuche des Maschinendirektors F. H. Trevithick der ägyptischen Staatsbahnen ist die Entwicklung der Einrichtungen für S. an Lokomotiven besonders gefördert worden. Von Trevithick rührt eine große Zahl von vereinigten Abdampf- und Rauchkammervorwärmern und besonderen Rauchkammervorwärmern her, die gewöhnlich für sehr hohe Vorwärmung (mehr als 100°) bestimmt sind. Als Speisepumpen sind Dampfpumpen der Bauart Worthington in Verwendung.

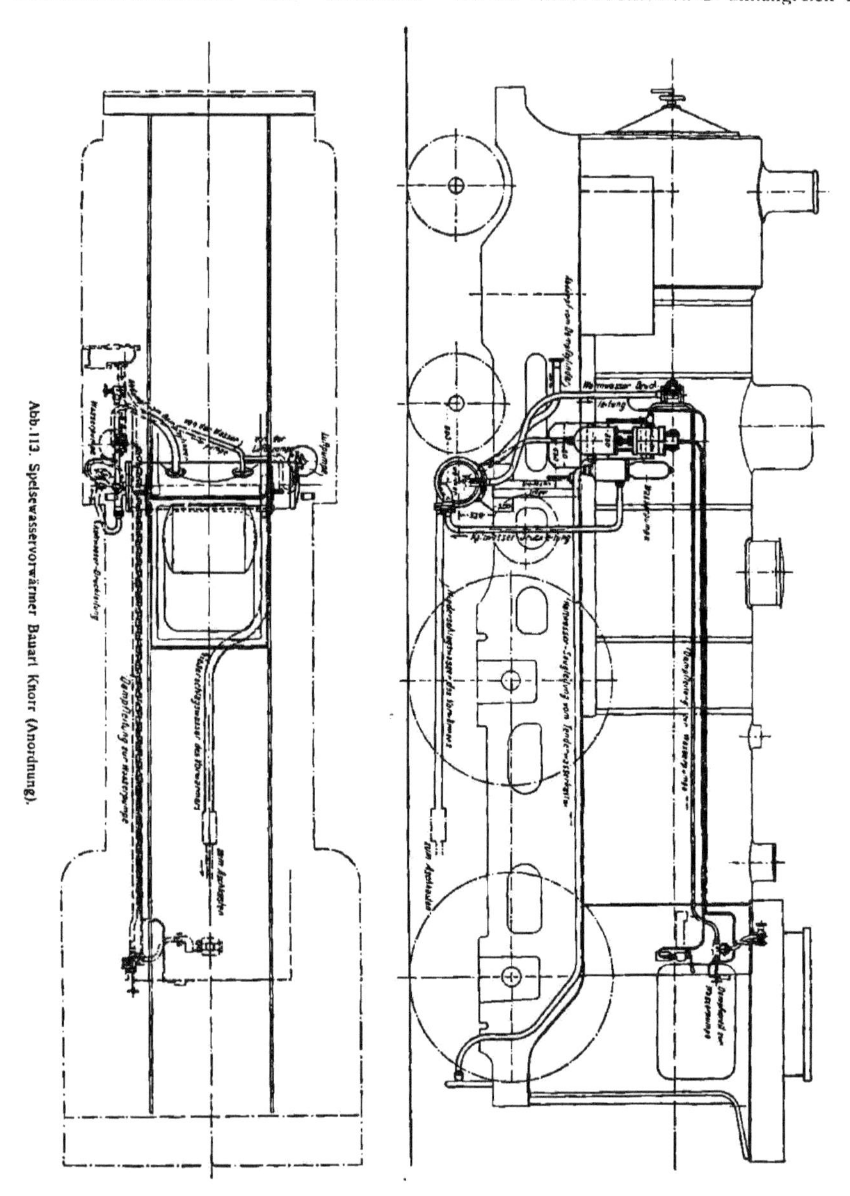

Abb. 113. Speisewasservorwärmer Bauart Knorr (Anordnung).

Bei den preußischen Staatsbahnen ist die S. von der Knorrbremse A. G. umfangreich im Gebrauch. Es ist ein Abdampfvorwärmer, der den Heizdampf dem Ausströmrohr unmittelbar hinter dem Dampfzylinder entnimmt (Abb. 113). Der Abdampf tritt in den zylindrischen oder ovalen Vorwärmer, der eine große Zahl von U-förmigen dünnwandigen Rohren enthält, die vom Speisewasser durchflossen werden (Abb. 114). Die Heizfläche des Vorwärmers beträgt je nach der Größe des Lokomotivkessels 10 – 15 m^2 und reicht aus, um im Durchschnitt eine Vorwärmung auf 90° zu erlangen. Wie bei allen Vorwärmern eignet sich Kupfer wegen seiner günstigen Wärmeleitung am vorteilhaftesten für die Rohre der Vorwärmer. Es ist auch gegen Kesselsteinbelag und gegen Zerstörung am widerstandsfähigsten. Auch Messing bewährte sich vielfach, wenn es auch ein viel geringeres Wärmeleitungsvermögen besitzt wie Kupfer. Eiserne Rohre haben sich nicht als geeignet erwiesen, da sie bei der geringen erforderlichen Wandstärke rasch durchrosten und an der rauhen Oberfläche auch der Kesselstein stärker haftet, wodurch die Reinigung erschwert wird. Verzinkte eiserne Rohre sollen sich besser bewährt haben.

Die Speisepumpe der Knorrbremse A. G. ist in Abb. 115 dargestellt. Der Dampfzylinder mit seiner Steuerung ist von den neueren Luftpumpen der Luftdruckbremse unverändert übernommen, so daß die Arbeitsweise und die Behandlung die gleiche ist wie bei der Luftpumpe. Die Wasserpumpe mit einem großen Windkessel enthält je 2 federbelastete Ringventile auf der Saug- und Druckseite. Bei 42 Doppelhüben in der Minute fördert sie stündlich 15 m^3 Speisewasser. Der Vorwärmer der Knorrbremse A. G. steht unter Druck, d. h. der Vorwärmer wird vom Speisewasser auf dem Weg von der Pumpe zum Kessel durchflossen. Der Gang der Pumpe wird vom Lokomotivführerstand aus nach Bedarf geregelt.

Neben diesen Einrichtungen besteht noch eine große Zahl anderer Bauarten, die indessen noch keine größere Verbreitung gefunden haben oder erst in Entwicklung sich befinden. Jedenfalls haben Einrichtungen für S. eine nicht unwesentliche wirtschaftliche Bedeutung. Neben den nicht unerheblichen Ersparnissen an Brennstoff kommt hauptsächlich die Steigerung der Leistung und die allgemein beobachtete Schonung der Kessel in Betracht. Allerdings dürfen anderseits die nicht unbedeutenden Kosten für den Einbau und die Instandhaltung der Vorwärmer und der Pumpen übersehen werden. Namentlich die letzteren waren bisher das hauptsächlichste Hindernis für eine allgemeine Einführung der S. an Lokomotiven, da sie in bezug auf Zuverlässigkeit den Strahlpumpen entschieden nachstanden. Die S. hat besondere Bedeutung für ältere Naßdampflokomotiven, deren Leistungsfähigkeit gegenwärtig nicht mehr völlig aus-

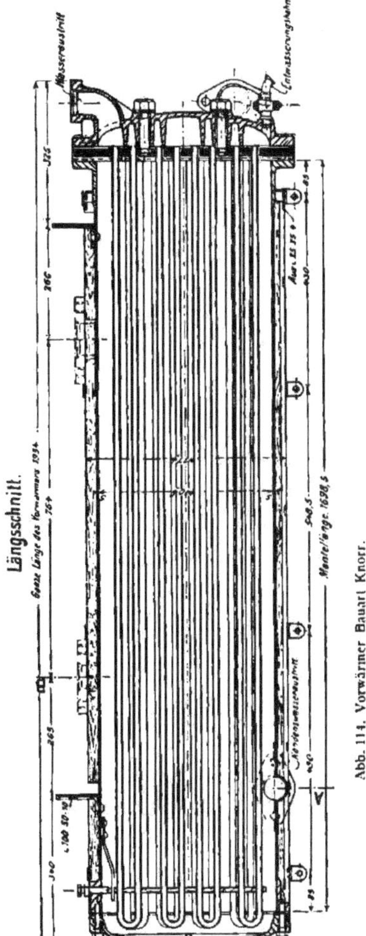

Abb. 114. Vorwärmer Bauart Knorr.

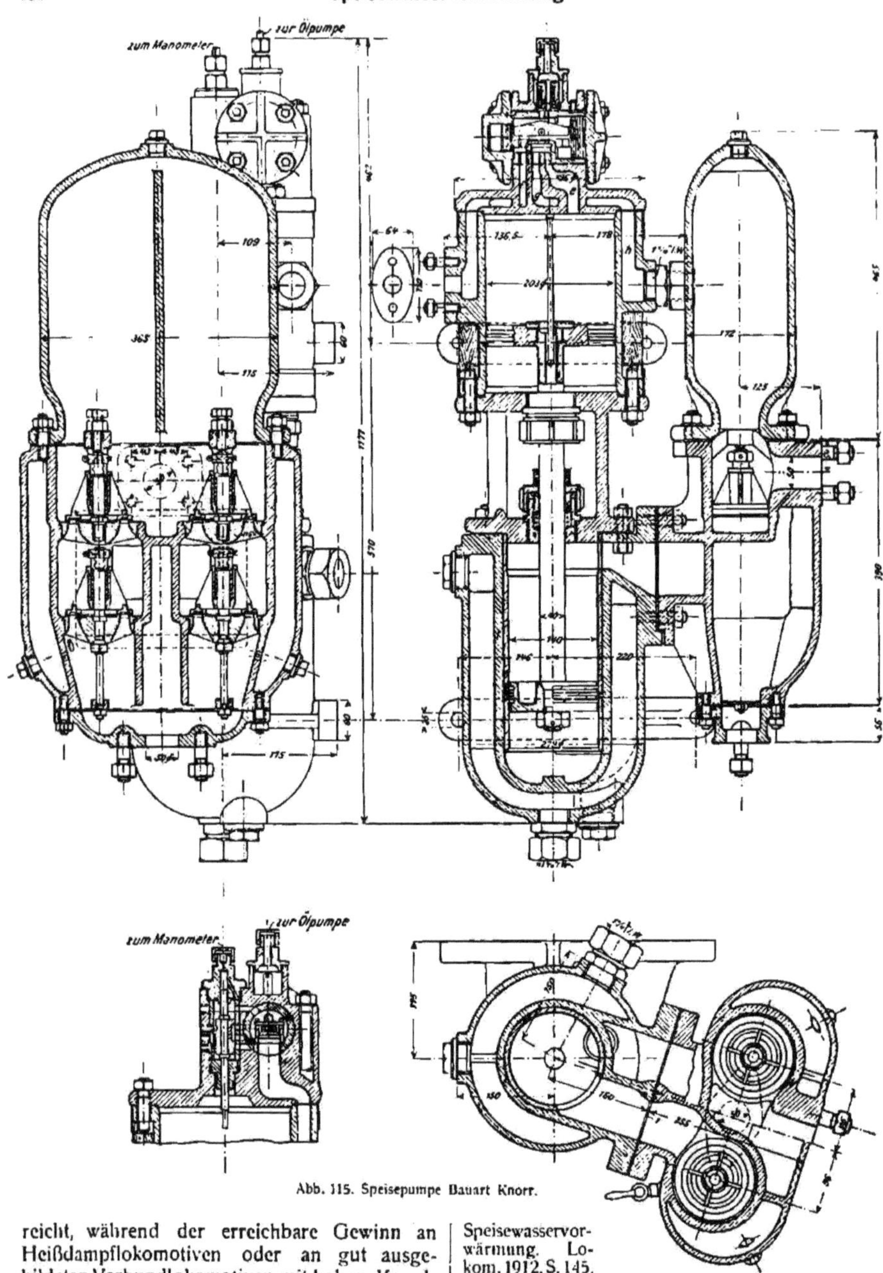

Abb. 115. Speisepumpe Bauart Knorr.

reicht, während der erreichbare Gewinn an Heißdampflokomotiven oder an gut ausgebildeten Verbundlokomotiven mit hohem Kesseldruck geringer ist.

Literatur: Feed water heating on locomotives. Engg. 1911, Bd. 1, S. 143. — Caille-Potonié, Speisewasservorwärmung. Lokom. 1912, S. 145. — Locomotive feed water heating results. Railw. Gaz. 1912, S. 477. — Schneider, Speisewasservorwärmung an Lokomotiven. Ztschr. d. Ing. 1913, S. 687. — Hammer,

Neuerungen an Lokomotiven. Glasers Ann. 1915, Bd. II, S. 221. – Strahl, Wert der Heizfläche. Ztschr. dt. Ing. 1917, S. 258; Versuche mit Dampflokomotiven. Glasers Ann. 1917, Bd. II, S. 84.
Sanzin.

Sperrbaum s. Ein- und Entgleisungsvorrichtungen.

Sperrige Güter *(balk freights; marchandises encombrantes; merci ingombranti)* sind dem Sprachgebrauch nach solche leichtwiegende Güter, die im Verhältnis zu ihrem Gewicht einen ungewöhnlich großen Raum beanspruchen. Der Tarif deckt sich jedoch nicht mit diesem Begriff, er behandelt, den Grundsätzen des Raum- und Wertsystems im einzelnen folgend (vgl. Gütertarife S. 461 u. 463), nur die Güter als sperrig, die er ausdrücklich hierfür bezeichnet, sei es, wie in Deutschland, durch Aufnahme in das I. Verzeichnis zu den allgemeinen Tarifvorschriften, sei es, daß, wie in Österreich, die Güter in der Güterklassifikation selbst in den Spalten für die Tarifklassen als sperrig benannt werden.

Der deutsche Tarif kennt den Begriff der Sperrigkeit nur bei Aufgabe als Stückgut. Das Mindestgewicht ist 30 oder 60 *kg*, je nachdem das Gut als Stückgut und Eilgut oder als beschleunigtes Eilgut aufgegeben wird. Bei der Frachtberechnung wird das Gewicht um 50% erhöht. Die Fracht für die dem Eilgut- oder Stückgutspezialtarif angehörenden sperrigen Güter richtet sich unter Aufrechterhaltung des Gewichtszuschlags nach den einzelnen Spezialtarifen. Die Verpackung ist für die Berechnung des Sperrigkeitszuschlags gleichgültig, sofern nicht im Verzeichnis I etwas anderes bestimmt ist. So sind z. B. neue Glas- und Tonballons nur verpackt, neue Korbwaren dagegen, gleichgültig ob sie verpackt sind oder nicht, als sperrig zu behandeln. Die früheren Bestimmungen über die Frachtberechnung für Gegenstände von außergewöhnlichem Umfang sind aus dem Tarif entfernt und sind auch trotz wiederholter Anregungen nicht wieder eingeführt (vgl. Ständige Tarifkommission, 41. Sitzung, Nr. 3, 110. Sitzung, Nr. 2).

Im österreichisch-ungarischen Tarif ist die Bezeichnung „sperrig“ bei einzelnen Gütern nur für Stückgütermengen unter 5000 *kg* (s. Futterlaub, Häckerling u. s. w.) vorgesehen, während sie bei anderen Gütern außer für Stückgut auch für Wagenladungen von 5000 und 10.000 *kg* (s. Fahrräder, Handfahrzeuge u. s. w.) gilt.

Die Fracht wird unter Zugrundelegung des um 50% erhöhten und sodann abgerundeten Gewichts zu den Frachtsätzen der Klasse I berechnet.
Grunow.

Sperrschiene s. Stellwerke.

Spezialtarife s. Gütertarife.

Spezialwagen, Güterwagen mit besonderen Einrichtungen zur ausschließlichen Beförderung bestimmter Güter (s. die verschiedenen Einzelartikel).

Spitzenverschluß *(point lock; verrou de calage pour aiguilles; chiusura di punta dello scambio)*, eine mit dem Weichenantrieb verbundene Vorrichtung, die den festen Anschluß der anliegenden Weichenzunge an die Backenschiene sichert.

Der S. soll auffahrbar sein, d. h. beim Aufschneiden einer Weiche (s. d.) soll der Verschluß der anliegenden Zunge ohne Beschädigung gelöst werden. Das wird dadurch erreicht, daß die Weichenzungen nicht starr miteinander verbunden werden, sondern jede Zunge unabhängig von der andern eine gewisse Bewegung ausführen kann. Beim Umstellen oder Auffahren der Weiche bewegt sich zunächst die abliegende Zunge nach der Backenschiene hin; die anliegende Zunge behält inzwischen ihre Lage noch bei, aber ihr Verschluß wird aufgehoben. Erst wenn dieser völlig beseitigt ist, folgt sie der Bewegung der abliegenden Zunge und fängt an, sich von der Backenschiene zu entfernen. Bei dem weiteren Umstellen bewegen sich dann beide Zungen gleichmäßig, bis die früher abliegende Zunge zum Anliegen an der Backenschiene kommt. Im letzten Teil der Umstellbewegung wird diese nun anliegende Zunge verschlossen, während die früher anliegende sich bis zu dem vorgeschriebenen Maß von ihrer Backenschiene entfernt. Bei den preußischen Bahnen beträgt diese Entfernung 140 *mm*.

Die Festlegung der anliegenden Zunge durch den S. erfolgt entweder dadurch, daß die Zunge gegen einen festen Punkt abgestützt wird, oder dadurch, daß sie durch einen Haken mit einem an der Backenschiene angebrachten Verschlußstück verklammert wird. Man unterscheidet hiernach S. mit Abstützung und S. mit äußerer Verklammerung.

Zu der ersteren zählt der in Abb. 116 dargestellte S. der Maschinenfabrik Bruchsal, die zuerst einen einwandfreien auffahrbaren S. gebaut hat.

Mit jeder der beiden Weichenzungen ist ein Stempel *a* verbunden, der mit dem einen Ende den Fuß der Weichenzunge umfaßt und an dem andern Ende in dem trapezförmigen Gelenk *b* beweglich gelagert ist. Der mit der anliegenden Zunge verbundene Stempel stützt sich in der Ruhelage mit einem Röllchen gegen das Verschlußstück *c* des auf der Weichenschwelle befestigten Bockes *d* ab. Das Gelenk *b* ist durch die Stange *e* mit dem Weichenantrieb verbunden. Wird die Weiche umgelegt, so bewegt die Stange *e* das Gelenk. Die abliegende Zunge folgt ohne

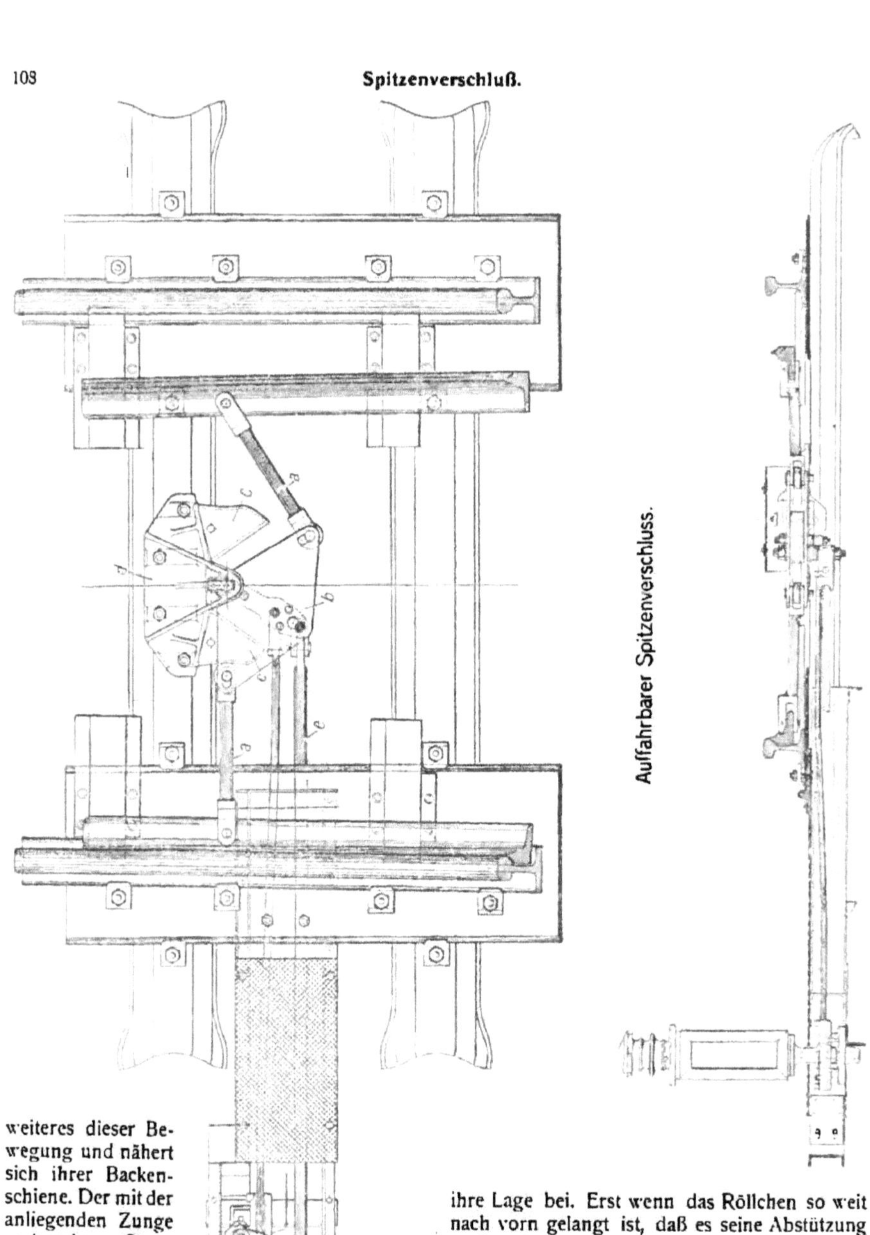

Abb. 116. Auffahrbarer Spitzenverschluss.

weiteres dieser Bewegung und nähert sich ihrer Backenschiene. Der mit der anliegenden Zunge verbundene Stempel dreht sich zunächst um den Bolzen am Zungenkloben, während das Röllchen an seinem andern Ende auf der gekrümmten Abstützfläche nach vorne gleitet. Die anliegende Zunge behält dabei ihre Lage bei. Erst wenn das Röllchen so weit nach vorn gelangt ist, daß es seine Abstützung verliert, beginnt auch die anliegende Zunge sich zu bewegen. Bei der weiteren Bewegung erreicht das Röllchen des zweiten Stempels die Abstützfläche und verschließt nun die inzwischen zum Anliegen gekommene, früher abliegende Zunge.

Wenn ein vollkommener Zungenschluß durch diese Art des S. erreicht werden soll, muß dafür gesorgt werden, daß die vorschriftsmäßige Spurweite an der Weichenspitze möglichst genau

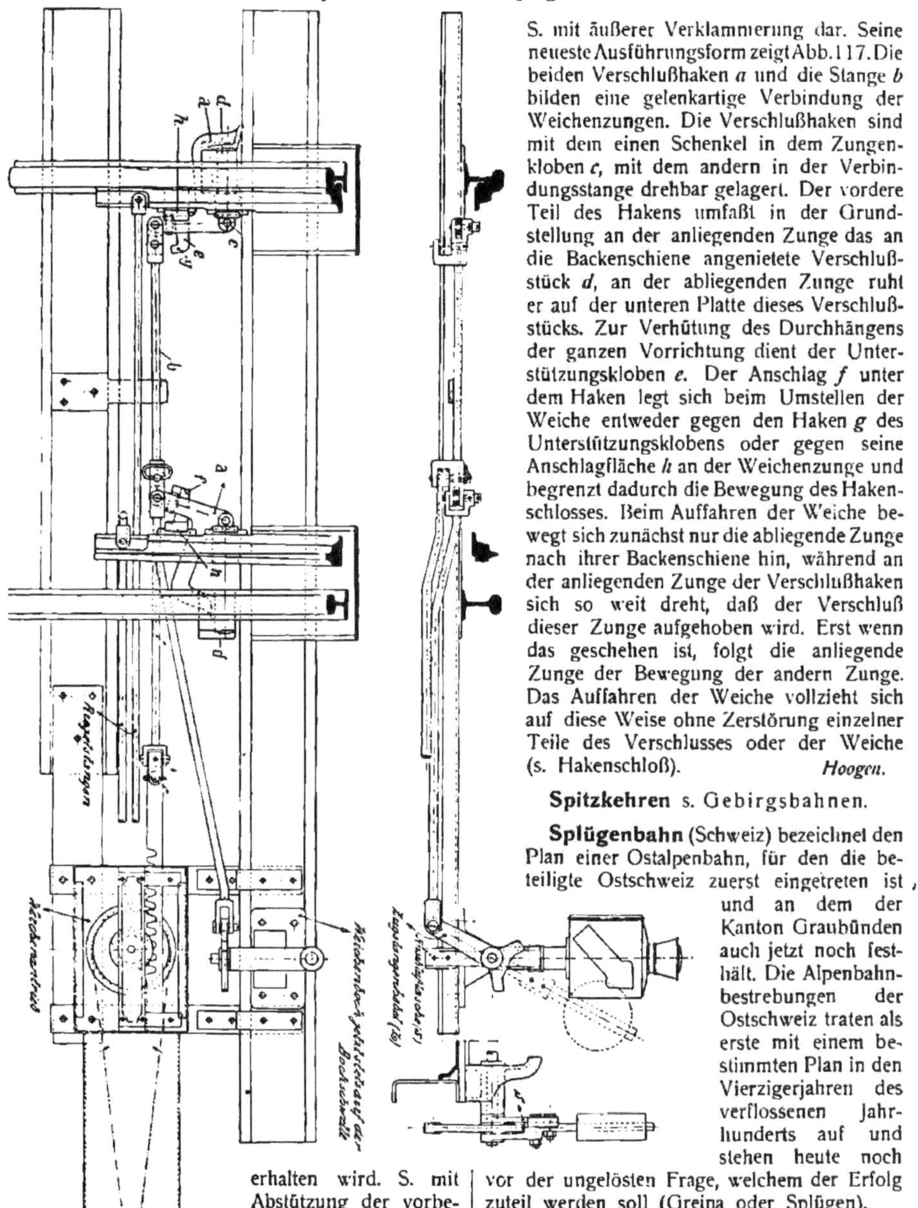

erhalten wird. S. mit Abstützung der vorbeschriebenen Art werden auf den süddeutschen Bahnen fast ausschließlich verwendet.

Auf den preußischen Staatseisenbahnen ist das sog. Hakenschloß (s. d.) eingeführt. Es stellt einen S. mit äußerer Verklammerung dar. Seine neueste Ausführungsform zeigt Abb. 117. Die beiden Verschlußhaken *a* und die Stange *b* bilden eine gelenkartige Verbindung der Weichenzungen. Die Verschlußhaken sind mit dem einen Schenkel in dem Zungenkloben *c*, mit dem andern in der Verbindungsstange drehbar gelagert. Der vordere Teil des Hakens umfaßt in der Grundstellung an der anliegenden Zunge das an die Backenschiene angenietete Verschlußstück *d*, an der abliegenden Zunge ruht er auf der unteren Platte dieses Verschlußstücks. Zur Verhütung des Durchhängens der ganzen Vorrichtung dient der Unterstützungskloben *e*. Der Anschlag *f* unter dem Haken legt sich beim Umstellen der Weiche entweder gegen den Haken *g* des Unterstützungsklobens oder gegen seine Anschlagfläche *h* an der Weichenzunge und begrenzt dadurch die Bewegung des Hakenschlosses. Beim Auffahren der Weiche bewegt sich zunächst nur die abliegende Zunge nach ihrer Backenschiene hin, während an der anliegenden Zunge der Verschlußhaken sich so weit dreht, daß der Verschluß dieser Zunge aufgehoben wird. Erst wenn das geschehen ist, folgt die anliegende Zunge der Bewegung der andern Zunge. Das Auffahren der Weiche vollzieht sich auf diese Weise ohne Zerstörung einzelner Teile des Verschlusses oder der Weiche (s. Hakenschloß). *Hoogen.*

Spitzkehren s. Gebirgsbahnen.

Splügenbahn (Schweiz) bezeichnet den Plan einer Ostalpenbahn, für den die beteiligte Ostschweiz zuerst eingetreten ist, und an dem der Kanton Graubünden auch jetzt noch festhält. Die Alpenbahnbestrebungen der Ostschweiz traten als erste mit einem bestimmten Plan in den Vierzigerjahren des verflossenen Jahrhunderts auf und stehen heute noch vor der ungelösten Frage, welchem der Erfolg zuteil werden soll (Greina oder Splügen).

Mitte des neunten Jahrzehnts des vorigen Jahrhunderts begann das Interesse für eine allen Anforderungen einer großen Transitlinie entsprechende S. wieder zu erwachen. Es entstand das Splügenbahnprojekt von Oberingenieur Moser von 1890 mit einem Alpentunnel von 18 *km* Länge, einem Scheitelpunkt von 1156 *m* ü. M. und einer Höchstneigung von 26‰.

Im Jahre 1897 fand dann in der Schweiz der Übergang vom Privatbahn- zum Staatsbahnsystem statt (s. Schweizer Eisenbahnen, Bd. VIII). In dem bezüglichen Gesetz wurde die Förderung einer Alpenbahn im Osten der Schweiz neuerdings zugesichert. Dagegen neigten nun die Bundesbahnen in vermehrtem Maße dem Projekt der verbesserten Lukmanierbahn, d. h. der Greinabahn zu, das, vom Kanton Tessin aufgestellt, nun gegenüber dem alten und neuerdings verbesserten Splügenprojekt in den Vordergrund trat.

Die ersten Entwürfe der S. haben später Umgestaltungen und Verbesserungen erhalten. Das Konzessionsprojekt für den Splügen von 1909, verfaßt von dem Erbauer der Pilatus- und Simplonbahn Dr. Locher und Ingenieur Rigoni, weist eine Höchstneigung von 25‰ und eine Tunnellänge von 24·29 *km* auf. Von letzterer fallen 12·945 *km* auf schweizerisches und 11·345 *km* auf italienisches Gebiet.

Während die Bundesbahnen den Bau der Ostalpenbahnen durch sie beantragen, hat der Bundesbeschluß vom 26. September 1906 bestimmt, daß der Privatbau nicht ausgeschlossen sein solle. Über die der Ausführung zu grunde zu legenden Pläne wird das Parlament auf Grund eines Antrags des Bundesrates zu entscheiden haben.

Die Baukosten der Splügenbahnprojekte sind zwischen 112,554.000 Fr. und 192,000.000 Fr., auf 1 *km* zwischen 1,208.179 und 2,288.700 Fr. berechnet.

Literatur: Dr. Hans Schmidlin, Die Ostalpenbahnfrage, Zürich 1916, mit ausführlichen Literaturverzeichnissen. *Dietler.*

Spreetunnel unterfahren die Groß-Berliner Spree an 4 verschiedenen Stellen: In Treptow (Straßenbahn), an der Wallstraße (Untergrundbahn Spittelmarkt-Alexanderplatz), im Zuge der Friedrichstraße (Nordsüdbahn) und zwischen der Waisen- und der Jannowitzbrücke (Untergrundbahn Gesundbrunnen-Neukölln). Die beiden letzten sind noch im Bau. Im Bau ist auch ein zweiter Tunnel der Nordsüdbahn unter dem Berliner Landwehrkanal nahe der Belle-Alliance-Brücke. Tunnel unter dem Landwehrkanal an der Kottbuser Brücke und unter dem Luisenstädtischen Kanal sind geplant. Die Bauten waren bei den schwierigsten Boden- und Grundwasserverhältnissen durchzuführen. Sie sind interessant durch die Verschiedenartigkeit der Bauweisen.

I. Der S. zwischen Stralau und Treptow.

Beim Bau des Treptower Tunnels war man auf die Erfahrungen angewiesen, die man in London und New York bei der Ausführung von Unterwassertunneln gemacht hatte, und wählte aus diesem Grund die von Barlow beim Bau des Tower subway in London zuerst benutzte Schildbauweise.

Der Treptower Tunnel hat eine Gesamtlänge von 453 *m* (Abb. 118) und einen kreisförmigen

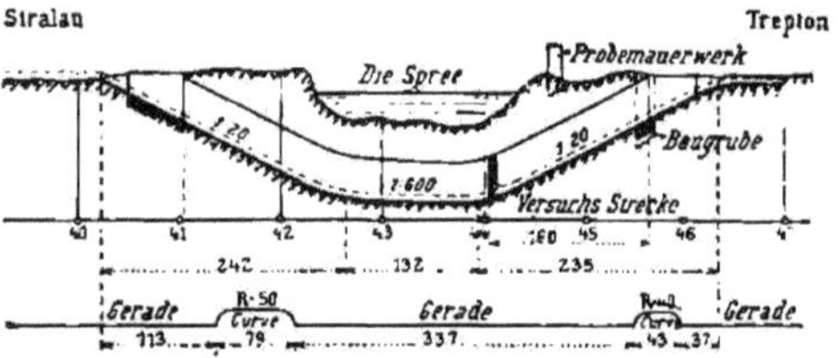

Abb. 118.

Querschnitt. Der eiserne Mantel (Abb. 119) besteht aus einzelnen, je 650 *mm* breiten, aus Flußeisenplatten gebildeten Ringen und zwischen diesen eingebauten Versteifungsrippen. Als Rostschutz umgibt ein Überzug von Zementmörtel außen und innen den Eisenmantel in einer Stärke von 80 und 100 *mm*.

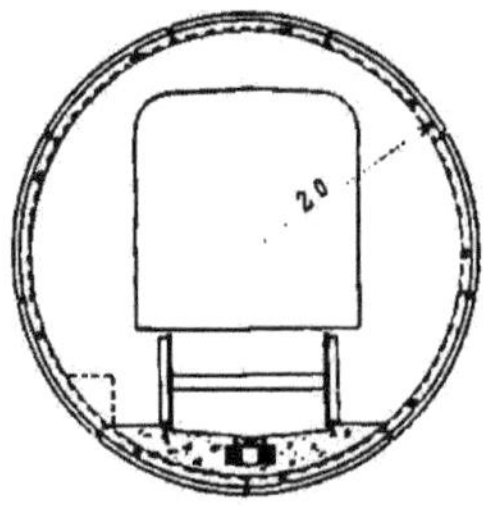

Abb. 119.

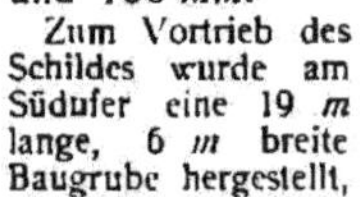

Zum Vortrieb des Schildes wurde am Südufer eine 19 *m* lange, 6 *m* breite Baugrube hergestellt, durch Spundwände eingefaßt und zur Abdichtung mit einer Sohle aus Betonschüttung versehen. In diese Grube baute man einen Förderschacht ein sowie ein gegen die hintere Kopfwand der Grube durch Holzstempel abgesteiftes kurzes Tunnelstück, das man darauf am hinteren Ende durch eine dichte, mit Luftschleusen versehene Wand, vorn durch Einbau des Brustschildes abschloß. Dann wurde die vordere Kopfwand der Grube beseitigt, das Ganze mit Sand eingeschüttet, Tunnelstück und Brustschild mit Preßluft gefüllt und mit dem Vortrieb begonnen. In der vorderen Schildwand, die unter dem Böschungswinkel trockener Erde geneigt war, befanden sich zur Förderung des Bodens verschließbare Öffnungen. Durch in Kugelgelenken drehbare Stopfbüchsen erfolgte die Einführung von Sonden, Meißeln, Bohrern u. s. w. Eine Querwand zerlegte den Schild in eine vordere und eine hintere Kammer. Vorn fand die Förderung statt, hinten die Erstellung der Tunnelringe und Zementverkleidungen sowie der Vortrieb des Schildes durch kräftige Wasserdruckpressen. Die hintere Wand mit den Luftschleusen wurde, dem Fortgang der Arbeiten entsprechend, vorgeschoben.

Die Förderung des Bodens geschah teils durch Handwagen mit Benutzung der Luftschleusen, teils durch eine Wasserstrahlsandpumpe. Es konnte nicht vermieden werden, daß bisweilen der Inhalt der geförderten Massen den dem Tunnelvortrieb entsprechenden Raum überschritt. Sackungen des Geländes über und neben dem Tunnel traten ein. Dem Auftrieb wurde durch äußere und innere Belastung des Tunnelrohrs und des Brustschildes begegnet. Die Gesundheit der in der Preßluft tätigen Arbeiter war zufriedenstellend. Bei einer am Stralauer Ufer liegenden, 80 *m* langen, stark gekrümmten Tunnelstrecke sah man von der Schildbauweise ab und versuchte die Ausführung in offener Baugrube. Die nasse Baggerung war dabei auf Tiefen von 4,5 bis zu 9,0 *m* zu bewirken. Während das Verfahren auf dem höher gelegenen Teil der Strecke gelang, war innerhalb des tieferen, der Spree benachbarten Abschnitts von 30 *m* Länge die Undichtigkeit der Spundwände und der Auftrieb des auszubaggernden Bodens zu groß, um einen sicheren Abschluß der Baugrube zu erzielen. Man teilte darum diese Strecke durch Querwände in 3 je etwa 10 *m* lange Kästen, versah diese mit einer luftdichten Decke und füllte sie mit Preßluft. So gelang denn auch die trockene Förderung des Bodens und die Betonierung der Sohle. Die Verbindung der beiden in derartig verschiedener Bauweise hergestellten Tunnelstrecken geschah durch Vortrieb des Brustschildes in den äußersten Kasten.

Der Bau des Treptower Tunnels hat, von einer längeren Unterbrechung abgesehen, $2^1/_2$ Jahre beansprucht. Der Vortrieb, der im Anfang 0·7 – 1·0 *m* am Tag betrug, konnte im zweiten Bauabschnitt bis auf 2·0 *m* gesteigert werden. Er betrug im Anfang im Durchschnitt 0·9 *m*, später 1·5 *m* am Tage.

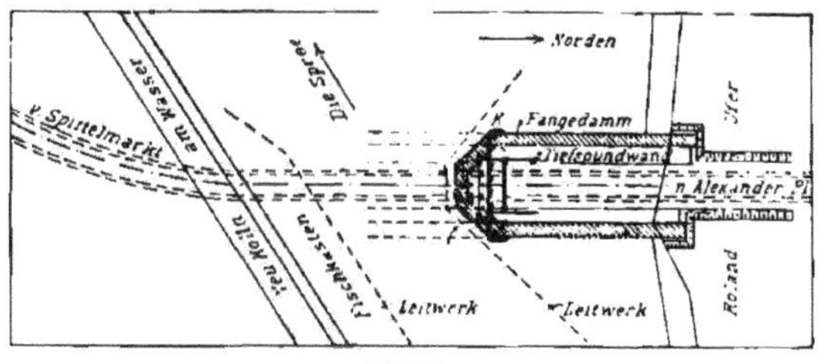

Abb. 121.

II. Der S. der Untergrundbahnstrecke Spittelmarkt-Schönhauser Tor an der Wallstraße.

Die für einen Teil des Treptower Tunnels angewendete offene Bauweise hatte mehrere Vorteile, so daß es nahe lag, sie noch einmal unter Berücksichtigung der gesammelten Erfahrungen durchzuführen. Das ist bei dieser Anlage geschehen, u. zw. unter gleichzeitiger Absenkung des natürlichen Grundwasserstandes durch eine Saugpumpenanlage. Aber auch hier hat man anfangs nicht ausreichend gegen die Gefahr einer Unterspülung der Baugrubenumschließung Vorsorge getroffen.

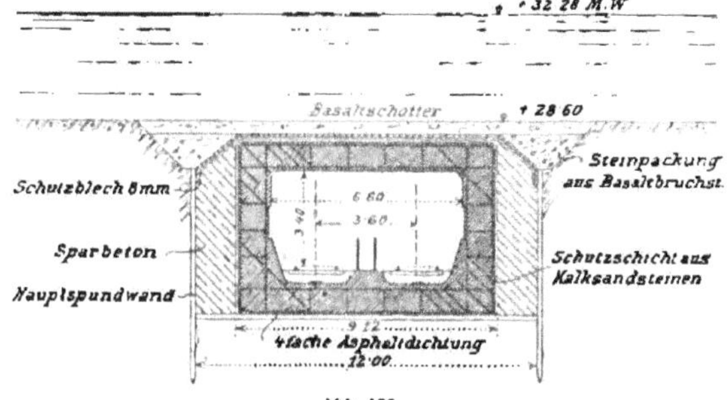

Abb. 122.

Der Spittelmarkttunnel liegt unter äußerster Einschränkung des Verlustes an Bahngefälle dicht unter der Sohle des Flusses. Die Spree ist in der Bahnachse etwa 3·5 *m* tief und 110 *m* breit. Der Untergrund ist reiner Kies. Eine undurchlässige sedimentäre Decke von etwa 1·0 *m* Stärke trennt den Flußlauf vom Grundwasserstrom.

Im Frühjahr 1910 wurde zunächst vom südlichen Ufer aus ein U-förmiger, 4 *m* breiter Fangedamm hergestellt (Abb. 120 u. 121), der ein 22 *m* breites halbinselartiges Arbeitsfeld begrenzte; unter Absenkung des Grundwassers wurde die Deckschicht abgetragen, die 10 *m* langen Tiefspundwände der 12 *m* breiten Tunnelgrube wurden bis 2·5 *m* unter Tunnelsohle gerammt und die Betonierung des Tunnels selbst (Abb. 122) in Angriff genommen. Der Tunnelkörper erhielt zur Abdichtung eine 4fache Papplage und ist gegen Verletzungen durch eine Hülle aus Beton oder in Zementmörtel verlegten Kalksandsteinen geschützt. Das Ende der Eisenbetonröhre wurde durch zwei 3 *m* voneinander entfernte Stirnwände ab-

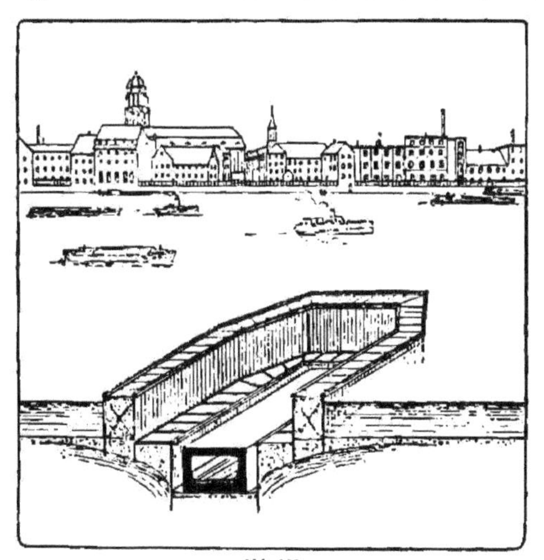

Abb. 120.

geschlossen und das ganze Bauwerk gegen Beschädigungen durch Schiffsanker durch eine Decke von 5 *mm* starken, in Zementmörtel verlegten Eisenblechen geschützt, über der nochmals eine 10 *cm* starke Betonschicht ruht.

Kurz vor Beendigung der Ausschachtungen, als die Sohle des nördlichen Tunnelabschnitts nahe bis zur Spreemitte fertiggestellt war, machte sich am Kopfende des Südtunnels starker Wasserandrang bemerkbar, der sich bei der Herstellung der Verbindung mit dem Südtunnel noch steigerte, bis ein Bruch eines Teiles der äußeren Spundwand des Fangedamms und ein ungehemmter Wassereinbruch eintrat und infolge von Kolkbildung unter dem fertigen Tunnelende das äußerste Stück der Tunnelröhre in einer Länge von etwa 16 *m* abbrach.

Die Fortführung der Arbeiten geschah in der Weise, daß man den Nordtunnel soweit als möglich fertigstellte, nachdem die Baugrube nach der Einbruchsstelle zu durch einen neuen Kopffangedamm abgeschlossen war, der, gegen den früheren um 6 *m* nach Norden verschoben, gleichzeitig zum Abschluß für die eigentliche Tunnelbaugrube diente.

Die fast unbeschädigte Betonsohle konnte nach dem Auspumpen der Baugrube und der Beseitigung der eingespülten Sandmassen sogleich fertiggestellt und mit dem weiteren Aufbau des Tunnels fortgefahren werden. Der Raum zwischen Tiefspundwand und Tunnelwandung wurde in ganzer Tiefe mit

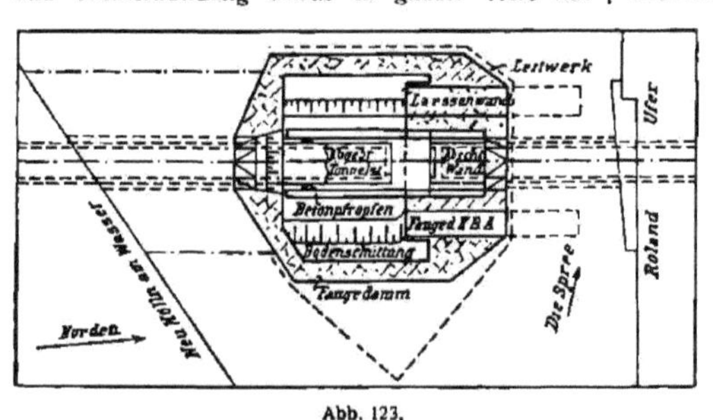

Abb. 123.

Sparbeton ausgefüllt (vorher unten Kies, oben Beton). Die Spundbohlen wurden nach Abschluß der Arbeiten nicht herausgezogen, sondern über Spreesohle abgeschnitten, um den Grund nicht zu verletzen.

Nach Abbruch des Fangedamms wurde auch die nördliche Fahrrinne freigegeben, und man schritt zum Aufbau der Insel (Abb. 123) in der Mitte des Flußlaufs, von der aus das fehlende Verbindungsstück zwischen Nord- und Südtunnel innerhalb eines ringförmigen Fangedamms hergestellt wurde, der die Kolkstelle umfaßte. Das abgebrochene Tunnelstück wurde vollständig beseitigt.

Die Bauzeit hat 3 Jahre betragen.

III. S. der Nordsüdbahn im Zuge der Friedrichstraße.

Die Nordsüdbahn kreuzt die Spree im Zuge der Friedrichstraße. Der Eisenbetontunnel muß die Pfeilerfundamente der Wiedendammer Brücke durchdringen. Die mittlere Spreetiefe im Zuge

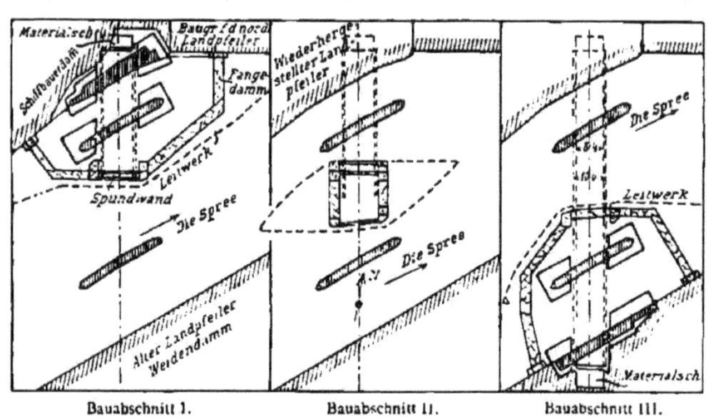

Bauabschnitt I. Bauabschnitt II. Bauabschnitt III.

Abb. 124.

der Tunnelachse beträgt 3·0 *m*, die Breite des Flusses rd. 62 *m*. Die Untergrundverhältnisse sind nicht günstig. Unter der Flußsohle steht zunächst eine rd. 2·0 *m* starke Schicht moorigen Sandes an. Dann folgt eine im Mittel rd. 7·0 *m* dicke Schicht scharfen, z. T. grobkörnigen Kieses mit Lehm- und Tonnestern, die sich an der südwestlichen Ecke der Baustelle bis auf 30 *m* Tiefe hinabzieht. Darunter haben die Bohrungen scharfen Sand verschiedener Körnung festgestellt mit Nestern, die bis kopfgroße Steine enthalten. Westlich der Baustelle befindet sich in unmittelbarer Nähe ein an den Rändern steil abfallendes Loch, das mit wenig tragfähigem Sand gefüllt ist (wohl die alte Pankemündung).

Man entschloß sich, Brücke und Pfeiler völlig zu beseitigen und die Pfeiler in neuer Gestalt, die Brücke unter Verwendung des alten Materials wieder aufzubauen.

Die Bauweise, die man wählte, sieht 3 Bauabschnitte (Abb. 124) vor. Zunächst wurde vom nördlichen Ufer aus ein 3 *m* breiter Fangedamm erstellt, dessen Flügel an die Ufermauern anschließen. Am südlichen Abschluß der so gebildeten Halbinsel wurde der Fangedamm durch eine 13 *m* lange, einfache Spundwand ersetzt, um ein gutes Übergreifen des Bauabschnitts I auf den Abschnitt II zu ermöglichen. Ein Leitwerk erleichtert die Schiffahrt. Nach Trockenlegung der Baugrube bis etwa 2·0 *m* unter Flußsohle wurden die beiden nördlichen Brückenpfeiler beseitigt und an ihrer Stelle zu beiden Seiten des künftigen Tunnels Pfeilerteile auf Beton zwischen Spundwänden bis zur Tiefe der Tunnelsohle unter Wasser gegründet und durch eine Überbrückung aus Eisenbeton über die Tunnelbaugrube hinweg miteinander verbunden. Zur Umschließung der eigentlichen Tunnelbaugrube wurden gleichzeitig die hölzernen und eisernen Spundwände eingetrieben. Auch wurden die Rohrbrunnen für die Grundwasserabsenkung außerhalb der Spundwände im Spreebett erstellt. Sodann hob man den Boden in der inneren Baugrube so weit aus,

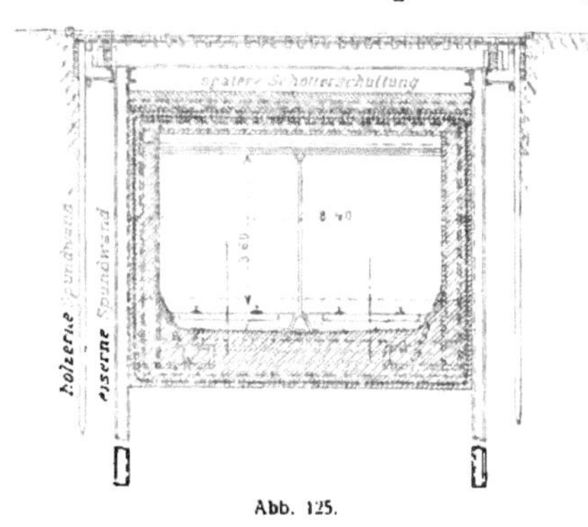

Abb. 125.

wie es die Wirkung der Pumpenanlage gestattete, brachte eine Baugrubendecke (Abb. 125 u. 126) ein, dichtete sie und deckte den gesamten, vom Fangedamm umschlossenen Teil der Flußsohle mit geteertem Segeltuch ab. Zum Abschluß der hinter dem

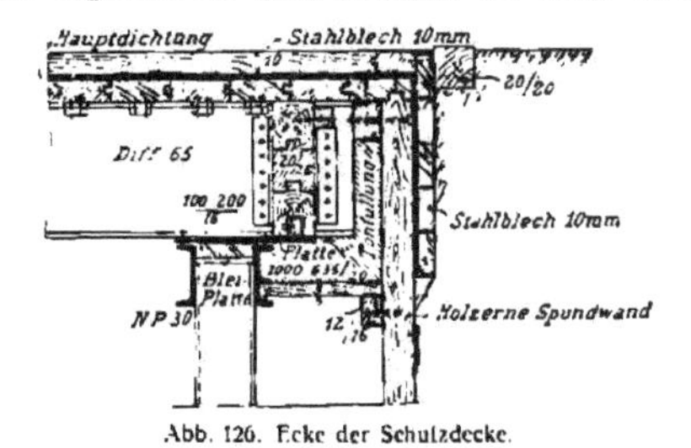

Abb. 126. Ecke der Schutzdecke.

Landpfeiler gelegenen Baugrube wurde auf die zeitweilige Decke eine dichte Betonwand aufgesetzt. Am Südende dieses Abschnitts wurde eine hölzerne Doppelwand auf die Baugrubendecke gesetzt und deren Hohlraum mit Dichtungsmaterial gefüllt.

Während des zweiten Bauabschnitts wird der mittlere Teil der Flußbreite durch einen Fangedamm eingeschlossen. Es verbleibt für die Schiffahrt die südliche Durchfahrt in rd. 14 *m* Breite zwischen den Streichbalken des Leitwerks, für die Wasserführung eine Breite von 28 *m*.

Unter ganz ähnlichen Verhältnissen wird der Übergang vom zweiten zum dritten Bauabschnitt erfolgen, bei dem der südliche Teil der Flußbreite durch einen Fangedamm eingeschlossen wird. Der Abbruch des südlichen Landpfeilers und der Fundamente des Strompfeilers sowie der Neubau dieser Pfeiler und die Erstellung der Tunnelgrubendecke sind in diesem Abschnitt durchzuführen. Für die Schiffahrt verbleibt eine Breite von 13·5 *m* zwischen Fangedamm und nördlichem Strompfeiler. Auch im zweiten und dritten Bauabschnitt erfolgt noch eine Abdichtung der Flußsohle durch eine Segeltuchlage.

Die Arbeiten des ersten Bauabschnitts sind Ende 1917 noch im Gange. Abweichend vom ursprünglichen Plan sind die ersten 30 *m* (nördlicher Abschnitt) der Tunnelröhre unter doppeltem Schutz des Fangedamms und der provisorischen Tunneldecke bereits ausgeführt. Es ist beabsichtigt, im dritten Bauabschnitt ebenso zu verfahren. Dementsprechend wird die Tunnelröhre in 3 Teilen erstellt werden, die bis zur gänzlichen Vollendung gegeneinander durch Betonwände abgeschlossen sind.

IV. S. im Zuge der Untergrundbahn Gesundbrunnen-Neukölln an der Waisenbrücke.

An der Baustelle des vierten S. verläuft die Tunnelachse spitzwinklig zu den beiden nahegelegenen Straßenbrücken (Waisenbrücke und Jannowitzbrücke), etwa als Diagonale eines durch die Flußufer und die Brücken umschlossenen Rechtecks (Abb. 127). Da die Breite des Flusses nicht groß ist, sah man von der anfänglich geplanten Ausführung in offener Baugrube (in 2 oder 3 Bauabschnitten ähnlich wie an der Wallstraße) ab, um während der Bauzeit die Behinderung der Schiffahrt in diesem Abschnitt nicht zu vermehren. Aus dem gleichen Grunde wurde von Versenkung etwa 6·0 *m* i. L. messender Röhren abgesehen; man beschloß ein Verfahren anzuwenden, das den Bedürfnissen der Schiffahrt in weitestem Maße entgegenkam. Die Bauweise mit Schildvortrieb erschien nicht ratsam, weil dicht bebaute Straßenzüge den Fluß begleiten und kreuzen und man beim Bau des Treptower Tunnels die Erfahrung machte, daß die Schildbauweise bei den Berliner Bodenverhältnissen die Häuserfundamente gefährden könnte.

Es wurden 2 Bauabschnitte zu Grunde gelegt. Im ersten erfolgten alle Arbeiten, die vom Wasserspiegel aus auf und in der Spree zu erledigen waren und die, in der Winterpause 1914/15 zusammengedrängt, ohne eine erhebliche Störung der Schiffahrt durchgeführt werden konnten. Im zweiten Abschnitt wird der eigentliche Tunnelkörper erstellt, u. zw. ohne das Spreebett in Anspruch zu nehmen, von beiden Ufern aus unter einer im ersten Bauabschnitt vollendeten Schutzanlage.

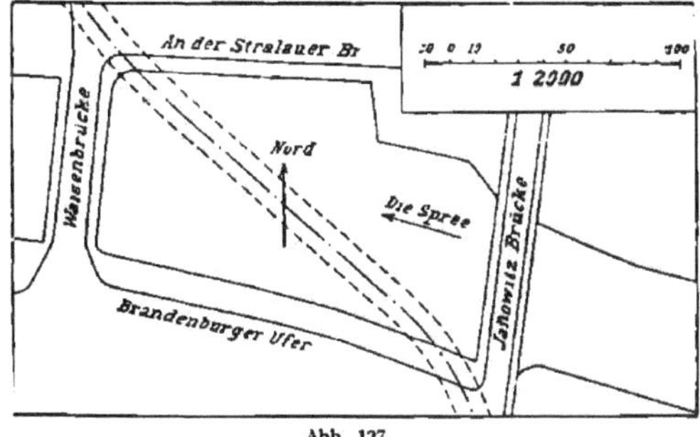

Abb. 127.

Im einzelnen gestaltete sich der Bauvorgang folgendermaßen: Im Zuge der künftigen Tunnelachse wurde eine 20 *m* breite und 1·5 *m* tiefe Rinne ausgebaggert. Darauf trieb man zur Einfassung der Tunnelbaugrube eiserne Spundwände ein, die von Tauchern 4 *m* unter Wasser abgebrannt wurden. Die Brunnen für die spätere Grundwasserabsenkung wurden sodann eingebaut und vorläufig abgestöpselt. Auf die Köpfe der Spundwand ließ man nun in die gebaggerte Rinne in Abständen von 1·5 *m* Gitterträger herab und verband diese durch Betonieren unter Wasser zu einer starren Platte, die zuletzt mit Segelleinwand und einer 25 *cm* starken Schotterschicht abgedeckt wurde (Abb. 128). Die Leinwand reicht beiderseits

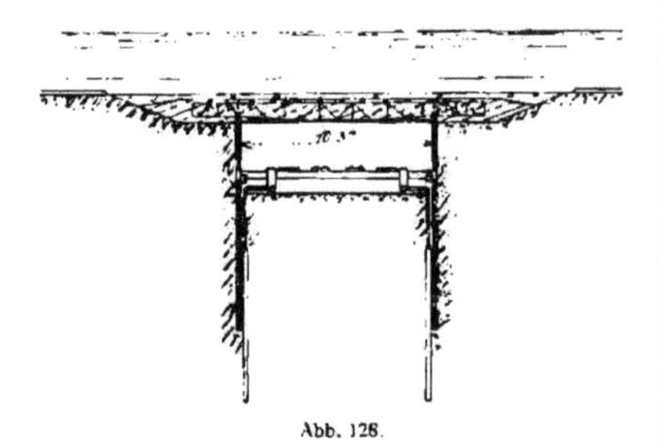

Abb. 128.

noch 10 *m* über die Schutzdecke hinaus. Die Schutzdecke besteht aus etwa 1·10 *m* hohen Gitterträgern von je 17 *m* Länge, die unter Verwendung des Rammgerüstes aufgebaut, zu je 7 miteinander durch Querträger verbunden und nach Einbringung eines 6 *cm* starken, mit Asphaltpappe abgedeckten Holzbodens (zwischen den Trägern) abgesenkt wurden. Mit einem Auflagerholm setzen sich die Schutzdeckenträger auf die Spundwand. Ein dicker Tonwulst umschließt die Köpfe der Spundwandeisen.

Mit den Rammarbeiten wurde Anfang Dezember 1914 vom nördlichen Ufer aus begonnen, u. zw. von einem festen Gerüst aus. Der nördliche Ast des Gerüstes reichte so weit, als es der geringe Schiffsverkehr des Winters zuließ. Nachdem die Betonarbeiten an der Schutzdecke zur Hälfte fertiggestellt waren, wurde das Rammgerüst vom Nordufer bis Spreemitte beseitigt. Es blieb nur inselartig so viel stehen, wie zur Aufnahme der Ramme und der Schüttbühne notwendig war. Dann wurde die Schiffahrt auf den nördlichen Teil der Fahrrinne übergeleitet und die Verbindung der Insel mit dem südlichen Ufer hergestellt.

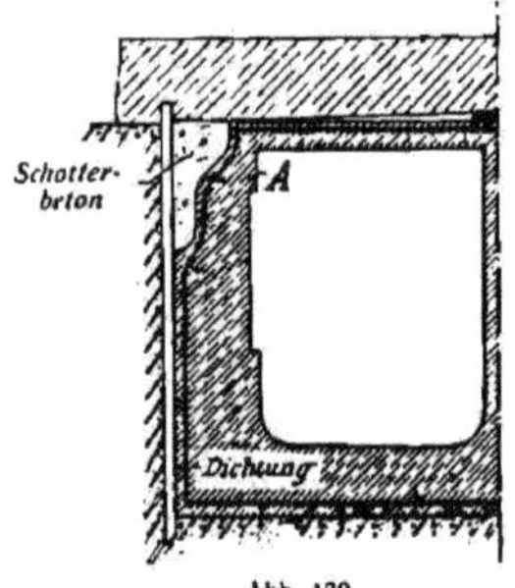

Abb. 129.

Die Herstellung der Schutzdecke wurde dann zu Ende geführt. Nachdem die letzten Platten am Südufer gegen Ende Juli 1915 vollendet waren, ging man an die Bodenausschachtung. Die Grundwasserabsenkung für den eigentlichen Tunnelbau wurde vom südlichen Abschnitt her über die Baugrube ausgedehnt.

Von der Bauausführung der vierseitigen Eisenbeton-Tunnelröhre (Abb. 129) ist vor allem der Arbeitsvorgang bei der Erstellung der Decke bemerkenswert. Die Decke wurde in eigenartiger Weise nicht gleich an ihrem endgültigen Platz eingebaut, sondern, um sich die Vorzüge einer leichten Zugänglichkeit während des Betonierens zu wahren und ein sattes Anpressen gegen die Schutzdecke zu sichern, wählte man ein anderes Verfahren. Die Decke, Beton zwischen I-Trägern, wurde zunächst etwa 1·5 *m* unter ihrer endgültigen Lage aufgebaut und ruhte dabei auf einem Hebegerüst aus kreuzweise gelegten Eisenträgern, die durch 4 Winden gleichmäßig angehoben werden konnten. So wurden Felder von jedesmal etwa 4·0 *m* Länge hergestellt und nacheinander in die endgültige Lage gehoben. Vor der Hebung wurde die fertige Betondecke noch mit einer Dichtung beklebt und mit einer 5 *cm* starken Schutzschicht überzogen. Um beim Eintreten der Auftriebswirkung ein sattes Anpressen des Tunnels gegen die Schutzdecke sicherzustellen, wurden über der künftigen Mittellängswand sowie über den Seitenwänden Betonwülste angebracht.

Nach Hebung der Decke wird die Verbindung mit den Seitenwandstützen hergestellt (Abb. 130).

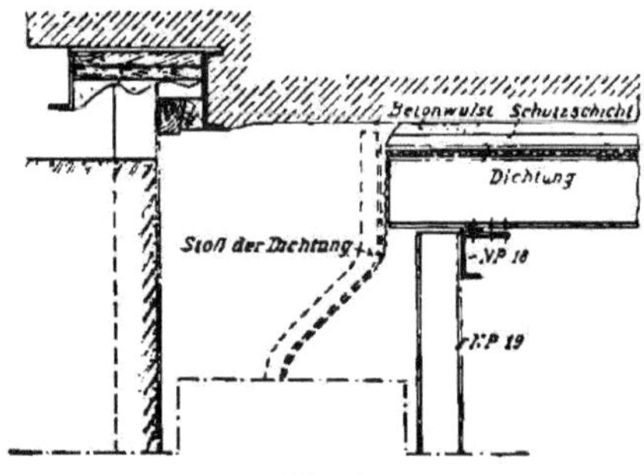

Abb. 130.
Einzelheiten bei *A* (Abb. 129).

Der Tunnel an der Waisenbrücke geht der Vollendung entgegen, trotzdem die durch den Krieg verursachten Schwierigkeiten die Arbeiten empfindlich aufgehalten haben.

V. Tunnel der Nordsüdbahn unter dem Landwehrkanal und weitere geplante Tunnelanlagen.

Diese jüngste Bauausführung tritt gegenüber den beiden Tunneln, die zuletzt beschrieben worden sind, an Bedeutung zurück und bietet kaum Besonderheiten. Er wird in offener Baugrube gebaut.

Im ersten Bauabschnitt werden die beiden Rampenstrecken der Bahn so weit in den Kanal hineingebaut, daß in Richtung des Scheitels der Belle-Alliance-Brücke eine Schiffahrtsöffnung von 7·5 *m* Breite freibleibt. Fangedämme halten der Baugrube das Kanalwasser, eiserne Spundwände das Grundwasser fern. Die Köpfe der beiden Fangedämme schützt ein festes Leitwerk. Durch die Schiffahrtsöffnung vermag die gesamte Wassermenge von 15 m^3/Sek., die dem Kanal bei H. W. zugewiesen wird, bei nur ganz geringem Stau abzufließen, mit einer Geschwindigkeit von $v = 1·047$ *m*/Sek.

Noch 2 weitere Tunnelanlagen sind für die nächste Zeit zur Ausführung bestimmt. Der

Tunnel unter dem Luisenstädtischen Kanal wird voraussichtlich unter völliger Sperrung der Schiffahrtsstraße einheitlich in offener Baugrube ausgeführt. Für den Tunnel an der Kottbuser Brücke steht die Bauweise noch nicht fest.

VI. Vergleich der verschiedenen Bauweisen.

Ein Vergleich der verschiedenen, bei den einzelnen besprochenen Bauausführungen angewendeten Bauweisen auf ihre technischen und wirtschaftlichen Vorzüge und Nachteile läßt sich nur mit großer Vorsicht durchführen. Die fünf Tunnelbauten sind unter so verschiedenen örtlichen und zeitlichen Verhältnissen zur Ausführung gelangt, z. T. noch unvollendet, daß es nicht möglich ist, einen Zusammenhang zwischen den Arbeitsweisen, der Dauer und der Wirtschaftlichkeit der Bauausführungen zu erkennen.

Literatur: Schnebel, Der Spreetunnel zwischen Stralau und Treptow bei Berlin. Zbl. d. Bauverw. 1896, S. 414 u. 1899, S. 105. – Kemmann, Der Spreetunnel der Hoch- und Untergrundbahn in Berlin. Zbl. d. Bauverw. 1913, S. 283. – Bousset, Die Erweiterungen der Berliner Hoch- und Untergrundbahn vom Jahre 1913. Verkehrstechn. W. 1914, Nr. 32 u. 33. – Tunnel unter der Spree in Berlin. Ztschr. dt. Ing. 1916, S. 721. – Der dritte Spreetunnel in Berlin. Zbl. f. Wasserbau u. Wasserwirtschaft 1915, S. 14. – Die Anwendung eines neuen Bauverfahrens für die Spreeunternehmung der A. E. G.-Schnellbahn in Berlin. Ztschr. dt. Ing. 1915, Nr. 16. *Seidel.*

Sprengarbeiten *(blastings; abatages par explosifs ou sautage, lavori da minatore).*

A. Sprengstoffe.

Sprengstoffe sind Körper, die unter bestimmten Bedingungen plötzlich eine große Gasmenge von hoher Temperatur entwickeln. Die Explosion ist ein chemischer Prozeß, der großenteils wieder in einer Verbrennung besteht, wobei der erforderliche Sauerstoff den Sprengstoffen selbst entnommen wird.

Die Sprengstoffe sind aus verbrennbaren, u. zw. kohlenstoffhaltigen und aus sauerstoffabgebenden Körpern zusammengesetzt. Die rasche Sauerstoffabgabe wird in vielen Fällen durch Beigabe von dritten Körpern gefördert.

Je nach der Zeit, die zur Umsetzung des Sprengstoffs in den gasförmigen Zustand erforderlich ist, unterscheidet man langsam wirkende Sprengstoffe und rasch wirkende (brisante) Sprengstoffe.

Die Bedingungen für brauchbare Sprengstoffe sind:

1. Der verbrennbare Körper soll fein verteilt und leicht entzündlich sein; der sauerstoffabgebende den Sauerstoff leicht und schnell abgeben. Eine innige Mischung beider Körper ist erforderlich, damit die Entzündung sich rasch fortpflanzt.

2. Zu hoher Kohlenstoffgehalt ist zu vermeiden, damit nicht Kohlenoxydgase entstehen, die die gebildete Wärmemenge verringern.

3. Großes spezifisches Gewicht, damit die Sprengstoffe einen kleinen Raum im Bohrloch einnehmen und der Gasdruck größer wird.

4. Unempfindlichkeit gegen Stoß und Schlag, chemische Beständigkeit, Unveränderlichkeit bei längerer Aufbewahrung und unter Wasser, Entwicklung nicht gesundheitsschädlicher Gase und gefahrlose Herstellung.

5. Pulverförmige oder plastische Formen für Felssprengungen, damit Anschließen an die Bohrlochwandungen erreicht wird. Flüssige Form ist zu vermeiden (Verspritzen und Verziehen in Gesteinspalten), Glas- oder Blechhülsen vermindern aber den nutzbaren Bohrlochraum.

Im folgenden sollen hauptsächlich nur die Sprengstoffe für Bauzwecke (Erd- und Tunnelbau), nicht aber die für militärische Zwecke, auch nicht die besonderen, im Bergbau gebrauchten Sicherheitssprengstoffe besprochen werden.

Die Sprengstoffe kann man in 2 Gruppen zusammenfassen:

I. Gruppe.

Der kohlenstoffhältige und der sauerstoffabgebende Körper sind mechanisch gemengt. Hierzu gehören:

1. Das Schwarzpulver, besteht aus:

60 75	Teilen	Kalisalpeter
15 – 21	„	Holzkohle
10 – 18	„	Schwefel.

Schwefel hat den Zweck, das Gemenge leichter entzündlich zu machen, auch die Sauerstoffabgabe zu erleichtern. Gekörntes Schwarzpulver hat 1·4, gepreßtes Schwarzpulver 1·7 spezifisches Gewicht. Entzündungstemperatur 250 275° C. Gepreßtes Schwarzpulver ist wegen steifer Form für Gesteinssprengungen unzweckmäßig.

Schwarzpulver ist kein brisanter Sprengstoff. Es wird daher nur mehr ausnahmsweise verwendet in Steinbrüchen zur Gewinnung großer Gesteinsblöcke oder wenn mit besonderer Vorsicht tiefer gehende Wirkungen vermieden werden sollen, wie z. B. bei Nachsprengungen am Tunnelausbruchsumfang.

2. Chloratpulver, Gemenge aus Kaliumchlorat als sauerstoffabgebendem Körper mit einem Nitrokörper (Nitrobenzol, Nitronaphthalin, Dinitrotoluol) als verbrennbarem Körper, so z. B.

Rackarock, 80% Kaliumchlorat mit 20% Nitrobenzol, oft mit etwas Schwefelzusatz, wird unmittelbar vor dem Gebrauch gemengt, daher die Bestandteile getrennt zur Verwendungsstelle gebracht werden, was ungefährlichen Transport ermöglicht. In Nordamerika zu Felssprengungen mehrfach verwendet.

Cheddit, 75% Kaliumchlorat, 20% Nitronaphthalin, 5% Ricinusöl.

3. Ammonsalpetersprengstoffe, wie z. B.

Westphalit, 90% Ammonsalpeter, 4% Kalisalpeter, 6% Harz;

Dahmenit, 62% Ammonsalpeter, 16% Kalisalpeter, 17% Trinitrotoluol, 2·5% Naphthalin, 2·5% Holzmehl.

4. Oxyliquid. Eine Mengung von flüssiger Luft mit in Petroleum getauchtem Papier oder Wolle, Kohlenstaub, Holzmehl.

Es ist schwierig, die Wirksamkeit der flüssigen Luft (Temperatur – 190° C) von der Mengung bis zum Gebrauch zu erhalten; denn infolge dauernder Verflüchtigung der Luft ändert sich das Mischungsverhältnis des Sprengstoffs, der nach kurzer Zeit seine Wirksamkeit verliert.

Auf der Versuchsstelle am Simplontunnel war die Wirkung des Oxyliquids infolge der nach Mengung der Bestandteile erfolgenden unmittelbaren Verwendung sehr günstig. Da durch den Transport in den Tunnel und durch die längere Dauer von der Ladung bis zur Sprengung die Wirksamkeit des Sprengstoffs sehr herabgemindert wurde, so hat man von dessen Verwendung abgesehen. Im Bergbau ist Oxyliquid in letzter Zeit mehrfach verwendet worden.

II. Gruppe.

Hierzu gehören Sprengstoffe, die eine einheitliche chemische Verbindung darstellen. Sie werden hergestellt durch Einwirkung von Salpetersäure auf Alkohol, Baumwolle, Stroh, Glyzerin, Benzol, Phenol u. s. w., wozu vielfach noch Schwefelsäure beigegeben wird, um das bei Bildung der Nitroverbindung freiwerdende Wasser aufzunehmen und die Wirksamkeit der Salpetersäure zu verlängern.

1. Knallquecksilber erhält man durch Einwirkung von Salpetersäure auf Alkohol und Quecksilber; es ist ein giftiger und sehr empfindlicher Sprengstoff, der daher nicht unmittelbar zum Sprengen, sondern gemischt mit verschiedenen Stoffen in schützenden Kupferhülsen als Sprengkapsel oder Zündhütchen (s. d.), zur Entzündung anderer Sprengstoffe (Detonationszündung) verwendet wird und in dieser Form in der Sprengtechnik unentbehrlich ist.

2. Schießwolle entsteht durch Einwirkung von Salpetersäure auf Baumwolle unter Zugabe von Schwefelsäure (Wasserentziehung). Der flockige, im Aussehen der gewöhnlichen Baumwolle gleichende Sprengstoff eignet sich wegen des geringen spezifischen Gewichts (Ladegewicht 0·1 – 0·3), des Verlustes der Explosionsfähigkeit im nassen Zustand, der größeren Empfindlichkeit gegen Stoß und der höheren Kosten zu Gesteinssprengungen wenig.

Auch die gepreßte Schießwolle, die das Aussehen von Pappe hat, wird in steifen Patronen oder Zylindern hergestellt, erlaubt keinen dichten Anschluß an die Bohrlochwandungen, wird daher zu Gesteinssprengungen nicht verwendet.

Dagegen fand die gepreßte und gekörnte Schießwolle entweder rein oder mit Zusätzen (Kaliumnitrat, Bariumnitrat u. dgl.) als Sprengstoff (Tonit, Potentit) für Gesteinssprengungen Verwendung. Tonit wurde z. B. zu den Sprengarbeiten im Mersey- und Severntunnel (England) gebraucht.

3. Nitroglyzerin (Sprengöl) entsteht durch Behandlung von Glyzerin mit Salpetersäure unter Zusatz von Schwefelsäure (Wasserentziehung). Es ist eine gelbe ölartige Flüssigkeit von 1·6 spezifischem Gewicht, 180° Explosionstemperatur und 6 – 8° Gefriertemperatur; es muß bei 10 – 11° aufgetaut werden, was mit Vorsicht zu geschehen hat.

Die große Empfindlichkeit gegen Stoß und Schlag, namentlich bei ungenügender Entsäuerung, sowie die flüssige Form (Verspritzen und Verziehen in Gesteinsspalten, auch bei Verwendung von Glas- oder Metallhülsen) lassen die unmittelbare Verwendung dieses sehr wirksamen Sprengstoffs zu Gesteinssprengungen nicht zweckmäßig erscheinen. Durch Mengung mit unverbrennlichen oder besser verbrennlichen Aufsaugestoffen beseitigt man die genannten ungünstigen Eigenschaften des Nitroglyzerins und erhält noch immer sehr wirksame, zu Gesteinssprengungen besonders geeignete Sprengstoffe, die allgemein Dynamite genannt werden. Auf gute Entsäuerung des Nitroglyzerins ist in der Fabrikation besonders zu achten, weil sonst selbsttätige Explosionen möglich sind.

4. Dynamite. *a)* Mit unverbrennlichen Aufsaugestoffen. Als Aufsaugestoffe gebrauchte man Kieselgur, Kalkgur, Kreide, Magnesiumkarbonat u. s. w. Die größte Verbreitung fand das Kieselgurdynamit bei den großen Tunnelbauten (Gotthard, Arlberg, Cochem u. s. w.). Es bestand zumeist aus 75% Nitroglyzerin und 25% Kieselgur (sehr poröse Infusorienerde, Kieselpanzer), wodurch die einzelnen Nitroglyzerinteilchen gegen unmittelbare Stoßeinwirkungen ge-

sichert werden und der Sprengstoff eine wachsartige, plastische, zur Ladung in Bohrlöcher sehr geeignete Masse bildet.

Im übrigen besitzt das Kieselgurdynamit die Eigenschaften des Nitroglyzerins; es friert bei 6 – 8°, muß also in diesem Fall vor Verwendung aufgetaut werden.

Da aber der unverbrennliche Aufsaugestoff selbst keine Gase erzeugt, sondern den Sprenggasen noch Wärme zur Verschlackung der Kieselgur entzieht, hat man Nitroglyzerinsprengstoffe mit

b) Verbrennlichen Aufsaugestoffen erzeugt.

Als Aufsaugestoffe wurden verwendet Kohle, Holzfaser, nitrierte Strohfaser, Schießwolle, Kollodiumwolle u. s. w.; diese Sprengstoffe sind unter den Bezeichnungen Sebastine, Rhexit, Petrolit, Dualin, Palein, Titanit, Meganit, Dynammon, Sprenggelatine, Gelatinedynamite bekannt.

Namentlich sind die Sprenggelatine und Gelatinedynamite in der Sprengtechnik zu ausgedehnter Verwendung gelangt; es sind dies wohl die gegenwärtig zu Sprengarbeiten im Erd- und Tunnelbau am meisten gebrauchten, sehr wirksamen Sprengstoffe, die bezüglich der Gefriertemperatur die gleiche Eigenschaft haben wie das Nitroglyzerin, also bei + 8° aufgetaut werden müssen.

Sprenggelatine wird erhalten durch Auflösung von 8 – 10 % Kollodiumwolle in 90 – 92 % Nitroglyzerin; bei höherer Temperatur, als gummiartige, nicht plastische Masse von großer Wirksamkeit, sehr geringer Empfindlichkeit gegen Stoß und Schlag, so daß zur Zündung besondere Zündpatronen aus anderen, leichter entzündbaren Sprengstoffen verwendet werden müssen.

Der hohe Preis, die nicht plastische Form und die Schwierigkeiten der Zündung haben das Verwendungsgebiet der Sprenggelatine eingeschränkt; immerhin wurde es bei großen Tunnelbauten im sehr festen Gebirge verwendet, wie z. B. im Gneis des Simplontunnels.

Gelatinedynamite, zumeist aus 45 % bis 75 % gelatiniertem Nitroglyzerin (97·5 % Nitroglyzerin, 2·5 % Kollodiumwolle) und 55 – 25 % Zumischpulver (Salpeter, Holzmehl u. s. w.).

Um restliche Säuremengen im Nitroglyzerin unschädlich zu machen, werden noch kleine Mengen Alkalien, meist 1 – 2 % Soda beigegeben. Es stellt eine gelblichbraune plastische Masse dar von 1·7 spezifischem Gewicht, die, wenn Salpeter beigegeben, vor Durchnässung gut zu schützen ist, und wird gegenwärtig in ausgedehntem Maße meist unter der Bezeichnung „Dynamit" zu Gesteinssprengungen verwendet.

Die Gefriertemperatur kann durch besondere Zusätze herabgesetzt werden; so wurde z. B. beim Bau des Hauensteintunnels „Gamsit", der bei niedrigen Temperaturen nicht wie die Dynamite aufzutauen war, verwendet, bestehend aus 21 % Nitroglyzerin, 19 % Trinitrotoluol, 1 % Dinitrobenzol, 1·5 % Kollodiumwolle, 1·0 % kohlensaurem Kalk.

Die Dinitro-Glyzerin-Sprengstoffe können innerhalb der meist in Frage kommenden Temperaturgrenzen als nicht gefrierbar bezeichnet werden.

5. Trinitrotoluol erhält man durch Behandlung des Toluols (Destillationsprodukt des Steinkohlenteers) mit Salpetersäure; ein weißgelbes kristallinisches Pulver, das auch gegossen (spezifisches Gewicht 1·6) verwendet wird; es ist sehr wirksam und unempfindlich gegen Stoß und Schlag und wird in der Gesteinssprengung meist nur in Verbindung mit anderen Sprengstoffen (wie vorher bei Gamsit angegeben) auch zur Füllung von Sprengkapseln mit Knallquecksilber gebraucht.

6. Pikrinsäure (Trinitrophenol) wird aus Phenol durch Behandlung mit Salpetersäure hergestellt, sie wird rein, meist aber mit anderen Stoffen (Salpeter, Kaliumchlorat, Holzmehl u. s. w.) vermengt oder mit 0·03 bis 0·05 Kollodiumwolle gelatiniert (Melinit, Lyddit) gebraucht. Auch werden die pikrinsauren Salze mit Salpeter, Kohle, Naphthalin vermengt als Pikratpulver verwendet. Die reine Pikrinsäure ist unempfindlich gegen Stöße und große andauernde Kälte; dagegen sind die pikrinsauren Salze weit empfindlicher gegen mechanische Einflüsse. Zu Gesteinssprengungen haben die Pikrinsäuresprengstoffe nur in wenigen Fällen Verwendung gefunden.

B. Zündmittel.

Die Sprengstoffe werden für Gesteinssprengungen in der Regel in Patronenform (Papierhülsen, auch mit wasserdichten Überzügen), nur ganz ausnahmsweise in sehr nassem Gebirge auch in Blechhülsen gebraucht.

Auf die Ladung des Bohrloches wird die Zündpatrone gesetzt, die außer dem Sprengstoff eine Zündkapsel (Kupferhütchen mit Knallquecksilber, Kaliumchlorat, auch Mehlpulver oder auch Trinitrotoluol) enthält, in die die Zündleitung (Zündschnur oder elektrische Leitungsdrähte) eingeführt wird.

Einige schwer explodierende Sprengstoffe (Rackarock, Sprenggelatine, Kampfergelatine, Trinitrotoluol) erfordern Zündpatronen aus einem leichter explosiblen Sprengstoff.

Die Zündkapseln werden meist in 10 verschiedenen Größen mit Füllungen von 0·3 bis 3·0 *g* Zündsatz gebraucht.

Der Rest des Bohrloches wird mit Besatz (Papierpfropfen, Sand, Erde) vorsichtig geschlossen, um die Sprengwirkung zu erhöhen. Im Tunnelbau wird die Schnurzündung der elektrischen vorgezogen, da die Explosion der einzelnen Bohrlochladungen in der Regel nacheinander und in bestimmter Reihenfolge erfolgen soll.

Die Zündschnüre sind Hanfschnüre, 4–5 *mm* stark, mit einer Pulverseele. Die 2–3fache Umspinnung wird meist mit Teer getränkt oder gefettet. Guttaperchaüberzüge haben sich nicht bewährt, weil sie sehr leicht brüchig werden. Die Brennlänge in 1 Min. beträgt in der Regel 50–80 *cm*.

Bei den elektrischen Zündern werden die beiden Leitungsdrähte in die Zündmasse der Kapsel eingeführt. Man unterscheidet Funkenzünder und Glühdrahtzünder; bei den ersteren sind die Kupferdrähte bis auf einen kleinen Spalt in der Zündmasse zusammengeführt, der das Überspringen eines Funkens ermöglicht, bei den letzteren sind die beiden Enden der Drähte durch einen sehr dünnen ($^1/_{20}$ – $^1/_{50}$ *mm* stark und 5—12 *mm* lang) Draht aus Platin, Iridiumplatin, Neusilber, selten Stahl verbunden, der bei Durchleitung des Stromes erglüht und so die Zündmasse zur Explosion bringt.

Die Zündung erfolgt durch Reibungsapparate (Bornhardt, Abegg, Ebner, Kromer), durch dynamoelektrische Maschinen (Siemens, Smith, Burgin, Tiremann, Gomaut) oder magnetelektrische Maschinen (Bréguet, Markus, Scola), außerdem ausnahmsweise durch galvanische Elemente und Akkumulatoren.

Für die Gesteinssprengungen finden Funken oder Spaltzünder mit Reibungsapparaten die häufigste Verwendung.

C. Ausführung der Sprengarbeiten.

Die Sprengstoffe werden entweder in Bohrlöcher oder in größere Hohlräume (Kammern) verladen oder auch nur frei auf das Gestein aufgelegt. Man unterscheidet hiernach Bohrlochminen, Kammerminen und Freiminen. Im Erd- und Tunnelbau kommen nur Bohrlochminen in Frage, während im Steinbruchbetrieb auch Kammerminen zweckmäßig sein können.

Das Laden der Bohrlöcher erfolgt in der Weise, daß die Sprengmittel in Patronenform (Papier auch mit wasserdichten Überzügen) einzeln in das Bohrloch gebracht und in diesem so festgedrückt werden, daß das Bohrloch tunlichst ausgefüllt ist. Auf die Ladung wird die Zündpatrone, in der die Zündkapsel sich befindet, vorsichtig aufgesetzt und sodann der übrige Teil des Bohrlochs so mit Besatz (Papier) geschlossen, daß die Zündleitungen (Zündschnur oder Kupferdraht) nicht beschädigt werden. Der Besatz hat den Zweck, ein wirkungsloses Entweichen der Explosionsgase tunlichst zu vermeiden; er ist um so wichtiger, je weniger brisant der Sprengstoff ist. Um die mit dem Laden und Zünden der Minen betrauten Arbeiter vor der Explosionswirkung zu schützen, sind die Zündschnüre um eine ihrer Brenngeschwindigkeit und der Rückzugzeit der Arbeiter angepaßte Länge über das Bohrloch zu verlängern; die Leitungsdrähte für die elektrische Zündung sind bis zu dem außerhalb des Wirkungsbereichs der Minen aufzustellenden Zündapparate zu führen; für die an die Kupferdrähte der Zünder anschließende längere Leitung werden auch Eisendrähte (1–3 *mm* stark) gebraucht.

Bei der Minensprengung wird ein trichterförmiger Gebirgsteil ausgeworfen, der sog. Minentrichter oder Wurftrichter. Man kann den Wurftrichter für die praktischen Fälle genau genug kegelförmig annehmen, wie Abb. 131 zeigt. Im Minenherd a ist der Kegel erweitert; den senkrechten Abstand $an = w$ nennt man die kürzeste Widerstandslinie oder Vorgabe, r ist der Halbmesser des Kegelkreises, e die Seite und β der Basiswinkel des Kegels.

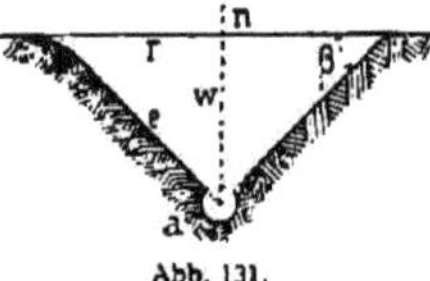

Abb. 131.

Der dem Inhalt nach größte Wurftrichter für eine bestimmte konzentrierte Ladung ist der, bei dem $w = r$, also $\beta = 45^0$, daher der Inhalt des normalen Wurfkegels etwa $V = \frac{\pi r^2}{3} w = 1{\cdot}05\, w^3$ wird. Die Ladung, die einen solchen Wurftrichter ergibt, nennt man die normale. Da sich 2 Ladungen L und L_1 verhalten wie die Volumina der Wurfkegel V und V_1, d. h. $L : L_1 = V : V_1$ und da bei den Vorgaben $w\, w_1$ und den Basisradien der Kegel $r\, r_1$ die Volumina $V = \frac{\pi r^2 w}{3}$ $V_1 = \frac{\pi r_1^2 w_1}{3}$ und $\operatorname{tg} \beta = \frac{w}{r} = \frac{w_1}{r_1}$ werden, so folgt $L : L_1 = w^3 : w_1^3$, d. h. es verhalten sich 2 Ladungen für geometrisch ähnliche Wurfkegel wie die dritten Potenzen ihrer Vorgaben. Da $\frac{L}{w^3} = \frac{L_1}{w_1^3} = C$ ein konstanter Wert, der Ladungskoeffizient genannt wird, und für normale Wurfkegel $r = 1{\cdot}05\, w^3$, so ist genau genug die erforderliche Ladung: $L = Cw^3$.

Der Ladungskoeffizient C, der von der Gesteinsfestigkeit und von dem Sprengstoff abhängig ist, wird aus Versuchen bestimmt, indem man mehrere Sprengungen im gleichen Gestein entweder mit gleichen Vorgaben w oder mit verschieden großen Ladungen L ausführt oder indem man bei konstanter Ladung L die Vorgabe w ändert.

Die Ladeformel wird auch häufig geschrieben: $L = e d w^3$, worin w die Linie des kürzesten Widerstands in m, e einen von der Festigkeit des Gesteins und der Art des verwendeten Sprengstoffs abhängigen Koeffizienten, d die Ziffer für ungenügende Verdammung und L die Ladung in *kg* bezeichnen.

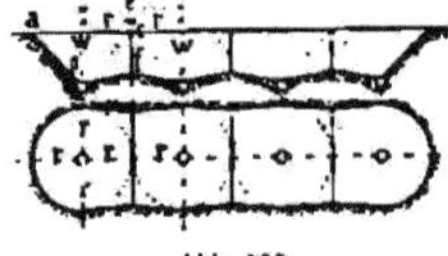
Abb. 132.

Bei Sprengarbeiten im Erd-, Tunnel-, Stollen- und Schachtbau werden die Minen zumeist in größerer Zahl nebeneinander, in Reihen oder Gruppen angeordnet; sind hierbei Abstand und Ladungsgrößen entsprechend gewählt, so können sich die Minen in ihren Wirkungen gegenseitig unterstützen. Bei 4 Minen in einer Reihe (Abb. 132) im Abstand $e = 2r = 2w$

wird bei entsprechender Ladung und gleichzeitiger Explosion ein Wurfkörper erzeugt, der ungefähr $V_1 = 7\,w^3$ wird, während 4 einzelne Normalminen einen Gesamttrichterinhalt von etwa $V = 4,\ 2\,w^3$ ergeben. Bei Gruppenbildung ist die quadratische Anordnung der Minen die günstigste. Bei Anordnung von 4 Minen nach Abb. 133 wird bei entsprechender Ladung und gleichzeitiger elektrischer Zündung für $r = w$ ein Wurfkörper sich ergeben von der ungefähren Größe $V = 9\,w^3$, während 4 einzelne Minen einen ungefähren Inhalt $V = 4{\cdot}2\,w^3$ haben.

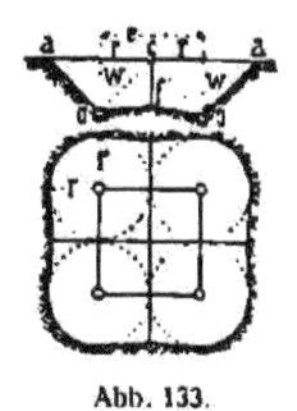

Abb. 133.

Werden die im Abstand $e = 2r$ angeordneten Minen nicht gleichzeitig, sondern nacheinander zur Explosion gebracht, was manchmal zweckmäßig sein kann, so bleiben die zwischen den Wurfkegeln befindlichen Gesteinsteile stehen und müssen durch besondere Minen entfernt werden. Um dies zu vermeiden, ist im Falle nicht gleichzeitiger Zündung ungefähr $e = r$ zu wählen; wenn auch hierbei ein etwas kleinerer Wurfkörper erreicht wird, so überwiegen die Vorteile des geschlossenen Ausbruchs und des geringeren Sprengmittelverbrauchs.

Bei 2 einander schneidenden freien Flächen (Abb. 134) wird für gleiche Vorgaben w ein einheitlicher Wurftrichter *m o n* mit kleineren Ladungen erzeugt, wie in den vorher besprochenen Fällen; es

Abb. 134.

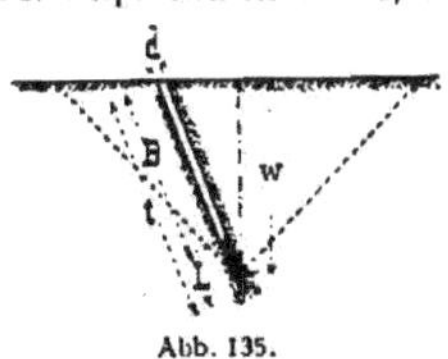

Abb. 135.

wird daher vorteilhaft sein, solche Gesteinskanten bei der Sprengarbeit auszunutzen.

Die Lage und Abmessungen der Bohrlöcher hängen von der Beschaffenheit des Gesteins und des verwendeten Sprengstoffs sowie von der Art ab, in der die Bohrlöcher hergestellt werden. Die zur Gesteinswand senkrechte Lage des Bohrlochs ergibt dessen kürzeste Länge; da hierbei die Bohrlochachse mit der Linie des kürzesten Widerstands w (Abb. 135) zusammenfällt, so besteht hierbei aber die Gefahr wirkungsloser Explosion infolge vorzeitigen Hinauswerfens des Besatzes B. Bei wenig wirkungsvollen Sprengstoffen wird man daher den Bohrlöchern eine geneigte Lage zur Gesteinswand geben, die sich der senkrechten w umsomehr nähern kann, je wirkungsvoller (brisanter) der verwendete Sprengstoff ist. Bei brisanten Sprengstoffen ist der Besatz nicht von der Bedeutung wie bei langsam verbrennenden, und da namentlich beim Bohren mit Maschinen stärker geneigte Löcher zumeist unbequem, ja unausführbar sind, so begnügt man sich hierbei vielfach mit wenig von der Senkrechten zur Gesteinswand abweichenden Löchern. Eine zu große Höhe L der Ladung ist zu vermeiden, daher sind brisante und spezifisch schwere Sprengstoffe zu verwenden und die Weite d der Tiefe t des Bohrlochs anzupassen, was nur teilweise möglich ist. Wenn die Weite d der Tiefe t nicht entspricht, so bleiben bei der Sprengung „Büchsen“, also Bohrlochteile stehen, die nicht ausgenutzt werden.

Erwünscht ist Ladehöhe $L \leqq 5d$ und $L \leqq {}^1/_4\,t$ zu machen, was aber nur bei wenig tiefen Bohrlöchern eingehalten werden kann. Da vielfach im Erd- und Tunnelbau wegen rascher Beseitigung des Ausbruchs eine starke Zerkleinerung des Gesteins gewünscht wird, so wird eine Ladehöhe $L = {}^1/_4 - {}^3/_4\,t$ gewählt.

Sprengungen im Tunnel (s. Tunnelbau).

Sprengungen in Felseinschnitten.

In der Regel wird in geschlossenen Einschnitten in Absätzen gesprengt, deren Höhe vom Bohrbetrieb abhängig ist. Die Löcher werden in Reihen mit Hand- oder Maschinenbohrern mit 1 – 2 *m* Tiefe und 20 – 40 *mm* Weite ausgeführt. Die Zündung erfolgt meist in größerer Zahl der Minen gleichzeitig sehr häufig elektrisch. Bei sehr tiefen Felseinschnitten hat man auch die Löcher auf volle Einschnittstiefe gebohrt, sie mit Sand wieder verfüllt und dann von oben nach abwärts stückweise auf solche Höhen vom Sand freigemacht, mit Sprengmittel geladen und die Ladung zur Explosion gebracht, bei denen eine gute Sprengwirkung zu erwarten war. Hierdurch konnte die Bohrarbeit ohne Unterbrechung fortgesetzt und erheblich verbilligt werden.

Sprengungen in Steinbrüchen.

Im Steinbruchbetrieb kommt es in vielen Fällen darauf an, größere, wenig zerrissene, für die Herstellung von Mauerwerk oder Steinschüttungen brauchbare Steine zu gewinnen, daher werden in solchen Fällen die tiefer herzustellenden Löcher mit weniger brisanten Sprengstoffen schwach, daher vielfach noch mit Schwarzpulver geladen. Auch erweitert man hierbei 3 – 5 *m* tiefe Bohrlöcher am unteren Ende sackartig entweder mit Hilfe besonderer Bohrwerkzeuge oder mit flüssigen Säuren (im kalkigen oder dolomitischen Gestein) oder besser durch kleine Mengen brisanter Sprengstoffe (Dynamit). Der Sack wird mit einem weniger brisanten Sprengstoff geladen und mit Zündschnur oder elektrisch angezündet. Infolge der tiefen Lage der konzentrierten Ladung wird das Gestein in großen Stücken gelockert und gehoben, aber nicht zerkleinert und weniger zerrissen, auch nicht fortgeschleudert.

Um große Werksteine zu gewinnen, werden Gesteinsbänke oder -wände durch Stollen, die in der angegebenen Weise gesprengt werden, unterhöhlt, so daß die Wände infolge des großen Eigengewichts fallen; hierbei ist die Gefahr des Zerreißens größerer Werkstücke ziemlich vermieden.

Für die Steingewinnung in großen Mengen, wie namentlich für ausgedehnte Wasserbauten, Ufer- und Pfeilersicherungen und besonders für die Schüttung von Hafendämmen in den südlichen Häfen des Mittelmeers, werden zweckmäßig die sog. Riesenminen verwendet, die eine sehr billige Steingewinnung ermöglichen. Es werden hierbei große Mengen brisanter Sprengstoffe (1000 – 10.000 *kg*) in einem entsprechend großen und richtig angelegten Hohlraum (Minenkammer) vereinigt und nach guter Verdämmung der Zugänge durch Mauerwerk, Sandsäcke, Erde u. dgl. mittels elektrischer Zündung zur Explosion gebracht. Durch solche einmalige Explosionen wurden bedeutende Massen (10.000 – 20.000 m^3) Steine mit sehr geringen Kosten (unter Umständen nur 0·10 M. für 1 m^3) gelöst. Die Herstellung einer Minenkammer (Stollenausbruch) erfordert verhältnismäßig wenig und leichte Bohrarbeit; die Ladung und Zündung wird für eine große Menge Sprengstoff nur einmal vorgenommen und der Wirkungsgrad der Explosion ist ein günstiger.

Sprengungen unter Wasser.

Die Gesteinssprengungen unter Wasser erfolgen entweder durch frei auf das Gestein gelegte brisante Sprengstoffe, durch in Bohrlöcher verladene Sprengstoffe oder durch Anordnung größerer Stollenanlagen und Minenkammern in dem wegzusprengenden, unter dem Wasser liegenden Felsen. Bei Sprengungen mit frei aufgelegten Ladungen nach der Methode Lauer erzeugen die zur Explosion gebrachten Sprengstoffe Trichter, deren Größe von der Dichte des Gesteins, dem Umfang der Ladung und der Höhe der Wassersäule abhängig ist und die wegen der Verspannung des Gesteins durch nachfolgende Ladungen nur bis zu einer bestimmten, nicht überschreitbaren Grenze vertieft werden können; auch ist selbst im Strom mit größerer Wassergeschwindigkeit nicht zu erwarten, daß das gelöste Gestein der ersten Sprengung so vollständig weggeschwemmt wird, daß die folgenden Sprengungen hierdurch nicht behindert werden. Wenn daher bei dieser Methode das oft mühsame und kostspielige Bohren von Löchern unter Wasser vermieden wird, so ist der Sprengmittelverbrauch doch ein so großer und der Arbeitsfortgang ein so langsamer, daß von diesem Verfahren wohl nur ausnahmsweise, wie für das Absprengen einzelner Felsspitzen, nicht aber zur Beseitigung ausgedehnter Felsbänke, Gebrauch gemacht werden kann.

Es ist daher zweckmäßiger, die Sprengstoffe in Bohrlöcher zu verladen, die entweder von der Oberfläche des Wassers aus mit Hilfe von festen oder schwimmenden Gerüsten (Bohrschiffen) oder zwischen Fangdämmen, in Taucherglocken (Taucherschiffen) oder in Senkkästen gebohrt werden. Auch hat man versucht, die Löcher mit einer am abzusprengenden Grund unter Wasser aufgestellten und durch einen Taucher bedienten Bohrmaschine herzustellen.

Große, ausgedehnte, unter Wasser liegende Felsriffe von großer Höhe, die also auf beträchtliche Tiefe zu beseitigen sind, um tiefes Fahrwasser für die Schiffahrt zu schaffen, werden zweckmäßig unterhöhlt. Mit Hilfe eines Schachtes werden Stollen ausgeführt, die so tief liegen, daß zwischen Stollenfirst und der Oberfläche des Riffes noch eine genügend starke und dichte Felsschicht verbleibt, damit Einbrüche oder stärkere Einsickerungen des Wassers nicht zu befürchten sind. Diese Stollen dienen zur unmittelbaren Aufnahme von Sprengstoffen, oder es werden in deren Wänden Bohrlöcher oder Minenkammern zur Aufnahme der Sprengstoffe hergestellt, durch welche die Beseitigung der Felsdecke und der zwischen den Stollen verbleibenden Wandungen und Pfeiler zu erreichen ist.

Eissprengungen.

Auch Eissprengungen werden mit Hilfe von Sprengstoffen ausgeführt. Frei aufgelegte Ladungen brisanter Sprengstoffe hatten natürlich besseren Erfolg nach ihrer Bedeckung mit Sand und Lehm; noch günstiger wirkten solche, wenn sie in Rillen verlegt und dann bedeckt wurden, wie dies bei den mit Dynamit ausgeführten Eissprengungen in der Rhone bei Lyon geschah. Durchbohrung der Eisdecke und Versenkung der Sprengstoffpatronen (1 – 3 *kg*) unter sie in größerer oder geringerer Tiefe (0·3 – 1 *m*) je nach der Dicke der Eisschicht, nach Art und Menge des verwendeten Sprengstoffs, hatte den günstigsten Erfolg. Die Sprengstoffe müssen mit wasserdichten Hülsen versehen sein. Nitroglycerinsprengstoffe sind gegen Frostwirkungen zu schützen. *Dolezalek.*

Sprengmittel s. Sprengarbeiten.

Spucken der Lokomotive *(spray from the funnel; entraînement d'eau par la cheminée; scappamento d'acqua dal fumainolo)*, Auswerfen von Wasser aus dem Rauchfang.

Das S. (Speien, Priemen) hat zur Folge, daß durch das ausgeworfene Wasser, vermengt mit Ruß aus der Rauchkammer und dem Rauchfang, Reisende, Fahrpersonal, Wagen und Lokomotive beschmutzt werden.

Das S. tritt in der Regel beim Anfahren (Ingangsetzen der Lokomotive) ein, oft aber auch plötzlich während des Fahrens.

Das beim S. ausgeworfene Wasser ist entweder Niederschlagwasser, von dem an den kalten Zylinderwandungen sich verdichtenden Dampf herrührend (S. beim Anfahren), oder mechanisch aus dem Kessel mitgerissenes Wasser (S. während der Fahrt).

Tritt S. plötzlich während der Fahrt ein, erkennbar für den Führer durch die an den

Fenstern des Führerhauses sich zeigenden schwarzen Tropfen und, wenn dies übersehen wird, durch heftiges Stoßen und Dröhnen der Lokomotive. Es müssen dann die Zylinderhähne sofort geöffnet werden; der Regulator ist, wenn nötig, ganz zu schließen.

Der Lokomotivführer wird hierdurch auf einen für die Instandhaltung nachteiligen und für die Betriebssicherheit selbst gefährlichen Zustand aufmerksam gemacht, der darin besteht, daß durch das mitgerissene, zwischen Zylinderdeckel und Kolben gepreßte Wasser ungemein heftige Stöße hervorgerufen werden.

1. S. beim Anfahren ist eine Erscheinung, die nur durch Offenhalten der Zylinderhähne während des Stillstands und zu Beginn der Fahrt gemäßigt, nie aber ganz weggebracht werden kann, da während des Stillstands stets ein Niederschlagen des in den Einströmungsrohren zurückgebliebenen Dampfes und eine Abkühlung der Zylinder eintritt, wodurch während der ersten Radumdrehungen beim Anfahren das Niederschlagen einer bedeutenden Menge des frisch eintretenden Dampfes bewirkt wird.

Dieses S. hört auf, wenn die Zylinderwandungen eine entsprechende Wärme angenommen haben.

2. S. während der Fahrt kann aus folgenden Ursachen entstehen:

a) Plötzliche Vergrößerung der Regulatoröffnung; sie bedingt eine sofort eintretende, wenn auch nicht bedeutende Druckverminderung über dem Wasserspiegel an der Stelle, wo der Dampf entnommen wird, infolge dessen heftiges Aufwallen und Mitreißen von Wasser.

b) Zu hoher Wasserstand (herbeigeführt durch zu lang dauerndes Speisen) verringert den über dem Wasserspiegel verbleibenden Dampfraum derart, daß die bei der Dampfentwicklung mitgerissenen Wasserteilchen nicht mehr Zeit finden, im Dampfraum zu verdampfen.

Solches S. kann vermieden werden durch Abstellen der Injektoren, bzw. durch Speisung des Kessels bis zu einer Höhe, die der Erfahrung entspricht.

c) Fehlerhafte Bauart des Kessels:

α) Zu kleiner Dampfraum führt, wie bei *b* erörtert, S. herbei; es muß dann mit niedrigem Wasserstand gefahren werden, wodurch die Handhabung und eine größere Anstrengung der Maschine schwierig wird.

β) Unrichtige Anordnung des Regulators. Die Dampfentwicklung, mithin das Aufsteigen von Wassertropfen, ist am heftigsten über der Feuerbüchse und in den dieser nahe liegenden Teilen der Feuerröhren.

Wird der Dom an diesen Stellen angeordnet, so findet, wenn nicht hohe Dome mit hoch liegendem Regulator angebracht sind oder eine entsprechende Vergrößerung des Kesseldurchmessers an dieser Stelle vorhanden ist (Wagon top boiler), stets ein S. statt, sobald mit hohem Wasserstand gefahren wird.

Die Anordnung des Domes „vorne" verhindert (sonstige Abmessungen des Kessels richtig gewählt) wirksam das S., führt aber bei langen Röhren zu großem Wasserverbrauch bzw. zur Arbeit mit nassem Dampf, weil der in der Nähe der Feuerbüchse entwickelte Dampf, über den langen Wasserspiegel streichend, auf dem Weg zum Dom bzw. Regulator eine nicht unbeträchtliche Menge von fein verteiltem Wasser mitreißt.

Ein vielfach angewendetes Mittel, diesen Übelstand zu vermeiden, ist die Anbringung von 2 miteinander durch ein Kupfer- oder Eisenrohr verbundenen Domen. Durch den hinteren Dom kann der über der Feuerbüchse sich bildende Dampf zu dem im vorderen Dom angebrachten Regulator gelangen, ohne über die lange Wasserfläche streichen zu müssen.

d) Unreines Kesselwasser.

α) Wird der Kessel längere Zeit hindurch nicht gereinigt (vom Wasser entleert und frisch gefüllt), so wird durch die im Kessel sich häufenden Verunreinigungen des Kesselwassers (durch Fette u. s. w.) das Wasser beim Sieden derart in Wallung gebracht, daß sofort das S. eintritt, wenn eine gewisse Höhe des Wasserstands überschritten wird.

β) Bei neuen Lokomotiven sind Teile des fetthältigen Anstrichs im Wasserkasten u. s. w., die sich ablösen und durch die Injektoren in den Kessel gelangen, Ursache eines plötzlichen Aufwallens des Kesselwassers und eines plötzlich eintretenden S. *Gölsdorf †.*

Spur, Spurweite *(gauge; écartement des rails; scartamento),* die gegenseitige Entfernung der beiden zu einem Gleis gehörigen Schienenstränge senkrecht zwischen den Innenkanten der Schienenköpfe, u. zw. nach den T.V. 14 *mm* unter Schienenoberkante gemessen.

Der Ursprung der mit Ausnahme von Rußland, Spanien und Portugal über ganz Europa verbreiteten Regelspur von 4′8½″ englisch = 1435 *mm* ist nicht völlig klar (Haarmann, Das Eisenbahngleis). Die erste, mit einer ähnlichen Spurweite ausgeführte Bahn war die den Plymouthwerken in Merthyr-Tydfil gehörige, 1800 eröffnete Strecke Merthyr-Tydfil-Aberdeen-Junction. Die hier angewandten gußeisernen Winkelschienen, deren senkrechte, aufwärtsstehende und nach der Gleismitte zu liegende Schenkel als Spurränder dienten, hatten ein Lichtmaß von 1294 und ein Außenmaß von 1524 *mm*, paßten demnach für die damaligen englischen Straßenfuhrwerke, deren Räder 4'6" = 1372 *mm* lichten Abstand besaßen. Gibt man solchen Rädern unter Belassung des lichten Abstandes Spurkränze von 1" Stärke und nach jeder Seite ein Spiel von $^1/_4$", so ergibt sich eine S. von 4'8$^1/_2$". Georg Stephenson hat die 1825 eröffnete Stockton-Darlington-Eisenbahn mit einer S. von 4'8$^1/_2$" ausgeführt.

Die S. von 1435 *mm* wurde auch für die im Jahre 1830 in Angriff genommene Eisenbahn Liverpool-Manchester sowie bei den übrigen, von George und Robert Stephenson gebauten Eisenbahnen angenommen. Die anderen englischen Bahnbauer nahmen z. T. die gleiche S. an, z. T. wählten sie größere Weiten, hauptsächlich im Interesse der Erhöhung der Leistungsfähigkeit und Standsicherheit der Lokomotiven. So kam es, daß sich bei den englischen Eisenbahnen 7 verschiedene S. fanden, von denen die kleinste die Stephensonsche mit 4'8$^1/_2$" englisch (= 1435 *mm*), die größte die Brunelsche bei der Great Western-Eisenbahn mit 7' englisch (= 2134 *mm*) war.

Je mehr die ursprünglich ohne Zusammenhang gebauten einzelnen Linien Anschluß aneinander erhielten, desto mehr wurde das Unzuträgliche der Verschiedenheit der S. empfunden. Es wurde 1845 vom englischen Parlament eine Kommission mit dem Auftrag eingesetzt, die Spurweitenfrage zu erörtern und ein Gutachten darüber abzugeben, das etwaigen gesetzgeberischen Maßnahmen als Grundlage würde dienen können. Diese Kommission schlug vor, die Regierung möge bestimmen, alle im Bau begriffenen und noch zu bauenden Eisenbahnen in Großbritannien mit gleicher S., u. zw. mit der Stephensonschen von 4'8$^1/_2$" englisch auszuführen und die bereits im Betrieb befindlichen Eisenbahnen mit breiterer S. entweder umzubauen oder Maßnahmen zu treffen, damit die normalspurigen Wagen ohne Unterbrechung und Gefahr über sie laufen können. Die Notwendigkeit einer einheitlichen S. wurde außer mit den allgemeinen Verkehrsinteressen insbesondere mit den Rücksichten auf die Landesverteidigung begründet. Die Festsetzung des Maßes der S. auf 4'8$^1/_2$" englisch wurde nicht deshalb vorgeschlagen, weil es als das zweckmäßigste erkannt wurde, sondern weil zu jener Zeit der überwiegende Teil der englischen Bahnen diese S. hatte. Aus demselben Grund wurde für Irland eine größere S. vorgeschlagen. In Gemäßheit dieses Gutachtens wurde im August 1846 durch Parlamentsakte bestimmt, daß die S. bei allen noch zu bauenden, für Personenverkehr bestimmten Eisenbahnen in England mit Ausschluß der Grafschaften Cornwallis, Devon, Dorset und Sommerset 4'8$^1/_2$" englisch (= 1435 *mm*), in Irland 5'3" englisch (= 1600 *mm*) betragen sollen. Die bereits vorhandenen Eisenbahnen mit anderer S. wurden allmählich, das Netz der großen Westbahn zuletzt im Mai 1892 auf die normale S. umgebaut.

Die S. von 1435 *mm* wurde in den meisten europäischen Staaten eingeführt, sie ist seit 1886 auch durch die Berner Vereinbarungen festgelegt, und gilt daher für Mitteleuropa als Vollspur oder Normalspur (Regelspur). Nach den Bestimmungen der Technischen Einheit von 1913 darf dieses Maß für neue oder umgebaute Gleise nicht unterschritten, aber in Krümmungen bis zu 1470 *mm* überschritten werden.

Für die erste in Deutschland erbaute Eisenbahn mit Dampfbetrieb – die am 7. Dezember 1835 eröffnete Linie Nürnberg-Fürth -- dienten die in England erbauten Eisenbahnen als Muster und wurde deshalb auch das gleiche Maß für die S. angenommen.

Als in Preußen die Eisenbahnfrage zuerst zur Erörterung kam, wurde von militärischer Seite darauf hingewiesen, daß feindliche Angriffe begünstigt würden, wenn die inländischen Eisenbahnen die gleiche S. wie die ausländischen erhielten. Durch königliche Ordre vom 13. August 1837 wurde deshalb das Staatsministerium beauftragt, diese Frage zu prüfen. In dem hierauf erstatteten Bericht sprach das Staatsministerium sich dafür aus, daß die S. der in Preußen zu erbauenden Eisenbahnen derjenigen der Bahnen des Auslands, insbesondere Belgiens und Frankreichs, nach welchen Ländern damals Anschlüsse in Frage standen, gleich gemacht werde, da sonst die Interessen des Handels und Verkehrs in empfindlicher Weise geschädigt werden würden. Durch königliche Ordre vom 11. November 1837 wurde infolgedessen bestimmt, daß den Unternehmern einer Eisenbahn die Annahme einer S., die von der angrenzenden ausländischer Eisenbahnen abweicht, nicht zur Bedingung gemacht werden solle. Durch das preußische Eisenbahnnetz von 1838 wurde dann die S. von 4'8$^1/_2$" gesetzlich vorgeschrieben. Wegen Unter- und Überschreitungen s. Spurerweiterung.

Für schmalspurige Neben- und Kleinbahnen ist nach der Betriebsordnung, § 9, nur eine Spur von 1000 oder 750 *mm* zulässig. Es finden sich aber noch aus älterer Zeit Bahnen mit 600 *mm* S. (1913 etwa 600 *km*) in Pommern und Posen, 785 *mm* S. (1913 etwa 160 *km*) in Oberschlesien (das Maß 785 *mm* ist aus 2' 6" rheinländisch entstanden), daneben auch noch einzelne Bahnen mit abweichenden Spuren, z. B. 720, 800, 900, 915, 1100 *mm*. Baubahnen haben in Deutschland fast ausschließlich 600 oder 900 *mm* Spur. Schmalspurige Werkbahnen haben S. von 600, 750, 1000 *mm*, doch finden sich hier vielfache Abweichungen.

Größere S. als Regelspur weisen nur einige Straßenbahnen auf (Danzig, Dresden, Hannover, Leipzig, München).

Dem preußischen Beispiel folgten auch die übrigen deutschen Staaten mit Ausnahme von Baden, wo zuerst – bei Mannheim-Basel eine S. von $5^1/_4$' englisch (= 1600 *mm*) zur Anwendung kam. Die aus der Anwendung dieser abweichenden S. für den durchgehenden Verkehr entstandenen Schwierigkeiten veranlaßten den Umbau der mit derselben gebauten Strecken auf die S. von 1435 *mm*, der im Jahre 1854/55 stattfand (s. Art. Badische Staatsbahnen).

In Österreich-Ungarn kam bei allen Hauptbahnen die Regelspur zur Anwendung, für Nebenbahnen, aber auch das große bosnische Netz, die niederösterreichischen Landesbahnen u. a. m. 760 *mm*.

In Frankreich und Italien wurde ebenfalls die Regelspur von vornherein zur Anwendung gebracht; man nahm jedoch zuerst als Leitmaß nicht die Entfernung zwischen den Innenkanten der Schienenköpfe, sondern das Maß zwischen den Mitten der beiden Schienen und bestimmte es zu 1500 *mm*. Hierdurch ergab sich je nach der Dicke des Schienenkopfs eine verschiedene S. Später wurde in den Konzessionen der Eisenbahngesellschaften zu grunde gelegten Baubedingungen für die S. das Maß von 1440 bis 1450 *mm* vorgeschrieben. Die S. der französischen Eisenbahnen weicht demnach von der Regelspur zwar etwas ab, es ergeben sich jedoch beim Durchgang der Fahrzeuge infolge des unbedeutenden Unterschieds keine Anstände.

Die französischen Provinzialbahnen sind fast ausschließlich mit 1000 *mm* S. ausgeführt. In Italien findet 1000 *mm* S. hauptsächlich nur für elektrische Straßenbahnen Anwendung, dagegen werden die Nebenbahnnetze fast ausschließlich mit 950 *mm* S. (eingeführt 1883 bei der Bahn Sassuolo-Mirandola) gebaut. Das Sardinische Bahnnetz hat übrigens 954 *mm* S. Zugelassen, aber nicht angewendet ist für italienische Kleinbahnen auch 700 *mm* S.

In den Niederlanden wurden die holländische sowie die Rheineisenbahn mit einer S. von 1930 *mm* angelegt, später aber auf die Regelspur umgebaut. Die übrigen Eisenbahnen der Niederlande wurden von vornherein mit der letzteren S. hergestellt. Die zahlreichen Straßenbahnen (meist Dampfbetrieb) weisen S. von 1067, 1000 und 750 auf.

In der Schweiz wurde zwar die Strecke Zürich-Baden in Breitspur hergestellt, aber bald auf Regelspur umgebaut. Alle Hauptbahnen wurden dann nur mit dieser ausgeführt. Das Rhätische Bahnnetz ist schmalspurig.

In Dänemark haben alle Hauptbahnen die Regelspur erhalten, desgleichen in Belgien. Schmalspurbahnen weisen in beiden Ländern fast ausnahmslos 1000 *mm* S. auf.

In Norwegen wurden die Hauptbahnen teils mit 1435 *mm*, teils mit 1067 *mm* S. ausgeführt, doch sind in den Jahren 1898 – 1915 verschiedene größere Linien von letzterer auf Regelspur umgebaut worden.

Schweden hat für Hauptbahnen stets die Regelspur verwendet. Eine große Anzahl Kleinbahnen ist jedoch mit 891 *mm* S. ausgeführt.

In Rußland wurde die erste Eisenbahn – die am 30. Oktober 1838 eröffnete, 27 *km* lange Linie St. Petersburg-Zarskoje Selo – mit einer S. von 6' englisch (= 1829 *mm*) ausgeführt. Der Leiter dieses Bahnbaues, der österreichische Ingenieur v. Gerstner, wählte diese große S., weil bei ihr leistungsfähigere und standfestere Lokomotiven gebaut werden konnten und auch für die Wagen ein günstigeres Verhältnis der Nutz- zur toten Last sich erzielen ließ. Als im Jahre 1842 der Bau der zweiten russischen Eisenbahn – der Linie St. Petersburg-Moskau (Nicolaibahn) – in Angriff genommen wurde, beabsichtigte der vom Zaren Nikolaus mit der oberen Bauleitung betraute Ausschuß, auch diese Bahn mit der bei der Zarskoje Seloer Eisenbahn zur Anwendung gekommenen großen S. auszuführen. Diesem widersetzte sich aber der für den Bau der Nicolaibahn als „beratender Ingenieur" vom Zaren berufene amerikanische Major Whistler. Er war ebenfalls der Ansicht, daß die Stephensonsche S. zu klein sei, um dabei genügend leistungsfähige und standfeste Lokomotiven bauen zu können, er hielt aber eine so bedeutende Vergrößerung, wie sie von Gerstner angenommen wurde, nicht für nötig und wegen der dadurch hervorgerufenen Verteuerung der gesamten Bahnanlage auch nicht für zweckmäßig.

Auf Whistlers Rat wurde demnach die S. der Nicolaibahn auf 5' englisch (= 1524 *mm*) festgesetzt. Dieses Maß wurde demnächst als russische Regelspur beibehalten, mit der der überwiegende Teil der russischen Eisenbahnen, einschließlich der transkaspischen und sibirischen Strecke, gebaut worden ist. Abweichende S. haben außer der erwähnten Zarskoje-Seloer Eisenbahn nur die im Jahre 1843 auf Staatskosten in Angriff genommenen, später an Privatgesellschaften abgegebenen Linien der Warschau-Wiener Eisenbahn, die mit der Regelspur (1435 *mm*) gebaut sind. Schon 1913 waren Mittel für den Umbau dieser Strecken auf russische Regelspur bewilligt. Zum Umbau ist es jedoch des Krieges wegen nicht mehr gekommen.

Für die großen Netze der „Zufuhrbahnen" ist eine S. von 750 *mm* angenommen worden.

In Spanien wurde 1844 durch königliche Verordnung eine Ingenieurkommission eingesetzt, um Vorschläge über die S. der zukünftigen Bahnen zu machen. Am 20. Januar 1845 wurde von ihr als S. vorgeschlagen: 6 kastilianische Fuß (d. s. 1671·6, also rd. 1672 *mm*), „weil man bei dieser S. Lokomotiven bauen könne, die eine genügende Menge Dampf erzeugen, um bei gleicher Last schneller zu fahren als bei 1435 *mm* S.".

Angewendet wurde diese S. gleich bei der ersten, 1848 in Spanien eröffneten Eisenbahn von Barcelona nach Mataro. Sie ist auch für alle großen spanischen Bahnnetze beibehalten worden. Doch schwanken in den amtlichen neueren Angaben die Maße zwischen 1670 und 1672 *mm*. Das englische Maß von 5′6″ (= 1676 *mm*) ist also in Spanien nicht zur Einführung gekommen, mit Ausnahme der von Engländern gebauten Algecirasbahn.

Für Provinzialbahnnetze ist allgemein die S. von 1000 *mm* verwendet worden. Es kommt allerdings auch die Regelspur von 1435 *mm* in Spanien bei der kleinen Bahn Langreo-Gijon vor.

Auch Portugal hat die spanische S. angenommen, daneben aber auch 1000 *mm*.

In Nordamerika wurden die ersten, ohne Zusammenhang miteinander gebauten Eisenbahnen ebenfalls mit verschiedenen S. ausgeführt. Auch hier erschien beim Beginn des Bahnbaues vielen Ingenieuren die Stephensonsche S. zu klein. Die New York-Lake Erie-Bahn erhielt 6′ englisch (= 1829 *mm*), andere Bahnen 5′6″, wieder andere 5′3″ und ähnliche Maße; am meisten aber wurde neben der Stephensonschen die von 5′ englisch (= 1524 *mm*) angewendet. Diese letztere S. war besonders in den Südstaaten verbreitet. Mit dem fortschreitenden Zusammenschluß der ursprünglich vereinzelt hergestellten Bahnlinien und der zunehmenden Bedeutung des durchgehenden Verkehrs machte sich auch das Bedürfnis nach einer einheitlichen S. mehr und mehr geltend. Um die Herstellung einer solchen tunlichst zu erleichtern, wurde zwischen den verschiedenen Verwaltungen die Einführung einer „Vermittlungsspurweite" (compromise gauge) von 4′9″ englisch (= 1448 *mm*) vereinbart, auf die die Bahnen mit abweichender S. umgebaut wurden. In der Zeit vom 31. Mai bis 2. Juni 1866 wurde in den Südstaaten ein zusammenhängendes Netz von etwa 22.500 *km* Eisenbahnen auf die Vermittlungsspur umgebaut, womit die einheitliche Gestaltung der S. für die Hauptbahnen der Vereinigten Staaten im wesentlichen durchgeführt war. Einzelne Eisenbahnen, wie die Denver- und Rio Grande-Bahn (s. d.), waren ursprünglich mit einer S. von 3′ (= 914 *mm*) gebaut. Sie sind nach und nach teils völlig umgebaut, teils mit einer dritten Schiene für den Durchgang normalspuriger Betriebsmittel versehen worden.

In Mittelamerika sind die mexikanischen Bahnen in Voraussicht des inzwischen längst erfolgten Anschlusses an das Netz der Vereinigten Staaten zum allergrößten Teil in Regelspur angelegt. Doch kommt auch die S. von 3′ englisch (= 914 *mm*), z. B. bei der Interozeanischen Eisenbahn (1700 *km* Strecke) vor. Nicaragua und Costarica besitzen 3′6″ englisch (= 1067 *mm*), San Salvador, Guatemala und Honduras 3′ englisch (= 914 *mm*). Die Panamaeisenbahn ist die einzige amerikanische Eisenbahn, die noch 5′ englisch (= 1524 *mm*) S. besitzt.

In Westindien weisen Cuba, Jamaica und Trinidad Regelspur, Portorico 1000 *mm*, San Domingo 1067 *mm* und 762 *mm* und Barbados 762 *mm* S. auf.

In Venezuela ist als Regelspur die von 3′6″ englisch (= 1067 *mm*) angenommen worden. Es hat aber auch die S. von 914 und 610 *mm* Anwendung gefunden.

In Brasilien wurden die ersten Eisenbahnen mit 1600 *mm* (5′3″) S. gebaut, die späteren z. T. auch mit 1000 *mm*. Außerdem kamen aber auch verschiedene andere S. (1400, 1360, 1210, 1100, 1067, 760 und 600 *mm*) vor. Es erklärt sich dies dadurch, daß eine große Anzahl der Bahnen Nord- und Mittelbrasiliens ohne Verbindung miteinander sind.

In den La Plata-Staaten sind verschiedene S. zur Anwendung gekommen, u. zw. eine Breitspur von 1676 *mm* (5′6″), die Regelspur von 1435 *mm* und in ausgedehntem Maße 1000 *mm*, letztere namentlich für die langen Gebirgsstrecken, die den Anschluß nach Chile und Bolivia bilden.

Chile hat für sein Hauptbahnnetz wie Argentinien 1676 *mm* S., für Nebenbahnen und Gebirgsbahnen (so besonders für die Transandenbahn) 1000 *mm* in Anwendung genommen. Nur wenige kleine unabhängige Netze weisen 762 *mm* S. auf.

Die Bahnen in Bolivia weisen 1000 *mm* S., diejenigen in Peru größtenteils 1435 *mm* S. auf.

In der asiatischen Türkei beträgt die S. durchweg 1435 *mm*, in Syrien (Damas-Hama-

und Hedschasbahn) 1050 *mm*, doch hat Jaffa-Jerusalem 1000 *mm* S.

In Ostindien, ebenso auf Ceylon sind die älteren großen Bahnnetze durchweg mit Breitspur von 5'6" (= 1676 *mm*) gebaut, doch wird seit mehreren Jahrzehnten für nicht unbedeutende Bahnnetze die S. von 1000 *mm* (3'3$^3/_8$" englisch) angewendet. Diese S. besitzen auch alle Bahnen in Englisch-Hinterindien. Vereinzelt kommen in Ostindien 762 *mm* und 610 *mm* S. vor.

Siam hat 2 Bahnnetze, das nördliche mit Regelspur, das südliche mit 1000 *mm* S.

Bei den Eisenbahnen auf Java ist die normale S. 1067 *mm*; nur die älteste, im Jahre 1864 gebaute Linie Samarang-Djokjakarta hat die Regelspur. Für die zahlreichen Plantagenbahnen kommt außer 600 *mm* auch 700 *mm* S. häufig vor.

In Japan herrscht, abgesehen von kleinen unbedeutenden Bahnlinien, durchweg die S. von 1067 *mm* vor, doch ist ein Umbau des Staatsbahnnetzes auf Regelspur beabsichtigt.

In China findet nur die Regelspur Anwendung. Eine Ausnahme machte die von Russen gebaute ostchinesische Eisenbahn, die ursprünglich mit russischer S. (1524 *mm*) gebaut, während des russisch-japanischen Krieges teilweise auf 1067, nach dem Krieg aber im Anschluß an das koreanische Netz auf 1435 *mm* umgebaut wurde.

In Afrika erhielt die erste Eisenbahn Alexandrien-Cairo 1856 die Regelspur; diese hat aber in Afrika, abgesehen von Ägypten, nur noch in Algier und auf Mauritius Anwendung gefunden. Die Fortsetzung der ägyptischen Bahnen nach dem Sudan sind durchweg mit 3'6" (= 1067 *mm*) S. ausgeführt, während das große Netz der Deltabahn in Ägypten nur 750 *mm* S. aufweist.

In Algier sind die größeren Bahnnetze teils in Regelspur, teils mit 1000 *mm* S. ausgeführt, das oranische Netz jedoch mit 1050 *mm*; Tunis dagegen weist durchweg 1000 *mm* S. auf.

In Südafrika wurde zwar die erste kurze Eisenbahnlinie im Jahre 1864 mit Regelspur ausgeführt. Diese S. fand jedoch keine weitere Anwendung. Alle weiteren Bahnbauten wurden mit 3'6" (= 1067 *mm*), Kapspur genannt, gebaut. Die Kapspur weisen auch alle an die südafrikanischen Netze schon jetzt oder voraussichtlich später anschließenden Bahnen auf; so z. B. die Linien in Rhodesia, Maschonaland, Angola, Nyassa, Mozambique u. s. w.

Im mittleren Afrika ist in den französischen Besitzungen, auch in Madagaskar, durchweg die S. von 1000 *mm* zur Anwendung gekommen, ebenso in Kamerun, Deutsch-Ostafrika, Abessinien und auch Britisch-Ostafrika (Ugandabahn), doch hat die Goldküste 1067 *mm*, Sierra Leone 762 *mm* und Nigerien 1067 und 762 *mm* S. Die italienischen Kolonien Erythräa und Tripolis haben wie Sizilien 950 *mm*, die Kongobahn 765 *mm* S.

In Deutsch-Südwestafrika wurde die erste Eisenbahn von Swakopmund nach Windhuk und auch die Otavibahn mit 600 *mm* S. angelegt. Letztere Bahn hat die S. beibehalten. Auf der ersteren Strecke ist jedoch die S. im Jahre 1911 auf 1067 *mm* umgebaut. Die südlichen Bahnen Deutsch-Südwestafrikas sind von vornherein mit 1067 *mm* S. ausgeführt.

In Australien herrscht große Verschiedenheit bezüglich der S. Neusüdwales hat fast durchweg 1435 *mm*, Victoria 1600 *mm*, Südaustralien 1600 und 1067 *mm*, Queensland und Westaustralien 1067 *mm*. Letztere S. besitzen auch Neuseeland und Tasmania.

Nachdem allmählich die früher durch weite Strecken getrennten Netze in Verbindung kommen, machen sich die verschiedenen S. unangenehm bemerkbar und es bestehen seit einigen Jahren starke Bestrebungen, für ganz Australien eine Regelspur einzuführen. Vermutlich wird dies die S. von 4'8$^1/_2$" werden.

Die Verteilung der S. auf die einzelnen Weltteile gibt nachstehende Übersicht:

	Vollspur		Breitspur		Schmalspur	
	km	%	*km*	%	*km*	%
Europa . .	220.026	71	67.525	22	21.215	7
Nordamerika	376.741	98	80	–	8.373	2
Südamerika .	5.934	14	14.745	36	20.212	50
Asien . . .	6.005	7	34.527	43	40.042	50
Afrika . . .	4.830	17	–	–	23.752	83
Australien .	5.454	20	6.290	22	15.939	58

Der Anteil der einzelnen S. an der Gesamtsumme ist folgender:

1676 = 5'6"	53.220	*km* . . .	6 %
1600 = 5'3"	12.650	„ . .	1$^1/_2$ %
1524 = 5'	57.300	„ .	7 %
1435 = Vollspur . .	618.990	„	71 %
1067 = 3'6"	52.310	„ . .	6 %
1000 = 3'3$^3/_8$" (1 *m*)	54.520	„	6 %
Unter 1 *m*	22.700	„ . .	2$^1/_2$ %
Zusammen . .	871.690	*km*	

Über die Wirtschaftlichkeit der Schmalspurbahnen (s. d.).

Literatur: Haarmann, Das Eisenbahngleis. Ztg. d. VDEV. 1892, S. 429. – Betriebsordnung der Eisenbahnen Deutschlands. – Arch. f. Ebw. 1904. – Organ 1914. – Matschoss, Beiträge zur Geschichte der Technik und Industrie, Bd. VII. – Dr. Keller, Die Spurweite der Eisenbahnen und der Kampf um die Spurweite.

Metzeltin.

Spurerweiterung *(widening of the gauge, slacking of the gauge; surécartement de la voie, élargissement de la voie; allargamento dello scartamento)*, die Vergrößerung der Spurweite bei Eisenbahngleisen in schärferen Krümmungen. Diese Vergrößerung ist erforderlich, damit die Eisenbahnfahrzeuge trotz der unverrückbaren Stellung der Achsen zueinander die Krümmungen leichter durchlaufen können. Bei der großen Verschiedenheit des Radstandes der Fahrzeuge und bei der Ungleichheit des innerhalb zulässiger Grenzen schwankenden Spielraums zwischen Schiene und Radreifen (je nachdem dieser noch neu oder schon mehr oder weniger ausgelaufen ist) kann man für eine gegebene Krümmung ein bestimmtes, für alle Fälle als das günstigste zu bezeichnendes Maß für die S. nicht angeben. Eine zu knapp bemessene S. bewirkt bei Fahrzeugen mit langem Radstand, besonders bei mehrachsigen, leicht ein Einklemmen der Spurkränze, während ein reichlich bemessener Spielraum einen unruhigen Gang der Fahrzeuge und eine stärkere Abnutzung der Schienen und Spurkränze herbeiführt.

Bei Begründung der Notwendigkeit der S. und bei Ermittlung einer Formel für ihre Größe geht man in der Regel von der Annahme aus, daß jeder Radsatz eines steifachsigen Fahrzeugs das Bestreben hat, sich in jedem Augenblick rechtwinklig zu seiner Achse fortzubewegen, und daß daher die Vorderachsen solcher Fahrzeuge gegen den äußeren Schienenstrang der Gleisbogen anlaufen und die Hinterachsen sich von diesen so weit zu entfernen trachten, bis sie in der Richtung des Bogenhalbmessers stehen.

Diese naturgemäße Stellung der Fahrzeuge würde jedoch, zumal in schärferen Bogen, eine derart große S. erfordern, daß unter Umständen je ein Radreifen eines Radsatzes das Auflager auf der zugehörigen Schiene verlieren könnte. Demzufolge wird die S., über deren unbedingte Notwendigkeit und zweckmäßigste Bemessung die Anschauungen auch heute noch nicht vollständig geklärt sind, von den einzelnen Bahnverwaltungen auf Grund versuchsweiser Erhebungen und z. T. daraus abgeleiteter Erfahrungsformeln verschieden bemessen.

Die Bestimmungen des Schlußprotokolls der III. Internationalen Konferenz zu Bern vom 18. Mai 1907, betreffend die technische Einheit im Eisenbahnwesen, die T. V. über den Bau und die Betriebseinrichtungen der Haupt- und Nebenbahnen von 1909 und die deutsche Eisenbahn-Bau- und Betriebsordnung von 1904 bestimmen nahezu gleichlautend, daß die Spurweite vollspuriger Bahnen zwischen den Fahrkanten, u. zw. 14 *mm* unter Schienenoberkante gemessen, in geraden Gleisen 1435 *mm* zu betragen habe und in Krümmungen von weniger als 500 *m* Halbmesser angemessen, u. zw. derart zu vergrößern sei, daß diese Vergrößerung bei Halbmessern bis 300 *m* 30 *mm*, bei kleineren Halbmessern 35 *mm* nicht überschreiten dürfe. Als Folge des Betriebs sind Verengerungen der vorgeschriebenen Spurweite bis 3 *mm* und Überweiterungen bis 10 *mm* jedoch unter Festhaltung vorangegebener Höchstmaße für die Gleiskrümmungen zulässig. Diese Höchstmaße sind derart ermittelt, daß im Hinblick auf die für Radsatz, Radreifen und Spurkranz vorgeschriebenen Abmessungen und zugelassenen Abweichungen hiervon bzw. Abnutzungen stets noch ein genügendes Auflager für die Radreifen auf den Schienen erübrigt.

Von verschiedenen Bahnverwaltungen tatsächlich angewendete S. sind in nachstehender Zusammenstellung angeführt.

Da beim Durchfahren der Krümmungen die Innenkante des äußeren Schienenstrangs die Leitlinie für die Spurkränze der Fahrzeuge bildet, so beläßt man diese zweckmäßigerweise in ihrer normalen Lage und bildet die S. durch Verrücken des inneren Schienenstrangs nach dem Mittelpunkt zu. Dabei ist für den allmählichen Übergang der erweiterten auf die Regelspur (Spurerweiterungseinlauf) zweckmäßig Sorge getragen, wenn er stetig auf den Bereich der Übergangsbogen (s. d.) ausgedehnt wird. Bei Krümmungen ohne Übergangsbogen wird die S. zumeist derart ausgebildet, daß ihr Beginn in die Gerade fällt und am Anfang des Hauptbogens der volle Wert erreicht ist. Bemerkt sei, daß in der Regel auch in den Weichen eine S. durchgeführt wird, u. zw. schwanken bei vollspurigen Weichen die betreffenden Maße an der Zungenspitze zwischen 5 und 20 *mm*, an der Zungenwurzel zwischen 5 und 25 *mm*; sehr häufig werden diese Werte zu 10 bzw. 15 *mm* angenommen. In Weichenbogen wird aus konstruktiven Gründen gewöhnlich ein gegenüber gleich scharfen Krümmungen der freien Strecke auf etwa $^2/_3$ vermindertes Spurerweiterungsmaß angewandt. Bei in Hauptgleisen liegenden Weichen können infolge des Betriebs entstehende Überweiterungen bzw. Verengerungen der für den gekrümmten Strang festgesetzten Spurmaße unter 10 bzw. 5 *mm* (bei Weichen in Nebengleisen unter 15 bzw. 6 *mm*) als noch zulässig angesehen werden, während für den geraden Strang die zulässigen Abweichungen in der Spurweite nach den für das Gleis der freien Strecke geltenden Bestimmungen bemessen werden.

Laufende Nummer	Verwaltung	Gleisbogen mit Halbmessern (in *m*) von																	
		1500	1000	900	800	700	600	500	400	300	250	200	150	100	90	80	70	60	50
		erhalten an Spurerweiterung in *mm*																	
	Vollspurige Hauptbahnen:																		
1	Bayerische Staatsbahnen[1]	–	–	3	6	9	12	16	20	25 bei *R* ≦ 300 *m*					–	–	–	–	–
	Bayerische Staatsbahnen[2]	–	–	4	4	8	12	16	20	24 bei *R* ≦ 300 *m*					–	–	–	–	–
2	Preußische Staatsbahnen	–	–	–	3	6	9	12	15	18	21	24	27	30	–	–	–	–	–
3	Sächsische Staatsbahnen	–	–	–	–	–	–	7	20	25	30	bei *R* ≧ 250 *m*					–	–	–
4	Österreichische Staatsbahnen	4	8	12	12	12	16	20	24	30 bei *R* ≦ 300 *m*					–	–	–	–	–
5	Südbahn	4	8	12	12	12	16	16	20	24 bei *R* ≦ 300 *m*							–	–	–
6	Ungarische Staatsbahnen	10	10	10	10	10	10	10	20 bei *R* ≦ 400 *m*						–		–	–	–
7	Holländische Eisenbahnen	–	–	–	3	6	9	12	bei *R* ≦ 500 *m*				–	–	–	–	–	–	–
8	Schweizer Bundesbahnen	–	–	–	10	10	10	10	20 bei *R* ≦ 400 *m*					–	–	–	–	–	–
9	Belgische Staatsbahnen	–	–	–	–	–		–	10	10	10	10	20	–	–	–	–	–	–
10	Paris-Lyon-Mittelmeer-Bahn[3]	–	–	–	–	–	–	6	6	6	6	6	6	–	–	–	–	–	–
11	Schwedische Staatsbahnen	–	–	–	5	5	6	7	9	13	15	bei *R* ≦ 250 *m*				–	–	–	–
12	Italienische Staatsbahnen	–	–	–	–	–	5	10	10	15 bei *R* ≦ 350 *m*						–	–	–	–
13	Spanische Nordbahn	–	–	–	–	–	–	–	10 bei *R* ≦ 400 *m*					–	–	–	–	–	–
14	New York Central and Hudson River Ry.[4]	–	3	3	4	4	5	5·5	7	10	11	13	–	–	–	–	–	–	–
	Bahnen mit Spurweiten von 1 *m*:																		
15	Nordhausen-Wernigerode	–	–	–	–	–		–	3	6	6	9	9	12	15	bei *R* ≦ 90 *m*			
16	Österreichische Eisenbahnen			–	–	–	–	4	8	12	16	16	20	25	bei *R* ≦ 100 *m*				–
17	Schweizerische Eisenbahnen	–	–	–	–	–	–	4	8	12	12	16	20	24	bei *R* ≦ 100 *m*				–
18	Sumatra	–	6	6	6	6	6	12	12	18	18	24	bei *R* ≦ 200 *m*				–	–	–
	Bahnen mit Spurweiten von 0·75 *m* und 0·76 *m*:																		
19	Sächsische Eisenbahnen	–	–	–	–	–	–	–	–	–	5	5	10	10	15	15	20	20	20
20	Österreichische Eisenbahnen	–	–	–	–	–	–	4	4	8	8	12	16	20	bei *R* ≦ 100 *m*				–
21	Bosnisch-Hercegovinische Landesbahnen	–	–	1	1	1	2	2	2	3	4	4	6	9	10	11	13	15	18

[1] Für Holzquerschwellenoberbau.

[2] Für Eisenquerschwellenoberbau.

[3] In Frankreich weist schon das gerade Gleis insoferne eine Erweiterung gegenüber der Vollspur auf, als die Spurweite in der Regel zwischen 1·44 und 1·45 *m* liegt, so daß in den Krümmungen weitere Spurvergrößerungen in engen Grenzen gehalten werden können. Die französischen Staatsbahnen wenden überhaupt keine Spurerweiterung an.

[4] In Amerika liegen ähnliche Verhältnisse vor wie in Frankreich. Außerdem verkehren fast ausschließlich Wagen mit Drehgestellen, so daß der feste Radstand stets sehr kurz ist.

Hinsichtlich der Lokalbahnen bestimmen die Grundzüge für den Bau und Betrieb derselben (1909) gleichfalls bloß, daß in scharfen Krümmungen die Spurweite, soweit dies die Breite der Radreifen, der Zahnstange und der Spurrinne zulassen, angemessen zu vergrößern ist. Doch darf diese Vergrößerung unter Einrechnung der größten infolge des Betriebs zulässigen Spurüberweiterung von 10 *mm* bei vollspurigen Gleisen 35 *mm*, bei schmalspurigen Gleisen von 1000 *mm* Spurweite 25 *mm*, bei solchen von 750 *mm* 20 *mm* und bei Kleinbahnen von 600 *mm* Spurweite 18 *mm* nicht überschreiten. Über die bei einzelnen Schmalspurbahnen übliche Bemessung der S. gibt die obenstehende Zusammenstellung Aufschluß (s. auch Schmalspurbahnen). Für die Ausführung der S. sowie die in Weichen zu wählende Größe gelten die gleichen Grundsätze wie bei Hauptbahnen.

Für Zahnstangenbahnen setzen die vorhin erwähnten Grundzüge fest, daß die in Krümmungen anzuordnende S. nur durch Verschieben des inneren Stranges nach dem Krümmungsmittelpunkt zu auszubilden und mit Rücksicht auf die Gewährleistung eines sicheren Eingriffs des Zahnrads in die Zahnstange mit höchstens 14 *mm* zu bemessen sei. Demgegenüber hat Abt bei seinen neueren Bahnen in der Schweiz die S. bei Krümmungen mit einem Halbmesser von 500 – 350 *m* mit 7 *mm*, bei solchen mit einem Halbmesser von 349 – 250 *m* mit 14 *mm* und bei Halbmessern unter 250 *m* mit 21 *mm* ausgeführt, u. zw. erreichte er die erst angegebene S. durch Verrückung des Innenstrangs, die mittlere S. durch Verschiebung des Innen- und Außenstrangs um je 7 *mm* und die größte S. durch Verschiebung des Innenstrangs um 14 *mm* und des Außenstrangs um 7 *mm*.

In Gleisen mit einteiligen Rillenschienen ist die Anordnung einer S. mit Rücksicht auf die Schienenform untunlich. Wegen Schonung des schwächeren Rillenschienenschenkels wird zuweilen in Gleiskrümmungen sogar die Spurweite gegenüber dem geraden Strang um 2–3 *mm* verengert, u. zw. erfolgt dies zweckmäßig durch Verschieben der Außenschiene um diesen Wert nach dem Krümmungsmittelpunkt.

Literatur: Hb. d. Ing. W. 5. Teil, Bd. I, II, III, VII u. VIII; Eis. T. d. G. 2. Abschn.; Berichte des Internationalen Eisenbahnkongresses Bern 1910. – M. Buchwald, Der Oberbau der Straßen- und Kleinbahnen; Maintenance of Way Standards on American Railways. *Fevl.*

Spurkranzschmierung *(flange lubrication; graissage du boudin; lubrificazione del' orletto)* bei den führenden Rädern von Lokomotiven findet auf Bahnen mit häufigen und scharfen Gleiskrümmungen vorteilhafte Anwendung zur Verminderung der Reibung, die bei der Fahrt in Gleisbogen durch das Anlaufen des vorderen

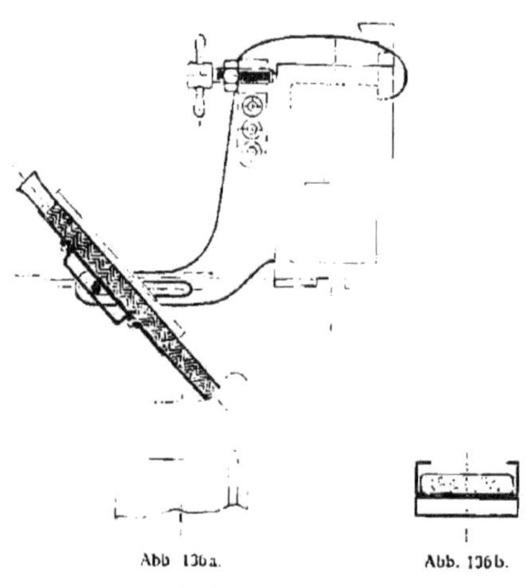

Abb 136a. Abb. 136b.

Außenrades an die äußere Schiene hervorgerufen wird. Diese Reibung hat eine rasche Abnutzung der Spurkränze (Scharflaufen) sowie eine Steigerung des Zugwiderstands zur Folge und wirkt namentlich dann nachteilig, wenn das vordere (führende) Rad gleichzeitig Kuppelrad ist.

Eine sehr einfache und dabei gut entsprechende Schmiervorrichtung (Abb. 136a u. b) besteht aus einem Filzstück, das in eine längliche Blechhülse von rechteckigem Querschnitt (Abb. 136b) fest eingesteckt ist, u. zw. derart, daß der Filz an dem einen Ende der Hülse etwas über diese vorsteht. Mit diesem Ende nach abwärts gerichtet, wird die Hülse (Schmierpatrone) in eine weitere Führungshülse eingesteckt, die in schräger Stellung so an der Lokomotive angebracht ist, daß die Schmierpatrone mit dem vorstehenden Filzteil durch ihr eigenes Gewicht gegen die Hohlkehle des zu schmierenden Radreifens drückt.

In dem Raum ober dem Filz wird Öl (meist Abtropföl von Lagern) eingegossen.

Diese Führungshülse ist in einem Hälter drehbar gelagert, der mit dem Federbund fest verschraubt ist. Rad, Schmierpatrone und Federbund bleiben daher stets in gegenseitig gleicher Entfernung, so daß die Schmierpatrone nicht weggeschleudert werden kann.

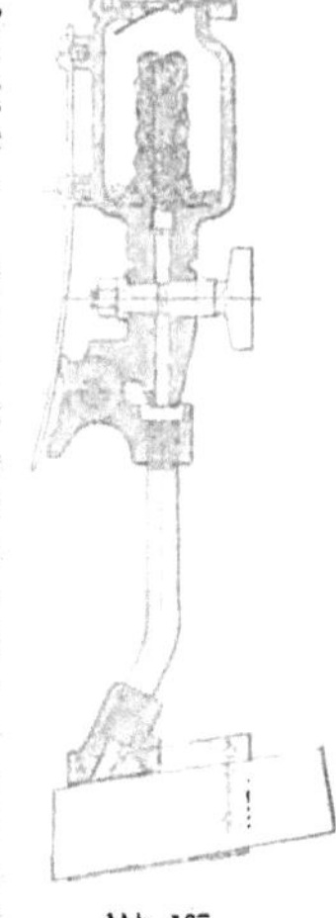

Abb. 137.

Die S. wurde zum ersten Male von Fischer v. Rößlerstamm bei der ehemaligen österreichischen Kaiserin Elisabeth-Bahn (Patent aus dem Jahre 1873) ausgeführt. Bei dieser ersten Ausführung gelangten Schmierpatronen aus billigem Hartfett zur Anwendung. Umständlicher ist die S. mit besonderen Ölbehältern, wie sie an französischen Lokomotiven vielfach vorkommt (Abb. 137). Apparate zur S. werden seit einigen Jahren auch auf amerikanischen Bahnen, als eine wertvolle Neuerung bezeichnet, oft verwendet (Näheres s. Heusinger, Hb. f. spez. E.-T. Bd. III, Leipzig 1882). *Gölsdorf †.*

Spurstangen, Spurbolzen *(cross ties, gauge bars; tringles d'écartement des rails; tiranti di colegamento)* Querverbindungen für Gleise, die in der Höhe der Schienenstege angeordnet werden und zur Erhaltung der richtigen Spurweite dienen.

S. finden bei Oberbausystemen Anwendung, deren Unterlagen aus Einzelstützen oder Langschwellen bestehen. Früher wurden S. auch vereinzelt bei Querschwellen, jedoch ohne befriedigenden Erfolg verwendet. Vielfach werden zu S. Rundeisen benutzt, deren Enden mit Schraubengewinden versehen und mit Schraubenmuttern und Sicherheitsplättchen an den Schienenstegen befestigt sind. Die Schraubenmuttern können an einer Seite oder beiderseits des Schienenstegs angebracht werden. Zuweilen gelangen auch noch besondere Beilagen zwischen Steg und Schraubenmutter zur Verwendung.

Bei Schwellenschienen werden zur Vermeidung seitlicher Verbiegungen die S. aus Flacheisen oder aus U-förmigen Eisen hergestellt und mit Flanschen an den Schienenstegen verschraubt oder vernietet. Die ersteren werden bei Straßenbahnen bevorzugt, weil sie sich bei Ausführung des Pflasters in den Querfugen unterbringen lassen.

Spurwechsel, der ohne Umladung sich vollziehende Übergang der Betriebsmittel zwischen Bahnen verschiedener Spurweite.

Die Umladung der Güter (die Personen müssen überall umsteigen, s. auch Art. Bahnhöfe, Bd. I, S. 370; Laderampe, Bd. VII, S. 47) wird ausgeführt:

durch Überwerfen, Überschaufeln, Überschieben auf möglichst dicht aneinandergerückten Gleisen der offenen Güterwagen;

durch Tragen, Schieben, Rollen, Karren (Sackkarren) in gedeckten Wagen über Laderampen von verschiedener Breite und Länge, die auch zur vorübergehenden Lagerung der Lasten bei etwa zeitweilig fehlenden Gegenfahrzeugen zu benutzen sind;

durch Abrutschen über Schüttrinnen bei Anordnung der Gleise in verschiedenen Höhenlagen mittels Futtermauer;

durch Bandbewegungen bei zwischen den Gleisen eingeschalteten Speicher- und Siloanlagen (auch unter Anwendung von Eisenbahnwagen mit trichterförmigem Boden);

durch Krananlagen als: feste (Galgen-) Überlade- oder fahrbare bewegliche (Dampf-) Krane zum Überheben der einzelnen Kolli (Langholz), auch der ganzen oder geteilten Wagenkasten;

durch Überpumpen von Flüssigkeiten (Kesselwagen) mittels Schläuchen direkt oder mittels zwischengeschalteten, hochgestellten Behälteranlagen (Petroleum).

Alle diese Anlagen sind kostspielig und ihre Handhabung ist umständlich; außerdem verursachen sie nicht unerhebliche Kosten und Gebühren sowie Verluste an Zeit, namentlich an Menge und Güte der Waren, daher das Bestreben dahin gerichtet war, eine Vereinfachung des Übergangs durch Verwendung besonderer Wagen zu ermöglichen.

Die Abweichungen von der herkömmlichen Bauart der Wagen bestehen meist in der Beibehaltung des Obergestells (Wagenoberkastens) der für die kleinere Spur gegebenen Normalabmessungen und Abänderung des Untergestells (Rahmenwerkes) mit Bezug auf die Anbringung der eigenen und der nach der breiteren Spur gearbeiteten Radsätze.

Zum Übergang einzelner normalspuriger Wagen auf schmalspurige Kleinbahnen sowie einzelner schmalspuriger Wagen auf Linien mit anderer Schmalspur dienen Rollböcke (s. d.).

Die für den S. von 1·676 und 1·524 in 1·435 und umgekehrt hergestellten Wageneinrichtungen bestehen im großen und ganzen in:

a) Auswechslung der Einzelradsätze;

b) Auswechslung von mehrachsigen Unterwagen (Trucks);

c) Mitführen anders gespurter Radsätze, lose oder eingebaut;

d) Verschieben der Räder auf den Achswellen;

e) Verschlingung und Ineinanderschieben der Gleise und Legen einer dritten Schiene.

Zu *a)* Auswechseln der Einzelradsätze, Umsetzen genannt, vgl. den Artikel Breidsprechersche Umsetzvorrichtungen, Bd. III, S. 3.

Zu *b)*. Anlagen zur Auswechslung von Drehschemel-Unterwagen (Trucks) der typischen Bauart der Eisenbahnwagen in Nordamerika (ähnlich denen für das Auswechseln der Einzelradsätze) sind in Amerika nach verschiedenen Patenten ausgeführt, wobei es sich um Abgleiten der Trucks aus den Drehbolzengehäusen und Wiedereinführen anderer, verschieden gespurter Trucks handelt.

Hierher gehört auch die Auswechslung von Einzelradsätzen der Normalspur 1435 gegen Drehschemel von 1067, 1000, 750 *mm* Spur, die ebenso wie bei dem Breidsprecherschen Umsatzverfahren so geschieht, daß die entsprechend verlängerten Drehschemelbalken der Schmalspur in die Achsgabeln der großen Eisenbahnwagen mittels der Fänger und der Grubenanlage eingeführt werden und sich selbsttätig darin befestigen, ganz so wie dies bei den Achsbüchsen durch zapfenartige Dorne geschieht.

Das Breidsprecher-Verfahren ist für das Umsetzen von Einzelwagen und geschlossenen Zügen eingerichtet, wozu die Grubenanlagen in entsprechender Länge herzustellen sind.

Es würde eine größere Wirkung ausüben, wenn der Verkehr in beiden Richtungen annähernd gleich groß wäre, so daß die ausgewechselten Achsen sofort wieder ohne weitere Bewegung in andere Wagen eingewechselt werden könnten.

Dies ist jedoch bisher nicht zu erreichen gewesen. Der gegenseitige Verkehr ist so ungleich, daß für das Verfahren immer Reserveradsätze mit Achsbüchsen in Bereitschaft gehalten werden mußten. Da das Ein- und Ausbiegen solcher in die Grubenanlage umständlich und unbequem ist, so wäre es vorteilhafter, wenn in der Grube an dem Zusammenstoß der verschieden gespurten Gleise eine Achsendrehscheibe mit beiden Spuren angelegt würde, mittels der aus seitlichen Achsengleisen schnell die Bewegung der Radsätze in bzw. aus der Grube ermöglicht werden könnte.

Hierzu wären die Gleise der Seitenwagen in das Niveau der tiefen Grubengleise zu legen und die Seitenwagen um die Differenz höher anzuordnen.

Um die Benutzung dieses Verfahrens dem verkehrtreibenden Publikum zu erleichtern, hatten die beteiligten Eisenbahnverwaltungen

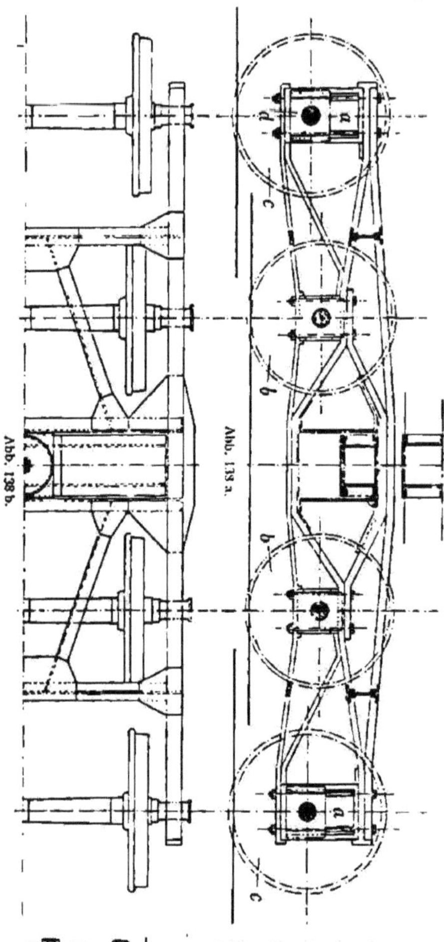
Abb. 138 b. Abb. 138 a.

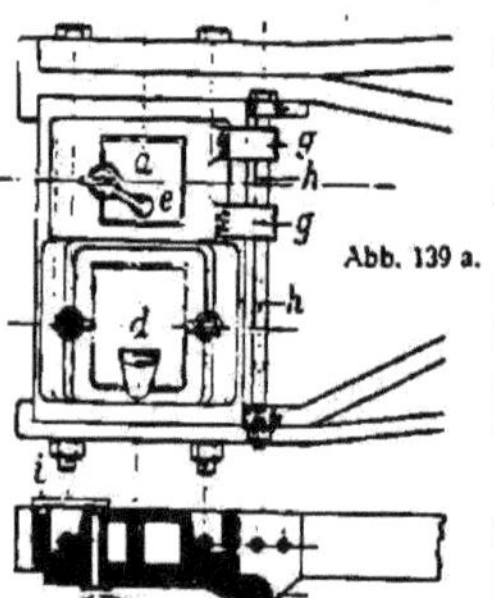

Abb. 139 a. Abb. 139 b.

die Verabredung getroffen, Privatumsetzwagen in die Betriebe zuzulassen und die Auswechselradsätze eisenbahnseitig gegen geringe Zeit- und Laufmiete vorzuhalten.

Die Einführung dieses Verfahrens hat sich infolge Ausbruch des Weltkrieges nicht verwirklichen lassen.

Zu *c)* Mitführen anders gespurter Radsätze. Um den vorerwähnten Übelständen abzuhelfen, sind der Ladung öfter die entsprechenden anders gespurten Radsätze als Fracht beigegeben, die dann auf dem Grenzbahnhof entweder durch eine Grubenanlage oder nach Aufheben der Wagen mittels Wagenwinden eingesetzt werden.

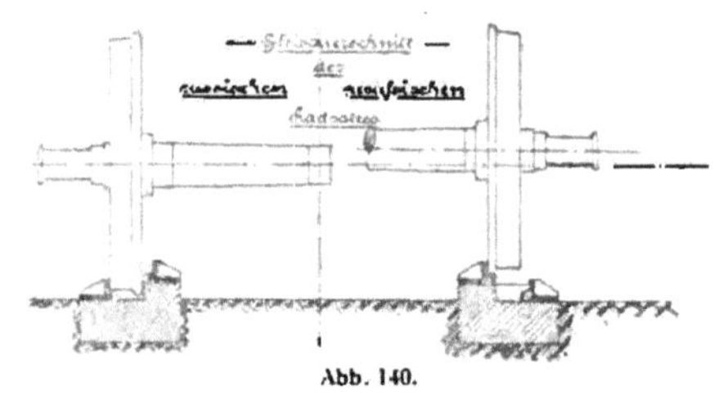
Abb. 140.

Ferner sind, da allgemein im Interesse des internationalen Verkehrs eine größere Ladefähigkeit der Eisenbahnwagen erwünscht ist, Drehschemel-Truckwagen für den S. anzuwenden.

Diese sonst 2achsigen Trucks (Drehschemel) sind für das Umsetzen mit je 4 Achsen angeordnet, von denen 2 nach der Spur 1·435, die anderen 2 nach der Spur 1·524 geformt sind.

Durch eine besondere Vorrichtung wird nun auf der Grenzstation je ein Paar der Radsätze für den Betrieb wechselweise durch Anheben und Festhalten in der erhöhten Lage ausgeschaltet und die Weiterfahrt auf dem anders gespurten Paar Radsätze bewirkt.

Das patentierte Verfahren Breidsprechers ist in Abb. 138 bis 141 erläutert.

Die im allgemeinen nach dem Muster der preußisch-hessischen Eisenbahn zu erbauenden Drehgestelle erhalten (Abb. 138) an Stelle zweier je 4 Radsätze, von denen die mittleren *b b* deutsche Spur (1·435 *m*) und die beiden äußeren *c c* die russische Spur (1·524 *m*) oder umgekehrt haben.

Während die deutschen Radsätze nach den Typen der deutschen Bahnen fest gelagert sind, werden die russischen, ähnlich gelagerten Radsätze in der Höhe verschiebbar angeordnet, so daß sie 100 *mm* über und 100 *mm* unter die Schienenoberkante, demnach im ganzen 200 *mm* gehoben oder gesenkt werden können, damit für die Fahrt in Deutschland die hochgehobenen russischen,

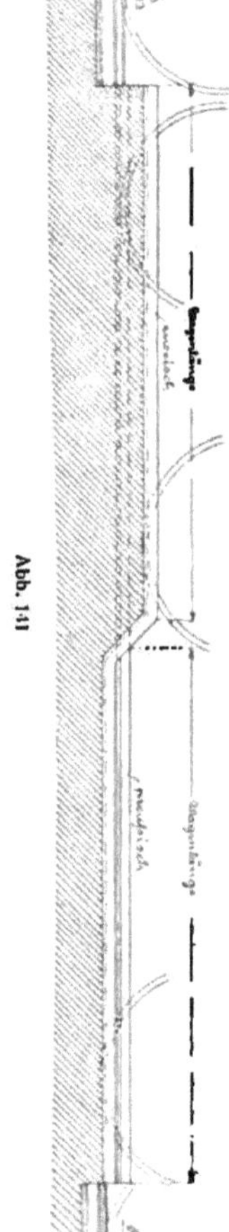
Abb. 141

für die Fahrt in Rußland durch die gesenkten russischen die deutschen Radsätze unwirksam bleiben (Abb. 140).

Das Heben und Senken der russischen Radsätze geschieht bei der Bewegung des Eisenbahnwagens durch die Lokomotive über eine in den Bahngleisen auf der Umsetzstelle angeordnete kurze schiefe Ebene (Abb. 141).

Zur Herstellung dieser schiefen Ebene ist auf der kurzen Strecke, die zum Umsetzen des Eisenbahnwagens an der Betriebsgrenze erforderlich ist, eine Gleisverschlingung so angeordnet, daß die Mittelachsen der beiden Gleise der verschiedenen Spur in einer senkrechten Ebene liegen (Abb. 140).

Wegen der geringen Spurdifferenz zwischen 1·524 und 1·435 = 89 *mm* ist die Anwendung der gewöhnlichen Eisenbahnschienen auf der Umsetzstelle ausgeschlossen und daher die in Abb. 140 dargestellte Form der Schiene als Winkeleisenschiene gewählt, nach der die deutschen Räder mit dem Flausch auflaufen und daher am inneren Radrand in der Spur gehalten werden, während die russischen Räder mit dem am gewöhnlichen Schienenkopf überragenden Radreifenteil auflaufen und durch den Schenkel des Winkeleisens an ihrem äußeren Rand gespurt werden.

Die Gleislage der Umsetzstelle ist auf Mauerwerk fest zu fundieren und durch geeignete Paßstücke mit den gewöhnlichen Laufschienen zu verbinden. In diesem so abgeänderten Gleis ist die schiefe Ebene für die russischen Radsätze angeordnet, mittels der die Veränderung der Höhenlage bei dem Übergang über die Umsetzstelle bewirkt wird (Abb. 141).

Um die Radsätze in der veränderten Höhenlage betriebssicher festzustellen, sind die in dem Achsbüchsenlager *d* (Abb. 139) über oder unter der Achse entstehenden Lücken durch geeignete Keilstücke *a* od. dgl. zu schließen. Da die Senkung gleich der Hebung der Radsätze ist, so bedarf es für jede Achse nur je eines Keilstücks, das je nach der Fahrt oben oder unten in die Gabel der Achsbüchsenführung einzubringen ist.

Das Keilstück *a* ist auf einer an der Achsgabel angebrachten senkrechten Welle *h* mittels 2 Ösen *g g* drehbar angebracht. Auf der Welle *h* kann das Keilstück *a* auf und ab geschoben werden.

Die Keilstücke werden durch Bolzen *k* mit Widerhaken *i* verriegelt und durch eine Schraubenmutter *e* gesichert.

Die Handhabung der Keil- oder Füllstücke erfolgt bei dem Umsetzen durch den den Zug auf der Umsetzstelle auf jeder Seite begleitenden Arbeiter während der Bewegung des Zuges, der sich entsprechend langsam ohne Anhalten über die Umsetzstelle fortbewegt, wobei der Eisenbahnwagen in den unverändert bleibenden deutschen Radsätzen getragen wird, bis die Feststellung der Füllstücke erfolgt ist und dann der Wagen auf je 2 Achsen des Drehgestells ruhend in Deutschland oder Rußland weiterlaufen kann.

Die umzusetzenden Wagen eines Zuges bleiben wie bei der gewöhnlichen Fahrt miteinander gekuppelt.

Das Umsetzen erfolgt durch 2 Lokomotiven verschiedener Spurweiten, indem die eine hinter dem letzten Wagen ungekuppelt schiebend wirkt, während die andere auf der gegenüberliegenden Seite des Umsetzgleises befindliche zum Ziehen des Zuges angekuppelt wird.

Diese Bauart wird von der Waggonfabrik Licke & Hofmann in Breslau ausgeführt und ist auch auf Umsetzen von Personenwagen sowie für andere Spurenweitenunterschiede anwendbar.

Zu *d)* Verschieben der Räder auf den Achswellen. Hierfür sind verschiedene Patente vorhanden, die jedoch zu einer brauchbaren Ausführung nicht geführt haben, weil ihnen die Bestimmung der Betriebsordnung Deutschlands und der anderen Staaten in § 31, Absatz 1 entgegensteht, der lautet, daß die Räder auf den Achsen unverrückbar befestigt sein sollen, und eine unbedingt sichere Feststellung der beweglichen Räder für den Betrieb sich bisher nicht hat erreichen lassen.

Seitdem jedoch bei dem Bau der Lokomotiven Hohlachsen mit gutem Erfolg und staatlicher Genehmigung in Anwendung gebracht sind (s. Art. Hohlachsen, Bd. VI, S. 220), die in einer Trennung des Radsatzes in eine feste Kranachse und 2 bewegliche Radreifenhohlstücke bestehen, um den Durchlauf durch die Krümmungen des Gleises besser bewirken zu können, ist die Anwendung solcher Hohlachsen auch für den S. anwendbar geworden.

Es kommt nun vor allem darauf an, die Feststellung der je nach der Spurweite zu verschiebenden Hohlachsen so sicher herzurichten, daß sie (also auch die Radreifen) nach der Verschiebung während der Fahrt unverrückbar auf der Kranachse festgehalten werden, u. zw. so, daß die Spurführung sicher gewährleistet ist.

Die Verschiebung der Fahrschienen wird besser selbständig durch eine allenfalls mit elektrischer Kraft getriebene Vorrichtung bewirkt, die ähnlich wie die Gleisbremse (s. Art. Gleisbremse, Bd. V, S. 532 u. Abb. 255) gebaut ist.

Eine hierauf bezügliche Anordnung ist von Breidsprecher erfunden worden.

Ein Umpressen der Räder auf der Achswelle ist auch wohl versucht worden. Dabei hat sich aber herausgestellt, daß die Naben der Räder Sprünge aufzuweisen hatten und daher unbrauchbar geworden waren.

Zu *c)*. Um den S. zu vermeiden, hat man für gewisse, besonders durch örtliche Verhältnisse bedingte Fälle eine Verschränkung, Verschlingung und Einschiebung der schmalen Gleise in die breitere Spur hergestellt.

Dies ist jedoch nur für den Verkehr mit Einzelwagen auf Anschlußbahnhöfen und Fabrikanlagen geschehen.

Von der Einlegung einer dritten Schiene hat man z. B. auf der Great Western-Bahn vielfachen Gebrauch gemacht. Hier bestand bis zum Jahre 1890 ein Doppelverkehr auf 3 Schienen, von denen die kleinere Spur 1·435 und die größere 2·134 *m* betrug. Seit dieser Zeit ist die dritte Schiene für die breitere Spur entfernt und der Übergang zu der vom englischen Parlament beschlossenen Normalspur von

1·435 *m* hergestellt worden, der bei mehreren englischen Bahnen vorübergehend auch dadurch bewirkt wurde, daß man ein normales Gleis neben das aufzugebende breitere legte.

Das Einbauen einer dritten Schiene in die Spur von 1·636 *m* erfolgte auf den spanisch-französischen Übergangsbahnhöfen Hendaye und Irun, aber nur für die Zoll-, Güter- und Güterschuppengleise. Von einer Weiterführung ins Innere von Spanien hat man Abstand genommen.

Ein Einbau der Normalspur von 1·435 *m* in die russische Spur von 1·524 *m* ist für den großen Betrieb nicht möglich wegen der zu geringen Differenz von 89 *mm*, die zur Unterbringung des Schienenkopfes, der Spurrinne und der erforderlichen Befestigungsmittel nicht ausreicht.

Es ist jedoch auf dem Grenzbahnhof Illowo für geringe Gleisstücke auf Drehscheiben, Zentesimalwagen und an Kohlenhofgleisen die Doppelspur hergestellt worden, u. zw. durch entsprechendes Abhobeln der beiden zusammenliegenden Schienen und Anwendung einer ganz besonderen Schienenbefestigung mittels Stehbolzen. Diese Gleisstücke werden nur für örtliche Zwecke bei ganz langsamer Bewegung benutzt.

Als Beispiel einer Bahn mit 3 Schienen ist die Kleinbahn in Kerkerbach (Westerwald) zu nennen, auf der die Spur von 1·435 mit jener von 1·000 verbunden ist und die breitgespurten Wagen durch schmalspurige Lokomotiven befördert werden (s. Rollböcke). *v. Breidsprecher.*

Ssuramtunnel. Die transkaukasische Bahn von Poti und Batum am Schwarzen Meer über Tiflis nach Baku am Kaspischen See hatte den Ssuramsattel in großer Höhe unter ungünstigen klimatischen Verhältnissen und mit Größtneigungen von 46‰ zu überschreiten, so daß der Betrieb besonders erschwert und verteuert wurde; denn Züge mit 10 Güterwagen mußten durch 2 Failie-Lokomotiven von je 65 *t* Gewicht über die steilen Rampen gefördert werden.

Man sah sich daher veranlaßt, eine 24 *km* lange Umgehungsbahn mit Größtsteigungen von 28‰ zu bauen und den Ssuramgipfel mittels eines 3963 *m* langen 2gleisigen Tunnels zu unterfahren. Der Tunnel liegt mit Ausnahme einer kurzen Bogenstrecke von 277 *m* Halbmesser und 170 *m* Länge am Westmund in der Geraden.

Der Tunnel steigt vom Westmund (719 *m* ü. M.) auf 3072 *m* mit 18‰ und fällt nach einer wagrechten Strecke von 106 *m* auf 785 *m* Länge mit 2‰ nach dem Ostmund (773 *m* ü. M.).

Das vom Tunnel durchfahrene Gebirge gehört der Kreideformation an und besteht der Hauptsache nach aus lehmigen Mergeln, teilweise aus Sandstein. Auch strömten stellenweise brennbare Gase und viel Wasser (120 *l* Sek.) zu, wodurch die Arbeiten erschwert wurden.

Der Ausbruch wurde mit einem Sohlstollen als Richtstollen begonnen und hauptsächlich von der Westseite in der Steigung betrieben.

Auf der Ostseite wurden die Arbeiten eingestellt, nachdem die Scheitelstrecke um 120 *m* überschritten war und die Fortsetzung der Arbeiten im starken Gefälle kostspielig und unzweckmäßig gewesen wäre.

Der Stollen wurde mit je 2 Brandtschen Drehbohrmaschinen auf einem Bohrwagen vorerst mit einem Querschnitt von 3·5 – 4 m^2 aufgefahren und dann sofort auf 7·0 m^2 erweitert. Für jeden Bohrangriff wurden 6 – 7 Bohrlöcher von 5 – 6 *cm* Weite und 1·3 – 1·5 *m* ausgeführt und hierbei Tagesfortschritte in 3 achtstündigen Schichten von 5·4 – 7·8 *m* erzielt. Die Anlage war aber im vorliegenden Gebirge unstreitig zu kostspielig; sie wäre nur in sehr festem Gestein wirtschaftlich am Platze gewesen.

Der Sprengmittelverbrauch (Gelatinedynamit) betrug hierbei durchschnittlich 11·7 *kg/m*. Bei der schwächsten vorkommenden Gewölbestärke von 0·64 *m* und einem Mehrausbruch von 0·15 *m* betrug der Gesamtausbruch 80 m^3 *m*. Zimmerung (Längsträgerzimmerung) des Vollausbruches war durchwegs erforderlich.

Die Ausmauerung wurde teils mit den Widerlagern, teilweise aber auch mit dem Firstgewölbe (belgische Bauweise) begonnen; sie erfolgte in Bruchsteinmauerwerk in Zementmörtel (1 Z., 3 S. und 1 Z., 2 S.) mit Gewölbestärken von 0·64 – 0·8 *m*. Auch Sohlgewölbe mußten stellenweise eingezogen werden. Mit den Vorbereitungen zum Bau, die der Unternehmung Brandt & Brandau (Hamburg-Kassel) übertragen war, wurde anfang 1887, mit den Stollenbohrungen im Juni 1887 begonnen. Der Stollendurchschlag erfolgte am 12. Oktober 1888 im Abstand von 2950 *m* vom Westmund. Der Tunnel wurde 1889 vollendet. *Dolezalek.*

Staatsaufsicht s. Aufsichtsrecht.

Staatsbahnsystem s. Eisenbahnpolitik.

Staatsbahnverwaltung s. Verwaltung.

Staatsbahnwagenverband s. Wagendienst.

Staatseisenbahnen s. Eisenbahnpolitik.

Staatsgarantie s. Eisenbahnpolitik, Ertragsgarantie und Zinsbürgschaft.

Stadtbahnen *(urban, city or metropolitan railways; chemins de fer metropolitains; ferrovie metropolitane)*, in verschiedenem Sinne gebrauchte Bezeichnung im Schnellbahnwesen. Häufig werden die gesamten Schnellbahnnetze der Großstädte, ebenso häufig auch nur die im Stadtinnern liegenden Teile oder gar nur einzelne Linien im Stadtinnern als S. bezeichnet; in den letzten beiden Fällen im Gegensatz zu den Vorortschnellbahnen (Vorortbahnen). In Berlin wird die Innenstrecke der staatlichen Schnellbahnen zwischen den Bahnhöfen Charlottenburg und Stralau-Rummelsburg als S. bezeichnet, während der Métropolitain (Métro) in Paris das Gesamtnetz der von der Stadt gebauten Schnellbahnen innerhalb des Weichbildes umfaßt. In London werden mit den Bezeichnungen der Metropolitan und der Metropolitan District die Linien – Innen- wie Außen- (Vorort-) Linien – der Metropolitan- und Districtbahn-Gesellschaften je für sich zusammengefaßt u. s. w.

Kemmann.

Stadtschnellbahnen.

Inhalt: 1. Allgemeines; 2. Grundsätze für die Netzgestaltung; 3. Bahnhofsformen; 4. Bauweise der Schnellbahntunnel; 5. Betrieb und Verkehr; 6. Fahrpreise; 7. Wirtschaftsformen.

1. Allgemeines.

Die Entwicklung der Großstädte wäre nicht denkbar ohne großzügig angelegte Schienen- und Wasserstraßen, die der Bevölkerung Kraft und Stoff für die vielseitigen Formen ihrer Betätigung zuführen. Die Pflege der persönlichen Beziehungen ist die weitere Aufgabe der Eisenbahnen, die im Innenleben der Großstädte neben den Straßenbahnen vor allem auch berufen sind, der Bevölkerung durch Überwindung der gesteigerten räumlichen Entfernungen volle Freizügigkeit zu verschaffen. So ist die mit selbständigem Bahnkörper ausgerüstete S. wichtigste Trägerin der Massenbewegungen in der Großstadt mit ihren Vorstädten und Vororten. Die Elektrizität hat ihre gemeinnützige Bedeutung weiterhin gesteigert, indem sie das Bahnwesen beweglicher gestaltet, seine Leistungsfähigkeit im Massenverkehr erhöht und vor allem auch die Behinderungen fortgeräumt hat, die der schnellverkehrsmäßigen Erschließung des Stadtinnern noch im Wege standen. Heute vermag der Schnellverkehr je nach der Gestaltung des Stadtbildes mittels Hochbahnen aus Stein oder Eisen oder mit der Tunnelbahn alle Teile des Stadtgebiets bis in seinen innersten Kern zu durchdringen. Im übrigen hält sich die mit elektrischer Zugkraft ausgestattete Schnellbahn im wesentlichen an die aus der Zeit des Dampfbetriebs überkommenen Bahnformen; in den Außengebieten ist auch bei ihr die offene Form der Damm- oder Einschnittbahn die gegebene.

Bei der nachfolgenden Besprechung der Schnellbahnen können nur die wesentlichsten Punkte gestreift werden. Im besonderen wird auf die Einzeldarstellungen über die Berliner Hoch- und Untergrundbahnen, Bostoner, Chicagoer, Liverpooler, Londoner, New-Yorker, Pariser, philadelphischen Schnellbahnen verwiesen.

2. Grundsätze für die Netzgestaltung.

Neuzeitliche Schnellbahnnetze sollten auf der Grundlage eines nach technischen und wirtschaftlichen Gesichtspunkten ausgearbeiteten und von Zeit zu Zeit nachzuprüfenden Gesamtplans nach Maßgabe der Bedürfnisse zur Durchführung gebracht werden. Sparsamste Geldwirtschaft bei Auswahl und Ausbau der Linien ist Gebot der Zeitverhältnisse, nach dem sich auch das Tempo der Ausführung bestimmt, das sich neuerdings in der alten Welt stark verlangsamen dürfte. Bei der Verteilung der Linien über das Stadtgebiet ist im Auge zu behalten, daß die Außenbezirke auskömmlich mit Schnellbahnen versorgt, die inneren Gebiete dagegen aus Kostengründen nicht überlastet werden. Die Linien sind ferner so zu wählen, daß sie sich nicht gegenseitig den Verkehr abgraben. Linienverkettungen sind nach Möglichkeit zu vermeiden. Leistungsfähigkeit und Betriebssicherheit werden dadurch gehoben; die Fahrgäste müssen sich dabei freilich mehr als bisher an den Umsteigverkehr gewöhnen, der auch bei angemessener Ausbildung der Übergangstationen leicht in den Kauf genommen wird (Paris, London u. s. w.).

Indessen erscheint es weder notwendig noch zweckmäßig, die fahrplanmäßige Überführung von Zügen von einer Linie auf eine andere grundsätzlich auszuschließen. Mit Rücksicht auf die Entwicklungsverhältnisse oder aus Betriebs- und Verkehrsgründen sind einfache Abgabelungen wie auch der Anstoß von Pendellinien, selbst an Zweige gegabelter Linien, unbedenklich auch fernerhin zuzulassen. Aus wirtschaftlichen Gründen werden bei Auswahl und Führung der Linien häufig Kompromisse geboten sein.

Für die Einzellinie ist die Grundform die Durchdringungsbahn, die meist als Durchmesserlinie, häufig auch in Schleifenform das Stadtinnere aufzuschließen und darin den Wohnverkehr zu verteilen hat. In dieser Durchdringungsform, die gleichzeitig auch einen starken Innenverkehr an sich zieht, wird die Schnellbahn zur Stadt- und Vorortbahn. In den Innenbezirken unterliegt sie besonders scharfem Wettbewerb von Straßenbahn und Omnibus.

Bei der Durchdringungsbahn kann der Stadtbahncharakter durch Vermehrung der Zugaufenthalte im Innengebiet, der Vorortbahncharakter durch Verminderung der

Zahl der Zugaufenthalte im Innen- wie Außengebiet gesteigert werden – Maßnahmen, die zum Teil miteinander im Widerspruch stehen. Es ergeben sich Betriebsformen, bei denen

a) Züge oder Zuggruppen insbesondere auf der Fahrt in den Außengebieten Stationen oder Stationsgruppen nach bestimmtem Plan abwechselnd überspringen (Durchfahrzüge);

b) den Schnellbahnlinien noch ein oder mehrere Eilzuggleise mit erweiterten Stationsabständen hinzugefügt werden, auf die Züge oder Zuggruppen im Vorortverkehr abgezweigt werden; die Eilzugstationen werden dabei zweckmäßigerweise mit Ortstationen zu Umsteigstationen vereinigt.

Besondere Eilzuggleise nach *b)* finden sich in Großstädten mit besonders gesteigerter Innenbebauung und vornehmlich einseitiger Stadtentwicklung vielfach neben den Ortgleisen im Innern; so in den Turmhausstädten New York und Chicago. In den Außengebieten sind die Eilzuggleise auch in Großstädten mit allseitiger Entwicklung vielfach zur Anwendung gekommen, so in London. Der frühere Vorortbetrieb auf den Ferngleisen der Berliner Stadtbahn ist ebenfalls hierher zu rechnen. Die unter *a)* angeführte Betriebsweise mit Durchfahrzügen (non stop-Zügen) findet sich in London. Weiterhin sind hier die vielfach angewendeten Staffelbetriebe zu nennen, bei denen Züge oder Zuggruppen im Wechsel eine oder mehrere Nahzonen im Vorortverkehr ohne Aufenthalt durchfahren und erst in den ferner liegenden Zonen anhalten. „In den äußeren Gebieten und namentlich zu Aufschließungszwecken ist auch die Straßenbahn in ihrer weiteren Ausbildung als Tramschnellbahn berufen, bei der Fortentwicklung des Schnellbahnwesens mitzuwirken[1].“ Für die Ausgestaltung der Gemeinschaftsbahnhöfe für Schnell- und Trambahnen liefert insbesondere Boston lehrreiche Vorbilder.

Für die Ausgestaltung des Schnellbahnnetzes ist im besonderen noch folgendes zu beachten.

Innerhalb der einzelnen Linien oder Liniengruppen ist der Zugumlauf abzustaffeln, wo die Verkehrsströme stärker abfallen. Auf unverzweigter Strecke setzt dies die Anlage von Umkehrgleisen voraus. Auf Bahnverzweigungen ergibt sich die Abstufung des Zugumlaufs ohneweiters durch die Verteilung der Züge auf die Seitenlinien.

Die Verhältnisse des großstädtischen Schnellbahnbetriebs nötigen weiterhin dazu, an geeigneten Bahnpunkten Hilfsgleise vorzusehen, aus denen zur Verdichtung der Zugfolge Einsatzzüge abgelassen oder zur Veränderung der Zugstärken Zugauswechslungen vorgenommen werden können.

Die Betriebsstätten, d. h. die Werkstätten- und Aufstellungsanlagen müssen von allen Zügen eines Schnellbahnnetzes erreicht werden können. Aus diesem Grund sind zwischen den einzelnen Linien Verbindungsgleise herzustellen, die aushilfsweise auch zum Zugaustausch, zur gegenseitigen Unterstützung im Betrieb u. dgl. dienen können.

Wenngleich sich im Schnellverkehrswesen der Großstädte neuerdings auf einer und derselben Linie Stadt-, Vorstadt- und Vorortverkehr im wesentlichen miteinander vermischen[1], so kommen im Gesamtzuschnitt der vorhandenen Schnellbahnnetze doch die vielfachen Abweichungen und Zufälligkeiten geschichtlicher Entwicklung stark zum Ausdruck. Sie weisen neben ausgesprochenen Durchdringungslinien in Wirklichkeit zahlreiche Gelegenheitslinien auf, die überwiegend oder ausschließlich dem Stadt- und Vorortverkehr dienen. Eine überaus große Zahl der aus der Entwicklungszeit der Dampfeisenbahn stammenden Schnellbahnen sind ausgesprochene Vorortbahnen, die den Wohnverkehr an den Grenzen der Innenstadt an die Straßenbahnen und Omnibusse zur Weiterverteilung abtreten. Schnellbahnen mit reinem Stadtbahncharakter, die des mittelbaren oder unmittelbaren Zusammenhangs mit Vorortstrecken entbehren, kommen seltener vor (Glasgow City Ry.).

Die ältere Entwicklung des Schnellbahnwesens hat sich im Dampfbetrieb vollzogen. Sie ist im wesentlichen dadurch gekennzeichnet, daß die Züge nur bis zu den Einführungsbahnhöfen an den Grenzen der Innenstadt vordringen und sich vielfach sogar auch derselben Streckengleise bedienen wie die Hauptbahnen. Auch heute noch sind fast alle Fernbahnhöfe auch Einführungspunkte für den Vorortverkehr, sei es, daß Vorort- und Fernzüge in einer einzigen Bahnhofgruppe abgefertigt oder den Fernbahnhöfen besondere Vorortstationen angegliedert werden. Dagegen finden sich nur wenige selbständige Einführungspunkte, die ausschließlich dem Vorortverkehr dienen. Die Hergabe der Ferngleise für die Ortzüge ist vom Standpunkt der Betriebsführung, Sicherheit und Leistungsfähigkeit zu beanstanden und schon seit Jahrzehnten wird daran gearbeitet, den

[1] Kemmann, „Das Bahnnetz von Berlin und Vororten“ in dem Werk „Das deutsche Eisenbahnwesen der Gegenwart“, Berlin, Reimar Hobbing 191. – S. insbesondere auch Giese, Schnellstraßenbahnen unter besonderer Berücksichtigung von Groß-Berlin. Berlin 1917, W. Mösers Verlag.

[1] Kemmann, Der Londoner Verkehr nach dem Bericht des englischen Handelsamtes. Berlin 1909, Springer.

Ortverkehr von den Fernbahnen mehr und mehr loszulösen. Auch die aus dem Dampfbetrieb überkommenen mannigfachen Verkettungen der Ortgleise untereinander sucht man nach und nach zu vereinfachen und zu verringern. Der Übergang von der Dampfkraft zur elektrischen Betriebsweise bietet hier Gelegenheit zu wesentlichen Vereinfachungen. Einstweilen aber stellen sich die aus der Zeit des Dampfbetriebs stammenden Schnellbahnnetze allenthalben noch dar als ein System der Verkettungen von Gürtelbahnen und Zentral-

aufwärts abwärts

Abb. 142. Betriebsfertige Fahrtreppe

aufwärts abwärts

Abb. 143. Im Bau befindliche Fahrtreppe.

linien, Bogenstrecken und Rückkehrschleifen, die in mannigfachster Anordnung und unter den verschiedenartigsten Namen und Bezeichnungen das Außengebiet der Städte durchziehen, und von diesen älteren Systemen sind die neuerdings ihnen eingegliederten elektrischen Durchdringungs-Schnellbahnen deutlich unterschieden, bei denen eine größere Selbständigkeit in der Linienführung zum obersten Grundsatz geworden ist.

Die geschichtliche Entwicklung, Verschiedenheiten der örtlichen Verhältnisse, der Auffassungen maßgebender Fachleute und andere Umstände haben zu einer Größenverschiedenheit des Lichtraums der Schnellbahnen geführt, die bei dem heutigen Stand des Schnellbahnwesens durchaus unerwünscht ist, da sie den Austausch von Betriebsmitteln zwischen einzelnen Linien oder Liniengruppen und die Anlage zentraler Betriebsstätten für alle Linien unmöglich macht. Die auf Taf. III zusammengestellten Beispiele zeigen, daß bisher in der Bemessung der Tunnelquerschnitte völlige Willkür gewaltet hat.

3. Bahnhofsformen.

In Tunnelstrecken sind die Bahnhöfe möglichst nahe unter dem Straßenboden anzuordnen, um sie auf kurzen Treppenläufen oder mittelbar über ein Zwischengeschoß erreichen zu können, in das die Fahrkartenhalle einbezogen werden kann. Die Bahnhöfe der Tieftunnel werden mit Aufzügen oder besser mit Fahrtreppen bedient. Letztere vermögen in der auf den Londoner Untergrundbahnen verwendeten mustergültigen Ausführung – zu vgl. Abb. 142 u. 143 – auf einem einzigen Lauf von etwa 1 *m* Breite 2000 bis 3000 Fahrgäste in der Stunde zu befördern.

Gemeinschaftsbahnhöfe sind nach den örtlichen Verhältnissen so zu gestalten, daß ohne Aufwendung unangemessener Geldmittel der Umsteigverkehr möglichst erleichtert wird. Die vollkommenste Bahnhofsform ist die, welche gestattet, Züge gleicher Fahrrichtungen an den beiden Kanten eines Bahnsteigs abzufertigen („Richtungsbetrieb" im Gegensatz zum „Linienbetrieb" s. Mehrgleisige Strecken). Auch Kreuzungstationen von „turmförmiger" Anordnung gestatten bequemes Umsteigen. Bei den Pariser und Londoner elektrischen Schnellbahnen sind die Interessen des Umsteigverkehrs denen der Linienführung untergeordnet, ohne daß das reisende Publikum gleichwohl zu Beschwerden Anlaß genommen hätte.

Ferner ist den Ansprüchen der Betriebssicherheit in weitestgehendem Maße Rechnung zu tragen, dabei jedoch größtmöglichste Leistungsfähigkeit der Bahnhofsanlagen zu wahren. Die aus Sicherheitsgründen verschiedentlich erhobene Forderung, von Gleiszusammenführungen an der Einfahrseite der Bahnhöfe abzusehen, erscheint im allgemeinen und zumindest bei Anwendung der im selbsttätigen Sicherungswesen üblichen Grundsätze als zu weitgehend; unter Umständen würde sie die Durchführung einfacher Bahnhofsformen unmöglich machen und den Umsteigverkehr erschweren.

Die Anwendung von Inselbahnsteigen verdient vor der geschichtlich überkommenen Form der Außensteige im allgemeinen den Vorzug. Im übrigen können beide Bahnsteigarten auch an ein und derselben Linie unbedenklich verwendet werden. In Stationen, die zeitweilig ohne Aufenthalt durchfahren werden, sind Seitenbahnsteige anzuordnen.

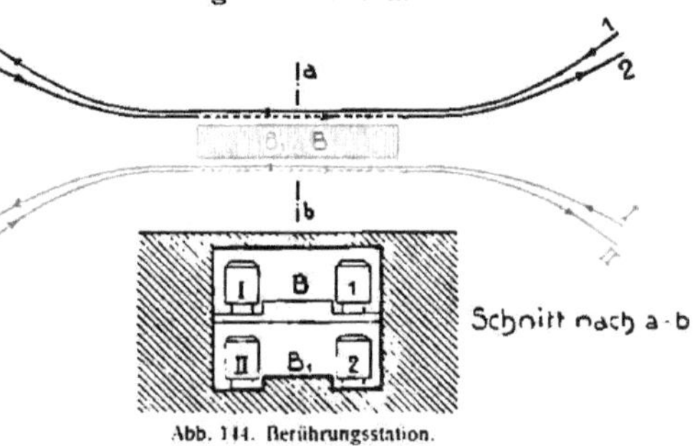

Abb. 144. Berührungsstation.

In den Abb. 144–147 sind einige moderne Bahnhofsformen für einander berührende und gabelnde Linien sowie für Kehrstationen dargestellt.

Die in Abb. 144 angegebene Form einer Station mit Richtungsbetrieb für zwei einander berührende Linien findet in engeren Straßenzügen Anwendung. Die Gleispaare *I*, *2* und *I*, *II* sind so gegeneinander verschoben, daß sie in der Gemeinschaftstation übereinander liegen. Auf dem Gemeinschaftsbahnhof *B* wird zwischen den Gleisen *I* und *I* und auf dem

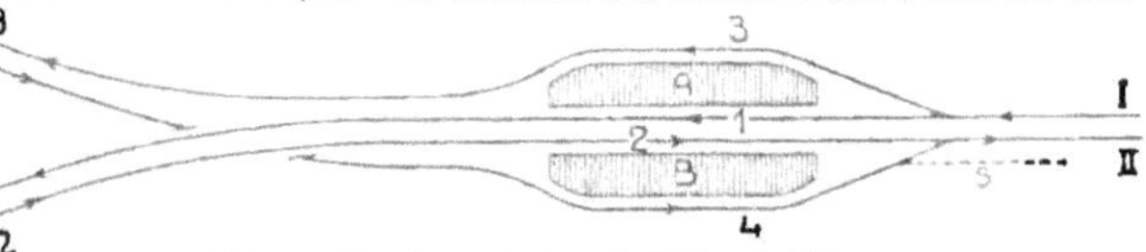

Abb. 145. Abzweigungsstation mit Richtungsbetrieb.

darunter befindlichen Gemeinschaftsbahnhof B_1 zwischen den beiden anderen Gleisen umgestiegen. Beim Bahnsteigwechsel ist nur ein einziger Treppenlauf zu überwinden.

Abb. 145 stellt eine Abzweigungstation mit Richtungsbetrieb dar, bei der Schienenkreuzungen vermieden sind. Die Gleise *I* und *2* der einen Anschlußlinie befinden sich zwischen den beiden Bahnsteigen, die Gleise *3* und *4* der andern Linie liegen außerhalb. Auf dem Gleis *I* ankommende Züge

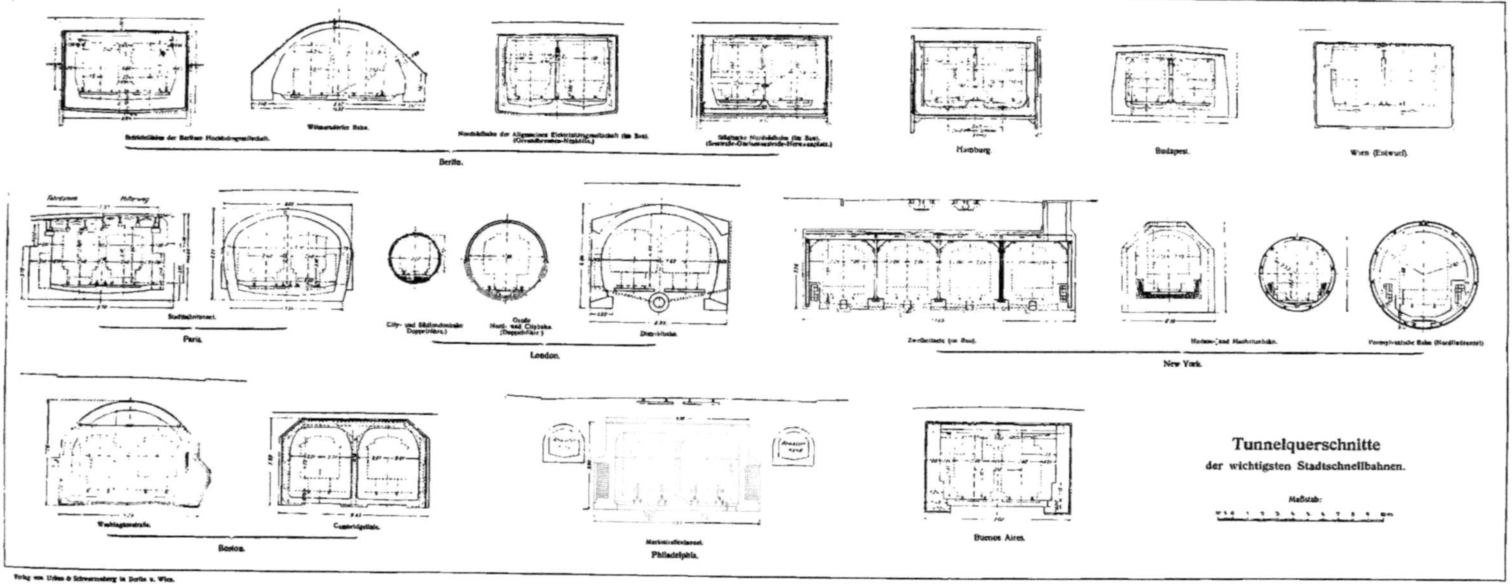

Tunnelquerschnitte
der wichtigsten Stadtschnellbahnen.

Maßstab:

Betriebslinien der Berliner Hochbahngesellschaft.
Wilmersdorfer Bahn.
Nordsüdbahn der Allgemeinen Elektrizitätsgesellschaft (im Bau). (Gesundbrunnen-Neukölln.)
Städtische Nordsüdbahn (im Bau). (Seestraße-Oranienstraße-Hermannplatz.)

Berlin.

Hamburg.

Budapest.

Wien (Entwurf).

Fahrdamm
Fußweg
Stadtbahntunnel.

Paris.

City- und Südlondonbahn (Doppelröhre.)
Große Nord- und Citybahn (Doppelröhre.)
Distriktbahn.

London.

Zweiteilige (im Bau).
Hudson- und Manhattanbahn.
Pennsylvanische Bahn (Nordflußtunnel)

New York.

Washingtonstraße.
Cambridgetunnel.

Boston.

Marketstreettunnel.

Philadelphia.

Buenos Aires.

Verlag von Urban & Schwarzenberg in Berlin u. Wien.

fahren an der ihrem Ziel entsprechenden Seite des Bahnsteigs *A* vor; der Bahnsteig *B* wird von den auf den Gleisen *2* und *4* einfahrenden Zügen benutzt. Zur Sicherung der Ausfahrt kann für die eine Richtung noch ein Stumpfgleis Anwendung finden. Bei beschränkter Breite können die Bahnsteige auch übereinander angeordnet werden.

In Abb. 146 ist eine einfache Kehrstation veranschaulicht. Die auf Gleis *1* einlaufenden Züge fahren entweder in der Richtung *I* weiter oder in

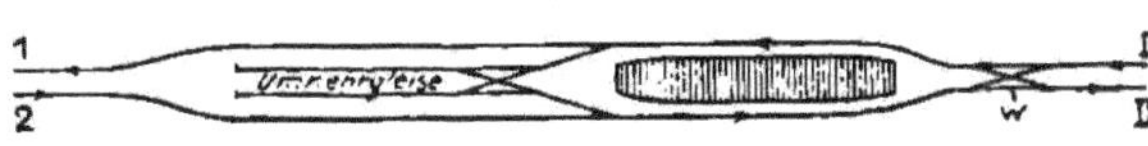

Abb. 146. Einfache Kehrstation.

eines der jenseits des Bahnhofs angeordneten beiden Umkehrgleise, aus dem sie nach Gleis *II* zur Abfahrt umsetzen. Züge aus Gleis *2* fahren in der Richtung *II* ohneweiters durch. Diese Bahnhofsform ist für einen starken Zugumlauf bestimmt. Bei schwächerem Verkehr ist es zulässig, die Umkehr der Züge vor dem Bahnhof über eine Weichenverbindung *w* stattfinden zu lassen. Ein auf Gleis *I* einlaufender Zug fährt nach der Abfertigung am Bahnsteig durch diese Weichenverbindung über Gleis *II* aus. Sollen auf einer Endstation die Züge an den beiden Bahnsteigseiten abwechselnd einfahren, wie es häufig gefordert wird, so ist die Verbindung *w* zu einem Weichenkreuz zu ergänzen.

Weiter ist in Abb. 147 noch eine Doppelkehrstation dargestellt, die so eingerichtet ist, daß kein einfahrender Zug Weichen zu passieren hat. Die von *A* kommenden Züge fahren auf Gleis *1* ein und gelangen über eines der Kehrgleise *2* oder *3* in das Abfahrgleis *4*. Von *B* laufen die Züge auf Gleis *5* ein und setzen über das Kehrgleis *6* nach der Abfahrseite in Gleis *7* um. Auf den Abfahrseiten könnten 2 Züge in den Kreuzungen k und k_1 einander begegnen. Da es sich dabei aber einerseits um ausfahrende Züge, anderseits um Züge handelt, die nach der Einfahrt in das Umsetzgleis vorziehen, die Bewegungen dieser Züge außerdem unter ständiger Überwachung des Fahrdienstleiters vor sich gehen und das Geben widersprechender Signale durch die Sicherheitseinrichtungen ausgeschlossen ist, so können die in den Bahnhof einfahrenden Züge durch diese Bewegungen nicht gefährdet werden. Wo die Stellung der Weichen und Signale nicht von der Mitwirkung von Gleisströmen abhängig gemacht ist, wird es sich empfehlen, noch 2 Sicherheitsweichen s und s_1 vorzusehen, während derartige Weichen für die aus den Kehrgleisen vorziehenden Züge überflüssig sind, da diese beim Vorrücken an den Bahnsteig ohnehin eine nennenswerte Geschwindigkeit nicht entwickeln können. Die geschilderte Betriebsweise gewährt beiden Bahnen auch bei Durchführung dichtester Zugfolge die erforderliche Bewegungsfreiheit für die Aufstellung des Fahrplans.

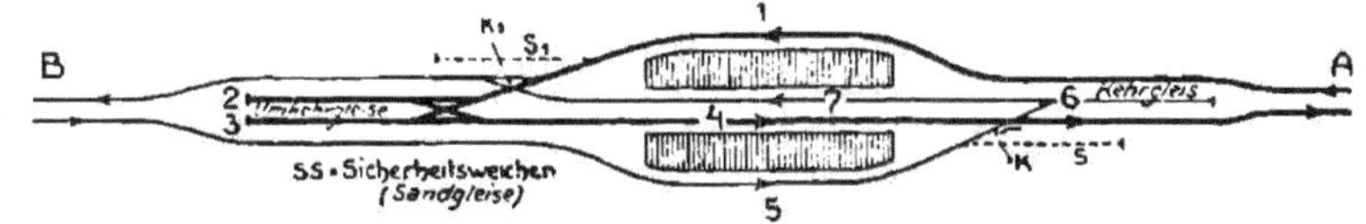

Abb. 147. Doppelkehrstation.

Vereinigungen der angeführten Bahnhofsformen sind in den verschiedensten Formen möglich. Bei ihrer Durchbildung sollen lediglich Zweckmäßigkeitsgründe und die Forderungen der Betriebssicherheit und Leistungsfähigkeit maßgebend sein. Die äußere Erscheinung und das künstlerische Aussehen der Bahnhöfe müssen vollständig den Zweckmäßigkeitsformen angepaßt werden.

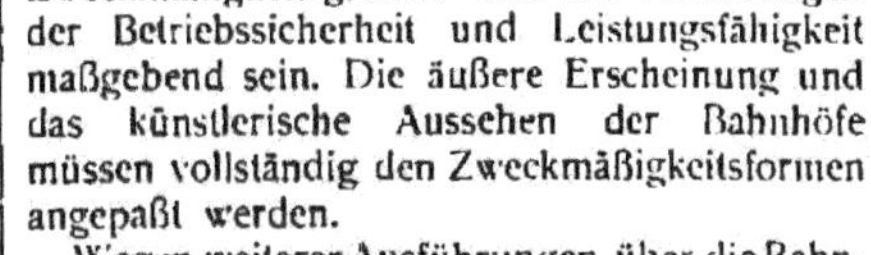

Wegen weiterer Ausführungen über die Bahnhöfe, die Bahnausrüstung, Betriebsmittel und Betriebsstätten ist auf die in diesem Werk enthaltenen Einzelbeschreibungen und auf die neuerdings außerordentlich angewachsene Literatur über die Großstadtschnellbahnen zu verweisen. Zu vergleichen sind auch die Abschnitte dieses Werkes über Bahnhöfe, Mehrgleisige Strecken, Personenwagen u. s. w.

4. Bauweise der Schnellbahntunnel.

Von besonderer Bedeutung ist die Ausführungsweise der Schnellbahn in Tunnelstrecken. Aus Taf. III ist ersichtlich, daß gewölbte, rechteckige und röhrenförmige Querschnitte in den mannigfachsten Größenverhältnissen vorkommen; selbst im Zug einer und derselben Linie wechselt die Form je nach der anzuwendenden Bauweise vielfach ab. Auch nach der Tiefenlage, der Art der zu durchtunnelnden oder zu unterfahrenden Baugründe und baulichen Anlagen (Wasserläufe, Sumpfstrecken, Felsabschnitte, bebaute Grundstücke, Rohrnetze u. s. w.) sind die Querschnittsformen sehr verschieden. Von den bekannten bergmännischen Tunnelbauverfahren ausgehend, sind die Bauweisen in der neuesten Zeit zu einem Grad der Vollkommenheit entwickelt worden, die eine völlig neue Tunnelbauwissenschaft begründet hat. Ausführungen in offenen oder für den Straßenverkehr vorübergehend überdeckten Baugruben sind für alle Querschnittsformen und Baugründe angewendet. Für größere Tiefenlagen der Tunnel tritt zu den überkommenen bergmännischen Verfahren das des Vortriebs mit Schilden oder schildartigen Werkzeugen, die – wie beim Kreisquerschnitt – die ganze Brust des Tunnels einnehmen oder – wie bei gewölbten Querschnitten – als Firsten- oder Sohlstollenschilde für die Ausführung mitbenutzt werden. Die Anwendung der Druckluft in wasserführendem oder schlammigem Boden führt zu besonderen Formen der Vortriebschilde, deren Durchbildung den größten Scharfsinn der Ingenieure herausgefordert hat. Die seit langem für Pfeilerbauten angewendete Druckluftgründung hat eine wichtige Ausbildung auch im Tunnelbau erfahren, namentlich für Fälle, in denen eine Unterschreitung von Wasserläufen erforderlich wurde. In Berlin hat die Art der Wasserhaltung durch Grundwassersenkung zu einem eigenartigen Bauverfahren geführt, das bei der Kreuzung von Flußläufen noch besondere Ausbildungen erfahren mußte. Als Sonderfälle der Bauausführung möge noch die Einbettung fertiger Tunnelabschnitte in eine auf der Flußsohle ausgebaggerte Rinne erwähnt werden. Wegen der sonstigen Bauweisen sei auf die in neuerer Zeit außerordentlich stark angewachsene Literatur hingewiesen (s. auch den Artikel über Tunnelbau). Die Baukosten der Tunnelschnellbahnen gehen über das bei sonstigen Eisenbahnanlagen übliche Maß weit hinaus.

5. Betrieb und Verkehr.

Der Stadtschnellverkehr vollzieht sich in starken Wellenbewegungen, die abgesehen von den Jahres-, Monats- und Wochenschwankungen insbesondere im Laufe eines Tages außerordentliche Ungleichheiten aufweisen. In den Früh- und Vormittagsstunden sind die Fahrten hauptsächlich stadteinwärts, in den Nachmittag- und Abendstunden nach außen gerichtet. Die größten Verschiedenheiten treten im Vorortverkehr auf, der sich im wesentlichen auf einige Vormittag-, Nachmittag- und Abendstunden zusammendrängt, in denen sich hauptsächlich die Berufstätigen, abends auch die der Geselligkeit nachgehende Bevölkerung auf den Schnellbahnen einfindet. Bei den Durchdringungslinien zeigen die Kurven des Verkehrs infolge der hinzutretenden innenstädtischen Strömungen im allgemeinen eine etwas gleichmäßigere Gestaltung. Ihren Höhepunkt erreichen die Verkehrswellen an Sonn- und Festtagen oder bei besonderen Gelegenheiten; so rufen das

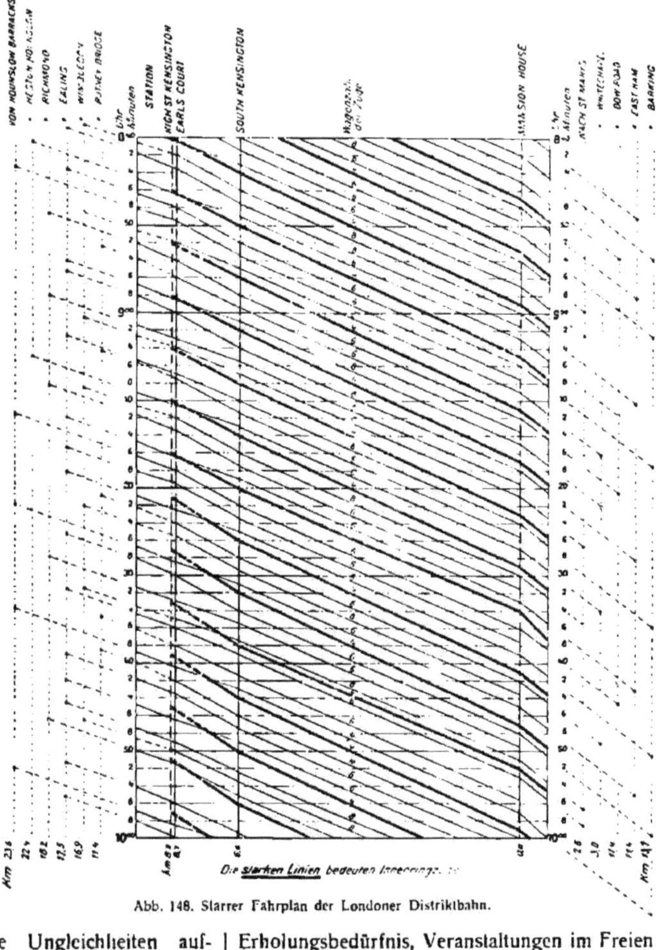

Abb. 148. Starrer Fahrplan der Londoner Distriktbahn.

Erholungsbedürfnis, Veranstaltungen im Freien – Regatten, Rennen, Sportfeste –, oft lediglich durch die Witterung bedingt, wahre Sturmfluten im Verkehr hervor, die die stärksten Erhebungen des Normalverkehrs um das 6–7fache überschreiten.

Den geschilderten Verhältnissen gegenüber hat die Betriebsführung mit außerordentlichen Schwierigkeiten zu kämpfen, die dadurch noch besonders vermehrt werden, daß die zeitlichen und örtlichen Ungleichheiten des Verkehrs an den verschiedenen Stellen des Stadtgebiets auch wieder im einzelnen die wechselvollsten Bilder zeigen. Die Aufgaben, die im Betriebsdienst in bezug auf die Aufstellung des Zugbildungsplans, die Verteilung der Züge und die Bemessung der Zugstärken gestellt werden, gehören zu den schwierigsten des Eisenbahnwesens. Sie werden noch besonders erschwert, wenn bei der Feststellung der Gesamtanlage und der Betriebseinrichtungen neuer Schnellbahnen nicht die nötige Sorgfalt angewendet wird.

Die Mannigfaltigkeit und Massenhaftigkeit der beanspruchten Leistungen kann nur durch gesteigerte Gesetzmäßigkeit im Aufbau der Zugumlaufpläne gewährleistet werden, die ihren Ausdruck in dem sog. „starren Fahrplanschema" findet, das gewissermaßen ein Skelett darstellt, aus dem die ganze Mannigfaltigkeit des Zugumlaufs entwickelt werden muß. Das gilt auch für den reinen Vorortverkehr, wenngleich hier die Zugfolge auf der gesetzmäßigen Grundlage nach freierem Ermessen dem Bedürfnis angepaßt werden kann. Aber auch im Verkehr der Sonn- und Festtage, überhaupt im Ausflugsverkehr, gibt das starre Fahrplanschema das Tempo an für den gesamten Zugumlauf; den Ungewißheiten gegenüber, die durch plötzliche Witterungseinflüsse und andere Umstände herbeigeführt werden, hilft sich die Verwaltung durch Einstellung möglichst vieler Bedarfszüge in den Dienstfahrplan, die, jederzeit verwendungsbereit, je nach den eintretenden Erfordernissen augenblicklich in den Verkehr

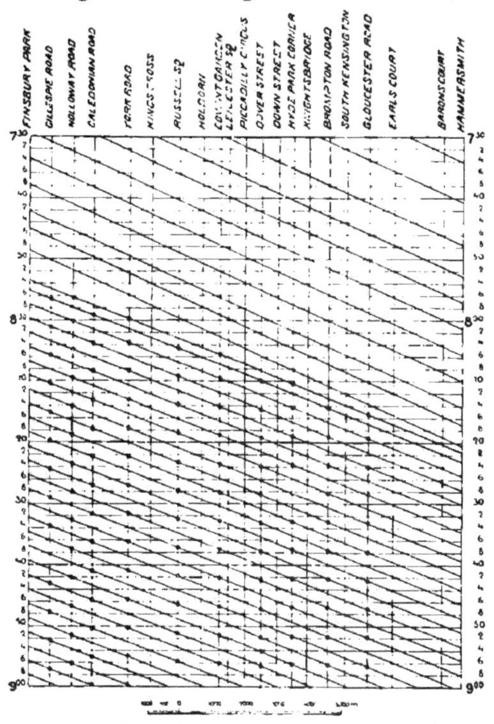

Abb. 149. Durchfahrbetrieb auf der Piccadillybahn in London.
Bemerkung: In den durch Punkte bezeichneten Stationen fahren die Züge durch.

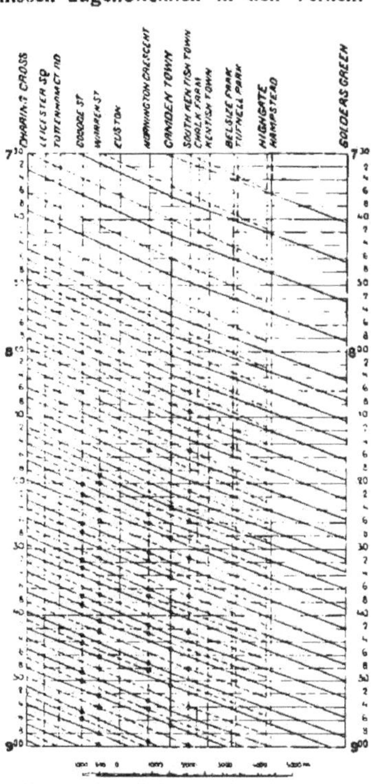

Abb. 150. Durchfahrbetrieb auf der Hampsteadbahn in London.
Bemerkung: Die Fahrten von Charing Cross über Camden Town nach Golders Green sind mit durchlaufenden, nach Highgate mit unterbrochenem Strich dargestellt. In den durch geschlossene oder offene Punkte gekennzeichneten Stationen fahren die Züge durch.

gebracht werden können. Normale Verkehrsverhältnisse erfordern einen nach innen zu allmählich dichter werdenden Wagenumlauf, d. h. eine Vermehrung der Zugzahl, die nach Möglichkeit zu verbinden ist mit einer Verstärkung der Züge selbst. Bei den älteren Schnellbahnen ergeben sich die inneren Verstärkungen ohneweiters aus der Art ihrer Verkettungen, die eine Verschmelzung der Zugverkehre im Innern des Stadtgebiets zur Voraussetzung hat (Abb. 148). Bei unverketteten Linien wird die Staffelung des Zugumlaufs in der in den Abb. 146 u. 147 angedeuteten Weise durch Kehrstationen herbeigeführt, bei deren Ausgestaltung auch die Verhältnisse des Ausflugsverkehrs gebührend zu berücksichtigen sind. Die Frage, wie der schwankenden Verkehrsstärke durch Änderung der Zuglängen selbst Rechnung getragen werden könne, bietet Schwierigkeiten, für die bisher eine befriedigende Lösung nicht gefunden wurde. Das An- und Abhängen einzelner Wagen oder Wagengruppen im laufenden Betrieb hat sich nur in sehr bescheidenem Umfang als durchführbar erwiesen; dagegen hat das Verfahren des Zugaustausches, d. h. des Ersatzes kürzerer Züge durch längere und umgekehrt weitergehende Anwendung gefunden. Hierher gehört auch eine besondere Ausbildung der Außenstrecken, deren Verkehr die Durchführung längerer Züge wirtschaftlich ungerechtfertigt erscheinen läßt, in der Weise, daß die Außenlinien mittels bequem eingerichteter Umsteigstationen an die inneren Stammstrecken angegliedert, im übrigen nach individuellem Plan betrieben werden. Im Betrieb der Eilzüge, der Durchfahr- (non stop-) Züge und der Staffelzüge ergeben sich wieder besondere Aufgaben, auf die hier nicht weiter eingegangen werden kann. In den Abb. 149 u. 150 sind 2 Beispiele des Durchfahrbetriebs gezeigt, bei dem, wie die Abbildungen erkennen lassen, auch eine Erhöhung der Fahrgeschwindigkeit angestrebt wird.

6. Fahrpreise[1].

Die Schnellbahnen sind nur frei in der Form der Fahrpreisbildung, nicht aber hinsichtlich der Höhe der Fahrpreise, in der sie dem Wettbewerb anderer Verkehrsmittel und den allgemeinen Verhältnissen Rechnung zu tragen haben.

Zur Vereinfachung der Abfertigung im Massenverkehr der Schnellbahnen sind die Tarifformen möglichst einfach zu gestalten; den Grundsätzen gerechter Behandlung der Fahrgäste entspricht eine Abstaffelung der Fahrpreise nach der Entfernung, unter weitestgehend gleichartiger Behandlung der Fahrgäste. Beide Forderungen gleichzeitig werden weder von dem amerikanischen oder Pariser Einheitstarif, noch von der geschichtlich überkommenen Vielfältigkeit des Fahrkartenwesens der Londoner oder staatlichen Berliner Schnellbahnen erfüllt; sie finden ihre volle Verwirklichung in dem auf der Berliner Hochbahn durchgeführten Staffeltarif, der sich auf die Ausgabe von Einzelkarten beschränkt, deren Preise nach Entfernungszonen abgestuft sind. Die den arbeitenden Klassen zu gewährenden Ermäßigungen haben sich der Staffel zwanglos einzugliedern (Frühkarten). Die Ausgabe billigerer Zeitkarten ist mit den wirtschaftlichen Interessen der Schnellbahnen nicht vereinbar.

Von einigen besonderen Unternehmungen abgesehen, sind die Fahrpreise der Schnellbahnen im allgemeinen nicht ausreichend, um außer der Bestreitung des Betriebsaufwandes und der sonstigen notwendigen Ausgaben und Rückstellungen auch das Anlagekapital ausreichend zu verzinsen. Die Ursachen der Unzulänglichkeit wurzeln zum Teil in veralteten wirtschaftlichen Anschauungen und Tarifgrundsätzen, unter denen sich die Politik der Verkehrswerbung durch niedrige Fahrpreise als besonders verhängnisvoll erwiesen hat. Einseitiges Erfassen der sozialen Aufgaben, das namentlich der Bodenspekulation gegenüber oft fehlgreift, die in der Gesamtheit als die „öffentliche Meinung" zu bezeichnenden Kräfte, die fast immer negativ arbeiten, Mitbestimmungsrechte öffentlicher Körperschaften, parteipolitische Einflüsse und nicht in letzter Linie der Wettbewerb der Straßenbahnen und Omnibusse — vielfach auch der Schnellbahnen selbst — sind die Triebfedern, die die Fahrpreise ständig unter Druck halten. „Der Wettbewerb hat auch die außerordentliche Ungleichartigkeit und Vielgestaltigkeit der Tarifformen im Londoner Verkehr verschuldet, die zudem infolge dauernder Änderungen der Tarifsätze selbst das ganze Fahrpreiswesen niemals zur Ruhe kommen läßt" (Berichte des englischen Handelsamtes).

Die durchschnittliche Einnahme aus einer Fahrt bewegt sich auf den selbständig dastehenden elektrischen Schnellbahnen zwischen 11·5 Pf. auf der Pariser Stadtbahn und 21 Pf. auf den Schnellbahnen der Vereinigten Staaten von Amerika. Im Gesamtbetriebsnetz der Berliner Hoch- und Untergrundbahn beträgt sie 14 Pf., auf ihren Eigentumslinien 13·2 Pf.; in London liegt sie zwischen 12 und $15^1/_2$ Pf. Der personenkilometrische Betrag der Fahrgeldeinnahmen ist nicht nachweisbar. Sind schon die Fahrpreisdurchschnitte bei diesen elektrischen Schnellbahnen unzureichend, so gilt dies noch in weit höherem Grad von den mit Großbahnnetzen zusammenhängenden und noch zum größten Teil mit Dampfkraft betriebenen Schnellbahnen, die geradezu zu Schleudertarifen gelangt sind, von denen sie sich nur schwer zu befreien vermögen; beträgt doch der Einnahmedurchschnitt bei der Berliner Stadt- und Ringbahn

[1] Kemmann, Die Fahrpreise der Stadtschnellbahnen in den europäischen und amerikanischen Großstädten. Ztg. d. VDEV. 1912, Nr. 22 u. 23.

nur $7\frac{1}{2}$ Pf.; zu einer so weitgehenden Tarifverbilligung hat man sich in keiner andern Großstadt auch unter dem schärfsten Druck des Wettbewerbs entschließen können.

Einzelheiten über die Fahrpreise der verschiedenen Schnellbahnen finden sich in den diese behandelnden besonderen Artikel.

7. Wirtschaftsformen.

Die Frage, ob die Schnellbahnen zweckmäßiger auf privatwirtschaftlicher oder gemeinwirtschaftlicher Grundlage zu errichten seien, bleibt unentschieden, da sie auch in der Hand der Privatunternehmung als „gemeinnützige Betriebe" anzusehen sind, wie dies auch im Sinne des New Yorker Schnellverkehrsgesetzes liegt.

Die Regeln, nach denen diese Verkehrsmittel, Volleisenbahnen in denkbar verfeinerter Durchbildung, im öffentlichen Interesse ausgestaltet werden müssen, nach denen die Betriebsführung, der Sicherheitsdienst, die Überwachung gehandhabt werden, weichen bei beiden Wirtschaftsformen auch nicht im kleinsten Punkt voneinander ab. Bezeichnend ist, daß gerade die vollkommensten aller Schnellbahnen von Privatgesellschaften errichtet sind. Aus dem gemeinnützigen Charakter der Unternehmungen folgt aber auch, daß da, wo private Mittel für die Zwecke des großstädtischen Schnellverkehrs mangels ausreichender Wirtschaftlichkeit nicht zu haben sind, die Allgemeinheit in irgend einer Form unterstützend einzuspringen hat, gleichviel, unter welcher Form das Unternehmen bewirtschaftet wird. Die Geldbeschaffung kann den Unternehmungen in den verschiedensten Formen erleichtert werden, sei es, daß Kapitalien zu billigem Zinsfuß beigesteuert, Zinsbürgschaften übernommen oder zweit- oder drittstellige Kapitalanteile übernommen werden. Auch die Bürgschaft für gewisse Mindesteinnahmen, Zahlung von Betriebszuschüssen, unentgeltliche Hergabe von Grund und Boden gehören hierher. Im Falle der Aufschließungsbahnen würden auch die Anlieger zwangsweise mit Zuschüssen belastet werden können. Finanzielle Unterstützung ist Vorbedingung in allen Fällen, in denen Gemeinden Angliederungen an ein Schnellverkehrsnetz und dessen Betrieb mittels Linien suchen, für die ein befriedigendes Ergebnis einstweilen nicht anzunehmen ist. Die Linien haben sich in diesem Fall baulich und betrieblich dem Stammnetz völlig anzugliedern.

Das zuletzt angeführte Beispiel stellt einen Sonderfall der gemischtwirtschaftlichen Form der Schnellbahnunternehmung dar. Die von Lord Avebury gerügten Mängel städtischer Verkehrsbetriebe – hervorgehend aus der Schwerfälligkeit städtischer Verwaltungen, den Gefahren der Überschuldung, den sozialen Rücksichten, mangelnder Sparsamkeit in der Wirtschaftsführung, Mangel an Trieb zur Weiterentwicklung und erfinderischen Vervollkommnung der Betriebseinrichtungen sind bei der gemischtwirtschaftlichen Unternehmung jedenfalls vermieden. Sie entspringt aus dem Gedanken, daß es demjenigen, dem die Herrschaft über die Straße zusteht, auch unbenommen bleiben müsse, zu den mannigfachen Anlagen, die er sonst im Straßenkörper unterzubringen pflegt, auch die Schnellbahnen wenigstens in eigene Bauausführung zu nehmen, wenn er auch die Betriebsführung durch Dritte pachtweise bewerkstelligen lassen will. Dieser Auffassung ist durch stadtseitige Herstellung des Tunnelkörpers im wesentlichen genügt; nur in Ausnahmefällen haben sich die Städte auch mit der Erstellung von Hochbahnstrecken befaßt. Die Ausrüstung der Schnellbahn und die Beschaffung der Betriebskraft ist bisher in allen Fällen Sache des Pächters geblieben. Die Bemessung der Tunnelpacht oder Bahnpacht hängt von den Umständen ab; vielfach ist sie so bemessen, daß sie für die Verzinsung und Tilgung der städtischen Anleihen ausreicht, aus deren Erlös die Bahnkörper hergestellt sind, wobei für den Betriebsunternehmer immerhin der große Vorteil herausspringt, daß der Zinsfuß in mäßigen Grenzen bleibt. In anderen Fällen hat die Pächterin einen Teil der Fahrpreiseinnahmen an die Stadt abzuführen oder für jeden durch den Tunnel geführten Wagen eine bestimmte Abgabe zu entrichten; auch der Fall, daß die Fahrgäste beim Lösen der Fahrkarten dem Fahrpreis noch einen Zoll für die Stadt zuzulegen haben, kommt vor. Der gemeinnützige Charakter der Schnellbahnen gelangt in den Fällen mit besonderer Deutlichkeit zum Ausdruck, in denen der Betriebsunternehmerin gestattet ist, vorweg aus den Einnahmen ausreichende Mittel für den eigenen Kapitaldienst einzubehalten; in allen anderen Fällen ist es Sache des Betriebspächters, von vornherein zu prüfen, ob das Unternehmen außer dem Pachtschilling noch genügende Überschüsse für seine eigenen Zwecke abwirft.

Tritt in diesen Fällen der kommunale Zuschnitt der Schnellbahnen unmittelbar zu tage, so hat sich die Kommunalpolitik vielfach auch mittelbaren Einfluß auf die Privatschnellbahnen gesichert. Der kommunale Einschlag offenbart sich in den den Städten vielfach ausbedungenen Übernahmerechten, nach denen diesen das Unternehmen nach einer bestimmten Zeit zum Teil oder im ganzen Umfang unentgeltlich anheimfällt, im übrigen von Zeit zu Zeit auf Verlangen käuflich zu überlassen ist.

a) Wirtschaftliche Lage.

Schnellbahnen erfordern, wo nicht besonders günstige Verhältnisse vorliegen, wie in Paris, einen Anlageaufwand, der bei keiner andern Bahngattung auch nur im entferntesten erreicht wird. Schnellbahnen, die als Hochbahnen gebaut werden, erfordern etwa das 10fache, als Untergrundbahnen das 20–30fache der Kosten gleichlanger Straßenbahnen. Anlagekosten bis zu 10 Mill. M. und selbst darüber sind für zweigleisige Tunnelbahnen im Stadtinnern nichts Ungewöhnliches; selbst in Außengebieten, wo die Schnellbahn auf Dämmen und in Einschnitten geführt werden kann, sind die kilometrischen Anlagekosten immer noch bis auf etwa $1^1/_2$ Mill. M. zu veranschlagen.

Wenn nun auch die Schnellbahnen eine erheblich größere Zahl von Fahrgästen befördern können als die Straßenbahnen, so haben die Erfahrungen gezeigt, daß es wegen der hohen Anlagekosten selbst mit erheblichen Beihilfen der Wegeunterhaltungspflichtigen und der Anlieger sehr schwierig ist, ein angemessenes Erträgnis zu erwirtschaften. Die kilometrische Beförderungsziffer der einzelnen Unternehmungen bewegt sich in den Gesamtdurchschnitten etwa zwischen 2 und $2^1/_2$ Mill. Personen; nur in Ausnahmefällen geht sie über 4 Mill. hinaus, wie in Paris, wo auf den Linien der Stadtbahn auf das Bahn*km* etwa 5 Mill. Personen befördert werden, oder in New York, dessen ungeheurer Verkehr sich sogar bis auf 8 Mill. erhebt. Die Berliner Hoch- und Untergrundbahn befördert $3^1/_4$ Mill. Fahrgäste auf das Bahn*km*.

Der Beförderungsziffer entsprechend halten sich auch die Verkehrseinnahmen in bescheidenen Grenzen. Die Ausgaben dagegen werden durch die festen Lasten, die stetig wachsenden Löhne und Materialpreise, die den Betrieb, die Unterhaltungs- und Erneuerungsarbeiten der Anlagen unaufhaltsam verteuern, immer weiter in die Höhe getrieben. Für Abschreibungen ist nur selten in auskömmlichem Maße gesorgt worden.

Aus den Verkehrsüberschüssen lassen sich daher die in den Schnellbahnen angelegten ungeheuren Kapitalien nur in besonderen Fällen ausreichend verzinsen. Nur wenige Schnellbahnen sind auch – wie etwa die Berliner Hoch- und Untergrundbahn – im stande, das Erträgnis durch Nebeneinnahmen aus Vermietungen und Verpachtungen, dem Reklamewesen, Übernahme der Betriebsführung für andere Linien, Zuschüssen u. dgl. nennenswert aufzubessern. Wird für das Gesamtkapital die bescheidene Forderung einer auch nur 4 %igen Verzinsung aufgestellt, so gibt es in England keine einzige unter den unzähligen Stadt- und Vorortbahnen, die eine derartige Rentabilität aufweisen. Von den Schnellbahnen der Vereinigten Staaten stehen nur die bedeutendsten New Yorker Unternehmungen und unter den europäischen nur die Pariser Stadtbahn günstiger da. Die Berliner Hochbahn hat vor dem Krieg mit Hilfe von Nebeneinnahmen und Zuschüssen den Durchschnittsertrag auf 4·8 % des Gesamtkapitals, ohne diese nur auf 3·5 % steigern können, während die Hamburger Hoch- und Untergrundbahn noch nicht 2 % des gesamten Anlageaufwandes erwirtschaften konnte, von dem der hamburgische Staat den auf die Bahnanlage entfallenden Teil übernommen hat.

Das Wohlergehen der Gesellschaften berührt aber nicht die Aktionäre allein; „Unternehmungen, die wenig mehr als die Selbstkosten erwirtschaften, können den Interessen der Allgemeinheit nicht in demselben Maße dienen wie Verwaltungen, die mit Überschüssen arbeiten; Erweiterungen und Verbesserungen werden vielfach aus dem Grund unterlassen, weil sie ertraglos sind, und diese Zurückhaltung wirkt in weiterem Umfang auch wieder auf Handel und Wandel zurück“ (Berichte des englischen Handelsamtes). Ob es sich um selbstständige Unternehmungen oder um solche Schnellbahnen handelt, die den Großbahnen eingegliedert sind, denen es zur Last fällt, die für die örtlichen Verkehrsmittel erforderlichen Zuschüsse aus dem Gesamthaushalt zu bestreiten, macht hierbei keinen Unterschied. Aber auch öffentliche Körperschaften haben ein Anrecht darauf, in Schnellbahnen angelegte Kapitalien ausreichend verzinst zu sehen. Wenn ihnen auch die Steuerquelle zur Deckung von Fehlbeträgen zur Verfügung steht, so würde doch die steuerzahlende Allgemeinheit gegen eine zu freigebige Geldwirtschaft im Schnellverkehr berechtigten Widerspruch erheben können.

b) Bemerkungen zur Wirtschaftspolitik.

Gesunde Wirtschaftspolitik hat auf einer gesunden Tarifpolitik aufzubauen, die auf die Beseitigung ungesunden Wettbewerbs hinarbeitet. Sie nötigt zu einem engeren Zusammenschluß der Unternehmungen durch Herstellung von Wirtschaftsverbänden, Anbahnung von Betriebs- und Verwaltungsgemeinschaften oder durch völlige Verschmelzungen, wie sie in den Vereinigten Staaten und England aus der Notlage wirtschaftlicher Depression und ausgearteten Wettbewerbs heraus in größtem Umfang durchgeführt worden sind. Bei diesen Maßnahmen spielt auch die Tariffrage eine wichtige Rolle obwohl der Gedanke, auf den Schnellbahnnetzen verschiedener Verwaltungen in einer Großstadt eine sehr weitgehende Freizügigkeit im Fahrpreiswesen durchzuführen, an inneren Schwierigkeiten scheitern muß. Diese Art der wirtschaftlichen Selbsthilfe auf dem Wege des Zusammenschlusses bedarf aber weiterhin der Ergänzung durch eine amtliche Organisation, deren Augenmerk darauf gerichtet sein muß, bei voller Wahrung der öffentlichen Interessen den Schnellbahnen ihre Aufgaben nach Kräften zu erleichtern. Eine amtliche Zentralstelle, die mit weitreichenden Befugnissen auszustatten wäre, vermöchte hier in höchstem Maße segensreich zu wirken. Ihr läge es ob, die Bedingungen, Lasten und Abgaben, die den Schnellbahnen aufzuerlegen wären, der wirtschaftlichen Lage anzupassen, Beihilfen, Kredite oder Bürgschaften für Bau- und Betriebszwecke auszuwirken, im Falle einer Siedlungspolitik auf unentgeltliche Hergabe von Grund und Boden zu dringen, Vereinfachungen in den Bauformen durchzusetzen, Einfluß zu nehmen auf die Ausgestaltung und Regelung des Fahrpreiswesens, die Hintanhaltung unnützen Wettbewerbs und überflüssiger Doppelleistungen, verständiges Maßhalten in der Bedienung neuer Gebiete u. a. m. Unter den dauernden Lasten nehmen die Abgaben für das Wegerecht, die z. T. sogar eine Beteiligung am Reingewinn einschließen, vielfach die erste Stelle ein, obwohl bei den Schnellbahnen eine Abnutzung der Straßenflächen überhaupt nicht stattfindet. Auch die Staats- und Gemeindesteuern erreichen bei vielen Schnellbahnen eine geradezu unerschwingliche Höhe.

c) Rechtszustand.

Ein „Schnellbahngesetz“, das das Schnellbahnwesen bis in alle Einzelheiten regelt, gibt es einstweilen nur im Staat New York (Rapid Transit Act). Ein zur Durchführung des Gesetzes errichtetes Amt für die gemeinnützigen Betriebe (Public Service Commission) hat die Angelegenheiten des Groß-New Yorker Schnellbahnwesens im Einvernehmen mit der Stadtverwaltung mit großer Selbständigkeit zu ordnen (zu vgl. den Art. New Yorker Schnellbahnen). In keinem andern Land hat die allgemeine Gesetzgebung für das Schnellbahnwesen in gleich durchgreifender Weise vorgesorgt; auch die Machtbefugnisse der mit der Überwachung des Schnellbahnwesens betrauten Organe sind sonst nirgends einheitlich oder auskömmlich geregelt, so daß vielfach der Mitbestimmung berechtigter Dritter, insbesondere der Wegeberechtigten, Tür und Tor geöffnet ist, die aus privaten Unternehmungen größtmöglichen Vorteil zu ziehen suchen.

In England bedarf jedes Schnellbahnunternehmen eines Sondergesetzes (Act), in dem die in einem kontradiktorischen Verfahren sorgfältig ermittelten Interessen der von dem Unternehmen Betroffenen bis ins kleinste geregelt werden. Das preußische Kleinbahngesetz begnügt sich damit, die Schnellbahnen den Straßenbahnen oder den nebenbahnähnlichen Kleinbahnen zuzuzählen, ohne ihrer Eigenart irgendwie besondere Rechnung zu tragen. Der behördlichen Genehmigung hat die Zustimmung der Wegeberechtigten voraufzugehen, während die Interessen der übrigen Beteiligten im sog. „Auslegungsverfahren“ ihre Regelung finden. Für Groß-Berlin hat man die Schwierigkeiten, die die Vielköpfigkeit der Gemeinden dem Verkehrswesen bereitete, durch deren Zusammenfassung zu einem Zweckverband zu beseitigen gesucht. Ein stehendes Kapitel in der Schnellbahnliteratur bilden die Widerstände und Schwierigkeiten, die den Schnellbahnen bei Verfolgung ihrer Ausführungspläne von allen mittelbar oder unmittelbar Beteiligten, von Körperschaften, Kirchengemeinden, Vereinen, Grundbesitzern, im Wege der Verhandlungen, in Versammlungen, in der Presse, offen und geheim, und meist mit mehr oder weniger Erfolg in den Weg gelegt zu werden pflegen, um den Unternehmungen ein Übermaß von Lasten aufzubürden. Ist es doch so weit gekommen, daß sich in Preußen die Zustimmungen der Stadtgemeinden, die nach dem Sinne des Kleinbahngesetzes wesentlich das Entgelt für die Straßenbenutzung ordnen sollen, allgemein zu umfangreichen Privatverträgen ausgewachsen haben, in denen sich die Wegeberechtigten in Ausübung der Rechte des Stärkeren den weitestgehenden Einfluß auf die Unternehmungen gesichert und Mitbestimmungsrechte vereinbart haben, die den Rechten der Obrigkeit oft in bewußter Weise vorgreifen und zuwiderlaufen.

Kemmann.

Ständige Tarifkommission ist eine Körperschaft, der zusammen mit dem Ausschuß der Verkehrsinteressenten die Aufgabe der Fortbildung des deutschen Gütertarifs obliegt.

Nachdem das einheitliche Tarifschema des deutschen Reformtarifs (s. Gütertarife Bd. V S. 464) gewonnen war, regte der preußische Handelsminister am 11. Juni 1877 an, eine aus Vertretern der deutschen Staatsbahnen und einer Anzahl Privatbahnen bestehende Tarifkommission zu bestellen, die Abänderungsanträge für die Beschlußfassung durch die Generalkonferenz der sämtlichen deutschen Eisenbahnverwaltungen konferenziell vorzuberaten habe. Zugleich wurde vorgeschlagen, den Geschäftskreis der Tarifkommission noch dadurch zu heben, daß ihm auch „die Vorberatung einheitlicher Normen für die Personentarife sowie für die Fahrzeuge, Leichen und lebende Tiere zugewiesen, auch die Erörterung gemeinsamer Bestimmungen für das Expeditions- und Abrechnungsverfahren vorbehalten wurde". Die Zuweisung letzterer Aufgabe zog Preußen zurück; sie ging auf den aus dem Tarifverband sich entwickelnden deutschen Eisenbahnverkehrsverband über. Das Ministerialschreiben vom 8. Oktober 1877 enthielt dann aber noch weiter die Mitteilung, daß es „auf den Vorschlag des Reichskanzleramtes" für ersprießlich erachtet sei, „die Bestellung eines ständigen, aus je 3 Vertretern der Landwirtschaft, der Gewerbtätigkeit und des Handels unter Zutritt eines besonderen, aus Bayern zu kommittierenden Mitglieds zu bildenden Ausschusses zu veranlassen, dessen Aufgabe es sein würde, über allgemein wichtige, das deutsche Eisenbahnwesen betreffende Fragen aus dem Gebiet des Tarifwesens sich gutachtlich zu äußern und zu diesem Behuf jährlich zweimal mit den Mitgliedern der vorerwähnten Tarifkommission zusammenzutreten".

Der deutsche Landwirtschaftsrat und der deutsche Handelstag würden ersucht werden, die betreffenden Mitglieder dieses Ausschusses zu bezeichnen.

Die Zusammensetzung der S. hat im Lauf der Jahre mehrfach eine Wandlung erfahren. Die Mitgliederzahl umfaßt heute 14 Bahnverwaltungen. Dagegen stieg die Zahl der Mitglieder des Ausschusses der Verkehrsinteressenten auf 5 in jeder Gruppe (mit Bayern 16 im ganzen). Außerdem ist seit 1890 auch der Geschäftsführer des Ausschusses ohne Teilnahme an den sachlichen Beratungen bei den Sitzungen anwesend. Seit 1883 nehmen mit beratender Stimme Vertreter der schweizerischen Bahnen (schweizerische Nordostbahn und schweizerische Zentralbahn, später die schweizerischen Bundesbahnen und die Gotthardbahn) an den Sitzungen teil.

Die erste ordentliche Sitzung der S. fand am 7. Februar 1878 in Berlin statt und stellte die Geschäftsordnung fest. Seit der Sitzung vom 13. November 1878 wohnen Vertreter des Reichseisenbahnamtes den Verhandlungen bei.

Die S. hat zusammen mit dem Ausschuß der Verkehrsinteressenten die Anträge vorzuberaten, die die allgemeinen Tarifvorschriften und die Güterklassifikation, die allgemeinen Ausführungsbestimmungen zur Verkehrsordnung und den Nebengebührentarif betreffen. In der Regel finden 3 gemeinschaftliche Sitzungen unter dem Vorsitz der königlichen Eisenbahndirektion Berlin statt. Über die Beratungsergebnisse beschließt die Generalkonferenz der deutschen Eisenbahnverwaltungen, die in der Regel einmal im Jahr vom preußischen Minister der öffentlichen Arbeiten einberufen wird. Die Beschlüsse der Generalkonferenz werden bindend, wenn ihnen nicht fristgemäß von einer satzungsgemäßen Minderheit widersprochen wird, wobei es Sache der einzelnen Bahnverwaltungen bleibt, die Zustimmung der Landesaufsichtsbehörden vorher einzuholen.

Aus der Geschäftsordnung der S. ist folgendes hervorzuheben:

Antragsberechtigt sind die bei der Generalkonferenz zugelassenen Eisenbahnverwaltungen und der Ausschuß der Verkehrsinteressenten. Beratungsgegenstände können als dringliche oder äußerst dringliche behandelt werden, wenn eine $^{2}/_{3}$-Mehrheit der in der Sitzung vertretenen Kommissionsmitglieder und der anwesenden Mitglieder des Verkehrsausschusses dies beschließt.

Beschlüsse über Anträge von einfacher Dringlichkeit werden bindend, sofern nicht bis zur nächsten ordentlichen Sitzung oder bis zur Generalkonferenz wirksamer Widerspruch erhoben ist. Beschlüsse, deren äußerste Dringlichkeit zugestanden wurde, werden bindend, sofern ihnen nicht binnen 10 Tagen widersprochen wird. Zu einem wirksamen Widerspruch gehört eine Mehrheit von $^{1}/_{10}$ sämtlicher bei der letzten Generalkonferenz berechtigt gewesenen Stimmen. Tarifbestimmungen, die in ihrer Anwendung zu Zweifeln Anlaß geben, können durch deklaratorische Beschlüsse näher erläutert und klargestellt werden, ohne daß hierdurch der Tarif selbst sachlich geändert wird. Diese Bestimmung hat in der 100. Sitzung der S. (8./9. Februar 1910) zu einer Einrichtung einer öffentlichen Sammlung der bisherigen und zukünftigen Entscheidungen und zu einer Einsetzung eines ständigen Unterausschusses für Tarifentscheidungen geführt. Die Tätigkeit dieses Unterausschusses grenzt sich ab gegenüber den einzelnen Verwaltungen dadurch, daß 1. jede Verwaltung nur das Recht, nicht die Pflicht hat, den Ausschuß anzurufen, 2. es anderseits im Interesse der Sache gelegen ist, ihm von allen Entscheidungen Kenntnis zu geben und ihm alles zu überlassen, was nicht zweifelsfrei auf der Hand liegt.

Gegenüber der S. und dem Ausschuß der Verkehrsinteressenten begrenzt sich seine Aufgabe dadurch, daß die Entscheidung sowohl die Absicht des Tarifs wie den Wortlaut des Tarifs für sich haben müsse. Wo nur eines versagt, hat die S. einzugreifen. Die Sicherung dieser Grenze wird durch das Widerspruchsrecht gewährleistet, das jeder Verwaltung wie dem Verkehrsausschuß zusteht.

In diesem Sinne sind dann die Befugnisse des ständigen Unterausschusses durch die Geschäftsordnung für die S. festgelegt. Seine Beschlüsse werden bindend, sofern nicht binnen 14 Tagen nach Absendung der Mitteilung bei der geschäftsführenden Verwaltung Widerspruch erhoben wird. Dem ständigen Ausschuß gehören neben der geschäftsführenden Verwaltung 2 von der S. gewählte Eisenbahnverwaltungen (Bayern und Sachsen) an. *Grunow.*

Staffeltarif s. Gütertarife.

Stahlwagen s. Personenwagen.

Standard Time (Einheitszeit in den Vereinigten Staaten von Amerika). Bis Ende 1883 rechneten die Eisenbahnen der Vereinigten Staaten eine jede für ihr Netz nach Ortszeit. Die hieraus bei der großen Ausdehnung der einzelnen Eisenbahnnetze hervorgehenden Unzuträglichkeiten veranlaßten Mr. W. F. Allen, seine Bemühungen auf eine Vereinbarung über Normaleisenbahnzeiten zu richten; Ende 1883 kam er zum Ziel. Die Eisenbahnen der Union und der Nachbarstaaten – mit wenigen Ausnahmen – verständigten sich über die Annahme von 4 Normalzeiten, die östliche (Eastern) des 75. Meridians von Greenwich, die mittlere (Central) des 90. Meridians, die beiden westlichen (Mountain und Pacific time) des 105. und 120. Meridians. Diese 4 Normalzeiten liegen eine jede 15 Grad, also genau eine Stunde auseinander, der Meridian durchzieht die betreffenden Gebiete ziemlich genau in ihrer Mitte. Nach und nach ist im ganzen Gebiet der Vereinigten Staaten die Einheitszeit der Eisenbahnen auch als Ortszeit angenommen worden (vgl. Art. Eisenbahnzeit, Bd. IV, S. 149 ff.).

Literatur: W. F. Allen, Report on the sulgert of national standard time. New York 1883.

v. der Leyen.

Standbahnen. Eisenbahnen, bei denen der Schwerpunkt der Fahrzeuge oberhalb der auf festem Erd- oder Brückenunterbau angeordneten Bahn liegt, zum Unterschied von den Schwebe- oder Hängebahnen, bei denen der Schwerpunkt unterhalb der Bahn gelegen ist. Die Standbahnen können ein-, zwei-, auch mehrschienig sein; in der Regel sind sie zweischienig (Spurbahnen) mit verschiedenen Spurweiten (s. d.); sie bilden das größte Netz der Dampf- und elektrischen Voll-, Neben- und Schmalspurbahnen. *Dolezalek.*

Standgeld ist eine tarifarische Nebengebühr (s. Gütertarife, Bd. V, S. 478, X, 6), die namentlich erhoben wird, wenn die für Ladungsgüter (hier Wagenstandgeld genannt) oder für auf eigenen Rädern laufende Eisenbahnfahrzeuge festgesetzte standgeldfreie Be- oder Entladefrist überschritten wird. S. und Wagenstandgeld ist auch verwirkt, wenn ohne Verschulden der Eisenbahn erforderliche Zoll-, Steuer- oder Polizeipapiere bei einer Sendung fehlen und hierdurch die Auflieferungen oder Auslieferungen des Gutes verzögert werden. Im Tierverkehr hat die Eisenbahn, wenn sich bei unbegleiteten Sendungen auf der Bestimmungsstation kein Empfangsberechtigter meldet, vielfach die Wahl, ob sie die Tiere auf Kosten des Verfügungsberechtigten in Verpflegung geben oder, wenn sie deren ferneren Aufenthalt im Wagen oder auf dem Bahnhof gestattet, das tarifmäßige S. erheben will.

Für Deutschland finden sich die Bestimmungen über S. in den §§ 63, 65, 80 EVO., Ausf.-Best. II, III und IV zu § 59 und IV zu § 73 EVO., § 58 (1) der Allgemeinen Tarifvorschriften und in Ziff. IV B Nebengebührentarif zum deutschen Eisenbahngütertarif, Teil I, Abteilung B. Siehe auch deutscher Tiertarif, Teil I, § 50, 52 und C IV.

In Österreich gelten hierfür die Bestimmungen der §§ 46, 59, 63, 65, 73, 74 und 80 des Eisenbahnbetriebsreglements und das unter XII des Nebengebührentarifs im Teil I, Abteilung B des österreichisch-ungarischen und bosnisch-hercegovinischen Eisenbahngütertarifs Gesagte. *Grunow.*

Standgleis s. Aufstellgleis.

Stanserhornbahn. Diese am 23. August 1893 eröffnete Bergbahn hat ihre Ausgangsstation unmittelbar bei Stans, Hauptort des Kantons Nidwalden. Sie wird von der Dampfschiffstation Stansstad mittels einer elektrischen Schmalspurbahn (Stansstad - Engelberg, s. d.) nach einer Fahrt von 20 Min. erreicht.

Die Bahn ist eine aus 3 Abteilungen bestehende Drahtseilbahn.

Die erste Abteilung verbindet die Station Stans, 450 *m* ü. M., mit der Umsteigstation Kälti, 714 *m* ü. M.; ihre wagrechte Länge mißt 1527 *m*, die Gleislänge 1550 *m*; die Anfangssteigung beträgt 12‰, Endsteigung 27·5‰.

Die zweite Abteilung verbindet Station Kälti mit der zweiten Umsteigstation Blumatt, 1221 *m* ü. M. Diese Strecke ist, wagrecht gemessen, 960 *m*, geneigt 1090 *m* lang. Die Steigung beginnt mit 40‰ und endigt mit 60‰, der größten Steigung, die die Bahn überhaupt besitzt.

Bei der Station Blumatt beginnt die dritte Abteilung. Die Steigungsverhältnisse sind gleich denen der zweiten Abteilung. Die wagrechte Länge beträgt 1110 *m*, die Gleislänge 1275 *m*. In weitem Bogen durchschneidet die Bahn die Alp Blumatt, bis sie, einen 160 *m* langen Tunnel durchfahrend, die sog. Schildflühe erreicht, wo sie über einen langen Viadukt führt und die Endstation, das Hotel, 1850 *m* ü. M. erreicht. Von hier aus führt ein bequemer Fußweg zu dem 50 *m* höher liegenden Gipfel des Berges.

Jede der 3 Abteilungen hat ihre eigene Betriebsstation. Der Betrieb geschieht durch in Serien geschaltete Elektromotoren, die ihre Kraft, Gleichstrom von 1200 – 1300 Volt Spannung, von der Zentralstation in Buochs erhalten; die gleiche Station liefert die Kraft zum Betrieb der Bürgenstockbahn. Nebstdem sind auf jeder Station elektrische Reservemotoren vorhanden.

Die Regelung der Fahrgeschwindigkeit erfolgt selbstwirkend durch die Übersetzungen

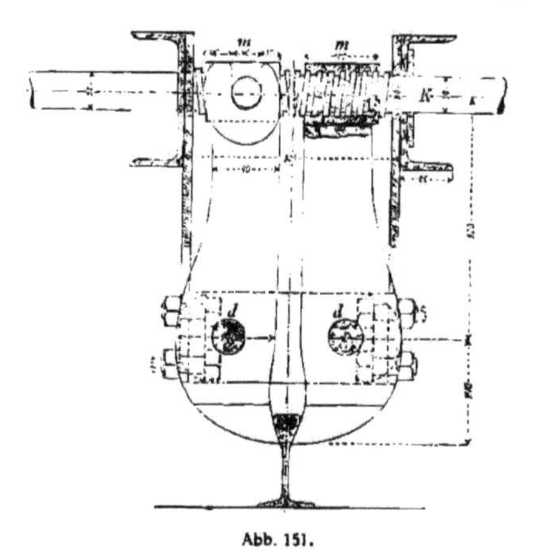

Abb. 151.

des Treibwerks; alle 3 Abteilungen werden annähernd in der gleichen Zeit durchfahren. Die Fahrgeschwindigkeit beträgt demnach in der unteren Abteilung 2 *m*, in der oberen 1·08 *m* i. d. Sekunde und die ganze Fahrzeit, die Umsteigepausen eingerechnet, 50 Min.

Jede Abteilung hat 2 Wagen; diese sind treppenförmig gebaut und haben Abteile zu je 8 Sitzplätzen. Sie sind verhältnismäßig leichter als bei Betrieb mit Wassergewicht.

Da die Bahn eingleisig ist, so ist in der Mitte jeder Abteilung eine selbsttätige Ausweiche. Die Führung der Wagen über diese wird dadurch bewirkt, daß die Laufräder auf einer Seite doppelten Spurkranz, auf der andern Seite keine Spurkränze besitzen.

Die Spurweite der Bahn beträgt 1 *m*. Der Bahnoberbau besteht aus 10 *m* langen Schienen von 21 *kg*/*m*. Diese ruhen auf eisernen Schwellen, welch letztere auf der ersten, unteren Abteilung in Schotter gelagert sind.

Auf der zweiten und dritten Abteilung dagegen ruht der Oberbau auf einem Mauerklotz von 1·50 *m* Kronenbreite. Die Schwellen sind aus Winkeleisen, deren einer Schenkel in das Mauerwerk eingreift; überdies sind zwischen jedem Schienenstoß 2 Schwellen mit dem Unterbau verankert. Die Schwellen sind 15 *kg*/*m* schwer. Die Schienen sind breitfüßig und haben 125 *mm* Höhe; die Form des Querschnitts ist aus Abb. 151 zu entnehmen. Der Schienenstoß ist fest. Die Stoßverbindung wird durch 2 Winkellaschen von 65 *mm* Höhe, die sich an die Schwelle, den Schienenfuß und Steg fest anlegen, und 8 Schraubenbolzen hergestellt. Vier Bolzen verbinden die Laschen mit dem Schienensteg, die übrigen die Lasche mit der Schwelle.

Eigentümlich ist das Bremssystem, das bei dieser Bergbahn zur Anwendung gebracht ist, indem von der Zahnstange Umgang genommen wurde und die Laufschienen auch für den Zweck des Bremsens benutzt werden.

In der Hauptsache besteht das genannte System darin, daß 2 Bremsklötze in der Art einer Zange hergestellt, mittels der Muttern *m* auseinandergezogen, um die Zapfen *d* gedreht und so an den Schienenkopf gepreßt werden (Abb. 151). Der Druck jedes Zangenbackens auf die Schiene beträgt bei voller Belastung und einer Adhäsion von 0·15 mindestens 13.500 *kg*. Jede Zange vermag für sich allein den vollbelasteten Wagen auf der größten Neigung festzuhalten, u. zw. auch dann, wenn der Wagen schon eine Geschwindigkeit von 3 *m* erlangt haben sollte.

Der Vorgang bei der Bremsung ist folgender: Zunächst findet die Auslösung zweier Fallgewichte statt, u. zw. bei Bruch des Seiles selbsttätig, sonst aber vom Führerstand aus mittels eines Pedals. Die Wirkung dieser Fallgewichte besteht darin, daß ein auf jeder Radachse lose sitzendes Zahnrad mittels Friktionskupplung mit der ersteren fest verbunden wird. Damit nimmt dieses die drehende Bewegung der Laufräder an; sodann greift es in ein zweites, mit einer Schraubenwelle verbundenes Zahnrad ein und teilt damit die erhaltene Bewegung auch der Schraubenwelle mit. Diese Welle endigt beiderseitig in eine Schraube mit linkem und rechtem Gewinde, die die Bremskluppen gegen die Laufschienen drückt.

Die Treibkraft der Bremsung besteht daher in der Adhäsionskraft der beiden Laufräder auf den Schienen. Durch das Anziehen der Zangen und infolge der konischen Form des Schienenkopfs soll der Wagen, bzw. sollen die Radflächen auf die Schienenkopffläche gepreßt und die Adhäsionskraft vermehrt werden. An jedem Wagen werden 2 Paar Bremszangen in dieser Weise in Tätigkeit gesetzt. Eine dritte Bremsachse mit einem dritten Paar Bremszangen kann ebenfalls vom Führerstand aus mittels Handkurbel in Drehung gesetzt werden und gelangen dadurch die Bremsen in Wirksamkeit.

Die Baukosten der S. betrugen annähernd 1,500.000 Fr.

Die Bahn wird von etwa 40.000 Personen im Jahr benutzt. *Dietler.*

Stansstad-Engelberg-Bahn (Schweiz), 1898 eröffnete, 23 *km* lange, elektrisch betriebene Meterspurbahn, führt vom Vierwaldstättersee in das Alpental am Fuße des Titlis mit dem Luftkurort und dem Benediktinerkloster von Engelberg. Ihr Längenprofil enthält eine 1·5 *km* lange Zahnbahnstrecke nach System Riggenbach mit 250‰ Neigung. Der Betrieb geschieht mit Drehstrom von 750 Volt

Spannung und 32 Perioden, erzeugt in eigenem Kraftwerk von Obermatt. Die gesamten Baukosten betragen Ende 1915 3,319.226 Fr. oder 147.233 Fr. f. d. *km*. *Dietler.*

Starkstromanlagen zur Erzeugung von elektrischer Energie für Licht und Kraft, insbesondere für elektrische Eisenbahnen (s. d.). Bei den mit Dampf betriebenen Bahnen kommen S. für den Antrieb von Arbeitsmaschinen in Werkstätten (s. d.) für Drehscheiben (s. d.) und Schiebebühnen (s. d.), seltener für Stellwerkszwecke (s. Kraftstellwerke) in Betracht. Für Bauzwecke sind wiederholt, insbesondere bei den großen Tunnelbauten, eigene S. errichtet worden (s. die Art. über die einzelnen großen Tunnelbauten).

Station *(station; station; stazione)*, von dem Lateinischen „statio", eigentlich das Anhalten oder Stehenbleiben aus vorhergehender Bewegung, im Eisenbahnwesen außer dieser Bedeutung (z. B. „der Zug macht S. in . . .") in 2 übertragenen Bedeutungen:

1. Zur Bezeichnung von Teilpunkten einer abgesteckten Bahnlinie oder einer fertigen Eisenbahn, die, durch Längenmessung in regelmäßigen Abständen (z. B. alle 50 *m* oder alle 100 *m*) bestimmt, dazu dienen, um beim Bau, der Unterhaltung und dem Betrieb die Lage bemerkenswerter Punkte (z. B. Brücken, Planübergänge, Tunnel, Bahnhöfe, Eisenbahnunfälle) genau bezeichnen, auch die Neigungs- und Krümmungsverhältnisse angeben zu können. Die Einteilung der Strecke in solche S. nennt man Stationierung.

2. Zur Bezeichnung von Betriebsstellen der im Betrieb befindlichen Eisenbahnen, diese erfolgt in den verschiedenen Ländern nicht übereinstimmend:

Die deutsche BO. bestimmt in § 6, Abs. 2: „S. sind die Betriebsstellen, auf denen Züge des öffentlichen Verkehrs regelmäßig anhalten. S. mit mindestens einer Weiche für den öffentlichen Verkehr werden betriebstechnisch als Bahnhöfe, S. ohne solche Weichen als Haltepunkte bezeichnet." Nach der Begriffsbestimmung des Deutschen Reiches, die sich mehr an die Grundbedeutung des Wortes anlehnt, gehören also zu den S. auch die Haltepunkte, nach der österreichischen nicht. Nach dem schweizerischen „Allgemeinen Reglement über den Fahrdienst", Art. 42, gehören zu den S. zwar ebenso wie in Österreich nicht die Haltepunkte, aber auch die mit dem Namen „Blockstationen" benannten Teilpunkte für die Zugfolge auf freier Strecke, die in Deutschland als Blockstellen, in Österreich als Blockposten bezeichnet werden. *Cauer.*

Stationsblock s. Blockeinrichtungen und Stellwerke.

Stationsdienst *(station service; service de gare; servizio di stazione)*. Der Stations- oder Bahnhofsdienst umfaßt die zahlreichen Dienstverrichtungen auf den Bahnhöfen und Haltepunkten, die den Reisenden die Benutzung der Eisenbahnzüge ermöglichen und die Zu- und Abfuhr sowie die Verladung und Entladung der Güter vermitteln. Außerdem gehören der eigentliche Fahrdienst auf sämtlichen Betriebsstellen der Bahn, also die Bewegung der Fahrzeuge auf den Bahnhofsgleisen, die Zusammenstellung, Ausrüstung, Erwärmung, Beleuchtung und Auflösung der Züge, die Gestellung des Zugbegleitpersonals (s. d.), die Leitung der Zugfahrten innerhalb der Stationen, auf den anschließenden Streckenabschnitten und Anschlußgleisen (s. Betriebsdienst, Fahrdienstleitung u. Fahrdienstleiter), die Handhabung des Signal-, Stellwerks- und Telegraphendienstes (s. d.), die Verwaltung der für den S. erforderlichen Geräte und Betriebsstoffe, die Aufrechterhaltung der Ordnung und Reinlichkeit auf dem Bahnhof, dessen Vorplätzen und Zufuhrwegen, die Ausübung der Bahnpolizei (s. d.) sowie der Feuerlöschdienst und die Aufsicht über die Bahnhofwirtschaften (s. d.) zum S. Wo der Geschäftsumfang der einzelnen Dienstzweige es rechtfertigt, werden für diesen besondere Dienststellen errichtet, die dann der Dienststelle für den eigentlichen S. nebengeordnet sind. Dies gilt in erster Linie für den Güterverkehrsdienst, der bei größerem Umfang von den Güterabfertigungen oder Güterabfertigungsstellen (s. d.) selbständig wahrgenommen wird. Der Station oder dem Bahnhof verbleibt dann nur die Bereitstellung der Güterwagen an den Güterschuppen, Umladehallen und Freiladegleisen sowie die Abholung der Wagen (s. Bahnhofsbedienungsplan), während die Be- und Entladung der Wagen unter Aufsicht oder durch die Güterabfertigung, der auch die Berechnung und Einziehung der Frachtgelder obliegt, erfolgt. – In ähnlicher Weise wird je nach dem Geschäftsumfang auch der Kassendienst (s. Stationskassa), der Dienst der Fahrkartenausgabestellen, der Eilgut- und Gepäckabfertigungen und auf Stationen, auf denen Lokomotiven aufgestellt sind, auch der Lokomotivdienst, endlich auch der Wagenüberwachungs- und Reinigungsdienst vom eigentlichen S. abgetrennt und besonderen Dienststellen selbständig übertragen.

Für die Unterhaltung der Gleise, der Weichen, Stellwerks- und Signalanlagen sowie der Gebäude und der sonstigen Kunstbauten (s. Bahnunterhaltung), ferner für die Unterhaltung der

Betriebsmittel sind stets besondere, mit technisch vorgebildeten Beamten besetzte Dienststellen eingerichtet. Bei der großen Mannigfaltigkeit der Ausbildung der Bahnhöfe (s. d.) sind auch die dem S. zufallenden Aufgaben sehr verschieden nach Umfang und Art (s. Bahnhofvorstand). Soweit die Aufgaben nicht für den ganzen Bahnbereich gleichartige sind und durch die allgemeinen Vorschriften, insbesondere die Fahrdienstvorschriften (s. d.) geregelt werden (s. Betriebsdienst), werden sie zweckmäßig für jeden Bahnhof in einer Bahnhofdienstanweisung (s. d.) oder in einem Merkbuch zusammengestellt. *Breusing.*

Stationseinnehmer s. Stationskassa.

Stationsgebäude s. Empfangsgebäude.

Stationsgebühr. Unter dieser Bezeichnung stand bei den österreichischen Staatsbahnen 1906 bis 1909 eine Nebengebühr in Geltung, die als Entgelt für die bei der Auf- oder Abgabe von Gütersendungen in der Versand- oder Bestimmungsstation erwachsenden besonderen, nicht durch die Manipulationsgebühr und die sonstigen tarifmäßigen Nebengebühren gedeckten bahnseitigen Leistungen eingehoben wurde. Die S. war von der Länge des Beförderungsweges unabhängig und wurde, gleichviel ob nur die Aufgabe oder nur die Abgabe oder die Auf- und Abgabe in Stationen der österreichischen Staatsbahnen erfolgte, berechnet. Sie war nach Tarifklassen und Ausnahmetarifen abgestuft.

Die S. betrug für gewöhnliches Eilgut 12 h, ermäßigtes und besonders ermäßigtes Eilgut 8 h, für die Klassen I und II 8 h, für die Klassen A und B sowie den Spezialtarif 1 4 h, für die Klasse C und die Spezialtarife 2 und 3 (ausgenommen Düngemittel und Rohmaterialien zur Kunstdüngerfabrikation), ferner für Güter des Ausnahmetarifs I (ausgenommen mineralische Kohlen und Zuckerrüben) und des Ausnahmetarifs II (ausgenommen Scheideschlamm, Zuckerrübenabfälle, Rübenschnitze und Rübenschnitzabfälle der Zuckerfabrikation) 2 h für 100 *kg*. Für Düngemittel und Rohmaterialien zur Kunstdüngerfabrikation sowie für Zuckerrüben, Zuckerrübenabfälle, Rübenschnitze und Rübenschnitzabfälle der Zuckerfabrikation und für mineralische Kohlen wurde eine S. von nur 1 h für 100 *kg* eingehoben. Gänzlich befreit von der Einhebung der S. waren Sendungen, die mit direkten Frachtbriefen nach dem Zollausland befördert wurden oder für die ein nur nach dem Zollausland gültiger Frachtsatz Anwendung fand, ferner die Güter der Ausnahmetarife VI und VIII sowie die unter dem Titel „Besondere Bestimmungen für einzelne Stationen“ und „Überfuhrsgebühren“ zur Einhebung gelangenden Gebühren, Sendungen von Privatwagendecken, Ladegeräten, Wärme- und Kälteschutzmitteln und schließlich rückbeförderte Ausstellungsgüter und Ausstellungstiere. Außerdem wurde auch in zahlreichen, durch den Wettbewerb fremder Bahnlinien beeinflußten Verkehrsverbindungen von der Einhebung der S. Abstand genommen.

Die Einführung der S. wurde dadurch veranlaßt, daß sich die Verwaltung der österreichischen Staatsbahnen unvermittelt vor die Notwendigkeit gestellt sah, dem Personal bedeutende Zuwendungen zu machen und für den hieraus entfallenden Mehraufwand in kürzester Zeit die budgetäre Bedeckung zu finden.

Die Anwendung der S. stieß auf große Schwierigkeiten; waren schon die Bestimmungen über die Anwendung der S. sehr verwickelt, so gab die Unbestimmtheit der Leistung, für die sie als Entgelt eingehoben wurde, sowie der Umstand, daß ihre Verlautbarung lediglich im Kundmachungswege und nicht im Tarifwege erfolgt war, den Verfrächtern Anlaß, den Rechtsbestand der Gebühr – vielfach mit Erfolg – anzufechten. In den Reformgütertarif der österreichischen Staatsbahnen vom 1. Jänner 1910 wurde infolgedessen die S. nicht mehr als besondere Nebengebühr aufgenommen, sie wurde aber bei der Erstellung der neuen Manipulationsgebühren insofern berücksichtigt, als diese Gebühren im allgemeinen eine dem Ausmaß der S. entsprechende Erhöhung erfuhren. *Pichler.*

Stationsglocke *(station bell; cloche de la station; campana della stazione)*, eine am Stationsgebäude auf der Bahnsteigseite angebrachte Glocke, die in der ersten Zeit der Entwicklung des Eisenbahnwesens zur Bekanntgabe von Signalen an die Reisenden diente, die aber heute kaum noch verwendet wird. Früher, als die Regeln für die Handhabung des Fahrdienstes und für die Anlage und Absperrung der Bahnsteige nur unvollkommen ausgebildet waren, hielt man die S. für nötig, um die Reisenden auf die Annäherung eines Zuges aufmerksam zu machen, um ihnen den Zeitpunkt bekanntzugeben, von dem ab die Wagen bestiegen werden durften und von dem ab dies der bevorstehenden Abfahrt wegen verboten war. In der Regel bedeutete ein kurzes Läuten der S. und ein daran anschließender kräftiger Glockenschlag: die Abfahrt des Zuges naht, Erlaubnis zum Einsteigen; zwei Glockenschläge: Aufforderung zum Einsteigen; drei Glockenschläge: Abfahrt, Verbot des Einsteigens. Auch zur Bekanntgabe der Schalteröffnung oder zum Weckruf bei Feuersgefahr wurde die S. benutzt. Auf den deutschen Eisenbahnen ist die S. bei Einführung der Signalordnung vom 1. Januar 1893 und später auch in Österreich beseitigt worden, auf den englischen Eisenbahnen ist sie nie eingeführt gewesen. Wo heute noch ein Bedürfnis besteht, vor Gefahr zu warnen oder zum Einsteigen aufzufordern, geschieht dies durch Zuruf oder durch Läuten mit einer Handglocke. Da der mit der Handglocke ausgerüstete Bedienstete sich an die

Stelle begeben kann, an der die Reisenden gewarnt oder aufmerksam gemacht werden sollen, neben dem Läuten mit der Glocke auch jederzeit Zurufe möglich sind, so wird hierdurch der beabsichtigte Zweck besser erreicht als durch den Gebrauch der S.

Breusing.

Stationskassa, Dienststelle zur Besorgung der auf der Station vorkommenden Bargeldgeschäfte und Kreditierungen. Ihr obliegt unmittelbar oder durch Vermittlung der Abfertigungskassen die Einziehung von Geldern aus dem Personen-, Gepäck- und Güterverkehr sowie sonstiger Einnahmen, zu deren Einhebung sie beauftragt ist (Telegraphengebühren, Wagen- und Lagergelder, Deckenmiete), die Verrechnung und Ablieferung der Einnahmenüberschüsse an die übergeordnete Kassa (Direktionskassa, Hauptkassa) sowie die Ausführung der auf der Station vorkommenden Zahlungen (Nachnahmen, Parteiguthaben, Entschädigungen, Frankaturdepositen, Gehalte und Löhne, Frankaturen, Fakturen). Auf Stationen mit schwächerem Verkehr sind die S. und die Abfertigungskassen in der Hand des Stationsvorstehers oder des Expeditionsvorstehers vereinigt oder es wird die S. von dem Leiter einer einzelnen Abfertigungskasse geführt. Auf größeren Stationen sind die Abfertigungskassen für Personengepäck und Güter sowie die S. vollkommen selbständige Kassastellen unter besonderen Einnehmern. Es kommt auch vor, daß die Einnahmen kleinerer Stationen in die S. einer benachbarten größeren Station abgeführt werden.

Stationsläutewerk s. Läutewerke.

Stationsnamen. Die Eisenbahnstationen werden nach den Orten benannt, in denen sie liegen und deren Verkehr sie vermitteln. Die S. bilden mit den Stationsentfernungen die erste Grundlage für die Herausgabe der Fahrpläne, die Veröffentlichung der Tarife und überhaupt für die gesamte Darstellung und Abwicklung des Betriebs- und Verkehrsdienstes. Kurze S. sind die besten, weil sie ganz außerordentlich oft gedruckt, geschrieben, telegraphiert und ausgesprochen werden. Die Anwendung von Doppelnamen und sonstiger Zusätze sollte auf die unbedingt nötigen Fälle beschränkt und nur zugelassen werden, wenn es zur Vermeidung von Verwechslungen nicht zu vermeiden ist. Die Durchführung dieser Grundsätze ist in der Regel dem Ermessen der Eisenbahnverwaltungen überlassen. Es bestehen darüber weder Anordnungen der Aufsichtsbehörden, noch Vereinbarungen unter den Eisenbahnverwaltungen. In Österreich ist es vielfach üblich, nebst dem deutschen S. auch den in der Landessprache anzubringen. Doppelnamen sind nur zu wählen, wenn sie zur Unterscheidung von bereits bestehenden Stationen unvermeidlich sind. Für die Schweiz ist die Festsetzung der S. durch Bundesratsbeschluß vom 11. Februar 1874 geregelt. Schweizerische Eisenbahnstationen, die in der Nähe mehrerer Ortschaften liegen, sind für den Fall, daß die Station weder in das eine noch in das andere Dorf zu liegen kommt, nach beiden Gemeinden zu benennen. Wird infolge der Bodenbeschaffenheit ein bedeutender Ort von der Bahnlinie nicht erreicht, liegt daher die Station an einer Gemeinde von geringerer Bedeutung, so wird diese als natürliche und wirkliche Station zuerst genannt und der Name des Hauptortes angefügt. Wenn die Station aber im Bereich einer großen zusammenhängenden Ortschaft liegt, soll sie ausschließlich den Namen derselben erhalten, ohne Rücksicht auf die Gemeinden, die auf die gleiche Station angewiesen sind. Nach ähnlichen Gesichtspunkten wird in den übrigen Ländern verfahren. In den meisten Fällen wird man mit der Benennung der Station nach dem Namen der wichtigeren Gemeinde auch dann auskommen, wenn die Stationsanlagen über das Gebiet mehrerer Gemeinden sich erstrecken. Die kleineren Gemeinden wünschen in solchen Fällen meistens bei Festsetzung des S. berücksichtigt zu werden, während die Eisenbahnverwaltung aus den angegebenen Gründen auf einfache und kurze Ausdrucksweise drängt. Aus gleichem Grunde muß sie den Bestrebungen entgegentreten, die darauf gerichtet sind, durch Zusätze zum Ortsnamen, wie dies besonders bei Badeorten üblich geworden ist, zum Bekanntwerden oder zur Weiterverbreitung des Rufes der Orte beizutragen. Liegen mehrere Bahnhöfe innerhalb derselben Gemeinde, so muß jeder einen besonderen S. erhalten; dabei sind dann Zusätze unvermeidlich. Für ihre Wahl bietet die Lage nach der Himmelsrichtung, die Unterscheidung nach Hauptbahnhof (Hbf.) und Rangierbahnhof, Güterbahnhof, Abstellbahnhof, ferner nach besonderen Stadtteilen oder Ortsteilen einen Anhaltspunkt. Liegen mehrere Stationen in einer Gemeinde an verschiedenen Bahnstrecken, so werden sie durch Zusätze, die auf die Eigentumsbahn, auf die Verwaltungsbezirke oder auf Stadt- und Gemeindeteile oder ebenfalls auf die Himmelsrichtungen hinweisen, unterschieden. In allen Fällen ist aber auf möglichste Kürze, nötigenfalls unter Anwendung von im Sprachgebrauch üblichen Abkürzungen (s. d.) Bedacht zu nehmen. Angaben in den Kursbüchern, wie Berlin Anh. Bf., Wien Südbf., Dresden Hbf., Dresden Neustadt, Leipzig Bayer. Bf., Calais

Hafenbf., Calais Stadtbf., sind bezeichnend und für jedermann verständlich.

Obwohl durch deutliche S. Verwechslungen vermieden werden, so sind doch zu diesem Zweck noch weitere Maßnahmen erforderlich. Zunächst müssen die Unterscheidungsmerkmale gleich- oder ähnlich lautender S. in möglichst weitgehender Weise bekanntgegeben werden. Hierzu dienen außer den von den Eisenbahnverwaltungen herausgegebenen Ortsverzeichnissen die besonderen Verzeichnisse der Eisenbahnstationen mit gleichlautenden oder ähnlichen Namensbezeichnungen. Sie werden sowohl von einzelnen Eisenbahnverbänden als auch von größeren Verwaltungsbezirken herausgegeben. So enthält die Kundmachung 1 des DEVV. für den Bereich dieses Verbandes ein solches Verzeichnis, das in ähnlicher Weise auch der VDEV. für sein Gebiet herausgibt.

Für die Unterweisung der Reisenden und Erleichterung der Zugabfertigung ist die deutliche Anbringung der S. und bei Dunkelheit ihre gute Beleuchtung sehr wichtig. Für Deutschland ist deshalb durch § 26 (1) der BO. vorgeschrieben: „Auf den dem Personenverkehr dienenden Stationen ist der Name in einer den Reisenden ins Auge fallenden Weise anzubringen." Ein gleiches bestimmt die österreichische Verordnung vom 10. Oktober 1874, der Art. 64 der niederländischen Verordnung vom 28. Oktober 1889 und die französische Verordnung vom 17. September 1863. Im Bezirk der preußischen Staatsbahnen erfolgt die Durchführung dieser Bestimmungen auf Grund einer besonderen Dienstanweisung, der „Vorschriften betreffend die Anbringung von Stationsnamen und der Hinweise für das Zurechtfinden der Reisenden auf den Stationen", denen als Anhang der Ministerialerlaß vom 25. Dezember 1910 betreffend „Grundsätze für die einheitliche Schreibweise von Stationsnamen und politischen Ortsnamen" beigefügt ist. Die hierdurch erzielte einheitliche Anbringung der S. trägt wesentlich zum Erfolg der Maßnahmen bei.

Über das Ausrufen der S. durch die Schaffner bei Ankunft der Personenzüge s. Ausrufen der Stationsnamen. *Breusing.*

Stationssignal s. Signalwesen.

Stationstarif s. Gütertarif.

Stationstelegraphen s. Telegraph.

Stationsuhr s. Uhren.

Stationsvorsteher s. Bahnhofvorstand.

Stationszettel s. Beklebezettel.

Statistik der Eisenbahnen ist die zahlenmäßige Darstellung von Massenbeobachtungen bestimmter Erscheinungen des Eisenbahnwesens zu dem Zweck, um durch Vergleichung der gewonnenen Zahlen gesetzmäßige Erfahrungen in bezug auf die beobachteten Erscheinungen abzuleiten. Die S. erstreckt sich nahezu auf alle Zweige des Eisenbahnwesens. Schon die Anlage neuer Eisenbahnlinien und ihre wirtschaftlichen Bestimmungsgründe erfordern statistische Unterlagen und Untersuchungen über das Verkehrsbedürfnis, die zu erwartende Größe des Güter- und Personenverkehrs, über die Anlagekosten u. dgl.

Gegenstände der S. sind insbesondere: die Längen der Eisenbahnen, die technische Ausstattung, die Anlage- und Erneuerungskosten, die Verzinsung des Anlagekapitals, die Zahl, Beschaffenheit, Kosten und Leistungen der Fahrbetriebsmittel, die Unfälle, die Betriebskosten und ihre Verteilung nach Dienstzweigen, der Personen- und Güterverkehr, die Güterbewegung, die Roh- und Reinerträge aus den verschiedenen Verkehrszweigen, die Betriebszahl, die Zahl und Besoldung der Bediensteten, ihre Krankheits- und Sterblichkeitsverhältnisse u. s. w., die Verhältnisse der Versorgungs-, Kranken- und Unterstützungskassen. Die Angaben sind meist getrennt für öffentliche und nicht dem öffentlichen Verkehr dienende Bahnen, für Hauptbahnen, Nebenbahnen und Kleinbahnen, für voll- und schmalspurige Bahnen u. s. w.

Die statistischen Angaben haben meist die Form von Tabellen, die öfters durch bildliche Darstellungen erläutert werden.

In der S. werden teils die absoluten, teils die auf gewisse Einheiten zurückgeführten Zahlen angegeben (Bahn-, Zug-, Wagen-, Achs-, Lokomotiv-, Personen-, Güter*tkm* u. s. w.).

In einzelnen Ländern werden die statistischen Tabellen besonders erläutert oder den Zahlentafeln wird ein eigener Text beigegeben (z. B. in dem preußischen Betriebsbericht, in der vom Bundesverkehrsamt herausgegebenen S. der Vereinigten Staaten von Amerika).

Es gibt kaum ein Gebiet der Volkswirtschaft, auf dem so viel und mit einem verhältnismäßig so guten Erfolg mit Statistik gearbeitet wird wie das Eisenbahnwesen. Da sehr viele Statistiken Aufzeichnungen von den ersten Anfängen der Eisenbahnen enthalten, so läßt sich ihre Entwicklung fortlaufend verfolgen und es läßt sich beurteilen, ob und wie sich einzelne Maßnahmen bewährt haben. Ferner bietet die vergleichende Statistik verschiedener Länder Anhaltspunkte zur Beurteilung ihrer Eisenbahnverhältnisse. In dieser Beziehung muß aber mit Vorsicht verfahren werden, da die statistischen Unterlagen und die statistischen Grundbegriffe nicht immer dieselben sind. So ist z. B. der Vergleich der Dichtigkeit des Personen- und Güterverkehrs der deutschen, amerikanischen und anderer Bahnen mit den englischen Eisenbahnen nicht möglich, weil die englischen Eisenbahnen die Personen*km* und die Güter*tkm* nicht veröffentlichen. Der Vergleich der Unfallszahlen wird dadurch erschwert oder vereitelt, daß der Begriff des Unfalls in den verschiedenen Ländern nicht derselbe ist.

Mit Rücksicht auf die Bedeutung der allgemeinen S. pflegen die Staatsregierungen selbst die Ausarbeitung und periodische Veröffentlichung zu veranlassen oder zu beaufsichtigen. Zu diesem Behuf sind die einzelnen Bahnverwaltungen meist gehalten, die erforderlichen, ihre Linien betreffenden statistischen Zahlen der die Sichtung und Veröffentlichung besorgenden Behörde vorzulegen. Die allgemeine S. genügt oft nicht, um zuverlässige Unterlagen für einzelne Maßnahmen, z. B. Veränderung der Tarife, zu gewinnen. Hier werden dann besondere statistische Ermittlungen veranstaltet. Auch darüber, ob sich solche Maßnahmen bewährt haben, werden häufig besondere statistische Aufzeichnungen angeordnet.

In fast allen Ländern mit einigermaßen entwickeltem Eisenbahnnetz werden jetzt S. aufgestellt und entweder jährlich oder in längeren Zwischenräumen veröffentlicht[1]. Die wichtigsten dieser Statistiken sind die folgenden:

Deutsches Reich. Statistik der im Betrieb befindlichen Eisenbahnen Deutschlands nach den Angaben der Eisenbahnverwaltungen, bearbeitet im Reichseisenbahnamt seit 1880.

Der Stoff dieser S. ist in folgender Weise angeordnet:

Erste Abteilung.

Mitteilungen über die dem öffentlichen Verkehr dienenden Eisenbahnen mit normaler Spurweite.

Abschnitt I. Übersicht.

Verzeichnis der Eisenbahnen mit normaler Spurweite; Zusammenstellung der normalspurigen Eisenbahnen untergeordneter Bedeutung mit Angabe ihrer charakteristischen Merkmale.

Abschnitt II. Ausdehnung der Eisenbahnen.

Abschnitt III. Bauliche Anlagen.

A. Bestand der Bahnanlagen.

B. Unterhaltung und Erneuerung der Bahnanlagen.

Abschnitt IV. Betriebsmittel.

A. Bestand und Beschaffungskosten der Betriebsmittel.

B. Leistungen der Betriebsmittel.

C. Aufwendungen für die Leistungen und für die Unterhaltung der Betriebsmittel.

Abschnitt V. Verkehr.

Personen- und Güterverkehr.

Abschnitt VI. Finanzen.

Baukosten und verwendetes Anlagekapital; Stand des konzessionierten Anlagekapitals der Privatbahnen; Betriebseinnahmen und -ausgaben; Betriebsüberschuß und dessen Verwendung; Erneuerungs- und Reservefonds.

Abschnitt VII. Beamte und Arbeiter.

Anzahl und Gehaltsverhältnisse der Beamten und Arbeiter; Hilfskassen für Beamte und Arbeiter.

Abschnitt VIII. Unfälle.

Unfälle beim Eisenbahnbetrieb (mit Ausschluß der Werkstätten); Nachweisung der infolge von Verunglückungen geleisteten Zahlungen.

Zweite Abteilung.

Mitteilungen über die dem öffentlichen Verkehr dienenden schmalspurigen Eisenbahnen.

Dritte Abteilung.

Mitteilungen über die nicht dem öffentlichen Verkehr dienenden Anschlußbahnen.

Übersichtskarte der Eisenbahnen unter Zugrundelegung der Eigentumslängen.

In einzelnen Jahrgängen, besonders im ersten Jahrgang 1880/81, sind auch Notizen über Entstehung und Entwicklung der einzelnen Bahnen sowie eine Übersicht der Betriebseröffnungen der normalspurigen Eisenbahnen Deutschlands enthalten. Da die deutschen Eisenbahnen ein neues Buchungsformular infolge der Umgestaltung der Verwaltung und des Rechnungswesens der preußischen und der meisten übrigen deutschen Eisenbahnverwaltungen angenommen haben, sind seit 1898 (Bd. XIX) einige Änderungen in den statistischen Tabellen vorgenommen, worüber die Vorbemerkung zu Bd. XIX das Nähere enthält. Vom Jahrgang 1898 an ist hierauf bei Vergleichen mit älteren Jahrgängen Rücksicht zu nehmen.

Besondere Statistiken, unter Umständen mit Text und unter Erweiterung des Inhalts, werden außerdem veröffentlicht für die preußisch-hessischen Eisenbahnen (sog. Betriebsbericht), die bayerischen, sächsischen, württembergischen, die badischen und mecklenburgischen sowie die oldenburgischen Staatsbahnen und viele der wichtigeren Privatbahnen.

Eine eigenartige S. ist die Statistik der Güterbewegung auf den deutschen Eisenbahnen. Eine solche wurde schon 1861 vom VDEV. geplant, 1863 beschäftigte sich der internationale statistische Kongreß in Budapest mit der Frage, ohne zu einem Ergebnis zu kommen, und der VDEV. nahm sie darauf wieder in die Hand, verfolgte sie aber nicht weiter, als 1873 ermittelt war, daß die Kosten sich auf etwa 400.000 Taler jährlich stellen würden. Nach Verstaatlichung der ersten großen preußischen Eisenbahnen wurden vom preußischen Minister der öffentlichen Arbeiten neue

[1] Während des Weltkriegs war die Aufstellung und Veröffentlichung der S. in vielen Staaten teils eingestellt, teils wesentlich eingeschränkt. Die S. der Kriegsjahre werden aber, soweit auch solche vorliegen, bei der gänzlichen Neugestaltung der wirtschaftlichen Zustände durch den Krieg für Vergleiche kaum verwertbar sein.

Erhebungen angestellt und durch Erlaß vom 22. September 1882 die Aufstellung einer solchen Statistik zunächst für die preußischen Staatsbahnen und die Reichseisenbahnen angeordnet. Nach und nach haben sich alle deutschen Bahnen angeschlossen. Seit dem 1. Januar 1909 wird eine Statistik über den Verkehr auf den deutschen Wasserstraßen nach denselben Grundsätzen aufgestellt. Die Herausgabe der Statistik erfolgt seitdem alljährlich (anfangs wurde sie in kürzeren Zwischenräumen herausgegeben) durch das kaiserliche statistische Amt. Die Statistik gibt Aufschluß über die Güterbewegung (Versand, Empfang, Ausfuhr, Einfuhr, Durchfuhr) im Deutschen Reich, das in 37 Verkehrsbezirke eingeteilt ist, und mit dem Ausland (15 Verkehrsbezirke). Die Güter sind in Gruppen eingeteilt. Mengen unter 500 *kg* werden nicht angeschrieben.

Eine Statistik der deutschen Kleinbahnen wird seit 1902 vom preußischen Ministerium der öffentlichen Arbeiten zusammen mit dem Verein deutscher Straßen- und Kleinbahnverwaltungen aufgestellt und als Ergänzungsheft der Zeitschrift für Kleinbahnen herausgegeben.

Über die Entwicklung der preußisch-hessischen Eisenbahnen in den Jahrzehnten 1891 bis 1900 und 1901—1910 hat der Minister der öffentlichen Arbeiten besondere Berichte mit reichem statistischen Inhalt an den König erstattet (Zehnjahresberichte), die durch den Druck veröffentlicht und damit allgemein zugänglich gemacht sind.

Österreich-Ungarn. Statistische Nachrichten über die Eisenbahnen der österreichisch-ungarischen Monarchie, bearbeitet und herausgegeben vom statistischen Departement im Handelsministerium in Wien und vom ungarischen statistischen Landesbureau in Budapest; seit einigen Jahren wird die österreichische und die ungarische Statistik besonders herausgegeben.

Schweiz. Schweizerische Eisenbahnstatistik, veröffentlicht vom schweizerischen Post- und Eisenbahndepartement.

Italien. Relazione dell' amministrazione delle ferrovie esercitate dallo stato (früher anderer Titel).

Frankreich. Statistique des chemins de fer français; Documents principaux; ferner Chemins de fer français: France européenne et Algérie, Documents statistiques, I. partie, Lignes d'intérêt général, II. partie, Lignes d'intérêt local; weiters gibt der Minister der öffentlichen Arbeiten von Zeit zu Zeit ein Album de statistique graphique heraus, in dem den Eisenbahnen ein hervorragender Platz eingeräumt ist. Außerdem veröffentlichen die Staatsbahnen und jede der 5 großen Eisenbahngesellschaften jährlich Berichte, hauptsächlich über die finanziellen Ergebnisse.

Belgien. Chemins de fer (Postes, Télegraphes, Marine), Compte rendu des opérations. Partie *A*, chemins de fer, veröffentlicht vom Ministère des chemins de fer, postes et télégraphes.

England. Railway-returns for England and Wales, Scotland and Ireland, herausgegeben vom Board of Trade. Ferner General report to the Board of Trade in regard to the share and loan capital, traffic in passengers and goods and the working expenditures and net profits from Railway working of the Railway Companies of the United Kingdom. Außerdem veröffentlicht das Board of Trade noch besonders die Statistik der Unfälle (Accidents), des Kapitals (Share and loan capital), der durchgehenden Bremsen (Continous brakes) u. s. w. Sorgfältige Statistiken werden auch über die Eisenbahnen der englischen Kolonien herausgegeben: Indien, die australischen Kolonien, Ägypten, Südafrika, Kanada. Ein sehr abfälliges Urteil über die englische Eisenbahnstatistik wird abgegeben von Acworth in einer Abhandlung: English Railway Statistics in Journal of the Royal Statistical Society, Bd. LXV, Teil IV (31. Dezember 1902).

Dänemark. Beretning om driften für die dänischen Staatsbahnen.

Rußland. Statistik des Ministeriums der Verkehrsanstalten (in russischer Sprache).

Norwegen. Norges officielle Statistik. De offentlige Jernbaner.

Schweden. Allmän svensk jernvägsstatistik.

Spanien. Situación de los ferrocarriles (nicht regelmäßig).

Niederlande. Eisenbahnstatistik, herausgegeben vom Ministerium für Wasserbau, Handel und Gewerbe.

Portugal (nicht regelmäßig).

Vereinigte Staaten von Amerika. Statistics of Railways in the United States of America, herausgegeben von der Interstate Commerce Commission, Washington, seit 1888 jährlich. Die Grundsätze, nach denen diese Statistik aufgestellt wird, sind wiederholt geändert, was bei Vergleichen zu beachten ist. Die Änderungen werden in dem einleitenden Kapitel begründet. Früher schöpfte man die statistischen Nachrichten aus Poors Manual of the Railroads, einer Privatarbeit auf Grund der Angaben der Eisenbahnverwaltungen.

Von den übrigen amerikanischen Staaten werden Statistiken, z. T. nicht regelmäßig, veröffentlicht von Mexico, Argentinien, Brasilien, Chili.

Von den asiatischen selbständigen Staaten geben Japan und Siam S. heraus.

Von den besonderen statistischen Zusammenstellungen der Bahnverbände sind die des VDEV. hervorzuheben: Statistische Nachrichten von den Eisenbahnen des VDEV., herausgegeben von der geschäftsführenden Verwaltung des Vereins seit dem Jahre 1851; Statistik der Dienstunfähigkeits- und Sterbensverhältnisse der Beamten der Vereinsbahnen (seit 1890 Weiterführung aufgegeben); Statistische Nachrichten über die Erkrankungsverhältnisse der Beamten der Vereinsbahnen; Statistik der Achsbrüche und Achsanbrüche auf den Vereinsbahnen; Statistik der Radreifenbrüche und über die Dauer der Schienen auf den Vereinsbahnen; statistische Nachrichten über die Ergebnisse des Verkehrs auf zusammenstellbare Fahrscheinhefte u. a.

Der internationale statistische Kongreß hat sich wiederholt, so zu Paris im Jahre 1855, im Jahre 1860 in London, 1863 in Berlin und 1872 in St. Petersburg mit der Frage beschäftigt, in welcher Weise das nicht allein für die Eisenbahnen, sondern auch für den Welthandel wichtige Ziel einer auf gleichen Grundsätzen aufgebauten internationalen S. erreicht werden könne.

Der Kongreß beschloß im Jahre 1876 zu Budapest, die Feststellung der Formulare für die internationale S. einer besonderen Kommission von Fachmännern zu überlassen, die unter dem Vorsitz des Hofrats im österreichischen Handelsministerium, Professor Hugo Brachelli, 1877 – 1881 ein 9 Tabellen und 288 Kolonnen umfassendes Formular feststellte, wobei sie sich auf solche Tatsachen zu beschränken suchte, die die Mehrzahl der Eisenbahnen zu liefern in der Lage sind, ohne die üblichen statistischen Aufzeichnungen wesentlich zu ändern.

Die erste und bisher einzige derartige S. (Statistik der europäischen Eisenbahnen) ist im Jahre 1885 für das Jahr 1882 erschienen.

Seitdem ist die Frage wiederholt auf Kongressen, besonders aber von dem Zentralamt für internationalen Eisenbahntransport in Bern wieder aufgenommen. Bei Gelegenheit der Revisionskonferenz im Jahre 1905 wurde auf Grund eines russischen Antrags zu Art. 57 des IÜ. erneut darüber verhandelt. Auch auf dem internationalen Eisenbahnkongreß im Jahre 1910 stand die Frage auf der Tagesordnung. Es ist aber über Anregungen und einzelne Vorarbeiten nicht herausgekommen.

Von den Statistiken aller Länder werden regelmäßig Auszüge im Archiv für Eisenbahnwesen veröffentlicht.

v. der Leyen.

Staubsaugevorrichtungen zur Reinigung von Räumen oder des Innern der Personenwagen werden auch vielfach im Eisenbahnbetrieb verwendet. Zur Reinigung der Wagen auf größeren Stationen oder in Werkstättenanlagen werden auch bewegliche S. benutzt, die durch Anschluß an elektrische Leitungen in Betrieb gesetzt werden.

Wo in Arbeitsräumen, wie in Sägehäusern oder Holzbearbeitungswerkstätten, starke, die Gesundheit der Arbeiter schädigende Staubentwicklung eintritt, wird in der Regel eine Späneabsaugung eingerichtet (s. hierüber unter Werkstätten).

St. Clair-Tunnel s. Tunnelbau.

Stechviehwagen s. Borstenviehwagen.

Stehbolzen s. Dampfkessel.

Stehkessel s. Dampfkessel.

Steife Achsen s. Lenkachsen.

Steifkuppeln s. Drehschemelwagen und Kuppelungen.

Steigungs- (Neigungs-) Widerstand s. Zugwiderstände.

Steilbahnen s. Bergbahnen, Gebirgsbahnen, Seilbahnen, Zahnbahnen.

Steinbrechmaschinen s. Bettung.

Steinbrücken (*stone bridges; ponts en maçonnerie; ponti in pietra*). Brücken, deren zwischen den Widerlagern oder zwischen Pfeilern gebildete Öffnungen mittels gewölbter Bogen aus Quader-, Bruchstein- oder Ziegelmauerwerk überspannt sind. Die auch hierher gehörenden Brücken mit Bogen aus Stampfmauerwerk werden gesondert unter Betonbrücken besprochen.

Die ersten Ausführungen von S. sind mit den Anfängen der Brückenbaukunst verknüpft. Die vorrömischen Völker kannten nur die Überdeckung kleinerer Öffnungen mit Steinbalken oder Platten nach Art unserer heutigen Plattendurchlässe oder mittels ausgekragter Steine. Erst bei den Römern gelangte der Gewölbebau in zahlreichen Aquädukten, Strom- und Talbrücken zu hoher Entwicklung. Diese römischen Brücken sind ausschließlich im Halbkreis aus Hausteinen gewölbt mit kurzen, dicken, stromauf- und -abwärts zugeschärften Pfeilern, die auf großen Steinwürfen, z. T. auch schon auf Beton zwischen Pfahlwänden gegründet sind. Die Fahrbahn ist in der Regel gegen die Brückenmitte stark ansteigend, um die nötige Höhe für den vollen Bogen zu gewinnen.

Die aus dem Mittelalter stammenden S., von denen noch manche bis heute erhalten sind, zeigen noch die massigen Verhältnisse und den großen Baustoffaufwand, aber nicht die gleiche Vollkommenheit in der Ausführung des Mauerwerks wie die römischen Brücken. Der volle Halbkreisbogen wird aber schon vielfach verlassen und der Segment- und auch schon der Korbbogen angewandt. Jedoch erst in der zweiten Hälfte des 18. Jahrhunderts sind Ansätze zu einer Fortentwicklung und wissenschaftlichen Ausgestaltung des Steinbrückenbaues wahrzunehmen, und man kann wohl sagen, daß davon die Tätigkeit des Bauingenieurs ihren Ausgang genommen hat. Insbesondere konnte Frankreich und England schon zu Anfang des 19. Jahrhunderts auf zahlreiche bemerkenswerte Ausführungen von S. hinweisen. Der vor etwa 5 Jahrzehnten mächtig zum Aufschwung kommende Eisenbrückenbau drängte zwar den Bau der S. eine Zeitlang wieder etwas in den Hintergrund. In neuerer Zeit erkannte man aber die großen Vorzüge des Steinbaues und richtete das Bestreben darauf, den Gewölbebau durch technisch richtige Ausbildung sparsamer und wirtschaftlicher zu gestalten. Damit wurde der Erfolg erzielt, daß die S. unter Umständen heute mit Eisenbrücken in Wettbewerb treten können, ja daß man geneigt ist, ihnen mit Rücksicht auf ihre zweifellos längere Dauer und auf ihre einfachere Überwachung wieder ein größeres Feld einzuräumen. Für Eisenbahnbrücken spielt auch das wichtige Moment mit, daß S. eine Zunahme der Verkehrslasten ohne merkliche Einbuße an ihrer Sicherheit vertragen und daher in diesem Fall nicht, so wie Eisenbrücken, einer nachträglichen Verstärkung bedürfen.

Hinsichtlich der Spannweite ist den S. allerdings eine engere Grenze gesteckt als den Brücken mit eisernem Überbau, u. zw. sowohl durch die Ausführungsschwierigkeiten sehr weit gespannter Gewölbe wie auch durch die mit zunehmender Spannweite ganz bedeutend anwachsenden Kosten, die durch die Widerlager, insbesondere aber durch das erforderliche Lehrgerüst bedingt sind. Die wirtschaftliche und technisch vervollkommnete Ausbildung des neuzeitlichen Steinbrückenbaues hat aber diese Grenze erweitert. Während noch vor wenig Jahren S. mit mehr als 60 *m* Spannweite nur ganz vereinzelt bestanden, hat die Zahl großer gewölbter Brücken, von den Betonbrücken abgesehen, im letzten Jahrzehnt erheblich zugenommen. Nachstehende Zusammenstellung (auf S. 155) enthält die Hauptabmessungen und Kosten einiger der größten S.

Mit der Fortentwicklung des Baues der S. hat auch die Ausbildung der Theorie in der Neuzeit Schritt gehalten. Der heutige Standpunkt kennzeichnet sich dahin, daß das Gewölbemauerwerk, ob es nun regelmäßig gefugt ist oder aus einer mehr weniger gleichartigen Masse (Stampfbeton) besteht, als elastisch anzusehen und daß sonach auf das Gewölbe die Theorie des elastischen Bogens unter bestimmten Voraussetzungen anzuwenden ist (s. Bogenträger). Beobachtungen und Versuche an ausgeführten Bauwerken, insbesondere die 1892 – 1893 vom Österreichischen Ingenieur- und Architekten-Verein durchgeführten Bruchversuche mit Gewölben von 23 *m* Spannweite aus Bruchstein-, Ziegel- und Stampfmauerwerk haben diese Anschauung bekräftigt.

Form und Stärke der Brückengewölbe. Während man früher fast ausschließlich nur den Halbkreis- oder Kreissegmentbogen, zuweilen bei flachen Gewölben aus Schönheitsrücksichten auch den Korb- oder elliptischen Bogen, bei hohen Pfeilern auch den überhöhten elliptischen Bogen zur Anwendung brachte, ist man jetzt bemüht, dem Gewölbe eine solche Form zu geben, bei der es mit der geringsten Stärke ausgeführt werden kann. Dies ist dann der Fall, wenn die Bogenachse mit der Stützlinie, d. i. der Mittelkraftlinie der Belastung, zusammenfällt, da dann alle Querschnitte gleichmäßig verteilte Pressung erfahren. Nun wechselt aber die Stützlinie mit der Verkehrslaststellung und es ist daher die Mittellage aller möglichen Stützlinien für die Form der Bogenachse maßgebend. Diese wird annähernd bei Vollbelastung der Spannweite mit der halben Größe der gleichmäßig verteilt angenommenen Verkehrslast erhalten. Ist ein Gewölbe mit gegebener Lage der Kämpfer und des Scheitels zu entwerfen, so wird man zunächst die Gewölbestärke nach den später gegebenen Regeln annehmen und kann damit die Eigengewichtslast (Gewölbe samt Brückenbahn) im Scheitel g_0 und über den Kämpfern g_1 berechnen. Als gleichmäßig verteilte Verkehrslast in *t* f. d. m^2 kann angenommen werden:

für Hauptbahnbrücken $p = \left(5 + \frac{30}{l}\right) \frac{1 + u}{2 \cdot 5 + 4u}$

für Straßenbrücken $p = \left(0 \cdot 5 + \frac{a}{l}\right) \frac{1 + u}{0 \cdot 2 + 3u}$

worin für leichte, mittelschwere und schwere Fuhrwerke $a = 4$, 10, 20 zu setzen ist. l bezeichnet die Spannweite, u die Überschüttungshöhe im Scheitel.

Die Form der Bogenachse bestimmt sich damit, wenn x und y die auf den Scheitel bezogenen Koordinaten sind und f die Pfeilhöhe bezeichnet, annähernd aus der Gleichung

$$y = \frac{8f}{5g_0 + g_1 - 3p}\left[3\left(g_0 - \frac{1}{2}p\right) + 2\left(g_1 - g_0\right)\frac{x^2}{l^2}\right]\frac{x^2}{l^2}$$

Bauwerk	Zeit der Erbauung	Ausführungsart der Gewölbe	Abmessungen der Hauptöffnung in *m*				Kosten in K			
			Spannweite	Pfeilhöhe	Gewölbestärke		insgesamt	für 1 m^2 Ansichtumgrenzungsfläche[1]	für 1 m^2 Grundfläche	für 1 m^2 Ansicht auf 1 *m* Tiefe
					Scheitel	Kämpfer				
Eisenbahnbrücken:										
Gour-Noir-Viadukt, Eisenbahn Limoges-Brives	1888 – 1889	Granit-Schichtmauerwerk	64·9	16·1	1·70	4·20	316.200	146	575	29
Pruthbrücke bei Jaremcze (Galizien), österr. Staatsbahnen	1892 – 1894	Quader	65·0	16·2	2·10	3·10	169.900	83	230	18
Gutachbrücke, Schwarzwaldbahn	1899 – 1900	Schichtmauerwerk in Ringen, Vogesensandstein	64·0	16·1	2·00	2·80	514.188	283	668	52
Schwändelholzbrücke, Schwarzwaldbahn	1899 – 1900	Schichtmauerwerk in Ringen, Vogesensandstein	57·0	14·25	1·80	2·60	406.300	280	621	51
Addabrücke bei Morbegno, Linie Tirano-Colico	1902 – 1903	Granit-Schichtmauerwerk, 3 Stahlgelenke[2]	70·0	10·0	1·50	2·20	–	–	–	–
Isonzobrücke bei Salcano (Görz), österr. Staatsbahnen, Wocheinerbahn	1905 – 1906	Kalksteinquader	85·0	21·8	2·10	3·50	921.523[3] 167.676[4]	388 88	2100 298	84 19
Steyerlingbrücke, österr. Staatsbahnen, Pyhrnbahn	1903 – 1904	Granitquader	70·0	15·7	2·00	3·40	440.154	243	863	48
Schalchgrabenbrücke, österr. Staatsbahnen, Pyhrnbahn	1903 – 1904	Granitquader	52·0	15·0	1·70	2·70	275.442	210	580	42
Viadukt bei Wiesen, Schmalspurbahn Davos-Filisur	1907 – 1908	Betonsteine in 3 Ringen	55·0	33·34	1·80	3·01	–	–		–
Talbrücke bei Langenbrand, neue Schwarzwaldbahn	1907 – 1908	Granitquader	59·0	–	1·80	2·60	–		–	–
Straßenbrücken:										
Talbrücke la Petrusse bei Luxemburg	1899 – 1903	Schichtmauerwerk in Ringen	84·6[5] 72·0[6]	31·0[5] 16·2[6]	1·44	2·16	1,425.000	399	425	25
Prinzregentenbrücke in München	1900 – 1901	Muschelkalkquader, 3 Stahlgelenke	64·0	6·4	1·00	1·25 1·55[7]	–	–		–
Max-Josef-Brücke in München	1902	Muschelkalkquader, 3 Stahlgelenke	60·0	6·0	1·00	1·25 1·55[7]	1,094.500			–
Muldenbrücke bei Göhren, Sachsen	1902	Granit-Schichtmauerwerk, 3 Steingelenke	60·0	6·75	1·10	1·20 1·50[7]	–		–	–
Brücke über das Syratal in Plauen, Sachsen	1903 – 1905	Bruchsteingewölbe	90·0	18·0	1·50	4·00	605.340	255	255	15
Holzenplotzbrücke bei Krappitz, Schlesien	1905 – 1906	Bruchsteingewölbe	50·0	6·0	1·15	2·00				

[1] Untere Begrenzung der Fläche durch eine die Pfeilerfüße verbindende Gerade. – [2] Dreigelenkbogen. – [3] Hauptöffnung – [4] Nebenöffnungen. [5] Vom Widerlagerfuß. – [6] Vom Gewölbeansatz. – [7] Größte Stärke im Bogenschenkel.

Es genügt auch, bloß den Scheitelkrümmungsradius aus $\varrho_0 = \frac{1}{3} \cdot \frac{5 g_0 - g_1 - 3 p}{2 g_0 - p} \cdot \frac{l^2}{8 f}$ und die Ordinate im Viertel der Spannweite zu berechnen, die Kämpfer zu verschärft. Häufig, bei flachen Bogen wohl immer, kann die theoretische Stützlinienform ohne erhebliche Verstärkung des Gewölbes durch einen Kreissegmentbogen

Abb. 152. Viadukt bei Wiesen der Schmalspurbahn Davos-Filisur. (Nach einer photogr. Aufnahme von Hermann Wolf in Konstanz.)

um daraus die Stützlinienform abzuleiten. Für gleiche Auflast vom Scheitel bis zum Kämpfer ergibt sich dafür eine Parabel, für gegen den Kämpfer zunehmende Auflast wird die Krümmung eine mehr gleichmäßige oder gegen ersetzt werden, der demnach auch für Brückengewölbe von mittlerer Spannweite und Stichverhältnissen unter $^1/_5$ die zweckmäßigste und üblichste Form ist. Auch bei großen Gewölben (Brücken der österr. Staatsbahnen, Taf. IV,

Abb. 1) findet man den Kreisbogen beibehalten, da er bei Hausteinen den Vorteil gleichmäßigen Steinschnitts bietet, doch ist hier bei größerem Unterschied der Belastung im Scheitel und Kämpfer eine der Stützlinie sich besser anschmiegende Korbbogenform vorzuziehen (Addabrücke bei Morbegno [Taf. IV, Abb. 2], Syratalbrücke [Taf. IV, Abb. 3], Gutachbrücke u. a.). Talbrücken erhalten zur Verminderung der Pfeilerhöhe tief gelegte Bogenanläufe und für die gewöhnlichen Weiten bis zu 25 *m* im Halbkreis gewölbte Brückenbögen, deren Gewölbe aber etwas höher, mit einer unter 10 – 15° geneigten Kämpferfuge ansetzen (Taf. IV, Abb. 5). Für größere Spannweiten und große Viadukthöhen wird sich aber der der Stützlinie angepaßte überhöhte Korbbogen als günstiger erweisen. Beim Wiesener Viadukt (Abb. 152) wurde beispielsweise durch Wahl des überhöhten Korbbogens gegenüber dem Halbkreisbogen eine Ersparnis an Mauerwerk des Gewölbes und der Hauptpfeiler von etwa 10% erzielt.

Die Gewölbestärke hat der Bedingung zu entsprechen, daß im Gewölbe bei ungünstigster Belastung nirgends unzulässige Pressungen auftreten. Zugspannungen sollen in einem Gewölbe aus gefugtem Mauerwerk unter der Belastung überhaupt nicht vorkommen. Letzteres wird erfüllt, wenn die Stützlinien für alle Belastungsfälle durchwegs im mittleren Drittel der Gewölbestärke bleiben. Dies liefert für die Scheitelgewölbestärke die annähernde Bestimmungsgleichung

$$d_0 \geqq -\frac{w}{2\gamma} + \sqrt{\frac{w^2}{4\gamma^2} + \frac{l^2}{16\varrho_0} \cdot \frac{p}{\gamma}} \quad \ldots\ a)$$

Damit aber die zulässige Pressung im Gewölbemauerwerk nicht überschritten wird, muß

$$d_0 \geqq \frac{1}{2} \frac{w\varrho_0}{s-\gamma\varrho_0}\left[1 + \sqrt{1 + \frac{l^2}{4\varrho_0^2 w^2} p(s-\gamma\varrho_0)}\right] \quad b)$$

gemacht werden. Es bezeichnet darin w die Auflast über dem Gewölbe im Bogenscheitel $+\frac{1}{2}p$ (Verkehrslast) in t/m^2, γ das Gewicht des Gewölbemauerwerks (t/m^3), ϱ_0 den Scheitelkrümmungshalbmesser, s die zulässige Pressung in t/m^2. Dabei ist eine günstigste Stützlinienform des Gewölbes vorausgesetzt. Abweichungen von dieser bedingen eine Vergrößerung der Gewölbestärke. Für s kann gesetzt werden:

für Gewölbe aus hart gebrannten Ziegeln 150 – 200 t/m^2,

für Bruchsteingewölbe aus mittelfesten Steinen 200 – 300 t/m^2,

für Gewölbe in Schichtmauerwerk aus druckfesten Steinen 300 – 400 t/m^2,

für Quadergewölbe aus Granit 500 – 600 t/m^2.

In der Regel ist die Einhaltung der Druckspannungsgrenze, sohin Formel *b* für die Gewölbestärke maßgebend; es kann jedoch bei Bogen mit größerem Stichverhältnis, geringer Eigen- und hoher Verkehrslast die Vermeidung der Zugspannungen nach Formel *a* eine größere Stärke ergeben. In diesem Fall würde ein Gewölbemauerwerk von hoher Druckfestigkeit, also die Ausführung in harten Quadern keinen Gewinn bringen, da diese Druckfestigkeit nicht zur Ausnützung kommt.

Gewölbe, die als gelenklose eingespannte Bogen wirken, sind in den Kämpfern zu verstärken. Das notwendige Maß dafür ergibt die statische Untersuchung, die sich auch auf den Einfluß der Wärmeänderungen zu erstrecken hat. Allerdings wird es ohne ungewöhnliche Kämpferverstärkung meist nicht zu erreichen sein, das Auftreten von Zugspannungen bei niedrigen Temperaturen und gleichzeitig ungünstigster Belastung ganz zu vermeiden. In der Ausführung wird eine solche Zunahme der Gewölbestärke vom Scheitel gegen die Kämpfer angewandt, daß die lotrechten Projektionen der radialen Fugen bei Bogen mit einem Stichverhältnis bis $^1/_4$ mindestens gleich der Scheitelstärke sind. Im Kämpfer geht die Verstärkung auf das 1·3 – 1·8fache der Scheitelstärke.

Von empirischen Formeln für die Scheitelgewölbestärke seien hier angeführt:

nach Desjardin $d = 0{\cdot}3 + 0{\cdot}045\ l$,

" Desnoyers $d = 0{\cdot}15 + 0{\cdot}1765\ l$,

neuere französische Formel

$d = 0{\cdot}4 + 0{\cdot}035\ (l - 10)$,

Formel der österr. Staatsbahnen für Spannweiten über 30 *m* . . . . $d = 0{\cdot}1 + 0{\cdot}0325\ l$.

Zur Ausführung der Brückengewölbe werden gewöhnliche Bruchsteine, lagerhafte Bruchsteine, in den Lagerflächen bearbeitete Steine (Schichtmauerwerk) oder behauene Werksteine (Quader), seltener und jetzt wohl nur für kleinere Gewölbe oder, wo gute natürliche Bausteine schwer zu beschaffen sind, hart gebrannte Ziegel verwendet. An Stelle von natürlichem Steinmaterial sind in einigen Fällen bei neueren Ausführungen (Wiesener Viadukt) auch Betonsteine verwendet worden. Unregelmäßige Bruchsteine sind zur Ausführung von Wölbemauerwerk nicht gut geeignet, allenfalls nur unter Verwendung kleinerer plattiger Steine und reichlichen Mörtels, wie es der Bauweise der Firma Liebold & Co. entspricht, in der der Syratalviadukt (Taf. IV, Abb. 3), einige Brücken der Eisenbahn Ilsenburg-Harzburg u. a. hergestellt wurden. Lagerhaftes Bruchsteinmauerwerk in gutem Verband und Schichtmauerwerk kann bei richtiger Bemessung und Formgebung des Gewölbes anstandslos auch für große Spannweiten Verwendung finden. Auf den österreichischen Staatsbahnen wird diese Ausführungsart für alle Brückengewölbe bis zu 40 *m* Spannweite angewandt. Hausteingewölbe, die früher auch für kleine und mittlere Spannweiten ausgeführt wurden, beschränkt man ihrer höheren Kosten wegen jetzt meist nur auf Brücken, von denen ein besonders gutes Aussehen verlangt wird, oder auf solche von großer Spannweite. Man verwendet für die Gewölbemauerung Quader von 0·2 – 0·7 m^3 Inhalt und gibt bei kleineren Gewölbestärken lauter durchbindende Steine, bei größeren Stärken abwechselnd Läufer und Binder, die in Verband stehende Ringe bilden. Die Mörtelfugen macht man 1 *cm*, wenn sie mit Stampfmörtel ausgefüllt werden sollen, mindestens 1·5 *cm* stark. Für die Ausführung großer Gewölbe (von mehr als 40 *m* Spannweite) kann an Stelle schwer zu beschaffender Quader auch die Verwendung von aus Bruchsteinen gemauerten Blöcken, denen aber mindestens 0·7 m^3 Inhalt zu geben ist, in Betracht kommen. Sie sind der Mauerung auf dem Lehrgerüst vorzuziehen, weil sie am Werkplatz sorgfältig hergestellt werden können und günstigere Arbeitseinteilung gestatten. Sie müssen zur Zeit der Aufbringung auf das Lehrgerüst aber bereits eine genügende Druckfestigkeit besitzen.

Eine häufig beobachtete Erscheinung ist das Auftreten von Rissen am Gewölberücken in der Nähe des Kämpfers, u. zw. entweder noch am Lehrgerüst vor dem Schließen des Gewölbes oder nach dessen Ausrüstung. Diese Risse sind zwar meist ungefährlich, aber doch insofern nachteilig und unerwünscht, als sie den nutzbaren Querschnitt des Gewölbes vermindern und die wasserdichte Abdeckung zerstören können. Ihre Ursache liegt in einem Heraustreten der Stützlinie aus dem Kern des Gewölbes, herbeigeführt durch eine Formveränderung des Lehrgerüstes, Ausweichen der Widerlager, größere örtliche Preßbarkeit des Wölbematerials oder der Mörtelbänder bei noch nicht voller Erhärtung, also zu frühem Ausrüsten u. s. w. Man wird natürlich trachten, diese störenden Einwirkungen möglichst einzuschränken und insbesondere wird man Senkungen des Lehrgerüstes während der Ausführung des Gewölbes tunlichst hintanhalten oder unschädlich zu machen suchen. Dies wird durch gewisse Vorsichtsmaßregeln und Anordnungen bei der Ausführung erzielt, u. zw.

1. durch ein möglichst festes unnachgiebiges Lehrgerüst;
2. durch tunlichst gleichmäßige Belastung desselben während der Ausführung der Gewölbemauerung;
3. durch Aussparen von Lücken und Schließen des Gewölbes an mehreren Stellen;
4. durch nicht zu frühes Ausrüsten;
5. neuestens auch durch Anwendung des unten beschriebenen sog. Gewölbe-Expansions-Verfahrens.

Die gleichmäßige Belastung des Lehrgerüstes von Anfang an ist eine immer zu beobachtende Regel. Durch Aufbringen der Baustoffe auf das Lehrgerüst und Vorbelastung des Bogenscheitels wird man verhindern können, daß stärkere Senkungen erst während der Ausführung der Gewölbemauerung eintreten. Bei größeren Gewölbebogen wird überdies mit der Mauerung nicht bloß von den Kämpfern aus, sondern auch von zwei oder mehreren symmetrisch liegenden Stellen der Gewölbeschenkel begonnen. Dadurch wird das Gewölbe in kürzere Segmente zerlegt, die leichter den allfälligen Formänderungen des Lehrgerüstes folgen können; auch werden dadurch mehr Arbeitsstellen geschaffen. Die in den Gewölbeschenkeln beginnende Mauerung erfordert provisorische Widerlager durch Abpölzung, gewöhnlich in Form von auf das Lehrgerüst aufgesetzten Böcken. Der Gewölbeschluß erfolgt gleichzeitig an mehreren Stellen. In dieser Art erfolgt jetzt die Ausführung aller größeren Bruchsteingewölbe. Bei Hausteingewölben verbindet man damit auch noch das trockene Versetzen des untersten, auf der Lehrgerüstschalung liegenden Quaderrings. So wurde beispielsweise der 85 *m* weit gespannte Bogen der Isonzobrücke bei Salcano (Taf. IV, Abb. 8) in 8 Wölbungsabschnitte geteilt und baute man zu diesem Zweck an den Stellen der künftigen Gewölbeschlüsse provisorische, mit dem Lehrgerüst fest verbundene hölzerne Widerhalter ein. Es wurden dann die Steine des ersten Quaderrings trocken versetzt, wobei auf der Schalung zwischen den Lagerflächen der Steine Holzleisten von der Stärke der Mörtelfugen (16 *mm*) eingelegt oder in den stärker geneigten Gewölbepartien die Steine durch eiserne Trennungskeile in richtigem Abstand gehalten wurden. Die 7 Lücken zwischen den Gewölbesegmenten blieben offen. Nach dem Ausstampfen der Fugen mit Mörtel erfolgte das Aufbringen der Steine des zweiten und dritten Ringes in Mörtellage und schließlich der Gewölbeschluß gleichzeitig an den 7 offen gelassenen Stellen in der ganzen Gewölbestärke. Den gleichen Ausführungsvorgang hätte man bei Verwendung gemauerter Blöcke anstatt Quader anzuwenden.

Nachträgliche Verlagerungen der Stützlinie, die im fertigen Gewölbe beim Ausrüsten, ferner durch Temperaturwirkung oder infolge Widerlagerverschiebung eintreten können und ungünstige Spannungsverteilungen, allfällig Zugrisse in der Nähe der Kämpfer und im Scheitel hervorrufen können, werden aber durch diese Ausführungsart nicht hintangehalten. Hierzu müßte das Gewölbe als Dreigelenkbogen ausgeführt werden, doch wird die Notwendigkeit und Nützlichkeit von Gelenken in Mauerwerksgewölben nicht in dem Maße zugegeben, wie bei Betonbogen, bei denen Gelenke denn auch viel häufiger zur Anwendung gekommen sind (s. Betonbrücken). Gemauerte Bogen sind auch bei großen Spannweiten bisher selten mit Gelenken ausgeführt worden. Bei der Addabrücke zu Morbegno (Taf. IV, Abb. 2) wurden in den 70 *m* weit gespannten Granitsteinbogen im Scheitel und in den Kämpfern Stahlgelenke eingebaut, die aber einige Wochen nach dem Ablassen des Bogens ausgemauert und mit Zementmörtel vergossen wurden, so daß die Dreigelenkbogenwirkung nur für das Eigengewicht und für die Senkungen nach dem Ausrüsten zur Geltung kam, Temperatur und Verkehrslast aber ihre Wirkung auf das gelenklose Gewölbe äußern. Dagegen erhielten die Münchener Brücken, sowohl jene in Stampfbeton wie auch die in Muschelkalkquader ausgeführten, frei liegende, bleibend wirkende Stahlgelenke. Über die Ausbildung der Gelenke s. Betonbrücken. Man ist wohl berechtigt, die Anwendung von Gelenken bei Mauerwerksgewölben auf große Spannweiten mit kleinen Stichverhältnissen und auf Fälle, wo ein nicht ganz sicherer Baugrund Widerlagerbewegungen befürchten läßt, zu beschränken. Bei Dreigelenkbogen entfällt die Verstärkung am Kämpfer und es erhält das Gewölbe seine größte Stärke im Gewölbeschenkel.

Bei Weglassung von Gelenken läßt sich durch die Anwendung des schon erwähnten sog. Gewölbe-Expansions- oder Gewölbespreizverfahrens, System Buchheim und Heister, den Scheitelsenkungen beim Ausrüsten, die das Auftreten von Kämpferrissen bewirken könnten, vorbeugen. Bei diesem Verfahren, das schon mehrfach, insbesondere für Bogen von 15 – 20 *m* vorteilhaft Anwendung gefunden hat, wird das Gewölbe nicht durch Absenken des Lehrgerüstes in Spannung gesetzt, sondern dadurch, daß die Scheitelkraft in bestimmter Größe durch Wasserdruckpressen, die in offen gelassene Lücken im Gewölbescheitel eingesetzt werden, erzeugt wird. Diese Lücken werden dann durch Ausfüllung mit Baustoff und Ausmauerung geschlossen. (In der Anwendung auf Brücken des Eisenbahndirektionsbezirkes Frankfurt a. M. beschrieben in „Armierter Beton", 1917, H. 3 u. 4.)

Die Brückengewölbe werden zur Herstellung einer ebenen Brückenbahn mit Erde überschüttet oder es wird die Brückenbahn durch Pfeiler auf den Bogen gestützt. Die Erdüberschüttung ist für Bogen von geringer Höhe das Einfachste und Billigste, da es sich bei einem nur auf Druck bemessenen Mauerwerksgewölbe nicht, wie bei einem Eisenbetonbogen, um tunlichste Verminderung der Eigenlast handelt, vielmehr die Überschüttung günstig für die Stabilität und für die Verteilung konzentrierter Lasten wirkt.

Über dem Gewölbescheitel soll die Höhe der Überschüttung, einschließlich der Stärke der Fahrbahnkonstruktion, bei Straßenbrücken mindestens 30 – 50 *cm*, bei Eisenbahnbrücken mindestens 70 *cm* betragen. Seitlich wird diese Überschüttung durch Stirnmauern begrenzt, die auf den Gewölbestirnen aufruhen, u. zw. entweder ohne Verband auf dem Gewölberücken sitzen oder aber durch treppenartige Absätze der Stirnwölbequader mit dem Gewölbe in Verband gebracht sind.

Bei größerer Pfeilhöhe des Gewölbes und demnach auch großer Überschüttungshöhe an den Kämpfern werden die gegen den Erddruck zu berechnenden Stirnmauern sehr stark. Halbkreisbogen von mittlerer Spannweite und nicht allzu großer Breite, wie sie die typische Ausführung der gewölbten Eisenbahnviadukte zeigt, erhalten dann eine volle Ausmauerung bis auf Bettungshöhe (Taf IV, Abb. 5), wodurch auch die Anordnung der Entwässerung begünstigt wird. Bei breiteren Brücken hat man aber häufig auch Hohlmauerwerk, sog. Spandrillmauern, angeordnet und dadurch eine Verringerung des auf dem Gewölbe lastenden Gewichts und eine Ersparnis an Mauerwerk erzielt. Diese Spandrillen (Taf. IV, Abb. 9) bestehen aus einzelnen, den Stirnmauern parallelen Zungenmauern, die oben mit Platten überdeckt oder mit Stich- oder Halbkreisgewölben überspannt sind. Ihr Abstand wird mit 1 – 1·5 *m* gewählt. Bei sehr großer Höhe hat man zuweilen diese Zungenmauern noch durch Quermauern oder in verschiedener Höhe durch Gewölbe verbunden und die Spandrillräume zugänglich gemacht. Gegenwärtig zieht man aber den gegen den Luftzutritt abgeschlossenen Spandrillräumen die Anordnung offener Hohlräume vor, deren Achsenrichtung parallel zu jener des Brückenbogens ist. Diese sog. Sparbogen oder Sparöffnungen werden durch auf dem Brückenbogen aufstehende Pfeiler oder Mauern gebildet, die durch kleine Gewölbe (Abb. 152 sowie Taf. IV, Abb. 1, 2, 3, 4, 6, 8) oder durch gerade Überdeckungen in Eisenbeton überspannt sind. Mit dem Wegfall der vollen Stirnmauern ist der Vorteil der Freilegung des Brückenbogens und einer architektonisch günstig wirkenden Gliederung der Stirnflächen verbunden. Man wählt die Spannweite der Sparbogen entsprechend der Größe des Hauptbogens mit 2 – 5 *m*. Gewöhnlich werden sie im Halbkreis überwölbt und in den Bogenzwickeln durch Füllmauerwerk bis auf Scheitelhöhe abgeglichen, so daß die wasserdichte Abdeckung und Entwässerung über sie hinweggeführt werden kann. Bei Brücken mit Mittelpfeilern hat man zuweilen auch nur eine einzige Sparöffnung in den über den Pfeilern liegenden Gewölbezwickeln angeordnet, um die Stirnmauern an ihren höchsten Stellen in ihrem Ausmaß zu vermindern.

Das Streben nach Verminderung der Mauerwerksmassen einer gewölbten Brücke hat bei großer Brückenbreite auch zu einer Längsteilung des Brückengewölbes und auch der Pfeiler geführt. Es werden zwei, allenfalls auch mehr parallele, schmale Brückenbogen in einem Abstand voneinander ausgeführt und es wird der dazwischen verbleibende Spalt durch eine sich auf die Bogen stützende Querkonstruktion überspannt. Beispiele für diese Anordnung geben die Straßenbrücke über das Tal la Petrusse bei Luxemburg (Taf. IV, Abb. 6), und die Armidoniersbrücke in Toulouse; sonst ist diese gegliederte Ausführungsart besonders durch Beton- und Eisenbetonbrücken vertreten.

Entwässerungsanlagen. Die Oberfläche der Brückengewölbe und ihrer Übermauerung ist, soweit sie mit dem Erdreich in Berührung steht, gegen die eindringende Feuchtigkeit durch eine möglichst wasserdichte Abdeckung zu schützen. Als Unterlage für die Deckschicht dient eine 8 – 10 *cm* hohe Beton- oder schwächere Zementmörtelschicht, die die unebene Oberfläche des Mauerwerks ausgleicht. Ein Zementverputz allein bietet aber nicht genügende Sicherheit für bleibende Wasserdichtheit. Man verwendet heute zur Abdeckung vorzugsweise Asphalt in Form von Gußasphalt oder mit Asphalt imprägnierter filziger Gewebe. Der Naturasphalt wird als heißer Anstrich in doppelter Lage von zusammen 25 – 30 *mm* aufgetragen, in der oberen Lage mit etwa 20 % Kieszusatz. Die Asphaltfilzplatten haben $2^1/_2$ – 4 *mm* Stärke; sie werden an den Stößen 10 *cm* breit überlappt und mit Asphalt verkittet. Die auf den österreichischen Staatsbahnen verwendeten Leiß-Zufferschen Platten enthalten eine 2 – 3fache Jutegewebelage mit dazwischengestrichenem Asphaltgoudron. Anstatt der Verwendung fertiger Platten hat man auch abwechselnde Lagen von heißem Goudronanstrich und Juteleinwand unmittelbar aufgebracht. Eine gute, aber teure Abdeckung geben die Siebelschen Bleiisolierplatten, die eine dünne Bleieinlage zwischen einem beiderseitigen Überzug von Dachpappe enthalten.

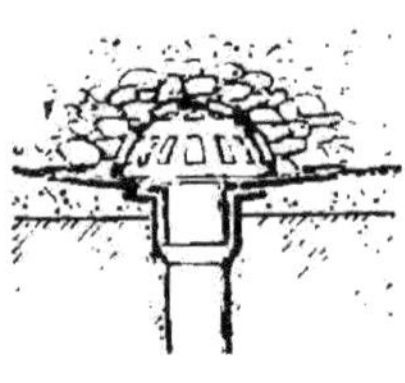

Abb. 153.

Die Abführung des in die Überschüttung eingedrungenen Wassers erfolgt am einfachsten über den Widerlagern; bei Brücken mit mehreren Öffnungen ist dies aber nicht gut möglich und geschieht hier die Ableitung des Wassers entweder durch den Gewölbescheitel, durch die Gewölbeschenkel, durch die Kämpfer des Gewölbes, durch die Pfeiler oder durch die Stirnmauern. Eine Entwässerung durch den Gewölbescheitel ist natürlich nur bei vollständiger Ausmauerung der Gewölbezwickel oder bei der Anordnung von Spandrillmauerwerk oder Sparbogen möglich.

Die Abdeckung erhält ein Längs- und Quergefälle von $^1/_{60}$ – $^1/_{20}$, so daß sich 4 in der Mitte des Scheitels zusammentreffende Rinnen bilden. Hier wird das Wasser mittels eines gußeisernen Abfallrohrs durch das Gewölbe geführt. Dieses hat einen Teller angegossen, auf den eine mit Löchern versehene Haube gestülpt wird (Abb. 153). Letztere ist mit einer Packung aus Steinen zu umgeben. Bei überschütteten Gewölben ist über den Mittelpfeilern eine Rinne auszubilden, die das Wasser zu den Abfallrohren leitet. Diese Rinne ist entweder bloß ein mit Steinen ausgepackter Sickerkanal oder ein gemauerter Kanal, dessen Seitenwände Schlitze für den Wassereintritt erhalten.

Erfolgt die Entwässerung durch die Stirnmauern, so erhält der in den Gewölbezwickeln anzulegende Kanal ein Gefälle nach den beiden Stirnmauern zu und mündet daselbst in einer kreisförmigen, mit einem auskragenden Rinnstein versehenen Öffnung oder in einem entsprechend weit ausladenden Rohr. Bei dieser Anordnung entstehen aber durch das ablaufende Wasser auf den Stirnmauern und Pfeilern leicht nasse Flecken und bei tonigen Steinarten Flechten- und Moosbildung.

Man hat endlich auch, um das Wasser ohne Schädigung des Bauwerks und Belästigung des unter der Brücke stattfindenden Verkehrs abzuführen, die Entwässerung durch die Zwischenpfeiler mittels senkrechter, unten seitwärts abgezweigter Abzugkanäle oder Röhren bewerkstelligt. Die Abfallschläuche sollen aber entweder schliefbar sein oder es sind in sie Rohre einzusetzen, die zur Reinigung herausgehoben werden können (Stadtbahnviadukte).

Widerlager und Pfeiler. Im allgemeinen wird die Mauerwerksmasse am kleinsten, wenn man das Gewölbe selbst bis zum Baugrund fortsetzt, in welchem Fall für das Widerlager

Steinbrücken

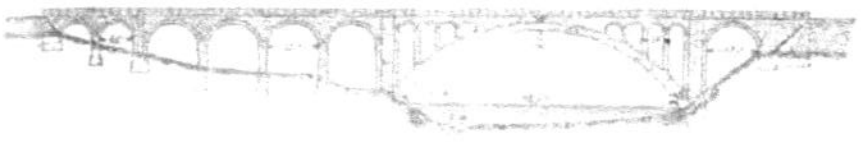

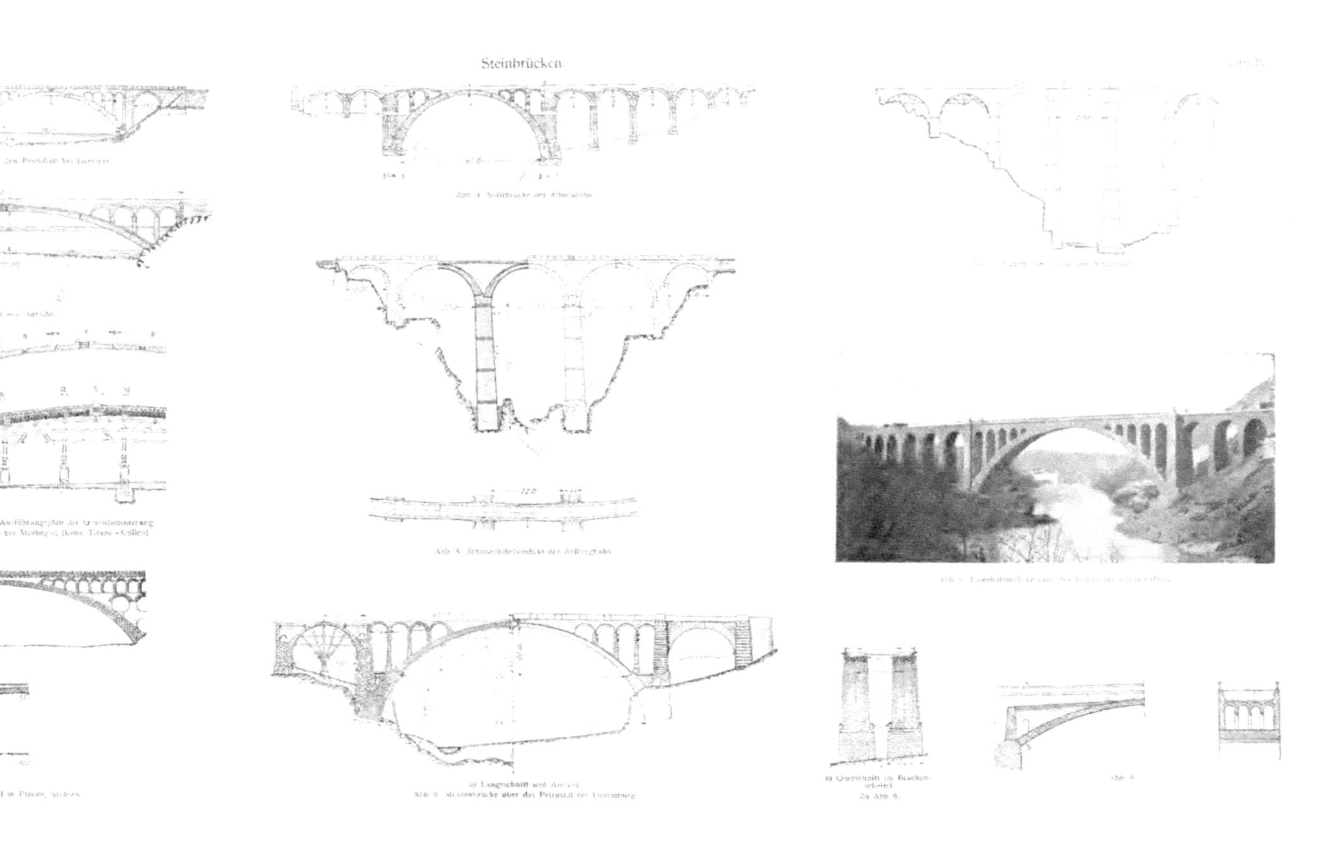

Abb. 1. Eisenbahnbrücke über den Pruthfluß bei Jaremcze.

a) Längsschnitt und Ansicht.

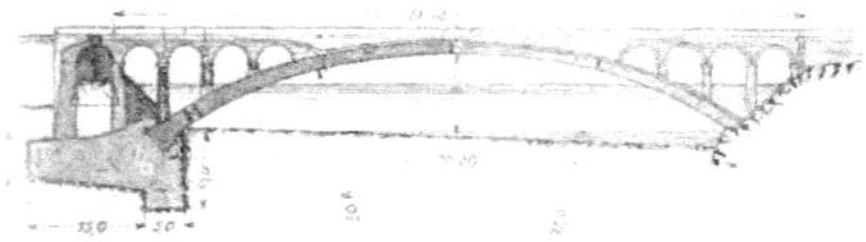

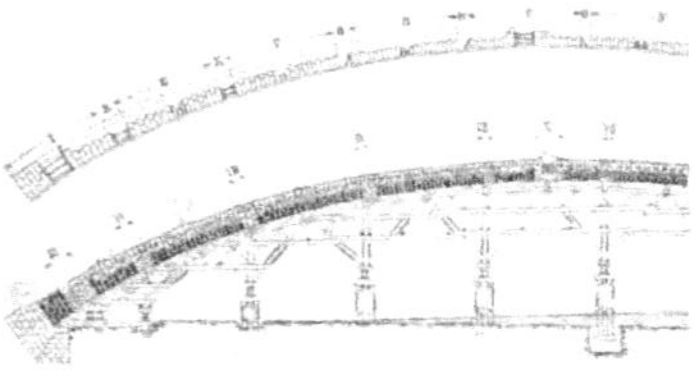

b) Lehrgerüst und Ausführungsplan der Gewölbemauerung.
Abb. 2. Eisenbahnbrücke über die Adda bei Morbegno (Linie Tirano–Colico).

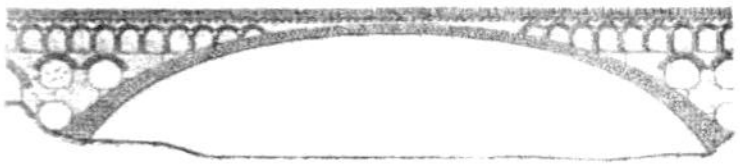

a) Ansicht.

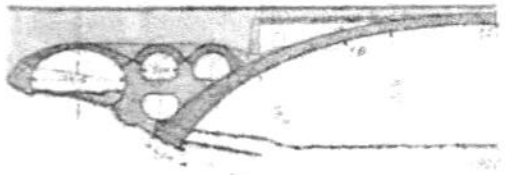

b) Längsschnitt.
Abb. 3. Straßenbrücke über das Syratal in Plauen, Sachsen.

Abb. 4. Solisbrücke der Albulabahn.

Abb. 5. Schmiedtobelviadukt der Arlbergbahn.

a) Längsschnitt und Ansicht.
Abb. 6. Straßenbrücke über das Petrustal bei Luxemburg.

b) Querschnitt im Brückenscheitel.
Zu Abb. 6.

Abb. 7.

Abb. 8. Eisenbahnbrücke über den Isonzo bei Salcano (Görz).

Abb. 9.

Verlag von Urban & Schwarzenberg in Berlin u. Wien.

nur ein kleiner Mauerkörper benötigt wird, der nur den Zweck hat, den Druck auf eine so große Grundfläche zu verteilen, als es die Beschaffenheit des Baugrunds erfordert. Man nennt diese Anordnung verlorene Widerlager, Druckwiderlager, auch natürliche Widerlager. Sie eignet sich vorzugsweise bei Gründung auf festem, gegen das Widerlager ansteigendem Baugrund, also zur Überbrückung von Schluchten, Einschnitten in festem Boden, zu Anschlüssen an Berglehnen u. s. w. Bei festem Felsen kann man das Gewölbe direkt gegen den Felsen stemmen, während bei erdigem Boden der Druck auf eine größere Fläche verteilt werden muß, wozu eine entsprechend verbreiterte Fundamentplatte nach Erfordernis aus Beton oder Eisenbeton oder aus Beton mit Einlage eines eisernen Trägerrostes (Salcanobrücke) herzustellen ist. In den meisten Fällen wird aber das Gewölbe nicht bis zum Baugrund geführt, sondern gegen einen größeren Mauerwerkskörper mit mehr oder weniger senkrechter Vorderfläche gestützt. Man nennt diesen dann ein Standwiderlager oder künstliches Widerlager.

Die Stärke der Widerlager ist mit Rücksicht auf die angreifenden Kräfte: Gewölbeschub, Erddruck und Mauergewicht zu bestimmen. Es sind dabei 2 Belastungsfälle zu berücksichtigen: belastetes Gewölbe und unbelastete Hinterfüllung und umgekehrt; für S., deren Gewölbe vor der Hinterfüllung der Widerlager vollendet wird, was bei S. unter Dämmen in der Regel der Fall ist, ist außerdem noch eine Berechnung auf den durch das Eigengewicht des Gewölbes veranlaßten Schub ohne Berücksichtigung des Erddrucks durchzuführen. Für jeden Belastungsfall soll die Mittelkraft aus den angreifenden Kräften im mittleren Drittel des Mauerquerschnitts bleiben, damit keine Zugspannungen auftreten. Überdies darf an der Fundamentsohle die zulässige Bodenpressung nicht überschritten werden.

Der Anschluß der Brücke an die natürliche Bodenfläche kann nach verschiedenen Anordnungen erfolgen, die z. T. bei den Durchlässen (s. d.) eine Besprechung gefunden haben. Liegt das Widerlager im gewachsenen Boden, so werden einfach die Stirnmauern oder zu ihnen gleichlaufende Stirnflügelmauern bis zum Anschluß an das natürliche Bodengelände fortgesetzt.

Schließt aber die Brücke an einen Damm an, so können Stirnflügel in Verbindung mit vorgelegten Erd- oder Steinkegeln oder schräge Flügelmauern (Böschungsflügel) in Anwendung kommen. Bei großer Höhe werden aber die als Stützmauern zu berechnenden Flügel sehr stark und sind dann bei druckhafter Hinterfüllung oder zu Rutschungen geneigtem Boden Bewegungen schwer hintanzuhalten. Stirnflügel müssen dann wenigstens in ihrem unteren Teil zu einem zusammenhängenden Mauerklotz verbunden und es muß der zwischen ihnen verbleibende Raum mit Steinen ausgepackt werden. Man schließt diesen Raum wohl auch durch eine schwache Quermauer ab, die die rückwärtigen Enden der Stirnflügel verbindet. Anstatt den so entstehenden kastenförmigen Raum auszufüllen, hat man ihn auch überwölbt, u. zw. entweder gleichlaufend oder senkrecht zur Brückenachse. Im letzteren Fall können dann die Stirnflügelmauern auch weggelassen werden, und man gelangt so zu jener Lösung, bei der der Endabschluß der Brücke durch eine in die Dammschüttung hineinragende Bogenstellung bewerkstelligt wird, bei Viadukten die billigste und häufigst angewendete Anordnung.

Die Mittelpfeiler gewölbter Brücken erhalten gewöhnlich eine solche Stärke, daß sie nur so lange standsicher sind, als beide Bogen, die von einem Mittelpfeiler getragen werden, vorhanden sind. Nur bei längeren S. werden einzelne Pfeiler stärker als Standpfeiler ausgeführt, so daß sie auch dem einseitigen Gewölbeschub widerstehen. Diese Standpfeiler teilen die Brückenöffnungen in Gruppen zu je 3 – 5. Die Gewölbe einer Gruppe sind bei der Ausführung gleichzeitig einzurüsten. Bei ausgeführten Brücken beträgt die obere Pfeilerdicke bei Segment- und gedrückten Bogen $0{\cdot}11 - 0{\cdot}23\, l$, im Mittel $0{\cdot}15\, l$, bei Viadukten mit Halbkreisbogen $0{\cdot}15 - 0{\cdot}31\, l$, im Mittel $0{\cdot}20\, l$, für die Standpfeiler $0{\cdot}26 - 0{\cdot}47\, l$, im Mittel $0{\cdot}35\, l$. Die Stärke der Mittelpfeiler von Strombrücken kann mit $0{\cdot}55 \sqrt{l}$ angenommen werden.

Die Seitenflächen der Pfeiler erhalten in der Regel einen Anzug, der bei Landpfeilern mit $^1/_{20} - {}^1/_{50}$ und bei Strompfeilern über NW mit $^1/_{30} - {}^1/_{50}$ gewählt wird. Hohe Pfeiler für Talbrücken hat man zuweilen mit konkaven Seitenflächen oder in mehreren Abstufungen mit verschiedenem, nach unten zunehmendem Anzug ausgeführt (Albulabahn). Die Anlage der Ansichtsflächen der Pfeiler ist meist ebenso groß, bei hohen Brücken oft größer als jene der Seitenflächen, um die erforderliche Standfestigkeit gegen Winddruck zu erhalten. Bei Brücken in Bogen hat man den Anzug auf der äußeren Seite bei hohen Pfeilern wegen der Fliehkraft meist größer gewählt (bis 0·1). Die Strompfeiler erhalten bis auf Hochwasserhöhe Vorköpfe von halbkreisförmiger, elliptischer, spitzbogiger oder 3eckiger Form.

Die Pfeiler sehr hoher Talbrücken sind früher häufig durch sog. Spannbogen verstärkt worden. Letztere sind schmale flache Segmentbogen, die in einem oder bei großen Höhen auch in mehreren Geschossen die Pfeiler verbinden (Göltschtal- und Elstertalviadukt der sächsischen Staatsbahnen). Über den Spannbögen sind in den Pfeilern meist Durchgänge angeordnet. Werden die Bögen in derselben Breite wie die Pfeiler ausgeführt, so gewinnen die S. das Aussehen von Stockwerksbrücken (s. beispielsweise die Viadukte der Semmering-

Abb. 154. Waldbachviadukt der Bodensee-Toggenburg-Bahn in Degersheim. (Nach einer photogr. Aufnahme von Hermann Wolf, Konstanz.)

bahn). Die Pfeiler dieser älteren S. sind aber so stark, daß sie auch ohne Spannbögen standsicher wären. Jetzt läßt man die Spannbogen auch bei hohen Viadukten weg und zieht es vor, die Pfeiler so stark auszuführen, daß sie standsicher sind.

Schiefe gewölbte Brücken werden des schwierigen und teueren Steinschnitts wegen jetzt gerne vermieden. Man ersetzt sie besser durch die leichter auszuführenden Wölbungen in Stampfbeton oder umgeht die Ausführung eines schiefen Gewölbes dadurch, daß man es aus einzelnen, gegeneinander verschobenen, geraden Bogen zusammensetzt.

Gewölbte Viadukte. Bei der Anordnung einer gewölbten Talbrücke ist vor allem die Frage der Zahl und Weite der Einzelöffnungen und dann der Form und Höhe der Bogen zu beantworten. Für die endgültige Wahl ist hauptsächlich nur der Kostenvergleich entscheidend. Für Viadukte nach den üblichen Typen der Eisenbahnen (Halbkreisbogen in Bruchsteinmauerwerk, Abb. 154) kann man bei der Viadukthöhe h (in m) für die zu wählende Öffnungsweite etwa setzen $l = 6 + 0{\cdot}4\,h$, doch gibt diese Regel nur eine beiläufige Richtschnur. Hohe Pfeilerkosten, die sich z. B. durch ungünstige Gründungsverhältnisse ergeben können, oder die Überbrückung tiefer Schluchten (Taf. IV, Abb. 4), werden zur Anwendung größerer Lichtweiten führen. An den Tallehnen werden sich, entsprechend der abnehmenden Höhe des Viadukts, kleinere Öffnungsweiten als zweckmäßig herausstellen. Man wird aber nicht jede Öffnung verschieden weit machen, sondern gruppenweise gleiche Öffnungen, durch stärkere Pfeiler getrennt, anordnen.

In den nachstehenden Tabellen werden die Hauptabmessungen der im Halbkreis gewölbten Viadukte nach den Typen der österreichischen Staatsbahnen (Taf. IV, Abb. 5) und der schmalspurigen Albulabahn (1 m Spurweite) (Taf. IV, Abb. 7) gegeben.

Viadukte der österreichischen Staatsbahnen.

Lichtweite in m	6	8	10	12	14	16	18	20	22	24
Scheitelstärke des Gewölbes	0·66	0·74	0·82	0·90	0·98	1·06	1·14	1·22	1·30	1·38
Kämpferstärke in unter 1 : 5 geneigter Fuge	0·80	0·90	1·01	1·12	1·28	1·50	1·76	2·08	2·52	3·15
Pfeilerstärke	1·30	1·60	2·00	2·40	2·80	3·20	3·60	4·00	4·40	4·80

Viadukte der Albulabahn.

Lichtweite in m	8	9	10	12	15	20	25	30	42
Scheitelstärke des Gewölbes	0·55	0·60	0·70	0·75	0·86	0·90	1·00	1·20	1·40
Kämpferstärke	0·80	0·90	1·00	1·10	1·20	1·35	1·50	1·90	2·00
Pfeilerstärke bis zu 5 m Höhe	1·20	1·35	1·50	1·70	2·00	2·70	3·00	–	–
Pfeilerstärke über 5 m Höhe	1·40	1·55	1·70	1·90	2·20	2·90	3·80	–	–

Die Kosten der eingleisigen Viadukte betrugen für 1 m^2 Ansichtumgrenzungsfläche:

Arlbergbahn,
Viadukte von etwa 10 m Weite . . 61 – 63 K
„ „ 10 – 22 „ „ . . 60 – 66 „

Staatsbahnlinie Tabor-Pisek,
Viadukte von 10 – 12 m Weite . . 56 – 65 K

Albulabahn (1 m Spur), Öffnungen von 20 m Weite, Landwasserviadukt . . . . 47 K
Albulaviadukt . . . . . . 36 „

Melan.

Steinwürfelunterlagen s. Oberbau.

Steinwurf nennt man Vorlagen aus regellos geschlichteten großen Steinen zum Schutz gegen den Angriff durch fließendes Wasser. S. wird bei Brückenpfeilern und -widerlagern sowie bei Uferschutzmauern angewendet. Die Steine werden, ohne Werkzeuge zu Hilfe zu nehmen, vor das Bauwerk in den Flußlauf geworfen und wirken lediglich durch ihr Gewicht, weshalb sie einen Rauminhalt von mindestens $^1/_4$ m^3 haben sollen.

Stellwerke *(interlocking frames, interlocking machines; apparails de manœuvre de signal et d'aiguillage; apparecchi di manovra per segnale e scambio)* sind die zu einem gemeinsamen Werk zusammengefaßten Vorrichtungen zur Fernbedienung von Weichen und Signalen sowie zur Herstellung von Abhängigkeiten bei der Weichen- und Signalstellung.

S., die lediglich zum Stellen von Weichen dienen, heißen Weichenstellwerke. Signalstellwerke sind S., die nur Vorrichtungen zum Stellen von Signalen enthalten. In den Weichen- und Signalstellwerken sind Weichen- und Signalhebel vorhanden.

Abhängigkeiten werden bei der Weichen- und Signalstellung geschaffen: zwischen einzelnen Signalen, um die gleichzeitige Fahrstellung feindlicher Signale zu verhüten, zwischen Weichen und Signalen, um die richtige Lage der Weichen bei Fahrsignal zu sichern.

Diese Abhängigkeiten werden, wenn alle dabei in Betracht kommenden Hebel in einem S. vereinigt sind, in diesem selbst hergestellt. Ist die Signalstellung von der Stellung von Weichen abhängig zu machen, deren Hebel mit den Signalhebeln nicht in einem S. sich befinden, so wird zwischen dem Signalstellwerk und dem Weichenstellwerk eine elektrische Zustimmung eingerichtet. Ein solches Weichenstellwerk heißt Zustimmungsstellwerk. Die Abhängigkeit zwischen der Signalstellung und der Stellung von Handweichen wird durch Riegelwerke oder Schlüsselsicherung geschaffen.

S., bei denen Weichen und Signale durch Gestänge oder Drahtzug gestellt werden, bezeichnet man als mechanische, solche, bei denen die Weichen und Signale durch Elektrizität, Druckluft, Wasserdruck oder Preßgas bewegt werden, als Kraftstellwerke.

Die Kraftstellwerke sind in Bd. VI behandelt. Die mechanischen S. sollen in folgenden Abschnitten besprochen werden:

I. Weichenstellwerke.
II. Signalstellwerke.
III. Weichen- und Signalstellwerke.
IV. Zustimmungsstellwerke.
V. Riegelwerke.
VI. Schlüsselsicherungen.
VII. Verbindung der S. mit der Stations- und Streckenblockung.

I. Weichenstellwerke.

a) Allgemeines. Zum Umlegen einer an ein S. angeschlossenen Weiche (fernbediente, ferngestellte Weiche, Stellwerkweiche) dient der Weichenhebel, die zur Übertragung der Hebelbewegung auf die Weichenzungen bestimmte Gestänge- oder Drahtleitung und der zwischen dieser und den Weichenzungen eingeschaltete Weichenantrieb.

Die gesamte Stellvorrichtung soll folgende Bedingungen erfüllen:

1. Der Schaft des Weichenhebels muß in den beiden Endstellungen (Grundstellung und Stellung des umgelegten Hebels) festgehalten werden.

2. Die anliegende Weichenzunge muß bei den Endstellungen des Hebels fest an die Backenschiene anschließen und die abliegende Zunge muß ausreichend weit von der Backenschiene entfernt sein.

3. Die Weiche muß auffahrbar sein, d. h. bei dem Auffahren der Weiche (s. d.) dürfen keine Teile der Stellvorrichtung oder der Zungen zerstört werden.

4. Das Auffahren einer Weiche soll dem Wärter im S. durch ein sichtbares Zeichen angezeigt werden.

Die Bauart der Weichenstellwerke ist bei Verwendung von Gestänge- und Drahtzugleitungen wesentlich voneinander verschieden.

b) Weichenstellwerke mit Gestängeleitung. Die Gesamtanordnung eines solchen S. zeigt Taf. V, Abb. 1. Im Stellwerksgebäude steht auf der Hebelbank (*B*) der Weichenhebel (*A*), von dem die Gestängeleitung nach unten und dann unter Einschaltung von Ablenk- und Ausgleichvorrichtungen (C, C_1, C_2) zu der Verbindungsstange der Weichenzungen führt. An diese greift sie mit dem Weichenantrieb (*E*) an.

Der Weichenhebel (Taf. V, Abb. 3) ist in einem Bock gelagert, der auf der Hebelbank befestigt ist. In der Grundstellung steht er nach oben, unter etwa 30^0 gegen die Senkrechte nach hinten geneigt. Der umgelegte Hebel weist schräg nach unten. In der Grundstellung greift die Handfallenstange *a* in den Ausschnitt *d*, bei umgelegtem Hebel in den Ausschnitt d^1 des Hebelbocks ein und wird darin durch die Spannung der Handfallenfeder *e* festgehalten. Mit dem Hebel sitzt auf derselben Welle drehbar das Zahnrad *f*, dessen Zähne in den im unteren Teil des Hebelbocks gelagerten, gezahnten Bogen *g* eingreifen. Beim Umlegen des Hebels wird durch die angehobene Handfallenstange das Zahnrad fest mit dem Hebel gekuppelt und in der Richtung der Hebelbewegung mitgedreht. Der gezahnte Bogen macht dabei die entgegengesetzte Bewegung und drückt das ihm angehängte Gestänge nach unten. Die Bewegung des Gestänges überträgt sich weiter bis zur Weiche und stellt die Weichenzungen um.

In den Endstellungen des Hebels ist eine unter Federdruck stehende lösbare Kupplung zwischen dem Hebel und dem Zahnrad vorhanden. Beim Auffahren der Weiche wird, da der Hebel durch die Handfallenstange in dem Hebelbock festgehalten ist, die Kupplung zwischen Hebel und Zahnrad aufgehoben. Die vom ordnungsmäßigen Zustand abweichende Stellung des Zahnrads zum Hebel zeigt zwar schon an, daß die Weiche aufgefahren ist; vielfach wird dieses aber durch das Erscheinen eines roten Zeichens noch besonders kenntlich gemacht.

Bei einigen Bauarten der Weichenhebel für Gestängeleitung wird zur Übertragung der Hebelbewegung auf die Leitung ein Zahnrad in Verbindung mit einer Zahnstange, bei anderen eine Kulissensteuerung verwendet.

Die Gestängeleitungen werden aus Gasrohr hergestellt. Zur Verbindung der einzelnen Rohre dienen Gewindemuffen. Nach den preußischen Vorschriften sollen zu den Leitungen 42 *mm* starke Gasrohre von 4 *mm* Wandstärke verwendet werden. Die Verbindungsmuffen sollen 120 *mm* lang und mit je 2 Kontrollöchern versehen sein. In angemessenen Abständen – etwa 3 – 3·5 *m* – werden die Rohrgestänge durch Rollen-, Walzen- oder Kugellager unterstützt. Taf. V, Abb. 4 zeigt solche Lager.

An den Punkten, wo Richtungsänderungen des Gestänges in wagrechter oder senkrechter Ebene erforderlich sind, werden Winkelhebel eingeschaltet (Taf. V, Abb. 8). Diese Vorrichtungen können bei richtiger Anordnung auch Längenänderungen, die durch Wärmeschwankungen in dem Gestänge entstehen, ausgleichen. Vielfach sind aber noch besondere Ausgleichvorrichtungen erforderlich (Taf. V, Abb. 7). Die Winkelumlenkungen und Ausgleichvorrichtungen erhalten gußeiserne oder schmiedeeiserne Erdfüße.

Der Weichenantrieb besteht bei der Gestängeleitung aus einem Winkelhebel (Taf. V, Abb. 9), der die Bewegung des Gestänges durch Vermittlung des Spitzenverschlusses (s. d.) auf die Weichenzungen überträgt.

c) Weichenstellwerke mit Drahtleitung. Die Gesamtanordnung eines solchen S. zeigt Taf. V, Abb. 10. Von der mit dem Hebel verbundenen Seilscheibe (Stellrolle) führt eine geschlossene Doppelleitung aus Drahtseil und Stahldraht über Umlenkrollen zu dem Weichenantrieb. In die Drahtleitung ist zum Ausgleich von Längenänderungen und zur Erfüllung gewisser, später zu erörternder Sicherheitsbedingungen ein Spannwerk (s. d.) eingeschaltet.

Der Drahtzugweichenhebel ist wie der Gestängehebel in dem Hebelbock gelagert. In den Endstellungen wird er ebenfalls durch die Handfallenstange, die in Ausschnitte des Hebelbocks eingreift, festgehalten. Eine unter Federdruck stehende lösbare Kupplung verbindet ihn hierbei mit der Seilscheibe. Bei dem in der Taf. V, Abb. 12 dargestellten Hebel der Einheitsform der preußischen Staatsbahnen erfolgt die Kupplung zwischen Hebel und Seilscheibe durch das keilförmige Kuppelstück *a*, das in eine Ausklinkung der Seilscheibe eingreift. In dieser Lage wird das Kuppelstück durch eine Feder, die Kuppel- oder Ausscheerfeder festgehalten. Beim Auffahren der Weiche wird der Druck der Feder überwunden und die Seilscheibe vom Hebelschaft gelöst.

Um die Seilscheibe sind 2 an ihr befestigte Drahtseile geschlungen, deren Enden mit der zum Antrieb führenden, 5 *mm* starken, doppelten Drahtleitung verbunden sind. Nach den preußischen Vorschriften für die Lieferung von Drahtseilen für Weichen und Signalstellwerke sollen die Drahtseile, die im allgemeinen 6 *mm* stark sind, aus gut verzinkten Stahldrähten von 150 *kg* Festigkeit f. d. mm^2 bestehen. Sie werden aus 6 Litzen von je 19 Einzeldrähten gebildet und auf einer Prüfmaschine einer sehr weitgehenden Biegeprobe unterworfen.

Für die Drahtleitung wird verzinkter Tiegelgußstahldraht verwendet, der eine Zugfestigkeit von mindestens 100 *kg* f. d. mm^2 haben soll.

Die Verbindung zwischen Drahtseil und Draht wird durch Wickeldraht und Lötung

Abb. 155. Verbindung zwischen Draht und Drahtseil.

nach Abb. 155 hergestellt. Die Enden der Lötstellen sollen schräg auslaufen, damit sie bei der Bewegung des Drahtzugs nicht an den Kästen oder an anderen Stellen hängen bleiben.

Die Drahtleitungen werden vom Austritt aus dem Stellwerksgebäude bis zum Weichenantrieb oberirdisch oder unterirdisch geführt.

Die oberirdischen Leitungen laufen über Führungsrollen, die an Pfosten aus Holz, Winkeleisen oder Gasrohr befestigt sind. Die Abb. 156, 157 u. 158 zeigen Leitungspfosten mit Drahtführungsrollen in verschiedener Ausführung.

Unterirdische Führung der Leitungen ist erforderlich, wo Gleise und Wege von den Leitungen gekreuzt werden. Auch in Bahnsteigen und zwischen den Gleisen werden zur Erhaltung eines ungehinderten Verkehrs die Leitungen vielfach unterirdisch verlegt. Die unterirdisch verlegten Leitungen werden meistens mit Kanälen aus Eisenblech abgedeckt; zuweilen findet man auch gemauerte oder aus Stampfbeton hergestellte Kanäle mit Holz- oder Eisenabdeckung. Taf. V, Abb. 5 zeigt verschiedene Formen von Kanälen mit den Führungsrollen.

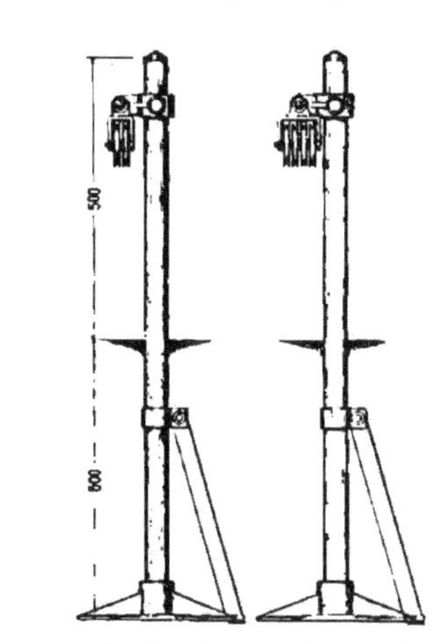

Abb. 156. Holzpfosten für Drahtleitungen.

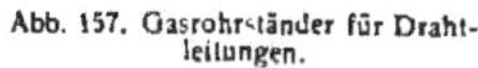

Abb. 157. Gasrohrständer für Drahtleitungen.

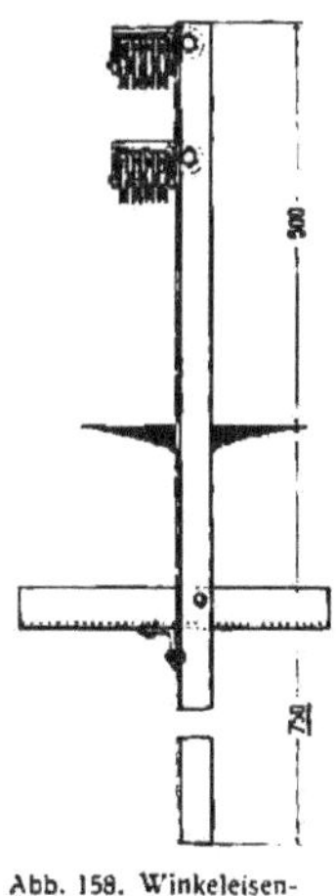

Abb. 158. Winkeleisenständer für Drahtleitungen.

Wo in den Drahtleitungen Richtungsänderungen vorkommen, werden Ablenk- oder Druckrollen eingeschaltet. Hierbei wird oft eine größere Anzahl von Rollen zu einer Gruppenablenkung zusammengefaßt (Taf. V, Abb. 2). Regelmäßig finden sich solche Gruppenablenkungen vor den Stellwerksgebäuden.

Die Drahtleitungen werden mit Spannschrauben (Taf. V, Abb. 11) und zuweilen auch mit Reißkloben (Taf. V, Abb. 6) zur Ausführung von Reißversuchen versehen.

Als Grenze für die Fernstellung von Weichen gilt im allgemeinen eine Drahtzuglänge von 350 *m*. Größere Leitungslängen erfordern besondere Sicherheitsmaßregeln.

Soll ein Weichenhebel umgelegt werden, so wird durch Andrücken der Handfalle die Handfallenstange aus dem Ausschnitt im Hebelbock herausgehoben. Dabei tritt ein Nocken *d* der Handfallenstange (Taf. V, Abb. 13) unter den Ansatz *c* des Kuppelstücks *a* und hält dieses in der Ausklinkung der Seilscheibe fest. Beim Umlegen des Hebels stützt sich die angehobene Handfallenstange gegen den Schleifkranz des Lagerbocks ab, so daß während dieser Zeit Hebelschaft und Seilscheibe unlösbar verbunden sind.

Durch die Drehung der Stellrolle beim Umlegen des Weichenhebels wird der eine Draht der Doppelleitung um 500 *mm* nachgezogen, der andere um ebensoviel nachgelassen. Diese Bewegung des Drahtes wird auf den Weichenantrieb übertragen.

Der in Taf. V, Abb. 14 dargestellte **Weichenantrieb** besteht aus einer Endrolle, die beim Umlegen des Weichenhebels um 180° gedreht wird. Ein mit ihr auf derselben Achse sitzendes Zahngetriebe bewegt dabei eine Zahnstange, mit der die zum Spitzenverschluß (s. d.) führende

Stellstange verbunden ist, nach rechts oder links. Durch Vermittlung des Spitzenverschlusses (s. d.) wird die Bewegung der Stellstange auf die Weichenzungen übertragen.

Eine andere Bauart des Weichenantriebs zeigt Taf. V, Abb. 15. Hierbei ist in den um eine Endrolle geschlungenen Drahtzug ein Winkelhebel eingeschaltet, der beim Hin- und Hergehen des Drahtzugs sich um seine Achse dreht und dabei die Stellstange des Spitzenverschlusses mitnimmt.

Beim Auffahren der Weiche (s. d.) wird die Bewegung der Weichenzungen durch den Weichenantrieb auf die Drahtleitung und von dieser auf die Seilscheibe des Weichenhebels übertragen. Da der Weichenhebel durch seine Handfallenstange im Weichenbock festgelegt ist, wird das keilförmige Kuppelstück (Taf. V, Abb. 12) durch die an ihm anliegende schräge Fläche der Seilscheibe unter Überwindung der Kraft der Feder aus seiner Rast herausgehoben. Die Seilscheibe löst sich, ohne daß eine Zerstörung einzelner Teile eintritt, vom Hebel. Dabei wird eine rote Scheibe sichtbar, die anzeigt, daß die Weiche aufgefahren ist.

Abb. 159. Weichenantrieb. Fangvorrichtung bei Drahtbruch in Wirksamkeit getreten.

Zu den unter I *a* aufgeführten allgemeinen Anforderungen, denen die Weichenstellvorrichtungen entsprechen müssen, treten bei der Verwendung des Doppeldrahtzugs noch besondere Bedingungen – Reißbedingungen – für den Fall des Drahtbruchs hinzu. Es sind im wesentlichen folgende:

1. Bei Drahtbruch soll der Weichenhebel ausscheren;

2. die Weiche soll in diesem Fall in einer Endlage festgehalten werden.

Die erste Forderung wird durch das in die Stelleitung eingeschaltete Spannwerk (s. d.) erreicht, das bei Drahtbruch die Seilscheibe des Hebels verdreht und sie wie beim Auffahren der Weiche vom Hebel löst.

Zur Festhaltung der Weiche in einer Endlage bei Drahtbruch entsprechend der zweiten Forderung sind die Weichenantriebe mit Fangvorrichtungen (Drahtbruchsperren) versehen. Sie beruhen im allgemeinen darauf, daß unter Federwirkung stehende Sperrhebel bei den im gewöhnlichen Betrieb vorkommenden Spannungsverhältnissen in der Stelleitung an einem festen Anschlag vorbeigehen. Bei dem Spannungsunterschied, der bei Bruch der Stelleitung auftritt, stellen sich die Sperrhebel durch die nun voll auf sie wirkende Federkraft so ein, daß sie an dem Anschlag sich anlegen und die Umstellung der Weiche verhindern. Abb. 159 zeigt einen Antrieb mit in Wirksamkeit getretener Fangvorrichtung.

II. Signalstellwerke.

a) Allgemeines. Zum Umstellen von Signalen dienen Hebel oder Kurbeln. Es werden damit Haupt- und Vorsignale, Gleissperrsignale, Haltscheiben und Halttafeln gestellt. Haupt- und Vorsignale werden entweder gemeinsam mit einer Stellvorrichtung (Hebel oder Kurbel) bewegt, oder jedes der beiden Signale hat seine eigene Stellvorrichtung.

Die Übertragung der Kurbel- oder Hebelbewegung auf die Signalflügel, Signalscheiben und Signalkasten geschieht durch den Signalantrieb und den zwischen diesem und der Kurbel oder dem Hebel eingeschalteten Signaldrahtzug.

Die Antriebsvorrichtung an den Signalen soll sowohl für die Fahr- wie auch für die Halt-(Warn-) Stellung zwangsweise wirken. Bei einem Bruch in der Signalleitung soll in keinem Fall ein gefährliches Signalbild entstehen. Hauptsignale sollen bei Drahtbruch in die Haltstellung gebracht oder in ihr festgehalten werden: Vorsignale sollen in die Warnstellung gelangen oder sie behalten. Bei Haupt- und Vorsignalen, die mit einem gemeinsamen Hebel gestellt werden, wird es jedoch als zulässig angesehen, wenn bei einem Drahtbruch, der zwischen Haupt- und Vorsignal während der Fahrstellung des Signals eintritt, nur das Vorsignal die Warnstellung einnimmt, das Hauptsignal aber die Fahrstellung behält.

b) Signalhebel. Der Signalhebel ist wie der Weichenhebel in einem Bock gelagert, der auf der Hebelbank befestigt ist. In der Grundstellung steht auch dieser Hebel meistens nach

Stellwerke

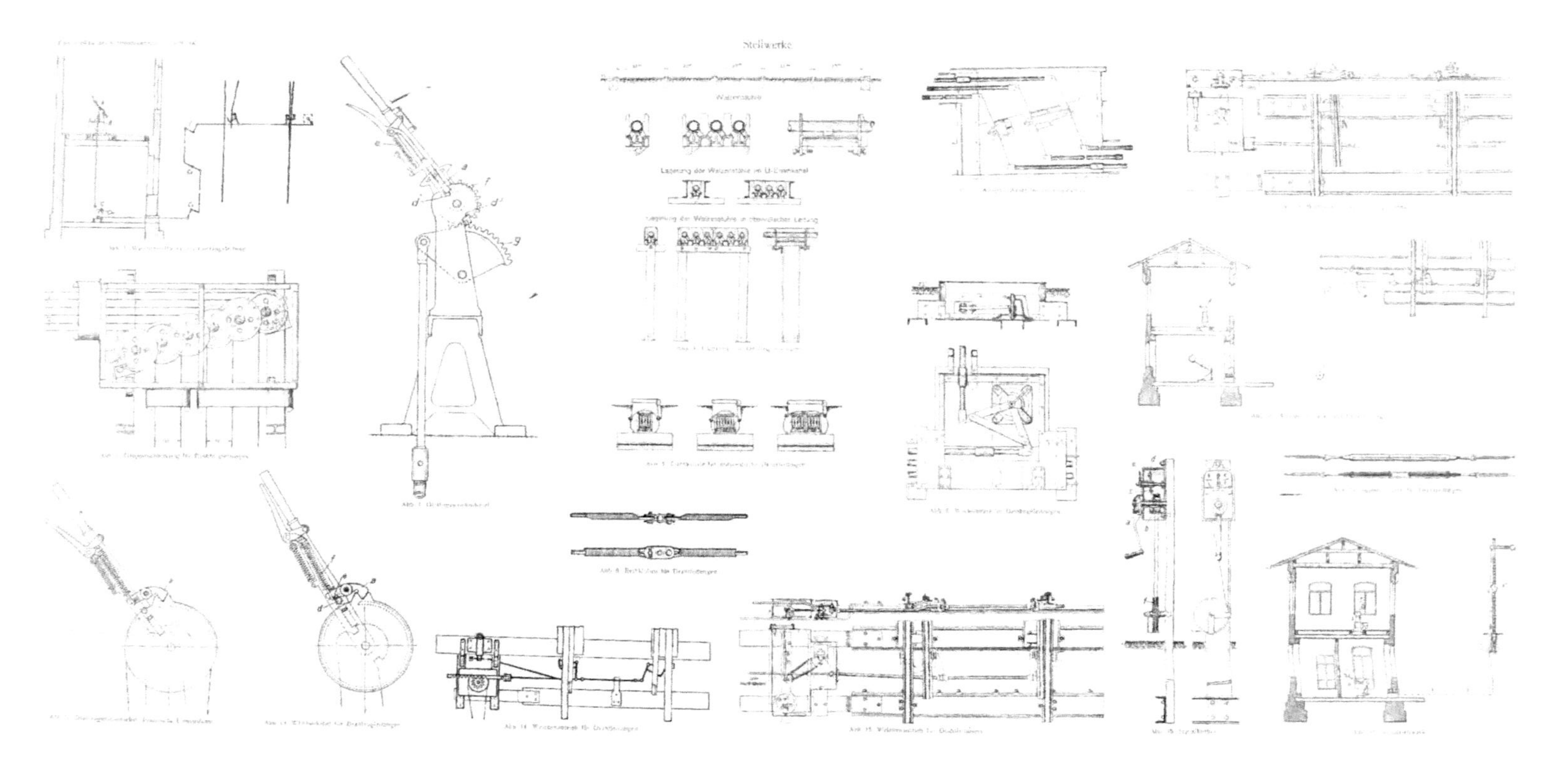

Stellwerke.

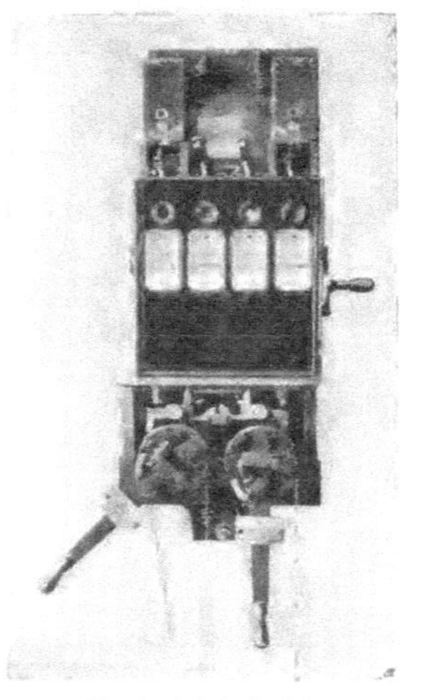

Abb. 1. Kurbelwerk einer Blockstelle.

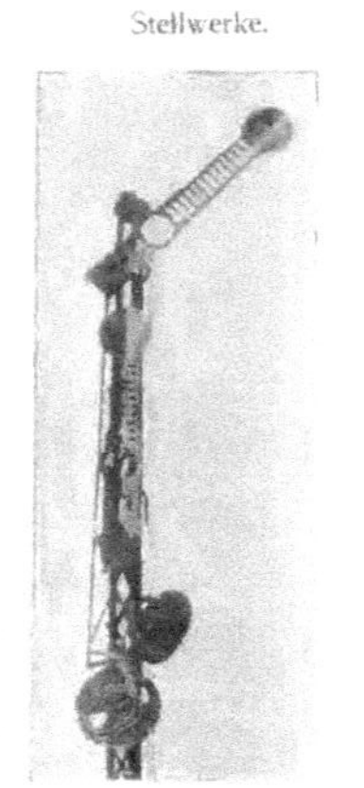

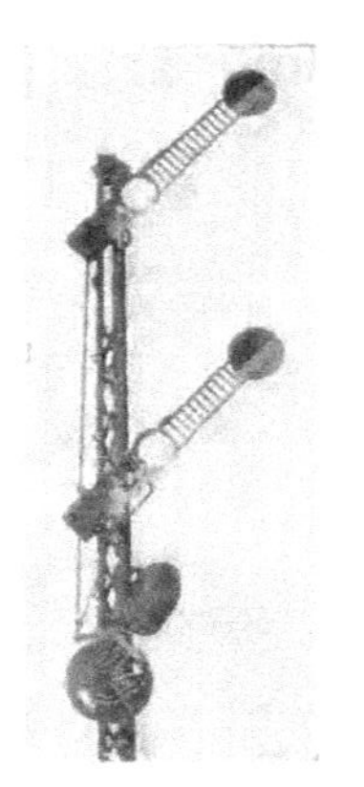

Abb. 2. Signalantrieb: Stellung bei „Halt" und „Fahrt frei".

Abb. 3.

Abb. 4.

Abb. 5.

Abb. 6.

Abb. 7.

oben unter etwa 30° gegen die Senkrechte nach hinten geneigt. Um das Signal auf Fahrt zu stellen, wird der Hebel um etwa 180° umgelegt. Abweichend hiervon ist der Signalhebel der Bauart Siemens & Halske in der Grundstellung schräg nach unten gerichtet und macht beim Umlegen nur einen Weg von etwa 145°. Der Signalumschlaghebel, der früher vielfach zum Stellen zweiflügeliger oder zweier einflügeliger Signale verwendet wurde, steht in der Grundstellung senkrecht; er wird nach vorne oder nach hinten um etwa 145° umgelegt.

Der Signalhebel ist im allgemeinen mit der Seilscheibe fest verbunden. In den beiden Endstellungen wird er durch die Handfallenstange ebenso wie der Weichenhebel in je einem Einschnitt des Hebelbocks festgehalten.

Taf. V, Abb. 17 zeigt einen solchen Signalhebel in Verbindung mit dem Signal. Im Obergeschoß des Stellwerkturms befindet sich der Signalhebel *a*. Von ihm führt der Signaldrahtzug zum Antrieb *c* des Hauptsignals. In diese Leitung ist im Untergeschoß des Turmes das Spannwerk *b* eingeschaltet.

c) Signalkurbel. Die Signalkurbel ist in einem Kurbelbock gelagert, der freistehend oder an der Wand des Stellwerkraums befestigt verwendet wird. In der Grundstellung hängt die Kurbel senkrecht abwärts. In dieser Stellung wird sie durch eine Feder in einer Rast festgehalten. Auf der Kurbelachse sitzt die Seilrolle, an die der Drahtzug angebunden ist. Zum Stellen des Signals wird die Kurbel meistens um 360° bewegt, so daß die umgelegte Kurbel in ihrer Lage mit der Grundstellung übereinstimmt.

Durch einen über der Kurbel angebrachten Zeiger wird dann kenntlich gemacht, ob die Kurbel sich in der Grundstellung befindet oder umgelegt ist. Bei einigen Bauarten ist zur Signalstellung nur ein Umlegen der Kurbel um etwa 300° erforderlich, so daß die Grundstellung und die Stellung der umgelegten Kurbel sich durch die Lage der Kurbel ohneweiteres unterscheiden. Auch die umgelegte Kurbel wird durch eine unter Federdruck stehende Einklinkvorrichtung festgehalten.

Taf. V, Abb. 16 zeigt eine einfache Signalkurbel. *a* ist die zur Festhaltung der Kurbel in ihrer Rast dienende Feder. Die Seilrolle *b* greift mit dem Zapfen *c* in das Schaltrad *d* ein und bewegt damit den auf derselben Achse sitzenden Zeiger *e* nach rechts oder nach links. Von der Seilrolle geht der Drahtzug über die am Fuß des Ständers gelagerte Rolle *f* nach dem Signal. Durch Umlegen der Kurbel nach der einen oder nach der andern Seite können auf den Drahtzug 2 voneinander verschiedene Bewegungen übertragen werden. Mit einer Signalkurbel kann man daher sowohl ein einflügeliges Signal wie auch ein zweiflügeliges oder 2 gekuppelte Signale stellen. Mehrere solcher einfachen Kurbeln können zu einem Kurbelwerk vereinigt sein. Am häufigsten finden sich solche Kurbelwerke mit 2 Kurbeln auf den Streckenblockstellen.

Taf. VI, Abb. 1 zeigt ein solches Werk. Dabei haben Kurbeln Verwendung gefunden, bei denen die umgelegte Kurbel eine von der Grundstellung abweichende Lage hat.

d) Signaldrahtzug. Zur Übertragung der Bewegung des Signalhebels auf den Signalantrieb wurde früher der einfache Signaldrahtzug verwendet. Jetzt ist dafür allgemein eine geschlossene Doppelleitung zwischen der Stellrolle am Signalhebel und einer Endrolle am Signalantrieb – der Doppeldrahtzug – in Gebrauch. Für die Signalleitung wird im allgemeinen 4 *mm* starker Stahldraht verwendet. Der beim Umstellen des Signalhebels auf den Drahtzug übertragene Weg wird bei neueren Ausführungen auf 500 *mm* bemessen.

Wird der Hebel aus der Grundstellung umgelegt (Taf. VII, Abb. 12), so wird der eine Zweig der Leitung als Zugdraht nach einer Richtung, der andere Zweig als Nachlaßdraht nach der entgegengesetzten Richtung hin bewegt. Dabei wird die Endrolle gedreht und das Signal auf Fahrt gestellt. Beim Zurücklegen des Signalhebels wird der frühere Nachlaßdraht zum Zugdraht und macht den Weg, den er beim Umlegen des Hebels gegangen ist, wieder zurück. Die hierbei in die Anfangsstellung zurückbewegte Endrolle bringt den Signalflügel von Fahrt wieder auf Halt.

Wird der Signalhebel nicht nur nach einer Seite, wie in Taf. VII, Abb. 12, sondern wie beim Signalumschlaghebel auch nach der andern Seite umgelegt – Taf. VII, Abb. 12a –, so wird einmal der obere, das andere Mal der untere Zweig der Doppelleitung Zugdraht. Die Endrolle wird dabei einmal um 90° nach der einen und das andere Mal um 90° nach der andern Richtung bewegt. Jede dieser Bewegungen kann zum Stellen eines Signalflügels ausgenützt werden. Der Signalumschlaghebel wurde in dieser Weise früher vielfach zum Stellen zweiflügeliger Signale verwendet. Jetzt wird dazu meistens der sog. Doppelhebel (Doppelsteller) benutzt, bei dem in einen Doppeldrahtzug 2 Hebel nach Taf. VII, Abb. 11 eingeschaltet sind. Wird Hebel I in der Pfeilrichtung umgelegt, so wird der untere Zweig der Doppelleitung Zugdraht und die Endrolle dreht sich in der Richtung des einfachen Pfeiles, wird Hebel II umgelegt, so wird der obere

Leitungszweig Zugdraht und die Endrolle in der Richtung des Doppelpfeils gedreht. In dem einen Fall erscheint das einflügelige, in dem andern das zweiflügelige Signal. Mit einem solchen Doppelhebel kann man auch 2 einflügelige Signale, z. B. 2 nebeneinander stehende Ausfahrsignale stellen.

Zum Stellen eines dreiflügeligen Signals sind 2 Doppeldrahtzüge erforderlich. In den zweiten Drahtzug wird ein sog. Kuppelhebel eingeschaltet, bei dessen Umlegen der dritte Signalflügel mit dem zweiten gekuppelt wird. Die Stellung aller 3 Flügel auf Fahrt und Halt geschieht durch Umlegen und Zurücklegen des Hebels für den zweiten Flügel.

Die zum Ausgleich der Längenänderungen in den Doppeldrahtzügen dienenden Spannwerke (s. d.) müssen bei den Signaldrahtzügen auch die Forderung erfüllen, daß beim Reißen des Drahtes an beliebiger Stelle kein gefährliches Signalbild erscheinen darf. Dies wird dadurch erreicht, daß bei Drahtbruch das Spannwerk den heil gebliebenen Draht nachzieht und den Signalantrieb so beeinflußt, daß der Signalflügel, wenn er „Halt" zeigt, in dieser Stellung festgelegt und, wenn der Flügel „Fahrt frei" zeigt, in die Haltstellung gebracht wird.

Der Signalantrieb besteht meistens aus einer in den Signaldrahtzug eingeschalteten Endrolle, die mit einer angegossenen Rille versehen ist. In der Rille läuft ein Röllchen, das mit dem einen Ende eines Winkelhebels oder eines einfachen Hebels verbunden ist und die Bewegung der Endrolle auf den Hebel und damit auf den Signalflügel oder die Signalscheibe überträgt.

Die der Endrolle angegossene Rille – die sog. Stellrinne — ist aus mehreren verschiedenartig geformten Teilen zusammengesetzt. Einzelne Teile der Rinne sind nach einem aus dem Mittelpunkt der Endrolle beschriebenen Kreisbogen geformt, andere sind in anderer Weise gebildet. Solange das Röllchen sich in den kreisförmigen Rinnenteilen bewegt, wird beim Drehen der Endrolle eine Bewegung auf den Winkelhebel und auf das Signal nicht übertragen – Leerweg. Tritt das Röllchen bei der Drehung der Endrolle aber in die anderen Rinnenteile, so wird der Winkelhebel nach oben oder nach unten bewegt und dadurch der Signalflügel oder die Signalscheibe aus einer Lage in die andere gebracht – Stellweg. Taf. VI, Abb. 2 zeigt die Stellung eines solchen Antriebs bei Fahrt- und Haltstellung eines zweiflügeligen Signals.

Wird mit einem Hebel gleichzeitig ein Hauptsignal und ein Vorsignal gestellt, so befindet sich am Hauptsignal ein Durchgangsantrieb und am Vorsignal ein Endantrieb. Der Durchgangsantrieb wird verschieden ausgebildet. Viel verwendet wurde früher der sog. Scherenhebelantrieb, neuerdings sind Rollenantriebe fast allgemein üblich (s. auch Vorsignale). Taf. VI, Abb. 3 – 7 zeigt den Signalantrieb der Einheitsform der preußischen Staatsbahnen.

III. Weichen- und Signalstellwerke.

In den Weichen- und Signalstellwerken sind Weichen- und Signalhebel vereinigt. Zwischen diesen Hebeln wird eine Abhängigkeit hergestellt, die erzwingt, daß ein Signal für eine Zugfahrt nur gezogen werden kann, wenn

1. alle Weichenhebel die für diese Fahrt vorgeschriebene Stellung einnehmen und
2. die Hebel der feindlichen Signale, d. h. der Signale für Fahrten, die die beabsichtigte Fahrt kreuzen oder mit ihr zusammenlaufen, in der Haltstellung festgelegt sind.

Diese Abhängigkeit zwischen den Hebeln eines S. wird fast immer durch einen Fahrstraßenhebel (-schieber oder -knebel) hergestellt.

Die Fahrstraßenhebel bewegen in einem Kasten – dem Verschlußkasten – gelagerte Fahrstraßenschubstangen in der Weise, daß z. B. die Schubstange nach rechts geht, wenn der Fahrstraßenhebel aus der Grundstellung nach oben gelegt wird, während die Schubstange nach links geht, wenn der Fahrstraßenhebel aus der Grundstellung nach unten gelegt wird. Auf diesen Schubstangen sind verschiedenartig geformte Verschlußstücke befestigt. Senkrecht zu den Fahrstraßenschubstangen liegen mit der Handfalle der Weichenhebel in Verbindung stehende Balken – Verschlußbalken –, die 3 verschiedene Stellungen einnehmen können. Eine davon (Taf. VII, Abb. 1) entspricht der Grundstellung des Weichenhebels, eine (Taf. VII, Abb. 2 u. 3) seiner Mittelstellung und eine (Taf. VII, Abb. 4) zeigt den umgelegten Hebel. Steht der Weichenhebel in Mittelstellung, so läßt sich die Fahrstraßenschubstange weder nach rechts, noch nach links bewegen, weil ihre zu beiden Seiten des Verschlußbalkens sitzenden Verschlußstücke sich gegen den Verschlußbalken legen. Befindet sich der Weichenhebel in der Grundstellung (Taf. VII, Abb. 1), so ist die Bewegung der Fahrstraßenschubstange nach links nicht möglich, da das rechts vom Verschlußbalken auf ihr sitzende Verschlußstück dabei gegen den Balken stößt. Wohl aber läßt sich die Fahrstraßenschubstange nach rechts bewegen, weil hierbei das links vom Balken befindliche Verschlußstück sich unter den Balken schiebt. Ist das geschehen, so läßt sich der Weichenhebel nicht mehr umlegen, weil die Handfalle

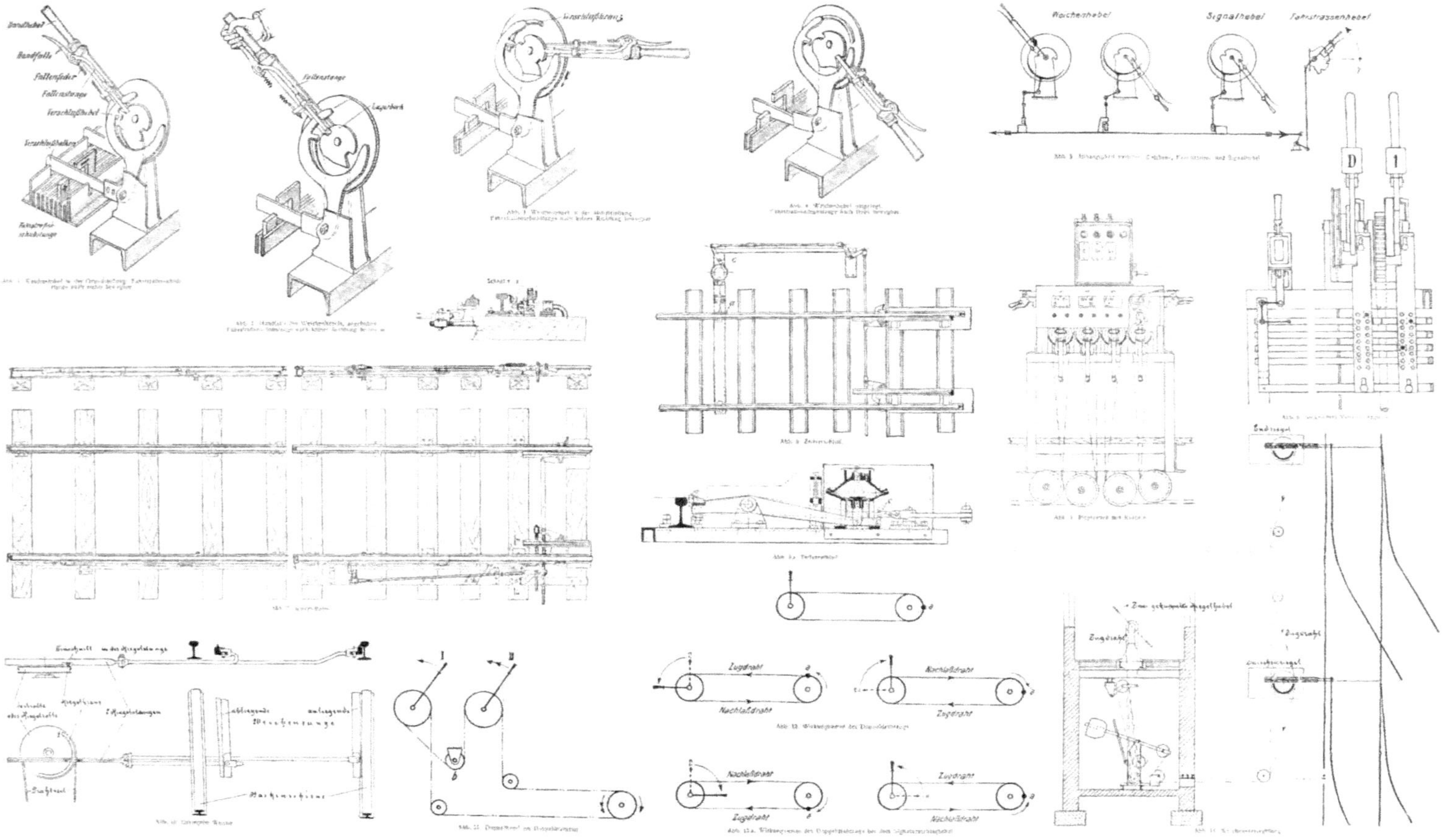

Handhebel
Handfalle
Fallenfeder
Fallenstange
Verschlußhebel
Verschlußbalken
Fahrstraßen-schubstange

Fallenstange
Lagerbock

Verschlußkranz

Weichenhebel
Signalhebel
Fahrstrassenhebel

D
1

Endriegel
Zugdraht
Zum gekuppelten Riegelhebel

Zugdraht
Nachlaßdraht

Nachlaßdraht
Zugdraht

Einschnitt in der Riegelstange
Riegelstange
2 Riegelstangen
abliegende
anliegende
Weichenzunge
Backenschiene
Drahtseil

nicht ausgeklinkt werden kann. Bei umgelegtem Weichenhebel (Taf. VII, Abb. 4) hindert das links vom Verschlußbalken sitzende Verschlußstück die Bewegung der Fahrstraßenschubstange nach rechts, dagegen ist die Verschiebung nach links möglich. Bei dieser schiebt sich das rechts vom Verschlußbalken befindliche, hakenförmig gestaltete Stück über den Verschlußbalken. Das Ausklinken der Handfalle des Weichenhebels und das Zurücklegen des Hebels in die Grundstellung ist nun verhindert.

Durch Bewegen der Fahrstraßenschubstange nach rechts oder nach links läßt sich also der Weichenhebel in jeder seiner beiden Endstellungen festlegen. Der umgelegte Fahrstraßenhebel verschließt auf diese Weise die Hebel der in einer bestimmten Fahrstraße liegenden Weichen und der dazugehörigen Schutzweichen. Solange der Fahrstraßenhebel nicht umgelegt ist, verhindert ein auf der Fahrstraßenschubstange sitzendes Verschlußstück das Umlegen des Signalhebels für die durch den Fahrstraßenhebel festzulegende Fahrstraße. Der umgelegte Fahrstraßenhebel gibt den zugehörigen Signalhebel frei und durch das Umlegen des Signalhebels wird endlich der umgelegte Fahrstraßenhebel verschlossen (Taf. VII, Abb. 5).

Neben der vorbeschriebenen Form der Verschlußvorrichtungen ist besonders auf den süddeutschen, schweizerischen und österreichischen Bahnen vielfach das sog. senkrechte Verschlußregister in Gebrauch. Die Verschlußvorrichtung liegt dabei vor den Hebeln. Die Fahrstraßenschubstangen sind senkrecht untereinander angeordnet. Beim Umlegen des Fahrstraßenhebels werden sie nach rechts oder links verschoben. Mit den Weichen- und Signalhebeln sind Verschlußriegel verbunden, die sich beim Andrücken der Handfalle senken und beim Loslassen der Handfalle heben. Die Abhängigkeit zwischen den Fahrstraßenhebeln und den Weichen- und Signalhebeln wird durch viereckige Verschlußknöpfe hergestellt, die in die Verschlußriegel eingeschraubt sind und in Einschnitte der Fahrstraßenschubstangen eingreifen. Taf. VII, Abb. 6 zeigt ein solches Verschlußregister.

Die in der beschriebenen Weise hergestellte Abhängigkeit zwischen der Weichen- und Signalstellung ist in zweifacher Beziehung eine begrenzte, u. zw.

1. insofern, als die Abhängigkeit nur zwischen den Weichen- und Signal**hebeln** besteht, nicht aber zwischen den Weichenzungen einerseits und den Signal**flügeln** oder -**scheiben** anderseits und

2. insofern, als mit dem Zurücklegen des Signalhebels ohne weiteres das Umlegen des Fahrstraßenhebels und der Weichenhebel möglich wird.

Solange die Stellvorrichtungen der Weichen und Signale in Ordnung sind und die Bewegung einzelner Teile nicht in unbeabsichtigter Weise behindert wird, genügt die Abhängigkeit zwischen den Stellhebeln. Würde aber z. B. an einer Weiche die Verbindungsstange der Hakenschlösser gebrochen sein oder der Bolzen, der die Verbindungsstange an die Haken anschließt, fehlen, so könnte der Weichenhebel sich in der richtigen Lage befinden und das Signal gezogen werden, obwohl eine Weichenzunge unrichtig liegt. Ein gegen die Spitze einer solchen Weiche fahrender Zug würde entgleisen. Zum Schutz gegen solche Betriebsgefahren dient der **Kontrollriegel**, der vor der Signalstellung die richtige Lage beider Zungen vom Signal abhängiger, spitzbefahrener Weichen überprüft und die Bewegung der Zungen verhindert, solange das Signal auf Fahrt steht.

Der Kontrollriegel ist ein Riegel (s. d.) mit doppelten Riegelstangen. Er wird entweder in die Signalleitung eingeschaltet und dann durch den Signal- oder Kuppelhebel mit bewegt oder er liegt in einer besonderen Doppelleitung und wird dann durch einen Riegelhebel gestellt.

Zur Sicherung der Zugfahrten bei vorzeitigem Zurücklegen der Signalhebel dienen **Einzelsicherungen**, u. zw. Sperrschienen und Zeitverschlüsse, sowie die elektrische Fahrstraßenfestlegung (s. unter VII).

Sperrschienen sind – in der Regel an der Außenkante der Fahrschiene – vor der Weiche angebrachte bewegliche Flach- oder Winkeleisen, die beim Umstellen der Weiche nach oben oder seitlich ausschwingen. Ist das Gleisstück vor der Weiche mit einem Fahrzeug besetzt, so stößt beim Versuch, den Weichenhebel umzulegen, die Sperrschiene gegen die Radkränze und hindert das Umstellen der Weiche. Taf. VII, Abb. 7 zeigt die Sperrschiene der Einheitsform der preußischen Staatsbahnen. Sie schwingt in lotrechter Ebene aus, wenn der Weichenhebel umgelegt wird.

Der Zeitverschluß (Taf. VII, Abb. 8) besteht aus einem zweiarmigen Hebel, der an dem einen Ende einen neben der Fahrschiene liegenden, sie um 12 – 15 *mm* überragenden Taster *a* trägt. Die über die Fahrschiene rollenden Räder drücken den Taster nieder. Dabei hebt sich der andere Arm *b* des zweiarmigen Hebels und hindert die Bewegung des mit der Weiche verbundenen Riegelkopfes *c*. Solange der Taster *a* tief und der Hebelarm *b* hoch steht, kann daher die Weiche nicht umgestellt werden. Durch eine aus einem Luftkessel mit Ventil bestehende Verzögerungseinrichtung wird erreicht, daß der von einem Rad niedergedrückte Hebel erst nach etwa 15 Sekunden seine Anfangsstellung wieder einnimmt. Es ist dann auch bei langsam fahrenden Zügen die Sicherheit vorhanden, daß ein zweites Rad den Taster berührt, ehe die durch das vorhergehende Rad bewirkte Sperrung aufgehoben ist.

IV. Zustimmungsstellwerke.

Zustimmungsstellwerke sind Weichenstellwerke, deren Weichenhebel in einer bestimmten Weise festgelegt sein müssen, bevor in einem davon getrennten Signalstellwerk die Signale gezogen werden können. Die Festlegung der Weichenhebel in dem Zustimmungsstellwerk geschieht durch Fahrstraßenhebel, die Festlegung der Fahrstraßenhebel durch ein Blockfeld – das Zustimmungsabgabefeld. Mit dem Zustimmungsabgabefeld im Zustimmungsstellwerk steht ein zweites Blockfeld – das Zustimmungsempfangfeld – in einem andern S. in Wechselwirkung. In der Grundstellung ist das Zustimmungsabgabefeld entblockt und die Weichenhebel sind frei. Im geblockten Zustand verschließt das Zustimmungsabgabefeld die Weichenhebel, von deren Stellung die Signalgebung an anderer Stelle abhängig ist. Statt der Stellhebel ferngestellter Weichen können durch ein Zustimmungsstellwerk auch Riegelhebel von Handweichen festgelegt werden. Das in Grundstellung geblockte Zustimmungsempfangsfeld verschließt den Fahrstraßenhebel und hierdurch den zu dieser Fahrstraße gehörigen Signalhebel. Das entblockte Zustimmungsempfangsfeld gibt diesen Fahrstraßenhebel frei.

V. Riegelwerke

dienen dazu, Handweichen, Handgleissperren, Drehbrücken u. dgl. festzulegen und von deren richtiger Stellung die an anderer Stelle erfolgende Signalgebung abhängig zu machen. Die Festlegung der Weichen, der Gleissperren oder der Drehbrücken erfolgt durch Riegel (s. d.), die durch besondere Riegelhebel bewegt werden. Die Festlegung der Riegelhebel geschieht durch Fahrstraßenhebel und deren Festlegung durch Blockfelder oder Schlüssel, die nach Verschließen des Fahrstraßenhebels den Signalhebel frei geben.

Die Riegel werden durch Hebel oder Kurbeln gestellt. Soll eine Weiche nur in einer Stellung geriegelt werden, so wird ein Weichenhebel als Riegelhebel verwendet. Zur Riegelung einer Weiche in beiden Endstellungen dient eine Riegelkurbel für 2 Bewegungen oder ein Riegeldoppelhebel, der aus 2 einfachen Hebeln besteht, die in einem Doppeldrahtzug liegen. Durch eine und dieselbe Riegelleitung können auch mehrere Riegel gestellt werden. Die Riegelkurbeln unterscheiden sich von den Signalkurbeln (s. d.) dadurch, daß sie mit einer Drahtbruchsperre ausgerüstet sind, die bei Drahtbruch in der Riegelleitung das Umlegen oder Zurücklegen der Kurbel unmöglich macht. Das Signal kann also nur bei ordnungsmäßigem Zustand der Riegelanlage auf Fahrt gestellt werden.

Taf. VII, Abb. 9 zeigt ein Riegelwerk mit Kurbeln. Über jeder Kurbel befinden sich im Gehäuse 2 Ausschnitte, hinter denen eine Scheibe sich bewegt, die durch rote oder weiße Farbe die Stellung der Kurbel anzeigt. Rote Farbe bedeutet Grundstellung der Kurbel, weiße Farbe die Stellung, bei der die Weichen geriegelt sind. Über der Kurbel sind Fahrstraßenschieber gelagert, die Verschlußstücke tragen. Mit der Kurbel sind Schaltscheiben verbunden, die in der Grundstellung die Fahrstraßenschieber sperren.

Der Zusammenhang zwischen dem Riegelwerk und den Weichen ist aus Taf. VI, Abb. 13 ersichtlich. Taf. VII, Abb. 10 zeigt die Anlage bei geriegelter Weiche. Der Riegelschieber ist dabei wie beim Kontrollriegel doppelt, so daß beide Weichenzungen festgehalten werden. Zur Schaffung einer Abhängigkeit zwischen handgestellten Weichen und Signalen wird jedoch in vielen Fällen auch ein einfacher Riegel verwendet.

VI. Schlüsselsicherungen.

Weichen und Gleissperren werden vielfach auch durch Handschlösser gesichert. Die Schlösser sollen so eingerichtet sein, daß sich der Schlüssel erst aus dem Schloß entfernen läßt, wenn die Weiche oder Gleissperre in der richtigen Lage verschlossen ist.

Dabei kann auch die Signalgebung von dem richtigen Verschluß der Weichen oder Gleissperren abhängig gemacht werden, indem der aus dem Handschloß herausgezogene Schlüssel benutzt wird, um den unter Verschluß liegenden Signalhebel freizumachen. Der Signalhebel kann unmittelbar durch ein Handschloß oder mittelbar durch einen unter Blockverschluß liegenden Fahrstraßenhebel verschlossen sein. Der aus dem Weichenhandschloß herausgezogene Schlüssel wird in das S. oder Blockwerk gesteckt und gibt, nachdem er umgedreht ist, den Signalhebel frei oder er macht das zum Freigeben des Signals dienende Blockfeld bedienbar. Dieser Schlüssel kann erst wieder aus dem S. oder Blockwerk herausgezogen werden, wenn der Signalhebel zurückgelegt oder das Blockfeld an der Freigabestelle entblockt ist. Die Schlüssel solcher mit den

Signalen in Abhängigkeit stehender Handschlösser stecken im S. oder Blockwerk, wenn sie nicht benutzt werden. Die Schlüssel nicht abhängiger Handschlösser sollen, wenn sie nicht benutzt werden, an bestimmter Stelle eines Schlüsselbretts so aufgehängt werden, daß der bei selten umzustellenden Weichen und Gleissperren sowie zur vorübergehenden Sicherung von Weichen bei Störungen oder bei Bauausführungen, bei denen Weichen zeitweilig vom S. abgebunden werden oder die Abhängigkeit zwischen Weichen und Signalen aufgehoben ist.

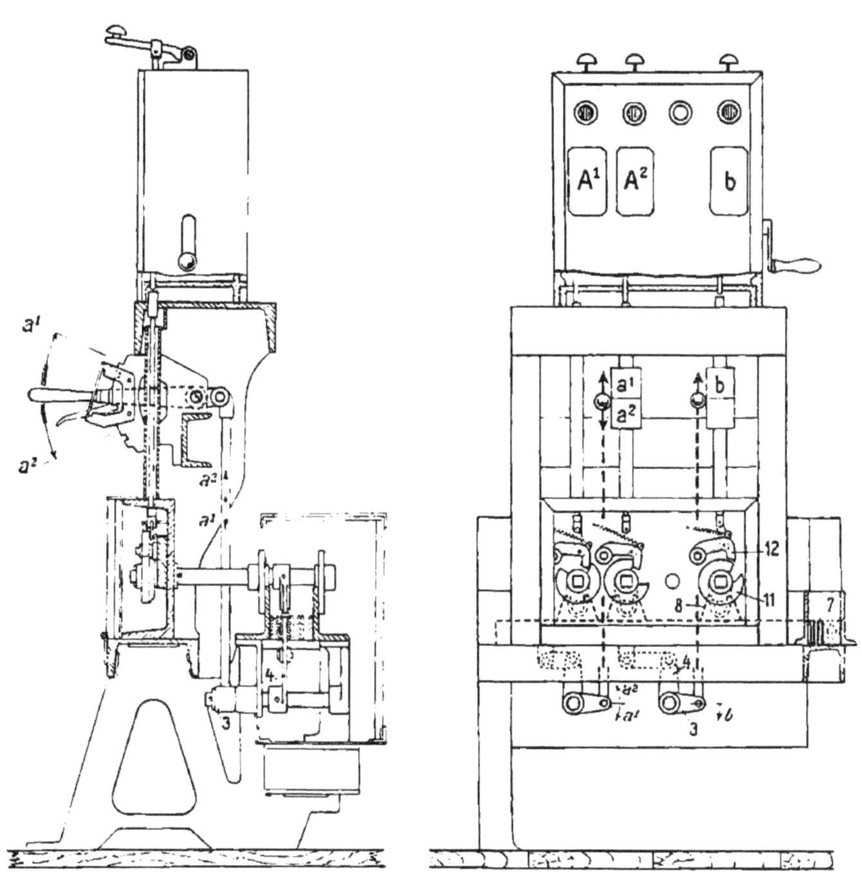

Abb. 160. Blocksperren.

Fahrdienstleiter mit einem Blick erkennen kann, ob die Schlüssel der Weichen, die zu einer Fahrstraße gehören, sich am Brett befinden. Zu dem Zweck werden die Schlüsselgriffe so ausgebildet, daß sie sich nur an der für sie bestimmten Stelle aufhängen lassen.

Solche Schlüsselsicherungen werden verwendet bei einfachen Betriebsverhältnissen zur Herstellung von Abhängigkeiten zwischen den Signalen und den Einfahrweichen, bei Gleisanschlüssen auf der freien Strecke, in Bahnhöfen

VII. Verbindung der S. mit der Stations- und Streckenblockung.

Die Stationsblockung (s. auch Blockeinrichtungen, Bd. II, S. 414) soll die Zugfahrten innerhalb der Stationen sichern. Zu diesem Zweck werden die Weichen und Signale in größerem oder geringerem Umfang durch Blockfelder derart festgelegt, daß

a) die Hauptsignale nur unter Mitwirkung des Fahrdienstleiters auf Fahrt gestellt werden

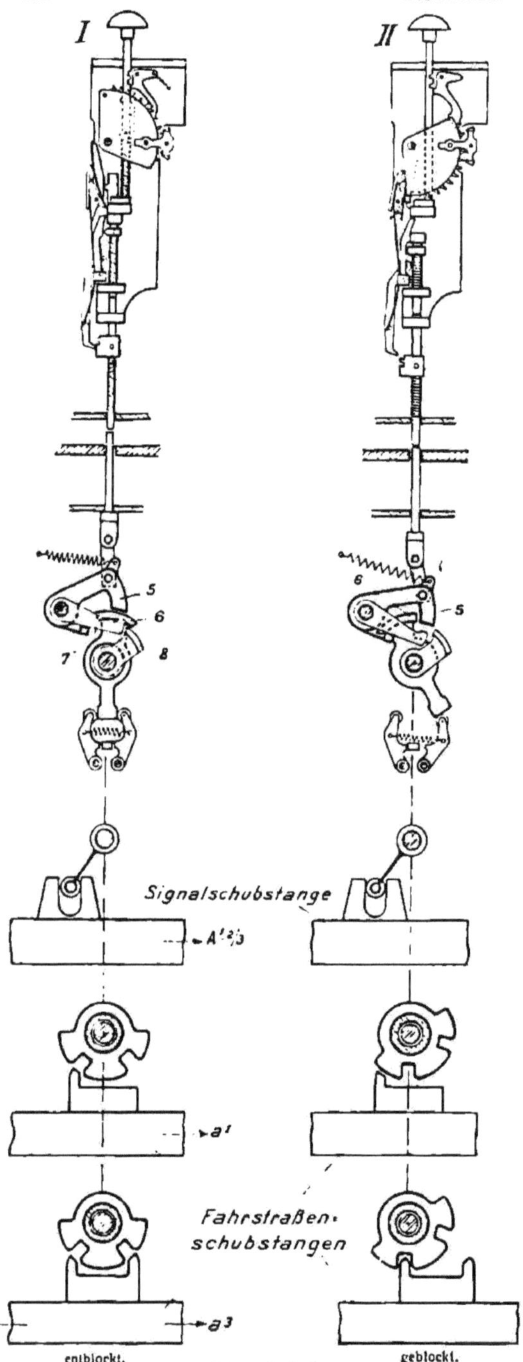

Abb. 161. Fahrstraßenfestlegesperre.

können und dabei die Fahrstellung feindlicher Signale ausgeschlossen ist;

b) die Freigabe eines Fahrsignals von der Zustimmung anderer bei der Zulassung der Zugfahrt beteiligter Stellen abhängig gemacht wird und

c) die in der Fahrstraße des Zuges liegenden und diese Fahrstraßen schützenden Weichen, Gleissperren u. s. w. auch dann noch unter Verschluß gehalten werden, wenn das Signal wieder auf Halt gestellt ist.

Zum Festlegen und Freigeben der Signale *(a)* dienen Signalfelder (Signalfestlege- und Signalfreigabefelder), zur Abgabe einer Zustimmung *(b)* Zustimmungsabgabefelder und zu ihrem Empfang Zustimmungsempfangfelder, zur Festlegung einer Fahrstraße *(c)* Fahrstraßenfestlegefelder und zu ihrer Auflösung Fahrstraßenauflösefelder.

Die Streckenblockung (s. auch Blockeinrichtungen, Bd. II, S. 386) soll die Zugfahrten außerhalb der Bahnhöfe von Zugfolge- zu Zugfolgestelle sichern. Nach Einfahrt eines Zuges in eine von solchen Zugfolgestellen begrenzte Blockstrecke wird das Signal an ihrem Anfang – Ausfahrsignal oder Blocksignal – durch ein Blockfeld – Anfangfeld – in der Haltstellung verschlossen. Dieses Signal kann nur von der nächsten vorwärts gelegenen Zugfolgestelle durch Bedienen eines Blockfeldes – des Endfeldes – wieder freigegeben werden.

Die Festlegung von Fahrstraßen oder Signalen durch ein Blockfeld geschieht dadurch, daß beim Blocken des Feldes dessen Riegelstange nach unten gedrückt und in dieser Lage elektrisch verschlossen wird. Die Aufhebung dieses Verschlusses – die Entblockung – erfolgt durch Entsendung von Strom von einer Freigabestelle oder infolge Befahren eines Schienenstromschließers durch den Zug. Die Riegelstangen wirken auf Blocksperren, die sich unter dem Blockwerk im Blockuntersatz befinden und mit den Fahrstraßen- und Signalschubstangen in Verbindung stehen.

Bei der Stationsblockung kommt die Fahrstraßenhebelsperre und die Fahrstraßenfestlegesperre vor.

Die Fahrstraßenhebelsperre findet sich unter den Signalfestlegefeldern und Zustimmungsabgabefeldern in S., die von einer Befehlstelle abhängig sind, und unter den Zustimmungsabgabefeldern in

Weichen-, Signal- und Zustimmungsstellwerken. Auch unter Zustimmungsempfangfeldern und Signalfreigabefeldern in Befehlstellwerken kommen sie vor.

Abb. 160 stellt ein S. mit solchen Sperren dar. Unter den Signalfestlegefeldern A^1 und A^2 und dem Zustimmungsabgabefeld *b* befindet sich je eine Fahrstraßenhebelsperre. Die Signalfelder A^1 und A^2 sind geblockt, ihre

Der Fahrstraßenhebel $a^{1,2}$ liegt in Grundstellung fest, da die geblockten Signalfelder A^1 und A^2 die Verschlußhaken in ihrer Tieflage festhalten und hierdurch eine Drehung der Verschlußscheibe verhindern. Erst wenn A^1 oder A^2 entblockt ist, läßt sich der Fahrstraßenhebel nach oben oder nach unten bewegen.

Die Fahrstraßenfestlegesperre findet sich unter den Fahrstraßenfestlegefeldern, die

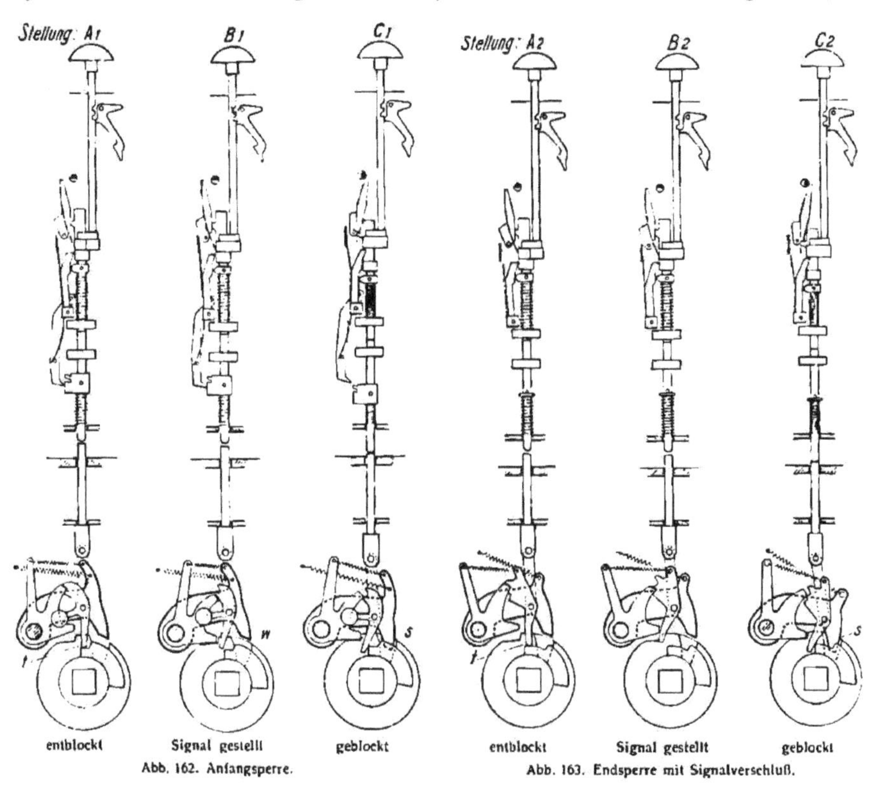

Abb. 162. Anfangsperre.

Abb. 163. Endsperre mit Signalverschluß.

Riegelstangen stehen tief. Das Zustimmungsfeld *b* ist entblockt, seine Riegelstange steht hoch. Bei dem entblockten Zustimmungsfeld liegt der Verschlußhaken *12* über der Verschlußscheibe *11*. Wird der Fahrstraßenhebel *b* nach oben umgelegt, so wird durch die Winkelübertragung *3/4* die Fahrstraßenschubstange *7* nach rechts bewegt. Dabei dreht das Triebstück *8* die Verschlußscheibe *11* linksläufig. Wird das Feld *b* geblockt, so drückt die Riegelstange den Verschlußhaken *12* nach unten und hält ihn in der tiefen Lage fest. Der umgelegte Fahrstraßenhebel *b* kann nun nicht mehr zurückgelegt werden.

als Wechselstromblockfelder oder als Gleichstromblockfelder ausgeführt werden. Die geblockten Wechselstrom-Festlegefelder werden durch einen Beamten entblockt, der beurteilen kann, ob der Zug die zu sichernden Weichen sämtlich durchfahren hat oder zum Halten gekommen ist. Das Gleichstrom-Festlegefeld wird in der Regel durch den fahrenden Zug selbst entblockt. Hierzu dient ein Schienenstromschließer in Verbindung mit einer isolierten Schiene, wobei die letzte Achse des Zuges die Entblockung bewirkt. Abb. 161 zeigt eine Fahrstraßenfestlegesperre bei entblocktem und bei geblocktem Feld.

Bei der Streckenblockung 2gleisiger Bahnen werden verwendet:

die mechanische Tastensperre mit Signalverschluß und die Wiederholungssperre als Anfangsperre unter dem Anfangfeld;

die mechanische Tastensperre mit Signalverschluß unter dem Signalverschlußfeld der abhängigen S. (Wärterstellwerke) als Endsperre;

die mechanische Tastensperre ohne Signalverschluß unter dem Endfeld bei Befehlstellwerken als Endsperre;

die mechanische Tastensperre mit Signalverschluß unter dem Anfangfeld als gemeinschaftliche Sperre für das Anfang- und Endfeld bei Blockstellen auf freier Strecke.

Abb. 162 u. 163 zeigen die beiden zuerst genannten Sperren. Abb. 162 ist die Anfangsperre, Abb. 163 die Endsperre.

Bei der Anfangsperre wird durch die mechanische Tastensperre verhindert, daß das Blockfeld bedient wird, bevor der zugehörige Signalhebel umgelegt und wieder zurückgelegt ist. Der Signalverschluß legt beim Blocken des Anfangfeldes die Signalhebel fest, so daß sie nur durch Blockbedienung von der nächsten vorwärts gelegenen Zugfolgestelle wieder frei gemacht werden können. Die Wiederholungssperre hält den in die Grundstellung zurückgelegten Signalhebel und die Hebel aller übrigen auf dasselbe Streckengleis weisenden Ausfahrsignale so lange fest, bis das Anfangfeld geblockt und der Signalverschluß eingetreten ist. Dieser Verschluß des Signalhebels wird durch Entblocken des Anfangfeldes von der vorwärts gelegenen Zugfolgestelle wieder aufgehoben.

Bei der Endsperre wird durch die mechanische Tastensperre ebenso wie bei der Anfangsperre verhindert, daß das Blockfeld bedient wird, bevor der zugehörige Signalhebel umgelegt und wieder zurückgelegt ist. Der Signalverschluß legt beim Blocken des Endfeldes den Signalhebel fest. Dieser Verschluß bleibt bestehen, bis der Signalhebel durch Blocken des Signalfestlegefeldes wieder unter Verschluß des Fahrdienstleiters gelegt ist.

Bei der gemeinschaftlichen Sperre für das Anfang- und Endfeld der Blockstellen auf freier Strecke wirkt die mechanische Tastensperre wie bei der vorerwähnten Anfang- und Endsperre. Der Signalverschluß legt beim Blocken des Anfangfeldes den Signalhebel fest. Dieser Verschluß wird durch Blocken des Endfeldes auf der nächsten Zugfolgestelle wieder aufgehoben.

Auf den bayerischen Staatseisenbahnen sind zwischen den Ein- und Ausfahrsignalen vielfach noch besondere Abhängigkeiten vorhanden. Dort wird die Fahrstellung des Einfahrsignals mit dem zugehörigen Ausfahrsignal einer Fahrtrichtung so in Zusammenhang gebracht, daß das Einfahrsignal nicht auf Fahrt gezogen werden kann, bevor nicht das Ausfahrsignal der Einfahrstraße auf Halt gestellt ist (Haltabhängigkeit). Ferner besteht zwischen den Einfahr- und Ausfahrsignalen die Abhängigkeit, daß nach Zurücknahme einer Einfahrt zuerst die Ausfahrt aus dem betreffenden Gleis gegeben und wieder zurückgestellt sein muß, bevor für das nämliche Gleis eine wiederholte Einfahrt von derselben oder die Einfahrt von der entgegengesetzten Seite freigegeben werden kann (Belegtabhängigkeit). Das Ausfahrvorsignal (Durchfahrsignal) kann nur dann in die Fahrstellung gebracht werden, wenn sowohl das Einfahrsignal wie das Ausfahrsignal am Durchfahrgleis auf freie Fahrt gestellt ist (Durchfahrabhängigkeit).

Literatur: Kolle, Die Anwendung und der Betrieb von Stellwerken zur Sicherung von Weichen und Signalen. Berlin 1888, Verlag von Ernst & Korn. – Scholkmann, Signal- und Sicherungsanlagen. Eis. T. d. G. Bd. II, 4. Abschnitt. Wiesbaden 1904. C. W. Kreidels Verlag. – Scheibner, Die mechanischen Sicherheitsstellwerke im Betrieb der vereinigten preußisch-hessischen Staatseisenbahnen. 2 Bände. Berlin 1904 u. 1906; Mittel zur Sicherung des Betriebs. Hb. d. Ing.W., 5. Teil, Bd. VI, Leipzig 1913, Verlag von Wilhelm Engelmann. – Zeitschrift für das gesamte Eisenbahnsicherungswesen, herausgegeben im Verlag v. Dr. Artur Tetzlaff, Berlin, S. 42.

Hoogen.

Stellwerkhaus (*signal cabin, signal box, signal tower; cabine de poste de manoeuvre; cabina di manovra, cabina a comando centrale*) ist das zur Aufnahme des Hebelwerks der Stellwerke dienende Gebäude. S. finden sich auf den Bahnhöfen als End- oder Mittelstellwerke und auf den Blockstellen der freien Strecke. S., deren Fußboden nur wenig über den Schienen liegt, heißen Stellwerkbuden. Als Stellwerktürme werden S. bezeichnet, deren Fußboden zur Erreichung einer guten Übersicht höher gelegt ist, als die Unterbringung der Spannwerke es erfordert.

Die S. der Bahnhöfe sollen möglichst im Schwerpunkt der Weichenbezirke liegen, damit alle Weichen gleichmäßig gut zu übersehen sind und die Stelleitungen möglichst kurz werden. Rangierstellwerke an Ablaufbergen werden jedoch meistens in der Nähe der ersten Verteilungsweiche angeordnet. Bei mechanischen Stellwerken ist im allgemeinen die Stellung seitwärts von den Gleisen und mit ihrer Längsrichtung gleichlaufend am zweckmäßigsten. Kraftstellwerke werden, da sie ein Untergeschoß zur Aufnahme der Drahtzugleitungen und Spannwerke nicht erfordern, vielfach mit Vorteil quer über die Gleise gestellt (Abb. 164).

Das S. muß das Hebelwerk und, wenn es nicht ein Weichenstellwerk ist, fast immer ein Blockwerk aufnehmen, außerdem nach Bedarf Morsewerke und Fernsprecher.

Für jeden Weichen- und Signalhebel ist ohne den Überstand der Hebelbank an den Enden je nach der Bauart 10 – 16 *cm* zu rechnen. Am häufigsten ist das Maß von 14 *cm*. Die Blockfelder sind 10 *cm* von Mitte zu Mitte voneinander entfernt. Die Morsetische sind etwa 60 × 95 *cm* groß. In Preußen haben sie die Abmessungen 62 × 94 *cm*.

Das Hebelwerk und das Blockwerk sollen von allen Seiten zugänglich

Abb 164. Quer über die Gleise gestelltes Kraftstellwerk.

Abb. 165. Blockstelle.

sein. Bei mechanischen Stellwerken hat der Wärter bei Bedienung des Stellwerks seinen Platz meistens zwischen dem Hebelwerk und der den Gleisen zugewendeten Längsseite des S. Zwischen Hebelwerk und dieser Wand wird dann eine Entfernung von 1·50 – 2·00 *m* zweckmäßig sein. Als ganze Tiefe des Stellwerkraums genügen im allgemeinen 3 – 3·5 *m*, bei sehr großen Stellwerken geht man damit auf 3·5 – 4·0 *m*. Die Länge richtet sich nach dem Hebelwerk und dem Blockwerk. An der einen Seite davon ist ein Durchgang von etwa 1·0 *m*, an der andern Seite ein solcher von 1·5 – 2·0 *m* vorzusehen. Als Grundform für die S. ergibt sich hiernach in der Regel ein Rechteck. Bei Befehlstellwerken mit vielen Morsewerken ist unter Umständen ein Querbau in Verbindung mit einem Längsbau zweckmäßig. Wo Stellwerke zwischen den Gleisen errichtet werden müssen, wird das Obergeschoß zuweilen ausgekragt.

Für die Höhenlage des Fußbodens des Stellwerkraums ist einmal die Forderung einer guten Übersicht über den Stellwerkbezirk und zweitens der Umstand maßgebend, daß bei mechanischen Stellwerken die Spannwerke-

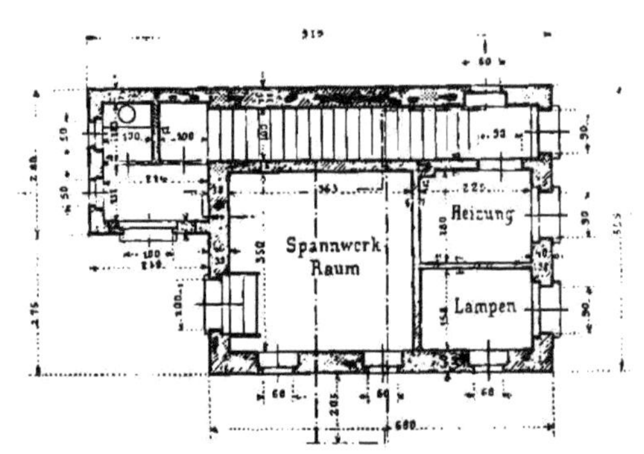

Abb. 166. Stellwerk. Erdgeschoß.

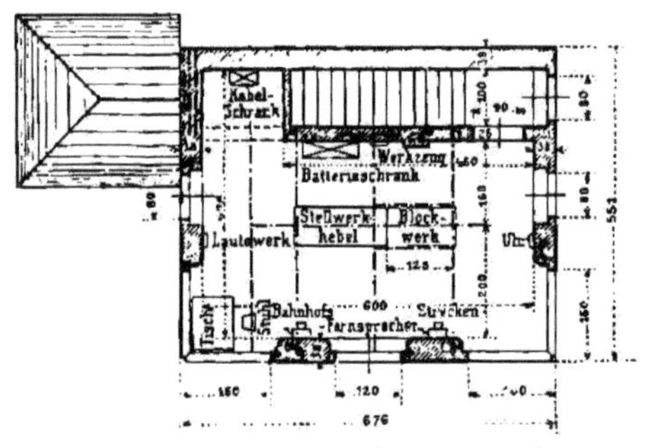

Abb. 167. Stellwerk. Obergeschoß mit Einrichtungsgegenständen.

am zweckmäßigsten unter den Stellhebeln angeordnet werden.

Wenn bei Endstellwerken und Blockstellen (Abb. 165) Wert darauf gelegt werden muß, daß das Schlußsignal eines im zweiten Gleis fahrenden Zuges auch bei Zugkreuzungen beobachtet werden kann, so muß der Fußboden etwa 4·0 *m* über Schienenoberkante angeordnet werden. Der Fußboden des Spannwerkraums liegt in der Regel etwas unter Planumshöhe.

Der obere Raum des S. wird durch eine außen oder innen liegende Treppe zugängig gemacht. Außen liegende Treppen werden zweckmäßig überdacht und auch mit Seitenschutz versehen. Bei innen liegenden Treppen ist darauf zu achten, daß sie die Aussicht nach dem Stellwerkbezirk nicht beeinträchtigen. Die früher häufig verwendeten eisernen Wendeltreppen sind nicht zweckmäßig.

Im Untergeschoß des S. wird ein Teil von den Spannwerken eingenommen. Er soll von den übrigen Räumen abgetrennt und nicht als Lagerraum benutzt werden. Für Kohlen, Lampen u. dgl. sind besondere Räume einzurichten (Abb. 166 u. 167). Auch der Abort kann im Untergeschoß liegen; vielfach wird er aber im oberen Stockwerk neben der Treppe angeordnet.

Bei der baulichen Ausführung ist darauf Rücksicht zu nehmen, daß das S. häufig schon nach kurzer Frist wieder beseitigt werden muß, weil bei Bahnhofserweiterungen der Platz, auf dem sie stehen, für Gleiserweiterungen benötigt wird. Ein massiver Unterbau mit Fachwerkaufbau, der, wo die klimatischen Verhältnisse es erwünscht erscheinen lassen, mit Holz oder Schiefer bekleidet wird, gibt im allgemeinen die ansprechendste und zweckdienlichste Lösung.

Besondere Aufmerksamkeit ist der Ausbildung der Fenster zuzuwenden. Es muß für möglichst freie Aussicht

Abb. 168. Stellwerk mit zweckmäßiger Fensterausbildung.

gesorgt, aber auch auf genügende und zweckmäßige Wandflächen zur Anbringung von Fernsprechern und Aufstellung von Ausrüstungsgegenständen (Batterieschränke, Kleiderschränke) Bedacht genommen werden. Überflüssige Fensterflächen erschweren die Erwärmung des Stellwerkraums im Winter. Fenstersprossen in Augenhöhe des Wärters sind zu vermeiden. Die Fenster sind genügend weit nach unten zu führen, wenn in der Nähe des S. liegende Gleise beobachtet werden müssen. Die Oberkante der Fenster ist nicht höher als unbedingt erforderlich zu legen, um blendendes Sonnenlicht abzuhalten. Zum Schutz gegen die Sonne ist auch ein breiter Dachüberstand über den Fenstern zweckmäßig.

Zur Verständigung des Stellwerkwärters mit dem Rangierpersonal sind in den Fenstern Klappen oder kleine Flügel anzubringen. Vielfach werden auch zur Erleichterung der Verständigung und der Ausschau nach den Signalen Erkerausbauten und Austritte angeordnet. In manchen Fällen sind auch Brücken mit den S. verbunden, die über die Gleise hinweggehen und den Überblick über einen größeren Bezirk gestatten.

Die Abb. 166 u. 167 zeigen die Grundrisse eines S. mit den Einrichtungsgegenständen. Der Fußboden liegt 3·5 *m* über Schienenoberkante. Abb. 169, 170 u. 171 stellen ein größeres Stellwerk mit massivem Unterbau und Fachwerkaufbau dar. Abb. 172 gibt ein Bild von einer Blockstelle auf der freien Strecke, Abb. 168 zeigt ein Stellwerk, bei dem die zweckmäßige Ausbildung der Fenster beachtens-

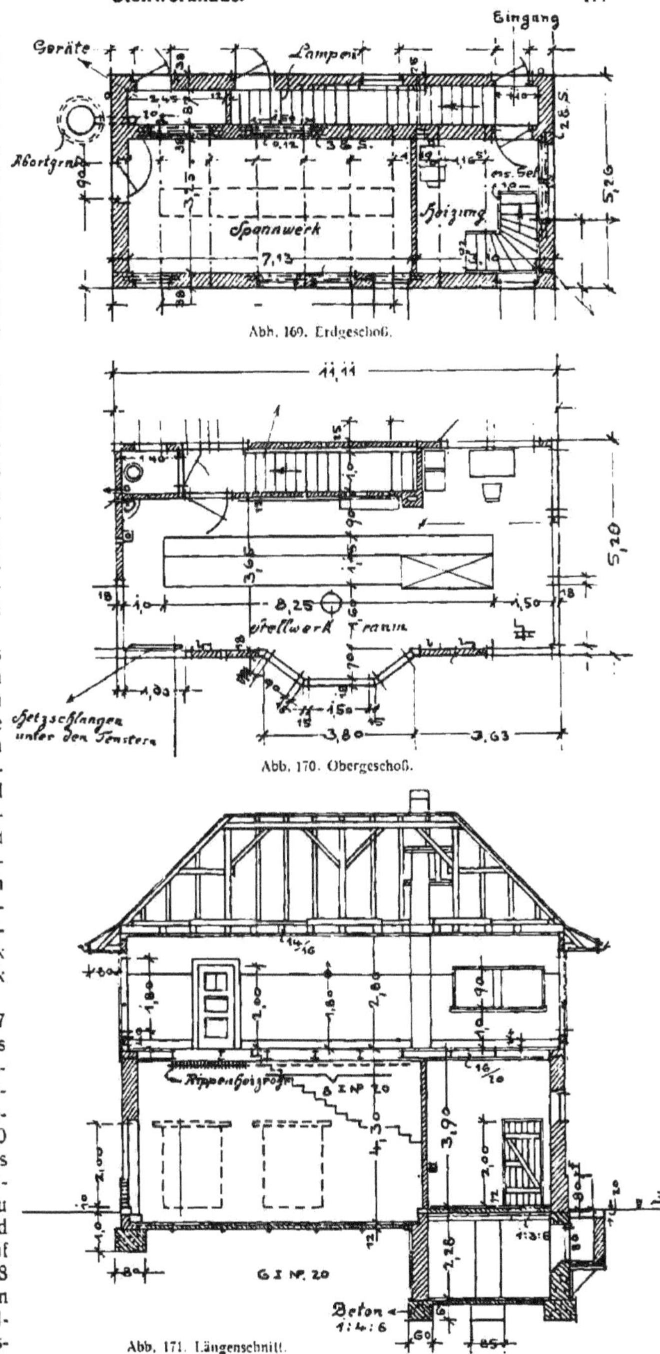

Abb. 169. Erdgeschoß.

Abb. 170. Obergeschoß.

Abb. 171. Längenschnitt.

wert ist. In Abb. 164 ist ein quer über die Gleise gestelltes Kraftstellwerk dargestellt.

Abb. 172.

Das Innere eines größeren deutschen Stellwerks aus neuerer Zeit zeigt Abb. 173.

Besonderes Augenmerk muß der künstlichen Beleuchtung der S. zugewandt werden. Einerseits ist eine gute Beleuchtung des ganzen Stellwerks notwendig, damit die Stellwerkwärter rasch und sicher arbeiten können, anderseits darf durch die Stellwerkbeleuchtung die Sichtbarkeit der Signale und der Fahrstraßen, aus Gründen der Betriebssicherheit nicht beeinträchtigt werden, eine Forderung, die bei den großen, gegen die Bahn gerichteten Fenstern der S. schwer zu erfüllen ist.

Auch die Stellwerkwärter können die Signale nicht gut wahrnehmen, wenn das Innere des S. zu grell beleuchtet ist.

Man hat daher Versuche angestellt, die Beleuchtung so einzurichten, daß das Licht des S. nach außen abgeblendet erscheint und auf jene Teile des Stellwerkinnern reflektiert wird, die eine ausgiebige Beleuchtung erheischen.

Hoogen.

Stellwerkturm s. Stellwerkhaus.

Stempel, Stampiglien, Vorrichtungen, mit denen Aufdrucke in Worten, Ziffern und sonstigen Schriftzeichen hergestellt werden. In einem andern Sinn versteht man unter S. auch die

Abb. 173. Inneres eines Stellwerks.

durch dieses Verfahren hergestellten Aufdrucke selbst. Im Eisenbahnwesen finden S. vielfache Verwendung, so zum Aufdruck der Firma der Bahnverwaltung, des Titels der einzelnen Dienststellen und zu verschiedenen amtlichen Vermerken. Eine besonders häufige Verwendung finden S. im Personen-, Gepäck- und Güterabfertigungsdienst. Hier sind beispielsweise die S. zur Bestätigung der Fahrtunterbrechungen auf Fahrausweisen und Fahrkarten sowie der Tagesstempel zur Feststellung des Datums des Fahrtantritts, ferner im Güterverkehr der Tages-, Annahme-, Ankunfts-, Übergangs-, Umlade-, Wäge-, Saldierungsstempel u. s. w. zu nennen.

Zum Aufdruck der Zeitangaben enthalten die S. entweder drehbare Letterrädchen, die dauernd im S. eingebaut sind, oder sie sind mit auswechselbaren Buchstaben und Ziffern versehen. Bei letzterer Einrichtung setzt man in eine Einspannvorrichtung die entsprechenden Lettern oder Ziffern ein und klemmt sie mittels einer Schraube fest.

Je nach der Art des Aufdrucks unterscheidet man Trocken- oder Feucht- (Farb-) Stempel. Bei ersteren erscheint der Aufdruck in vertiefter oder erhöhter Schrift (Hochdruckstempel), bei letzteren in Farbe, die von einem Farbkissen abgenommen wird. Außerdem finden Durchlochungsstempel Anwendung. Bei diesen wird der Vermerk durch Durchlochung ersichtlich. Letztere S. werden in der Regel da verwendet, wo es sich um gleichzeitige Abstempelung mehrerer Stücke handelt, z. B. Buchfahrkarten. Der Aufdruck erfolgt entweder von Hand aus oder (meistens bei Hochdruckstempeln wie bei den Tagesstempeln für Kartonfahrkarten) durch eine Kniehebelpresse.

Über die Verwendung einheitlicher S. sind namentlich für den Abfertigungsdienst, Wagendienst u. s. w. in Eisenbahnverbänden und sonstigen Eisenbahnvereinigungen besondere Abmachungen getroffen.

S. ist auch die Bezeichnung für eine wegen ihrer leichten Handhabung beliebte Form der Erhebung öffentlicher Abgaben. Die Abgabe wird in der Weise erhoben, daß das stempelpflichtige Schriftstück mit amtlichen Wertzeichen (Stempelmarken) versehen oder amtlich abgestempelt wird. Die Stempelmarken müssen entwertet werden. Von besonderer Wichtigkeit für die Eisenbahnen sind die Stempel für abgeschlossene stempelpflichtige Dienst-, Lieferungs- und sonstige Verträge, der Fahrkarten- und Frachturkundenstempel (s. d.). Die Höhe des S. richtet sich vielfach nach dem Wert der stempelpflichtigen Urkunde (siehe Steuerrecht).

Stephenson, George, der Hauptbegründer des Eisenbahnwesens, geboren am 8. Juni 1781 zu Wylam am Tyne unweit Newcastle (in der englischen Grafschaft Northumberland), gestorben am 12. August 1848 zu Tapton House bei Chesterfield, war als zweites von 6 Kindern eines armen Arbeiterpaares schon von Kindheit an genötigt, für seinen Lebensunterhalt selbst zu sorgen. S., der fast ohne jede Schulbildung heranwuchs, wurde Hirtenjunge, dann Wärter bei einem Pferdegöpel und im 14. Jahr Gehilfe eines Kesselheizers. In dieser Eigenschaft machte er sich durch besonderes Geschick bemerkbar, so daß er im Alter von 17 Jahren Maschinenbursche zu Water-Row wurde. Erst in seinem 15. Jahr besuchte S. die Abendschule mehrerer Wanderlehrer, um lesen und schreiben zu lernen, und beschäftigte sich auch eifrig mit Mathematik. In seinem 20. Jahr wurde S. als Bremser bei der Dollygrube in Black Callerton angestellt.

1802 heiratete S. Fanny Henderson, die Dienstmädchen bei seinem Brotherrn war, und bezog am Willington-Quai, wohin S. als Maschinenwärter versetzt worden war, ein gemietetes Häuschen. Die freie Zeit verwendete S. zur Verbesserung seiner Schulbildung. Daneben beschäftigte er sich, seinem Talent für Mechanik folgend, mit Putzen und Ausbessern von Uhren.

Am 16. Oktober 1803 wurde ihm ein Sohn, Robert, geboren.

Gegen Ende des Jahres 1804 wurde S., u. zw. noch immer als Bremser und Maschinenwärter, zum West-Moor-Kohlenwerk nach Killingworth versetzt, der Wiege seines Ruhmes.

Er studierte verschiedene Werke über Mechanik, die ihm in die Hand kamen, und es gelangen ihm auch mehrfache mechanische Verbesserungen (Wecker für Wächteruhren u. dgl.). Bald nach dem 1806 erfolgten Tod seiner Frau wurde S. Maschinenmeister in der Spinnerei zu Montrose in Schottland, kehrte jedoch 1808 wieder nach Killingworth zurück. Er machte sich jetzt durch mancherlei Verbesserungen an den Maschinen bemerkbar und gelang ihm insbesondere 1811 die Instandsetzung einer alten Dampfmaschine, woran sich vorher Fachingenieure vergeblich abgemüht hatten.

Diese Leistung wie auch verschiedene Verbesserungen an den Pumpen bewogen die Pächter der Killingworther Bergwerke, S. 1812 als Maschinenmeister anzustellen. In seiner neuen Stellung verbesserte er die selbsttätig wirkenden schiefen Ebenen und führte dabei die Maschinenarbeit als Ersatz der Pferdeverwendung ein.

Bei den Arbeitern erfreute sich S. des größten Ansehens, namentlich infolge seines mutigen Vorgehens bei einer Grubenkatastrophe im Jahre 1814. Diese soll S. dazu angeregt haben, auf Mittel zur Abwendung der Gefahren durch schlagende Wetter zu sinnen.

Unabhängig von dem berühmten Chemiker Professor Davy und gleichzeitig mit diesem erfand S. eine Sicherheitslampe für Grubenarbeiter, wofür er einen Preis von 1000 Guineen erhielt.

S. wurde infolge seiner hervorragenden Leistungen zum Direktor der in den Besitz des Sir Ravensworth übergegangenen Kohlenbergwerke zu Killingworth ernannt. In dieser Stellung machte er Versuche wegen Herstellung einer fahrenden Dampfmaschine, wozu ihn die Arbeiten seiner Vorgänger auf diesem Gebiet angeregt hatten.

S., der Gelegenheit hatte, die Hedleyschen Lokomotiven auf der Wylam-Kohlenbahn zu sehen, erkannte sehr bald die Mängel, die dem Dampfwagen anhafteten, und machte sich erbötig, eine bessere Bauart zu ersinnen. Ravensworth, in dessen Diensten S. stand, ging auf dieses Anerbieten ein und baute S. 1814 seine erste Lokomotive, die der Hedleyschen glich, in der Leistung nicht an sie heranreichte, aber in Einzelteilen einige Verbesserungen zeigte. In den folgenden Jahren bis 1829 baute S. in den Werkstätten von Killingworth, dann ab 1824 in der von ihm gegründeten Lokomotivfabrik in Newcastle, zu deren Leiter sein Sohn R. Stephenson bestellt wurde, etwa 30 Lokomotiven, von denen die Mehrzahl für die Kohlenbahnen der Umgegend, die übrigen aber bereits fürs Ausland bestimmt waren.

1823 wurde S. Ingenieur der Stockton-Darlington-Bahn.

Der Ruf, den sich S. beim Bau der Stockton-Darlingtoner Eisenbahn erworben hatte, veranlaßte 1826 die Liverpool-Manchester-Bahn, ihn als obersten ausführenden Ingenieur zu berufen.

Bei dem bekannten Preisbewerb, der über seinen Antrag von der Liverpool-Manchester-Bahn für die beste und schnellste Lokomotive ausgeschrieben war, trug S. Lokomotive „Rocket" den ersten Preis davon (s. Lokomotive). In der Folge übertrug man den beiden S. den Bau der nötigen Lokomotiven.

Mit den erhaltenen Geldmitteln erweiterten sie die Lokomotivfabrik zu Newcastle am Tyne, die lange Zeit für englische und ausländische Eisenbahnen die Maschinen lieferte.

Der weitere Verlauf seines Lebens war ein glanzvoller. Er wurde am Abend seines Lebens der gesuchteste Ingenieur Europas. Auch von auswärts wurde sein Rat häufig eingeholt. So wurde ihm insbesondere vom König von Belgien die Ausarbeitung eines Entwurfs des belgischen Eisenbahnnetzes übertragen und erhielt er ähnliche Aufgaben auch von der Schweiz und von Spanien.

1840 zog er sich von den Geschäften zurück, um den Rest seines Lebens der Landwirtschaft zu widmen. S. wurde auch Eigentümer mehrerer Kohlenbergwerke und der großen Eisenwerke von Clayross; er lebte in den letzten Jahren auf seinem Landsitz Tapton House bei Chesterfield. Seine Beisetzung erfolgte in der Trinity Church zu Chesterfield.

In Newcastle am Tyne, der Stätte seines langjährigen Wirkens, wurde S. noch zu Lebzeiten auf der von seinem Sohn erbauten Brücke eine Statue gesetzt. Nach seinem Tode wurden ihm Denkmäler in Liverpool und London (Euston-Square-Station) errichtet, außerdem in Newcastle im Jahre 1862. Die Memorial-Hall in Chesterfield wurde ebenfalls zum Andenken an S. gegründet und 1879 eröffnet. (Diese enthält eine polytechnische Schule, eine Freibibliothek für Handwerker und einen Saal für öffentliche Vorträge.)

Literatur: Smiles, Lives of George and Robert Stephenson, 8. Aufl., London 1868. – Smiles, The life of George Stephenson. London 1884; Georg Stephenson in seinem Leben und Wirken (aus den Biographien berühmter Erfinder und Entdecker der Neuzeit). Stuttgart 1860, 2. Aufl. – Perdonnet, Leben Robert Stephensons. Ztg. d. VDEV. 1881, S. 623; Österr. Eisenbahnztg. 1881, S. 301, 325, 328 u. 375. *Gölsdorf †.*

Stephenson, Robert, einziger Sohn des vorigen, geboren am 16. Dezember 1803 zu Wilmington-Gray, gestorben am 12. Oktober 1859 zu London, erhielt seine Ausbildung auf der Hauptschule in Edinburgh, trat dann als Lehrling in die Maschinenbauanstalt seines Vaters und unterstützte diesen bei allen seinen Unternehmungen. Er erbaute u. a. die London-Birminghamer Eisenbahn und die East Counties, die unter dem Namen High Lewel Bridge bekannte eiserne Bogenhängewerkbrücke bei Newcastle und erfand die sog. Tubular- oder Röhrenbrücken, die aus Blech zusammengesetzt sind.

Eine Brücke dieser Gattung ist die bekannte Britanniabrücke, die 1847–1850 über den Menaikanal hergestellt wurde. Das bedeutendste Beispiel dieser Brückenart ist die von S. entworfene, 3 *km* lange Viktoriabrücke bei Montreal in Kanada; sie überspannt den St. Lorenzstrom in 25 Öffnungen, deren mittlere eine Weite von 100·58 *m* besitzt.

S. wurde in der Westmünsterabtei zu London beigesetzt. 1879 wurde auf der Station Porta Nuova in Turin zum Andenken an die beiden S. ein Denkmal gesetzt.

Literatur: Smiles, Lives of George and Robert Stephenson, 8. Aufl., London 1868. – Jeaffreson u. Pole, Life of Robert Stephenson. Daselbst 1864, Bd. II.

Gölsdorf †.

Sterbekassen *(burying-funds; caisses mortuaires; casse mortuari)* sind freie Vereinigungen des Personals mit dem Zweck, durch Erhebung von Beiträgen die Mittel zu sammeln, um den Hinterbliebenen bei dem Tode eines Mitglieds eine bestimmte Geldsumme zur Deckung der Bestattungskosten und zur Erleichterung des Übergangs in neue Verhältnisse zu sichern. Sie sind meist auf den Bereich einer Verwaltung, vielfach nur auf einzelne Dienstklassen beschränkt.

Sie gingen aus den in den Anfängen des Eisenbahnwesens häufig veranstalteten Sammlungen für die in Not hinterlassenen Angehörigen verstorbener Kameraden hervor. Bald bildeten sich Organe bzw. Vereine, die an Stelle der unregelmäßigen und unsicheren Sammlungen bei jedem Todesfall von allen Mitgliedern, alt und jung, gleiche Beträge erhoben (sog. Umlageverfahren) und den Ertrag nach Abzug der Verwaltungskosten und einer kleinen Rücklage für einen Betriebs- und Reservefonds den Hinterbliebenen übergaben. Die scheinbare Billigkeit bei den wenigen Sterbefällen des jungen Eisenbahnbetriebs übte eine große Werbekraft aus. Als mit dem zunehmenden Alter der Mitglieder sich die Sterbefälle und damit die Beiträge vermehrten, während die Lebensversicherungen ihre Prämien herabsetzen konnten, stockte der Zugang und viele Kassen brachen zusammen (Sterbekassenelend), andere konnten sich zwar dank einem hochentwickelten Standesgefühl unter namhaften Opfern halten, sahen sich aber, auch infolge staatlichen Eingreifens genötigt, von der Umlage zu den rationellen Prämien mit Abstufungen nach dem Eintrittsalter überzugehen.

So wirken jetzt mehr und mehr leistungs- und lebensfähige Kassen, die auf den Grundsätzen des modernen Versicherungswesens aufgebaut sind.

Die Beiträge sollen nach den allgemeinen Sterbetafeln so berechnet sein, daß sie für jede Altersgruppe (Jahresklasse) mit den Zinseszinsen zur Deckung aller im Laufe der Jahre anfallenden Sterbegelder ausreichen ohne Rücksicht darauf, ob und wie viele neue Mitglieder zugehen. Statt der fortlaufenden Beiträge sollte stets auch die einmalige Einlage vorgesehen sein, besonders dann, wenn die Mitglieder auch ihre Frauen versichern können, denen die fortlaufenden Beiträge nach dem Tode des Mannes schwer fallen. Das Sterbegeld muß auf eine angemessene, dem Zweck der Kasse entsprechende Summe beschränkt sein, weil kleine Kassen durch raschen Abgang hoch versicherter Personen leicht Schaden nehmen; es wird sich in der Regel zwischen 300 und 1500 M. bewegen. Personen, die sich höher versichern wollen, sind an die Lebensversicherungsanstalten zu weisen. Der Zinsfuß ist möglichst nieder, etwa zu 3, jedenfalls nicht über $3^1/_2$% anzunehmen, um die Beiträge bei anhaltendem Sinken oder unerwartet großer Sterblichkeit nicht ändern zu müssen. Überschüsse können den Mitgliedern in Form von Dividenden als Beitragsnachlaß oder – was der Schwierigkeit wegen weniger zu empfehlen ist – durch Gutschrift auf das Sterbegeld zugeführt werden. Mangels einer genügenden ärztlichen Untersuchung, zumal da bei der Aufnahme, dem Charakter der Kasse entsprechend, wohlwollend zu verfahren ist, wird zweckmäßig die Auszahlung des vollen Sterbegeldes von einer Wartezeit (1 – 5 Jahre) abhängig gemacht. Es empfiehlt sich bei Errichtung einer Kasse einen erfahrenen Versicherungsmathematiker beizuziehen und ihn wenigstens alle 4 – 5 Jahre eine Bilanz nach versicherungstechnischen Grundsätzen ziehen zu lassen.

An Stelle der vielen kleinen Kassen, die die einzelnen Personalgruppen für sich errichten, dürfte überall unter Unterstützung und Aufsicht der Eisenbahnverwaltung zur Vermeidung der gerade auf dem Gebiet des Versicherungswesens mißlichen Zersplitterung und von unwirtschaftlichen Aufwendungen die Schaffung einer einzigen großen zentralen Kasse schon wegen der Verteilung des Risikos und wegen der Möglichkeit einer einheitlichen guten Verwaltung vorzuziehen sein. Den einzelnen Gruppen könnte ein angemessener Einfluß durch satzungsmäßiges Recht der Vertretung im Vorstand oder Ausschuß gewährt werden.

Wenn Vereine mit vornehmlich anderen Zwecken, wie Pflege der Kameradschaft, nebenher Sterbekasseneinrichtungen treffen, so tun sie gut, das Sterbegeld in mäßigen Grenzen (bis zu 200 M.) zu halten, besondere Beiträge in möglichst einfacher Form mit nur 2 – 4 Abstufungen festzusetzen und auf Ansammlung eines ausreichenden, gesondert verwalteten Vermögens Bedacht zu nehmen.

Aus der übergroßen Zahl von Sterbekassen seien die Einrichtungen und Ergebnisse von zweien hier kurz erwähnt, von der einfacheren Sterbekasse der Eisenbahndirektionsbezirke Berlin und von der mehr entwickelten Sterbekasse von Angehörigen der württembergischen Verkehrsanstalten.

Die Berliner Eisenbahndirektionskasse gewährt nach Wahl ein Sterbegeld von 75, 150, 300 und 600 M., hat 7 Altersstufen, die erste bis 32, die letzte bis 45 Jahren und erhebt von 32jährigen für je 75 M. $12^1/_2$ Pf. Monatsbeiträge und vorläufig noch einen 13. Beitrag für Verwaltungskosten; das Eintrittsgeld beträgt 1%. Der Beitrag steigt in den höheren Altersstufen und beträgt mit 45 Jahren das Doppelte. Die Kasse hatte 1915 bei 10.943 Versicherungen mit 3,240.000 M. versichertem Kapital 77.000 M. Beiträge und ein Vermögen von 1,596.000 M., sie bezahlte für Begräbnisgelder 70.300, für die Verwaltung 9200 M. und schüttete 33.100 M. Dividenden aus.

Die württembergische Kasse versichert das Personal von 100 – 1500 M., die Mitgliederfrauen bis zu 700 M., sie erhebt 1 – 2 M. Eintrittsgeld. Ihre Beiträge, denen eine 3%ige Verzinsung zu grunde gelegt ist, stellen sich für 20jährige auf 1·86, für 30jährige auf 2·53, für 40jährige auf 3·76, für 50jährige

(Grenzalter) auf 6·47 M., mit 60 Jahren fallen sie auf die Hälfte und hören mit 70 Jahren ganz auf. Die Kasse gewährt nach je 4 Jahren Dividenden, in der Regel in Höhe von 6 Monatsbeiträgen für je angefangene 10 Mitgliedsjahre. Das Sterbegeld wird erst nach 3 Jahren voll ausbezahlt, vorher nur $^2/_5$, $^3/_5$ und $^4/_5$. Die Staatskasse trägt die Verwaltungskosten. Der 20. Jahresbericht von 1915 ergibt bei 4400 Mitglieder mit 3,380.000 M. Versicherungskapital, 102.000 M. Jahresbeiträge und ein Vermögen von 936.000 M. Der Sterbegeldaufwand betrug 36.800 M. für 55 Todesfälle, davon 12.300 M. für 15 Kriegsteilnehmer. *Beyerle.*

Stereophotogrammetrie ist eine Sonderart der allgemeinen oder Intersektionsphotogrammetrie; hierbei werden in den Endpunkten einer der Lage und Höhe nach bekannten Grundlinie photogrammetrische Aufnahmen gemacht, deren Orientierungswinkel 90° betragen; die Bilddistanz ist also normal zur Basis und befinden sich die Bildebenen beider Stationen in derselben Vertikalebene. Ähnlich ist die Aufnahme in der Stereoskopphotographie mit dem Unterschied, daß bei stereophotogrammetrischen Aufnahmen der Objektivabstand durch die Basislänge b feststeht, von einigen bis auf Hunderte von Metern anwachsen kann, während er bei gewöhnlichen Stereoskopaufnahmen dem Augenabstand $a = 75$ *mm* gleichkommt.

Richtig hergestellte, in einen Stereoskopapparat eingelegte Stereoaufnahmen bieten dem Beschauer zufolge der Fähigkeit der menschlichen

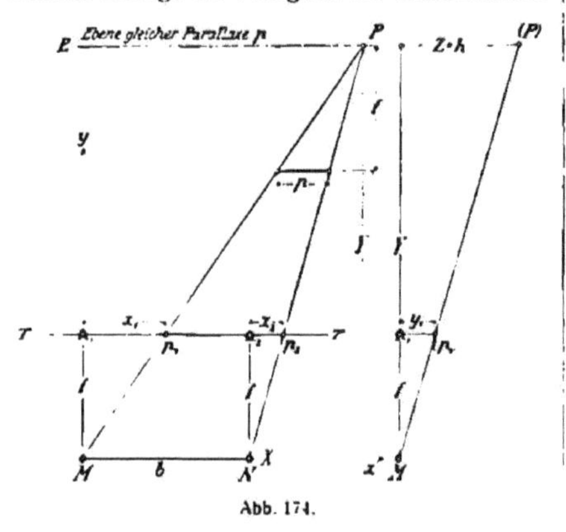

Abb. 174.

Augen, stereoskopisch zu sehen, ein räumliches, plastisches Bild, sozusagen ein Modell des photographierten Gegenstandes. — Auch die stereophotogrammetrischen Aufnahmen liefern, in einen besonderen Apparat, Stereokomparator, eingelegt und mit einem binokularen Mikroskop, Telestereomikroskop, betrachtet, plastische Landschaftsbilder von demselben Effekt, als wenn man ein reduziertes Modell des aufgenommenen Geländes mit freiem Auge ansehen würde. Besondere Einrichtungen ermöglichen es, eine Marke im plastischen Bild beliebig von Punkt zu Punkt zu führen und an dem Terrainmodell Messungen zu machen, deren Daten, am Apparat abgelesen, Lage- und Höhenbestimmungen der ausgemessenen Punkte mit Zugrundelegung der bekannten Basis der Aufnahme zulassen und damit Situations- und Schichtenpläne herzustellen gestatten. Das stereoskopische Meßverfahren, mit der erwähnten wandernden Marke am Modell des Geländes in voller Bequemlichkeit am Instrument im Zimmer ausgeführt, fußt auf der Tiefenwahrnehmung beim stereoskopischen Sehen und ist hoher Genauigkeit fähig.

Bedeuten in Abb. 174 M und N die Endpunkte, Stationen, der bekannten Basis b, $T\,T$ die Trassen der zusammenfallenden Bildebenen (Positive), im Abstand f (Bilddistanz) von der Basis entfernt, x_1 und x_2 die Abszissen des linken und rechten Bildes, so reichen unter Voraussetzung, daß M der Ursprung, die Basis die x-Achse eines räumlichen Koordinatensystems darstellen, zur Situationsbestimmung die Koordinaten aus:

$$\left.\begin{aligned} X &= \frac{b}{x_1 - x_2}\,x_1 = \frac{b}{p}\,x_1 \\ Y &= \frac{b}{x_1 - x_2}\,f = \frac{b}{p}\,f \end{aligned}\right\},$$

wobei $p = x_1 - x_2$ die stereoskopische Parallaxe genannt wird. Der Abstand des Raumpunktes P vom Horizont der linken Station, die relative Höhe $Z = h$, wird mit Hilfe der Ordinate y_1 des linken Bildes, wie in Abb. 174 aus der Umlegung rechts zu entnehmen ist, mit:

$$Z = h = \frac{Y}{f}\,y_1 = \frac{b}{x_1 - x_2}\,y_1 = \frac{b}{p}\,y_1 \text{ erhalten.}$$

Ist H_0 die absolute Höhe des Instrumenthorizonts der linken Station, so ist $H = H_0 \pm h$ die absolute Höhe des Raumpunktes P.

Neben dieser rechnerischen Bestimmung der Raumkoordinaten von P ist an der Hand der Abb. 174 die konstruktive Bestimmung der Lage, Situation, und der Höhe unschwer zu finden.

Die Bildkoordinaten $x_1\,y_1$, insbesondere die stereoskopische Parallaxe $p = x_1 - x_2$ werden nicht nach der in der Photogrammetrie üblichen Weise direkt gemessen, sondern werden mit dem Stereokomparator von Pulfrich in äußerst bequemer Weise erhalten.

Der Stereokomparator (Abb. 175) besitzt als wesentlichen Bestandteil ein Telestereomikroskop, mit dem das plastische Bild der eingelegten Stereogramme (Negative) betrachtet und mit Hilfe besonderer Einrichtungen Messungen ausgeführt werden können. Der Komparator hat zum Träger einen massiven Tisch, auf dem der Hauptschlitten A mit der Kurbel H in der Richtung des Horizonts beider Platten P_1 und

P_2 (mittels D_1, D_2 und C justierbar) verschoben werden kann; die Größe der Verschiebung wird auf dem Abszissenmaßstab (X, L_2) abgelesen. Ein binokulares Telemikroskop mit den im erweiterten Abstand angebrachten Objektiven K_1, K_2 und den stellbaren Okularen O_1, O_2 ist mittels der Kurbel V mit dem Schlitten B verstellbar; die Verstellung wird am Ordinatenmaßstab (Y, L_1) abgelesen. Die Parallaxenschraube Z ermöglicht durch Verschiebung der rechten Platte P_2 auf einem Nebenschlitten, die stereoskopische Parallaxe p auf 0·01 *mm* scharf an einem Maßstab abzulesen. Die Spiegel S_1, S_2 bezwecken eine günstige Beleuchtung der eingelegten Negative. Die Schraube J verbindet das Telestereomikroskop mit seinem Träger und kann nach Lösung der Schraube das Mikroskop abgenommen werden.

Die Bestimmung der 3 Komparatordaten x_1, y_1 und p wird in folgender Weise vorgenommen. Die beiden Stereogramme, Negativplatten, werden eingelegt und justiert; hierauf wird die Marke des linken Mikroskops auf den gewählten Punkt der linken Platte mittels der Kurbeln H und V gebracht (monokulare Einstellung) und nunmehr bei binokularer Beobachtung im Mikroskop und Betätigung der Parallaxenschraube Z die im plastischen Bild der Landschaft schwebende Marke, die wandernde Marke, präzise auf den ins Auge gefaßten Punkt gestellt. An den Koordinatenmaßstäben des Komparators können nun x_1, y_1, die Koordinaten des linken Bildes, und am Parallaxenmaßstab die stereoskopische Parallaxe $p = x_1 - x_2$ abgelesen werden.

Durch diese 3 Größen ist der Raumpunkt unzweideutig bestimmt: die Abszisse x_1 gibt die Richtung, p definiert den Abstand von der Basis (Ebene gleicher Parallaxe p in Abb. 174) und y_1 ist für die Höhe des Punktes über dem Horizont des linken Bildes maßgebend.

Diese Art der Punktbestimmung am plastischen Raumbild des Stereokomparators hat gegenüber der gewöhnlichen Photogrammetrie den wichtigen Vorteil, daß jede Punktidentifizierung entfällt; man operiert nicht mit 2 Bildern, sondern man betrachtet im Stereokomparator ein kleines Modell der Landschaft, an dem sich die stereoskopische Marke von Punkt zu Punkt führen läßt und die Komparatordaten bequem, ohne jedwede Anstrengung erhalten werden. Die S. ist daher der Intersektionsphotogrammetrie weit überlegen und fand bereits für verschiedene Ingenieurarbeiten, so auch bei Trassierungen nützliche Verwendung.

Hat man für eine Trassenstudie nach gründlicher Rekognoszierung die Operationsbasis, den Polygonzug, gewählt und durch geeignete Signale ersichtlich gemacht, so werden die Standlinien für die Stereoaufnahmen mit Sorgfalt ausgesucht, bezeichnet, geodätisch festgelegt und mit dem Polygonzug der Trasse in sichere Verbindung gebracht, worauf die stereophotogrammetrische Aufnahme durchgeführt werden kann. Die Hausarbeiten umfassen Berechnungen für den Entwurf des Gerippes, der die Grundlage für die planliche Darstellung bietet, die Messungen am Stereokomparator, die Berechnung, Lage- und Höhenelemente für die Detailpunkte, die Kartierung, die Schichtenkonstruktion und die zeichnerische Ausführung der Pläne.

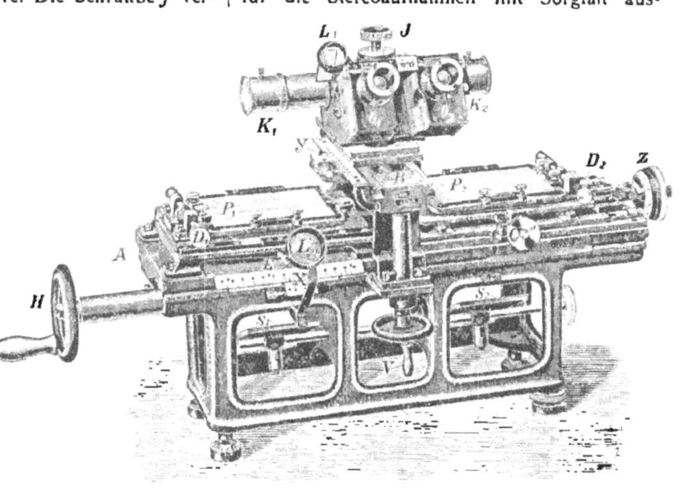

Abb. 175. Stereokomparator von Pulfrich.

Eine stereophotogrammetrische Aufnahme gestattet zu jeder Zeit die Betrachtung von stereoskopischen Aufnahmen im Komparator und dadurch die naturtreue Betrachtung beliebiger Teile der Trasse, was gegebenenfalls von unschätzbarem Wert sein kann. In den letzten Jahren sind stereophotogrammetrische Aufnahmen für Trassierungszwecke von Major Truck in den Alpenländern und Bosnien, von

Dipl.-Ing. Lüscher bei der Bagdadbahn, durch Hauptmann v. Orel vom Institut „Stereographik" in Bulgarien und Mazedonien ausgeführt worden.

Die S. hat durch die Erfindung des österreichischen Hauptmanns v. Orel – den Stereoautographen – einen ungeahnten Fortschritt erzielt. Die Einstellung der stereoskopischen oder wandernden Marke im Stereokomparator auf ein bestimmtes Objekt bedingt eine ganz bestimmte Stellung der beiden Plattenbilder der Zeichenfläche, und an einem Maßstab kann man dessen absolute Höhe ablesen. Führt der Beobachter am Komparator die Marke längs einer Kommunikation, entlang eines Waldsaumes, einer Parzellengrenze, so zeichnet der Stift die horizontale Projektion in dem auf dem Apparat eingestellten Maßstab.

Der Stereoautograph gestattet aber auch, direkt die Komparatormarke in einer bestimmten Schichtenlinie zu führen, wodurch im Plan unmittelbar die Isohypse gezeichnet erscheint und so

Abb. 176. Stereoautograph von Orel.

gegeneinander, woraus folgt, daß durch eine mechanische Vorrichtung, die mit dem Schlitten der Plattenbilder in Verbindung ist, die Lage des eingestellten Objekts auf einer Zeichenebene automatisch angezeigt werden könnte.

Nach Überwindung großer konstruktiver Schwierigkeiten ist es dem Zeißschen Institut in Jena gelungen, einen tadellos arbeitenden Stereoautographen (Abb. 176) dem Vermessungstechniker zu liefern.

Der Stereoautograph ersetzt alle früher erforderlichen Rechnungen und Kartierungen. Wird die stereoskopische Marke des Komparators auf einen beliebigen Punkt des Geländes eingestellt, so gibt ein Stift seine Lage auf unmittelbar ein Schichtenplan des aufgenommenen Geländes gewonnen werden kann. In neuester Zeit ist es gelungen, außer den normal zur Basis liegenden Stereoaufnahmen auch beliebig zur Basis verschwenkte Aufnahmen im Stereoautographen auszuwerten und so die Leistungsfähigkeit dieses sinnreichen Apparates bedeutend zu erhöhen.

Der Pulfrichsche Komparator und der Orelsche Autograph bedeuten ganz neue, für die photogrammetrische Geländeaufnahme wertvolle Instrumente, durch die das Vermessungswesen insbesondere für Ingenieurzwecke im hohen Maße gefördert wird.

Literatur: Aufsätze über S. und Stereoautogrammetrie von Baron v. Hübl, Korzer und v. Orel befinden sich in den „Mitteilungen des k. u. k. Militärgeograph. Institutes" aus den Jahren 1903–1914. – Hartner-Doležal, Hand- und Lehrbuch der Nied. Geodäsie, Bd. II, Wien 1910. – Internat. Archiv f. Photogrammetrie, Bd. I–V, Wien 1907–1917.

Dolezal.

Steuerbefreiung s. Abgaben und Steuerrecht der Eisenbahnen.

Steuerrecht der Eisenbahnen *(laws relating the railway duties; droit d'impôt des chemins de fer; leggi sulle imposte ferroviarie).*

Inhalt: *A.* Staatssteuern. *a)* Die besonderen Eisenbahnabgaben, *b)* Einkommensteuern, *c)* Vermögenssteuern, *d)* Gewerbe- (Erwerb-) Steuern, *e)* Grundsteuern, *f)* Gebäudesteuern, *g)* Kapitalrentensteuern, *h)* Stempelabgaben als Besteuerungsform der Eisenbahnaktien und Obligationen, *i)* Das Gebührenäquivalent, *k)* Aufsichtsgebühren, *l)* Gewinnbeteiligung des Staates, *m)* Tantièmenabgabe. – *B.* Staatsabgaben gebührenartigen Charakters. – *C.* Sonstige Abgaben und Leistungen. – *D.* Gemeindeabgaben. – *E.* Steuerbefreiungen. – *F.* Nachtrag.

A. Staatssteuern.

a) Die besondere Eisenbahnabgabe. Dieser Abgabe sind in Preußen einerseits durch Ges. vom 30. Mai 1853 die Eisenbahnaktiengesellschaften anderseits durch Ges. vom 16. März 1867 die sonstigen für den öffentlichen Verkehr benutzten Eisenbahnen, die sich nicht im Besitz des preußischen Staates befinden (also, soweit nicht Staatsverträge Ausnahmen gewähren, auch Eisenbahnlinien fremder Staaten in Preußen), unterworfen.

Die Steuer ist in beiden Fällen nach dem Jahresreinertrag zu berechnen und stuft sich nach dessen Höhe derart ab, daß bei einem Reinertrag bis zu einschließlich 4% (im ersten Fall des Aktien-, im zweiten Fall des Anlagekapitals) $^1/_{40}$ jenes Ertrags, bei einem höheren Reinertrag aber außerdem, u. zw.: von dem Mehrertrag über 4 bis zu 5% einschließlich $^1/_{20}$ dieser Ertragsquote; von dem Mehrertrag über 5 bis zu 6% einschließlich $^1/_{10}$ dieser Ertragsquote; von dem Mehrertrag über 6% hinaus $^2/_{10}$ dieser Ertragsquote als Steuer zu entrichten sind. Für die Ermittlung des steuerpflichtigen Reinertrags sind für den einen und den andern Fall in den bezogenen Gesetzen bestimmte, teilweise voneinander abweichende Regeln festgesetzt. Diese Abgabe ist infolge Überwiegens des Staatsbahnsystems in Preußen nur noch von geringer Bedeutung.

Nach dem Vorbild Preußens wurden besondere Eisenbahnabgaben auch in einigen kleineren deutschen Bundesstaaten, so in Lübeck, Sachsen-Altenburg, Sachsen-Meiningen und Sachsen-Weimar, die dafür die Eisenbahnunternehmer von der Einkommensteuer frei lassen, dann in Schwarzburg-Sondershausen, wo diese Abgabe ebenso wie in Preußen bei Ermittlung der Bemessungsgrundlage für die Einkommensteuer eine Abzugspost bildet, eingeführt und bis in die Gegenwart aufrecht erhalten.

b) Die allgemeine Einkommensteuer und ihr ähnliche Steuern.

Der allgemeinen Einkommensteuer als der das Einkommen aus allen Quellen einheitlich erfassenden Steuerform unterliegen, u. zw. mit progressiven Steuersätzen, neben den natürlichen Personen in allen Bundesstaaten des Deutschen Reiches (mit Ausnahme der unter *a* im Schlußsatz angeführten) auch die Eisenbahnaktiengesellschaften Als Besteuerungsgrundlage dienen in Preußen und den meisten übrigen der in Frage kommenden deutschen Staaten grundsätzlich die Überschüsse der Einnahmen über die Ausgaben, die als Aktienzinsen oder Dividenden, gleichviel unter welcher Benennung, an die Aktionäre verteilt wurden (oder ihnen gutgeschrieben werden: so die beiden Mecklenburg, Schwarzburg-Rudolstadt und Württemberg) unter Hinzurechnung

1. der zur Tilgung der Kapitalschulden oder des Grundkapitals,
2. zur Verbesserung oder Geschäftserweiterung sowie
3. der zur Bildung bzw. Verstärkung von Reservefonds verwendeten Beträge, ferner
4. in Württemberg auch der von den Gemeinden und Amtskörperschaften erhobenen Ertrags- und Einkommensteuern.

In Bayern bildet die Besteuerungsgrundlage der unter Beobachtung der steuerrechtlichen Vorschriften nach den Grundsätzen, die für die Inventur und Bilanz durch das Handelsgesetz vorgeschrieben sind und sonst dem Gebrauch eines ordentlichen Kaufmanns entsprechen, zu berechnende Reinertrag.

Im Königreich Sachsen gelangen nur die an die Aktionäre alljährlich verteilten Überschüsse der Eisenbahnaktiengesellschaften unter Hinzurechnung der allenfalls an die Inhaber von Genußscheinen ausgeschütteten Beträge fortlaufend zur Besteuerung, während die übrigen (reservierten oder anderweitig verwendeten) Ertragsüberschüsse erst bei der Ausschüttung steuerpflichtig werden.

Von der in der angegebenen Weise zu ermittelnden Steuerbemessungsgrundlage wird in einigen der deutschen Staaten ein bestimmter Prozentsatz des Aktienkapitals (Bayern 2, Baden und Württemberg 3, Preußen $3^1/_2$%) in Abzug gebracht bzw. steuerfrei gelassen, wodurch der Doppelbesteuerung derselben Erträgnisse durch die Einkommensteuer sowohl bei der Eisenbahnaktiengesellschaft, als auch beim Aktionär teilweise begegnet wird. Der erwähnte Abzug erfährt jedoch in 3 der genannten Staaten eine Einschränkung insoferne, als er in Baden und Württemberg nur bis zur Höhe der verteilten Überschüsse, in Bayern nur bis zum Höchstbetrag von 50% des Reinertrags zulässig ist. In Preußen und Württemberg ist jedoch der Kommunaleinkommensteuer das ermittelte Einkommen ohne den erwähnten Abzug zu grunde zu legen. Durch Einkommensteuern bzw. ihnen ähnliche Steuern werden die Eisenbahnaktiengesellschaften auch in mehreren außerdeutschen Staaten betroffen.

Der in Österreich (Ges. vom 25. Oktober 1896 und vom 23. Januar 1914) und in Frankreich (Ges. vom 18. Juli 1914 als „Impôt général sur le revenu") bestehenden Einkommensteuer sind Eisenbahnaktiengesellschaften ebensowenig unterworfen, wie andere nichtphysische Personen, wohl aber die Aktionäre auch hinsichtlich ihres Dividendeneinkommens.

Der in Ungarn am 11. April 1909 sanktionierte Ges.-Art. X-1909 betreffend die Einkommensteuer, der auch die Eisenbahnaktiengesellschaften unterworfen werden sollten, ist infolge der durch Ges.-Art. VI-1913 suspendierten Steuerreform bisher nicht in Wirksamkeit getreten. Die dort gegenwärtig noch bestehende „allgemeine Einkommenersatzsteuer" ist nichts anderes als eine prozentweise Erhöhung der verschiedenen, auch die Eisenbahnaktiengesellschaften treffenden Ertragssteuern.

In Belgien wurde durch Ges. vom 1. September 1913 an Stelle der bis dahin bestandenen proportionellen Patentsteuer (mit 2% des Reinertrags nebst 2 Zuschlagsdezimen, Ges. vom 21. Mai 1819, 22. Januar 1849 und 24. März 1873) unter der Bezeichnung „Taxe sur les revenus des bénéfices réalisés dans les sociétés par actions" eine Abgabe mit dem Steuersatz von 4% eingeführt, die auch die gezahlten Obligationszinsen (in letzterem Punkt mit dem Effekt einer Kuponsteuer) trifft.

Das Einkommen- und Vermögenssteuergesetz in Dänemark vom 8. Juni 1912 und 10. Mai 1915 besteuert die Eisenbahnaktiengesellschaften (unter Freilassung derselben, nicht aber auch des Aktionärs hinsichtlich des Wertes seiner Aktien von der Vermögenssteuer) mit 1·4 – 6% des steuerpflichtigen Ertrags, der nach ähnlichen Grundsätzen wie in Preußen und unter Abzug von 4% des eingezahlten Aktienkapitals ermittelt wird.

Das in Großbritannien und Irland bestehende System der „General property and income taxe", das die verschiedenen Einkommenquellen in 5 Klassen nach sog. Schedulas, u. zw. unter *A.* aus Grund- und Gebäudeeigentum, *B.* aus Pachtungen, *C.* aus Kapitalvermögen, *D.* aus Handel und Gewerbe und *E.* aus Dienstbezügen abgesondert erfaßt, hat gleichwohl hinsichtlich der Eisenbahnaktiengesellschaften insoferne den Charakter einer allgemeinen Einkommensteuer, als das gesamte Einkommen dieser Gesellschaften, auch aus Grund- und Gebäudebesitz, soweit dieser dem eigentlichen Eisenbahnbetrieb dient, und aus Kapitalvermögen zusammengefaßt und einheitlich nach Schedula *D* besteuert wird. Nicht dem erwähnten Betrieb dienender Grund- und Gebäudebesitz der Eisenbahnaktiengesellschaften bleibt der Besteuerung nach Schedula *A* unterworfen. Der Steuersatz wird alljährlich durch das Finanzgesetz, u. zw. nicht in % des Einkommens, sondern in ₰ f. d. £, so für 1911/12 mit 1 sh. 2 ₰ f. d. £ (rd. 5·8%) festgesetzt.

Japan erhebt von den Eisenbahnaktiengesellschaften eine Einkommensteuer mit 6·25% (2·5% ordentliche und 3·75% Zusatzsteuer) des Nettoeinkommens.

In Italien unterliegen der „Imposta sui redditi della ricchezza mobile" (Ges. vom 28. August 1877, Nr. 4021 und vom 22. Juli 1894, Nr. 339) die Eisenbahnaktiengesellschaften vom Nettoertrag des Eisenbahnbetriebs, zu dem unterschiedslos auch alle Beträge gerechnet werden, die unter welchem Titel immer an die Aktionäre verteilt, zur Kapitalsvermehrung oder zur Vermehrung der Reserve- und Amortisationsfonds oder zur Schuldentilgung verwendet werden.

Das so ermittelte effektive Einkommen („reddito effetivo") wird in steuerbares Einkommen („reddito imponibile") durch Reduktion des ersteren auf einen bestimmten Bruchteil (nach dem Ges. von 1894 auf $^{20}/_{40}$) umgewandelt. Der Steuersatz beträgt seit 1894 20% des steuerbaren Einkommens, was einer Belastung des effektiven Einkommens mit 10% entspricht. Auf das Prinzipale der Steuer, die seit 1894 von Gemeinde- und Provinzialzuschlägen befreit ist, wird ein Aufschlag von 2% für die Kosten der Steuerveranlagung und Einhebung gelegt. Die Eisenbahnaktiengesellschaften haben auch die Zinsen der von ihnen aufgenommenen Anleihen und ausgegebenen Obligationen alljährlich einzubekennen und die auf die entsprechenden Einkommen ihrer Gläubiger entfallende Steuer unter Regreßvorbehalt unmittelbar zu berichtigen. Das steuerbare Einkommen beträgt bei vom Staate garantierten Anleihen und Obligationen $^{40}/_{40}$, sonst $^{30}/_{40}$ des Zinsenbezugs.

In Luxemburg (Ges. vom 8. Juli 1913) haben die Eisenbahnaktiengesellschaften von den an die Aktionäre gezahlten Zinsen und Dividenden sowie von den hinzuzurechnenden, zur Tilgung der Schulden oder des Grundkapitals, zur Geschäftsverbesserung oder Erweiterung und zur Bildung von Reservefonds verwendeten Beträgen die „Mobiliarsteuer" nach einem progressiven Satz mit der Höchstgrenze von 4% zu entrichten. Außerdem besteht für sie die Verpflichtung zur Entrichtung der Kuponsteuer mit 3·5% der von ihnen gezahlten Obligationszinsen.

In den Niederlanden unterliegen die Eisenbahnaktiengesellschaften einer Steuer mit dem Satz von 2·5% der an die Aktionäre verteilten oder zur Kapitalstilgung verwendeten Gewinne (Ges. vom 2. Oktober 1893).

Spanien besteuert seit dem Ges. vom 27. März 1900 unter Auflassung der früheren „Industrialsteuer" (6·9% des Nettoertrags, Ges. vom 31. Dezember 1881) die Eisenbahnaktiengesellschaften mit der Steuer vom Einkommen aus beweglichem Vermögen („Impuesto sobre utilidades etc.). Steuersatz 7% des Reingewinns.

In den Vereinigten Staaten von Nordamerika besteht zufolge Bundesgesetz vom 3. Oktober 1913 die Bundeseinkommensteuer (Income tax), die in eine „normal tax" vom Einkommen natürlicher und juristischer Personen aus allen Quellen und eine „additional tax" auf das 20.000 $ (98.704 Kronen österreichischer Währung) übersteigende Gesamtreineinkommen natürlicher Personen zerfällt. Die Eisenbahnaktiengesellschaften werden nur von der „normal tax" mit dem Steuersatz von 1%, jedoch ohne Rücksicht auf die Höhe bzw. Untergrenze des Gewinns getroffen.

Soweit in Australien neben dem vorherrschenden Staatsbahnsystem Eisenbahnen durch Eisenbahnaktiengesellschaften betrieben werden, unterliegen letztere besonderen Abgaben, so z. B. in Viktoria der „Dividend tax", in Ostaustralien und Tasmanien einer Steuer vom erzielten Reingewinn;

in allen gedachten Fällen mit dem Satz von 1 sh. pro £ (rd. 5%).

Eine einer Einkommensteuer ähnliche Funktion haben auch die alljährlich zu gunsten des Bundes der Schweizer Eidgenossenschaft gemäß Ges. vom 23. Dezember 1872 von Privatbahnen auf Grundlage des Reingewinns (für dessen Berechnung durch Bundesbeschluß vom 17. Juni 1914, bzw. Bundesratsbeschluß vom 29. September 1914 eingehende Bestimmungen festgesetzt wurden) zu entrichtenden Konzessionsgebühren. Diese Gebühren betragen bei einem Reingewinn von 4% bzw. 5%, dann 6% und mehr des Aktienkapitals 50 bzw. 100 bzw. 200 Fr. für jede im Betrieb befindliche Wegstrecke von 1 *km*.

Des Zusammenhangs wegen sei gleich hier angeführt, daß die Eisenbahnaktiengesellschaften außerdem auch in den 25 Kantonen der Schweiz selbständig besteuert werden. Jedes Kantonalgesetz ist von dem andern verschieden. Es finden sich Einkommensteuern, Vermögenssteuern, Kombinationen von beiden untereinander oder mit Realsteuern u. s. w. Eine enzyklopädische Übersicht ist für diese Kantone ebenso unmöglich, wie für die Besteuerung der Eisenbahnaktiengesellschaften in den 51 Einzelstaaten und Territorien der Vereinigten Staaten von Amerika, in welchen Vermögenssteuern („General property taxes") vorwiegen. Hinsichtlich dieser letzteren Steuern sei auf die Detailangaben in dem alljährlich erscheinenden amtlichen „Report on the Statistics of Railways in the United States" verwiesen.

Von den angeführten außerdeutschen Staaten lassen u. a. England, Japan und die Vereinigten Staaten von Amerika die Dividenden der von ihnen besteuerten Eisenbahnaktiengesellschaften beim Aktionär von der Einkommensteuer frei.

c) Vermögenssteuern.

Von den in mehreren Bundesstaaten des Deutschen Reiches unter vollständiger oder teilweiser Auflassung der Realsteuern, bzw. unter Überweisung dieser Steuern an die Gemeinden eingeführten Vermögenssteuern (Ergänzungssteuern) werden meist nur die natürlichen Personen, darunter auch die Aktionäre vom Wert ihres Aktienbesitzes, in Baden, den beiden Mecklenburg und im Königreich Sachsen aber nebst anderen juristischen Personen grundsätzlich auch die Eisenbahnaktiengesellschaften erfaßt.

Als Besteuerungsgrundlage gilt hierbei im allgemeinen das gesamte bewegliche und unbewegliche Vermögen (im Königreich Sachsen mit der Abweichung, daß das von der Grundsteuer getroffene Vermögen der Ergänzungssteuer nicht unterliegt) nach Abzug der Schulden, zu denen im Königreich Sachsen auch das eingezahlte Aktienkapital gerechnet wird. In Baden ist der zulässige Schuldenabzug (unter Ausschluß des Abzugs des Aktienkapitals) auf die Hälfte der veranlagten Vermögenssteuerwerte beschränkt. Der Steuersatz dieser Vermögenssteuern beträgt rd. $\frac{1}{2}$‰.

In Baden ist der Eisenbahnbetrieb durch den Staat und die Gemeindestraßenbahnen von der Vermögenssteuer befreit.

In Luxemburg besteht neben der Mobiliarsteuer eine Ergänzungssteuer mit dem Satz von $\frac{1}{2}$‰, der auch die Eisenbahnaktiengesellschaften nach dem Kapitalswert ihrer Aktien, jedoch nur insoferne unterliegen, als dieser Wert nicht durch die Grund- oder Minensteuer erfaßt ist.

In Spanien haben u. a. auch die sog. Eisenbahnkompagnien gemäß Ges. vom 29. Dezember 1910 eine jährliche Abgabe von 6‰ des Gesellschaftskapitals zu entrichten, als welches gelten: 1. das eingezahlte Aktienkapital, 2. die Reserven, 3. der Betrag außerordentlicher Abschreibungen. Diese Abgabe wird von der Einkommensteuer abgerechnet, falls letztere höher sein sollte als erstere.

d) Grundsteuern als Staatssteuern sind auf Grund von Katastern auch von Eisenbahnunternehmungen u. a. zu entrichten in Bayern, Belgien, Elsaß-Lothringen, Frankreich, Italien, Japan, Luxemburg, Österreich, Ungarn, Sachsen (mit gewissen Einschränkungen) und Württemberg.

Der Grundsteuer unterliegen, soweit nicht Ausnahmen platzgreifen, auch die eigentlichen Eisenbahngrundstücke, deren Katastralsteuerwert nach verschiedenen Methoden ermittelt wird, so z. B. in Bayern mit einem den Hauptkulturarten „assimilierten" Betrag, in Frankreich und Elsaß-Lothringen wie für Ackerland erster Klasse, in Italien und Österreich durch „Parifikation" mit den angrenzenden Grundflächen.

Der Steuerfuß beträgt im Verhältnis zum Katastralreinertrag in Belgien 7% (Ges. vom 5. Juli 1871), Elsaß-Lothringen, wo auch die Reichseisenbahnen grundsteuerpflichtig sind, 3·5% (Ges. vom 13. Juli 1901), Frankreich (Ges. vom 29. März 1914) ab 1. Januar 1915 4% von $\frac{4}{5}$ jenes Ertrags, in Italien 7% (Ges. vom 1. März 1886) mehr einem Kriegszehntel (Ges. vom 10. Juli 1887) und wiederholten sog. Erdbebenzuschlägen, in Japan 5·5%, in Österreich 22·7% (Ges. vom 7. Juni 1881), später ermäßigt auf 19·3% (Ges. vom 23. Januar 1914), in Sachsen 4 Pf. von jeder sog. „Steuereinheit", in Ungarn früher 25·5%, seit Ges.-Art. V-1889 nur noch 20%.

Als Staatssteuer wird die Grundsteuer nicht erhoben in Bayern und Württemberg von den Staatseisenbahnen (doch werden in Bayern die sog. „Steuerverhältniszahlen" auch für diese Bahnen im Kataster vorgetragen).

e) Von der Gebäude- (Häuser-) Steuer werden im allgemeinen auch die Eisenbahngebäude, insbesondere auch in den unter *d* genannten Staaten getroffen.

Diese Steuer wird vorwiegend als proportionelle Abgabe von dem nach verschiedenen Vorgangsweisen ermittelten Gebäudemietwert („Hauszinssteuer") oder unter gewissen Voraussetzungen bei einigen Gebäuden auch nach abgestuften festen Sätzen („Klassensteuer" in Österreich, Preußen, Ungarn) erhoben.

Der Steuersatz beträgt in ersterem Fall: in Bayern 2% der „Haussteuerverhältniszahl", in Japan 2·5% des Katasterwertes, in Österreich je nach dem Ort, in welchem das Gebäude liegt, $26\frac{2}{3}$% bzw. 20% oder 15% des nach Abzug einer bestimmten

Quote (15% bzw. 20 und 30%) für Erhaltungs- und Amortisationskosten ermittelten „steuerbaren Zinsertrags", in Ungarn nach der Einwohnerzahl des betreffenden Ortes von 16 über 14 und 11 auf 9% sinkend, in Italien 12·5% mehr 3 Kriegszuschlagsdezimen, zusammen 16·25%, in Elsaß-Lothringen 3·5% des Nutzungswertes des Gebäudes, bzw. 1·9% des gleichen Wertes bei Dienstwohnungen in steuerfreien Gebäuden.

In Frankreich, wo bei Ermittlung des Mietwertes auch das unbewegliche Zubehör der Gebäude (so z. B. Maschinen in einem Eisenbahnwerkstättengebäude) mit in Anschlag gebracht wird, betrug der Steuersatz 3·2% jenes Wertes (Ges. vom 8. August 1890), von dem ein Abzug von 25% bei „maisons" und 40% bei „usines" zulässig ist. Als erstere gelten beispielsweise die für den Passagier- und Güterdienst bestimmten Gebäude, als letztere Lokomotivremisen und Werkstätten. Der Steuersatz wurde unter Aufrechterhaltung der erwähnten Abzüge durch Ges. vom 29. März 1914 ab 1. Januar 1915 auf 4% erhöht. Lagerplätze u. dgl. der Eisenbahnen sind gebäudesteuerpflichtig (Ges. vom 29. Dezember 1884).

Der Hausklassensteuer unterliegen u. a. in Österreich und Ungarn die Bahnwächterhäuser außerhalb der „zinssteuerpflichtigen" Ortschaften.

Im Zusammenhang mit der Gebäudesteuer sei der noch in Frankreich und Belgien bestehenden, auch die Eisenbahngebäude treffenden, in Elsaß-Lothringen durch Ges. vom 14. Juli 1895 aufgehobenen Tür- und Fenstersteuer gedacht.

In Österreich werden die zu den Staatseisenbahnen gehörigen Bahnbetriebs- und Wohngebäude von der Gebäudesteuer ausgenommen, soweit sie nicht etwa einen Ertrag durch Vermietung, z. B. von Restaurationsräumen u. s. w. gewähren.

In Ungarn sind gemäß Ges.-Art. VI-1909 die Betriebsgebäude aller Eisenbahnen von der Haussteuer dauernd befreit. Dieser Steuer unterliegen jedoch bei Privateisenbahnen alle bewohnten Teile und die sog. „offenen Lokalitäten" (Gastzimmer, Restaurationsräume u. s. w.) und die bewohnten Wächterhäuser. Die den Staatsbahnangestellten gebotenen Naturalwohnungen sind immer steuerfrei. Die gedachten Steuerfreiheiten erstrecken sich auch auf sämtliche die direkten Steuern belastenden Zuschläge.

In Württemberg und Bayern (hier mit einem ähnlichen Vorgang wie bei der Grundsteuer) sind die Staatseisenbahnen auch gebäudesteuerfrei.

f) Gewerbe-(Erwerb-)Steuern.

1. Eine besondere Art dieser Steuern bildet die in Österreich und in Ungarn bestehende „Erwerbsteuer der der öffentlichen Rechnungslegung unterworfenen Unternehmungen" (Österr. Ges. vom 25. Oktober 1896, II. Hauptstück; Ungar. Ges. vom 14. Mai 1875, Ges.-Art. XXIV-1875).

Dieser Steuer sind in jedem der genannten Staaten u. a. auch Eisenbahnunternehmungen unterworfen, u. zw. in Österreich einschließlich jener des Staates, während in Ungarn die vom Ärar verwalteten Staatseisenbahnen von dieser Steuer ausgenommen sind.

Als Bemessungsgrundlage dient in Österreich der in dem letzten, dem Steuerjahr vorangegangenen Geschäftsjahr erzielte Reingewinn, für dessen Ermittlung das Gesetz eingehende Regeln aufstellt. In Ungarn wird von den Bruttoerträgnissen der 3 letzten, dem Steuerjahr vorangegangenen Jahre (allenfalls der abgelaufenen kürzeren Betriebsperiode) ausgegangen und ist durch das Gesetz im einzelnen bestimmt, welche Auslagen von jenem Erträgnis als steuerfrei abgerechnet werden dürfen.

In beiden Staaten werden die durch die Grund- und Gebäudesteuern getroffenen Realitätenerträgnisse von der „besonderen Erwerbsteuer" freigelassen, und beträgt der Steuersatz in der Regel 10% des sonstigen Reinertrags.

Die Steuer erhöht sich in Österreich noch um die sog. Dividendenzusatzsteuer für jene Aktiengesellschaften, die für das der Besteuerung zu grunde gelegte Geschäftsjahr an Dividende mehr als 10% des eingezahlten Aktienkapitals verteilt haben. Diese Zusatzsteuer beträgt von dem zur Verteilung gelangenden Betrag, der für das 11. bis 15. Prozent der Dividende erforderlich ist, 2% und von den darüber hinaus zur Verteilung gelangenden Beträgen 4%. Anderseits darf in Österreich die Steuer nicht weniger betragen als 1‰ des gesamten investierten Anlagekapitals und ist diese sog. „Minimalsteuer" sohin auch dann zu entrichten, wenn ein Reinertrag überhaupt nicht erzielt wurde, in welchem Fall sie den Charakter einer Vermögenssteuer an sich trägt. Zu der sog. besonderen Erwerbsteuer ist in Österreich durch während des Krieges erlassene kaiserliche Verordnungen ein Zuschlag von 20% und ein „Rentabilitätszuschlag", der nach dem Verhältnis des Reinertrags zum investierten Kapital stufenweise steigt und bei einer Rentabilität von 14% einen Zuschlag von 80% zur ordentlichen Steuer erreicht, getreten.

2. Von den Staaten, die eine allgemeine, auch die Eisenbahnunternehmungen treffende Gewerbesteuer einheben, wären zu erwähnen:

Bayern (Ges. vom 14. August 1910), wo sich die Gewerbesteuer aus einer Betriebskapitalsanlage und einer Ertragsanlage zusammensetzt. Als Betriebskapital (Betriebskapital im engeren Sinne und Anlagekapital umfassend) werden sämtliche dem Gewerbebetrieb gewidmeten Gegenstände mit Ausnahme jener, die der Grund- oder Haussteuer unterliegen, angesehen. Den Maßstab für die Ertragsanlage bildet der Reinertrag. Für jede der beiden Anlagen besteht ein in Stufen nach der Höhe des Betriebskapitals bzw. des Reinertrags steigender Steuertarif. Die vom Staat betriebenen Verkehrsanstalten werden nur für die Umlagenpflicht „vormerkungsweise" veranlagt.

Elsaß-Lothringen belegt unter Befreiung der von diesen Reichslanden selbst und vom Deutschen Reich betriebenen Eisenbahnen die Eisenbahnaktiengesellschaften mit einer Gewerbesteuer nach Maßgabe der „Ertragsfähigkeit". Diese bemißt sich nach der Ziffer, die unter normalen Verhältnissen und bei normalem Betrieb nach Abzug der Betriebskosten als durchschnittlich verbleibender Jahresertrag angenommen werden kann. Die Steuer beträgt von 20.000 M. „Ertragsfähigkeit" aufwärts 1·9% und wird nach Maßgabe eines Tarifs erhoben, der bei einer „Ertragsfähigkeit" unter 20.000 M. stufenweise fallende Steuersätze ergibt. Von den Gewerbesteuern werden (nach dem in diesem Belang beibehaltenen französischen Vorgang) 8% den Gemeinden überlassen. Zur Deckung von Steuerausfällen u. s. w. wird ein Zuschlag von 5% des Steueransatzes zu gunsten der Landeskassa eingehoben.

In Frankreich besteht als Gewerbesteuer die in ihren Anfängen auf das Jahr 1791 zurückreichende, durch Ges. vom 15. Juli 1880 neu geregelte Patentsteuer („contribution des patentes"), die nach sog. „äußeren Merkmalen" veranlagt wird und sich aus einem festen Satz und einer Proportionalabgabe zusammensetzt.

Die „Konzessionäre oder Unternehmer von Eisenbahnen" unterliegen beiden Steuerformen.

Der feste Steuersatz beträgt 10 Fr. für mindestens 2 Stationen verbindende Linien oder Teillinien mit 2 Gleisen und 5 Fr. für eingleisige Linien oder Teillinien f. d. *km*. Dieser Abgabensatz wird um die Hälfte erhöht für jede Strecke, die durch ein geschlossenes Stadtgebiet von mehr als 5000 Einwohnern führt, soferne jene Strecke mindestens 2 innerhalb des Stadtgebiets gelegene Bahnhöfe, Stationen oder Haltestellen verbindet.

Die Proportionalabgabe wird angelegt nach dem Mietwert der dem Eisenbahnbetrieb dienenden Gebäude und beträgt der Steuersatz für Wohngebäude $^1/_{20}$, für die übrigen Lokalitäten $^1/_{50}$ jenes Wertes.

Von der Patentsteuer fließen 8% an die Gemeinden, in denen sich Betriebsgebäude befinden.

Japan belastet mit einer „Geschäftssteuer" genannten Gewerbesteuer die Eisenbahnunternehmungen in der Weise, daß diese jährlich 25‰ des Betrags der Einnahmen und außerdem für jeden Angestellten 2 Yen (à K 2·32) zu zahlen haben. Für Angestellte unter 15 Jahren wird nur die Hälfte des letzteren Satzes berechnet.

In Württemberg haben die Privateisenbahnen die Gewerbesteuer auf Grund eines Katasters zu entrichten, in den das sog. „Steuerkapital" eingetragen wird. Hierbei wird der Ertrag des Betriebskapitals, zu dem auch der im Schienenkörper angelegte Wert zu rechnen ist, mitberücksichtigt. Der Betrag der zu entrichtenden Steuer wird für jede Etatsperiode durch das Finanzgesetz bestimmt. Die vom Staat betriebenen Eisenbahnen bleiben von dieser Steuer frei.

g) Kapitalrentensteuern.

Bayern (Ges. vom 14. August 1910) unterwirft dieser Steuer auch die Erträge der Privat- (nicht aber der Staats-) Eisenbahnen aus Kapitalvermögen, jedoch mit Ausschluß der im Gewerbebetrieb insbesondere aus dem gewerblichen Betriebskapital anfallenden derartigen Erträge, ferner die Dividenden beim Aktionär, Steuersatz progressiv von 1% bis 2%.

Ähnlich Elsaß-Lothringen (Ges. vom 13. Juli 1901). Steuersatz 3·5% nach einem analog wie für die Gewerbesteuer eingerichteten Tarif, der erst von der Ertragsstufe von 4000 bis 5000 M. an den Kapitalsertrag voll erfaßt.

In Österreich unterliegen weder die Aktiengesellschaften noch die Aktionäre der dort bestehenden Rentensteuer.

In Ungarn dagegen (Ges.-Art. XXII u. XXIV-1875 u. VII-1883) haben die Eisenbahnaktiengesellschaften die „Kapitalzinsen- und Rentensteuer" mit dem Satz von 10% von gewissen Kapitalerträgnissen, die dafür von der besonderen Erwerbsteuer frei bleiben, zu tragen, so z. B. von den im In- oder Ausland bei Geldinstituten, die sich mit Kreditgeschäften befassen, im Kontokorrent angelegten Kapitalien. Die genannte Steuer ist seitens der Gesellschaften auch von den Zinsen der von ihnen ausgegebenen Prioritätsobligationen oder gegen hypothekarische Sicherstellung aufgenommenen Kapitalien für Rechnung der Zinsenempfänger im Abzugsweg zu berichtigen.

In Frankreich bildet die als „Taxe sur le revenu des valeurs mobilières" durch Ges. vom 20. Juni 1872 eingeführte und als „Impôt sur le revenu des capitaux mobilières" durch Ges. vom 29. März 1914 neugeregelte und zugleich erweiterte, partielle Kapitalrentensteuer eine der wichtigsten Steuerformen, unter denen der Ertrag der Aktiengesellschaften zur Besteuerung herangezogen wird. Dieser Steuer unterliegen die Zinsen, Dividenden, Einkünfte und Erträge jeder Art von Aktien, Obligationen und Anlehen der Aktiengesellschaften welche verpflichtet sind, die Steuer mit dem Satz von 4% vorbehaltlich des (in der Regel nicht ausgeübten) Regresses gegen die Bezugsberechtigten zu berichtigen. Nicht verteilte bzw. als Zinsen verwendete Erträge, also auch alle Reservierungen bleiben von der Steuer frei.

Soweit der französische Staat für Eisenbahnbauten Kapitalien benötigte, wurden sie früher im Wege steuerfreier Staatsrente aufgebracht. Dagegen sind gemäß Art. 44 des Ges. vom 13. Juli 1911 die ausschließlich für Zwecke des Staatseisenbahnnetzes vom Staat ausgegebenen Obligationen denselben Abgaben unterworfen wie jene der Aktiengesellschaften wie denn überhaupt in Frankreich die Staatseisenbahnen (mit Ausnahme des Gebührenäquivalents) ebenso besteuert werden wie die Privatbahnen.

Ähnlich wie in Frankreich werden auch in Rußland die Einnahmen der Aktiengesellschaften (hier jedoch unter Freilassung derselben von der für andere Aktiengesellschaften bestehenden Gewerbesteuer) durch Besteuerung der Aktien und Obligationen erfaßt (Kapitalrentensteuergesetz vom 20. Mai/1. Juni 1885 und Spezialgesetz vom 12./24. Januar 1887 bzw. Ukas vom 21. Mai/4. Juni 1894). Der Steuersatz beträgt für Obligationszinsen und für die vom Staat garantierten Aktienerträge 5%, von dem nicht garantierten Ertrag und von Superdividenden 3%. Die Zahlung der Steuer erfolgt durch die Gesellschaften im Abzugsweg (Kuponsteuer). Von dieser Steuer wurden durch das zweite der bezogenen Gesetze die Erträge der

Aktien der Eisenbahngesellschaften: Warschau-Bromberg, Warschau-Therespol, Warschau-Wien, Dünaburg-Witebsk, Kursk-Kiew-Lodz, Orel-Witebsk, Tambow-Kozlow, wie auch die große russische Eisenbahngesellschaft für die Linien Petersburg-Warschau und Nishny-Nowgorod befreit.

In Spanien (Ges. vom 27. März 1900) unterliegen die Dividenden der Eisenbahnkompagnien einer Steuer mit dem Satz von 3% und die Amortisationsprämien der Eisenbahnobligationen einer solchen von 4%.

h) Stempelabgaben als Besteuerungsform der Aktien und Obligationen der Eisenbahnaktiengesellschaften.

Der sog. „Emissionsstempel" wird, soweit es Aktien betrifft, vielfach als „Gebühr vom Gesellschaftsvertrag" eingehoben. Ausländische Titres werden in einzelnen Staaten höher besteuert als die einheimischen, worauf nicht näher eingegangen werden kann.

Das Deutsche Reich (Reichsstempelgesetz vom 3. Juli 1913) belegt unter Ausschluß einer abgesonderten Besteuerung durch die Bundesstaaten die Beurkundung von Gesellschaftsverträgen über die Errichtung von Aktiengesellschaften mit dem Steuersatz von 4·5% des Grundkapitals (bzw. dem Betrag einer Erhöhung desselben) zuzüglich des allenfalls den Nennwert übersteigenden Emissionskurses.

Befreit sind deutsche Gesellschaften, die die Herstellung oder den Betrieb von deutschen Eisenbahnen unter Beteiligung oder Zinsbürgschaft des Reiches, der Bundesstaaten, der Provinzen, Gemeinden oder Kreise zum Gegenstand haben.

Die inländischen, für den Handelsverkehr bestimmten Renten- und Schuldverschreibungen unterliegen im allgemeinen dem Steuersatz von 2% (in Abstufungen von 40 Pf. für je 20 M.), jedoch inländische, auf den Inhaber lautende und mit staatlicher Genehmigung ausgegebene derartige Titres der Eisenbahngesellschaften nur dem Satz von 5‰ (in Abstufungen von 5 Pf. für je 100 M.).

Für Zinsbogen dieser Titres (mit Ausnahme der bei der ersten Ausgabe der Titres zugleich mit ihnen in Verkehr gesetzten, soweit die Bogen nicht für einen längeren Zeitraum als für 10 Jahre ausgegeben werden) beträgt der Steuersatz 2‰ (sonst 5‰); für Gewinnanteilscheinbogen inländischer Aktien 1% für einen 10jährigen Zeitraum („Talonsteuer") unter Befreiung der Eisenbahngesellschaften beim Zutreffen der für deren Befreiung von der Gesellschaftsvertragsgebühr angeordneten Voraussetzungen.

Zinsbogen von Renten- und Schuldverschreibungen des Reiches und der Bundesstaaten sind stempelfrei.

Die in den einzelnen Bundesstaaten für die Einbringung von Grundstücken in eine Eisenbahnaktiengesellschaft bestehenden Gebühren blieben durch das Reichsstempelgesetz unberührt.

In Österreich unterliegen nach Tarifpost 55 des Ges. vom 13. Dezember 1862 Gesellschaftsverträge der Aktiengesellschaften, die auf länger als 10 Jahre abgeschlossen werden, der Gebühr nach Stempelskala III (1/2% mit 25% Zuschlag), sonst nach Skala II (1/4% nebst 25% Zuschlag) von der bedungenen Vermögenseinlage. Die Gebühr ist vor Hinausgabe der Aktien unmittelbar zu entrichten. Für die etwa in die Gesellschaft eingebrachten Immobilien ist vom Bruttowert eine Prozentualgebühr zu entrichten.

Durch Ges. vom 10. Juli 1865 wurde den Aktiengesellschaften die Erleichterung gewährt, daß ihnen, wenn sie Aktien auf Namen ausstellen, die davon entfallende Gebühr ohne Rücksicht auf die Dauer des Gesellschaftsvertrags bloß nach Skala II bemessen wird. Durch die kaiserliche Verordnung vom 28. August 1916, RGB. Nr. 281, wurde für alle Fälle die Entrichtung der Gebühr nach Skala III, die überdies eine Erhöhung erfuhr, angeordnet.

Die Obligationen (Teilschuldverschreibungen) der Aktiengesellschaft unterliegen gemäß Tarifpost 36 des bezogenen Gesetzes nach ihrem Wert, falls sie auf den Überbringer lauten, dem Stempel nach Skala III, sonst nach Skala II. Erstere Gebühr wird auf jene nach Skala II ermäßigt, wenn die auf den Überbringer ausgestellten Schuldverschreibungen auf eine bestimmte, jedoch nicht längere Zeit als 10 Jahre lauten.

Ähnliche Bestimmungen bestehen auch in Ungarn (Ges. Art. XVI-1869).

Frankreich besteuert die Aktien und Obligationen der Eisenbahnaktiengesellschaften (neben der Kapitalrentensteuer) noch mit dem als Emissionsstempel anzusprechenden „droit de timbre" (Ges. vom 5. Juni 1850 u. 23. August 1871) und mit der Umsatzsteuer „droit de transmission" (Ges. vom 23. Juni 1857 mit Nachträgen).

Durch Ges. vom 29. März 1914 wurde mit Wirkung vom 1. Juni 1914 an eine nicht unbedeutende Erhöhung dieser beiden Abgaben vorgenommen.

In England zahlen die Eisenbahnaktiengesellschaften bei ihrer Errichtung 5 sh. für 100 £ (0·25%) des Aktienkapitals und bei der Ausgabe von Obligationen 2 sh. 6 d für 100 £ (0·125%), ferner für den Besitzwechsel der Shares und Stocks bei Inhabertitres 1·5% und bei Namenstitres 0·5%.

Italien belegt die Wertpapiere auch der Eisenbahnaktiengesellschaften mit einem Emissionsstempel und mit einer Abgabe vom Umlauf dieser Titres.

Der Emissionsstempel wird als Gradualabgabe erhoben und steigt von 10 Centesimi bei 100 Lire Nennwert auf 1 Lira von 1000–2000 Lire u. s. w. um je 1 Lira mehr für je 1000 Lire. Es sind ferner vom Umlauf jährlich zu entrichten hinsichtlich der 3%igen Eisenbahnobligationen (Ges. vom 27. April 1885) und hinsichtlich der Obligationen der vor dem 12. Juli 1888 konzessionierten Gesellschaften 1·20‰, dann hinsichtlich der sonstigen Eisenbahnobligationen und der Aktien, wenn sie auf den Inhaber lauten, 2·40‰ und wenn sie auf Namen lauten, 1·80‰.

Von den Börsengeschäften mit Eisenbahntitres bzw. dem handelsmäßigen Umsatz derselben sind gleichfalls Stempelsteuern zu entrichten.

Deren Höhe beträgt: im Deutschen Reich bei Kauf- und sonstigen Anschaffungsgeschäften von Aktien 3/10, von Obligationen 2/10‰ (Tarif Nr. 4 des Reichsstempelgesetzes vom Jahre 1913); in Frankreich seit Ges. vom 15. Juli 1914 bei börsenmäßigen Zeit- und Kassageschäften 15 Ct., bei Reportgeschäften 3·75 Ct. für je 1000 Fr. ohne Bruchteil; in Italien 1 Lira für Kassa- und 4 Lire für Zeitgeschäfte, welche Sätze sich auf die Hälfte ermäßigen, falls das Geschäft durch Mäkler abgeschlossen wird; in Großbritannien ist die Schlußnotensteuer nach einer Skala zu entrichten, die von 6 d für umgesetzte 100 £ auf 1 £ für umgesetzte mehr als 20.000 £ steigt; in Österreich (Ges. vom 9. März 1897) ist die sog. „Effektenumsatzsteuer" auch bei außerbörslichem Umsatz durch Handelsmäkler und Effektenhändler mit der festen Gebühr von 1 K für jeden einfachen „Schluß" (10.000 K bzw. 25 Stück) in Geschäften mit Dividendenpapieren (Aktien) und Teilschuldverschreibungen (mit gewissen Ermäßigungen bei geringeren Umsätzen und Freilassung der Staatspapiere) zu entrichten. (Gebührensätze während des Krieges erhöht.)

i) Das Gebührenäquivalent, auch „Abgabe der toten Hand" genannt, wird in manchen Staaten als Ersatz der beim Ableben natürlicher Personen platzgreifenden Übertragungsgebühren u. a. auch von den Eisenbahnaktiengesellschaften in Form einer periodischen Abgabe eingehoben.

So in Österreich (Ges. vom 13. Dezember 1862 und 29. Februar 1864) mit dem Satz von 1·5% nebst 25% Zuschlag für je 10 Jahre (und ähnlich in Ungarn, Ges.-Art. XXVI-1881 mit dem Satz von 2/10%) vom Wert des unbeweglichen Vermögens, in Elsaß-Lothringen für Gebäude nebst Zubehör mit 39% des Prinzipalbetrags der Gebäudesteuer und für der Grundsteuer unterliegende Güter mit 89·5% des Prinzipalbetrags der Grundsteuer.

In Frankreich wird entsprechend der Theorie, daß die „Eisenbahnen" nebst Zubehör öffentliches Gut („propriété publique") bilden, das Gebührenäquivalent von den Gesellschaften nur insoweit angefordert, als sie im Privateigentum von nicht zur „Eisenbahn" zu rechnenden Liegenschaften stehen. Die „taxe des biens de main morte" beträgt einschließlich der Zuschläge dermal 140·625% der Gebäude- und 87·5% der Grundsteuer.

In England wird das Gebührenäquivalent als „Corporation duty" (Act 48 and 49 Vict. c 51) mit 5% vom Nettoeinkommen des beweglichen und unbeweglichen Vermögens (on net annual value, income or profits accrued in respect of all real or personal property) eingehoben.

Bayern und Spanien lassen die Eisenbahnaktiengesellschaften von dieser Abgabe ausdrücklich frei.

k) Als Besteuerungsform der Eisenbahnunternehmungen sind auch die Aufsichtsgebühren zu erwähnen, die sie in mehreren Staaten, so in Frankreich, Italien, Österreich (§ 89 der EBO. vom 16. November 1851), Rußland, Ungarn u. s. w. zu entrichten haben, ferner

l) die Gewinnbeteiligung des Staates an den Erträgnissen der Privatbahnen, die eintritt, wenn diese Erträgnisse einen meist zur Verzinsung des Anlagekapitals in Verhältnis gestellten Betrag überschreiten. Sie ist in Österreich seit der Verstaatlichung der großen Eisenbahnen ohne Bedeutung. (Sie besteht u. a. noch bei der Aussig-Teplitzer- und bei der Leoben-Vordernberger Eisenbahn.)

In Frankreich beginnt die Gewinnbeteiligung des Staates, wenn die Dividende gestiegen ist, bei der Paris-Orleans-Bahn auf 14·4%, der Paris-Lyon-Mittelmeer-Bahn auf 15%, bei der Nordbahn auf 22·125%, der Südbahn auf 15% und der Ostbahn auf 10% des Anlagekapitals, und sie besteht in 2/3 der weiteren Reineinnahmen.

Für Italien wurde durch Art. 255 des Ges. über die öffentlichen Arbeiten und die Konventionen vom Jahre 1885 bestimmt, daß der Regierung das Recht der Gewinnbeteiligung zustehen solle, wenn der jährliche Nettoertrag der Eisenbahn im Durchschnitt der letzten 5 Jahre 10% des Anlagekapitals übersteigt.

Durch Art. 11 des Ges. vom 16. Juli 1907 wurde dem Staat eine doppelte Gewinnbeteiligung gesichert: einerseits an den Nettoerträgnissen mit nicht weniger als der Hälfte des Überschusses über die gesetzlichen Handelszinsen vom Aktienkapital (bzw. Anlagekapital, wenn der Unternehmer keine Aktiengesellschaft ist), anderseits an den Roheinnahmen, sobald der Durchschnitt dieser Einnahmen im letzten Quadriennium den in der Konzessionsurkunde festgesetzten Kilometerbruttoertrag erreicht hat.

In den Niederlanden wurde durch die Verträge vom 21. Januar 1890 zwischen der Regierung und der Gesellschaft zum Betrieb der Staatseisenbahnen (S. S. genannt) sowie der Holländischen Eisenbahngesellschaft (H. S. M.) vereinbart, daß wenn der Reingewinn der Gesellschaften 4% des noch nicht getilgten Gesellschaftskapitals übersteigt, der Überschuß zwischen dem Staat und den Gesellschaften zur Hälfte geteilt wird. Sind die Einnahmen noch größer, so erhält der Staat hiervon 4/5, die Gesellschaft 1/5.

In Rußland wurde in den Statuten der Eisenbahngesellschaften und in den Nachträgen zu diesen eine Gewinnbeteiligung des Staates in verschiedenem Umfang vorgesehen, bei Nebenbahnen oft auch eine bestimmte Summe f. d. Betriebswerst für den Staat angefordert und noch in neuester Zeit in der Verordnung vom 15./28. Mai 1912 betreffend die Altaibahn eine Gewinnbeteiligung dahin gesichert, daß von dem Gewinn, der nach Deckung des Obligationendienstes und nach Ausschüttung einer 8%igen Dividende erübrigt, 3/4 an den Staat fallen (Näheres für die Zeit bis 1908 in der „Revue de science et de législation financière" 1908, S. 573).

In der Türkei hat, wenn die Betriebseinnahmen der konzessionierten Eisenbahnen die vom Staat garantierte Mindesthöhe überschreiten, der Staat Anspruch auf einen für die verschiedenen Gesellschaften in verschiedener Höhe (25 – 60%) bestimmten Anteil der Mehrerträge (Einzelheiten im Arch. f. Ebw. 1914, S. 1087).

m) Als einer die Eisenbahnaktiengesellschaften nicht unmittelbar belastenden, jedoch von ihnen für Rechnung der Bezugsberechtigten abzuführenden Steuer wäre auch noch der sog. „Tantiemensteuer" oder „Tantiemenabgabe" zu gedenken.

Im Deutschen Reich unterliegen die von den Aktiengesellschaften obligatorisch anzufertigenden besonderen Aufstellungen (§ 72 u. Tarif Nr. 9 des Reichsstempelgesetzes vom 3. Juli 1913) über die Summe der gesamten Vergütungen (Gewinnanteile, Tantiemen, Gehälter, Tagegelder u. s. w.), die den zur Überwachung der Geschäftsführung bestellten Personen (Mitgliedern des Aufsichtsrates) seit der letzten Bilanzaufstellung gewährt wurden, dem Steuersatz von 8% der erwähnten Summe. Befreit sind Summen unter 5000 M. Übersteigt die Gesamtsumme der Vergütungen diesen Betrag, so wird die Abgabe nur insoweit erhoben, als sie aus der Hälfte des 5000 M. übersteigenden Betrags gedeckt werden kann.

In Österreich wurde die Tantiemenabgabe durch Art. III des Ges. vom 23. Januar 1914 eingeführt. Hier ist von den Bezügen, die die Mitglieder des Vorstandes, Aufsichtsrates und Verwaltungsrates (Generalrat, Administrationsrat, Kuratorium u. dgl.) von Aktiengesellschaften und Kommanditgesellschaften auf Aktien in dieser Eigenschaft unter welcher Bezeichnung immer empfangen, vom Steuerjahr 1914 an eine Abgabe von 10% (seither auf 20% erhöht) zu entrichten, die von den Gesellschaften bei Auszahlung der Bezüge den Empfängern für Rechnung des Staatsschatzes in Abzug zu bringen und an die Staatskasse abzuführen ist. Sind jedoch solche Personen mit Dienstvertrag als leitende Direktoren mit festem Gehalt angestellt, so unterliegen die vertragsmäßigen Bezüge, die ihnen in einer im ersten Absatz bezeichneten Eigenschaft von der Gesellschaft, in deren Diensten sie stehen, zufließen, nicht der Tantiemenabgabe, sondern der Besoldungssteuer. Ist die Gesamtsumme der von einer Gesellschaft ausbezahlten Bezüge geringer als 5000 K, so entfällt die Entrichtung dieser Abgabe. Die von dieser Abgabe getroffenen Bezüge unterliegen nicht der Besoldungssteuer.

In Ungarn fallen die Gewinntantiemen der Gesellschaftsdirektoren und Mitglieder des Verwaltungsrates derzeit noch unter die Erwerbsteuer der 3. Klasse mit dem Steuersatz von 10% (§ 16 Ges.-Art. XXIX-1875 u. § 4, Z. 10, Ges.-Art. LX-1880).

In Frankreich unterliegen gemäß Ges. vom 13. Juli 1911 die Reingewinne, welche zufolge statutarischer Bestimmung an die Mitglieder des Verwaltungsrates verteilt werden, dem „Impôt sur le revenu" mit dem Satz von 4%.

In Spanien (Ges. vom 27. März 1900) besteht eine 10%ige Steuer von den Bezügen der Direktoren, Gerenten, Konsulenten und Administratoren der Eisenbahngesellschaften.

B. Staatsabgaben gebührenartigen Charakters.

Soweit es sich um Gebühren von beurkundeten Rechtsgeschäften, Vermögensübertragungen u. s. w. handelt, unterliegen in der Regel die Eisenbahnunternehmungen denselben allgemeinen Bestimmungen wie andere Rechtssubjekte. Tritt der Staat als Eisenbahnunternehmer auf, steht ihm gewöhnlich Gebührenfreiheit zur Seite. Schließt er in diesem Fall Rechtsgeschäfte mit nicht befreiten Personen ab, so haben diese z. B. in Österreich die entfallenden Stempelgebühren im vollen Betrag, die Prozentualgebühren aber nur zur Hälfte zu entrichten.

Für die Bewilligung zum Bau und Betrieb von Eisenbahnen sind vielfach besondere Konzessionsgebühren zu entrichten. Hinsichtlich der diesfalls in den einzelnen deutschen Staaten bestehenden Stempelabgaben, z. B. Preußen und Braunschweig 200 M., s. Archiv für Finanzwesen 1915, Bd. I, S. 155.

In Österreich ist gemäß § 208 des Stempel- und Taxgesetzes vom 27. Januar 1840 für das Privilegium zur Errichtung einer E. A. G. für jedes Jahr der ganzen Dauerzeit des Privilegiums eine Taxe von 30 K zu entrichten.

Frankreich fordert von den Eisenbahnunternehmungen eine Lizenzabgabe mit 6·25 Fr. für jedes Vierteljahr und unterliegen dort die Wagen außerdem einer Kontrollmarke („estampille") im Betrag von je 2 Fr.

In der Schweiz wurde (neben der jährlichen sog. Konzessionsgebühr, s. o. unter *A*, *b*) durch Ges. vom 18. Juni 1914 auch eine einmalige Gebühr für Gesuche um Erteilung einer Konzession für eine Eisenbahn (bzw. Ausdehnung, Übertragung, Erweiterung oder Verlängerung einer solchen Konzession) zu gunsten der Bundeskasse eingeführt. Die Gebühr beträgt im Hauptfall 500 Fr. Grundtaxe nebst einem Zuschlag von 50 Fr. für jeden *km* der Bahnlänge, in den Nebenfällen weniger. Die Gebühren werden zwischen dem Bund und den Kantonen, deren Gebiet durch die Bahn in Anspruch genommen wird, geteilt. Vgl. wegen Konzessionsgebühr den Art. Konzession.

C. Sonstige Abgaben und Leistungen.

An solchen verdienen Erwähnung: die Handelskammerbeiträge, z. B. in Frankreich, Italien und Österreich (Ges. vom 29. Juli 1868), die Pflichtbeiträge für die Sozialversicherung der Angestellten (Arbeiterkranken-, Unfall- und Pensionsversicherung), die in fast allen Staaten durch Gesetz oder Konzession geregelten Kriegsleistungen, die Verpflichtungen zur unentgeltlichen oder ermäßigten Beförderung von Staatsbeamten Militär, Staatsmonopolgut, der Post u. s. w.

Hinsichtlich der von Personenfahrkarten und Frachturkunden zu entrichtenden Stempelgebühren s. Art. Fahrkartensteuer, Frachtbriefstempel u. Transportsteuer der Eisenbahnen.

In Österreich sind während des Krieges die Fahrkartensteuer und die Frachturkundengebühr erheblich erhöht worden, ebenso der Frachturkundenstempel in Deutschland.

D. Gemeindeabgaben.

Außer an den Staat haben die Eisenbahnunternehmungen vielfach auch an Gemeinden und andere Selbstverwaltungskörper höherer Ordnung (Länder, Provinzen, Kreise, Distrikte u. s. w.) Abgaben zu entrichten, und besteht auf diesem Gebiet ein kaum übersehbares Wirrsal von verschiedenen Einzelbestimmungen.

Im allgemeinen lassen sich 2 Systeme unterscheiden.

Bei dem einen derselben, dem Umlagen- oder Zuschlagsystem, werden meist durch den Staat selbst in einem durch ihn bestimmten oder nach oben hin begrenzten bzw. seiner Genehmigung unterliegenden Umfang perzentuelle Zuschläge (Umlagen) zu allen oder mehreren direkten Staatssteuern (meist nur zur Grund-, Gebäude- und Gewerbesteuer) zu gunsten der Gemeinden u. s. w. erhoben.

Bei dem andern System besteht entweder ein selbständiges Recht der Gemeinden (neben dem Staat), gewisse Einkommensquellen oder Einkommensarten zu besteuern, oder es hat der Staat einzelne Steuergattungen den Gemeinden vollständig überlassen, wobei wieder entweder der Staat die Steuerveranlagung zu gunsten der Gemeinden selbst besorgt oder ihnen gleichfalls überläßt.

Bei beiden Systemen werden in mehreren Staaten auch die Staatseisenbahnen selbst in mehr oder minder großem Umfang zur Kommunalsteuerung herangezogen.

Hier ist bei dem ersterwähnten der beiden Systeme für die Umlagengrundlage in der Weise vorgesorgt, daß der Staat seine eigenen Bahnen auch allen oder einigen Staatssteuern unterwirft.

Das Zuschlagsystem findet u. a. Anwendung in Baden, Bayern, Belgien, Elsaß-Lothringen, Italien (mit Ausnahme zur Einkommensteuer), Frankreich, Portugal, Spanien und in Österreich, wo die Umlagen oft ein Vielfaches der Staatssteuer überschreiten und ebenso wie in Frankreich auch von den Staatseisenbahnen nach dem Umfang ihrer Staatssteuerpflicht zu entrichten sind, dann auch in Ungarn.

Gemeinden und andere Selbstverwaltungskörper können ihr Zuschlagsrecht zeitlich nur dann und örtlich nur dort ausüben, wann und wo auf ihrem Gebiet eine direkte Staatssteuer zur Vorschreibung gelangt. Das ist hinsichtlich der Grund- und Gebäudesteuer regelmäßig dann und dort der Fall, wo sich die einzelnen, diesen Steuern unterworfenen Liegenschaften befinden. Bei der Gewerbesteuer, die den gesamten Betrieb einer sich über die Gebiete mehrerer Zuschlagsberechtigten erstreckenden Unternehmung als Einheit erfaßt, ist jedoch die sog. „Steuerteilung" notwendig, die darin besteht, daß durch die Staatsverwaltung von der einheitlichen Staatssteuer den in Frage kommenden Selbstverwaltungskörpern eine nach festen Grundsätzen auszumittelnde Quote zugewiesen wird, an die sie ihr Zuschlagsrecht anknüpfen können.

Besonders umständlich gestaltet sich diese Steuerteilung in Österreich, wo nicht nur der Sitz der Unternehmung (obersten Geschäftsleitung bei Staatsbahnen), also meist Wien, sondern auch die anderen Landeshauptstädte, die einzelnen Kronländer und die Streckengemeinden mit solchen Quoten zu bedenken sind und wo bei Verstaatlichung von Privatbahnen zum Schutz bestehender Zuschlagsrechte Übergangsbestimmungen getroffen wurden.

In Ungarn tritt bezüglich der besonderen Erwerbsteuer der Eisenbahnunternehmungen keine Steuerteilung ein; die ganze Steuer ist am Sitz der Direktion (also meist in Budapest) zu entrichten.

Ein von dem Staatssteuersystem nach jeder Richtung vollständig unabhängiges Kommunalsteuersystem besteht in England. Es trifft dort ausschließlich das unbewegliche Vermögen auch der Aktiengesellschaften als sog. Armensteuer (poor rate). Diese Steuer, in ihren Anfängen auf das Jahr 1601 zurückreichend und seit dem Aufkommen der Eisenbahnen auch auf diese angewendet, wird zu gunsten der Kirchspiele erhoben, und wurden auf sie im Lauf der Zeit alle anderen Lokalabgaben für Sanitäts-, Schul-, Polizei- und ähnliche Zwecke in Form von Zuschlägen aufgepfropft. Hinsichtlich der Distriktsabgaben (general district rate), die auf alle der Armensteuer unterliegenden Immobilien meist für Straßen- und Kanalisationszwecke umgelegt werden, genießen die Eisenbahnen die Erleichterung, daß sie nur mit ¼ der andere Steuerträger treffenden Belastung zu den Distriktsabgaben herangezogen werden.

Die früher auch die Eisenbahnen belastende Kirchensteuer (church rate) ist durch Ges. vom Jahre 1868 aufgehoben worden.

In Preußen (Ges. vom 14. Juli 1893, GS. S. 119 wegen Aufhebung direkter Staatssteuern und Kommunalabgabengesetz vom gleichen Tag, GS. S. 152 mit Nachträgen) sind die Grund-, Gebäude- und Gewerbesteuern (unter Fortsetzung der Veranlagung durch den Staat) den Gemeinden zur eigenen Erhebung und Verwendung zugewiesen worden, außerdem sind die Gemeinden berechtigt, Steuern auf das Einkommen, in der Regel nur in der Form von Zuschlägen zur staatlichen Einkommensteuer zu erheben.

Spezielle Bestimmungen für preußische Eisenbahnunternehmungen:

Es unterliegen nicht der Grundsteuer die Schienenwege der Eisenbahnen überhaupt, dann nicht der Gebäudesteuer die dem Staat gehörigen, zu einem öffentlichen Dienst bestimmten Gebäude, z. B. jene der Staatseisenbahndirektionen (wohl aber die unmittelbar dem Verkehr dienenden Gebäude), endlich nicht der Gewerbesteuer: der Betrieb der Eisenbahnen, die 1. der Eisenbahnabgabe unterzogen werden, 2. vom preußischen Staat oder vom Deutschen Reich auf eigene Rechnung betrieben werden oder 3. auf Grund von Staatsverträgen Steuerfreiheit genießen, wohl aber die Kleinbahnen (Ges. vom 28. Juli 1892, § 40).

Der Gemeindeeinkommensteuer sind alle privaten Eisenbahnunternehmungen und auch der Staatsfiskus bezüglich seines Einkommens aus den von ihm betriebenen Eisenbahnen unterworfen.

Der Eisenbahnbetrieb unterliegt der Steuerpflicht in den Gemeinden, in denen sich der Sitz der Verwaltung (bzw. einer Staatseisenbahnbehörde), eine Station oder eine für sich bestehende Betriebs- oder Werkstätte oder eine sonstige gewerbliche Anlage befindet.

Die gesamten Staats- und für Rechnung des Staates verwalteten Eisenbahnen sind als eine steuerpflichtige Unternehmung anzusehen.

Als Reineinkommen dieser Eisenbahnen gilt der rechnungsmäßige Überschuß der Einnahmen über die Ausgaben mit der Maßgabe, daß unter die Ausgaben auch eine 3·5%ige Verzinsung des Anlage- bzw. Erwerbskapitals zu rechnen ist. Der sich darnach ergebende steuerpflichtige Gesamtbetrag ist durch den zuständigen Minister alljährlich endgültig festzustellen.

Als Reineinkommen der Privateisenbahnunternehmungen gilt der nach Vorschrift der Ges. vom 30. Mai 1853 und 16. März 1867 (s. unter *A*, *a*) für jede derselben ermittelte Überschuß abzüglich der Eisenbahnabgabe und mit der Maßgabe, daß bei der Berechnung nach dem Ges. vom 16. März 1867 die zur Verzinsung und planmäßigen Tilgung etwa gemachter Anleihen erforderlichen Beträge mit in Anrechnung gebracht werden dürfen.

Auf Kleinbahnen findet die vorstehende Bestimmung keine Anwendung.

Die Verteilung des gemeindesteuerpflichtigen Einkommens der Eisenbahnunternehmungen auf die beteiligten Gemeinden erfolgt (mangels anderweitiger Vereinbarung zwischen diesen und dem Steuerpflichtigen) in der Weise, daß das Verhältnis der in den einzelnen Gemeinden erwachsenen Ausgaben an Gehältern und Löhnen, einschließlich der Tantiemen des Verwaltungs- und Betriebspersonals, zu grunde gelegt wird. Hierbei kommen jedoch die Bezüge desjenigen Personals, das in der allgemeinen Verwaltung beschäftigt ist, nur mit der Hälfte, die Bezüge des in der Werkstättenverwaltung und im Fahrdienst beschäftigten Personals nur mit ²/₃ ihrer Beträge in Ansatz. Erstreckt sich eine Betriebsstätte, Station u. s. w., innerhalb deren Ausgaben an Gehältern und Löhnen erwachsen, über den Bezirk mehrerer Gemeinden, so hat die Verteilung nach Lage der örtlichen Verhältnisse unter Berücksichtigung des Flächenverhältnisses und der den beteiligten Gemeinden durch das Vorhandensein der Betriebsstätte, Station u. s. w. erwachsenden Kommunallasten zu erfolgen. Kreise und Provinzen erheben seit Ges. vom 23. April 1906 nicht mehr direkte Umlagen, sondern teilen ihren Bedarf auf die Gemeinden und Gutsgebiete auf.

Im Königreich Sachsen (Ges. vom 11. Juli 1913) sind die Gemeinden ähnlich wie in Preußen berechtigt, Grund-, Gebäude-, Gewerbe- und Einkommensteuern u. a. auch von Eisenbahnunternehmungen zu erheben, es bestehen jedoch insoferne Abweichungen gegenüber Preußen, als von der Grundsteuer nur die Grundstücke, auf denen sich Schienengleise der sächsischen Staatseisenbahnen befinden, und von der Gewerbesteuer nur die Staatseisenbahnen befreit sind, endlich das Einkommen des Staates aus seinem Eisenbahnbetrieb der Gemeindeeinkommensteuer nicht unterliegt. Bezüglich der Verteilung der letzteren Steuer bei den unter sie fallenden Privatbahnen gelten folgende Grundsätze: die Steuerpflicht ist in jeder Gemeinde begründet, in der sich eine Betriebsstätte befindet. Derjenigen Gemeinde, in der sich der Sitz der Leitung des Gesamtbetriebs befindet, gebührt eine Vorausbesteuerung des zehnten Teiles vom Gesamteinkommen; der übrige Teil wird nach Verhältnis der in den einzelnen Gemeinden erwachsenden Ausgaben an Gehältern und Löhnen (einschließlich der Tantiemen, jedoch ohne die in Preußen gemachte Einschränkung) verteilt.

In Württemberg (Ges. vom 8. August 1903) ist der Betrieb der Staatseisenbahnen vorbehaltlich jedoch der Besteuerung der für diesen Betrieb bestimmten Grundstücke und Gebäude von Gemeindeumlagen befreit. Die Staatseisenbahnen unterliegen auch nicht der Gemeindeeinkommensteuer. Für andere Fälle dieser Steuer ist die Steuerteilung im Art. 27 des bezogenen Gesetzes geregelt.

E. Steuerbefreiungen.

Zur Förderung des Eisenbahnbaues oder aus sonstigen Gründen wurden und werden den Eisenbahnunternehmungen, sei es einzelnen in den Konzessionsurkunden, sei es bestimmte Arten, allgemein durch die Gesetzgebung Steuerbefreiungen (s. Konzession), meist auf zeitlich beschränkte Dauer, oft auch nur in begrenztem Umfang zugestanden.

Einzelner solcher Steuerbefreiungen ist schon früher gedacht. An sonstigen Steuerbefreiungen seien erwähnt:

Das Deutsche Reich genießt (mit der unter *A, d* erwähnten Ausnahme) gemäß des Reichssteuergesetzes vom 15. April 1911 auch bezüglich der Reichseisenbahnen Freiheit von allen zur Hebung gelangenden Staatssteuern der einzelnen Bundesstaaten. Durch Gemeinden (und weitere Kommunalverbände) kann das Reich zu Realsteuern vom Grundbesitz nur in demselben Umfang wie die einzelnen Bundesstaaten herangezogen werden.

Jedoch erhält nach § 7 des bezogenen Gesetzes Elsaß-Lothringen behufs Zuführung an die Gemeinden, in deren Gemarkung oder Umgebung sich eine Station oder eine für sich bestehende Betriebs- oder Werkstätte der von der Reichseisenbahnverwaltung für Rechnung des Reiches betriebenen Eisenbahnen befindet, aus den Erträgnissen dieser Eisenbahnen einen Anteil in der Höhe von 5% des rechnungsmäßigen Überschusses, mindestens aber jährlich 200.000 M.

In Baden wurde den Privateisenbahnen meist auf Grund von Spezialgesetzen die Befreiung von der Grund-, Gebäude- und Gewerbesteuer, die seit 1908 in der Vermögenssteuer aufgegangen ist, gewährt. Diese Befreiungen wurden durch das Vermögenssteuergesetz aufrecht erhalten.

In Österreich und Ungarn wurden durch die Lokalbahngesetze Steuerbefreiungen für neue Lokalbahnen festgesetzt.

In Österreich wurde durch das Ges. vom 8. August 1910 (wie schon früher durch das Ges. vom 29. Dezember 1908) über Bahnen niederer Ordnung (Lokalbahnen und Kleinbahnen) diesen Bahnen eine Reihe (teilweise zeitlich beschränkter) Befreiungen von der besonderen Erwerbsteuer, von Stempeln und unmittelbaren Gebühren und von den Aufsichtsgebühren u. s. w. zugesichert, ebenso in Ungarn durch die Ges.-Art. XXXI-1880 u. IV-1888 den Eisenbahnen von lokalem Interesse (sog. Vizinalbahnen), und sei bezüglich der Einzelheiten auf die bezogenen Gesetze verwiesen.

In Belgien wurde durch Ges. vom 28. Mai 1884 der nationalen Gesellschaft für den Bau und Betrieb von Vizinalbahnen die Befreiung von der Gewerbesteuer und von der Besteuerung durch die Provinzen und Gemeinden zugestanden.

Brasilien gewährte durch Ges. vom 18. November 1900 der Gesellschaft zum Bau der Eisenbahn von Sao Paolo zum Fluß Ribeira de Iquape Befreiung von sämtlichen Steuern für die Dauer der Zinsengarantie.

Der Canadian Pacific Railway wurde durch Ges. vom 22. Mai 1888 dauernde Steuerfreiheit für sämtliche Linien und Ländereien (25,000.000 Acres à 40·47 Ar, die der Bahn überlassen worden sind) zugesichert.

In Dänemark wurde durch Ges. vom 26. Juni 1908 bestimmten Eisenbahnen Befreiung von Grund- und Gebäudeabgaben zugebilligt (Näheres Arch. f. Ebw. 1908).

In England wurden von der durch das Finanzgesetz vom Jahre 1910 (10 Edw. 7 c. 8) eingeführten Wertzuwachssteuer (Increment value duty), Heimfallsteuer (Reversion duty) und Bauplatzsteuer (Undeveloped land duty) nebst anderen Gesellschaften auch die Eisenbahngesellschaften hinsichtlich des für die Zwecke ihrer Unternehmung besessenen Bodens befreit.

In Mexiko ist gemäß Ges. vom 29. April 1879 das Bahneigentum konzessionierter Eisenbahnen einschließlich des Betriebskapitals – abgesehen von der Stempelsteuer für Urkunden – von jeder Staatssteuer befreit.

Die Schweiz hat durch Ges. vom 15. Oktober 1887 betreffend den Bau und Betrieb von Eisenbahnen für Rechnung des Bundes diese Bahnen von jeder Besteuerung durch Kantone und Gemeinden mit der Einschränkung befreit, daß diese Befreiung auf solche Immobilien keine Anwendung findet, die zwar im Besitz der Bundesbahnen sind, aber keine notwendige Beziehung zum Bahnbetrieb haben (z. B. Eisenbahnhotels). Zugleich verzichtete der Bund gegenüber den Bundesbahnen auf die Erhebung der in Art. 19 des BGes. vom 23. Dezember 1872 vorbehaltenen Konzessionsgebühr für regelmäßigen, periodischen Personentransport (s. o. unter *B*).

In Serbien wurden durch Ges. vom 6./18. Dezember 1898 die Konzessionäre bestimmter Eisenbahnlinien für die ganze Dauer des Baues und Betriebs von jedem Zoll, Obt und den Zollnebengebühren hinsichtlich der Einfuhr von Eisenbahnmaterial, desgleichen von den staatlichen und kommunalen Steuern sowie von Gerichts- und Verwaltungsgebühren befreit. Ebenso genießen die Staatsbahnen volle Zoll- und Steuerfreiheit.

Uruguay hat den Eisenbahnen durch Ges. vom 27. August 1884 Steuerfreiheit, dann Zollfreiheit für Baumaterialien auf die Dauer von 40 Jahren, Venezuela durch Ges. vom 31. Mai 1897 die Befreiung von allen Regierungsabgaben, ausgenommen die Stempelsteuer zu gunsten des öffentlichen Unterrichts, zugesichert.

F. Nachtrag.

Während des Krieges wurden in Österreich, Deutschland, in den Nordstaaten und anderwärts Kriegsgewinnsteuern von höheren Geschäftserträgnissen eingeführt, denen auch Eisenbahngesellschaften unterworfen sind.

Literatur. Da eine zusammenfassende Darstellung des geltenden Eisenbahnsteuerrechts bisher fehlt, ist auf die in den Art. Eisenbahnrecht und Eisenbahnliteratur aufgezählten Sammelwerke, in denen sich verstreute Angaben über die Besteuerung der Eisenbahnen vorfinden, hinzuweisen.

Als spezielle neuere Quellen für das S. der Eisenbahnen wären nach Staaten geordnet zu nennen bzw. hervorzuheben: Leo Blum, Die steuerrechtliche Ausnützung der Aktiengesellschaften in Deutschland. Stuttgart u. Berlin 1911. – Bougault, Manuel pratique des principaux droits et impôts frappant les sociétés etc. 1910. – Caillaux, Les impôts en France 1911. – Colson, Chemins de fer et voies navigables. Referat Berner Kongreß 1910. – Chaveneau, Les contributions directes des chemins de fer. 1909. – Humbert, Traité complet des chemins de fer. 1908. – Januschka, Die Besteuerung der Eisenbahnen und des Eisenbahnverkehrs in Frankreich. Österr. Zeitschrift für Eisenbahnrecht 1913. – Browne et Theobald, Law of Railway Compagnies. London 1911, 4. Aufl. – Dr. Josef Redlich, Englische Lokalverwaltung. Leipzig 1901. – Martin, Les impôts directs en Angleterre. 1905. – Das vom italienischen Finanzministerium alljährlich herausgegebene „Bollettino di statistica e di legislazione comparata“. – Gasca, L'esercizio delle strade ferrate. Torino 1909. – Garilli, Prescrizione, decadenza e perenzione nell'applicazione delle tre imposte dirette. Milano 1913. – Ruggiero, La imposta della richchezza mobile etc. Milano 1914. – Roccataglia, Come si pagano le imposte e le tasse in Italia. Milano 1912. – Das für Japan von der dortigen Regierung alljährlich auch in deutscher Sprache herausgegebene „Finanzielle und ökonomische Jahrbuch Japans“. – Die Besteuerung der Eisenbahnunternehmungen in Österreich. Aufsatz des Verfassers in der Öst. Ztschr. f. Eb. 1911. – Gerloff, Die kantonale Besteuerung der Aktiengesellschaften in der Schweiz. Bern 1906. – Jèze, L'impôt sur le revenu dans les États-Unis de l'Amérique du Nord. Revue de science etc. 1914. – Hill, The income taxe of 1913. The quarterly Journal of Economics 1913. – Marcuse, Das neue Einkommensteuergesetz in den Vereinigten Staaten von Nordamerika. Arch. f. Finanzwesen 1914. *Januschka.*

Steuerungen *(valve motions; distributions; distribuzioni).*

Inhaltsübersicht. I. Zweck der S.; Abschnitte der Dampfverteilung. – II. Die einfache Schiebersteuerung; Schieberbewegung und Schieberdiagramme. – III. Die Kulissensteuerungen im allgemeinen. 1. Die Kulissensteuerungen mit 2 Exzentern; *A.* Wirkungsweise und Bauarten; *B.* Bauregeln. 2. Die Kulissensteuerungen mit einem Exzenter; *A.* Die Wirkungsweise der Heusinger-Steuerung; *B.* Bauregeln; C. Entwurfsregeln. 3. Die Kulissensteuerungen ohne Exzenter. – IV. Nachprüfung der S. am Modell und Regulierung. – V. Der Einfluß des Federspiels auf die S. – VI. Gegenüberstellung der besprochenen S. – VII. Die Anordnung der Kulissensteuerungen für Mehrzylinderlokomotiven mit einfacher Dampfdehnung. 1. Dreizylinderlokomotiven; 2. Vierzylinderlokomotiven. – VIII. Die Anordnung der Kulissensteuerungen für Verbundlokomotiven. 1. Die Verbundlokomotiven mit 2 Zylindern; 2. die Verbundlokomotiven mit 3 Zylindern; 3. die Verbundlokomotiven mit 4 Zylindern *a)* mit je einer besonderen Steuerwelle für das Hoch- und Niederdrucktriebwerk, *b)* mit gemeinsamer Steuerwelle für das Hoch- und Niederdrucktriebwerk. – IX. Die Ventilsteuerungen. – X. Die Gleichstromlokomotiven. – XI. Die Drehschiebersteuerungen. – XII. Die Ausführung der Einzelteile.

I. Zweck der S.; Abschnitte der Dampfverteilung.

Die S. hat den Zweck, die Zu- und Abführung des Dampfes auf beiden Kolbenseiten unter wirtschaftlichster Ausnutzung seiner Spannkraft zu regeln.

Bei der Lokomotive muß die auf einen Kolbenhub entfallende Arbeitsleistung dadurch geändert werden können, daß dem Dampf der Zutritt während eines größeren oder kleineren Teiles des Kolbenhubs ermöglicht wird, d. h. die S. muß mit einstellbarer Füllung arbeiten. Außerdem muß die S. Vorwärts- und Rückwärtsfahrt gestatten, d. h. sie muß Umsteuerung ermöglichen. Die Einstellbarkeit der Füllung und die Umsteuerung werden durch den gleichen Maschinenteil, bei den meisten S., die Kulisse erzielt (s. Abschnitt III).

Den oben in erster Linie angegebenen Zweck der Dampfführung erfüllt die S., wenn sie ein gutes Dampfdiagramm (Dampfdruckschaulinie) ergibt (s. Art. Dampfarbeit, Bd. III, 220, besonders auch Abb. 155). Dieses muß während eines Hin- und Rückwegs des Kolbens folgende Abschnitte aufweisen:

1. Einströmung	Hinweg	des Kolbens.
2. Dehnung (Expansion)		
3. Vorausströmung		
4. Ausströmung	Rückweg	
5. Kompression		
6. Voreinströmung		

Die **Dehnung** soll den im Dampf enthaltenen Arbeitsvorrat durch Entspannung möglichst ausnutzen. Sie darf jedoch nicht auf

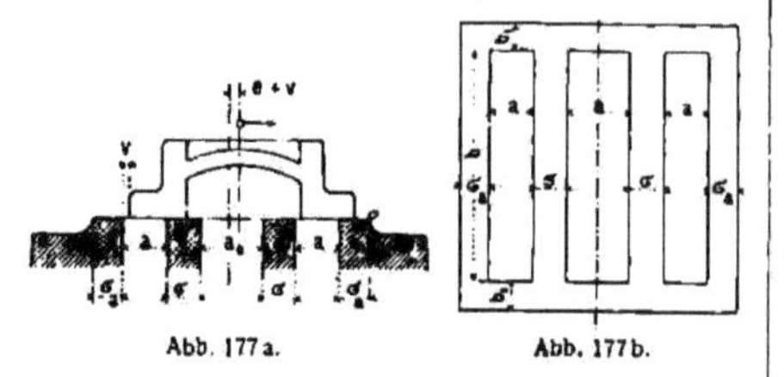

Abb. 177a. Abb. 177b.

Kosten der Einströmung zu sehr vergrößert werden, weil sonst die Wandungstemperatur zu weit sinken und der demnächst ein-

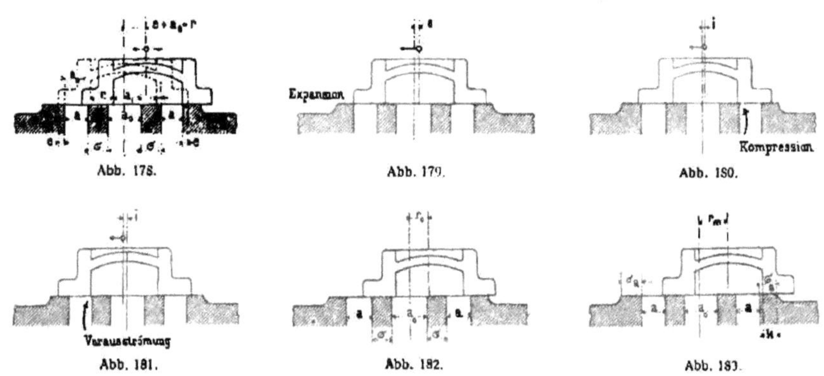

Abb. 178. Abb. 179. Abb. 180.

Abb. 181. Abb. 182. Abb. 183.

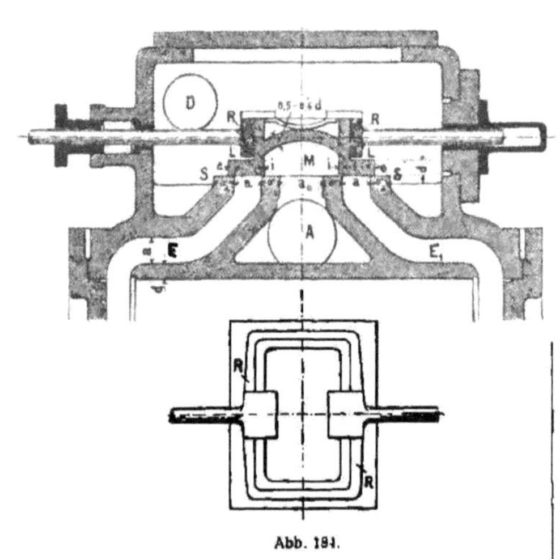

Abb. 184.

strömende Frischdampf zu große Niederschlagsverluste erleiden würde. Die wirtschaftlichste Füllung, d. h. das günstigste Verhältnis der Einströmung zum Kolbenweg liegt bei 0·2. Erheblich kleinere Füllungen können übrigens bei den üblichen S. für Lokomotiven nicht verwirklicht werden, weil die Kompression dann unzulässig groß wird (s. aber das später Mitgeteilte über Doppelschiebersteuerung und Kammerschieber). Die Niederschlagsverluste können durch Dampfüberhitzung vermieden, kleinere Füllungen, also größere Dehnungen durch Verbundanordnung ermöglicht und wirtschaftlich gemacht werden.

Die **Vorausströmung** wird zugelassen, um bei Beginn des Kolbenrückwegs bereits einen genügenden Querschnitt für den Dampfaustritt zur Verfügung zu haben. Andernfalls würde ein schädlicher Gegendruck entstehen.

Die **Kompression** steigert die Pressung des nach der Ausströmung im Zylinder und dem schädlichen Raum zurückbleibenden Dampfes, so daß bei Beginn der Voreinströmung der Raum vor dem Kolben schon mit hochgespanntem Dampf gefüllt ist und keine Druckverluste beim Beginn des neuen Kolbenhubs durch das Nachfüllen des schädlichen Raumes entstehen.

Die **Voreinströmung** wird so bemessen, daß der Schieber bei Beginn des neuen Kolbenwegs bereits einen genügenden Querschnitt für die Einströmung freigelegt hat. Andernfalls würde der Dampfdruck während der Einströmung infolge Drosselung zu weit unter der Kesselspannung bleiben.

II. Die einfache Schiebersteuerung; Schieberbewegung und Schieberdiagramme.

Der Schieber (s. auch Art. Dampfschieber, Bd. III) dient der Führung des Dampfes nach den oben angegebenen Gesetzen. Abb. 177 u. 184 zeigen ihn und den Schieberspiegel in seiner einfachsten Form. Abb. 178 – 183 zeigen, wie der Schieber die genannten Abschnitte des Steuerungsvorgangs verwirklicht.

Die Bewegung des Schiebers erfolgt durch ein Exzenter (Abb. 218 u. 219) oder eine Gegenkurbel T_0K_0 (Abb. 198). In beiden Fällen kann die Bewegung durch eine einfache Kurbel von der Länge CE (Abb. 218) oder CK_0 (Abb. 198) ersetzt gedacht werden. Abb. 185 zeigt einen solchen schematischen Schieberantrieb, doch fehlen in diesem Schema die Teile für Einstellbarkeit der Füllung und Umsteuerung. Die durch ihr Hinzukommen entstehende verwickeltere Anordnung läßt sich aber auf diesen einfachen Antrieb zurückführen. Nach diesem Bilde können die wesentlichen Abmessungen der einfachen Schiebersteuerung festgelegt und ihre Eigenschaften erläutert werden. Die Breite des Dampfeintrittskanals b möge nach den unter Art. Dampfschieber, Bd. III, mitgeteilten Regeln festgelegt sein. Wenn sich die Kurbel von K_0 über K nach K_1 bewegt, so legt die linke, äußere Schieberkante einen Weg $S_0 S_1$ gleich $K_0 K_1$ zurück. Bewegt sich der Kurbelzapfen von K_0 bis K, so entfernt sich die Schieberkante um $S_0 S = K_0 P$ von S_0. Punkt P wird gefunden, indem man mit NK um N einen Kreis schlägt. Da die Länge NK der Exzenterstange im Verhältnis zur Exzenterkurbel CK sehr groß ist, so kann man den Bogen KP durch das Lot KW ersetzen. Man kann sich also vorstellen, daß der Kurbelzapfen K die Schieberkante unmittelbar als eine Lotrechte VV hin- und herschiebe. Wenn man also das so gewonnene Bild über den von der betrachteten Kante gesteuerten Kanal zeichnet (Abb. 186), so kann man die Steuerungsvorgänge verfolgen und die zweckmäßigsten Werte für die verschiedenen Steuerungsabmessungen ermitteln. Es sind dies 1. der Abstand e des Kanals vom Mittelpunkt C des von der Schieberkante beschriebenen Weges, 2. die Größe der Exzenterkurbel CK_1 und 3. der Winkel δ zwischen Exzenter- und Triebkurbel. Es ist also auch die letztere, am besten in der Totpunktstellung CT_0 einzuzeichnen.

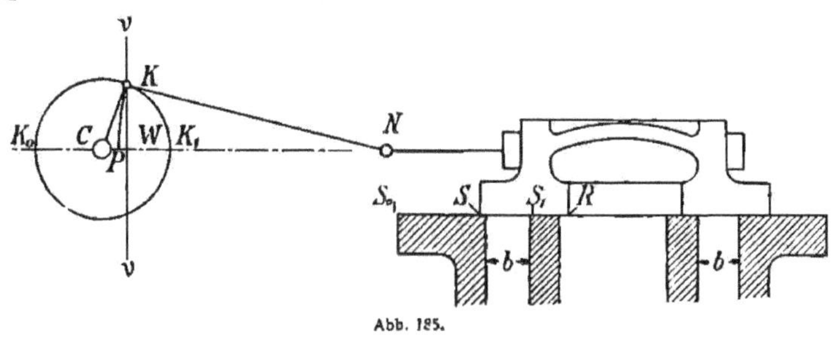

Abb. 185.

Bei dieser Stellung der Triebkurbel im Totpunkt muß der Kanal zur Ermöglichung der Voreinströmung um das „lineare Voreilen“ v geöffnet sein. Anderseits soll die Einströmung nur während eines Teiles des Kolbenhubs andauern. Während des Restes soll Expansion stattfinden. Die Einströmung wird unterbrochen, wenn die Schieberkante von rechts kommend die Kanalkante erreicht, also bei der Exzenterkurbelstellung CK_3. Die zugehörige Triebkurbelstellung CT_3 erhält man, indem man $\sphericalangle\, T_0CT_3 = K_1CK_3$ macht. Wählt man den $\sphericalangle\, T_0CK_1$ kleiner, wobei der Kanal zur Erhaltung des Wertes v nach links verschoben werden muß, so wird die Füllung

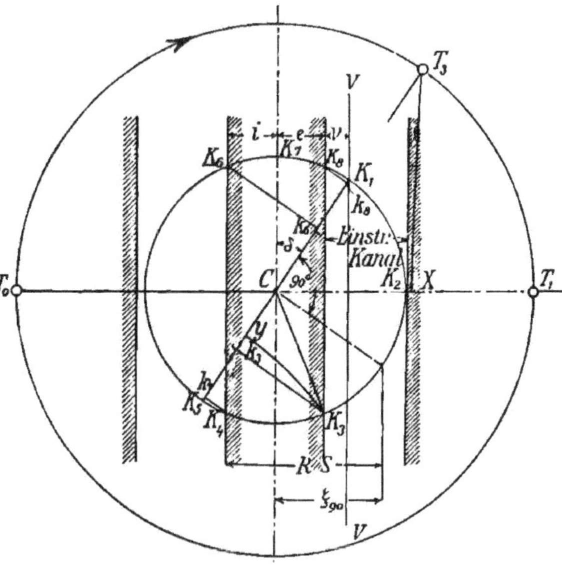

Abb. 186.

größer. Z. B. gibt Abb. 186 beinahe Vollfüllung, denn $\sphericalangle K_1CK_3$ ist fast 180°, die Expansion sehr klein. Um genügende Expansion zu erzielen, muß $\sphericalangle T_0CK_1$ also immer um einen gewissen Winkel, den Voreilwinkel δ, größer als 90° sein (Abb. 186).

Um die Füllung in % zu erhalten, müßte man mit der Pleuelstangenlänge um die Achse des Kreuzkopfbolzens einen Kreisbogen T_3X schlagen und würde so die Kolbenstellung im Augenblick des Dampfabschlusses und den Wert $\frac{T_0X}{T_0T_1}$ als Füllungsverhältnis erhalten. Augenscheinlich kommt es aber auf das gleiche heraus, wenn man mit einem Halbmesser von $\frac{CK_1}{CT_0}\times$ Pleuelstangenlänge um einen auf der Verlängerung von K_1C liegenden Punkt einen durch K_3 gehenden Kreisbogen schlägt. Dann

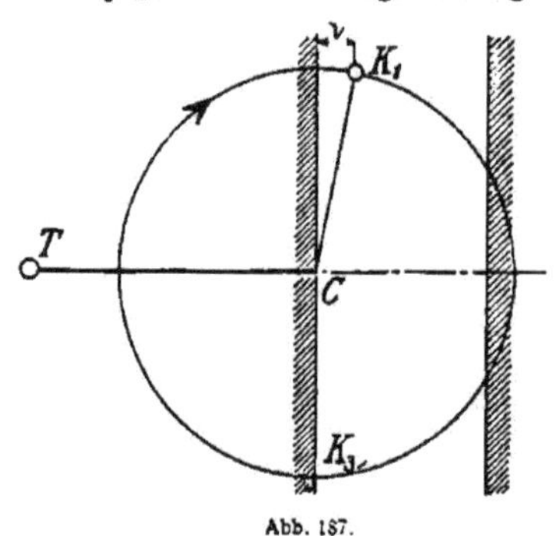

Abb. 187.

gibt $\frac{K_1Y}{K_1K_5}$ ebenfalls das Füllungsverhältnis an. Bei überschlägigen Ermittlungen ersetzt man den Bogen K_3Y durch das Lot K_3k_3. Da der Einfluß der endlichen Stangenlängen hinsichtlich Vergrößerung und Verkleinerung der Füllungen bei Hin- und Rückgang des Kolbens ein entgegengesetzter ist, hat jene Annäherung, von der weiterhin zunächst Gebrauch gemacht werden soll, die Bedeutung, daß ungefähr die Mittelwerte der Füllung u. s. w. zwischen Kolbenhin- und -rückgang ermittelt werden.

Fällt man auf Grund ähnlicher Erwägungen das Lot K_8k_8, so ergibt sich, um wieviel Prozent vor dem Totpunkt die Voreinströmung beginnt. Es ist das also der sehr kleine Wert $\frac{k_8K_1}{K_5K_1}$. Wenn die Exzenterkurbel die Stellung CK_2 hat, so muß der Kanal ganz oder wenigstens bis zu 80% geöffnet sein. Diese Bedingung mit den Forderungen eines bestimmten Winkels K_1CK_3 – d. i. einer bestimmten Füllung – und einem bestimmten linearen Voreilen ν genügen zur Zeichnung der Abb. 186.

Es sind also festgelegt der Voreilwinkel des Exzenters δ, der Exzenterhalbmesser CK_1 und eine Größe e. Die Bedeutung dieser ergibt sich sofort, wenn man überlegt, daß sich der Schieber in der Mittelstellung befindet, wenn die Exzenterkurbel die Stellung CK_7 hat. Um den Kanal zu öffnen, muß er den Weg e zurücklegen — mit anderen Worten: er überdeckt in seiner Mittelstellung den Kanal um e. Man nennt e die äußere Überdeckung (Abb. 184).

Die Innenkante R des Schiebers (Abb. 186) hat von der Außenkante den Abstand RS. Würde man also in Abb. 186 im Abstand RS auf T_0T_1 von C aus nach rechts gemessen den Mittelpunkt eines zweiten Kreises vom gleichen Durchmesser festlegen, so würde dieser in ähnlicher Weise zur Untersuchung

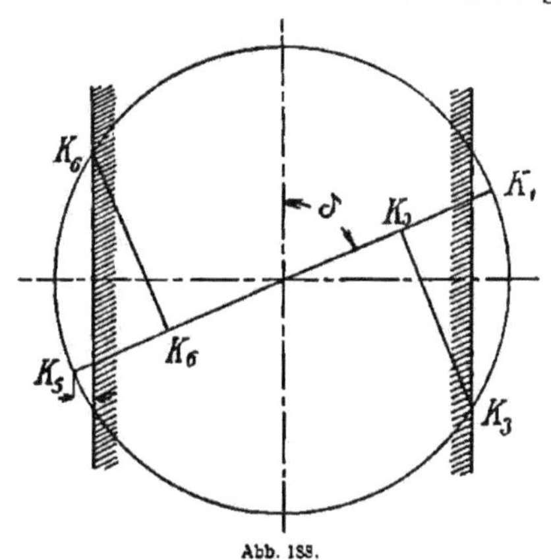

Abb. 188.

der durch Schieberkante R bewirkten Steuerungsvorgänge benutzt werden können, wie dies mit dem ersten Kreis hinsichtlich der Kante S geschah. Das gleiche Ergebnis wird erzielt, wenn man statt dessen den Kanal nochmals links im Abstand RS von dem zuerst gezeichneten Kanal einzeichnet; das ist in der Abb. 186 geschehen. Die zweckmäßigste Größe von RS und die Eigenschaften der S. hinsichtlich der Ausströmung bleiben zu bestimmen.

Da aus den im Abschnitt I angegebenen Gründen Vorausströmung gewünscht wird, so muß die Lage des Kanals etwa, wie in Abb. 186 angedeutet, gewählt werden. Die Exzenterkurbel und mithin die Triebkurbel muß also, wenn die Ausströmung beginnt, noch um einen Winkel K_4CK_5 vom Totpunkt entfernt sein. Die Dauer der Vorausströmung als Bruchteil des Kolbenhubs ist $\frac{k_4K_5}{K_1K_5}$. Die rechte Kanalkante darf also nicht wesentlich nach links verschoben werden, geschweige denn daß sie durch K_5 gehen dürfte. Eine beträchtliche Verschiebung nach rechts kann auch nicht vorgenommen werden, weil dann die Vorausströmung zu früh beginnen und ein Arbeitsverlust eintreten würde. Hat man sich für die eingezeichnete Lage des Kanals entschieden, so erhält man bei der Stellung CK_6 der Exzenterkurbel, also um den Winkel K_6CK_1 von der Anfangstotpunktlage entfernt, den Beginn der Kompression und $\frac{k_6 K_1}{K_5 K_1}$ ist die Kompressionsdauer. Diese ist also durch die vorher gewählten Größen der Vorausströmung u. s. w. schon bestimmt. Die Abhängigkeit wird unbequem, wenn man kleine Füllungen anstrebt. Abb. 188 erläutert das. Die Füllung ist klein, weil der Voreilwinkel δ groß gewählt ist. Die Folge ist, daß bei angemessener Vorausströmung die Kompressionsdauer $\frac{k_6 K_1}{K_5 K_1}$ und infolgedessen der Kompressionsenddruck sehr groß wird. Man überschätzte früher diesen Mangel, zumal man irrtümlicherweise an die Wirtschaftlichkeit sehr kleiner Füllungen für Lokomotiven glaubte. Man sah sich daher zur Einführung der heute wieder verlassenen Doppelschiebersteuerungen veranlaßt (Borsig 1844). In neuester Zeit hat Hochwald die Anwendung kleiner Füllungen in einfacherer Weise durch den Bau von Kammerschiebern zu lösen gesucht. Abb. 189 zeigt einen Kammerschieber der Firma Henschel in Cassel. Der eingezeichnete Pfeil zeigt den Weg des Frischdampfes, der also für jeden Einströmungskanal durch die Kanten zweier gewissermaßen hintereinander geschalteter Schieber S_1 und S_2 gesteuert wird. Die Abmessungen sind so gewählt, daß die Kante *1* den Dampfkanal früher öffnet als Kante *2*. Bevor also die Voreinströmung stattfinden kann, ist der Raum vor dem Kolben schon mit der Schieberkammer und der Ringkammer *R* in Verbindung, die daher eine Vergrößerung des schädlichen Raumes während des letzten Teiles der Kompression und damit die angestrebte Herabsetzung des Kompressionsdrucks bewirken.

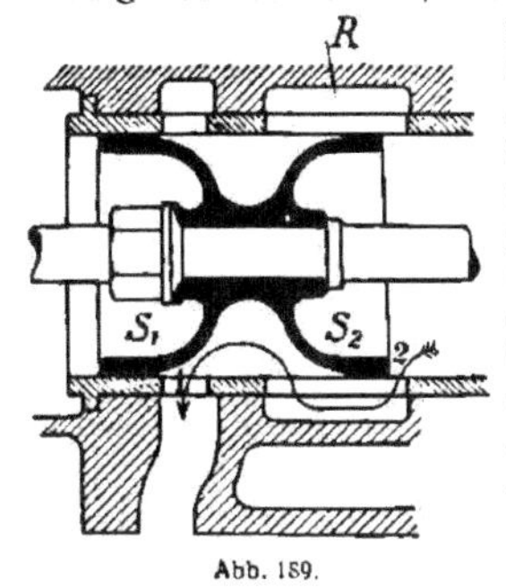

Abb. 189.

Wenn Schieberinnenkante und Exzenterkurbel in Mittelstellung CK_7 stehen (Abb. 186), so ist eine Verschiebung um i nötig, bis der Kanal zur Ausströmung geöffnet wird. Man nennt i die innere Überdeckung (Abb. 184).

Die Abmessungen des Schieberspiegels werden durch folgende Rücksichten bestimmt: a_i (Abb. 178) muß auch bei größter seitlicher Auslenkung des Schiebers mindestens $= a$ sein, um Drosselung des ausströmenden Dampfes zu vermeiden. σ_a (Abb. 183) muß so bemessen sein, daß auch bei größter seitlicher Auslenkung des Schiebers die Dichtungsbreite $k \geqq 0{\cdot}5\, a$ bleibt. Ist der Schieberhub veränderlich, wie bei den gleich zu besprechenden Kulissensteuerungen, so soll zur Vermeidung von Ansatzbildungen auch bei kleinstem Schieberhub die Schieberinnenkante über die Kante des Kanals a_0, die Schieberaußenkante über den Rand des Schieberspiegels wegschleifen.

Es finden sich zuweilen gewisse Abweichungen gegenüber der bisher betrachteten regelrechten Anordnung der Schiebersteuerung. Die sinngemäße Änderung der zeichnerischen Untersuchung ergibt sich in einfacher Weise. Wenn

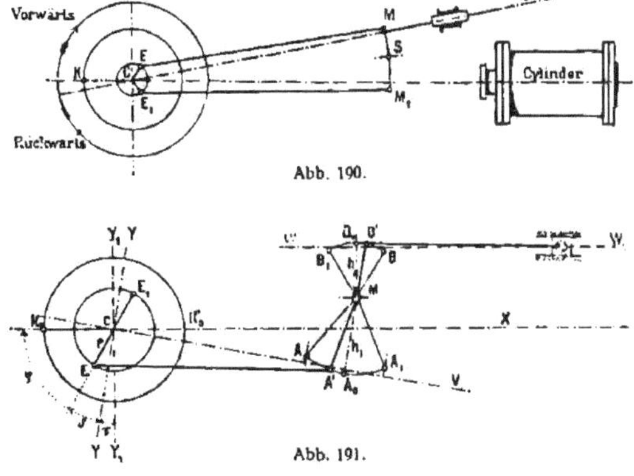

Abb. 190.

Abb. 191.

z. B. die Bewegungsrichtungen des Kurbeltriebs und des Schieberantriebs einen Winkel miteinander bilden (Abb. 190), so muß die Exzenterkurbel in Abb. 186, im gleichen Sinn und um den gleichen Winkel gedreht, der Voreilwinkel im vorliegenden Fall also verkleinert werden.

Zuweilen werden aus irgendwelchen räumlichen Gründen zwischen Exzenterstange und Schieberstange Zwischenglieder, meistens zweiarmige Hebel eingeschaltet (Abb. 191). Zweiarmige Hebel kommen auch bei den Kulissensteuerungen (vgl. später) vor (Abb. 220 u. unter Lokomotive, Taf. II, Abb. 18). Wegen der Bewegungsumkehr ist alsdann das Exzenter um 180° gegen seine Lage bei unmittelbarem Antrieb zu versetzen. Da im Fall der Abb. 191 gleichzeitig ein Schrägantrieb vorliegt, so ist δ nicht von $Y_1 Y_1$, sondern von YY an abzutragen.

Das an Hand der Abb. 186 geschilderte Verfahren ist ohneweiters oder mit geringen sinngemäßen Änderungen auch auf andere Schieberformen, z. B. den Trickschen Kanalschieber (Bd. III, S. 243, Abb. 191) oder den Kolbenschieber mit innerer und äußerer Einströmung anwendbar (ebenda, Abb. 187).

Für einen Schieber mit innerer Einströmung erfolgt die Untersuchung ebenso, wie oben auseinandergesetzt. Die Exzenter müssen aber

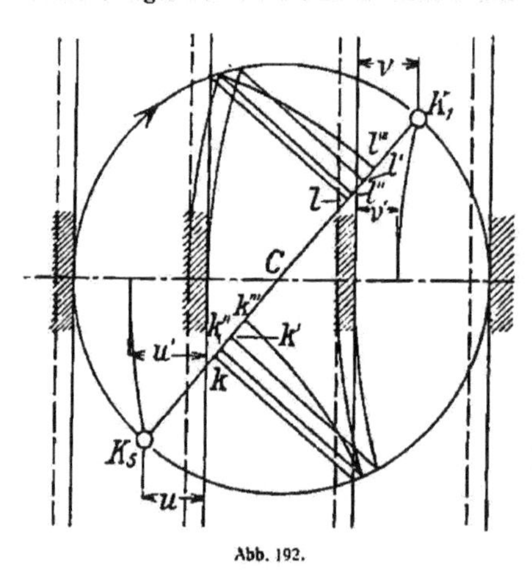

Abb. 192.

um 180° gegen die normale Anordnung versetzt werden. Die äußere Überdeckung wird nach innen gelegt und umgekehrt.

Alle bisherigen Ermittlungen gelten auch für Kulissensteuerungen, deren Wirkungsweise im nächsten Abschnitt auf die einfache Schiebersteuerung zurückgeführt werden wird.

Der Schieberweg heißt die Ablenkung des Schiebers aus seiner Mittellage. Es ist dies in dem Sonderfall der Abb. 186, d. h. bei Totpunktstellung der Triebkurbel, wenn CK_1 mit r bezeichnet wird, der Wert $\xi = r \sin \delta$. Denkt man sich die Kurbeln um einen beliebigen Winkel ω gedreht, so wird allgemein $\xi = r \sin (\delta + \omega) = r \sin \delta \cos \omega + r \cos \delta \sin \omega$.

Nun sind $r \cos \delta$ und $r \sin \delta$ Abszisse und Ordinate des Endpunktes K_1 der Exzenterkurbel bei Totpunktstellung der Triebkurbel. Nennt man diese A und B, so erhält man die Gleichung für den Schieberweg

$$\xi = A \cos \omega + B \sin \omega.$$

Für genaue Ermittlungen darf man, wie schon früher angedeutet, nicht an der Vorstellung festhalten, daß Punkt K (Abb. 186) die Schieberkante unmittelbar steuere, sondern man muß wie in Abb. 185 mit der Exzenterstangenlänge den Bogen KP schlagen, um in P die tatsächliche Lage der Schieberkante zu erhalten. Es ergibt sich in Abb. 192 das lineare Voreilen v' statt des Wertes v. Dieser Wert gilt nur für den eben betrachteten Kanal, also für die Kurbelseite des Zylinders. Trägt man in Abb. 192 auch den zur Deckelseite des Zylinders führenden Kanal ein, so braucht man die Kurbel CK_1 nur um 180° zu drehen, um in u' das lineare Voreilen für diesen Kanal zu erhalten und weiterhin die Dampfverteilung für diesen prüfen zu können. Die Darstellungsweise ist nicht mit der der Abb. 186 zu verwechseln. Dort kehrte in einem Bild zweimal derselbe Kanal wieder, um seine Wirkung als Dampfein- und Dampfauslaß darzulegen. Hier dagegen handelt es sich um die beiden Kanäle an der Kurbel- und der Deckelseite des Zylinders. Das lineare Voreilen wird durch den Einfluß der endlichen Schieberstangenlänge an der Kurbelseite verkleinert, an der Deckelseite vergrößert. Die endliche Schieberstangenlänge hat demnach zur Folge, daß das lineare Voreilen vor und hinter dem Kolben verschieden groß ausfällt, vorausgesetzt, daß die äußere Überdeckung, wie in Abb. 192, an beiden Schieberenden gleich groß gewählt wird. Anderseits kann man den Fehler beseitigen, indem man die Überdeckungen an der Kurbelseite verkleinert, auf der Deckelseite vergrößert, so daß die Kanäle in die punktierte Lage kommen.

Die Abbildung läßt erkennen, wie weiterhin der Einfluß der endlichen Exzenterstangenlänge auf den Beginn der Expansion ermittelt wird. Geht man zunächst von der ursprünglich angenommenen Lage des Kanals aus, so ergibt sich, indem man die endliche Exzenterstangenlänge durch Schlagen eines Kreisbogens berücksichtigt, folgender Einfluß dieser Länge auf den Beginn der Expansion: Statt in k beginnt sie beim Hingang des Kolbens schon in k'; statt in l beim Rückgang erst in l'. Die Verlegung des Kanals, d. h. also die Änderung der Überdeckungen beseitigt, wie die weiter eingetragenen Kreisbögen erkennen lassen, auch diesen Fehler nahezu. Die Füllungsverhältnisse ergeben sich jetzt zu $\frac{K_1 k''}{K_1 K_s}$ und zu $\frac{K_s l''}{K_s K_1}$.

Ganz ähnliche Verhältnisse bestehen hinsichtlich des Einflusses der endlichen Exzenterstangenlängen auf die Vorausströmung. Man wird auf Vergrößerung der inneren Überdeckung auf der Kurbelseite, auf Verkleinerung auf der Deckelseite geführt, u. zw. um die gleichen Beträge, wie sie oben für die Voreinströmung ermittelt wurden. Die Zusammenfassung aller dieser Verkleinerungen und Vergrößerungen bedeutet, daß der Bewegungsmittelpunkt des Schiebers, von dem aus er gleich weit nach beiden Seiten ausschlägt, aus seiner anfangs angenommenen Lage über der Mitte des Ausströmungskanals um die ermittelte Änderung der Überdeckungen von der Kurbel weg zu verschieben ist.

Diese Verschiebung hat, wie die punktiert eingezeichneten Kanäle in Abb. 192 erkennen lassen, zur Folge, daß sie nun verschieden weit geöffnet werden. Bemißt man die Kanäle so, daß die kleinere Öffnung auf der Deckelseite noch genügt, so ist jene Verschiedenheit ohne Bedeutung.

Die Dampfverteilung erleidet eine weitere Änderung durch den Einfluß der endlichen Länge der Triebstange. Auf das lineare Voreilen erstreckt sich dieser Einfluß nicht, denn, wenn der Schieber um das lineare Voreilen geöffnet hat, stehen die Kurbeln im Totpunkt. Die Einströmungsdauer hingegen hat auf der Kurbelseite nun den Wert $\frac{K_1 k'''}{K_1 K_5}$, somit kleiner, auf dem Rückweg den Wert $\frac{K_5 l'''}{K_5 K_1}$, demnach größer als bei Nichtberücksichtigung der endlichen Stangenlängen. Die Abbildung zeigt, daß das Verfahren, das zur Behebung des Einflusses der endlichen Exzenterstangenlänge eingeschlagen wurde, auch den Einfluß der endlichen Triebstangenlänge mildert.

Außer der in Abb. 186 angegebenen Darstellungsweise, die von Reuleaux stammt, benutzt man noch andere Schieberdiagramme. Abb. 193 zeigt die Schieberellipse. Auf dem wagrechten Durchmesser des Kurbelkreises ermittelt man die z. B. zur Kurbelstellung CK_2 gehörige genaue Kolbenstellung, indem man mit der Triebstangenlänge den Bogen $K_2 C_2$ schlägt. Der kleinere Kreis zur Rechten dient zur Ermittlung des gleichzeitigen genauen Schieberwegs On_2, der in C_2 senkrecht zu $K_0 K_4$ aufgetragen wird u. s. w. Dieser Schieberkreis ist um 90° gegen seine richtige Lage zum Kurbelkreis gedreht, damit die Schieberwege bequem in den Kurbelkreis übertragen werden können. Für den Rückweg des Kolbens werden die Schieberwege nach unten abgetragen. Zieht man in einem Abstand, der gleich den äußeren Überdeckungen der beiden Schieberenden ist, die beiden Parallelen TT und in einem Abstand, der gleich den inneren Überdeckungen ist, die beiden Parallelen HH zu $K_0 K_4$, so kann man alle wesentlichen Punkte des Steuerungsvorgangs ablesen. Es beginnt z. B.: bei Z_3 die Expansion und bei Z_4 die Vorausströmung für den Kolbenhingang. Die Kreisbogen $Z_3 Z_3$ und $Z_4 Z_4$ bestimmen die zugehörigen Kurbelstellungen CZ_3 und CZ_4. Das Bild läßt auch ohneweiters erkennen, daß die Voreinströmung und Vorausströmung verschieden groß ausfallen würden, wenn die

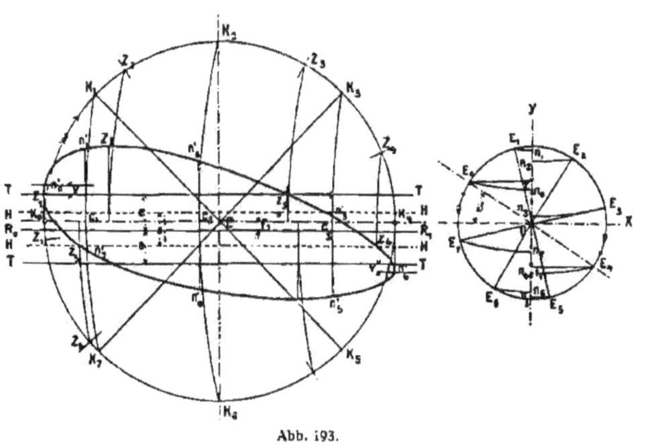

Abb. 193.

Überdeckungen beiderseits gleich gemacht wären. Da aber die äußeren und inneren Überdeckungen nicht von $K_0 K_4$, sondern von einer um f_1 tiefer liegenden Parallelen $R_0 R_1$ abgetragen sind, so ist damit die oben besprochene Berichtigung der Schieberbewegung vorgenommen, d. h. es sind die Überdeckungen um f_1 vergrößert bzw. verkleinert oder mit anderen Worten: der Bewegungsmittelpunkt des Schiebers ist um f_1 verschoben. Man kann der Abbildung auch ohneweiters entnehmen, daß infolge dieser Berichtigung die Kanalöffnungen an beiden Zylinderenden verschieden groß ausfallen.

Die Schieberellipsen können durch geeignete Vorrichtungen an jeder Dampfmaschine aufgenommen werden.

Das Zeunersche Schieberdiagramm ist die geometrische Darstellung der oben abgeleiteten Gleichung für den Schieberweg $\xi = r \sin\delta \cos\omega + r \cos\delta \sin\omega$. Die Polargleichung eines Kreises, dessen Leitstrahl ξ, dessen Halbmesser ρ ist und dessen Durchmesser gegen die Ordinatenachse die Neigung δ hat, lautet $\xi = 2\varrho \sin\delta \cos\omega + 2\varrho \cos\delta \sin\omega$. Es hat in obiger Gleichung r der Halbmesser des Exzenterkreises die Bedeutung von 2ϱ, also des Durchmessers eines durch die Gleichung dargestellten Kreises. Man mache in Abb. 194 $CE = r$ und lege es um δ geneigt gegen die Ordinatenachse. $CG = \xi$ ist dann der Schieberweg. Schlägt man noch um C Kreise mit i und e, so können alle Abschnitte der Dampfverteilung geprüft werden. Für Winkel ω über 180^0 müßte man sich die Kurbel z. B. in der Stellung

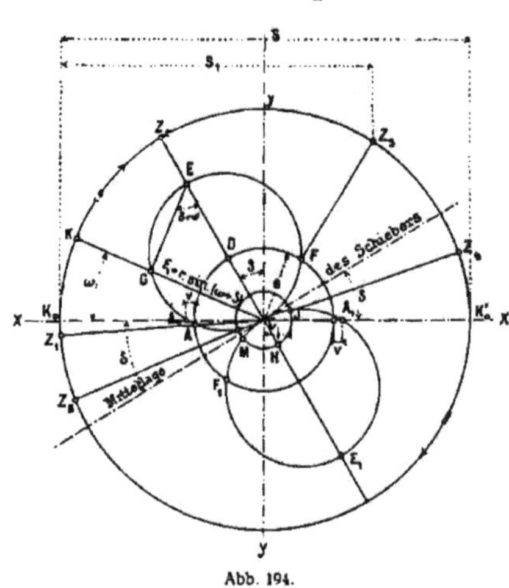

Abb. 194.

CE_1 nach rückwärts über C verlängert denken, um dann auf CE den Schieberweg abzulesen. Statt dessen trägt man einen zweiten Kreis nach rechts unten ein u. s. w. Die Gleichung für den Schieberweg berücksichtigt nicht die endlichen Stangenlängen. Man erhält also nur ein angenähertes Bild des Steuerungsvorgangs.

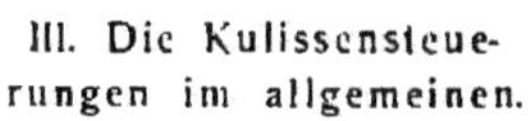

III. Die Kulissensteuerungen im allgemeinen.

Die Kulisse ist bei Lokomotiven das übliche Mittel, um

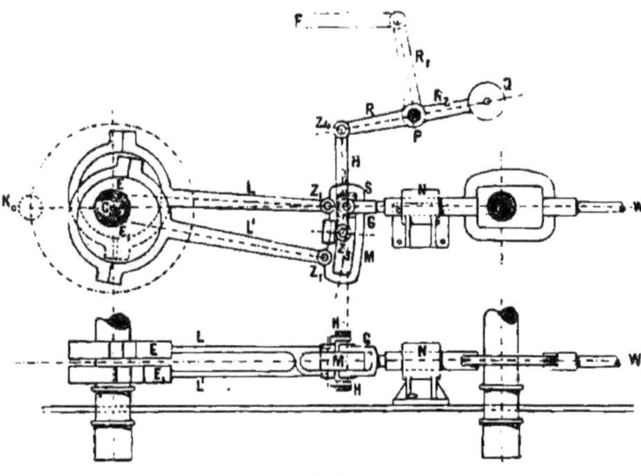
Abb. 195.

Umsteuerung und Einstellbarkeit der Füllung zu ermöglichen. Abb. 190, 195, 196, 197, 198 u. 199 zeigen Kulissensteuerungen für Lokomotiven. Die Umsteuerungen oder die Änderung des Füllungsgrades erfolgt nach Abb. 195 durch Hebung oder Senkung der Kulisse M, nach Abb. 196 durch Hebung oder Senkung der Schieberschubstange L_1, nach Abb. 197 durch Hebung oder Senkung der Kulisse M und gleichzeitige Gegenbewegung der Schieberschubstange L_1, nach Abb. 198 durch Hebung oder Senkung der Schieberschubstange EA und endlich nach Abb. 199 durch Drehung der Kulisse M. Diese Verstellungen werden durch Drehung der Steuerwelle P eingeleitet, die ihrerseits wieder mittels des angedeuteten Gestänges durch Betätigung eines auf dem Führerstand befindlichen Steuerhebels (Abb. 200) oder einer meist mehrgängigen Steuerschraube (Abb. 201) bewirkt wird. Zuweilen finden auch mit Dampf oder Luftdruck arbeitende Umsteuerungsvorrichtungen Anwendung.

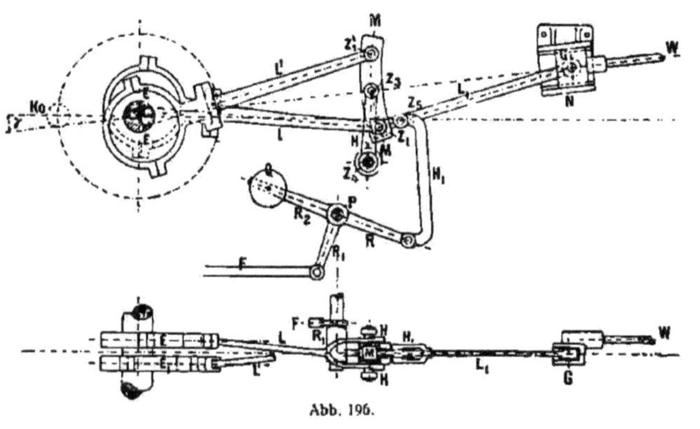
Abb. 196.

1. Die Kulissensteuerungen mit 2 Exzentern.

A. Wirkungsweise und Bauarten. Die Wirkungsweise der Kulissensteuerungen als Umsteuerungen geht aus Abb. 195 ohneweiters hervor. In der gezeichneten Kulissenstellung wird nur die Bewegung der Exzenterstange *L* auf die Schieberstange *W* übertragen, weil beide am gleichen Punkt der Kulisse angreifen. Die Lokomotive läuft vorwärts, weil das zur Stange *L* gehörende Exzenter in Richtung der Vorwärtsdrehung der Kurbel um $90^0 + \delta$ gegen diese versetzt ist. Das andere Exzenter ist um $90^0 + \delta$ in Richtung der Rückwärtsdrehung der Kurbel gegen diese versetzt. Bei gehobener Kulisse läuft die Lokomotive also rückwärts.

Bei den Kulissensteuerungen der Abb. 196 und 197 ist die Wirkungsweise als Umsteuerung eine ganz entsprechende.

Es greift entweder das Vorwärtsexzenter am oberen und das Rückwärtsexzenter am unteren Kulissenende an (Abb. 190 und 195) oder umgekehrt (Abb. 196, 197). Man spricht im ersteren Fall von offenen, im letzteren von gekreuzten Stangen. Die besonderen Eigenschaften beider Anordnungen werden sich aus der nun folgenden Be-

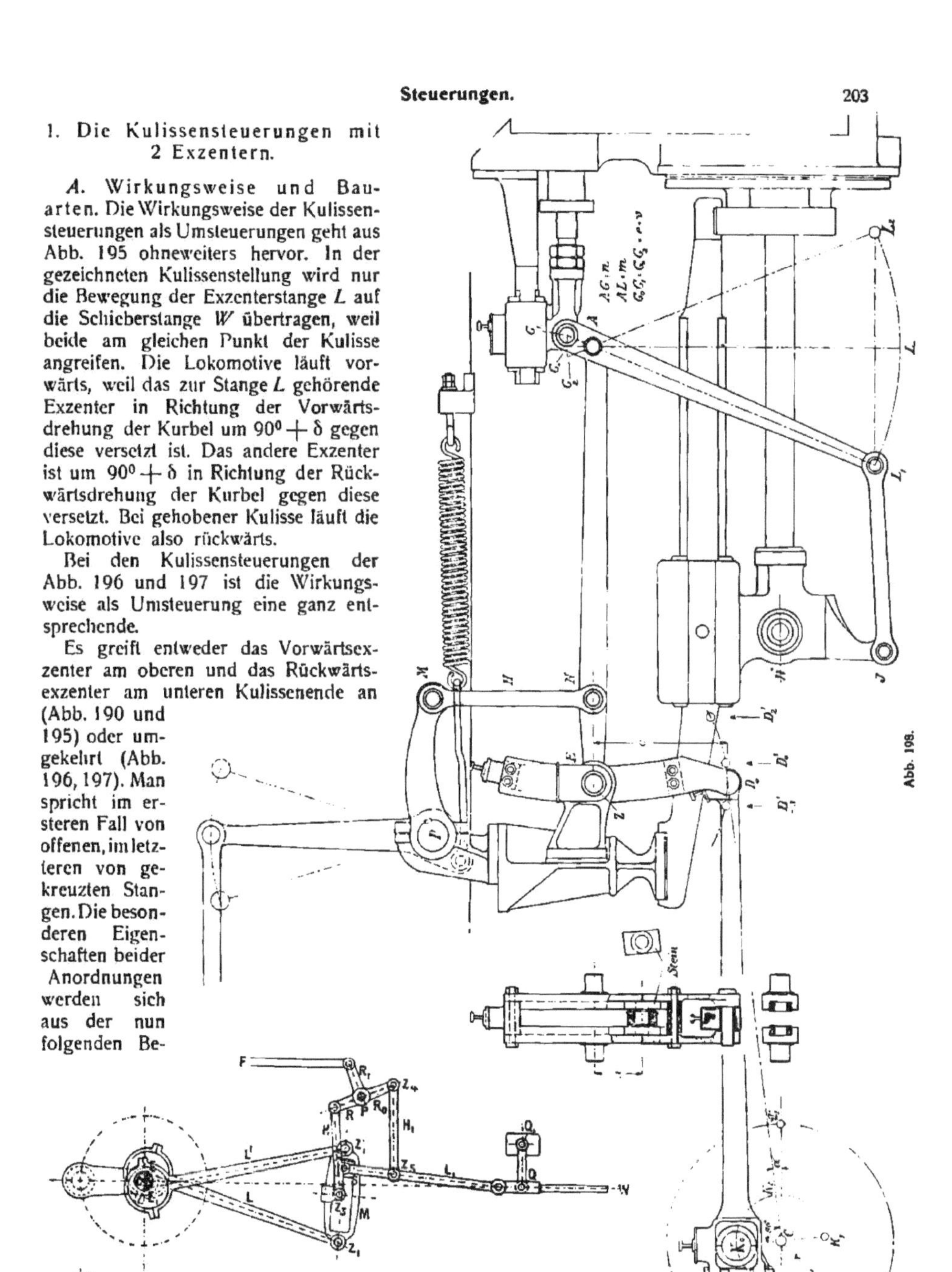

Abb. 197.

Abb. 198.

trachtung ergeben. Die Wirkungsweise der Kulissensteuerungen als Vorrichtungen zur Einstellung der Füllung bedarf besonderer Behandlung. Die Betrachtung soll an eine Stephensonsche Kulisse mit offenen Stangen angelehnt werden (Abb. 195 u. 202). Die Kulisse kann 3 ausgezeichnete Stellungen einnehmen: 1. die in erstgenannter Abbildung angezeichnete, bei der nur das Vorwärtsexzenter zur Wirksamkeit kommt, 2. die entgegengesetzte Stellung, bei der nur das Rückwärtsexzenter zur Wirksamkeit kommt, 3. die Mittelstellung, bei der der Kulissenstein S bei Z_3 in der Mitte der Kulissenhöhe liegt. In dieser Stellung wirken beide Exzenter im gleichen Maße. Diese Kulissenstellung gibt, wie sich zeigen wird, keine brauchbare Dampfverteilung, wohl aber gewisse Zwischenstellungen, z. B. wenn der Kulissenstein zwischen Z_1 und Z_3 liegt. Er liegt dann im Abstand u (Abb. 202) über dem Kulissenmittelpunkt O. Das Vorwärtsexzenter hat jetzt den überwiegenden, das Rückwärtsexzenter einen geringeren Einfluß auf die Bewegung der in P angreifenden Schieberstange. Die Aufgabe ist, ein resultierendes Exzenter nach Größe der Exzentrizität und des Voreilwinkels zu bestimmen, das, an Stelle der beiden Exzenter CE_v und CE_r aufgekeilt und mit seiner Stange bei P unmittelbar an die Schieberstange angelenkt, dieser die gleiche Bewegung erteilt wie jene unter Vermittlung der Kulisse. Mit Lösung dieser Aufgabe sind die Erscheinungen, die die Kulissensteuerungen darbieten, auf die im Abschnitt II behandelten einer einfachen Schiebersteuerung zurückgeführt. Der Einfluß endlicher Stangenlängen (vgl. oben) muß vernachlässigt werden. Ferner soll angenommen werden, daß die Kulissenendpunkte M_v, M_r gerade, parallel zur Schieberbewegung verlaufende Bahnen beschreiben. In Wahrheit beschreiben die Endpunkte der im Aufhängungspunkt Z_3 (Abb. 195) im Kreis geführten und gleichzeitig ihre Neigung ändernden Kulisse eigentümliche schleifenförmige Bahnen.

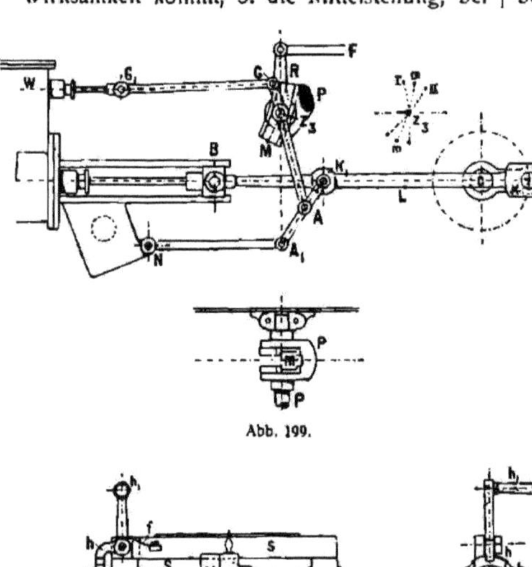

Abb. 199.

Abb. 201.

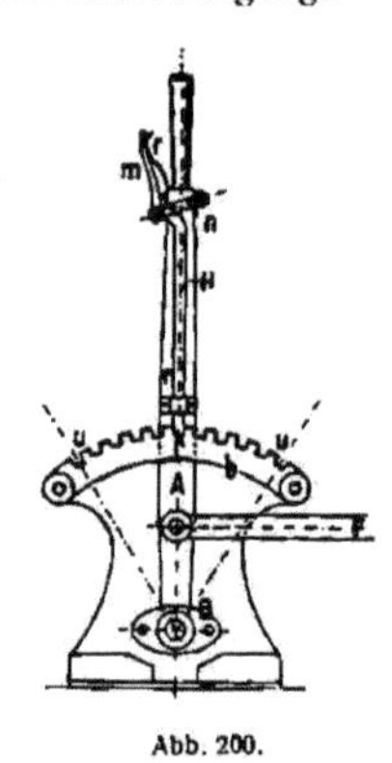

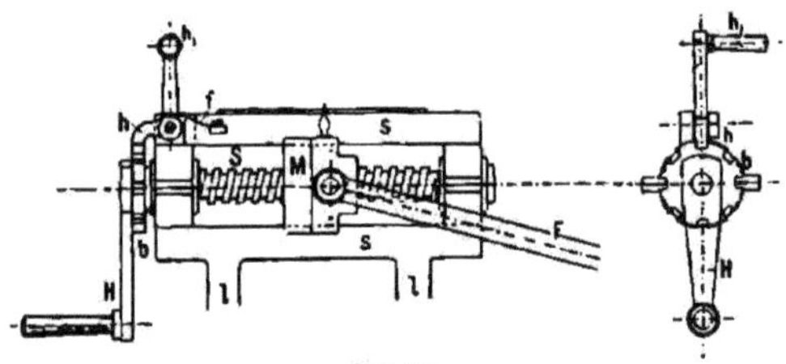

Abb. 200.

Die Aufgabe zerfällt in 2 Teile. Man sucht zuerst jedes Exzenter für sich durch ein anderes zu ersetzen, das die Schieberstange ohne Vermittlung einer Kulisse in P antreibt. Dann sind diese beiden Exzenter zu einem resultierenden zusammenzusetzen. Das Exzenter CE_v hat beim Antrieb des Kulissenendpunktes M_v – immer unendliche Stangenlängen vorausgesetzt – die Totpunkte E_{v_0} und E_{v_1}. Das Ersatzexzenter, das P unmittelbar antreiben soll, hat die Totpunkte K_0 und K_1, muß also, um seine Totpunkte im gleichen Zeitpunkt wie jenes zu durchlaufen, um $\sphericalangle E_{v_0} C K_0 = \beta_v$ gegen dasselbe versetzt werden. Bei einer Drehung des Exzenters um 180° aus der Stellung CE_{v_0} in die Stellung CE_{v_1} würde das Kulissenende von M_{v_0} nach M_{v_1} gelangen und den Weg $2 \times CE_{v_0}$ durchlaufen, wenn es sich, wie beim regelrechten Kurbeltrieb der Kreuzkopf, in der Richtung der Totpunktlagen $E_{v_0}E_{v_1}$ bewegen könnte. Das Kulissenende bewegt sich gemäß Annahme aber auf der Geraden AB. Den wirklichen Endpunkt der Bewegung erhält man, indem man mit der Exzenterstangenlänge Kreisbögen um E_{v_0} und E_{v_1} schlägt, oder sehr annähernd, indem man $E_{v_0}M_{v_0} = E_{v_1}M_{v_1} =$ der Exzenterstangenlänge macht und die Lote $M_{v_0}D_0$ und $M_{v_1}D_1$ errichtet. Damit ergibt sich der Weg des Kulissenendes zu $D_0D_1 = \frac{2 \times CE_v}{\cos \beta_v}$. Das Ersatzexzenter muß daher nicht nur, wie eben nachgewiesen, um β_v versetzt, sondern auch auf $\frac{C E_v}{\cos \beta_v}$ vergrößert werden. Dieser Bedingung genügt das Exzenter $C E'_v$. Die auf M_v übertragene Bewegung gelangt nur mit dem Bruchteil $\frac{c - u}{2c}$ nach P. Das an P unmittelbar angreifende Ersatzexzenter muß nun endgültig die Länge $C E'_v \frac{c + u}{2c} = C E''_v$ erhalten.

In ganz gleicher Weise muß das Ersatzexzenter für das Rückwärtsexzenter ermittelt werden. Für β_v ist β_r, für $\frac{c + u}{2c}$ ist $\frac{c - u}{2c}$ zu setzen. Beide Exzenter sind nach dem Parallelogramm der Bewegungen zu dem resultierenden Exzenter $C E_r$ zusammenzusetzen.

Wenn man die besprochene Konstruktion für verschiedene Kulissenstellungen ausführt, so bekommt man eine ganze Reihe von resultierenden Exzentern. Die äußersten sind mit β_v bzw. $\beta_r = o$ und $u = c$ den wirklichen Exzentern gleich und ergeben sich für die Kulissenendlagen. Das kleinste resultierende Exzenter liegt gegen die Triebkurbel um 180° versetzt und ergibt sich für die Mittellage der Kulisse. Die Endpunkte aller dieser Relativexzenter liegen auf der „Scheitelkurve“. Sie ist eine Parabel, die im oben behandelten Fall, also für eine Stephensonsche S. mit offenen Stangen ihre hohle Seite der Kurbelwelle zuwendet. Verkleinert man die Füllung, so wird bei Totpunktstellung der Kurbel der Schieber von seiner Mittellage weiter entfernt. Die Stephensonsche S. mit offenen Stangen ergibt daher für abnehmende Füllung zunehmendes lineares Voreilen.

Für eine Stephensonsche S. mit gekreuzten Stangen sind die ∢ β negativ, weil die Stange des Vorwärtsexzenters nicht nach oben, sondern nach unten um β_v von der Achse der Schieberbewegung abweicht u. s. w. Das Ersatzexzenter für das Vorwärtsexzenter $C E_v$ eilt diesem um β_v nach, nicht vor, und die Scheitelkurve wendet ihre gewölbte Seite der Kurbelwelle zu. Das lineare Voreilen nimmt daher mit abnehmender Füllung ab.

Bei der Gooch-Steuerung (Abb. 196) wird Umsteuerung und Füllungsänderung durch Heben und Senken der Schieberschubstange L_1 bewirkt. Man braucht demnach nur die Kulisse mit einem Halbmesser zu krümmen, der gleich der Schieberschubstangenlänge L_1 ist, so erleidet bei Totpunktstellung der Triebkurbel Punkt O, also auch der Schieber während des Umsteuerns keine Verschiebung. Das lineare Voreilen ist unveränderlich, die Scheitelkurve eine Gerade. Die Ermittlung ihrer Lage erfolgt wie bei der Stephensonschen S., wobei

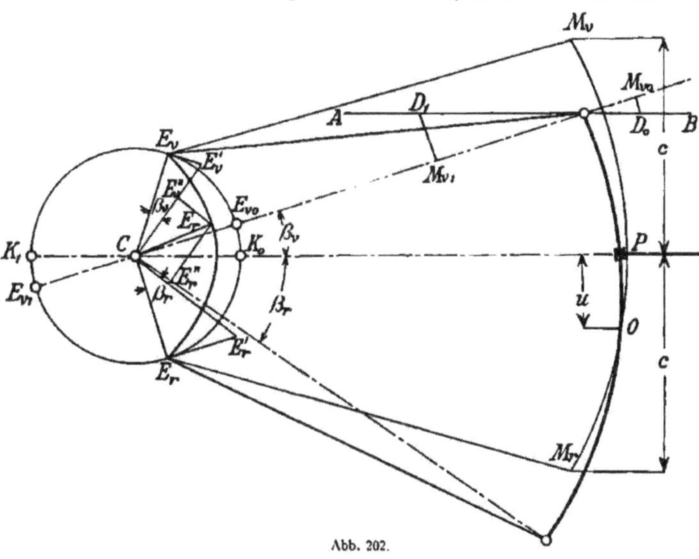

Abb. 202.

zu beachten ist, daß β_v, β_r unveränderlich ist, weil die Kulisse ihre Höhenlage nicht ändert.

Die Allan-Trick-Steuerung (Abb. 197) steht zwischen beiden Bauarten. Es ergeben sich schwach gekrümmte Scheitelkurven und eine Veränderlichkeit des Voreilens, die geringfügiger als bei der Stephensonschen S. ist.

Die Gleichung für den Schieberweg $\xi = A \cos \omega + B \sin \omega$ muß für Kulissensteuerungen in der Form geschrieben werden:

$$\xi = x \cos \omega + y \sin \omega.$$

Hierin sind x und y die Ordinaten desjenigen Punktes der Scheitelkurve, der zufolge der gerade gewählten Einstellung der Kulisse eben benutzt wird.

Statt einer Schieberellipse ergibt sich für eine Kulissensteuerung eine ganze Schar dieser Ellipsen.

Statt eines Kreispaares des Zeunerschen Diagramms (Abb. 194) ergibt sich bei Kulissensteuerungen eine Schar solcher Kreise (Abb. 203). Die Endpunkte ihrer Durchmesser liegen auf der Scheitelkurve.

Man kann sich die Scheitelkurve als Schlitzführung für einen Stein verwirklicht denken. Der Stein würde je nach der beabsichtigten Füllung und Drehrichtung an einer bestimmten Stelle des Schlitzes festzuklemmen sein und mittels Schieberschubstange und Schieberstange den Schieber bewegen. Diese sehr einfache Vorrichtung würde eine Kulissensteuerung, was die Schieberbewegung anlangt, völlig ersetzen, aber nicht während des Laufes der Maschine umstellbar sein.

B. Bauregeln für die Kulissensteuerungen mit 2 Exzentern. Für alle Kulissensteuerungen, überhaupt alle Umsteuerungen gilt die Regel, daß sie ausgelegt eine möglichst große Füllung geben sollen. Es ist dies nicht nur erforderlich, um zeitweise, besonders während des Anfahrens, die Zugkraft über das durchschnittliche Maß zu steigern, sondern es spricht auch die Rücksicht auf die Kolbenstellungen vor dem Anziehen der Lokomotive mit. Steht der Kolben dem Ende seines Hubes nahe, so hat der Schieber schon abgeschlossen. Bei der in Fahrt befindlichen Lokomotive würde der expandierende Dampf auf den Kolben wirken; bei der stehenden fehlt dieser, und dem Frischdampf wird der Eintritt vom Schieber verwehrt. Der betreffende Kolben übt also keine Zugkraft aus. Je größer die bei ausgelegter S. ermöglichte Füllung ist, um so näher steht der Kolben bei abschließendem Schieber schon dem Totpunkt, um so geringer ist der Ausfall an Anzugskraft, wenn er keinen Frischdampf mehr erhält.

Abb. 186 läßt erkennen, warum man nicht beliebig große Höchstfüllungen erreichen kann. Geht man nämlich von der dort angenommenen äußeren Überdeckung *e* aus, so führt das Verlangen größerer Füllungen auf die Notwendigkeit, Punkt K_1 parallel der Kanalkante nach oben zu verschieben, also auf einen größeren Exzenterkreis, d. h. ein größeres Exzenter. Es ergeben sich bald unausführbar große Steuerungsabmessungen, und 100 % Füllung würden erst bei einem unendlich großen Exzenter erreicht. Man könnte anderseits eine Füllung von fast 100 % dadurch erreichen, daß man die äußere Überdeckung ganz klein, in der Abb. 204 = 0 macht. Das Exzenter würde nun die Stellung CK erhalten, das Füllungsverhältnis $= \frac{Kk}{KK_1} = 98{\cdot}5\,\%$ sein. Legt man aber die S. auf kleinere Füllung um, so entsteht unter Annahme einer geradlinigen Scheitelkurve MN das resultierende Exzenter CK'. Es ist auf etwa $^1/_3$ des Exzenters CK verkleinert, die S. also der Mittellage sehr weit genähert und trotzdem ist die Füllung noch $\frac{K'k'}{K'K'_1} = 82{\cdot}5\,\%$. Die Voreinströmung aber ist schon auf den ganz unzulässigen Wert $m\,K'$

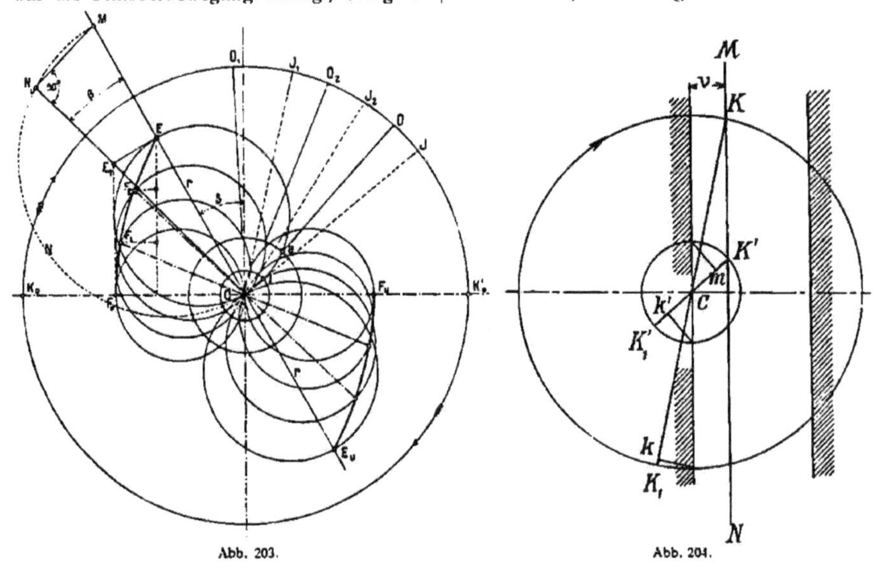

Abb. 203.

Abb. 204.

gestiegen. Der Schieber öffnet viel zu früh und ruft einen schädlichen Gegendruck auf den Kolben hervor. Bei Mittelstellung der S. würde sich noch immer 50% Füllung einstellen. Die Voreinströmung wäre ebenfalls 50%.

Die Höchstfüllung ist aus diesen Gründen zu 75 - 83% anzusetzen.

Die Ansichten, ob für die Stephenson- und die Allan-Trick-Steuerung offene oder gekreuzte Stangen, also mit verringerter Füllung zu- oder abnehmendes lineares Voreilen vorzuziehen sei, sind geteilt. Die kleineren Füllungen werden bei größeren Geschwindigkeiten benutzt. Für diese ist zur Vermeidung starker Dampfdrosselung erwünscht, daß schon zu Anfang der Kolbenbewegung große Kanalöffnungen vorhanden seien. Das spricht für offene Stangen. Bei der Gooch-Steuerung ist das Voreilen unveränderlich. Von diesem Standpunkt aus ist es gleichgültig, ob sie mit offenen oder gekreuzten Stangen ausgeführt ist.

Für die Aufhängung der Kulisse, bei der Gooch- und Allan-Trick-Steuerung auch der Schieberschubstange, gilt die Forderung, daß die Kulisse dort, wo der Stein liegt, und dieser selbst geradlinig in der Achse des Steuerungsantriebs geführt werden sollen. Diese Forderung ist nicht streng erfüllbar. Man muß sich damit begnügen, einen Punkt der Kulisse durch ein möglichst langes Hängeeisen in flachem Kreisbogen zu führen. Ihre anderen Punkte beschreiben dann um so verwickeltere Bahnen, je weiter sie vom Aufhängepunkt entfernt sind. Bei der Gooch- und Allan-Trick-Steuerung erfolgt auch die Führung der Schieberschubstangen durch möglichst lang zu wählende Hängeeisen in Kreisbögen.

Die Folge aller dieser Notbehelfe ist, daß der Stein um so stärker „springt", d. h. um so größere Bewegungen im Kulissenschlitz macht, je weiter vom Aufhängepunkt der Kulisse entfernt er eingestellt ist. Bei hauptsächlich vorwärtsfahrenden Lokomotiven mit gekreuzten Stangen, bei denen der Stein meist in der unteren Kulissenhälfte steht, läßt man daher das Hängeeisen bei oben liegender Steuerwelle häufig am unteren Kulissenende angreifen. Der Stein steht dann bei der meist benutzten Füllung dem am besten geführten Punkt der Kulisse nahe und das Hängeeisen wird lang. Die gleiche Überlegung führt zur Aufhängung des oberen Kulissenendes bei offenen Stangen und unten liegender Steuerwelle. Das Springen des Steines ist schädlich, weil es die Dampfverteilung beeinträchtigt, Abnutzungen und unbequeme Kräfterückwirkungen auf das ganze Steuerungsgestänge bis zum Steuerungsbock auf dem Führerstand hervorruft.

Es lassen sich noch weitere Forderungen für die Aufhängung der Kulisse aufstellen, die aber ebenfalls nicht streng erfüllbar sind.

Der Aufhängepunkt M der Stephensonschen Kulisse soll nämlich so geführt sein, daß die Sehne des von ihm beschriebenen Bogens parallel der Schieberbewegung, also in Abb. 205 wagrecht liegt. Andernfalls würde die Kulisse in ihren beiden, den Totpunktlagen der Kurbel entsprechenden Endlagen verschiedene Höhenlagen haben, die Dampfverteilung für Kolbenhin- und Rückweg und im besonderen das lineare Voreilen ungleich werden. Diese Forderung müßte für jede Einstellung der S., also

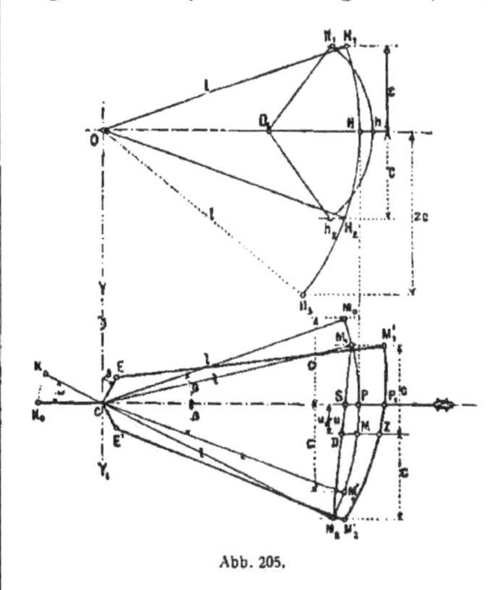

Abb. 205.

jede Höhenstellung der Kulisse erfüllt sein. Abb. 205 läßt erkennen, daß dies nur dann der Fall ist, wenn der Aufwurfhebel OH auf der Steuerwelle die Länge der Exzenterstangen l besitzt und jene selbst bei O liegt. Der Aufwurfhebel muß stets parallel der von C zum Aufhängepunkt P der Kulisse gehenden Verbindungslinie sein. Bei Mittellage und in der Mitte aufgehängter Kulisse muß er die Lage OH, bei unten aufgehängter Kulisse die Lage OH_2 haben. Diese Forderungen können im allgemeinen nicht erfüllt werden. Dem Aufwurfhebel kann nur eine Länge O_1H gegeben werden und O_1 ist, wie in Abb. 205 geschehen, so zu legen, daß die Fehler möglichst klein werden.

Abb. 206 deutet die entsprechenden Forderungen für die Gooch-Kulisse an.

Ähnliche Forderungen lassen sich auch für die Allan-Trick-Steuerung aufstellen, die aber gegenstandslos sind, weil für die Längen der

Aufwurfhebel weiterhin andere wichtigere Bedingungen aufgestellt werden müssen.

Bei der Stephensonschen S. sollen die Exzenterstangen möglichst lang sein. Bei der Gooch- und Allan-Trick-Steuerung gilt die gleiche Forderung für die Schieberschubstange, so daß ein Ausgleich getroffen werden muß.

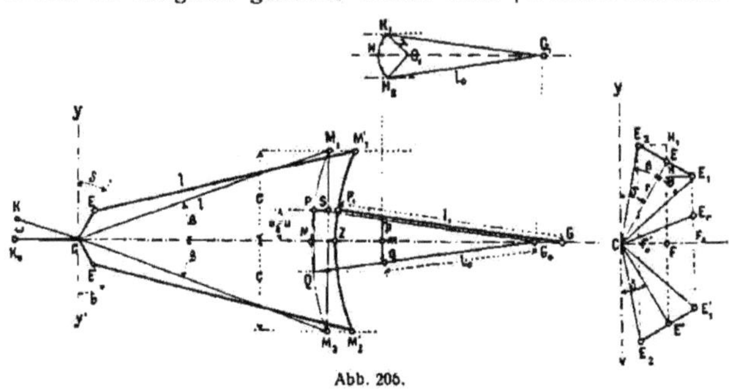

Abb. 206.

Bei der Stephensonschen S. soll die Kulisse mit der Exzenterstangenlänge als Halbmesser gekrümmt sein. Die Forderung hat zum Zweck, den Schieber für beliebige Stellungen der Kulisse um die gleiche Mittelstellung nach beiden Seiten ausschlagen zu lassen. Die Forderung, an sich einleuchtend, ist trotzdem ungenau. Hoefer hat in der Ztschr. dt. Ing. 1891, S. 476, eine genauere Berechnung des Krümmungshalbmessers der Kulisse angegeben, die auf etwas kleinere Werte führt.

Über die Krümmung der Goochschen Kulisse vgl. S. 205.

Die Allan-Tricksche S. ist aus dem Bestreben entstanden, Stephenson- und Gooch-Steuerung so zu vereinigen, daß sich eine gerade Kulisse ergibt. Die Forderung ist erfüllt, wenn das Verhältnis der Steinhebung zur Kulissensenkung, mit den Bezeichnungen der Abb. 207 $\frac{u_2}{u_1} = \frac{l_1}{l}\left(1+\sqrt{1+\frac{l}{l_1}}\right)$ ist. Dieser Forderung müssen die Längen der Hebel auf der Steuerwelle W gemäß der Gleichung $\frac{u_0}{u_1} = \frac{u_2 l_3}{u_1 l_1}$ angepaßt sein.

2. Die Kulissensteuerungen mit einem Exzenter leiten die Schieberbewegung von einem Exzenter und vom Kreuzkopf oder einem andern Punkt des Triebwerks ab. Das Triebwerk stellt gewissermaßen das zweite unentbehrliche Exzenter dar.

A. Die Wirkungsweise der Heusinger-(Walschaert-) Steuerung (s. Abb. 198 u. Art. Lokomotive, Taf. I). Die Heusinger-Steuerung ist heute die am meisten verbreitete S. dieser Gattung und die meist benutzte Lokomotivsteuerung überhaupt. Im Art. Lokomotive (Bd. VII) finden sich zahlreiche Ausführungsformen dieser S. Ihre Wirkungsweise als Umsteuerung und als Vorrichtung zur Einstellung wechselnder Füllungen wird zweckmäßig gleichzeitig betrachtet. Denkt man sich in Abb. 198 Punkt A zunächst festgehalten, so erkennt man, daß die Kreuzkopfbewegung im Verhältnis $\frac{n}{m}$ auf den Schieber übertragen und umgekehrt wird. Im Diagramm (Abb. 208) ist ein gegen die Triebkurbel CT_0 um 180° versetztes Exzenter von der Größe $\frac{n}{m}R = CE'$ einzutragen, worin R den Halbmesser der Triebkurbel bedeutet. Denkt man sich nun Punkt L_1 festgehalten, so ergibt sich der vom Exzenter CK_0 auf den Schieber übertragene Bewegungsanteil von einer solchen Größe, als ob er unmittelbar von einem

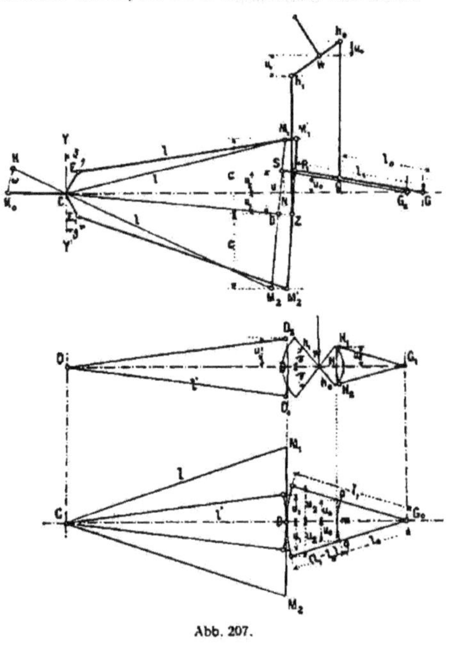

Abb. 207.

Exzenter der Größe $r\frac{u}{c}\frac{m+n}{m}$ herrührte. Hierin bedeutet u die Verschiebung des Steines aus der Kulissenmitte. u ist aber veränderlich je nach Einstellung des Kulissensteins in der Kulisse. Es schwankt zwischen Null und einem positiven und negativen Höchstwert. Da das Exzenter CK_0 um 90° voreilt, so ist jener Höchstwert CE'_v in Abb. 208 ebenfalls der Kurbel um 90° voreilend einzutragen, wenn der Stein unterhalb des Kulissendrehpunktes liegt. Bei dieser Steinstellung fährt die Lokomotive vorwärts. Wenn der Stein aber oberhalb des Kulissendrehpunktes steht, so erfolgt durch die Kulisse eine Umkehr der Bewegung. Jener Wert ist als CE'_r der Triebkurbel nacheilend einzutragen u. s. w. Es setzen sich z. B. CE' und CE'_v zu einem resultierenden Exzenter CE_1 mit einem Voreilwinkel E'_vCE_1 zusammen. Wird der Stein der Kulissenmitte genähert, so wird u kleiner und es ergibt sich z. B. das resultierende Exzenter CE_3. Für Mittellage der Schieberschubstange $u = 0$ bleibt nur der Kreuzkopfantrieb übrig. Das resultierende Exzenter wird dann durch CE' dargestellt.

Da sich die Größe des Ersatzexzenters CE' nicht ändert, so liegen die Endpunkte aller resultierenden Exzenter auf der Geraden $E_1 E_2$, mit anderen Worten: die Scheitelkurve ist eine Gerade, das lineare Voreilen unveränderlich.

Die Abszisse der Scheitelkurve hat den Wert $R\frac{n}{m}$, die veränderliche Ordinate den Wert $r\frac{u}{c}\frac{m+n}{m}$, die Gleichung des Schieberwegs (s. S. 200) lautet also nach Maßgabe des zur Erläuterung dieser Gleichung Gesagten für die Heusinger-Steuerung

$$\xi = R\frac{n}{m}\cos\omega + r\frac{u}{c}\frac{m+n}{m}\sin\omega.$$

Man kann das Exzenter nacheilend statt voreilend aufsetzen, dann läuft die Lokomotive vorwärts, wenn der Kulissenstein oberhalb der Kulissenmitte steht u. s. w.

Wenn der Schieber als Kolbenschieber mit innerer Einströmung ausgeführt ist, wie dies heute für Heißdampflokomotiven die Regel ist, so muß er jeweilig die entgegengesetzten Bewegungen machen, als ein gewöhnlicher Schieber. Es müssen demnach die beiden Bewegungsanteile, die der Schieber von der S. erhält, umgekehrt werden. Es muß darum erstens Punkt A (Abb. 198) über Punkt G liegen, so daß sich die Anordnung der Taf. I zu Art. Lokomotive ergibt. Zweitens lauten die oben gegebenen Regeln über Vorwärts- und Rückwärtsfahrt umgekehrt: Die Lokomotive fährt, wenn das Exzenter voreilend angeordnet ist, vorwärts, wenn der Stein sich oberhalb des Kulissendrehpunktes befindet u. s. w.

B. Bauregeln für die Heusinger-Steuerung. In den beiden Totpunktstellungen des Kolbens, also Endstellungen des Kreuzkopfes, soll der Schieber um den Weg $e + v$ aus seiner Mittellage abgelenkt sein (Abb. 186). Hieraus folgt zweierlei:

1. Da die eben aufgestellte Bedingung auch in dem Sonderfall erfüllt sein muß, daß die Schieberschubstange auf die Kulissenmitte eingestellt ist, daß Punkt A (Abb. 198) bei der Kurbeldrehung seine Lage nicht ändert, so muß der Voreilhebel GL nach beiden Seiten um den gleichen Winkel ausschlagen. $L_1 L_2 A$ muß also ein gleichschenkeliges Dreieck sein, dessen Grundlinie parallel der Zylinderachse verläuft und in dessen Spitze Punkt A liegt.

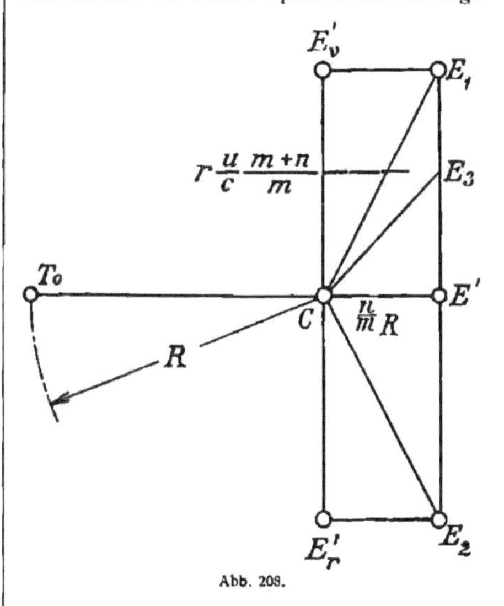

Abb. 208.

2. Da auch bei Verlegung der Schieberschubstange in der Kulisse der Schieber, sofern sich der Kolben in einer seiner Totpunktlagen befindet, seine Stellung $\pm (e + v)$ aus der Mittellage abgelenkt beibehalten muß, so muß die Kulisse als Kreisbogenstück mit der Schieberschubstange AE als Halbmesser ausgeführt sein, und sie hat für beide Totpunktstellungen des Kolbens eine solche Lage einzunehmen, die sich mit dem um A mit AE geschlagenen Kreis deckt.

Die eben geforderte gleiche Lage für beide Totpunktstellungen CT_0 und CT_1 der Kurbel, also für die beiden Exzenterstellungen CK_0 und CK_1 hat, wie Abb. 198 zeigt, die Kulisse dann, wenn $K_0 K_1 \perp CD_0$ ist. Daraus folgt weiter, daß der Winkel zwischen Kurbel und Exzenter $= 90° - \alpha$ ausgeführt werden muß, wenn man, um e klein zu halten, D_0 aus der Triebwerkmittellinie um einen $\measuredangle \alpha$ nach oben verschiebt. Eine solche Verschiebung verstärkt übrigens den störenden Einfluß des Federspiels (Abschnitt V). Soll er sich möglichst wenig bemerkbar machen, so muß Punkt D_0 so liegen, daß die Exzenterstange $K_0 D_0$ gleich große Ausschläge nach oben und unten aus der Wagrechten macht.

Die Höhenlage des Drehpunktes Z der Kulisse wählt man meist so, daß AZ parallel der Schieberbewegung, im allgemeinen wagrecht liegt. Dann werden die Störungen durch Schräglage der Stange bei Vorwärts- und Rückwärtsfahrt gleich gering.

Schon hier muß darauf hingewiesen werden, daß der Versuch am Modell oder die genaue zeichnerische Untersuchung die eben besprochenen Bauregeln meist etwas ändern (vgl. Abschnitt IV). Da sich nämlich Punkt A nicht auf einer Geraden bewegt, sondern seine Höhenlage etwas wechselt, da ferner Punkt N in einem Kreisbogen geführt wird, so wird der Stein nicht von einem bestimmten Kulissenpunkt geführt, sondern er „springt" in der Kulisse. Es liegen daher keineswegs die Verhältnisse eines einfachen Kurbeltriebs vor.

Kulisse und Exzenter stehen in Abb. 198 in Mittellage. Dreht sich das Exzenter um 90° vorwärts oder rückwärts, so muß diese Bewegung, wenn vor und hinter dem Kolben die gleiche Dampfverteilung angestrebt werden soll, gleiche Winkelausschläge der Kulisse bewirken. Legt man, wie dies zunächst richtig erscheinen möchte, Punkt D_0, d. i. die Lage des Kulissenendes bei den Totpunktstellungen der Kurbel, nach D'_0, so daß $\sphericalangle C D'_0 Z = 90^0$ ist, so ist jene Bedingung nicht erfüllt. Abb. 198 erläutert dies. Wenn man nämlich die Exzenterkurbeln in die Lagen CK_2 und CK_3 bringt und mit $K_0 D'_0$ Kreise um K_2 und K_3 schlägt, so ergeben sich die Kulissenlagen ZD'_2 und ZD'_3. Der Augenschein lehrt, daß $D'_2 D'_0 > D'_0 D'_3$ ist. Die Ausschläge sind verschieden groß. Sie werden gleich groß für eine bestimmte, nach der Kurbel zu verschobene Lage jenes Punktes D_0, die am besten durch Versuch gefunden wird. Die Erfüllung der oben begründeten Forderung $K_0 K_1 \perp C D_0$ darf hierdurch natürlich nicht beeinträchtigt werden. Der durch die endliche Länge der Exzenterstange veranlaßte Fehler ist für die Hauptlagen der Kulisse, nämlich für die Mittellage und die Endlagen durch die Zurückverlegung des Punktes D_0 beseitigt. Ein weiterer Fehler entsteht aber dadurch, daß die Kulisse keine Gerade ist. Die Kulisse ist vielmehr ein Kreisbogen. Ein Punkt dieses Bogens beschreibt bei gleichen Ausschlägen der Kulisse im allgemeinen nicht gleiche wagrechte Projektionen. Dieser Fehler wird mit zunehmendem Kulissenhalbmesser und mit abnehmender Kulissenlänge geringer. AE ist deshalb möglichst groß zu machen und der Kulissenbogen soll einen Zentriwinkel von nicht mehr als 25° umfassen. Hinsichtlich der Länge der Exzenterstange $K_0 D_0$ braucht man weniger ängstlich zu sein, da sich die von ihr herrührenden Fehler, wie eben gezeigt, wenigstens für die hauptsächlichen Kolbenstellungen ausgleichen lassen. Eingehendere Untersuchungen hierüber macht Professor Baudiss in der Ztschr. dt. Ing. 1908, S. 141.

Das Springen des Steines bedeutet eine weitere Fehlerquelle, weil es ein fortwährendes Schwanken des Füllungsverhältnisses bedeutet, auf das die S. eingestellt ist. Die weiteren schädlichen Folgen des Springens sind in Abschnitt III, I, *B* dargelegt. Man soll das Springen für die meistbenutzten Füllungen möglichst gering machen. Man gehe von einer bestimmten Länge des Hängeeisens MN aus (Abb. 198) und bestimme für 3 Füllungen, also 3 Stellungen des Steines E in der Kulisse bei Mittelstellung derselben durch Versuch die günstigste Lage für den oberen Endpunkt M, d. h. die beste Kreisbogenführung für die Schieberschubstange im Punkt N. Es ist das diejenige, die die kleinsten Steinverschiebungen in der Kulisse während einer Kurbelumdrehung ergibt. Bei Lokomotiven mit Tender wähle man 3 benachbarte Füllungen für Vorwärtsfahrt, bei Tenderlokomotiven Füllungen für Vor- und Rückwärtsfahrt. Die 3 Lagen von M bestimmen die Länge des Aufwurfhebels PM als Halbmesser und die Lage der Steuerwelle als Mittelpunkt eines Kreises. Es wird sich häufig eine Lage der Steuerwelle ergeben, die zur Anwendung eines gekrümmten Aufwurfhebels führt, um dem oberen Kulissenende auszuweichen (s. Art. Lokomotive, Bd. VII, S. 164, Abb. 196). Nicht erforderlich ist die Befolgung der früher häufig beobachteten Regel, daß das Hängeeisen bei Mittelstellung der Schieberschubstange senkrecht zu dieser stehen müsse. Bestimmte Regeln an Stelle des eben empfohlenen versuchsweisen Vorgehens lassen sich wegen der verwickelten gegenseitigen Bewegungen von Kulisse und Schieberschubstange AE kaum aufstellen, zumal nicht Punkt A, sondern Punkt G des Voreilhebels gerade geführt ist.

Die „Kuhnsche Schleife" (s. Art. Lokomotive, Bd. VII, Taf. I u. Abb. 215) führt die Schieberschubstange in der Weise, daß sie stets durch einen mit Einstellung der S. auf verschiedene Füllungsgrade seine Lage ändernden Punkt geht. Sie führt die Schieberschubstange unter gleich günstigen Bedingungen für geringes Springen des Steines ober- und unterhalb des Kulissendrehpunktes.

Die Lage der Steuerwelle, wie sie nach den eben mitgeteilten Verfahren festgelegt wird, ist oft wegen der räumlichen Einschränkungen durch Räder, seitliche Wasserkästen der Tenderlokomotiven u. s. w. unausführbar. Man muß mit verschiedenen Lagen des Hängeeisens vor oder hinter der Kulisse oder mit seinem Ersatz durch die Kuhnsche Schleife zum Ziel zu kommen suchen.

Der Lenker JL_1 überträgt wegen seiner wechselnden Neigung die Kreuzkopfbewegung nicht fehlerfrei auf den Voreilhebel $G_1 L_1$. Die stärksten Neigungen von unten nach oben entstehen bei den schrägsten Stellungen des Voreilhebels $G_1 L_1$ und $G_2 L_2$, also bei den Totpunktstellungen des Kreuzkopfes, die stärksten Neigungen von oben nach unten bei der zur Achse des Kurbeltriebs senkrechten Stellung $G_0 L_0$ des Voreilhebels. Beide Stellungen sind als I und IV in Abb. 209 eingetragen. Bei Stellung I, also für die beiden Totpunktstellungen des Kolbens, muß die Schieberstellung genau die beabsichtigte sein. Die Abbildung zeigt, daß dann auch bei den Kolbenstellungen, die zur Lenkerstellung III gehören, die Übertragung fehlerfrei geschieht. In den Stellungen zwischen I und III entstehen positive Fehler, die bei Stellung II gleich der Pfeilhöhe f_1 werden, in den Stellungen zwischen III und IV negative bis zum Betrag $-f_2$. Die vorkommenden Fehler werden am kleinsten, wenn, absolut genommen, $f_1 = f_2$ ist. Das wird erreicht, wenn das Stück BJ in Abb. 198 eine solche Länge erhält, daß Punkt J etwas über der mittleren Höhe zwischen höchster und tiefster Lage von L liegt (Abb. 209). Für übliche Lenkerlängen ergibt sich von $L_1 L_2$ aus nach unten gemessen etwa das 0·4fache dieser Höhe. Diese Betrachtung lehrt ferner, daß der Lenker möglichst lang sein soll.

Die in der Literatur anzutreffende Forderung, der Lenker solle bei Mittelstellung des Kreuzkopfes wagrecht liegen und in gewisser Weise dazu dienen, eine Übertragung der Unregelmäßigkeiten in der Kreuzkopfbewegung auf die Schieberbewegung zu verhüten, ist irrig, denn alle Abschnitte der Dampfverteilung müssen als Bruchteile des Kolben-, nicht des Kurbelwegs festgelegt werden. Der Schieberweg muß also, soweit er durch den Kreuzkopf erfolgt, ein verkleinertes Abbild seiner Bewegung sein. Es ist gerade ein Hauptvorzug der Heusinger-Steuerung, daß der im Abschnitt II an Hand der Abb. 192 beschriebene störende Einfluß der endlichen Pleuelstangenlänge wenigstens für den Anteil der Schieberbewegung, der vom Kreuzkopf abgeleitet wird, in beschriebener Weise fast vollständig zum Verschwinden gebracht werden kann.

Für die S. muß der Platz in der Längenrichtung der Maschine vollständig ausgenutzt werden, damit die durch die endliche Länge der Stangen verursachten Fehler möglichst klein ausfallen. Die Begrenzung gegen den Zylinder zu ist durch den Voreilhebel gegeben, der in der Stellung $G_2 L_2$ das Zylindergußstück nicht berühren darf.

C. Entwurfsregeln für die Heusinger-Steuerung. Die Höchstfüllung ist wie bei den Kulissensteuerungen mit 2 Exzentern und aus den gleichen Gründen beschränkt (vgl. S. 206). Man wählt sie bei Zwillingslokomotiven zu 75 – 80 %, das lineare Voreilen mit Größe und Geschwindigkeit der Lokomotiven steigend zu 2 – 5 *mm* bei einfachem Schieber, zu $^3/_4$

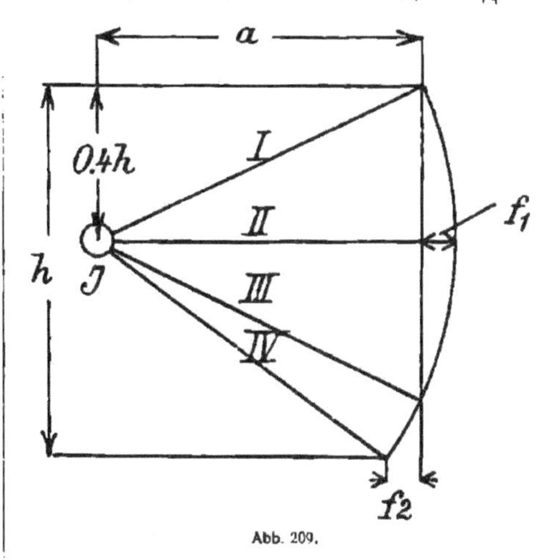

Abb. 209.

dieses Wertes bei Kanalschiebern. Man trifft endlich nach Maßgabe des S. 198 Gesagten eine Entscheidung darüber, ob der Kanal bei größter Auslenkung des Schiebers ganz oder etwa nur zu 90 % geöffnet sein oder ob er ein wenig überschliffen werden soll. Durch Versuch oder mit Hilfe hier zu übergehender Verfahren findet man ein Diagramm, das ähnlich Abb. 186 die gewünschten Werte, also Füllung, lineares Voreilen und größte Kanalöffnung aufweist. Dieses Diagramm ergibt dann mit e die Größe der äußeren Schieberüberdeckung. Der Schieberweg für Totpunktstellung der Triebkurbel ist $e + v$. Bei Totpunktstellung der Kurbel ist $\omega = 0$; daher lautet für diesen die oben aufgestellte Gleichung des Schieberwegs $e + v = R \frac{n}{m}$. Da auch R, der Radius der Triebkurbel, bekannt ist, so ist hiermit $\frac{n}{m}$ berechnet. Die eben benutzte Beziehung kann übrigens in der Form

$$\frac{n}{m} = \frac{2(e+v)}{2R}$$

auch aus der Abb. 198 abgelesen werden. Man wählt nun für u eine eben noch bequem ausführbare Größe. Somit liegt auch m fest. Es ist nachzuprüfen, ob mit diesen Größen Punkt L weder zu hoch gerät, so daß der Anschluß an den Kreuzkopf unmöglich, noch zu tief, so daß er aus der Umgrenzungslinie für Betriebsmittel herausfallen würde.

Aus dem Diagramm (Abb. 186) kann auch der Schieberweg ξ_{90} für $\omega = 90^0$ abgelesen

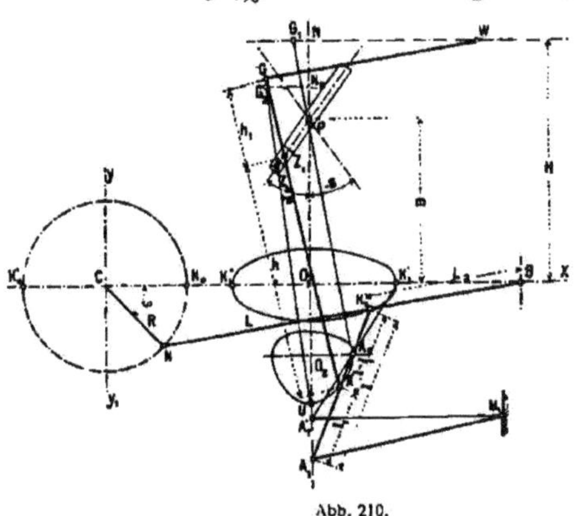

Abb. 210.

werden. Die Gleichung des Schieberwegs für $\omega = 90^0$ lautet mit diesem Wert

$$\xi_{90} = r\,\frac{u}{c}\,\frac{m+n}{m} = r\,\frac{u}{c}\left(1 + \frac{n}{m}\right)$$

Hierin ist $\frac{n}{m}$ aus der vorangegangenen Berechnung bekannt. u ist das Maß, das die Kulissenlänge bedingt, denn da höchste Füllung angenommen ist, so bedeutet u im vorliegenden Fall die größte Auslenkung des Kulissensteins aus der Mittellage. u ist also abhängig von der Kulissenlänge, die man ausführen will, und somit ebenfalls bekannt. Die Größe c ist bekannt, sobald man sich nach Maßgabe des früher Gesagten für die Lage von D_0 entschieden hat. Somit ist r berechenbar. Ergeben sich unbequeme Werte, so ist die Rechnung mit etwas geänderten Werten von u und c zu wiederholen.

Die eben besprochene Benutzung von ξ_{90} kann keine ganz genauen Werte ergeben, weil die endlichen Stangenlängen, das Springen des Steines u. s. w., Fehlerquellen bilden.

Es ist eine Prüfung des Entwurfs daraufhin erforderlich, ob bei der meistbenutzten Füllung – bei Zwillingslokomotiven 20% – die größte Kanalöffnung genügt, d. h. ob sich im Augenblick der größten Kanalöffnung bei Höchstgeschwindigkeit der Lokomotive nicht zu hohe Dampfgeschwindigkeiten ergeben. Man versuche daher das Diagramm zu zeichnen, das mit gegebener Voreinströmung und Überdeckung 20% Füllung ergibt u. s. w.

3. Die Kulissensteuerungen ohne Exzenter. Der Fortfall aller Exzenter bedeutet eine Platzersparnis. Eine gewisse, wenn auch nicht große Verbreitung hat die Joy-Steuerung besonders in England gefunden (Abb. 199). Über die Bewegungsverhältnisse gibt Abb. 210 Auskunft. Die Kulisse bleibt beim Antrieb der S. in Ruhe. Der Stein gleitet in ihrem Schlitz. Zur Änderung des Füllungsgrades und zur Umsteuerung wird die Kulisse gedreht. Das lineare Voreilen ist unveränderlich. Ein Nachteil der S. ist die in der Pleuelstange wachgerufene Biegungsbeanspruchung. Auch ist eine starke Steinabnutzung zu erwarten.

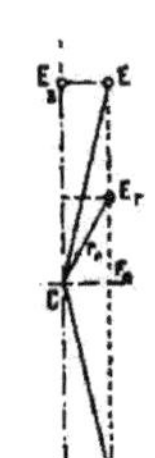

IV. Nachprüfung der S. am Modell und Regulierung.

Bei der Betrachtung der Wirkungsweise der S. mußten mehrfach vereinfachende Annahmen gemacht werden. Mittels der oben gegebenen Bau- und Entwurfsregeln können gewisse Fehler wohl vermieden, andere aber nur gemildert werden. Um die wahren Schieberwege zu ermitteln, ist deshalb die Prüfung an einem Modell erforderlich. Diese Nachprüfung wird häufig zu kleinen Abweichungen von den zunächst nach den Regeln des Abschnitts III gewählten Abmessungen führen. Man wird z. B. finden, daß eine etwas andere Lage des Punktes D_0 die Dampfverteilung für die meistbenutzte Füllung verbessert u. s. w. Ferner benötigt man an der fertigen S. einer Vorrichtung zur Beseitigung von Fehlern in der Dampfverteilung. Sie wird bei der Heusinger-Steuerung meist, wie Abb. 198 zeigt, an der Gradführung der Schieberstange angebracht und ermöglicht mittels zweier Schraubenmuttern die Verschiebung der Schieberstange, also auch des Schiebers gegen den Punkt G. Man regelt mit dieser Vorrichtung in erster Linie auf gleiches lineares Voreilen vor und hinter dem Kolben.

V. Der Einfluß des Federspiels auf die S. kommt dadurch zu stande, daß die Achswelle einschließlich des oder der Exzenter lotrechte Verschiebungen gegen den Rahmen, also auch gegen die anderen Steuerungsteile erleidet. Eine

Aufwärtsbewegung der Achse mit dem Exzenter hat eine gewisse wagrechte Verschiebung des andern Endes der Exzenterstange zur Folge, die um so größer und um so störender ist, je stärker das Exzenter gegen die Wagrechte geneigt ist. Dieser Hinweis genügt zur Beurteilung der Empfindlichkeit der einzelnen S. gegen das Federspiel. Bei der Stephenson-Steuerung der Abb. 195 z. B. liegt in der gezeichneten Stellung, d. h. bei ganz gesenkter Kulisse die obere Exzenterstange nahezu wagrecht. Der Endpunkt Z erleidet unter dem Einfluß des Federspiels nur sehr geringe Verschiebungen. Da nun bei ganz gesenkter Kulisse dieses Exzenter allein die Schieberbewegung hervorruft, so erleidet die Schieberbewegung bei dieser Kulissenstellung nur geringfügige Störungen durch das Federspiel. Ebenso, wenn die Kulisse ganz gehoben ist. Befindet sich die Kulisse in der Mittellage, so sind beide Exzenterstangen schräg gerichtet. Die Enden beider erleiden gewisse, gleich große, aber entgegengesetzte Verschiebungen. Beide Exzenter beeinflussen die Schieberbewegung bei dieser Kulissenstellung im gleichen Maße. Jene störenden Verschiebungen heben sich also in ihrer Wirkung auf den Schieber nahezu auf. Die Stephensonsche S. ist, wenn die Achse des Steuerungsgetriebes, wie in der betrachteten Abbildung, wagrecht liegt, wenig empfindlich gegen das Federspiel. Schlechter ist es, wenn, wie in Abb. 190, die Achse des Steuerungsantriebs schräg liegt. Ungünstiger fällt auch das Ergebnis einer solchen Untersuchung für die Gooch-Steuerung, selbst eine solche mit wagrechter Achse (Abb. 206) und am ungünstigsten für Gooch-Steuerung mit schräger Achse (Abb. 196) aus. Die Allan-Trick-Steuerung (Abb. 197) steht zwischen beiden. Wenn bei der Heusinger-Walschaert-Steuerung der Angriffspunkt D der Exzenterstange an der Kulisse so tief gelegt wird, daß die Exzenterstange gleich große Ausschläge nach unten und oben aus der Wagrechten macht, so ist sie für alle Füllungsgrade ziemlich unempfindlich gegen das Federspiel. Es ist das mit eine der Ursachen, die zu ihrer heutigen großen Verbreitung beigetragen hat.

Die Einwirkung des Federspiels ist auch von der Lage der S. innerhalb oder außerhalb des Rahmens abhängig. Im allgemeinen wird nicht die Welle als Ganzes, sondern nur eine Seite federnd angehoben oder gesenkt werden, wenn ein Rad eine Unebenheit überfährt. Diese Hebung oder Senkung überträgt sich mit verkleinernder Hebelübersetzung auf eine innen liegende S., zumal auf eine solche, die nach altem englischen Muster mit zwischen den Innenzylindern liegenden Schieberkästen der Lokomotivmitte nahe liegt. Vergrößernd wirkt die Hebelübersetzung auf Außensteuerungen.

Nach dem Gesagten werden die schlechten Erfahrungen verständlich, die man seinerzeit an außen liegenden Allan-Trick-Steuerungen mit Schrägantrieb gemacht hat, denn hier wirkten verschiedene Einflüsse im gleichen ungünstigen Sinn. Anderseits kann man die Heusinger-Steuerung unbesorgt guter Zugänglichkeit zuliebe nach außen legen, weil sie an und für sich gegen das Federspiel unempfindlich ist.

VI. Gegenüberstellung der besprochenen S.

Bei der Abwägung der Vor- und Nachteile der einzelnen S. gegeneinander darf man der Veränderlichkeit oder Nichtveränderlichkeit des Voreilens keine wesentliche Rolle zuerkennen. Noch heute sind die Meinungen, ob erstere oder letztere vorzuziehen sei, geteilt. Die Stephensonsche S. ist einfach und, wie oben gezeigt, bei wagrechter Anordnung der Steuerungsmittellinie gegen das Federspiel wenig empfindlich. Die aus der endlichen Stangenlänge sich ergebenden Fehlerglieder können klein gehalten werden, weil die Kulisse nahe an den Schieberkasten herangelegt, die Stangenlänge demnach groß gewählt werden kann. Man sah es früher als einen Mangel der S. an, daß der Kessel bei Innenlage dieser S. hoch gelegt werden mußte, um Platz für die Hebung der Kulisse zu schaffen. Heute gilt dieser Mangel nicht mehr als solcher, weil man die Scheu vor hoher Kessellage als unberechtigt erkannt hat. Auch die Notwendigkeit eines schweren Gegengewichts Q (Abb. 195) kann nicht gegen die Stephensonsche S. angeführt werden, denn es läßt sich durch eine Feder ersetzen. Ein Mangel der Stephensonschen S. ist, daß sie sich — wenigstens bei Außenlage der Zylinder — nicht so gut wie die Heusinger-Steuerung außen unterbringen läßt; denn diese Bauart führt zu schräger Anordnung der Steuerungsmittellinie (Abb. 190), somit zu größerer Empfindlichkeit gegenüber dem Federspiel oder zur Notwendigkeit, einen Doppelhebel nach Abb. 191 einzuschalten. Durch einen solchen Doppelhebel geht aber die Einfachheit verloren und die Exzenterstangen fallen kürzer aus. Die Vereinigung innen liegender Zylinder mit innen liegender Stephenson-Steuerung ist bei den heutigen Abmessungen der Lokomotiven kaum noch möglich, weil sich der Platz für 4 Exzenter neben den gekröpften Kurbeln auf der Welle nicht erübrigen läßt. Die einzige Zusammenstellung, für die heute die Stephenson-Steuerung noch allenfalls Berechtigung hat, ist die innen liegender Zylinder und außen liegender S. mit wagrechter, durch die Mitte der Triebachse gehender Steuerungsachse. Diese Anordnung ist an und für sich selten, und so wird das Verwendungsgebiet der Stephenson-Steuerung mehr und mehr eingeschränkt. Selbst englische und amerikanische Bahnen, die sie noch vor wenigen Jahren fast ausschließlich verwendeten, gehen mehr und mehr zur Heusinger-Steuerung über.

Die Gooch-Steuerung entstand aus dem Bestreben, die eingangs angeführten, teilweise nur in der Einbildung bestehenden Nachteile der Stephenson-Steuerung zu beheben. Es lassen sich nicht so lange Exzenterstangen, wie bei der Stephenson-Steuerung anwenden, weil die Forderung möglichst großer Länge auch für die Schieberschubstange erhoben werden muß. Die S. ist empfindlicher gegen das Federspiel als die Stephensonsche und vielteiliger. Das Voreilen ist unveränderlich. Diese Eigenschaft ist in den Augen mancher Lokomotivbauer kein besonderer Vorzug oder, wenn man ihn als solchen gelten läßt, so ist er auch durch die Heusinger-Steuerung neben anderen gewichtigen Vorteilen zu erreichen. Die Gooch-Steuerung hat also heute keine Daseinsberechtigung mehr.

Die Allan-Trick-Steuerung ist aus dem Bestreben entstanden, die gekrümmte Kulisse wegen ihrer schwierigen Herstellung und Unterhaltung durch eine gerade zu ersetzen. Für große Bauanstalten und Werkstätten trifft dieser Grund

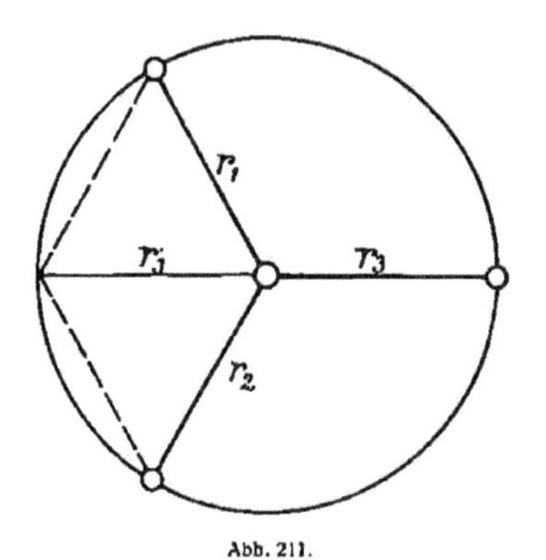

Abb. 211.

heute nicht mehr zu. Die S. steht im übrigen mit ihren Eigenschaften zwischen der Stephenson- und Gooch-Steuerung. Für ihre Anwendung können heute in keinem Fall zwingende Gründe sprechen.

Die Heusinger-Steuerung ist unempfindlich gegen das Federspiel. Man ordnet sie deshalb fast ausnahmslos außen an und erzielt so eine bequeme Zugänglichkeit aller ihrer Teile. Die Anordnung ihrer Einzelteile führt zwanglos auf eine zur Zylinderachse parallele Lage des Schieberspiegels, auf einfache, gleichzeitig an der rechten und linken Lokomotivseite verwendbare Formen des Zylindergußstücks. Der Einfluß der endlichen Pleuelstangenlänge auf die Genauigkeit der Dampfverteilung ist für den vom Kreuzkopf abgeleiteten Bewegungsanteil des Schiebers fast völlig beseitigt (Abschnitt III, 2, *B*). Ein Vorteil gegenüber den vorgenannten S. ist ferner die feste Lage des Kulissendrehpunktes. Die S. bekommt hierdurch mehr Halt in der Richtung quer zu ihrer Ebene.

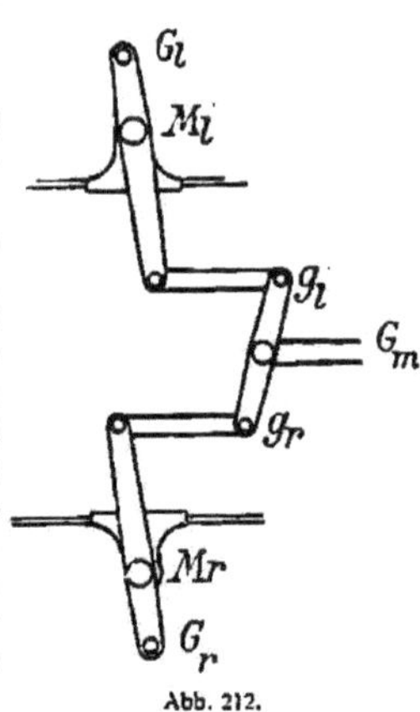

Abb. 212.

Bei der Joy-Steuerung bedeutet das Fehlen jeden Exzenters wohl einen Vorteil, der aber durch die unter III, 3 aufgeführten Nachteile mehr als aufgewogen werden dürfte.

VII. Die Anordnung der Kulissensteuerungen für Mehrzylinderlokomotiven mit einfacher Dampfdehnung.

Die Bauart ist durch Einführung des Heißdampfes zu einer gewissen Bedeutung gelangt. Der Bedeutung der Heusinger-Steuerung entsprechend, soll diese in erster Linie als S. für Mehrzylinderlokomotiven und ebenso im Abschnitt VIII als S. für Verbundlokomotiven berücksichtigt werden.

1. Dreizylinderlokomotiven. Es können 3 getrennte gleichartige S., 2 außen und eine innen liegende, ausgeführt werden. Wenn, wie dies meist geschieht, 3 unter 120° versetzte Kurbeln angewendet werden, so bietet sich die Möglichkeit, einen Schieber, am besten den des Innenzylinders, durch die beiden anderen Steuerungsantriebe mitbewegen zu lassen. Abb. 211 läßt nämlich erkennen, daß 2 Exzenter r_1 und r_2 sich zu einem resultierenden Exzenter r_3' zusammensetzen lassen, das dem dritten Exzenter r_3 gleich, aber entgegengesetzt gerichtet ist. Man hat also den Mittelschieber durch die beiden äußeren Steuerungsantriebe mit gleichem Teilbetrag anzutreiben und für Umkehr der Bewegung zu sorgen. Abb. 212

erläutert, wie dies geschehen kann. G_r und G_l sind die dem Punkt G in Abb. 198 entsprechenden, von Heusinger-Steuerungen angetriebenen Enden der Schieberstangen am rechten und linken Außentriebwerk. Durch die wagrechten, um M_r und M_l drehbaren Hebel wird ihre Bewegung in doppelter Größe auf g_r und g_l übertragen. Deren Bewegung gelangt wieder in halber Größe nach G_m, so daß die Schieberstange des mittleren Triebwerks, wie es nach Abb. 211 sein muß, die Bewegungsanteile von G_r und G_l der Größe nach unverändert, aber in entgegengesetzter Richtung erhält. Diese Anordnung der S. hat bei neuen Dreizylinder-Heißdampflokomotiven der preußischen Staatsbahn Verwendung gefunden.

2. Vierzylinderlokomotiven. Die Zylinder liegen unter der Rauchkammer nebeneinander. Die Außen- und Innenkurbel einer Maschinenseite werden unter 180° gegeneinander versetzt. Selten wird nur je ein Schieber für den Außen- und Innenzylinder einer Maschinenseite angebracht (s. Art. Dampfzylinder, Abb. 232). Die Dampfverteilung läßt sich, wie aus folgendem zu ersehen ist, den Bedürfnissen beider Zylinder besser anpassen, wenn man getrennte Schieber ausführt. Einer möge mit Innen-, einer mit Außeneinströmung arbeiten. Dann sind ihre Bewegungsrichtungen bei 180° Kurbelversetzung in jedem Augenblick gleichgerichtet. Jede Maschinenseite erhält nur eine außen liegende S. In Abb. 213 bedeuten $G_{a1}\,G_{a2}\,G_{a3}$ die verschiedenen Lagen des in Abb. 198 mit G bezeichneten Punktes der Außensteuerung. Dieser Punkt macht also die gleichen Bewegungen wie der Außenschieber. Er ist an Punkt S_{a_1} des Hebels $S_{a1}\,O\,S_{i1}$ angeschlossen. S_{i1} ist an G_{i1}, d. i. die Schieberstange des Innenschiebers angelenkt. Diese Anordnung ist der eines gemeinschaftlichen Schiebers vorzuziehen, weil die Bewegung der beiden Schieber keine genau gleichlaufende sein darf, und diese Forderung bei Ausbildung der Hebelübersetzung durch Versetzung der Hebel um den Winkel $S_{a1}\,O\,S_{i1}$ berücksichtigt werden kann. Auf S. 211 ist nachgewiesen, daß ein Hauptvorzug der Heusinger-Steuerung die nahezu vollständige Beseitigung des Einflusses der endlichen Pleuelstangenlänge wenigstens auf denjenigen Anteil der Schieberbewegung ist, der vom Kreuzkopf abgenommen wird. Dieser Bewegungsanteil rührt vom Ersatzexzenter CE' (Abb. 208) her. Man stelle sich für die folgende Betrachtung daher zunächst die S. in Mittelstellung, den Stein also in der Kulissenmitte vor, so daß nur das der Kurbel gegenüberliegende Ersatzexzenter CE' zur Geltung kommt. Jener Vorzug nun würde für den durch Hebelübersetzung genau gleichlaufend mitangetriebenen Innenschieber verloren gehen. Die Abb. 214 läßt nämlich erkennen, daß bei der Kurbelstellung CK_a der Kolben des Außenzylinders in der Mitte seines Hubes steht, während der Kolben des Innenzylinders schon um CP über die Mitte vorgeschritten ist. Für die Schieber gilt also hinsichtlich des in Rede stehenden Bewegungsanteils die Regel, daß sie zwar gleichzeitig ihre Endlagen einnehmen müssen, denn Außen- und Innenkolben stehen ja

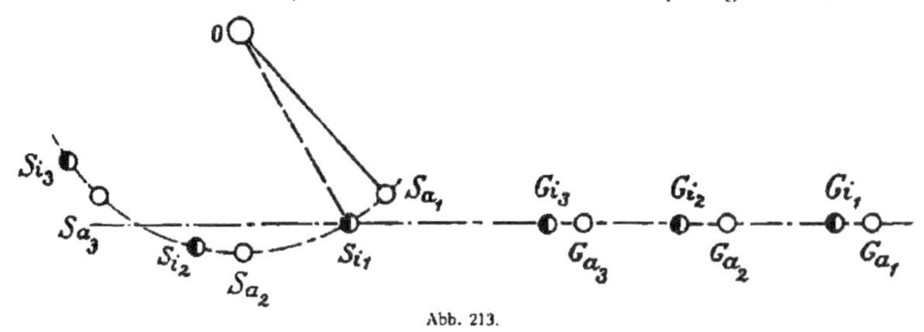

Abb. 213.

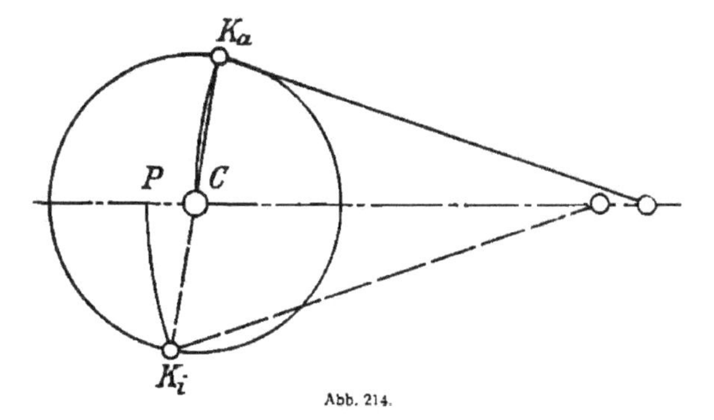

Abb. 214.

gleichzeitig in den Endlagen, daß aber der Innenschieber früher seine Mittelstellung erreichen muß. Dies Ziel kann nun durch die erwähnte Versetzung der Außen- und Innenhebel OS_a und OS_i gegeneinander erreicht werden. Während nämlich S_a, G_a, S_i die gleichen Wege $\overset{\frown}{S_{a1}S_{a2}} = \overset{\frown}{S_{a2}S_{a3}}$, $G_{a1}G_{a2} = G_{a2}G_{a3}$, $\overset{\frown}{S_{i1}S_{i2}} = \overset{\frown}{S_{i2}S_{i3}}$ zurücklegen, erhält der Innenschieber erst den größeren Bewegungsanteil $G_{i1}G_{i2}$, dann den kleineren $G_{i2}G_{i3}$. Steht die S. nicht in Mittelstellung, so dürften freilich auch die Endstellungen der Schieber nicht genau gleichzeitig erfolgen. Der Augenblick des größten Schieberausschlags tritt aber bei den meistbenutzten Füllungen ein, wenn die Kolben noch nicht weit vom Totpunkt entfernt sind, der Einfluß der endlichen Pleuelstangenlänge noch klein ist.

Haben beide Schieber Innen- oder beide Außeneinströmung, so müssen Innen- und Außenhebel OS_{i1} und OS_{a1} einander gegenüber liegen. Sie dürfen aber aus bereits vorgebrachten Gründen nicht einen Winkel von 180°, sondern nur einen kleineren miteinander bilden (s. Art. Lokomotive, Bd. VII, Taf. IV, Abb. 4).

VIII. Die Anordnung der Kulissensteuerungen für Verbundlokomotiven.

Das Diagramm einer Verbundmaschine ist im Art. Dampfarbeit, Bd. III, S. 223, Abb. 156 bis 158 mit den erforderlichen Erläuterungen dargestellt. Die leitenden Gesichtspunkte für den Entwurf der S. sind die folgenden:

a) Während des Kompressionsabschnitts wird vom Kolben des oder der Hochdruckzylinder Dampf von Verbinderspannung zusammengepreßt. Die Anfangsspannung des zusammenzupressenden Dampfes beträgt schon einige *kg/cm²*. Das würde zu unzulässig hohen, die Dampfspannung im Schieberkasten überschreitenden Endspannungen führen. Aus diesem Grund muß der Hochdruckschieber eine negative innere Überdeckung von 8 – 10 *mm* haben. Wenn sich der Schieber, wie in Abb. 184 gezeichnet, in Mittelstellung befindet, so muß er die Kanäle nicht, wie dort gezeichnet, mit einer Breite *i* überdecken, sondern sie beiderseits um den eben angegebenen Betrag öffnen. Der Verlust an Arbeitsfläche, der als Folge dieser Maßnahme durch den frühen Beginn der Vorausströmung entsteht, ist unerheblich. Eine weitergehende Behebung jener Schwierigkeit sucht man durch Kammerschieber zu erreichen (Abschnitt II, Abb. 189).

b) Da der Niederdruckzylinder größere Abmessungen hat, so werden auch die Schieberwege, gleiche Füllung vorausgesetzt, im allgemeinen größere sein als bei dem Hochdruckzylinder. Das bedingt für die Niederdrucksteuerung andere Abmessungen und einen gesonderten Entwurf. Hierbei ist aber Rücksicht darauf zu nehmen, daß Umsteuerung und Einstellung der Füllungen meist durch eine gemeinsame Umsteuerungsvorrichtung erfolgen sollen.

Das in Abb. 158 (Bd. III, S. 223) für die bei Lokomotiven häufig benutzte Spannung von 12 Atm. gezeichnete Verbunddiagramm gewährleistet eine gute Dampfausnutzung. Es ist nämlich der Niederdruckzylinder so groß gewählt, daß der Dampf ungefähr bis auf den Gegendruck abgespannt wird. Ferner liegt die Verbinderspannung, d. h. die Einströmspannung für den Niederdruckzylinder, bei etwa 5 Atm. Die zugehörige Temperatur von 151° liegt ungefähr in der Mitte zwischen der Temperatur des Frischdampfes von 184° bei 11·2 Atm. und der Temperatur des Abdampfes von 111° bei 1·5 Atm. Das Wärmegefälle ist also in beiden Zylindern etwa das gleiche, so daß sich die eigenartigen Vorzüge der Verbundlokomotive in größtmöglichem Umfang einstellen werden. Auch sind die Flächen H' und N' ziemlich gleich; Hoch- und Niederdruckzylinder leisten etwa die gleiche Arbeit und eine Überbeanspruchung des einen oder des andern Gestänges ist nicht zu befürchten; ebensowenig unruhiger Gang infolge verschieden großer Arbeitsleistung auf beiden Maschinenseiten. Dieses günstige Ergebnis ist, wie die Abbildung lehrt, durch ein Zylinderraumverhältnis von 1 : 3 und ungefähr gleiche Füllungen in beiden Zylindern erreicht worden. Auch zeigt die Abbildung, daß zu diesem Zylinderraumverhältnis ungefähr gleiche Füllungen in beiden Zylindern gehören. Nun ist ein solches Zylinderraumverhältnis von 1 : 3 aber bei Lokomotiven, wenigstens bei Zweizylinderverbundlokomotiven im allgemeinen nicht erreichbar, weil es zu große Niederdruckzylinder erfordert. Bei den großen neuzeitlichen Vierzylinderlokomotiven liegt die Sache, falls die Niederdruckzylinder innen zwischen den Rahmen Platz finden sollen, nicht viel besser. Man ist also meist zu einer Verkleinerung des Zylinderraumverhältnisses auf 1 : 2·2 bis 1 : 2·5 gezwungen. Denkt man sich (in Bd. III, Abb. 158) den großen Zylinder und auch das Diagramm etwa um die letzten 3 Teilflächen am rechten Ende des Diagramms verkleinert, so folgt daraus erstens eine Verkleinerung der Arbeitsfläche und ein Steigen der Endspannung um einen nicht sehr erheblichen Betrag, zweitens aber eine wesentliche Zunahme des Füllungsverhältnisses im Niederdruckzylinder. Eine gewisse Vergrößerung der Niederdruckfüllung noch über das

Maß hinaus, das in eben besprochener Weise ermittelt wurde, hat sich als vorteilhaft erwiesen, weil infolgedessen die Verbinderspannung und mit ihr die Kompressionsarbeit des Hochdruckkolbens abnimmt und weil ferner der so entstehende Spannungsabfall zwischen Hochdruckzylinder und Verbinder eine Nachverdampfung niedergeschlagenen Wassers in diesem zur Folge hat. Diese Beweisführung trifft zunächst nur eine gewisse wirtschaftliche Füllung im Hochdruckzylinder von etwa 40%. Würde nur die Forderung maßgebend sein, daß bei Übergang des Dampfes aus dem Hoch- in den Niederdruckzylinder kein Spannungsabfall eintreten solle, so würde zu jeder Vergrößerung der Hochdruckfüllung nur eine sehr mäßige Vergrößerung der Niederdruckfüllung gehören. Die Folge wäre aber rasche Zunahme des Druckes im Verbinder und somit der Kräfte im Niederdrucktriebwerk und des vom Niederdruckzylinder geleisteten Arbeitsanteils sowie des Temperaturgefälles im Niederdruckzylinder. Das letztere würde aber bedeuten, daß die von einer Verbundmaschine erwarteten Vorteile verschwinden würden. Endlich würde infolge der hohen Verbinderspannung im Hochdruckzylinder eine ganz unzulässig hohe Kompressionsarbeit zu großen Arbeitsverlusten führen. Aus allen diesen Gründen muß man zu größeren Hochdruckfüllungen trotz gewisser Verluste durch Spannungsabfall im Verbinder vergrößerte Niederdruckfüllungen zuordnen. Zusammenfassend kann festgestellt werden, daß im allgemeinen bei Verbundlokomotiven die Füllung im Niederdruckzylinder größer als im Hochdruckzylinder und der Füllungsunterschied um so größer sein muß, je mehr das Zylinderraumverhältnis, 12 Atm. Kesselspannung vorausgesetzt, von dem Wert 1:3 abweicht.

1. Die Verbundlokomotiven mit 2 Zylindern. Wie bereits früher erwähnt, ergibt sich die Notwendigkeit eines besonderen Entwurfs für die Niederdrucksteuerung mit größeren Schieberwegen und größerer Höchstfüllung. Man geht etwa bis zu 83%. Man wird im allgemeinen ein größeres Teilungsverhältnis $\frac{n}{m}$ für den Voreilhebel OL (Abb. 198) und eine längere Kulisse, also größere Höchstwerte für u erhalten. Den Exzenterhalbmesser behält man meist bei und wählt statt dessen c kleiner. Hierdurch wird der Kulissenausschlag größer und somit die gleiche Wirkung erzielt, als ob das Exzenter vergrößert wäre. Der Stein in der Kulisse der Niederdruckseite soll von der Mitte aus gerechnet beim Verlegen der S. größere Wege machen als der Stein in der Kulisse der Hochdruckseite, weil erstere Kulisse länger ist und weil beide Steine gleichzeitig in den Endlagen ankommen sollen oder weil, was das gleiche ist, zu jeder Hochdruckfüllung eine größere Niederdruckfüllung gehören soll. Man erreicht das Ziel, indem man den Aufwurfhebel PM (Abb. 198) auf der Niederdruckseite länger ausführt. Bei Verwendung der Kuhnschen Schleife (s. Art. Lokomotive, Taf. I u. Abb. 115) verfährt man in gleicher Weise.

Das zuletzt angegebene Mittel genügt häufig noch nicht, um die Füllungsunterschiede auf Hoch- und Niederdruckseite groß genug zu machen. Um sie für Vorwärtsfahrt zu vergrößern, hat man Vorsorge zu treffen, daß bei Mittelstellung des Steines in der Hochdruckkulisse der Stein in der Niederdruckkulisse bereits um einen gewissen Betrag im Sinne der Vorwärtsfahrt verschoben ist. Man erreicht dies durch Kürzung des Hängeeisens MN oder durch Versetzung der Aufwurfhebel PM auf beiden Maschinenseiten oder durch gleichzeitige Anwendung beider Maßnahmen. Bei Benutzung der Kuhnschen Schleife sind lediglich die Aufwurfhebel auf beiden Seiten gegeneinander zu versetzen. Man kann auf diese Weise für Vorwärtsfahrt jede gewünschte Vergrößerung der Niederdruck- gegenüber den Hochdruckfüllungen erreichen. Für die Rückwärtsfahrt kehren sich die Verhältnisse aber um; der Stein auf der Hochdruckseite verläßt die Kulissenmitte, sobald man die S. im Sinne der Rückwärtsfahrt aus der Mitte verlegt. Der Stein auf der Niederdruckseite hingegen, der ja bei Mittelstellung der S. um eine gewisse Weglänge aus der Kulissenmitte im Sinne der Vorwärtsfahrt verschoben ist, muß erst diese Weglänge zurücklegen, um in die Mitte zu gelangen, und erst bei weiterer Verlegung der S. verschiebt er sich im Sinne der Rückwärtsfahrt. Daraus folgt zweierlei: 1. Nahe der Mittellage der S. gibt es Stellungen, bei denen die Hochdrucksteuerung auf Rückwärtsgang, die Niederdrucksteuerung noch auf Vorwärtsgang steht. Diese Stellungen liegen freilich der Mitte so nahe, daß sie ohnedies nicht in Frage kommen. 2. Bis zu einer gewissen Füllungsgrenze sind bei Rückwärtsfahrt die Füllungen im Hochdruckzylinder größer; erst bei weiterer Umstellung überwiegt der Einfluß des auf der Niederdruckseite längeren Aufwurfhebels oder der genannten ähnlichen Maßnahmen: Der Stein der Niederdruckseite überholt nun gewissermaßen den auf der Hochdruckseite, so daß die Niederdruckfüllungen jenseits einer gewissen Füllungsgrenze wieder größer werden, freilich nie in dem Maß wie auf der Hochdruckseite.

Infolge dieser Umstände können bei Lokomotiven mit versetzten Aufwurfhebeln, verschieden langen Hängeeisen od. dgl., die niedrigen

Füllungsgrade bis etwa zu 60% im Hochdruckzylinder für Rückwärtsfahrt nicht benutzt werden. Ein entsprechender Vermerk wird meist auf der Füllungsteilung am Steuerungsbock eingetragen.

2. Die Verbundlokomotiven mit 3 Zylindern. Die 3 Dampfzylinder erhalten wie bei Zweizylinderverbundlokomotiven je eine S. für sich. Die beiden Außenzylinder arbeiten als Niederdrucktriebwerk. Die Umsteuerung und Einstellung des Füllungsgrades erfolgt von einer gemeinschaftlichen Steuerwelle aus. Gegenüber den Zweizylinderlokomotiven besteht also kein grundsätzlicher Unterschied. Die dort gegebenen Regeln sind sinngemäß auch hier anzuwenden. Bei Besprechung der S. für Dreizylinderlokomotiven mit einfacher Dampfdehnung (Abschnitt VII) ist eine neue Bauart erwähnt (Abb. 212), die es gestattet, mit 2 Steuerungsantrieben für 3 Zylinder auszukommen. Es wird möglich sein, diese Bauweise der Dreizylinder-Verbundlokomotive anzupassen. Ausführungen liegen bis heute nicht vor.

3. Die Verbundlokomotiven mit 4 Zylindern. *A.* Mit je einer besonderen Steuerwelle für das Hoch- und Niederdrucktriebwerk. Zu diesen gehören in erster Linie die Mallet-Rimrott-Lokomotiven mit Triebdrehgestell (s. Art. Lokomotive, Bd. VII, Taf. II, Abb. 9), in gewissem Sinne aber auch andere Vierzylinderlokomotiven, deren Zylinder nicht in einer Querebene der Lokomotive liegen und auf verschiedene Achsen arbeiten (ebenda, Abb. 10 u. 11). Hoch- und Niederdrucktriebwerk solcher Lokomotiven erhalten vollkommen getrennte S. Die Steuerwellen für die Hoch- und Niederdrucksteuerungen werden miteinander gekuppelt. Die sinngemäße Änderung der Entwurfsregeln gegenüber den Zweizylinder-Verbundlokomotiven ergibt sich leicht: Die S. werden getrennt entworfen, die Kupplung der Steuerwellen, Bemessung und Aufteilung der Aufwurfhebel u. s. w. erfolgt so, daß bestimmte Füllungsverhältnisse der Hoch- und Niederdruckzylinder erreicht werden.

Da bei den in Rede stehenden Bauarten für Hoch- und Niederdrucktriebwerk getrennte Steuerwellen ausgeführt werden müssen, so liegt der Gedanke nahe, noch einen Schritt weiter zu gehen und auch die Vorrichtungen zum Umsteuern und zur Einstellung der Füllungen auf dem Führerstand getrennt auszuführen. Man erzielt auf diese Weise den Vorteil, zu jeder Hochdruckfüllung die passende Niederdruckfüllung einstellen zu können. Die Führer sind dann in der Lage, auch für verschiedene Belastungen und Geschwindigkeiten die am besten zusammenpassenden Füllungsverhältnisse durch Versuch festzustellen und zu benutzen. Diese Bauweise ist in Frankreich beliebt. Es ist nur eine Kurbel- und Riegelscheibe vorhanden, wie in Abb. 201, aber 2 Steuerungsschrauben. Auf der hinteren Hälfte der einen ist das Gewinde fortgelassen. Über den verbleibenden zylindrischen Kern ist eine zweite hohle Steuerungsschraube geschoben. Die Handkurbel kann durch eine Klinke mit dieser oder jener gekuppelt werden. In Deutschland und den meisten anderen Ländern scheut man die verwickelte Bauart dieser Anordnung. Auch fürchtet man, daß nicht jeder Führer die zweckmäßigsten Füllungsverhältnisse herausfinden wird, und zieht infolgedessen die weiterhin beschriebenen einfachen Bauarten vor.

B. Vierzylinder-Verbundlokomotiven mit gemeinsamer Steuerwelle für das Hoch- und Niederdrucktriebwerk. Zu diesen gehören in erster Linie alle Vierzylinderlokomotiven, deren Zylinder in einer Querebene der Lokomotive liegen. Man sucht dann mindestens einige Steuerungsteile für beide Steuerungen gemeinschaftlich zu benutzen. Bei der üblichen Bauart vierzylindriger Lokomotiven sind die Triebwerke einer Seite um 180° gegeneinander versetzt. Das würde auch eine gegenläufige Schieberbewegung bedingen. Will man z. B. ein Exzenter zur Betätigung beider S. benutzen, so müßte seine Bewegung auf eine S. mit Umkehr der Bewegungsrichtung übertragen werden. Man vermeidet dies meist, indem man einen Schieber mit innerer, den andern mit äußerer Einströmung ausführt.

Abb. 215 zeigt einen Steuerungsantrieb, bei dem zwar jedes Triebwerk mit einem vom Kreuzkopf angetriebenen Voreilhebel versehen ist, hingegen ist nur ein Exzenter und nur eine Kulisse mit Schieberschubstange, u. zw. für die außen liegende Hochdrucksteuerung vorhanden. Die Schieberschubstange ist in A_a an den Voreilhebel angelenkt, also oberhalb des Punktes G_a, an dem die Schieberstange angreift, weil der Schieber innere Einströmung hat (vgl. Abschnitt III, 2, *A*). Die Bewegung des Punktes A_a wird durch ein Hebelpaar auf Punkt A_i der innen liegenden Niederdrucksteuerung übertragen, der unterhalb G_i liegen muß, weil der Niederdruckschieber Außeneinströmung hat. Die Hebellängen $Q A_a$ und $Q A_i$ können verschieden gewählt werden Dies wirkt ebenso, als ob Innen- und Außensteuerung mit Exzentern von verschieden großer Exzentrizität angetrieben würden. Man wählt ferner die Teilung $\frac{n}{m}$ für die beiden Voreilhebel verschieden groß und kann endlich den Schiebern verschiedene Abmessungen geben.

Man kann jede S. ihrem Zweck gut anpassen. Nur begibt man sich bei dieser Anordnung der Möglichkeiten, die sich bei Besprechung der Zweizylinderlokomotiven durch Versetzung der Aufwurfhebel u. s. w. in Gestalt einer weiteren Vergrößerung der Niederdruckfüllung geboten haben. Man hat es aber verstanden, durch geschickte Benutzung der übrigen Mittel im Niederdruckzylinder etwa 20% größere Füllung als im Hochdruckzylinder herbeizuführen.

Neuerdings geht man sogar noch einen Schritt weiter und führt nur einen Steuerungsantrieb für die beiden Zylinder einer Seite aus. Liegen diese als Außen- und Innenzylinder nebeneinander, so werden Hoch- und Niederdruckschieber entweder in einem Stück ver- demnach nur um 2–4 *mm* handeln. Man erreicht dann für 40% Füllung im Hochdruckzylinder nur etwa 46% im Niederdruckzylinder. Man sollte bei Benutzung dieses Verfahrens auf ein möglichst großes Zylinderraumverhältnis hinarbeiten. Selten ist eine Ausführung der Vierzylinder-Verbundlokomotiven, bei der auf der einen Seite innen und außen nebeneinander die Hochdruckzylinder, auf der andern die Niederdruckzylinder liegen. Man kann mit nur 2 S. allen Anforderungen gerecht werden, indem man eine als Hochdruck-, die andere als Niederdrucksteuerung ausführt. Die Regeln sind die gleichen wie für Zweizylinder-Verbundlokomotiven. Sind für jedes Zylinderpaar 2 Schieber vorgesehen, so ist das im Abschnitt VII, 2, Gesagte zu beachten. Die Bauart, u. zw.

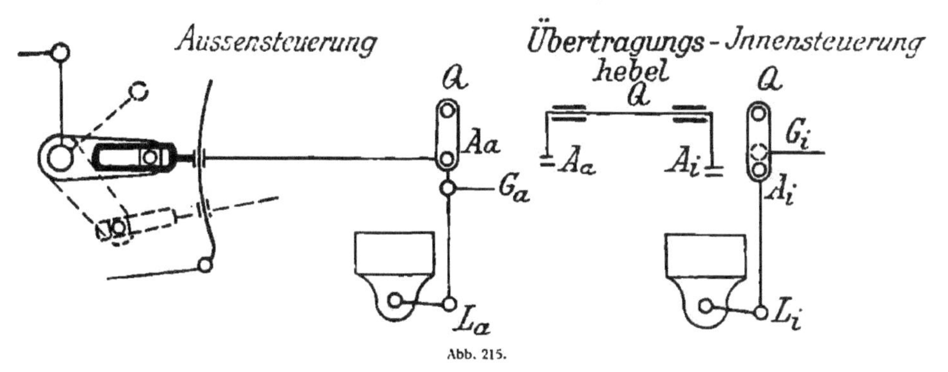

Abb. 215.

einigt (s. Art. Dampfzylinder, Bd. III, Abb. 232) oder man überträgt die Bewegung von der außen liegenden S. durch einen Hebel auf den innen liegenden Schieber, während der außen liegende unmittelbar angetrieben wird. Letztgenannte Anordnung ist vorzuziehen, weil sie bei Ausbildung nach Abb. 213 gestattet, den Einfluß der endlichen Triebstangenlänge auch für die mittelbar angetriebene S. des um 180° versetzten Triebwerks zum größten Teil zu beseitigen (vgl. Abschnitt VII, 2). Liegen die Zylinder hintereinander, so sind beide Schieber auf einer gemeinschaftlichen Schieberstange befestigt. Liegen die Zylinder endlich nach der Anordnung Vauclain übereinander, so sind Hoch- und Niederdruckschieber in einem Stück vereinigt. Bei allen diesen Anordnungen kann man verschiedene Füllungen nur durch Verschiedenheit der Schieberabmessungen erzielen. Die Betrachtung der Abb. 186 lehrt, daß durch Verkleinerung der äußeren Überdeckung die Füllung vergrößert wird. Das lineare Voreilen wird aber um jene Verkleinerung der Überdeckung größer. Es darf sich mit nur einem Schieber findet sich bei den 5/5 gekuppelten Vierzylinder-Verbundlokomotiven der italienischen Staatsbahn, einschließlich der S. beschrieben in der Ztschr. dt. Ing. 1911, S. 928 und in Railw. Eng. 1910, S. 23 ff. (s. auch Art. Lokomotive, Bd. VII, Taf. IV, Abb. 7). Die beiden S. können bei diesen Lokomotiven getrennt eingestellt werden. Man hätte wohl ohne dieses Mittel auskommen können, selbst wenn man bei der als Tenderlokomotive anzusprechenden Bauart gleich gute Dampfverteilung bei Vor- und Rückwärtsfahrt verlangte.

IX. Die Ventilsteuerungen.

Das Bestreben, die Schieber durch Ventile zu ersetzen, erklärt sich aus ähnlichen Gründen wie bei den ortsfesten Maschinen. Die Bewegung der Ventile läßt sich leicht so einrichten, daß sie schnell öffnen und schließen. Die Drosselungsverluste werden geringer, die Diagramme voller. Man erhofft ferner von den Ventilen bessere Dampfdichtigkeit an den Dichtungsflächen, den Ventilsitzen, weil diese nicht, wie die Schieberspiegel, einer Abnutzung durch Reibung unterworfen sind. Aus dem gleichen Grund darf man eine Verminderung der Ausbesserungskosten, wie sie bei Schiebersteuerungen durch Nacharbeiten an Schiebern

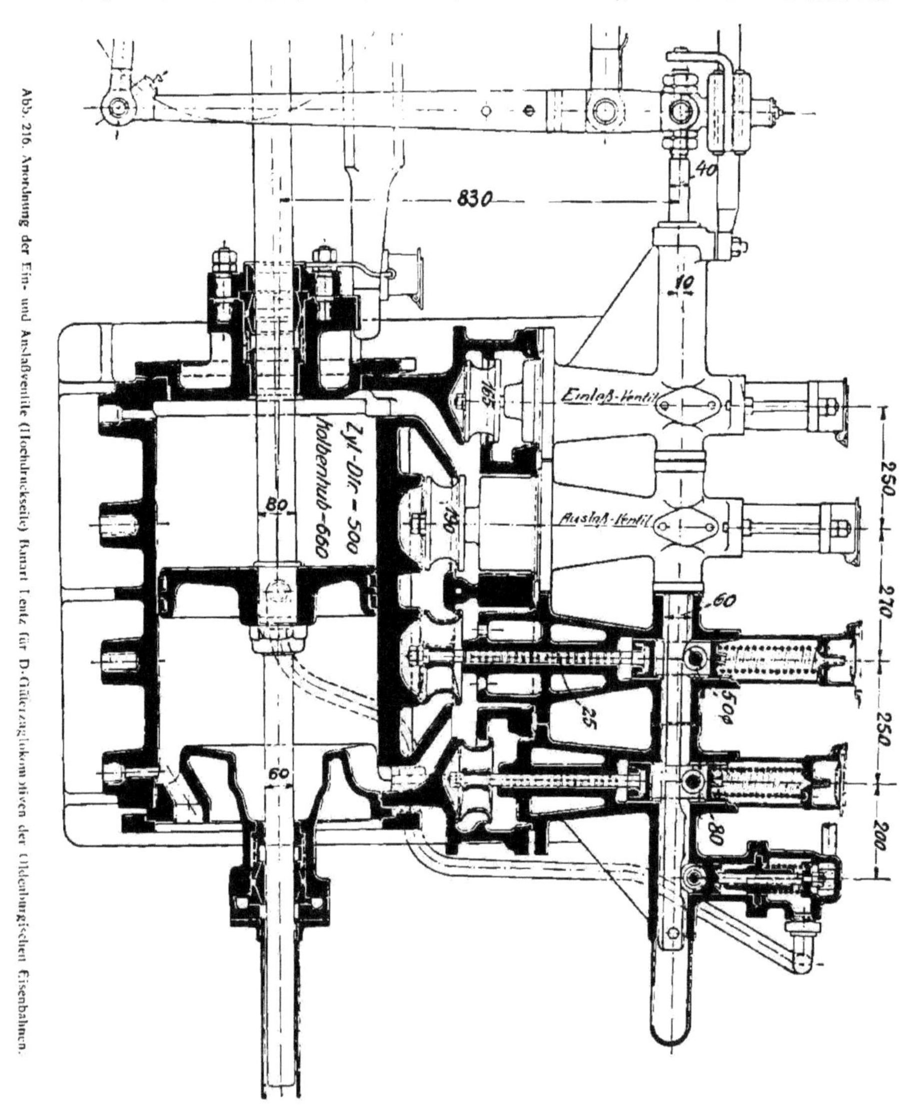

Abb. 216. Anordnung der Ein- und Auslaßventile (Hochdruckseite) Bauart Lentz für D-Güterzuglokomotiven der Oldenburgischen Eisenbahnen.

und Schieberspiegeln entstehen, erwarten. Bei ortsfesten Maschinen trennt man Ein- und Auslaßventile und die zu ihnen führenden Kanäle meist vollständig. Der Frischdampf durchströmt nicht den eben vom Abdampf durchflossenen Kanal und ist nicht den hierdurch verursachten Abkühlungsverlusten ausgesetzt. Eine solche Trennung ist bei Lokomotiven aus räumlichen Gründen im allgemeinen nicht durchführbar.

Abb. 216 zeigt eine von der Hannoverschen Maschinenbau-Aktiengesellschaft ausgeführte Ventilsteuerung Bauart Lentz.

Sie ist bei D-Güterzug-Verbundlokomotiven ausgeführt, die 1912 für die oldenburgische

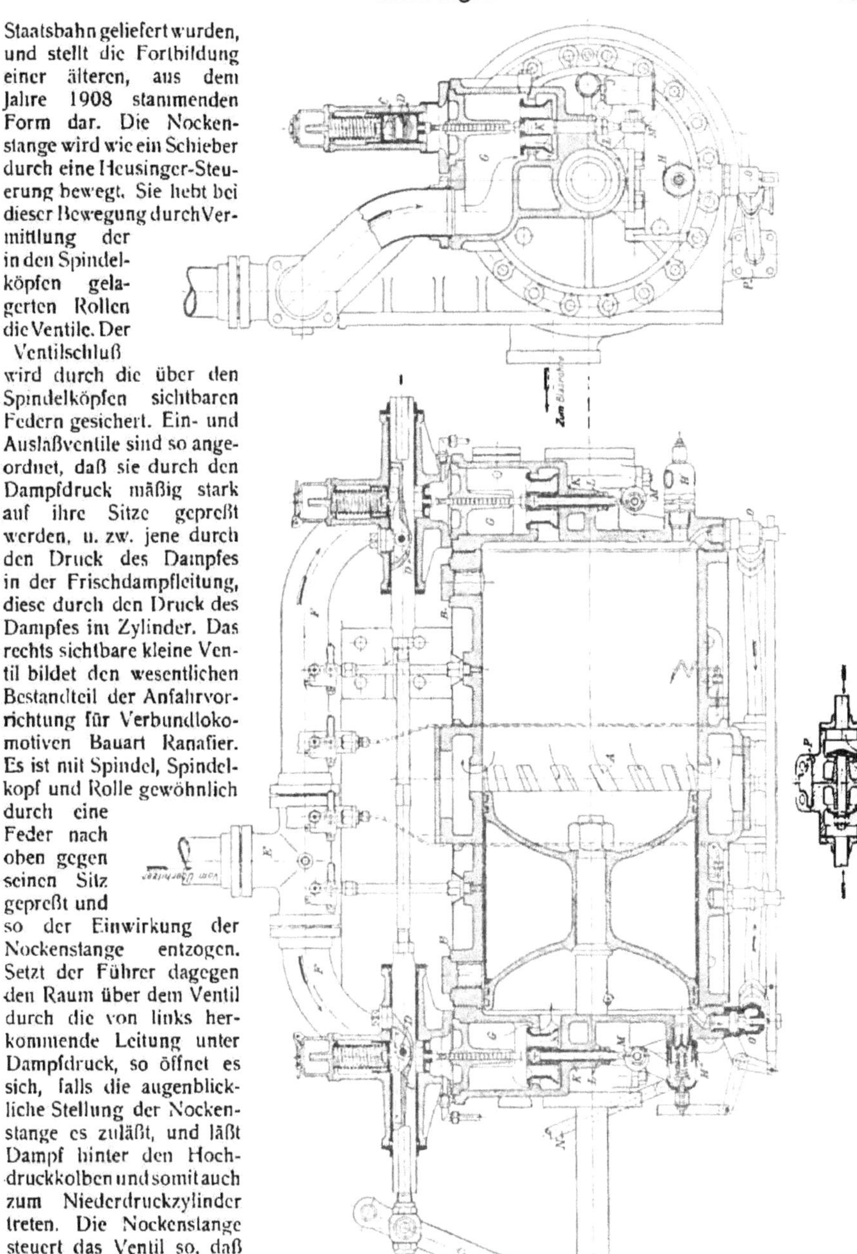

Staatsbahn geliefert wurden, und stellt die Fortbildung einer älteren, aus dem Jahre 1908 stammenden Form dar. Die Nockenstange wird wie ein Schieber durch eine Heusinger-Steuerung bewegt. Sie hebt bei dieser Bewegung durch Vermittlung der in den Spindelköpfen gelagerten Rollen die Ventile. Der Ventilschluß wird durch die über den Spindelköpfen sichtbaren Federn gesichert. Ein- und Auslaßventile sind so angeordnet, daß sie durch den Dampfdruck mäßig stark auf ihre Sitze gepreßt werden, u. zw. jene durch den Druck des Dampfes in der Frischdampfleitung, diese durch den Druck des Dampfes im Zylinder. Das rechts sichtbare kleine Ventil bildet den wesentlichen Bestandteil der Anfahrvorrichtung für Verbundlokomotiven Bauart Ranafier. Es ist mit Spindel, Spindelkopf und Rolle gewöhnlich durch eine Feder nach oben gegen seinen Sitz gepreßt und so der Einwirkung der Nockenstange entzogen. Setzt der Führer dagegen den Raum über dem Ventil durch die von links herkommende Leitung unter Dampfdruck, so öffnet es sich, falls die augenblickliche Stellung der Nockenstange es zuläßt, und läßt Dampf hinter den Hochdruckkolben und somit auch zum Niederdruckzylinder treten. Die Nockenstange steuert das Ventil so, daß Dampf nur in den Hochdruckzylinder strömt, wenn der Niederdruckkolben am Hub steht, nicht aber dann, wenn er nahe am Totpunkt steht. Im letzteren Fall würde der Hilfsdampf nur einen schädlichen Gegendruck auf den Hochdruckkolben hervorrufen. In gewissen Kurbelstellungen muß der Führer durch eine weitere Hilfsleitung dem Niederdruckzylinder unmittelbar Frischdampf zuführen.

X. Die Gleichstromlokomotiven.

Bei den Ventilsteuerungen in der für Lokomotiven möglichen Ausführungsform bleibt, wie eben gezeigt, der Übelstand bestehen, daß die Kanäle abwechselnd vom Frischdampf und vom Abdampf durchflossen werden. Bei der Gleichstrommaschine Bauart Stumpf (Abb. 217) ist nur ein Ventilpaar für die Dampfeinströmung vorhanden. Der Abdampf verläßt den

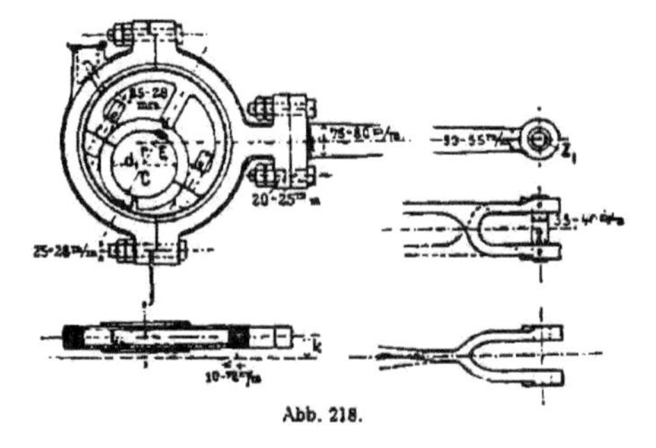

Abb. 218.

Zylinder durch die vom Kolben gegen Ende seines Hubes in der Zylindermitte freigelegten Auslaßschlitze. Der Kolben muß, um diese Aufgabe für Hin- und Rückgang ausführen zu können, eine gewisse Länge erhalten. Der Vorteil der Anordnung liegt nicht nur in dem Fernhalten des Abdampfes von den Einströmungskanälen, sondern auch in der Richtung des Dampfstroms im Zylinder selbst. Befindet sich der Kolben nur wenig vom Hubende entfernt, so steht der Dampf noch unter hoher Spannung und Temperatur, also nehmen auch die Wandungsteile an dieser Stelle eine höhere Temperatur an als die in der Nähe der Schlitze, denn diese werden vom Kolben erst dann freigelegt, wenn der Dampf infolge der Dehnung nur noch geringe Temperatur hat. Diese Teile der Zylinderwandung kommen niemals mit Dampf von hoher Temperatur in Berührung. Vorteilhaft ist nun, daß die ganze Menge des abgekühlten Dampfes nach Öffnung der Auslaßschlitze nur über diese kalten Wandungsteile hinwegstreicht und so wenig Gelegenheit hat, den heißen Wärme zu entziehen. Vorteilhaft ist auch der Fortfall besonderer, den Auslaß steuernde Teile. Nachteilig dagegen ist, daß die Kompression unveränderlich früh beginnt, u. zw. um ebensoviel Prozente des Kolbenhubs nach Verlassen des Totpunktes, als die Vorausströmung vor Erreichung des Totpunktes beginnt. Dieser Übelstand ist beim Anfahren besonders lästig, weil er die Widerstände im ungeeignetsten Zeitpunkt erhöht. Nachteilig ist auch das wegen der großen Zylinderlänge vergrößerte Zylindergewicht und die ebendarum vergrößerten Abkühlungsflächen.

Der Dampfeinlaß kann bei der Gleichstrombauart auch durch Kolbenschieber erfolgen. Man hat in diesem Fall neuerdings die Anordnung so gewählt, daß die Kolbenschieber auch einen Teil des Abdampfes steuern. Hierdurch wird der soeben behandelte Nachteil der großen Kompression behoben, aber auch der Grundgedanke des Gleichstroms durchbrochen.

XI. Die Drehschiebersteuerungen.

Sie sind aus ähnlichen Erwägungen wie die Ventilsteuerungen entstanden und gestatten außerdem eine Verkleinerung des schädlichen Raumes bis auf 4%. Im Art. Dampfzylinder, Bd. III, Abb. 230, 231 ist ein Dampfzylinder mit Drehschiebern für eine ortsfeste Maschine dargestellt. Als Lokomotivsteuerung ist eine Drehschiebersteuerung Bauart Durant-Lencauchez auf der Orléansbahn eingeführt worden. Die Einströmungsschieber liegen oberhalb, die Ausströmungsschieber unterhalb des Zylinders. Der Antrieb erfolgt durch eine Kulissensteuerung Bauart Gooch, später Stephenson. Weitere Verbreitung haben diese und ähnliche S. nicht gefunden.

XII. Die Ausführung der Einzelteile.

Exzenter verwendet man meist nur für Innensteuerungen. In der Regel wird die eine Ringhälfte mit der Exzenterstange aus einem Stück ausgeführt (s. Art. Lokomotive, Taf. II, Abb. 3 u. Taf. III, Abb. 1), seltener die letztere durch Verschraubung mit dem Ring befestigt (Abb. 218). Die gleitenden Flächen zwischen Scheibe und Ring werden in Weißguß oder Rotmetall ausgeführt. Wird eine S. mit 2 Exzentern als Außensteuerung ausgeführt, so werden die beiden Scheiben in der Regel als ein Stück gegossen (Abb. 219). Diese Exzenter werden auf eine Gegenkurbel, seltener – bei Außenrahmen – auf den Hals der Triebkurbel gesetzt. Bei der fast stets außen liegenden Heusinger-Steuerung ersetzt man das Exzenter durch ein einfaches Stangenlager. Die Stangen mit Ausnahme der Schieberstange erhalten rechteckigen Querschnitt; alle Stangen werden aus Flußstahl von 50 – 60 *kg* Festigkeit und

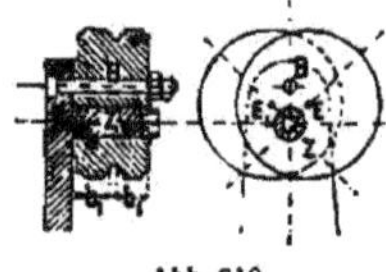

Abb. 219.

20% Dehnung, die mit dem Schieberrahmen aus einem Stück gefertigten Schieberstangen aus Flußeisen von 34 – 41 *kg* Festigkeit und 25% Dehnung ausgeführt. In alle Bolzenlöcher werden Büchsen aus Phosphorbronze oder im Einsatz gehärtete Stahlbüchsen eingepreßt. Auch die Bolzen werden im Einsatz gehärtet. Bolzen und Büchsen werden auf Maß geschliffen. Die Bolzen sollen nicht durch Nasen od. dgl. an der Drehung verhindert werden, weil sie sich sonst einseitig abnutzen. Die Kulissen, auch Schwingen oder Schleifbogen genannt, werden aus Flußeisen von 31 – 41 *kg* Festigkeit und 25% Dehnung hergestellt und an den Gleitflächen des Steines sowie den Zapfen im Einsatz gehärtet. Man unterscheidet Schlitzkulissen (Abb. 195, 197, 220), Taschenkulissen (Abb. 196, 198) und Klotzkulissen (Abb. 221). Die Kulissensteine werden aus Stahl angefertigt. Jede S. muß die Möglichkeit zur Regulierung der Schieberstellung gewähren. Bei der Heusinger-Steuerung ist diese Vorrichtung an der Gradführung *G* der Schieberstange angebracht (Abb. 198). Um das Umsteuern zu erleichtern, werden die zu hebenden Gestängegewichte durch ein Gewicht oder eine Feder (Abb. 198) ausgeglichen.

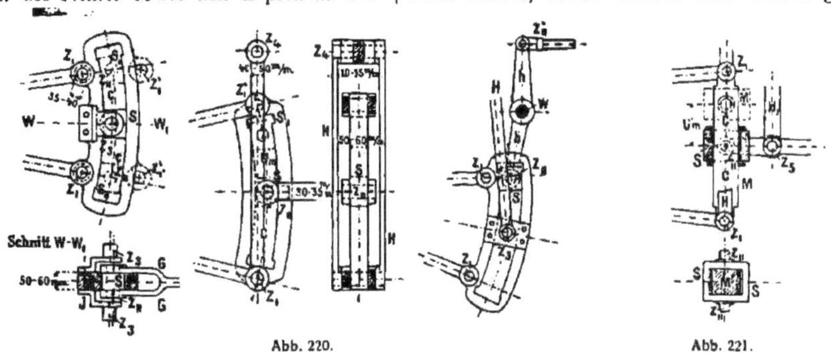

Abb. 220.

Abb. 221.

Literatur. Außer den im Art. Dampfschieber, Bd. III und Lokomotive, Bd. VII genannten Quellen: Westrén-Doll, Berechnung und graphische Ermittlung der Heusinger-Steuerung für Lokomotiven. Glasers Ann. 1910, II, S. 89. – Obergethmann, Die Dreizylinderlokomotive und ihre Steuerung. Ebenda 1914, II, S. 25. – Die Ventillokomotiven der Großherzoglichen Eisenbahndirektion Oldenburg. Hanomag-Nachrichten 1915, S. 80. *Jahn.*

Stichbahnen s. Kolonialbahnen.

Stiftungen für Eisenbahnbedienstete, durch freiwillige Liebestätigkeit geschaffene Fonds, aus deren Erträgnissen die Unterstützung und Pflege hilfsbedürftiger Eisenbahnbediensteter sowie ihrer Familienangehörigen, von Witwen nnd Waisen, die Gewährung von Stipendien für Ausstattungen, die Erhaltung von Erholungs- und Erziehungsheimen u. s. w. erfolgt.

In Österreich ist in erster Linie der österreichische Eisenbahnunterstützungsfonds zu erwähnen (1875 gegründet und von einem Kuratorium verwaltet). Die Zinsen werden alljährlich an hilfsbedürftige, dienstuntauglich gewordene Bedienstete österreichischer Bahnen, die keine Ruhegenüsse beziehen, sowie an ihre Witwen und Waisen verteilt.

Zu nennen ist ferner der Jubiläumsfonds, der anläßlich des 50jährigen Jubiläums der Kaiser-Ferdinands-Nordbahn zur Unterstützung ihrer Diener, deren Witwen und Waisen gegründet wurde (Gründungsfonds 400.000 K); die Schönerer-Stiftung zur Unterstützung nichtaktiver Eisenbahnbediensteter, die auf den österreichischen Linien der Südbahn, der vormaligen Kaiser-Franz-Josefs-Bahn und Kaiserin-Elisabeth-Bahn zur Zeit ihres Ausscheidens in Dienst gestanden haben; die Kaiser-Jubiläumsstiftung für Kinder von Bediensteten der österreichischen Staatsbahnen (Vermögen etwa 430.000 K), die bisher aus ihren Mitteln die Kosten der Entsendung der rekonvaleszenten Kinder in Erholungsheime bestritten hat u. s. w.

Zu nennen sind ferner das Kaiser-Franz-Josef-Jubiläums-Kinderasyl in Feldsberg (Stiftung der verstaatlichten Kaiser-Ferdinands-Nordbahn), die Czediksche Heiratsausstattungsstiftung für Töchter von Bediensteten der österreichischen Staatbahnen, die Czediksche Stiftung für Eisenbahninvaliden, die Kurstipendienstiftung des Österreichischen Eisenbahnbeamtenvereins u. s. w. Der anfangs 1917 verstorbene Ministerialrat v. Bram, Generalbetriebsdirektor der ungarischen Linien der Südbahn, hat den Betrag von 1,000.000 K für eine S. zu gunsten von Bediensteten der Südbahn hinterlassen.

In Preußen ist die im Jahre 1902 gegründete S. „Eisenbahntöchterhort“ zu nennen (vgl. Bd. VIII, S. 334).

Vgl. auch Art. Beamtenvereine.

In Amerika ist insbesondere das durch eine großartige Stiftung des Eisenbahnkönigs Cornelius Vanderbilt geschaffene, 1887 eröffnete Heimatshaus in New-York zu erwähnen (Railroad Mens Building). Es umfaßt Gesellschafts-, Lese-, Musikzimmer, einen Saal für Vorlesungen, Bibliothek, Turnsäle, Bäder, Frühstücksräume, Schlafzimmer für Beamte, die sich vorübergehend in New-York aufhalten, u. s. w.

Stirnverladerampen s. Laderampen.

Stock, auch Capital-Stock (einer Eisenbahn), ist die englisch-amerikanische Bezeichnung für das Aktienkapital. Der S. wird eingeteilt in Shares (Aktien). Der Besitzer einer Share hat das Recht auf einen entsprechenden Anteil an den Reinerträgen des Unternehmens, sofern solche herausgewirtschaftet sind. Die Gesamtheit der Aktionäre (stockholders) bildet die Vertretung der Gesellschaft. Bei Beschlüssen gilt in den Vereinigten Staaten von Amerika als Regel, daß jede Aktie eine Stimme hat. Um die Verwaltung einer Bahn in die Hand zu bekommen, genügt also eine Aktie über die Hälfte.

Man unterscheidet in den Vereinigten Staaten von Amerika: Common stock und preferred oder guaranteed stock. Der letztere hat einen Vorzugsanspruch auf Dividende bis zu einer gewissen Höhe vor dem ersteren, entspricht also im wesentlichen dem deutschen Stammprioritätskapital. Es gilt als Regel, daß Vorzugsdividenden für die Jahre, in denen überhaupt keine oder ungenügende Reinerträge erzielt sind, aus den Erträgen späterer Jahre voll nachbezahlt werden müssen, bevor die Besitzer des Stammaktienkapitals (ordinary stockholders) irgend einen Anspruch auf Dividende haben (s. Rorer, The law of Railways, Kap. III, Bd. I, S. 93 ff.). *v. der Leyen.*

Stocklaterne (Schlußlaterne) s. Zugsignale.

Stockmann (Signalmann) s. Zugpersonal.

Stockton - Darlington - Eisenbahn, die erste dem öffentlichen Verkehr übergebene Eisenbahn Englands und der Erde überhaupt, konzessioniert vom 19. April 1821, eröffnet am 27. September 1825.

Sie war gleichzeitig auch die erste Bahn, auf der die Lokomotive in die Dienste des öffentlichen Verkehrs gestellt wurde (s. Lokomotive).

Auf Grund der von Stephenson gemachten Erfahrungen suchte Pease, der Gründer der S., um die Erlaubnis an, Dampfmaschinen verwenden zu dürfen. Diese wurde ihm auch erteilt, jedoch beschränkte sich anfänglich der Lokomotivbetrieb nur auf die Güterbeförderung, wogegen die Personenbeförderung noch weiterhin durch Pferde erfolgte.

Die S. erhielt die Spurweite 4' 8½" engl. (= 1·435 *m*), welches Maß später zur Regelspur wurde (s. Spurweite).

1863 ging die S., die bis Middleborough und Saltburn by the Sea fortgesetzt worden war, durch Fusion an die North Eastern-Eisenbahn (s. d.) über.

Stock-(Stutz-)Gleise s. Stumpfgleis.

Stockschiene s. Backenschiene.

Störende Lokomotivbewegungen, auch schädliche Lokomotivbewegungen oder Nebenbewegungen genannt, sind alle Bewegungen, die von der Hauptbewegung in der Fahrrichtung abweichen. Sie unterscheiden sich nach der Art der Bewegung in

I. S. der Gesamtmasse (einschließlich der ungefederten Rädersätze). Hierzu gehören:

a) Das Schlingern ist ein wechselweises seitliches Ausweichen des Gesamtschwerpunktes aus der Gleismitte, wobei die Lokomotivlängs-

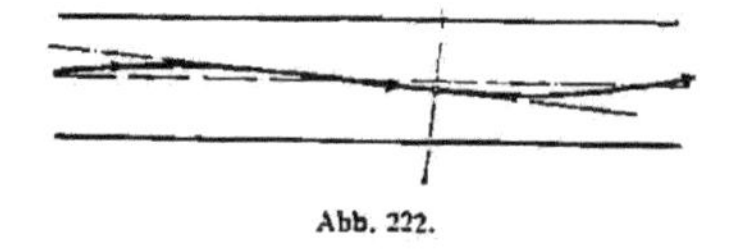

Abb. 222.

achse (s. Abb. 222) gleichzeitig nach rechts und links von der Fahrrichtung ausweicht.

Diese S. ist durch das Spiel ermöglicht, das in gerader Strecke und bei richtiger Lage und Form von Schiene und Rad mindestens 10 *mm*, bei ungünstigen Verhältnissen und äußerster Abnutzung aber bis 35 *mm* beträgt. Das Schlingern erfolgt gewöhnlich in größeren wiederkehrenden Zeiträumen sich verstärkend und wieder abnehmend. Es fällt mit der Umdrehungszahl gewöhnlich nicht zusammen. Das Schlingern tritt an allen Fahrzeugen auf. Es ist unter den S. die gefährlichste.

b) Das Zucken ist eine Änderung des Gesamtschwerpunktes in der Fahrrichtung in Abhängigkeit von der Umdrehungszahl der Triebachse. Es tritt hierbei bei jeder Triebachsumdrehung Beschleunigung und Verzögerung ein. Sind Lokomotive und Tender mit einer starren Kuppelung verbunden, so kommt für das Zucken der gemeinsame Schwerpunkt beider Fahrzeuge in Betracht.

c) Das Drehen ist eine S. um die unverändert fortschreitende lotrechte Schwerpunktachse der Lokomotive (Abb. 223). Das Drehen hat einige Ähnlichkeit mit dem Schlingern, fällt jedoch stets mit der Umdrehungszahl der Triebachse zusammen und kann dadurch leicht erkannt werden. Mitunter wird Schlingern und Drehen als gemeinsame S. aufgefaßt.

II. S. der abgefederten Lokomotivmasse. Diese sind hauptsächlich:

d) Das Wanken ist eine S. um die durch den Schwerpunkt gehende Längsachse. Es ist

Abb. 223.

durch wechselseitiges Spiel der Tragfedern an der rechten und linken Lokomotivseite ermöglicht (Abb. 224).

e) Das Stampfen (auch Nicken) ist eine Drehbewegung um die wagrechte, durch den

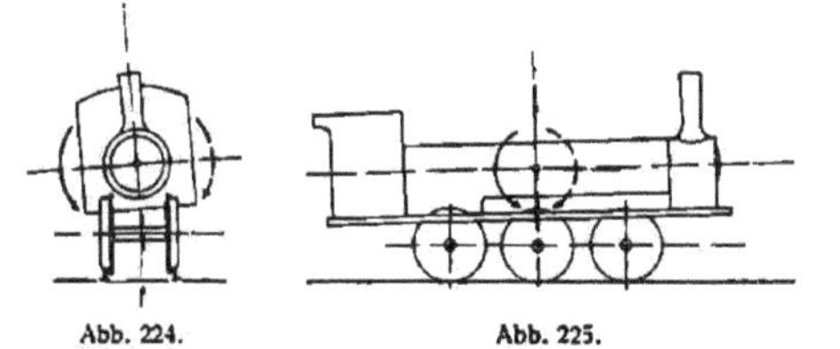

Abb. 224. Abb. 225.

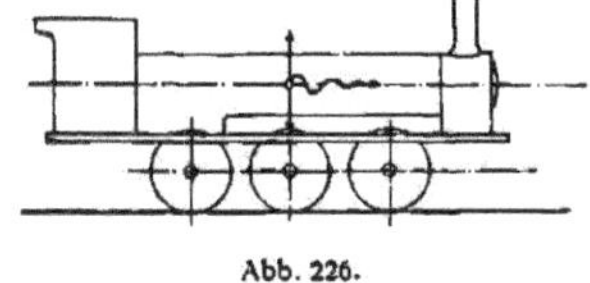

Abb. 226.

Schwerpunkt gehende Querachse. Es geht bei abwechselndem Zusammendrücken der Tragfedern an den vorderen und rückwärtigen Lokomotivachsen vor sich (Abb. 225).

f) Mit Wogen wird die lotrechte Bewegung des Schwerpunktes der abgefederten Lokomotivmasse bezeichnet. Hierbei spielen sämtliche Lokomotivtragfedern im gleichen Sinn (Abb. 226).

Da viele dieser S. gewöhnlich gleichzeitig auftreten, jede besonders sich verstärken oder verschwächen kann, so ist die einzelne S. nicht immer deutlich zu erkennen. Mitunter erscheint je nach der Bauart der Lokomotive, der Güte des Oberbaues und der zufälligen Fahrgeschwindigkeit eine oder die andere S. besonders ausgeprägt. Um sie genauer zu untersuchen und an verschiedenen Lokomotivbauarten zu vergleichen, sind besondere Meßvorrichtungen, sog. Pallographen erforderlich.

Die S. unterscheiden sich hinsichtlich der Ursache in folgende Gruppen:

1. S. hervorgerufen durch den Oberbau. Hierbei sind hauptsächlich wagrechte und lotrechte Störungen zu unterscheiden. Die wagrechten Störungen sind einerseits durch einen großen Spielraum zwischen Spurkranz und Schiene verursacht. Auch bei vollkommener Lage der Schienen im geraden Gleis wird bei großem Spielraum ein Schlingern des Fahrzeugs eintreten, das allerdings auch durch die Eigenheiten des Fahrzeugs mitbeeinflußt sein wird. Es werden ferner durch eine unregelmäßige Lage des Gleises in der Fahrrichtung noch besondere Störungen auftreten. Das Schlingern kann hierdurch verstärkt, aber auch verschwächt werden. Gewöhnlich ergeben erhebliche Abweichungen in der Gleisrichtung Seitenstöße, denen heftige Schlingerbewegungen folgen. Diese Art der S. ist die gefährlichste unter allen und häufig die Ursache von Entgleisungen. Als Maß für die mögliche Größe des Schlingerns eines Fahrzeugs wird gewöhnlich die trigonometrische Tangente des größtmöglichen Schlingerwinkels bei Spießeckstellung des Fahrzeugs in der geraden Strecke unter Ausnutzung des ganzen Spieles zwischen Spurkranz und Schiene angesehen. Die Tangente des Schlingerwinkels α erhält man (s. Abb. 227) durch den Bruch

$$\frac{\text{Gesamtspiel zwischen Rad und Schiene}}{\text{Geführte Länge der Lokomotive}}.$$

Hierbei ist unter geführter Länge der für die Einstellung des Fahrzeugs maßgebende Radstand zu verstehen. Für das Gesamtspiel ist bei Fahrzeugen für Regelspurbahnen mit Rücksicht auf die von den T.V. gestattete größte Spurweite von 1445 *mm* und bei ganz abgenutzten Spur-

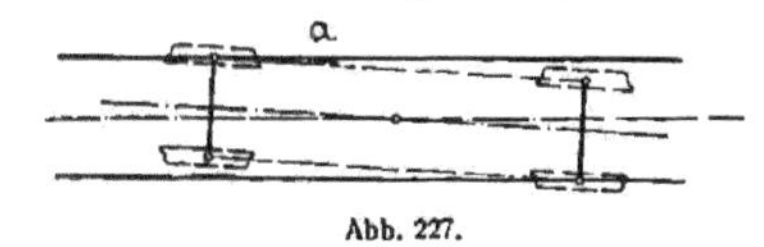

Abb. 227.

kränzen das Maß von 35 *mm* zu wählen. Die Tangente des größten Schlingerwinkels an Lokomotiven beträgt zwischen $^1/_{200}$ bis $^1/_{80}$. Für rasch fahrende Lokomotiven sind die kleineren Werte anzustreben.

Bei der Fahrt durch gut liegende Gleisbogen ist das Schlingern durch den Führungsdruck der führenden Spurkränze an der Außenschiene gemildert oder oft ganz aufgehoben. Es kann aber auch in Gleisbögen bei unregelmäßiger Lage der Schienen zu kurzen gefährlichen Schlingerbewegungen kommen.

S. werden ferner durch lotrechte Abweichungen der Gleislage erzeugt. Je nach deren Verteilung auf beide Schienenstränge und deren Wiederkehr können dadurch verschiedenartige S. erzeugt werden. Da mit Rücksicht auf die Nachgiebigkeit des Oberbaues ein Einsinken der Räder bei der Fahrt über die Schienen unvermeidlich ist, die Größe des Einsinkens jedoch nicht überall gleich ist, so muß fortgesetzt ein lotrechtes Spielen der Räder gegen die abgefederte Lokomotivmasse stattfinden, diese selbst aber auch schädliche Bewegungen vollführen. Kehren stärkere Einsenkungen in der Gleislage regelmäßig wieder, so z. B. an den Schienenstößen, dann wird unter Umständen ein mehr oder weniger starkes Stampfen der Lokomotive auftreten. Durch die Eigenheiten der Lokomotive, hauptsächlich aber durch die Größe des maßgebenden Radstands zur Schienenlänge kann das Stampfen noch wesentlich beeinflußt werden. Je nach der Folge der Einsenkungen im Gleis kann auch ein Wanken, Stampfen oder Wogen der Lokomotive eintreten. Diese S. werden jedoch durch örtliche Stellen von starker Nachgiebigkeit im Oberbau eingeleitet und setzen sich durch die elastische Nachwirkung der Tragfedern nur kurze Zeit fort. Diese Art der S. ist daher von jenen, die durch die Wirkungen im Triebwerk hervorgerufen wurden, leicht zu unterscheiden, da letztere in Abhängigkeit von den Triebachsumdrehungen in gleicher Stärke andauern.

2. S. hervorgerufen durch die Lokomotive, als Fahrzeug betrachtet, ohne Rücksicht auf die Einflüsse des Triebwerks. Durch die Bauart des Fahrzeugs, durch die Größe des Radstands, die Lage und Führung der Achsen, durch die Nachgiebigkeit und Schwingungszeit der Tragfedern, durch die Höhe des Schwerpunktes der abgefederten Masse des Fahrzeugs u. s. w. wird die Gangart auch bei unverändertem Zustand des Oberbaues beeinflußt. Wie bereits hervorgehoben, wird ein großer fester Radstand und eine große geführte Länge das Schlingern stets stark vermindern, da der mögliche Schlingerwinkel kleiner ausfällt. Ein Seitenspiel der Achsen, wie etwa bei Lenkachswagen, begünstigt das Schlingern, wenn nicht durch kräftige Rückstellvorrichtungen entgegengewirkt wird. Weit vorgeschobene Laufachsen mildern das Schlingern außerordentlich. Da solche Achsen mit sehr großem Hebelarm an der Gesamtlokomotivmasse wirken, so können in diesem Fall besonders starke Rückstellvorrichtungen unter Umständen entfallen. Besonders günstige Wirkung besitzen zweiachsige Drehgestelle. Diese nehmen an den Schlingerbewegungen der Hauptmasse des Fahrzeugs wegen der gelenkigen Verbindung keinen wesentlichen Anteil. Sie besitzen zwar durch ihren geringen Radstand selbst eine Neigung zum Schlingern. Wegen der geringen Masse nimmt dieses jedoch selten ein bedenkliches Maß an, und eine Übertragung der Schlingerbewegungen vom Drehgestell auf die Hauptmasse des Fahrzeugs bleibt gewöhnlich in sehr engen Grenzen. Auf diese Erscheinungen ist hauptsächlich der gute Lauf der Drehgestellwagen zurückzuführen. Aus denselben Gründen wird das 2achsige führende Drehgestell auch an rasch fahrenden Lokomotiven allgemein bevorzugt. Nicht unbeachtet darf bleiben, daß Lokomotivbauarten, bei denen die Spurkränze mehrerer Achsen gleichzeitig an derselben Lokomotivseite an die Schienen zum Anliegen kommen, beim Schlingern den Oberbau weit weniger beanspruchen, als wenn nur ein Spurkranz die ganze abweisende Kraft der Schiene zu übernehmen hat. Verschiebbare Lauf- und Kuppelachsen erweisen sich hierbei ebenso vorteilhaft wie Drehgestelle. Deichselgestelle, die geschoben werden, neigen stark zum Schlingern. Solche Gestelle werden daher meist so ausgeführt, daß das Drehgestell durch eine besondere Vorrichtung gezogen wird und die Deichsel nur zum Lenken dient. An Lokomotiven ist die Wirkung der Schlingerbewegungen noch von der Größe der überhängenden Massen abhängig. Durch letztere ist das Trägheitsmoment der Lokomotive in bezug auf die lotrechte Schwerpunktachse beeinflußt. Der führende Spurkranz wird daher beim Anlaufen an die Schiene einen um so größeren Druck zu übernehmen haben, je mehr Lokomotivmasse sich vor dieser Achse befindet.

Die Nachgiebigkeit und Schwingungszeit der Tragfedern hat hauptsächlich auf das Wanken, Stampfen und Wogen Einfluß. Beim Wanken handelt es sich hauptsächlich um die Entfernung der Stützung der abgefederten Masse auf den Achsen und die Höhe des Schwerpunktes der abgefederten Masse gegen die Achslager. In dieser Richtung sind Fahrzeuge mit Außenrahmen durch die große Stützweite im Vorteil gegen Innenrahmen. Störungen, die vom Gleis ausgehen, werden daher bei Außenrahmenlokomotiven ein Wanken mit geringerem Ausschlag wie bei Innenrahmen hervorbringen. Dagegen wird eine hohe Schwerpunktlage der abgefederten Lokomotivmasse bis zu einem gewissen Grad das Wanken mildern, da durch die Erhöhung des Schwerpunktes das Trägheitsmoment der abgefederten Lokomotivmasse um eine wagrechte Längsachse vergrößert wird. Da ferner durch äußere Dampfzylinder ebenfalls eine nicht unwesentliche Vergrößerung des Trägheitsmoments der abgefederten Lokomotive um eine wagrechte Längsachse eintritt, so hat auch diese Bauweise auf die Stärke des Wankens Einfluß (Jahn, Das Wanken der Lokomotive. Ztschr. dt. Ing. 1909, S. 621). Es hat sich ferner gezeigt, daß Seitenstöße, die durch unregelmäßige Lage des Gleises auf die Räder ausgeübt werden, sich an Lokomotiven mit hoher Schwerpunktlage erst durch Vermittlung der Tragfedern auf die abgefederte Lokomotivmasse übertragen. Es werden somit die Seitenstöße durch die Tragfedern aufgefangen, wobei allerdings Wanken eintritt, das indessen stets unbedenklich bleibt. Lokomotiven mit kurzem Radstand, stark überhängenden Massen und hoher Schwerpunktlage neigen mitunter stärker zum Stampfen. Es tritt dies hauptsächlich an älteren C- und D-Lokomotiven mit überhängender Feuerbüchse ein. Das Stampfen wird noch verstärkt, wenn die Schienenlänge mit dem Radstand, mit der Fahrgeschwindigkeit und der Schwingungszeit der Tragfedern in ein bestimmtes Verhältnis tritt. Die Verwendung von Tragfeder-Ausgleichhebeln, deren Wert hinsichtlich der Vermeidung von Über- und Entlastungen einzelner Räder außer Zweifel steht, vermehrt jedoch die Neigung der Lokomotive zum Stampfen, da durch die Federausgleichhebel die Entfernung der Stützpunkte vermindert und ein stärkeres Spiel zwischen Achsen und abgefederter Lokomotivmasse ermöglicht wird. Lokomotiven mit kurzen Radständen und überhängenden Massen erhalten daher besser keine Federausgleichhebel. Das Wogen der Lokomotiven ist nur selten zu beobachten. Es tritt am ehesten noch an Lokomotiven mit schneckenförmigen Tragfedern ein, da diese Federbauart geringe Eigenreibung besitzt. Das Federspiel dauert daher nach Störungen längere Zeit an. Auch die S. des Wankens und Stampfens werden durch Schneckenfedern begünstigt, wogegen Blattfederwerke durch die beträchtliche Reibung zwischen den Federblättern eine starke Dämpfung der Schwingungen hervorbringen. Schneckenfedern sind daher nur an Lokomotiven mit großen Radständen zu empfehlen, bei denen die schädliche Bewegung des Stampfens, die unter Umständen ein bedenkliches Maß erlangen könnte, überhaupt ausgeschlossen ist. Das Wanken, Stampfen und Wogen kann auch noch dadurch eingeschränkt werden, daß die Tragfedern aller Achsen nicht durchaus gleiche Bauart erhalten. Es fällt dann auch die Schwingungszeit der Tragfedern verschieden aus und es kommt dann nicht so leicht zur Anhäufung starker Schwingungen.

Die Schwingungszeit in Sekunden für die Doppelschwingung einer Tragfeder ist

$$t = 2\pi \sqrt{\frac{e}{g}}$$

wenn e die Einsenkung der Tragfeder unter der ruhenden Last in *cm* und g die Beschleunigung der Erdschwere ist. Für die gewöhnlich an Lokomotiven in Verwendung stehenden Blattfederwerke ergeben sich Schwingungszeiten von 0·5 – 1·0 Sekunden. Bei größeren Geschwindigkeiten ist es möglich, daß das Überfahren der Schienenstöße je nach der Schienenlänge mit den Federschwingungen gleichzeitig (isochron) erfolgt, wodurch das Stampfen und Wogen längere Zeit andauern kann.

3. S. hervorgerufen durch Kräfte im Triebwerk. Diese lassen sich wieder unterteilen in störende Bewegungen, die

A. von den Dampfdrücken im Triebwerk,

B. von den Massenwirkungen umlaufender und hin und her gehender Teile im Triebwerk herrühren.

A. Zunächst kann durch die wechselnde Zugkraft am Umfang der Triebräder eine Unregelmäßigkeit in der Fortbewegung entstehen. Bei der Übertragung des Kolbendrucks auf die Triebräder durch das Schubkurbelgetriebe wird für die beiden Totlagen des Kolbens die Zugkraft Null. Wenn an einer Zweizylinderlokomotive auch durch die um einen rechten Winkel versetzten Kurbeln dieser unregelmäßige Antrieb möglichst ausgeglichen wird, so stellt sich doch unvermeidlich eine Unregelmäßigkeit in der Zugkraft ein, die sich auf die Bewegung der Lokomotive überträgt. Verstärkt wird diese Unregelmäßigkeit, wenn es sich um eine zum Kurbelhalbmesser vergleichsweise kurze Triebstangenlänge, um kleine Füllungen in den Dampfzylindern, um starke Gegendrücke u. s. w. handelt. Die Unregelmäßigkeit in der Lokomotivfortbewegung äußert sich durch das Zucken. Es wird mit der Umdrehungszahl der Lokomotivtriebachse zusammenfallen. Ein Ausgleich wird dadurch erzielt, daß die ganze Lokomotivmasse und bei unelastischer Kupplung mit dem Tender auch dessen Masse am Zucken teilnehmen muß. Bei größerer Geschwindigkeit ist daher die Massenwirkung von Lokomotive und Tender so bedeutend im Vergleich mit der Unregelmäßigkeit der Antriebskraft, daß diese Zuckerscheinung meist nur bei sehr geringer Fahrgeschwindigkeit und in mäßigem Ausmaß merkbar wird. Das Zucken wird dann allerdings nochmals bei sehr hohen Fahrgeschwindigkeiten fühlbar, ist dann jedoch eine Folge der hin und her gehenden Massen, wie weiter unten dargelegt wird.

Eine weitere störende Kraft, die S. hervorbringen kann, ist der Führungsdruck an den Kreuzköpfen. Diese auch als Normaldruck bezeichnete Kraft ist bei der Vorwärtsfahrt vorherrschend nach oben gerichtet. Er ist für die Totlagen der Kurbel Null und erreicht nahe an der Hubmitte den Höchstwert. Durch diesen Kreuzkopfführungsdruck, der mit abnehmender Schubstangenlänge stark zunimmt, wird je nach der Lokomotivbauart Wanken, Stampfen und Wogen erzeugt. Das Wanken wird um so stärker ausfallen, je größer die Zylindermittel voneinander abstehen, da dann der wirksame Hebelarm größer wird. Mit der Höhe der Schwerpunktlage der abgefederten Lokomotivmasse müßte eigentlich das Wanken zunehmen; es hat sich jedoch gezeigt, daß das Trägheitsmoment der abgefederten Lokomotivmasse durch die Vergrößerung der Höhe des Schwerpunktes so stark vermehrt wird, daß tatsächlich eine Besserung des Wankens eintritt. An vierzylindrigen Lokomotiven erfährt das Wanken infolge des Kreuzkopfführungsdruckes eine Verstärkung, da der Führungsdruck der um 180° versetzten Kurbeln derselben Lokomotivseite gleichzeitig und in gleicher Richtung auftritt. Der wirksame Hebelarm ist für die inneren Triebwerke allerdings geringer. Auf das Stampfen übt der Kreuzkopfführungsdruck hauptsächlich dann einen Einfluß aus, wenn die Kreuzkopfführungen gegen den Radstand weit vorgeschoben sind. Kurze Triebstangen im Verein mit vorn stark überhängenden Dampfzylindern und einem kurzen Radstand können erhebliches Stampfen zur Folge haben. An Lokomotiven mit kurzen Radständen und großen überhängenden Massen soll daher, um das Stampfen zu vermeiden, die Kreuzkopfführung möglichst gegen die Mitte des Radstands gerückt werden. Bei Lokomotiven mit genügend großem Radstand und guter Stützung an den Enden ist die Neigung

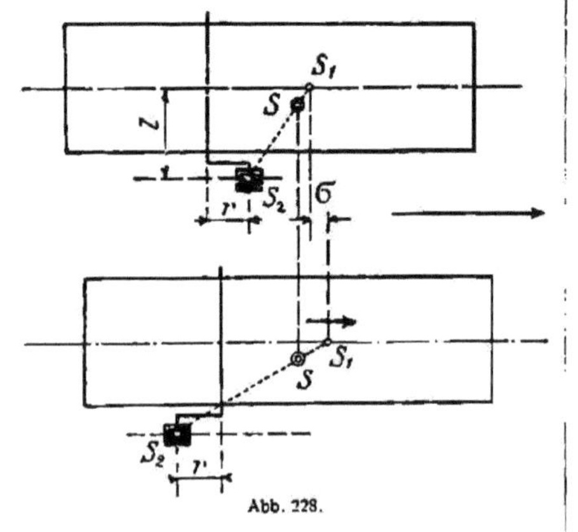

Abb. 228.

zum Stampfen derart eingeschränkt, daß dann auch eine weit vorgeschobene Lage der Kreuzkopfführung ohne Nachteil ist. Das Wogen infolge der Kreuzkopfführungsdrücke ist unbedenklich und selten besonders wahrnehmbar. Alle diese S. vollziehen sich im Einklang mit den Umdrehungen der Triebachse. Sie können, wie bereits bemerkt, durch besondere Eigenheiten der Lokomotive oder des Oberbaues erheblich verstärkt oder verschwächt werden. Sie treten dann erfahrungsgemäß bei gewissen Geschwindigkeiten auffallend stark in Erscheinung.

An Lokomotiven mit wagrechten Dampfzylindern heben sich jeweils die gleich großen und entgegengesetzt gerichteten Dampfdrücke, die gleichzeitig an den Zylinderdeckeln und an den Achslagerführungen wirken, gegenseitig auf. An stark geneigten Dampfzylindern ist dies nicht mehr der Fall, da an der lotrechten Lagerführung je nach der Richtung des Dampfdrucks eine nach oben oder unten gerichtete Komponente auftritt. Diese störende Bewegung bringt ein Wanken hervor, das jedoch auch nur bei geringen Fahrgeschwindigkeiten merkbar ist. Immerhin verbietet diese Erscheinung eine zu stark geneigte Lage der Dampfzylinder. Bei lotrecht stehenden Zylindern würde der volle Kolbendruck als störende Kraft wirken.

B. Die S., die durch die nicht ausgeglichenen, umlaufenden und hin und her gehenden Teile des Triebwerks hervorgerufen werden, sind besonders wichtig. Sie können unter Umständen eine beachtenswerte Stärke erreichen.

1. Umlaufende Teile des Triebwerks können in der Regel vollkommen ausgeglichen werden. Es kann jedoch in besonderen Fällen vorkommen, daß bei einzelnen Rädern von geringen Durchmessern die notwendigen Gegengewichte nicht in dem erforderlichen Ausmaß untergebracht werden können, so daß ein Teil der umlaufenden Triebwerksteile unausgeglichen bleibt. Die freie Fliehkraft eines solchen Triebwerksteiles wird als störende Kraft auftreten. Im lotrechten Sinn werden sich diese Kräfte auf den abgefederten Teil der Lokomotive nicht äußern, da die auf den Schienen aufliegenden Räder den lotrechten Druck nach abwärts ohneweiters aufnehmen und der lotrechte Druck nach oben erst dann eine Wirkung hervorbringen könnte, wenn das belastete Rad durch die störende Fliehkraft von der Schiene abgehoben würde. Dagegen wird die Fliehkraft im wagrechten Sinn sich durch die Achslager und deren Führungen im Rahmen auf die abgefederte Lokomotivmasse übertragen. Diese störende Kraft wird Zucken und Drehen hervorbringen. Die Zuckbewegung der Lokomotive durch das einseitige, unausgeglichene Gewicht *G* mit dem Schwerpunkt S_2 ist aus Abb. 228 einfach abzu-

leiten. Ist S der Schwerpunkt der gesamten Lokomotive, S_2 der Schwerpunkt des umlaufenden Gewichts und S_1 der Schwerpunkt der Lokomotive ohne dieses Gewicht, so muß nach dem Grundsatz von der Erhaltung der Schwerpunktlage bei der Fortbewegung der Lokomotive der Schwerpunkt S sich unbeeinflußt weiterbewegen. Bei der Verlegung des Gewichts G um den Kolbenhub $h = 2\,r$ von vorn nach hinten muß daher der Schwerpunkt S_1 um den Betrag σ nach vorne rücken. Dies drückt sich durch die Gleichung

$$G\,h = L\,\sigma \text{ aus.}$$

Hieraus ergibt sich der sog. Zuckweg

$$\sigma = \frac{G}{L}\,h$$

worin G das umlaufende, unausgeglichene Gewicht, L das dem Schwerpunkt S_1 entsprechende übrige Gewicht der Lokomotive ist.

In ähnlicher Weise läßt sich das Drehen der Lokomotive ableiten.

Verlegt sich in Abb. 229 die einseitig umlaufende Masse m im Abstand l von der Lokomotivmitte um den Weg r von der Mittellage nach hinten, so muß die übrige Lokomotivmasse mit Ausnahme der gewöhnlich etwas verschiebbaren Achssätze eine kleine ausgleichende Drehbewegung um die lotrechte Schwerpunktachse im entgegengesetzten Sinn vollführen. Ist Q das Trägheitsmoment der Lokomotive mit Rücksicht auf die lotrechte Schwerpunktachse und x der entsprechende Winkelausschlag, so erhält man:

$$Q\,x = m\,r\,l$$

Das Trägheitsmoment läßt sich ersetzen durch

$$Q = \frac{L}{g}\,\varrho$$

wenn L das Lokomotivgewicht ohne die Achssätze, g die Beschleunigung der Erdschwere und ϱ der Trägheitshebelarm ist. Man erhält dann den Winkelausschlag der Drehbewegung von der Lokomotivmitte nach einer Seite

$$x = \frac{G\,r\,l}{L\,\varrho}$$

wenn G das unausgeglichene, umlaufende Gewicht im Rad ist.

2. Die hin- und hergehenden Massen des Triebwerks wirken auf den Gang der Lokomotive störend ein. Es sei zunächst nur ein Triebwerk betrachtet und die hin und her gehenden Massen nicht ausgeglichen. Es ist ferner angenommen, daß die Lokomotive ohne Dampfdruck in den Zylindern am Gleis fährt und daß die Triebstange unendliche Länge besitzt. Denkt man sich in Abb. 230 die ganze Masse $\mathfrak{M}$

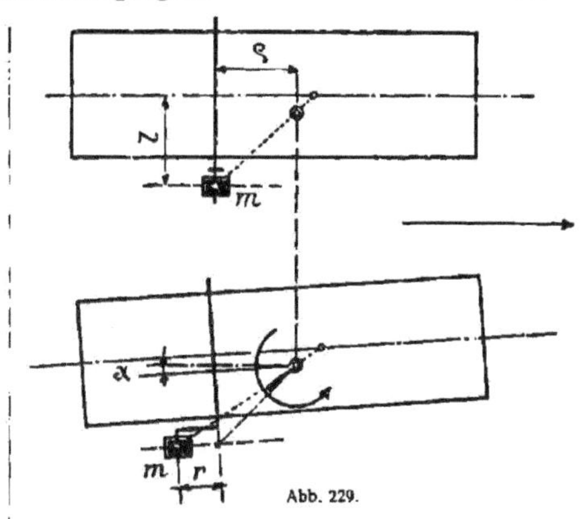

Abb. 229.

der hin und her gehenden Triebwerksteile im Kreuzkopf vereinigt, so wird diese Masse im Kurbelzapfen zunächst einen Verzögerungsdruck, in der linken Hälfte des Kolbenhubs aber einen Beschleunigungsdruck

$$P = \mathfrak{M}\,\frac{v^2}{r}\,\cos\varphi$$

ausüben, wenn v die Geschwindigkeit im Kurbelkreis, r der Kurbelhalbmesser und φ der Kurbelwinkel ist. Fügt man in der Achsmitte 2 gleiche und entgegengesetzt gerichtete Kräfte P' und P'' an, so bilden P und P' ein Drehmoment, während P'' zwischen Achslager und Rahmen zur Wirkung kommt. Das Drehmoment der Kräfte P und P' am Hebelarm $r\sin\varphi$ bringt nun eine Wirkung am Umfang des Triebrads hervor. Es ist

$$U R = r \sin\varphi\, P$$

wenn U die Umfangskraft infolge der Massenwirkung am Radhalbmesser R. Hieraus ergibt sich

$$U = \mathfrak{M}\,\frac{v^2}{2\,R}\,\sin 2\,\varphi$$

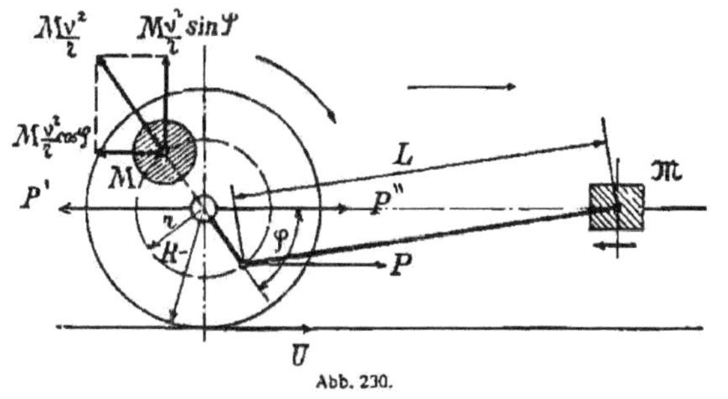

Abb. 230.

Es erscheint somit durch die hin und her gehende Masse $\mathfrak{M}$ auch eine wechselnde Kraft U am Umfang des Triebrads. Da man bei den älteren Untersuchungen der S. die Lokomotiven der vereinfachten Vorstellung wegen als schwebend oder auf Ketten hängend sich vorstellte, so hatte man vom Bestehen der Kraft U keine Kenntnis. Sie ist erst in den Arbeiten von Lihotzky (1907), Strahl (1907) und Jahn (1911) berücksichtigt.

Wird nun angenommen, daß die Wirkung der hin und her gehenden Massen durch ein Gegengewicht ausgeglichen werden soll, so ergeben sich unter Beibehaltung obiger Voraussetzungen für ein Triebwerk die in Abb. 230 dargestellten Verhältnisse. Hierbei ist angenommen, daß die Massen $\mathfrak{M}$ und das Gegengewicht von der Masse M in derselben Längsebene der Lokomotive sich bewegen. Die Massenkräfte von $\mathfrak{M}$ entsprechen dem Wert

$$\mathfrak{M}\frac{v^2}{r}\cos\varphi$$

Das für den Ausgleich bestimmte Gegengewicht, das im Kurbelkreishalbmesser r umläuft, ist der Fliehkraft ausgesetzt, die in der Richtung des Halbmessers den Wert $M\frac{v^2}{r}$ besitzt. Für den Ausgleich kommt jedoch nur die wagrechte Komponente der Fliehkraft

$$M\frac{v^2}{r}\cos\varphi$$

zur Geltung. Für vollkommenen Massenausgleich im wagrechten Sinn müßte demnach das Gegengewicht gleiches Gewicht haben wie die hin und her gehenden Teile. Hierbei ist unendliche Schubstangenlänge, die gleiche Schwingungsebene für beide Massen und als wirksamer Halbmesser des Gegengewichts r vorausgesetzt.

Als Nachteil des Ausgleichs der hin und her gehenden Massen durch ein umlaufendes Gegengewicht muß angesehen werden, daß die lotrechte Fliehkraftkomponente des Gegengewichts F unbenutzt übrig bleibt und eine Störung des Schienendrucks mit sich bringt. Die Vergrößerung des Schienendrucks durch die freie Fliehkraft kann bedenkliche Beanspruchungen des Oberbaues mit sich bringen. Es muß daher eine Beschränkung der freien Fliehkraft vorgesehen werden. Die T.V. schreiben vor, daß bei der größten zulässigen Fahrgeschwindigkeit der Lokomotive die freie Fliehkraft nicht mehr als 15% des Raddrucks, im Stillstand gemessen, betragen darf.

Hierdurch ist einerseits ein vollständiger Ausgleich der hin und her gehenden Triebwerksteile durch Gegengewichte eingeschränkt, anderseits die Höchstgeschwindigkeit der Lokomotive durch die Größe des Ausgleichs bedingt. An Lokomotiven im Gebiet des VDEV. werden die hin und her gehenden Massen zu 15–60% purch Gegengewichte ausgeglichen. Der geringe Ausgleich wird bei rasch fahrenden, der starke Ausgleich an langsam fahrenden Lokomotiven vorgenommen. Im allgemeinen läßt sich feststellen, daß die Lokomotiven um so ruhiger laufen, je stärker die hin und her gehenden Massen ausgeglichen sind. Daß bei rasch fahrenden Lokomotiven der Ausgleich verhältnismäßig gering ist, ist nur eine Vorkehrung zur Schonung des Oberbaues. Es wurde einige Zeit hindurch in Deutschland versucht, an zweizylindrigen Heißdampflokomotiven die hin und her gehenden Massen gar nicht auszugleichen. Das Ergebnis war hinsichtlich der S. so ungünstig, daß gegenwärtig ein Ausgleich gewöhnlich wieder vorgesehen wird.

In Nordamerika werden die hin und her gehenden Massen verhältnismäßig stark, gewöhnlich mit 40–80% ausgeglichen. Die Lokomotiven zeigen einen guten Gang, beanspruchen aber den Oberbau verhältnismäßig stark. An vierzylindrigen Lokomotiven mit gegenläufigen Triebwerken tritt ein teilweiser Ausgleich der hin und her gehenden Massen ein. Der restliche Teil ist dann mitunter noch durch Gegengewichte ausgeglichen.

Überschüssige Fliehkräfte im lotrechten Sinn. Jedes umlaufende Gewicht im Rad, das nicht selbst wieder durch ein umlaufendes Gewicht ausgeglichen ist, bringt im lotrechten Sinn eine Überbelastung und eine Entlastung des Raddrucks durch die Fliehkraft hervor, je nachdem sich das Gewicht in der tiefsten oder in der höchsten Lage befindet. Der Übergang vollzieht sich jedoch nicht plötzlich, sondern mit Rücksicht auf die lotrechte Komponente der Fliehkraft genau nach einer Sinuslinie. Die freie Fliehkraft ist $C = M\frac{v^2}{r_1}$, wenn M die Masse des Gewichts G, r_1 der maßgebende Halbmesser des Schwerpunktes und v die Geschwindigkeit im Halbmesser r ist. Auf die Umdrehungszahl der Triebachse in der Sekunde n bezogen und bei Einführung des Gewichts G lautet die Gleichung

$$C^{kg} = \frac{G^{kg}}{9\cdot 81}\, r_1^{m}\, (2n\pi)^2$$

Hierbei ist n die Umdrehungszahl der Achse in der Sekunde, die aus

$$n = \frac{V^{km/\text{Std.}}}{3\cdot 6\,\pi D^m}$$

zu erlangen ist, wenn V die Fahrgeschwindigkeit in km/Std. und D der Triebraddurchmesser in m ist.

Diese freien Fliehkräfte bringen im allgemeinen S. nicht hervor. Sie können jedoch bei minder festem Oberbau diesen ungünstig beeinflussen.

Ein häufig angewandtes Mittel, um den Ausgleich der hin und her gehenden Massen im stärkeren Maße durchzuführen und die freie Fliehkraft doch in den vorgeschriebenen Grenzen zu halten, ist an Lokomotiven mit gekuppelten Achsen möglich. Es kann dann der Gegengewichtsanteil für die hin und her gehenden Massen auf alle Räder einer Lokomotivseite gleichmäßig verteilt werden. Es ist dabei ein sehr weitgehender Ausgleich möglich, ohne daß die freien Fliehkräfte ein besonderes Maß erreichen. Es können somit Lokomotiven mit zahlreichen gekuppelten Achsen eigentlich besser ausgeglichen werden als solche mit wenigen. Es müssen in diesem Fall allerdings die Kräftewirkungen für den Ausgleich von den Kuppelachsen erst durch die Kuppelachsen zur Triebachse und zu den hin und her gehenden Massen übertragen werden, wodurch eine stärkere Beanspruchung dieser Teile eintritt.

Für eine Zwischenlage stellt sich die lotrechte freie Fliehkraftkomponente nach Abb. 230 durch $M \frac{v^2}{r} \sin \varphi$ dar.

Der Massenausgleich der hin und her gehenden Triebwerksteile durch Gegengewichte wird noch durch die endliche Triebstangenlänge beeinflußt, derart, daß, selbst wenn die hin und her gehenden Massen durch ein gleich großes Gegengewicht ausgeglichen würden, doch noch eine Zuckkraft bestehen bleibt. Diese Zuckkraft wird um so geringer, je länger die Triebstange im Verhältnis zum Kurbelhalbmesser ist.

Der Einfluß der Masse der hin und her gehenden Triebwerksteile am Triebzapfen bei unendlicher Schubstangenlänge ist

$$\mathfrak{M} \frac{v^2}{r} \cos \varphi$$

Durch eine Triebstange von der Länge L erfährt die wagrecht wirkende Kraft am Triebzapfen eine Veränderung in der Form

$$\mathfrak{M} \frac{v^2}{r} \left(\cos \varphi \pm \frac{r}{L} \cos 2 \varphi\right)$$

Da bei dem angestrebten vollständigen Ausgleich die Gegengewichtsmasse $M = \mathfrak{M}$ zu machen ist, so kann, da die wagrechte Komponente der Fliehkraft

$$M \frac{v^2}{r} \cos \varphi$$

ist, ein vollkommener Ausgleich nicht erzielt werden. Es bleibt somit eine störende Kraft

$$\pm \mathfrak{M} \frac{v^2}{L} \cos 2 \varphi$$

übrig, die durch Gegengewichte überhaupt nicht ausgeglichen werden kann.

Da die Triebstange an einem Ende eine hin und her gehende, am andern eine kreisförmige Bewegung macht, ist zu entscheiden, welcher Gewichtsanteil der Triebstange als hin und her gehende und welcher als umlaufende Masse anzusehen ist. Eine genaue Berechnung beider Anteile ist sehr umständlich. Gewöhnlich wird etwa $^2/_3$ des Stangengewichts zu den umlaufenden und $^1/_3$ zu den hin und her gehenden Triebwerksteilen gerechnet. Nach einem andern Verfahren wird das Stangengewicht im Verhältnis der lotrechten Auflagerdrücke geteilt, wenn die Triebstange an beiden Zapfenmitten unterstützt abgewogen wird.

Alle vorstehenden Betrachtungen beziehen sich auf das Schubkurbelgetriebe einer Lokomotivseite und gleichzeitig ist angenommen, daß die ausgleichenden Gegengewichte in derselben Ebene liegen wie die auszugleichenden Massen. In Wirklichkeit liegen jedoch die Gegengewichte in den Radebenen, während die Triebwerksmittel gegen diese verschoben sind. Da es ferner sich gewöhnlich um mindestens 2 gegeneinander um 90° versetzte Schubkurbelgetriebe handelt, so ergeben sich in beiden Rädern einer Achse eine Reihe von Teilgegengewichten für die umlaufenden und hin und her gehenden Massen, die dann endlich zum resultierenden Gegengewicht vereinigt werden.

Durch die Vereinigung zweier Schubkurbelgetriebe unter einem Kurbelwinkel von 90°, d. i. bei der weitaus vorherrschenden Lokomotivbauart, ergeben sich die für die S. maßgebenden Kräftewirkungen. Sieht man von der endlichen Länge der Schubstangen ab und nimmt man an, daß die hin und her gehenden Massen vollständig ausgeglichen sind, so ist grundsätzlich eine Beseitigung der Zuckbewegung möglich, da sich nicht nur die Massenkräfte P'' in der Achse, sondern auch die Umfangskräfte U ausgleichen lassen. Die Kräfte P'' sind durch die wagrechte Fliehkraftkomponente, die Umfangskräfte U aber dadurch ausgeglichen, daß sie an beiden Lokomotivseiten stets gleich groß und entgegengesetzt wirken. Hinsichtlich des Drehens üben die Kräfte P'' keinen Einfluß aus, wogegen die an beiden Lokomotivseiten stets entgegengesetzt gerichteten Umfangskräfte U ein Drehmoment ergeben, das durch Gegengewichte nicht auszugleichen ist.

Werden Triebstangen mit endlicher Länge angeordnet, so ergeben sich unvermeidlich gewisse störende Kräfte. Wird weiters nur ein Teil der hin und her gehenden Massen ausgeglichen, so bleibt von den Kräften P'' ein Anteil als störende Kraft übrig, der Zucken und Drehen verursacht.

Hinsichtlich des Zuckens sind bei vollständigem oder teilweisem Ausgleich der hin und her gehenden Massen Lokomotiven mit inneren und äußeren Dampfzylindern gleichwertig. In bezug auf das Drehen ist jedoch unter sonst gleichen Verhältnissen die Lokomotive mit inneren Dampfzylindern erheblich im Vorteil, da die störenden Kräfte an einem viel kleineren Hebelarm angreifen. Das ist hauptsächlich der Grund, warum Lokomotiven mit inneren Dampfzylindern ein besonders ruhiger Gang nachgerühmt wird.

An vierzylindrigen Lokomotiven ist, wenn die Kurbeln einer Lokomotivseite um 180° gegeneinander versetzt sind, bei unendlicher Triebstangenlänge und gleich großen hin und her

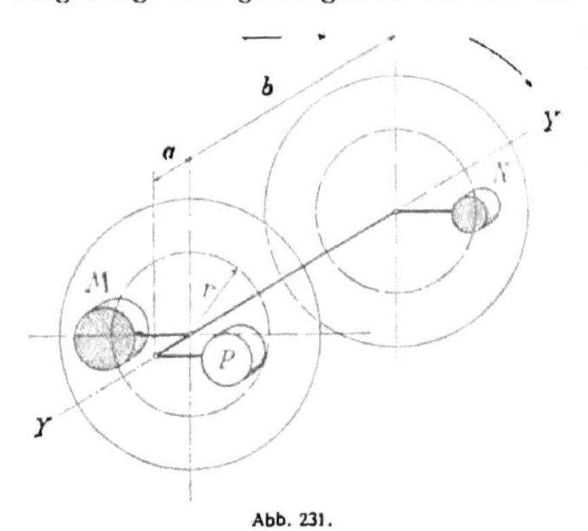

Abb. 231.

gehenden Massen an den inneren und an den äußeren Dampfzylindern das Zucken auch ohne Gegengewichte ganz vermieden. Das Drehen ist geringer als an der zweizylindrigen Lokomotive, läßt sich aber selbst durch Gegengewichte nicht völlig vermeiden, da die Umfangskräfte U einander nicht ganz aufheben. Hierbei sind Lokomotiven mit zwischen den Rahmen liegenden Niederdruckzylindern im Vorteil gegen Lokomotiven mit äußeren Niederdruckzylindern, da bei ersterer Bauart die größeren hin und her gehenden Massen an dem kleineren Hebelarm arbeiten und damit auch ein geringeres Schlingermoment erzeugen.

An vierzylindrigen Lokomotiven sind 2 Bauarten zu unterscheiden, je nachdem beide Zylinderpaare dieselbe Achse betreiben oder 2 getrennte Triebachsen vorhanden sind. Bei ersterer Bauart mit nur einer Triebachse gleichen sich die Gewichte vieler Teile untereinander aus, so daß die Gegengewichte verhältnismäßig klein ausfallen. Bei 2 getrennten Triebachsen müssen dagegen gewöhnlich ziemlich umfangreiche Gegengewichte für die umlaufenden Massen vorgesehen werden, während die hin und her gehenden Triebwerksteile erst durch Vermittlung der Kuppelstangen zwischen beiden Triebachsen zum teilweisen Ausgleich gelangen. Hinsichtlich der Leichtigkeit der Bauart und der Beanspruchung des Triebwerks beim Massenausgleich ist somit erstere Bauart vorzuziehen.

Berechnung der Gegengewichte. Als Grundsatz hat zu gelten, daß die umlaufenden Teile des Triebwerks vollständig auszugleichen sind. Sollte es ausnahmsweise nicht möglich sein, das erforderliche Gegengewicht im betreffenden Rad unterzubringen, so kann es auch auf die übrigen gekuppelten Räder derselben Lokomotivseite verteilt werden. Es kommt dies mitunter an Lokomotiven mit geringem Raddurchmesser an den Triebrädern vor, die wegen der schweren Triebzapfen, Stangenköpfe, Radkurbeln u. s. w. sehr große Gegengewichte verlangen. Mit Rücksicht auf die starke Beanspruchung der Kuppelstangen ist jedoch dieser Vorgang aufs äußerste einzuschränken. Da an Lokomotiven die Gegengewichte am vorteilhaftesten in den Rädern untergebracht werden, die auszugleichenden Massen aber in außerhalb liegenden Ebenen sich bewegen, so ergibt sich für jedes auszugleichende Gewicht in beiden Rädern einer Achse je ein besonderes Gegengewicht.

Ist Y in Abb. 231 die Achse mit beiden Rädern und P das einseitig außerhalb der Räder sitzende, auszugleichende Gewicht, so muß zur Herstellung der Ruhe in der Achse im rechten Rad das Gegengewicht M, im linken Rad das Gegengewicht N nach den Gleichungen

$$M = P \frac{a}{b} \quad \text{und} \quad N = P \frac{a + b}{b}$$

vorhanden sein. Hierbei ist angenommen, daß die Gewichte P, M und N im Halbmesser r von der Achse umlaufen. Wird das Gegengewicht in einen größeren Halbmesser r_1 verlegt, so kann es entsprechend leichter ausgeführt werden, wobei sich das neue Gewicht M_1 aus der Gleichung $M_1 = M \frac{r}{r_1}$ berechnet.

Gewöhnlich enthält das auszugleichende Gewicht P einer Achsseite auch bereits den notwendigen Anteil für die hin und her gehenden Massen, so daß die Gleichung

$$P = R + s H$$

besteht, wobei R das Gewicht der umlaufenden, H das Gewicht der hin und her gehenden Massen und s, wie bereits oben dargelegt, ein Wert zwischen 0·2 und 0·6 ist.

1. In Abb. 232 ist die Triebachse einer gekuppelten Lokomotive mit 2 äußeren Dampfzylindern und unter 90° versetzten Kurbeln dargestellt. P ist das auszugleichende Gewicht der umlaufenden und hin und her gehenden Massen einer Seite, das in der Ebene der Triebzapfenmitte in einer Entfernung c

von der Lokomotivmitte schwingt. K ist das auszugleichende Gewicht in der Kuppelzapfenmitte, das in einer um k abstehenden Ebene von der Lokomotivmitte umläuft. Die Gegengewichte können in der Radebene untergebracht werden, die in der Entfernung l von der Lokomotivmitte liegen. Nach obiger Anleitung ergibt sich im rechten Rad für P

$$M_1 = \frac{P(l+c)}{2l} \text{ und für } K \quad M_2 = \frac{K(l+k)}{2l}$$

Im linken Rad sind die Gegengewichte

$$N_1 = \frac{P(c-l)}{2l} \quad \text{und} \quad N_2 = \frac{K(k-l)}{2l}$$

Da M_1 und M_2, N_1 und N_2 in die gleiche Richtung fallen, kann dafür auch ein Gegengewicht

$$M = M_1 + M_2 = \frac{P(l+c)}{2l} + \frac{K(l+k)}{2l} \quad \text{und}$$

$$N = N_1 + N_2 = \frac{P(c-l)}{2l} + \frac{K(k-l)}{2l}$$

ausgeführt werden.

Nun erscheint für P und K am linken Rad ebenfalls ein Gegengewicht M im linken und N im rechten Rad. Statt beider Gewichte M und N in einem Rad kann nun ein resultierendes Gewicht G nach der Gleichung $G = \sqrt{M^2 + N^2}$ untergebracht werden, das unter dem Winkel

$$\operatorname{tg} \alpha = \frac{N}{M}$$

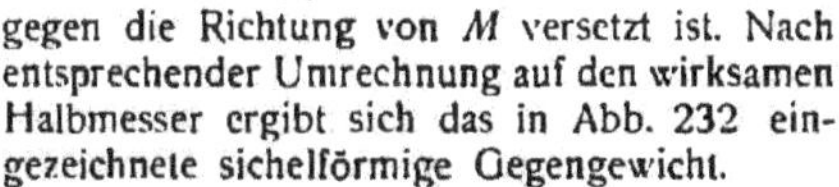

gegen die Richtung von M versetzt ist. Nach entsprechender Umrechnung auf den wirksamen Halbmesser ergibt sich das in Abb. 232 eingezeichnete sichelförmige Gegengewicht.

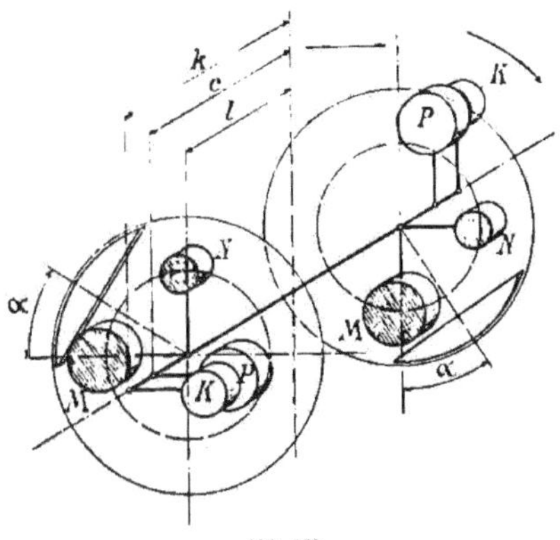

Abb. 232.

Man erhält hieraus die Gegengewichte

$$M = \frac{1}{2l}[P(l+c') + K(l+k)] \quad \text{und}$$

$$N = \frac{1}{2l}[P(l-c') + K(k-l)]$$

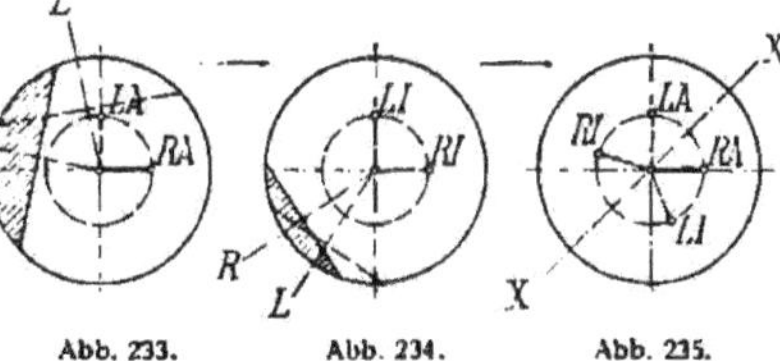

Abb. 233. Abb. 234. Abb. 235.

An Außenzylinderlokomotiven mit voreilender rechter Kurbel erhalten daher die Gegengewichte an den Triebrädern die in Abb. 233 gekennzeichnete Lage.

2. In Abb. 236 ist die Triebachse einer gekuppelten Lokomotive mit 2 inneren Dampfzylindern und unter 90° versetzten Kurbeln dargestellt.

Ist P wieder das auszugleichende Gewicht in der Triebzapfenmitte, das in der Entfernung c' von der Lokomotivmitte schwingt, und K das auszugleichende Gewicht in der Kuppelzapfenmitte, das sich im Abstand k von der Lokomotivmitte befindet, so ist im rechten Rad für P

$$M_1 = P\frac{l+c'}{2l} \quad \text{und für } K \quad M_2 = K\frac{l+k}{2l}.$$

Im linken Rad ist

$$N_1 = P\frac{l-c'}{2l} \quad \text{und} \quad N_2 = K\frac{k-l}{2l}$$

Das resultierende Gegengewicht ist wieder $G = \sqrt{M^2 + N^2}$, das unter dem Winkel

$$\operatorname{tg} \alpha = \frac{N}{M}$$

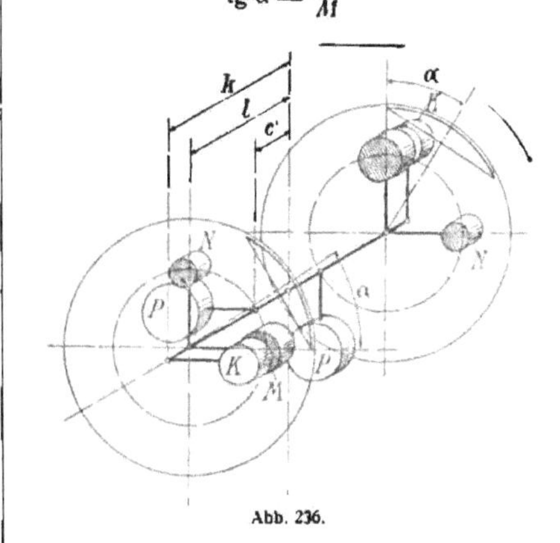

Abb. 236.

gegen die Richtung von M versetzt ist. An Innenzylinderlokomotiven ist daher die Lage der Gegengewichte durch Abb. 234 gekennzeichnet. Die Gegengewichte fallen gewöhnlich verhältnismäßig klein aus, da durch die Radkurbeln und Kuppelstangen ein Teil der Kurbelarme der gekröpften Achse ausgeglichen wird.

3. An vierzylindrigen Lokomotiven mit je 2 inneren und 2 äußeren Triebwerken wird die Anordnung gewöhnlich so getroffen, daß die Kurbeln des nebeneinander liegenden inneren und äußeren Triebwerks einer Lokomotivseite um 180° gegeneinander versetzt sind. Es werden dann gewisse Vorteile für die Gesamtanordnung der Maschine, aber auch hinsichtlich des Ausgleichs erzielt. In Abb. 237 ist die Triebachse

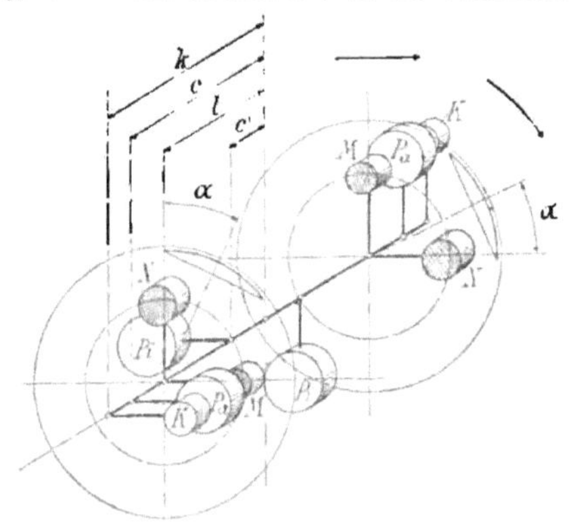

Abb. 237.

einer derartigen Lokomotive dargestellt. Die äußere Kurbel des rechten Rades eilt gegen die linke äußere Kurbel um 90° vor. An Vierzylinderlokomotiven ist es vorteilhaft, die Berechnung für den Ausgleich der umlaufenden und der hin und her gehenden Massen getrennt vorzunehmen, da die hin und her gehenden Massen sich in der Regel größtenteils gegenseitig ausgleichen. Die auszugleichende Masse an den äußeren Triebzapfen ist P_a, an den inneren Triebzapfen P_i. Es gelten die gleichen Bezeichnungen wie im Beispiel unter 1, doch ist die Entfernung der Schwingungsebene der inneren Triebwerke von der Lokomotivmitte mit c' bezeichnet.

Da P_i, P_a und K beiderseits gleich groß angenommen sind und an jeder Lokomotivseite zusammen in einer gemeinsamen Ebene liegen, so ist

$$M = \frac{P_a\,(l + c) + K\,(l + k) - P_i\,(l - c')}{2\,l}$$

$$N = \frac{P_a\,(c - l) + K\,(k - l) + P_i\,(l - c')}{2\,l}$$

Dadurch, daß bei Bildung des Teilgegengewichts M die äußeren Gewichte P_a und K dem inneren Gewicht P_i entgegenwirken, fällt M gewöhnlich verhältnismäßig klein aus. Es wird somit durch diese Anordnung Gewicht gespart. Es kann übrigens, falls P_i sehr groß ist, M auch auf die Seite von P_a zu liegen kommen. P_i ist gewöhnlich mit Rücksicht auf die schwere Achskurbel und den Triebstangenkopf groß.

Die Größe des resultierenden Gegengewichts erhält man wie früher aus der Gleichung

$$G = \sqrt{M^2 + N^2}$$

Es steht unter dem Winkel

$$\operatorname{tg} \alpha = \frac{N}{M}$$

der gewöhnlich wesentlich größer als an Außenzylinderlokomotiven ausfällt. Er kann, falls M auf die Seite von P_a fällt, auch größer als 90° sein.

Sind die auszugleichenden Massen an beiden Lokomotivseiten nicht gleich groß, so werden sich an den Rädern auch verschieden große Gegengewichte unter verschiedenen Winkeln ergeben.

Will man Gegengewichte in den Rädern ganz vermeiden, so kann man nach Annahme der auszugleichenden Gewichte und der Kurbelwinkel eines Triebwerkpaares die zum Ausgleich erforderlichen Gewichte und die Kurbelwinkel für das zweite Triebwerkspaar berechnen. Dies ist in Abb. 235 durchgeführt. Die Kurbeln der beiden äußeren Triebwerke sind um 90° versetzt. Die rechte Kurbel eilt vor. Die Teilgegengewichte sind nicht in die Radebenen, sondern in die Schwingungsebene der Triebzapfenmitten der inneren Triebwerke gelegt. Gibt man den inneren Triebwerken jetzt tatsächlich umlaufende Massen im Gewicht $G = \sqrt{M^2 + N^2}$ und versetzt man die Kurbelwinkel unter den Winkel $\operatorname{tg} \alpha = \frac{N}{M}$, so erhält man hinsichtlich der umlaufenden Massen einen vollkommenen Ausgleich ohne Gegengewichte in den Rädern.

Bei gleich großen Massen an beiden Lokomotivseiten ordnen sich die Kurbelwinkel dann nach Abb. 235 symmetrisch zu einer Achse XX_1 an.

Hinsichtlich der hin und her gehenden Massen gelten dieselben Grundsätze und es können sinngemäß die gleichen Bezeichnungen und Gleichungen Verwendung finden. Bei Vernachlässigung der endlichen Triebstangenlängen ist ein vollkommener Ausgleich der hin und her gehenden Massen in diesem Fall möglich, da die gefürchteten lotrechten, freien Fliehkräfte in den Rädern ganz fortfallen. Dieser von Yarrow-Schlick angegebene Massenausgleich hat sich namentlich an Schiffsmaschinen vorzüglich bewährt, ist jedoch an Lokomotiven bisher zwar oft erörtert, jedoch nicht ausgeführt worden (Mehlis, Dampfschnellbahnzug, Diss. 1903 u. Glasers Ann. 1908, S. 179). Man kann an zweizylindrigen Lokomotiven an Stelle der resultierenden hin und her gehenden Massen auch besondere, in geraden Bahnen sich hin und her bewegende Ausgleichgewichte (sog. Bobgewichte) ausführen. Auch dadurch ist ein vollkommener Ausgleich möglich. Ein solcher Ausgleich wurde bereits von R. v. Helmholtz an einer Lokomotive versucht (Die deutsche Kollektivausstellung von Lokomotiven. Paris 1900. Glasers Ann. 1900).

An älteren Lokomotiven war die Form der Gegengewichte gewöhnlich die eines Kreisausschnitts oder eines Kreisringausschnitts. Gegenwärtig sind die Gegengewichte in der Form eines Kreisabschnitts oder in Sichelform ausgeführt. Bei diesen Gestaltungen kann der wirksame Halbmesser des Gegengewichts verhältnismäßig am besten zur Geltung gebracht werden und man kommt mit dem geringsten Gewichtsaufwand durch. Selbstverständlich müssen die in das Gegengewicht fallenden Radspeichen und Stücke des Felgenkranzes in Abzug gelangen, um den wirksamen Teil des Gegengewichts zu erlangen.

Literatur: Redtenbacher, Die Gesetze des Lokomotivbaues. Mannheim 1855. – Scheffler, Bestimmung des Gegengewichts in den Triebrädern. Organ 1856. – Zech, Besprechung des Redtenbacherschen Lokomotivbaues. Ztschr. d. Österr. Ing.-V. 1857. – Zeuner, Über das Wanken der Lokomotiven. Zürich 1861. – Grove, Die Störungen der Lokomotivbewegung. Hb. f. spez. E.-T. Heusinger, 1875. – Angier, Gegengewichte an Lokomotiven. Organ 1898, S. 95. – Kempf, Gegengewichte an Lokomotiven. Glasers Ann. 1904. – Garbe, Die Dampflokomotiven der Gegenwart. Springer, 1907. – Jahn, Über den Antriebvorgang bei Lokomotiven. Ztschr. dt. Ing. 1907, S. 1046. – Lihotzky, Kritische Betrachtungen über das Zucken der Lokomotiven. Lokomotive 1907, S. 149. – Lindemann, Das Wogen und Nicken der Lokomotiven. Glasers Ann. 1907, I, S. 3. – Jahn, Das Wanken der Lokomotiven unter Berücksichtigung des Federspieles. Ztschr. dt. Ing. 1909, S. 621. – Leitzmann u. v. Borries, Theoretisches Lehrbuch des Lokomotivbaues. Springer, 1911. – Jahn, Ein Beitrag zur Lehre von den Gegengewichten der Lokomotive. Organ 1911, S. 163. *Sanzin.*

Stollen s. Tunnelbau.

Stollenbau s. Erdarbeiten.

Stopfbüchsen (*stuffing-boxes*; *boîtes à garniture, boîtes à étoupe; premistoppa*), Vorrichtungen, die eine Umfangsdichtung bei Kolbenstangen und Spindeln an deren Austrittsstelle aus einem mit gespanntem Dampf, Wasser, Luft u. s. w. gefüllten Raum bewirken und gleichzeitig der Kolbenstange oder der Spindel eine Längs- oder Drehbewegung gestatten.

S. werden angewandt im Dampfmaschinen- und Kesselbau bei Kolben- und Schieberstangen, bei den Spindeln der verschiedenartigsten Armaturventile (auch bei den Hahnwirbeln größerer Hähne), bei Wellen, die, von außen in Drehung gesetzt, im Innern des Kessels Schieber bewegen, und bei den Plungern aller hydraulischen Apparate (Krane und Aufzüge).

Die Bauart der S. beruht darauf, daß ein biegsamer, federnder, weicher Stoff – Hanf, Jute, Asbest, Leder, Weißmetall u. s. w., Packung genannt – um die zu dichtende Stange oder Spindel gewunden, durch Zusammenpressen vermittels eines durch Schrauben nachstellbaren Ringes (Druckbüchse) sich derart fest gegen die Stange oder Spindel anlegt, daß ein Entweichen der Druckflüssigkeit unmöglich wird.

Das Anpressen des Dichtungsstoffs kann auch durch das Druckmedium selbst geschehen – Manschettendichtung bei hydraulischen Apparaten.

Um die durch die Pressung der Packung hervorgerufene Reibung möglichst zu verringern, müssen die S. – insbesondere bei Kolben- und Schieberstangen der Dampfmaschinen – mit Schmiergefäßen versehen sein.

Mechanische Abnutzung der Packung, ferner Eintrocknen durch die Hitze des Dampfes hat zur Folge, daß nach Verlauf einiger Zeit die S. nicht mehr dicht halten. Um diesem Übelstand zu begegnen, sind alle mit Hanf-, Asbest-, Jute- oder Lederpackung versehenen S. derart eingerichtet, daß durch Niederschrauben der Druckbüchse das locker gewordene Dichtungsmaterial wieder zusammengedrückt werden kann.

Da die gewöhnlich angewendete Packung sich sehr rasch abnutzt, werden in neuerer Zeit S. mit metallischer Packung hergestellt, bei denen das Anpressen der Packung – Ringe aus Weißmetall – selbsttätig durch Spiralfedern bewirkt wird.

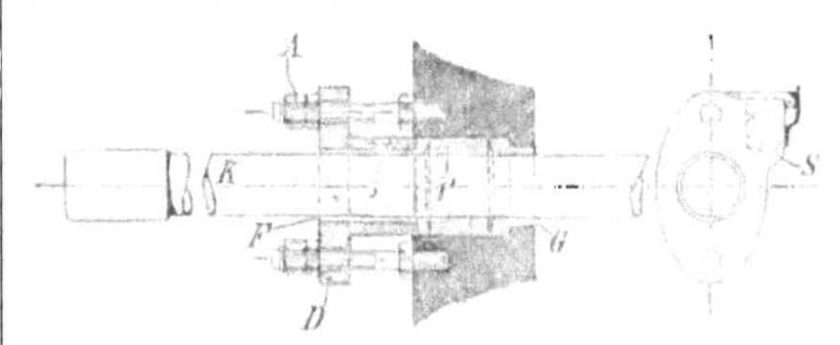

Abb. 238.

Beschreibung einiger S. Abb. 238 stellt eine bei Kolben- und Schieberstangen von Lokomotiven und Stabilmaschinen angewendete Bauart dar.

Es bezeichnet K die Kolbenstange, G den Grundring aus Metall, gegen den die Packung gepreßt wird, P die Packung (Zöpfe aus Hanf-

oder Jutefaser oder Zöpfe aus Hanf mit Asbestpulver gefüllt), *D* die Druckbüchse, an die ein Schmiergefäß *S* (Abb. 238) angegossen ist, und *F* einen Futterring, der immer dann notwendig ist, wenn, wie in Abb. 238 gezeichnet, das Keilende der Kolbenstange stärker als der Kolbenstangenschaft ist. Futterring und Grundring sind in diesem Fall behufs Aufbringung auf die Stange zweiteilig hergestellt.

Der Futterring ist mit der S. durch eine kleine Schraube *s* verbunden. Das Anziehen und Nachstellen der Druckbüchse erfolgt durch 2 oder 3 Schrauben *A*.

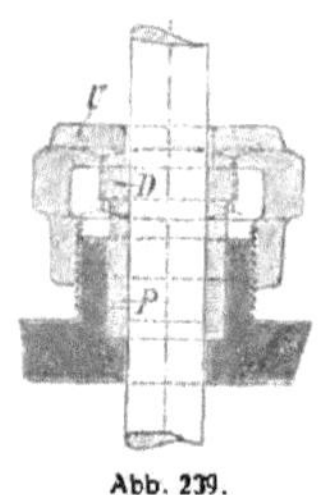

Abb. 239.

Einfacher sind die S. bei den Spindeln der verschiedenen Armaturventile (Abb. 239, *P* Packung, *D* Druckbüchse, *U* Überwurfmutter, durch deren Niederschrauben die Packung angepreßt wird). Ähnlich ausgeführt sind die S. bei den Wasserstandzeigern an Dampfkesseln u. s. w.

Abb. 240 stellt eine S. mit metallischer Packung dar, nach Ausführung der französischen Nordbahn (auch auf einigen österreichischen Bahnen angewendet). *G* bezeichnet den Grund-

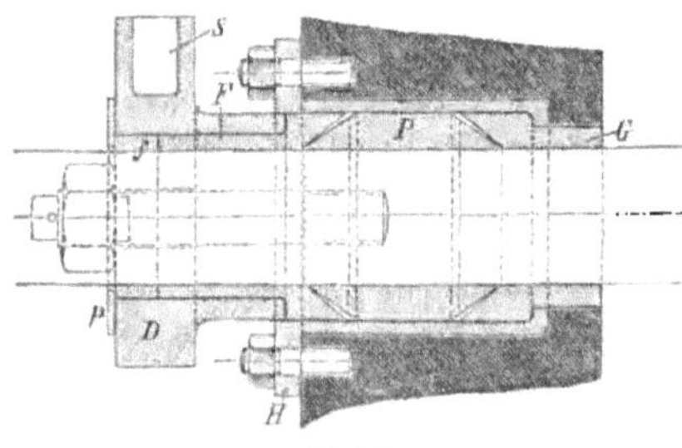

Abb. 240.

ring, *P* die Packung, *D* die Druckbüchse und *H* eine Hülse, die es ermöglicht, eine ausgeschmolzene Packung ohne Zuhilfenahme von Meißeln und Messern herauszuziehen.

Die Dichtung erfolgt dadurch, daß die stark konischen Enden der Packungsringe durch einen etwas schwächeren Konus am Grundring und an der Druckbüchse fest gegen die Stange gepreßt werden.

Bei vielen S. (besonders bei Lokomotiven) wird, wie aus Abb. 240 ersichtlich ist, im vordersten Teil der Druckbüchse ein Filzring *f* eingelegt, der durch eine Platte *p* aus Stahl oder Kupferblech vor dem Herausfallen gesichert ist. Zweck dieser Einrichtung ist es, zu verhindern, daß durch Sand, Asche oder Kohlenstücke, die sich an der Kolbenstange ansetzen, Furchen in die Stange gerieben werden.

In neuerer Zeit werden metallisch gedichtete S. ausgeführt, bei denen die metallische Packung durch eine Spiralfeder, die zwischen Grundring und Packung eingelegt ist, gegen die Druckbüchse bzw. den Futterring gepreßt wird. Über S. für Heißdampflokomotiven s. Heißdampflokomotiven.

Stoßbaum (Pole), in Amerika gebräuchliches Hilfsmittel beim Verschieben (Rangieren). Neben dem Zerlegungsgleis oder auch zwischen 2 Zerlegungsgleisen liegt ein Gleis für den Verkehr der Stoßbaumlokomotive, die entweder unmittelbar den S. trägt oder nach Droege (s. Literatur) besser einen Stoßbaumwagen vor sich herschiebt, der beiderseits und nach vorn und hinten, also mit 4 S. ausgerüstet ist, von denen immer einer benutzt wird. Der S., ein (nach Oder, Hb. d. Ing. W. S. 63) etwa 3 *m* langer und 13 *cm* dicker, von der Lokomotive oder dem Stoßbaumwagen schräg vorgestreckter Baum (pole) wirkt gegen eine an der hinteren Ecke des abzustoßenden Wagens oder des letzten Wagens des abzustoßenden Verschiebegangs angebrachte Tasche (poling pocket) und gestattet es, den einzelnen Wagen oder den Wagengruppen die zum Ablauf erforderliche Geschwindigkeit zu erteilen. Das Stoßbaumverfahren (poling) bedeutet also eine Verbesserung gegenüber dem Abstoßen und Zurückziehen, bedingt aber die Anordnung vermehrter Gleise und wird selbst in Amerika, wo die Bauart und das Gewicht der Wagen Bedenken gegen das Abdrücken langer Züge bildeten, mehr und mehr durch die Anwendung von Ablaufbergen verdrängt. Das Verfahren wird aber u. a. in dem Buch von Droege (1912, s. Literatur) noch als eines der besten Verfahren empfohlen. Droege rühmt namentlich, daß bei diesem Verfahren die Lokomotive nahe der Spitze des Verschiebezuges wirkt, was besonders bei unsichtigem Wetter ein Vorteil sei. Ferner hebt er hervor, daß die Stoßbaumlokomotive den einzelnen Wagen oder Wagengruppen nach Bedarf verschiedene Geschwindigkeit erteilen könne, was namentlich in Ländern mit rauhem Klima einen Vorzug darbiete. Um die bei dem Stoßbaumverfahren an sich starke Beanspruchung der Lokomotive und der Wagen zu vermindern, empfiehlt Droege, den Gruppengleisen ein mäßiges Gefälle zu geben.

Literatur: A. Blum, Über Verschiebebahnhöfe. 1901. Sonderdruck aus Organ 1900, S. 10. – Droege, Freight Terminals and Trains. New York 1912, S. 60ff. – Oder, Hb. d. Ing. W. V, IV, I, 1907, S. 63, 79, 151. *Cauer.*

Stoßfangschiene s. Oberbau.

Stoßlücken s. Oberbau.

Stoßmaschinen (Abb. 241) dienen zum Anarbeiten von Werkstücken mit lotrechten ebenen Flächen, z. B. Pleuelstangenköpfen, Lagerschalen u. dgl. Der kräftige Ständer ist mit lotrechten Prismenführungen versehen, in denen sich der „Stoß" bewegt. Die Bewegung des Stoßes wird eingeleitet von einem breitstufigen Riemenkonus, der beispielsweise von einem Deckenvorgelege angetrieben werden kann. Der Riemenkonus treibt durch ein Rädervorgelege eine Kulisse, in die der

Abb. 241.

Stoß eingehängt ist. Hierdurch wird eine annähernd gleichmäßige Schnittgeschwindigkeit und rascher Rücklauf erzielt.

Der Stoß selbst ist ausbalanciert und besitzt eine beim Rücklauf sich selbsttätig abhebende Messerkappe, die sowohl an der Stirnseite wie an der unteren Seite mit Schlitzen zur Aufnahme der Stahlhalter versehen ist. Die Lage des Stoßes kann beliebig eingestellt werden. Die Größe des Hubes wird durch Verschieben des Kulissensteines geregelt. Der Tisch erhält selbsttätige Bewegungen in der Längsrichtung der Maschine, senkrecht auf diese und auch im Kreis. Diese Bewegungen sind in ihrer Richtung umkehrbar und können auch in ihrer Größe geändert werden.

Die Maschinen werden für Stoßhübe von 120 – 600 *mm* gebaut. In den Staatsbahnwerkstätten sind Maschinen mit 270 – 350 *mm* Hub die gebräuchlichsten.

Die Stoßmaschinen werden durch die Fräsmaschinen immer mehr und mehr verdrängt.

Spitzner.

Straßenbahnen (*tramways; chemins de fer sur routes; tramvie*), dem öffentlichen Personen- oder Güterverkehr dienende, mit tierischer oder mechanischer Kraft betriebene Kleinbahnen (s. d.), die auf Schienenwegen in der Straßenoberfläche fahren. Das letztgenannte Merkmal unterscheidet sie ohneweiters von den gleislosen Bahnen, Seilbahnen, Schwebebahnen und den Hoch- und Untergrundbahnen, während ihre Begriffsabgrenzung gegen die den Verkehr von Ort zu Ort vermittelnden Bahnen oft schwierig ist; doch verlieren sie ihren Charakter als S. in der Regel weder durch Benutzung eines von dem übrigen Straßenverkehr abgeschlossenen besonderen Bahnkörpers (Rasenbettung), noch durch Ausdehnung ihres Betriebs über die geschlossenen Ortschaften hinaus. Wenn eine Kleinbahn zugleich dem Verkehr innerhalb eines Ortes und dem Verkehr von Ort zu Ort dient, so kommt es darauf an, welche Verkehrsart überwiegt. Oft wird die Bezeichnung der Bahn einen Anhalt dafür geben, ob sie als S. gelten kann. Eine scharfe Abgrenzung des Begriffs ist wichtig, weil die S. vielfach anderen Bestimmungen unterliegen als die übrigen Kleinbahnen.

S. im heutigen Sinn wurden gebaut, als mit dem Aufblühen der Städte deren Umfang und Bevölkerungszahl so anwuchs, daß das Bedürfnis schneller und billiger Beförderung innerhalb des Stadt- und Vorstadtgebiets hervortrat und gleichzeitig die Rentabilität des Betriebs gesichert schien. Die technischen Anfänge der S. wurzeln wie die der Eisenbahnen in den alten Spurbahnen, die zuerst im 16. Jahrhundert in deutschen Bergwerken benutzt wurden und bald darauf nach England kamen. Die erste eigentliche S. wurde 1852 in New York von Loubat gebaut. 1854 folgte Paris, 1860 England (Birkenhead), demnächst 1863 Dänemark und Belgien. Berlin erhielt die erste S. am 22. Juni 1865 durch Eröffnung der Pferdebahnlinie Brandenburger Tor-Straßenbahnhof Charlottenburg. Von deutschen Städten folgten 1866

Hamburg, 1868 Stuttgart, 1872 Dresden, Frankfurt a. M., Hannover, Leipzig, 1876 München, Karlsruhe, Metz.

1892 gab es in Preußen bereits 79 S. mit 875·7 *km* Länge, am 1. April 1915 201 mit 3880·55 *km*. Bayern hatte Ende 1913 15 S. mit 263·91 *km*, Sachsen 23 mit 390·75 *km*, Württemberg 5 mit 97·68 *km*. Die Entwicklung in ganz Deutschland von 1900–1913, dem letzten Jahr mit normalen Verhältnissen, zeigt sich in folgenden Zahlen[1] (die Angaben für 1900 sind eingeklammert): Anzahl der S. 292 (180), Länge 5283·17 (2921·35) *km*, Wagenzahl 26.291 (14.485), Bedienstete 75.513, gefahrene Personenwagen*km* 785,237.176 (299,524.078), Güterwagen*km* 2,994.419 (3,746.145!), beförderte Personen 2.954,454.369 (1.043,942.064), Güter*t* 1,783.089 (1,038.180), Betriebseinnahmen *a)* aus dem Personenverkehr 286,374.882 (107,169.595) M., *b)* aus dem Güterverkehr 1,582.495 (1,063.795) M., Gesamteinnahmen 295,899.302 (111,762.226) M., Betriebsausgaben 168,332.460 (60,975.537) M., Gesamtausgaben 193,678.461 (78,019.832) M., Reingewinn (soweit verteilt auf Dividenden, Tantiemen, Gratifikationen, Gewinnbeteiligungen Dritter) 27,037.576 (18,901.906) M., Anlagekapital 1.421,481.531 M., Unfälle: *a)* Tötungen 1. von Fahrgästen und fremden Personen 272 (198), 2. von Bahnbediensteten 21 (13), *b)* Verletzungen 1. von Fahrgästen und fremden Personen 1067 (633), 2. von Bahnbediensteten 129 (215). Die Kriegsjahre haben diese Entwicklung namentlich nach der Richtung hin verschoben, daß bei geringerer Bedienstetenzahl die Betriebsleistungen und damit auch die Betriebseinnahmen bei vielen Bahnen größer geworden sind, anderseits aber auch die Betriebsausgaben infolge der stark gestiegenen Löhne und Materialpreise sich erheblich vermehrt haben.

Das Jahr 1865 brachte auch Wien die erste S. Auf Grund der den Genfer Bauunternehmern C. Schalk, Jaquet & Co. am 25. Februar 1865 erteilten Konzession wurde die erste Teilstrecke der Probelinie Schottenring-Dornbach am 4. Oktober 1865 in Betrieb genommen. Weitere österreichische S. entstanden 1873 in Baden, 1875 in Prag, 1876 in Triest, 1878 in Graz, 1880 in Linz und Lemberg, 1882 in Krakau, 1891 in Klagenfurt, 1892 in Salzburg.

Die nachstehende Gegenüberstellung[2] läßt die Entwicklung der österreichischen S. von 1903–1912 (die Zahlen für 1903 sind eingeklammert) erkennen: Zahl der S. 68 (46), Länge 754·38 (496·43) *km*, Wagenzahl 4722 (2995), Bedienstete 18.264 (9859), gefahrene Zug*km* 89,237.773 (53,745.936), beförderte Personen 488,296.706 (233,136.921), Güter*t* 590.225 (330.430), Betriebseinnahmen *a)* aus dem Personenverkehr 74,519.040 (32,301.359) K, *b)* aus dem Güterverkehr 908.956 (324.594) K, Betriebsausgaben 47,061.563 (20,874.892) K, Gesamtausgaben 53,142.984 (22,779.924) K, Reingewinn 30,281.810 (12,625.489) K, Anlagekapital 329,759.235 (218,167.288) K, Unfälle: *a)* Tötungen 1. von Fahrgästen und fremden Personen 15, 2. von Bahnbediensteten 1, *b)* Verletzungen 1. von Fahrgästen und fremden Personen 453, 2. von Bahnbediensteten 42.

Ungarn[3] hatte 1913 29 S. mit 408·11 *km* Länge. Befördert wurden 262,865.781 Personen und 1,035.312 Güter*t*. Die Betriebseinnahmen betrugen 43,936.013 K, die Betriebsausgaben 29,860.803 K. Das Anlagekapital belief sich auf 195,167.414 K.

In der Schweiz waren 1913 37 S. mit 468·6 *km* Länge im Betrieb. Geleistet wurden 31,435.697 Zug*km* mit 149,477.338 beförderten Personen und 199.982 Güter*t*. Die Gesamteinnahme belief sich auf 18,372.680 Fr., die Gesamtausgabe auf 14,986.696 Fr., der Überschuß auf 3,385.984 Fr.

Einen ähnlichen Aufschwung haben die S. der übrigen Länder zu verzeichnen. Es gibt heute in der Welt wohl kaum eine größere Stadt ohne S. Von wesentlicher Bedeutung war dabei die Umwandlung des Pferdebetriebs in den elektrischen, die, um die Jahrhundertwende beginnend, sich nach und nach auf fast alle bedeutenderen S. erstreckte. Am meisten vorgeschritten ist hierin Österreich, das 1912 nur noch 1 *km* im Pferdebetrieb hatte, während in Preußen 1914 noch 10 S. mit 43·97 *km* Pferdebetrieb vorhanden waren. In den Städten bilden die S. nahezu überall das Hauptverkehrsmittel und sind dadurch auch zu einem wichtigen volkswirtschaftlichen Faktor geworden. Die Ersparnis an Zeit und Arbeitskraft für die Bevölkerung ist außerordentlich groß. Wenn jeder Fahrgast bei jeder Fahrt nur 5 Min. Arbeitszeit

[1] Nach der amtlichen Statistik der Kleinbahnen im Deutschen Reich in der Zeitschrift für Kleinbahnen.

[2] Die Zahlen entstammen dem II. Teil der amtlichen österreichischen Eisenbahnstatistik. Dieser umfaßt unter Ausschluß der sog. nebenbahnähnlichen Kleinbahnen die Kleinbahnen im engeren Sinne, d. h. nach dem Ges. vom 8. August 1910 (s. u.) außer den Seilbahnen, Schwebebahnen und anderen eisenbahnähnlichen Transportmitteln insbesondere diejenigen, die hauptsächlich den örtlichen Verkehr in einer Gemeinde oder zwischen benachbarten Gemeinden vermitteln, im großen und ganzen also die S. Die Zahlen im Text enthalten daher die Angaben der amtlichen Statistik unter Ausscheidung der auf die Seilbahnen u. s. w. bezüglichen.

[3] Die amtliche Statistik umfaßt die sog. Städte- und Gemeindebahnen, die im wesentlichen nur S. sind.

erspart, so ergibt sich bei Annahme einer täglichen Arbeitszeit von 10 Stunden für Deutschland ein Gewinn von jährlich rd. 25,000.000 Arbeitstagen. Nicht minder wichtig ist der Einfluß der S. auf die städtischen Wohnverhältnisse. Die schnelle und wohlfeile Beförderung erschließt neue große Wohngebiete im Umkreis der Städte und ermöglicht eine auf Schaffung gesunder und billiger Wohnungen gerichtete kommunale Siedelungspolitik. Im allgemeinen Interesse liegt daher die Aufrechterhaltung der wirtschaftlichen Leistungsfähigkeit der S.

Die Rentabilität der S. wird gewährleistet durch richtig abgestufte Tarife. Die S. haben Strecken-, Zonen- und sog. Einheitstarife, bei denen ohne Rücksicht auf die Länge der Fahrt nur ein Preis gezahlt wird. Daneben bestehen fast überall Vergünstigungstarife für Abonnenten, Schüler, Arbeiter u. s. w. Im Lauf der Zeit und besonders seit Einführung des elektrischen Betriebs sind die anfangs ziemlich hohen Tarife immer weiter verbilligt worden. Dies hat zwar den Verkehr belebt, aber die Rentabilität verschlechtert. Die Durchschnittseinnahme für die Beförderung des einzelnen Fahrgastes betrug 1914 bei den deutschen S. 9·6 Pf. Die Verzinsung des Anlagekapitals belief sich in demselben Jahr in Preußen und den anderen Bundesstaaten (die für diese geltenden Zahlen sind eingeklammert) bei 10 (4) S. bis zu 1%, bei 23 (5) bis zu 2%, bei 21 (10) bis zu 3%, bei 19 (10) bis zu 4%, bei 27 (7) bis zu 5%, bei 50 (12) bis zu 10%, bei 5 (2) über 10%, während 20 (18) überhaupt keine Verzinsung hatten. Von den zusammen 38 deutschen S., die keine Verzinsung erreichten, haben 30 sogar Verluste erlitten. Infolge dieser ungenügenden Rentabilität machen sich neuerdings vielfach Bestrebungen auf Wiedererhöhung der Tarife mit Erfolg geltend.

Die größte deutsche S., die Große Berliner S., ist eine Aktiengesellschaft mit 100,082.400 M. Aktienkapital und 600 *km* Gleislänge. Von den übrigen deutschen S. sind 136 im Besitz von Gemeinden, Gemeindeverbänden und Kreisen, 124 gehören Aktiengesellschaften, 19 Gesellschaften m. b. H., 8 sind im Staatsbesitz und 13 in sonstigen Händen. Nach der Rechtsform des betreffenden Straßenbahnunternehmens richtet sich dessen Stellung im Privatrecht, während die Stellung im öffentlichen Recht besonders geregelt ist. Fast überall gelten die S. als Kleinbahnen und unterliegen den für diese gegebenen Gesetzen und Vorschriften (s. Kleinbahnen).

In Preußen sind für die S. maßgebend ohne Rücksicht darauf, ob sie mit tierischer oder mechanischer Kraft betrieben werden, die Bestimmungen des Gesetzes über Kleinbahnen und Privatanschlußbahnen vom 28. Juli 1892 und der Ausführungsanweisung vom 13. August 1898. Im Anschluß an letztere sind für den Bau und Betrieb der S. mit Maschinenbetrieb besondere Vorschriften gegeben worden (Bau- und Betriebsvorschriften für Straßenbahnen mit Maschinenbetrieb vom 26. September 1906).

Die anderen deutschen Bundesstaaten haben die Rechtsverhältnisse der S. verschieden geregelt; teils sind wie in Preußen besondere Kleinbahngesetze erlassen, teils erfolgt die Regelung im Verwaltungsweg, in Sachsen z. B. ist jedesmal die Genehmigungsurkunde maßgebend.

In Österreich sind durch das Ges. vom 31. Dezember 1894 die S. von den Lokalbahnen abgezweigt und zusammen mit den Seilbahnen, Schwebebahnen und anderen eisenbahnähnlichen Transportmitteln als „Kleinbahnen" (der österreichische Begriff ist also enger als der preußische) besonderer Regelung unterworfen worden. Das erwähnte Gesetz trat 1904 außer Kraft, wurde später wieder erneuert und endlich durch das noch geltende Ges. vom 8. August 1910 ersetzt (s. Kleinbahnen).

Eine ähnliche gesetzliche Sonderregelung ist auch für Ungarn beabsichtigt. Von den übrigen Ländern haben nur Belgien (Ges. vom 9. Juli 1875), Italien (Ges. vom 27. Dezember 1896) und Japan (Ges. vom 25. August 1890) die S. gesetzlichen Sonderbestimmungen unterworfen, während Frankreich die ursprüngliche Trennung von den sonstigen Kleinbahnen durch das Ges. vom 31. Juli 1913 wieder beseitigt hat.

Als Rechtspersönlichkeiten und Gewerbetreibende unterliegen auch die S. der Besteuerung, insbesondere der allgemeinen Einkommen- und Gewerbesteuer. Daneben bestehen in Deutschland, Österreich, Italien, Frankreich, Rußland Sondersteuern, die außer dem Eisenbahn-, Kleinbahn- und Schiffsverkehr auch den Straßenbahnverkehr erfassen. Das deutsche Gesetz über die Besteuerung des Personen- und Güterverkehrs vom 8. April 1917 besteuert unter Aufhebung der früheren Fahrkartensteuern jede Personenbeförderung auf der S. (außer im Arbeiter-, Schüler- und Militärpersonenverkehr) mit 6% des Beförderungspreises und außerdem jede Güterbeförderung mit 7% des Tarifs. Der Güterverkehr der S. unterliegt jedoch nach den Ausführungsbestimmungen der Besteuerung nicht, soweit es sich lediglich um die Abfuhr und Zufuhr von Gütern von und zu Bahnhöfen oder Schiffsladeplätzen oder sonst um einen nicht dem allgemeinen Verkehr eröffneten Betrieb handelt und in beiden Fällen die Beförderung nur innerhalb geschlossener Ortschaften und nicht planmäßig stattfindet.

Literatur: Hilse, Handbuch der Straßenbahnkunde, München u. Leipzig 1892. — Müller, Die Entwicklung der Lokalbahnen in den verschiedenen Ländern. Schmollers Jahrbuch für Gesetzgebung und Verwaltung, H. 2, sowie die dort angeführte reichhaltige Literatur. — v. Lindheim, Straßenbahnen, Statistisches und Finanzielles. Wien 1888. — Schimpff, Die Straßenbahnen in den Vereinigten Staaten von Amerika. Berlin 1903; Wirtschaftliche Betrachtungen über Stadt- und Vorortbahnen. Berlin 1913. — Weil, Die Entstehung und Entwicklung unserer elektrischen Straßenbahnen. Leipzig 1899. — Frost, Elektrische Tertiärbahnen. Halle 1901; Die deutschen elektrischen Straßenbahnen, Sekundär-, Klein- und Pferdebahnen. 7. Aufl. Leipzig 1903. — Geyl, Der Umsteigeverkehr bei Straßenbahnen. Osnabrück 1906. — Roth, Die Verkehrsabwicklung auf Plätzen und Straßenkreuzungen. Halle 1913. — Ztschr. f. Kleinb., herausgegeben im preußischen Ministerium der öffentlichen Arbeiten. — Deutsche Straßen- und Kleinbahnzeitung, herausgegeben von Dr. Dietrich, Berlin. Siehe auch die bei dem Art. Kleinbahnen angeführte Literatur. *Micke.*

Straßenbrücken *(road bridges; ponts de rue; ponti stradali)*, Weg- und Fußgängerbrücken, Brücken, die im Zuge einer Straße oder eines Weges liegen, kommen für das Eisenbahnwesen insofern in Betracht, als es sich um Bahnüberbrückungen oder um solche Brücken in Bahnhof-Zufahrtsstraßen handelt, deren Herstellung oder Erhaltung der Eisenbahn obliegt.

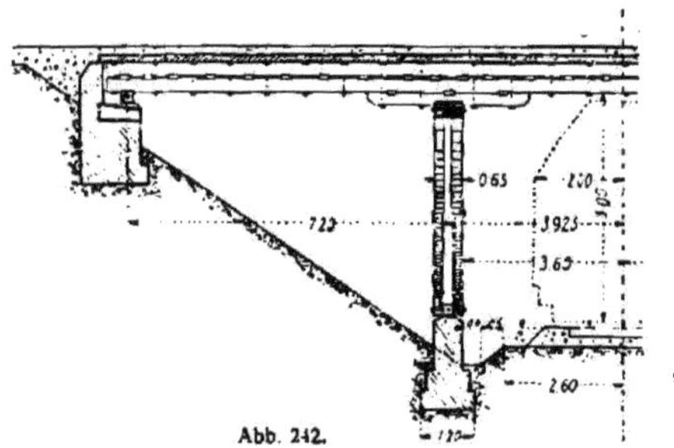

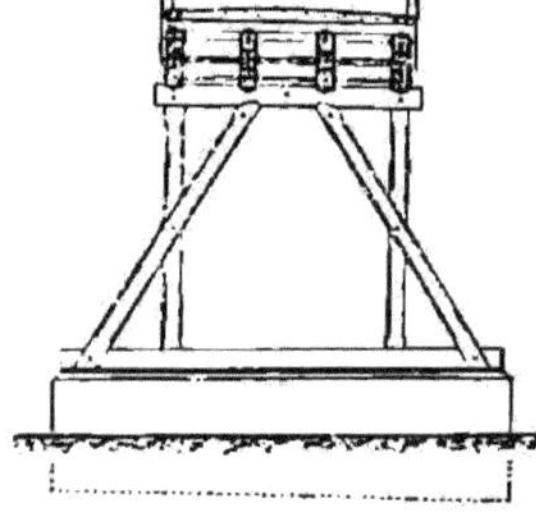

Abb. 242.

An den Kreuzungen einer Eisenbahnlinie mit Straßen können beide Verkehrswege entweder in gleicher oder in verschiedener Höhe liegen. Im ersteren Fall ist eine Kreuzung im Niveau, ein Planumsübergang möglich, sofern nicht Verkehrsrücksichten bei frequenten Straßen oder bei Kreuzungen in der Nähe von Bahnhöfen dagegen sprechen. Liegt die Bahn in einem genügend tiefen Einschnitt, so ist die Straße auf einer Brücke überzuführen, deren Endwiderlager in die beiderseitigen Einschnittsböschungen gestellt werden. Solche Bahnüberbrückungen können aber auch bei geringerem Höhenunterschied ausgeführt werden, nur ist dann die Straße beiderseits auf Rampen so hoch über die Bahn zu heben, daß unter der Brücke die Durchfahrt frei bleibt. Hierzu ist nach dem Normalprofil des lichten Raumes für Vollspurbahnen eine Höhe zwischen Schienenkopf und Unterkante des Brückentragwerks von mindestens 4·8 *m*, besser 5·0 *m* notwendig. Natürlich ist bei solchen Bahnüberbrückungen das normale Lichtraumprofil auch in der Breitenrichtung überall freizuhalten. Die Pfeiler- und Widerlagerfluchten müssen demnach von der nächsten Gleisachse mindestens 2·15 *m* abstehen.

Den früher häufig ausgeführten hölzernen Überfahrtsbrücken mit neben die Einschnittsgräben auf gemauerte Sockel gestellten hölzernen Zwischenjochen (Abb. 242) werden jetzt in der Regel Überbrückungen in Stein, Beton oder Eisen vorgezogen. Die alte Bauweise solcher gewölbter Überfahrtsbrücken mit nahe an die Gleise gestellten hohen Widerlagern und Flügelmauern wird dabei aber durch jene Ausführungsform ersetzt, bei der das Gewölbe bis an die Einschnittsböschungen reicht und die Widerlager als sog. verlorene oder Druckwiderlager ausgebildet sind (Abb. 243). Eine Bahnüberbrückung in Eisenbeton zeigt Abb. 244. Ist die vorhandene Höhe für einen Bogen nicht ausreichend, so kommen Balkentragwerke in Eisenbeton oder Eisen zur Anwendung, die auf den Zwischenstützen entweder frei aufliegen oder mit ihnen zu Rahmentrag-

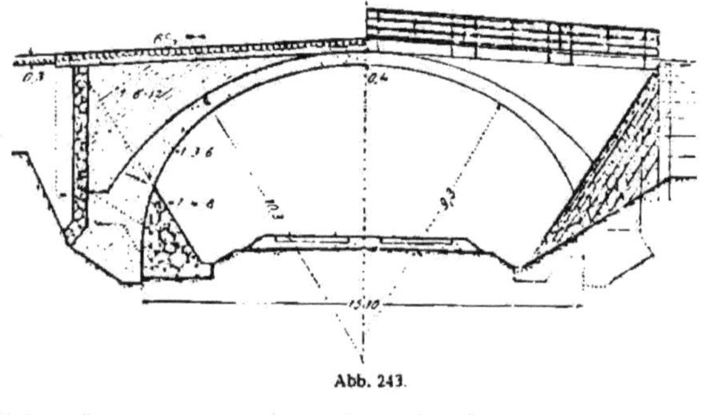

Abb. 243.

werken vereinigt sind (Abb. 245). Die Breite der Brücke, d. i. die nutzbare Breite der Brückenfahrbahn zwischen den Geländern oder den sie seitlich begrenzenden Tragwänden, richtet sich nach der Wichtigkeit und Frequenz der Straße. Gewöhnlich ist sie schon durch Die kleinste Breite für eine Fahrbrücke von ganz geringer Frequenz und kurzer Länge ist 3·0 *m*, doch wird man sie in der Regel nicht unter 4·5 – 5·0 *m* bemessen. In Österreich werden die in öffentlichen Straßen gelegenen Brücken nach 3 Klassen unterschieden,

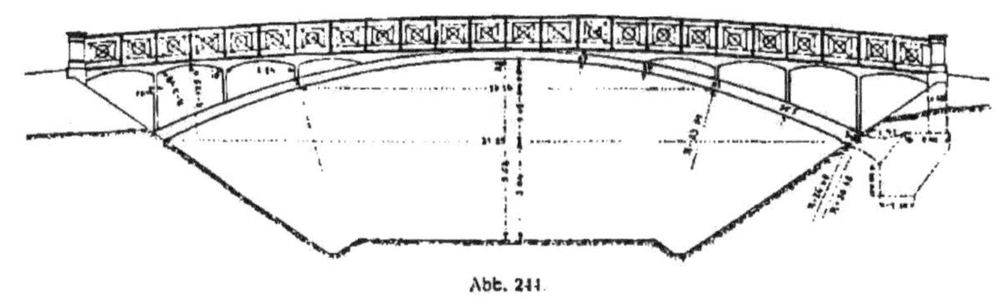
Abb. 244.

deren Breite bestimmt, doch sind bei untergeordneten Wegen Einschränkungen zulässig. für deren Breite folgende Mindestmaße eingehalten werden sollen:

	Außen liegende Fußwege (Abb. 246)		Innen liegende Fußwege (Abb. 247)	
Brücken I. Klasse	$a = 5·8$ *m*	$b = 1·5$ *m*	$a = 7·0$ *m*	$b = 1·20$ *m*
Brücken II. Klasse	$a = 5·3$ *m*	$b = 1·2$ *m*	$a = 6·4$ *m*	$b = 1·00$ *m*
Brücken III. Klasse ohne getrennte Fußwege (Abb. 248)			$a = 5·0$ *m*	

Brücken in städtischen Straßenzügen erhalten meist größere Breiten. Man rechnet für 3 Wagenreihen eine erforderliche Fahrbahnbreite von 7 – 8 *m*, für 4 Wagenreihen 9 – 10 *m*; hierzu kommen noch die Fußwege, bei Stadtbrücken mit je 2 – 4 *m* Breite.

Der Querschnitt des Überbaues einer S. ist in einer Höhe von mindestens 4·5 *m* über der Fahrbahnoberfläche und von 2·5 *m* über den Gehwegen von allen Konstruktionsteilen freizuhalten.

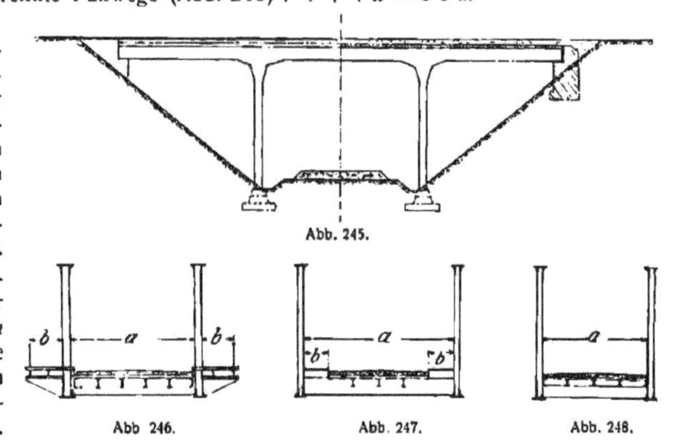

Abb. 245.

Abb 246. Abb. 247. Abb. 248.

Gewichtsangaben für eiserne S. (nach Engesser).

	Fahrbahndecke	Fahrbahntafel	Eisengewicht des Brückentragwerks bei der Stützweite *l*	Eisengewicht infolge von außerhalb der Hauptträger liegenden Fußwegen
	kg pro m^2 Grundfläche			
	der Fahrbahn			der Fußwege
Landstraßenbrücken mit doppeltem Bohlenbelag	110		$105 + 2·3\,l + 0·02\,l^2$	$60 + 2·3\,l$
Landstraßenbrücken mit Beschotterung	400	65	$125 + 2·8\,l + 0·025\,l^2$	$60 + 2·3\,l$
Stadtstraßenbrücken mit doppeltem Bohlenbelag	140		$155 + 2·7\,l + 0·021\,l^2$	$80 + 2·7\,l$
Stadtstraßenbrücken mit Beschotterung	480	80	$170 + 3·2\,l + 0·028\,l^2$	$80 + 2·7\,l$
Stadtstraßenbrücken mit Pflasterung	700	80	$180 + 3·7\,l + 0·029\,l^2$	$80 + 2·7\,l$

Hinsichtlich der Belastungsannahmen für S. wird auf Art. Belastungsannahmen für Brücken, hinsichtlich ihrer Konstruktion auf die Art. Betonbrücken, Holzbrücken, Eisenbetonbrücken, Eiserne Brücken und Steinbrücken verwiesen.

Betreffs Prüfung und Erprobung der Bahnüberbrückungen und Zufahrtsstraßenbrücken s. die Art. Brückenprobe, Brückenrevision.

Alle in Benutzung befindlichen Brücken sind mindestens alle 6 Jahre einer Untersuchung und Prüfung zu unterziehen.

Jede S. soll an ihren beiden Enden neben der Straße gut sichtbar angebrachte Tafeln erhalten, auf denen die größte zulässige Verkehrslast und das Gewicht der schwersten Wagen, die die Brücke befahren dürfen, angegeben ist.

Melan.

Streckenbaumeister heißt bei den preußisch-hessischen Staatsbahnen der dem Vorstand einer Eisenbahnbauabteilung (s. d.) zur örtlichen Leitung und Aufsicht von Bauausführungen zugewiesene und ihm dienstlich unmittelbar unterstellte Beamte. Der S. ist im allgemeinen ein höherer technischer Eisenbahnbeamter (Regierungsbaumeister). Werden die Geschäfte eines S. ausnahmsweise einem andern geigneten Bautechniker zugewiesen, so hat er die Bezeichnung Streckeningenieur. Zwecks Vermehrung der selbständigen Stellungen der höheren technischen Eisenbahnbeamten herrscht zurzeit das Bestreben, die Zahl der S. bei gleichzeitiger Vermehrung der Bauabteilungen zu verringern (s. Bauleitung). *Giese.*

Streckenbegehungen s. Bahnaufsicht.

Streckenbewachung s. Bahnerhaltung.

Streckenblock s. Blockeinrichtungen.

Streckenfernsprecher, Fernsprecher, die auf der freien Bahnstrecke in den Bahnwärterbuden und bei großem Abstand derselben auch noch in besonderen, zu diesem Zweck dazwischen aufgestellten Buden angebracht und in Parallelschaltung mit den beiden benachbarten Stationen verbunden sind. Sie dienen zur Meldung von Unfällen und außergewöhnlichen Vorkommnissen von der Strecke nach den Stationen sowie zur Anmeldung von Sonderfahrten, Änderungen in der Zugfolge, erheblichen Zugverspätungen u. dgl. von den Stationen nach der Strecke. Bei Bau- und Unterhaltungsarbeiten auf der Strecke sind sie ein bequemes Verständigungsmittel zwischen der Baustelle und den benachbarten Stationen. Sie ersetzen die früher im Gebrauch gewesenen Streckentelegraphen (s. d.), die nicht nur eine weit beschränktere Anwendungsmöglichkeit boten, sondern auch wegen der mit ihrer Bedienung verbundenen Schwierigkeiten nur unvollkommen ihren Zweck erfüllten. Der S. hat den großen Vorteil, daß er von allen Bediensteten leicht und sicher gehandhabt werden kann (s. Streckentelegraph). *Fink.*

Streckenkenntnis. Die Dienstverrichtungen des Lokomotivführers und des Zugführers verlangen eine mehr oder weniger eingehende Kenntnis der vom Zug durchfahrenen Strecke. In besonderem Maße gilt das für den Dienst des Lokomotivführers. Die Steigungs- und Krümmungsverhältnisse der Bahn, die Stationsentfernungen sowie die Gleisführung innerhalb der Bahnhöfe und mancher Kunstbauten sind maßgebend für die Fahrgeschwindigkeit. Sie werden zwar durch Signale, durch besondere Zeichen oder durch die Fahrpläne und Dienstvorschriften dem Lokomotivführer bekannt gegeben. Die Zeichen für die Steigungs- und Krümmungsverhältnisse (s. Neigungszeiger u. Streckenzeichen) sind aber bei Dunkelheit nicht beleuchtet. Auch bei Tageslicht würde ihre Beobachtung die Aufmerksamkeit des Lokomotivführers zu sehr in Anspruch nehmen und ihn von seinen sonstigen Dienstpflichten abhalten, wenn ihm nicht durch örtliche S. die Beobachtung erleichtert würde.

Der Lokomotivführer erwirbt die S. durch Belehrungsfahrten (s. d.) als dritter Mann auf der Lokomotive eines Zuges. Die große Verschiedenheit der Bahn- und Streckenverhältnisse sowie der Betriebsführung erschwert die Aufstellung allgemeiner Regeln über Art und Umfang der Belehrungsfahrten. Die preußischen Staatsbahnen überlassen daher die Festsetzung der Zahl der Fahrten dem Vorstand des Maschinenamts. Sie fordern jedoch allgemein, daß ein Lokomotivführer zum selbständigen Dienst auf einer Strecke nur zugelassen werden darf, auf der er mindestens je 2 und, wenn es sich um den Personen- oder Schnellzugdienst handelt, mindestens je 3 Belehrungsfahrten bei Tag und bei Nacht in jeder Richtung ausgeführt und außerdem schriftlich erklärt hat, daß er die Strecke kenne und im stande sei, auf ihr die ihm anzuvertrauenden Zugfahrten mit voller Sicherheit auszuführen. Wenn die Fahrten als Lokomotivführer länger als 15 Monate unterbrochen wurden oder während einer Unterbrechung der Fahrten wesentliche Änderungen an den Gleisen, den Signalanlagen oder Blockeinrichtungen stattgefunden haben, so muß die S. durch mindestens einmalige Belehrungsfahrten in jeder Richtung bei Tag und bei Nacht wiedererworben werden. – Auf der London and North Western-Eisenbahn muß der Lokomotivführer alle 6 Monate schriftlich bestätigen, daß er die von ihm zu befahrende Strecke sowohl in dem hierüber herausgegebenen, die Signale, Bahnhöfe sowie die Neigungs- und Krümmungsverhältnisse enthaltenden Streckenbuch als auch in der Wirklichkeit kenne (vgl. Bulletin d. Int. Eis.-Kongr.-Verb. 1909, S. 241).

An die S. des Zugführers werden wesentlich geringere Anforderungen gestellt. Auf den preußischen Staatsbahnen erwirbt der Zugführer die S. durch mindestens je eine Belehrungsfahrt bei Tag und bei Nacht in jeder Richtung unter Leitung eines streckenkundigen Zugbegleitbeamten. Die S. geht verloren, wenn die Fahrten auf der Strecke länger als 2 Jahre unterbrochen waren. *Breusing.*

Streckentelegraph, eine in einer Wärterbude auf der freien Bahnstrecke aufgestellte Telegrapheneinrichtung, die mit den beiden benachbarten Stationen verbunden die Möglichkeit bietet, von der Strecke aus beim Liegenbleiben eines Zuges oder bei Unfällen telegraphisch Hilfe anzufordern. Solche S. waren früher auf allen verkehrsreichen Strecken in Abständen von 2 – 4 *km* aufgestellt. Sie haben sich aber nicht bewährt, weil es stets große Schwierigkeiten bereitete, den Bahnwärtern die erforderliche Fertigkeit und Sicherheit im Telegraphieren beizubringen und sie genügend in der Übung zu erhalten. Auch die Mitführung der Telegrapheneinrichtung in den Zügen hat sich im allgemeinen nicht bewährt. Bei einigen Bahnen hat man selbsttätige Zeichengeber eingerichtet, die mit den bei den Bahnwärterposten aufgestellten Läutewerken verbunden waren. Damit konnte eine geringe Anzahl ein für allemal festgesetzter Zeichen oder „Hilfssignale" nach den beiden benachbarten Stationen gegeben werden, ohne daß dazu die Kenntnis des Telegraphierens erforderlich war. Ein am Läutewerk angebrachter Telegraphiertaster wurde durch eine beim Ablaufen des Läutewerks in Umdrehung versetzte gezahnte Scheibe in Tätigkeit gesetzt. Die Zähne auf der Scheibe stellten in abgekürzter Morseschrift das Nummerzeichen des Wärterpostens und ein bestimmtes Hilfszeichen dar. Zu jedem Läutewerk gehörten 6 – 8 Scheiben mit verschiedenen Hilfszeichen, z. B.:

„Lokomotive dienstunfähig",
„Hilfslokomotive senden",
„Zug entgleist",
„Bahnmeister und Arbeiter senden",
„Beide Gleise unfahrbar",
„Ärztliche Hilfe erforderlich".

Vor Abgabe eines Hilfssignals mußte die auf den Fall passende Zeichenscheibe auf das Laufwerk aufgesteckt werden. Dann wurde das Laufwerk einigemal mit der Hand ausgelöst, wobei die Zeichenscheibe jedesmal 4 Umdrehungen machte und ebensoviele Male der durch die Scheibe bewegte Telegraphiertaster das Hilfszeichen in die Leitung abtelegraphierte, wo es von den beiden benachbarten Stationen auf den Morsewerken aufgenommen wurde. Nach Abgabe des Hilfssignals mußte die Zeichenscheibe wieder vom Läutewerk abgenommen werden. Aber auch bei dieser Einrichtung fehlte den Bedienenden meistens die erforderliche Übung in der Handhabung. Mit der Einführung des Fernsprechers an Stelle der S. ist ein bequemeres und sichereres Verständigungsmittel zwischen der freien Strecke und den Stationen geschaffen worden (s. Streckenfernsprecher). *Fink.*

Streckenwärter s. Bahnaufsicht, Bahnwärter und Schrankenwärter.

Streckenzeichen, längs der Bahnstrecke angebrachte Tafeln, Pflöcke, Pfähle u. dgl., die entweder zu der aus Betriebsrücksichten nötigen Ersichtlichmachung bestimmter Abschnitte der Bahn dienen oder auf denen sonstige für die Bahnbewachung und Zugförderung wichtige Merkmale der betreffenden Stelle angegeben sind. Zu den S. der ersteren Art gehören die Abteilungszeichen (s. d.), dann die Grenztafeln zur Ersichtlichmachung der Wärter-, Bahnmeister-, Inspektionsbezirke u. s. w.

Zu den S. der letzteren Art gehören die Neigungszeiger (s. d.), ferner Läutetafeln (Pfeifpflöcke) und Geschwindigkeitstafeln sowie Krümmungstafeln. Läute- und Geschwindigkeitstafeln dienen dazu, Wegübergänge, die nicht mit Schranken versehen sind, dem Lokomotivführer so kenntlich zu machen, daß er rechtzeitig das Achtungssignal geben kann. In Österreich werden zu diesem Zweck sog. Pfeifpflöcke rechts vom Gleis, in der Fahrrichtung gesehen, aufgestellt, die an der dem Zug zugewandten Seite weiß, oder rot und weiß gestrichen sind. Wenn der Zug den Pfeifpflock erreicht hat, ist das Signal „Achtung" mit der Dampfpfeife zu geben.

An Stelle der Pfeifpflöcke werden in Deutschland Läutetafeln nach einheitlichen Mustern angebracht, die für den Lokomotivführer das Zeichen zum Ingangsetzen des Läutewerks sind. (Die österreichischen Lokomotiven sind nicht mit Läutewerken ausgestattet.)

Ist bei besonders gefährdeten Wegübersetzungen eine Herabminderung der Geschwindigkeit vorgesehen, so wird die vorgeschriebene Höchstgeschwindigkeit an der Läutetafel oder an dem Pfeifpflock ersichtlich gemacht.

Der Abstand des Aufstellungsortes der Tafel oder des Pflockes von der Wegübersetzung richtet sich nach der zulässigen Fahrgeschwindigkeit, nach Übersichtlichkeit, nach den Neigungsverhältnissen der Bahn sowohl wie nach jenen des Weges und nach der Dichtigkeit des Verkehrs auf letzterem. In der Regel wird ein Abstand von 200 – 300 *m* gewählt. Da Läutetafeln nur auf Bahnen mit unbewachten und nicht abgeschrankten Wegübersetzungen Aufstellung finden, demnach nur auf Nebenbahnen, die in der Regel keinen Nachtbetrieb haben, so ist auch das Beleuchten der Läutetafeln nur in seltenen Fällen notwendig (s. auch Überwegsignale).

Krümmungstafeln dienen dazu, an Ort und Stelle Aufschluß über die Lage des Gleises zu geben. Auf ihnen ist der Bogenhalbmesser, die Bogenlänge, die vorgeschriebene Spurerweiterung und Überhöhung, mitunter auch der Tangentenwinkel vermerkt. Häufig werden auch Angaben über die Übergangsbogen beigefügt. Die Krümmungstafeln werden bei Bogenmitte oder bei Bogenanfang und Bogenende aufgestellt. Die Kennzeichnung von Bogenanfang und Bogenende ist für die Unterhaltung des Gleises von großem Vorteil. *Pollak.*

Streckenzugverfahren s. Zollverfahren.

Streichschienen s. Leitschienen.

Streiks s. Arbeitseinstellungen.

Strousberg, Bethel Henry, durch Umfang und Kühnheit seiner Eisenbahngründungen bekannter Unternehmer, geboren 1823 zu Neidenburg in Ostpreußen, gestorben 1884 in Berlin, war zunächst in England als Kaufmann und Journalist tätig. Als 1861 ein Konsortium englischer Kapitalisten bei dem preußischen Handelsministerium um die Konzession zum Bau der Tilsit-Insterburger Bahn sich beworben hatte, gelang es ihm, Gesichtspunkte geltend zu machen, die die Verleihung der Konzession herbeiführten. Es war dies der erste in Deutschland auf dem Grundsatz der General-Entreprise beruhende Eisenbahnbau. Seit 1863 leitete er als Bevollmächtigter der Gesellschaft den Bau der ostpreußischen Südbahn. Dann übernahm er in rascher Folge für eigene Rechnung die Ausführung folgender Bahnen: der Berlin-Görlitzer, rechten Oderuferbahn, Märkisch-Posener, Halle-Sorauer und Hannover-Altenbekener Bahn, ferner der Brest-Grajewo-, der ungarischen Nordost- und der rumänischen Eisenbahnen, insgesamt rd. 3000 *km*. Er wandte, da ihm zur Ausführung so gewaltiger Unternehmungen weder Kapital noch Kredit ausreichend zu Gebote standen, das System an, als Generalunternehmer die Lieferanten der Bahn durch Aktien zu bezahlen. Er kaufte ferner die ausgedehnte Herrschaft Zbirow in Böhmen, Fabriken, Gruben und Hütten, Güter in der Mark u. s. w. Alle diese Unternehmungen gerieten schließlich in finanzielle Schwierigkeiten, die mit einem Besitzwechsel endigten. Als 1870 die Kupons der Obligationen der rumänischen Bahnen notleidend wurden, begann das Gebäude seiner Unternehmungen zu zerfallen; er geriet 1875 in Preußen, Österreich und Rußland in Konkurs, wurde in Moskau, wohin er sich begeben hatte, verhaftet, nach jahrelangem Prozeß zur Verbannung verurteilt, trotzdem aber noch einige Zeit in Schuldhaft gehalten, so daß er erst im Herbst 1877 nach Berlin zurückkehren konnte. In der Haft schrieb er seine Selbstbiographie (Dr. Strousberg und sein Wirken, Berlin 1876).

Literatur: Außer obiger Selbstbiographie: Korfi, Bethel Henry Strousberg. Biographische Charakteristik. Berlin 1870; Strousberg, der Eisenbahnkönig. Stuttgart 1875.

Stubaitalbahn. Meterspurige Lokalbahn von Innsbruck nach Fulpmes, dem Hauptort des Stubaitals. Betriebslänge 18·2 *km*, größte Steigung 46‰, kleinster Bogenhalbmesser 40 *m*. Es wird ein Höhenunterschied von 390 *m* in der ersten Teilstrecke von 12 *km* Länge überwunden. Am Bahnende befindet sich ein Gegengefälle von 66 *m*, das in 2 *km* Streckenlänge überwunden wird. Diese topographischen Verhältnisse verursachen die obgenannte, verhältnismäßig große Bahnlänge bei nur 11 *km* Entfernung der Endpunkte in der Luftlinie.

Zahlreiche Kunstbauten, darunter 2 Viadukte und 2 Tunnel, sämtlich in Krümmungen bis 80 *m*, sind vorhanden.

Die S. ist dadurch bekannt geworden, daß sie die erste Bahn war, die mit hochgespanntem Wechselstrom hoher Pulszahl (42) betrieben wurde. Die Fahrleitung wird von 3 Unterwerken mit 2500 Volt Spannung gespeist. Dieser Strom wird in den Motorwagen auf 400 – 500 Volt herabtransformiert. Es sind 4 vierachsige Motorwagen vorhanden, die mit 4 je 50pferdigen kompensierten Serienmotoren System Winter-Eichberg, Fabrikat der A. E. G.-Union-Elektrizitätsgesellschaft, Wien, ausgerüstet sind.

Bei der S. wurde auch zum ersten Mal eine Kettenoberleitung unter ausschließlicher Verwendung von Porzellan als Isoliermaterial ausgeführt.

Die A. E. G.-Union-Elektrizitätsgesellschaft Wien, die den elektrischen Teil des Baues ausgeführt hat, hat durch Übernahme des überwiegenden Teiles des Prioritätenkapitals den Bau ermöglicht. Außerdem sind an dem Baukapital von insgesamt 2,650.000 K die anliegenden Gemeinden, das Land Tirol und der österreichische Staat beteiligt.

Den Betrieb führt die Lokalbahn Innsbruck-Hall i. T. Betriebseröffnung: 1. August 1904. Der Betriebsüberschuß genügt knapp zur Verzinsung des Verzugskapitals.

Literatur: L. Th. Schopp, Innsbruck und seine Bergbahnen. Deutsche Buchdruckerei G. m. b. H., Innsbruck. – Dr.-Ing. E. E. Seefehlner, Die Stubaitalbahn. Elektr. Kraftbetr. u. B. 1905. – K. Armbruster, Die Tiroler Bergbahnen. Verlag für Fachliteratur. *Seefehlner.*

Stückgüterzüge *(parcel- or piece-goods trains; trains pour colis; treni colli o bagagli)* sind zur Beförderung von Frachtgutkurswagen (s. Stückgutkurswagen) bestimmte Nahgüterzüge. Sie vermitteln den Stückgutverkehr der Haltestationen des Zuges in der Weise, daß die Güter in die in den Zug nach einem besonderen Verzeichnis regelmäßig eingestellten Kurswagen (s. d.) ein- und aus ihnen ausgeladen werden. Um die Aufenthalte nicht zu sehr auszudehnen, werden für Bahnhöfe mit größerem Empfang besondere Ortswagen oder Umladewagen gebildet, die nur Güter für diesen Bahnhof enthalten und daher ohne weitere Behandlung aus dem Zug ausgesetzt werden können. Der Versand größerer Gütermengen wird in ähnlicher Weise geregelt.

Da die Zugkraft der Lokomotive durch die Beförderung der Kurswagen vielfach nicht ausgenutzt wird, so befördern die S. auch leere Wagen und Ladungen für die Haltestationen und die Endstationen des Zuges, soweit dieser hierfür eine günstige Gelegenheit bietet (s. Güterzüge). *Brensing.*

Stückgut *(parcels; colis marchandises; merce a colli)*, im Gegensatz zu „Wagenladung" eine Frachtsendung, die im einzelnen Fall die Tragkraft des zur Verladung verwendeten Wagens nicht voll ausnutzt und für die deshalb nicht die Wagenladungssätze, sondern die hohen Stückgutsätze eingehoben werden. Eine Mittelstufe zwischen Wagenladung und S. bildet die halbe Wagenladung. Man unterscheidet tarifarisch sperriges und nichtsperriges S., ferner Fracht- und Eilstückgut (vgl. Gütertarif).

Stückgutbahnhöfe *(parcels or packet stations; gares à marchandises; stazioni merci)* sind Bahnhofsanlagen, innerhalb deren solche Güter abgefertigt werden (s. Güterabfertigung), die stückweise der Eisenbahn zur Beförderung übergeben werden. Meist sind diese Anlagen mit denen für die Abfertigung der Wagenladungen (Rohgutbahnhöfe, s. d., auch Wagenladungsbahnhöfe oder Freiladebahnhöfe genannt) zu Gesamtanlagen für den Güterverkehr (Güterbahnhöfe, Ortsgüterbahnhöfe) verbunden. Da die Grundsätze für die Anordnung von Gesamtanlagen und von Teilanlagen für Stückgüter oder für Wagenladungen im wesentlichen übereinstimmen, so erfolgt hier die Behandlung ungetrennt.

Die Güterverkehrsanlagen sind auf kleinen und mittleren Bahnhöfen mit den Personenverkehrsanlagen in der Regel zu einem Ganzen verbunden (s. Bahnhöfe), so daß von einem besonderen Güterbahnhof nicht gesprochen werden kann. Auch auf großen Bahnhöfen findet sich solche Anordnung bisweilen. Meist bilden aber auf einem großen Bahnhof die Anlagen für den Ortsgüterverkehr, auch wenn sie unmittelbar neben den Personenverkehrsanlagen oder in deren Nähe liegen, eine für sich geschlossene Einheit, die mit dem meist weiter außerhalb gelegenen Verschiebebahnhof in besonderer, d. h. von den Personengleisen unabhängiger Gleisverbindung steht.

Außer solchen Güterbahnhöfen, die jedesmal ein Glied einer gruppierten Gesamtbahnhofsanlage bilden, gibt es auch selbständige Güterbahnhöfe, die an einen Verschiebebahnhof unmittelbar angeschlossen oder mit ihm durch eine kürzere oder längere Anschlußbahn verbunden sind oder als Zwischenstationen an einer Güterbahn oder an einer dem Personen- und Güterverkehr dienenden Bahn liegen.

Der Güterbahnhof enthält einmal die zur Annahme und Verladung, Entladung und Auslieferung, soweit erforderlich auch zur Zwischenlagerung dienenden Anlagen, als Güterschuppen (s. d.) nebst anschließenden Ladebühnen, Freiladegleise (s. d.), Laderampen (s. d.), Ladebühnen, Krane, Umladeschuppen u. s. w. nebst den zugehörigen Abfertigungsräumen (bei den Güterschuppen meist mit diesen baulich verbunden), ferner aber einerseits die Zufahrtstraßen und Ladestraßen, anderseits die Zuführungsgleise und Ladegleise sowie Aufstellgleise und Verschiebeanlagen. Letztere nehmen einen um so größeren Umfang an, je weiter der Güterbahnhof von dem ihn versorgenden Verschiebebahnhof entfernt ist. Während sich bei den großen Personenbahnhöfen gewisse Regelformen herausgebildet haben (s. Bahnhöfe), ist dies für die Gesamtanordnung der Güterbahnhöfe nicht in gleichem Maß der Fall, einmal weil die für die einzelnen Zwecke des Güterverkehrs bestimmten Anlagen, je nach dem Verkehrsbedürfnis, gegenseitig einen sehr verschiedenen Umfang haben, bisweilen auch Anlagen mancher Art ganz fehlen, oder auch die ganze Anlage nur einem Zweck (S., Wagenladungsbahnhof) dient, dann aber auch, weil es in vielen Fällen notwendig und auch unbedenklich ist, sich mit der Gruppierung und Entwicklung der den verschiedenen Verkehrszwecken dienenden Bestandteile nach der Form des verfügbaren Geländes zu richten.

Gleichwohl kann man für die Ausbildung der Güterbahnhöfe gewisse Haupterfordernisse aufstellen:

1. Gute Straßenverbindung zur Stadt, die möglichst so geführt ist, daß die Straßenverbindung zum Personenbahnhof von den Güterfuhrwerken nicht belastet wird. Ausreichend breite Ladestraßen und Wendeplätze.

2. Selbständige zweigleisige Verbindung zum Verschiebebahnhof, außerdem nach Bedarf Gleisverbindungen zum Personenbahnhof oder Abstellbahnhof.

3. Gruppierung der einzelnen Ladeanlagen und ihrer Zustellungsgleise derart, daß die Zu- und Fortführung der Güterwagen zu den Teilanlagen einander nicht behindern, aber doch unter derartiger gegenseitiger Gleisverbindung, daß die Güterwagen von der einen zur andern Teilanlage auf möglichst kurzem Wege und möglichst ohne Behinderung anderer Bewegungen überführt werden können.

Dies kommt namentlich für das Überführen von auf einer Teilanlage entladenen Wagen nach einer andern Teilanlage zur Wiederbeladung oder zum Überführen teilweise beladener Wagen zur Fertigbeladung in Betracht.

4. Anordnung ausreichender Wechselgleise, Aufstellgleise für leere, für unerledigte oder erledigte beladene Wagen und Ordnungsgleise bei den einzelnen Teilanlagen (s. Freiladegleise, Güterschuppen), um jedesmal mit einer Verschiebefahrt vom und zum Verschiebebahnhof und ohne unnötigen Zeitverlust Güterwagen auswechseln zu können.

5. Erforderlichenfalls Anordnung von Güterzugein- und -ausfahrgleisen nebst einer Verschiebeanlage, auf der die mit den Güterzügen angekommenen Wagen nach den Hauptteilen des Güterbahnhofs oder auch nach den einzelnen Ladeanlagen geordnet werden können.

Dies ist namentlich dann erforderlich, wenn der Güterbahnhof selbständig an einer Güterbahn oder an einer dem Personen- und Güterverkehr dienenden Bahn liegt, aber auch wenn der Verschiebebahnhof, an den der Ortsgüterbahnhof angeschlossen ist, nicht darauf eingerichtet ist, diese Ordnungsarbeit vorzunehmen. An solche Verschiebeanlagen für den ganzen Ortsgüterbahnhof sollen die Zuführungsgleise zu den Teilanlagen unmittelbar und möglichst unabhängig voneinander (s. o.) anschließen.

Zweckmäßig werden alle Gleisverbindungen auf Güterbahnhöfen durch Weichen vermittelt. Im Ausland, namentlich in England und Frankreich, finden sich statt dessen vielfach Drehscheibenverbindungen (oder auch Schiebebühnenverbindungen), in England namentlich oft bei mehrgeschossigen Anlagen im Zusammenhang mit Aufzügen, die die Güterwagen aus dem einen in das andere Geschoß befördern. Solche Verbindungen zwingen dazu, jeden Wagen einzeln zu bewegen, und haben den ferneren Nachteil, daß sie den Radstand der Wagen nach dem einmal festgelegten Drehscheibendurchmesser (bzw. der Länge der Schiebebühne) beschränken.

Ist das verfügbare Gelände langgestreckt und schmal, so muß man die Teilanlagen hintereinander anordnen, was die Gesamtanlage weniger übersichtlich macht und weite Verschiebefahrten veranlaßt. Übersichtlicher und bequemer ist die Nebeneinanderanordnung der Teilanlagen auf breitem Gelände, jedoch unter der Voraussetzung, daß das Gelände nicht zu kurz ist, um die Wechselgleise oder die Einfahr- und Verschiebeanlage davor anordnen und die Gleisverbindungen nach allen Teilanlagen mit ausreichenden Krümmungshalbmessern entwickeln zu können.

Unabhängig davon, ob der Personenbahnhof, neben dem ein Güterbahnhof angelegt ist, Kopfform oder Durchgangsform besitzt,

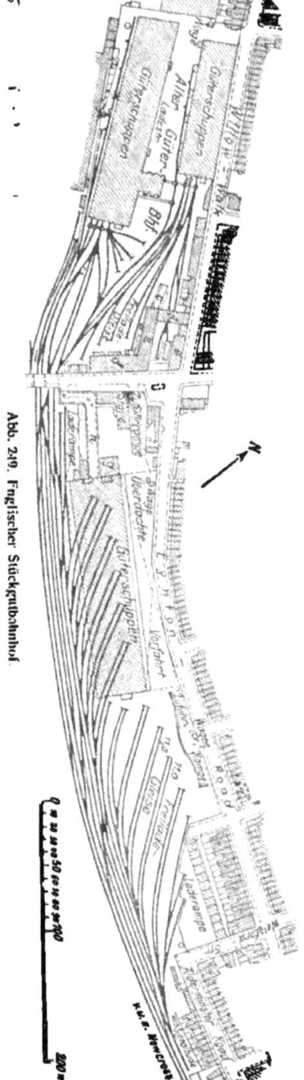
Abb. 249. Englischer Stückgutbahnhof.

ergibt sich für einen größeren Güterbahnhof in der Regel die Kopfform, indem seine Gleisanlagen sich aus den vom Verschiebebahnhof kommenden Zuführungsgleisen, deren Richtung fortsetzend, in die Breite entwickeln. Wo der

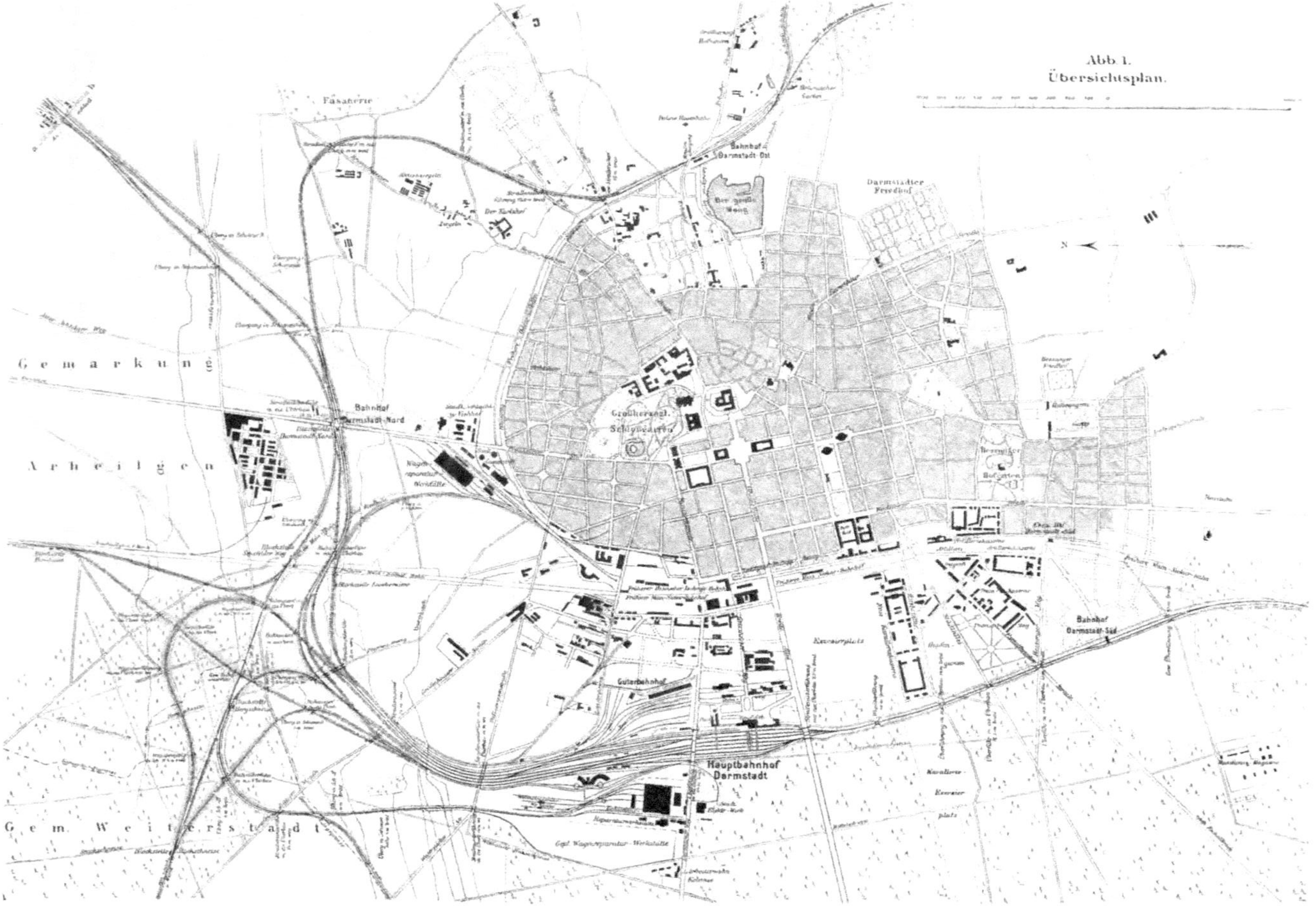
Fasanerie
Bahnhof Darmstadt-Ost
Der große Woog
Darmstädter Friedhof
N
Gemarkung
Arheilgen
Bahnhof Darmstadt-Nord
Großherzogl. Schloßgarten
Herrngarten
Hofgarten
Exerzierplatz
Bahnhof Darmstadt-Süd
Güterbahnhof
Hauptbahnhof Darmstadt
Kavallerie-Exerzier-platz
Gem. Weiterstadt

Abb. 1. Übersichtsplan.

Verlag von Urban & Schwarzenberg in Berlin u. Wien.

Personenbahnhof wegen schienenfreien Bahnsteigzugangs über oder unter Geländehöhe angeordnet ist, bietet eine hiervon abweichende Anordnung des Güterbahnhofs in Geländehöhe den doppelten Vorteil der Ersparnis an Erdarbeiten und der bequemeren Heranführung der Zufahrtstraßen.

Zur weiteren Verdeutlichung des Gesagten kann – außer dem Hinweis auf die Art. Freiladegleis, Güterschuppen – im allgemeinen auf die beim Art. Bahnhöfe in Taf. V–VII (Bd. I) gegebenen Beispiele Bezug genommen werden. Die Bahnhöfe Entwurf Stuttgart (Taf. VI, Abb. 1) und Pilsen (Taf. VII, Abb. 3, 4) zeigen Nebeneinanderanordnung, die Bahnhöfe Triest der Staatsbahnen (Taf. VII, Abb. 5) und Berlin, Stettiner Bahnhof (Taf. VI, Abb. 9) Hintereinanderanordnung der Teilanlagen. Nur der letztgenannte ist lediglich S. (zugleich für Eilgut dienend), die anderen zugleich Wagenladungsbahnhöfe. Alle besitzen Kopfform, auch Pilsen, wo der Personenbahnhof Durchgangsform hat. Ein ähnliches Beispiel bildet der in Taf. VIII wiedergegebene Güterbahnhof Darmstadt, der an die beiden neben dem Personenbahnhof durchgeführten Hauptgütergleise angeschlossen ist.

Ein Beispiel eines englischen Güterbahnhofs zeigt Abb. 387, S. 453 (Bd. V) beim Art. Güterschuppen. Das durch die eingezeichneten 3 Aufzüge zugängliche (nicht dargestellte) Untergeschoß hat in der Hauptsache Drehscheibenverbindungen der Ladegleise. Ein ferneres Beispiel eines englischen Güterbahnhofs, bemerkenswert durch die weitgetriebene Ausnutzung eines langgestreckten, in der Breite beschränkten Geländes, zeigt Abb. 249 (nach Frahm, s. Literatur, Abb. 168 auf S. 128).

Literatur: Oder, Hb. d. Ing. W. V, 4, 1, Leipzig 1907, worin zahlreiche weitere Literaturangaben. – Frahm, Das englische Eisenbahnwesen. Berlin 1911.

Cauer.

Stückgutkurswagen *(piece-goods wagons without special destination; wagons pour colis faisant la navette; carri colli facente navetta)* sind Güterwagen, die zur Beförderung von Stückgut in bestimmten Zügen (s. Stückgüterzüge) und auf bestimmten Strecken verkehren und zur Einladung oder Ausladung oder zur Ein- und Ausladung der Stückgüter auf der ganzen vom Zug durchlaufenen Strecke oder auf einem Teil der Strecke dienen (s. Durchgehende Wagen). In den Beförderungsvorschriften des DEVV. H. 1 ist die Behandlung der S. für das Verbandsgebiet einheitlich geregelt. Hiernach erhalten die S. Beklebezettel mit einheitlichem Aufdruck. Man unterscheidet Eilgutkurswagen, Frachtgutkurswagen und Feuerzeugkurswagen. Jede Verwaltung stellt für die in ihrem Bezirk verkehrenden S. getrennt nach den vorstehend genannten Gattungen ein Verzeichnis auf, das der Güterabfertigung für die Benutzung der Wagen als Anhalt dient. Die S. erhalten für den ganzen Verwaltungsbezirk fortlaufende Nummern. Außerdem werden in dem Verzeichnis ihre besonderen Aufgaben sowie die zu ihrer Beförderung bestimmten Züge mit deren Abfahr- und Ankunftzeiten für die Anfangs- und Endstation des Wagenlaufs ersichtlich gemacht. Reicht der Laderaum eines S. nicht aus, so wird ein Kursbeiwagen gebildet oder es wird das Gut für eine oder mehrere Stationen in besonderen Ortswagen untergebracht.

Brensing.

Stütz- und Verkleidungs- (Futter-) Mauern *(retaining walls and revetments; murs de soutènement et murs de revêtement; muri di sostegno e muri di rivestimento).* Die Bekleidung der Böschungsflächen eines Erdkörpers durch stehende Steinbauten dient entweder

a) der Verkleidung an sich standfähiger Massen der Einschnitte zur Herbeiführung eines wirksamen Schutzes der Oberfläche gegen Verwitterung und Abspülung – Verkleidungs- oder Futtermauern – oder sie wird nötig

b) zur Stützung von Böschungen, die steiler sind als die natürliche Böschung der betreffenden Erdmasse – Stützmauern. Anlagen der letzteren Art sind zumeist durch die Notwendigkeit begründet, Ersparnisse an Geländebreite zu erzielen entweder wegen zu steiler Neigung des Geländes, oder wegen der Nähe zu schonender Wegezüge, Wasserläufe oder sonstiger Anlagen, oder wegen des hohen Preises des in Anspruch zu nehmenden Grundes und Bodens.

Diesem verschiedenen Zweck entsprechend sind die anzuwendenden Stärken verschieden.

In einfachster Weise kann ein steilerer als der natürliche Lagerwinkel der Erdmasse für Schüttungen bereits erreicht werden:

1. durch Steinpackungen (Steinsätze) aus unbearbeiteten, aber in der Böschungsfläche möglichst sorgfältig zusammengeschichteten Steinen. Die hintere Begrenzung solcher Packungen ist meist lotrecht, die Vorderfläche unter 1 : 1 geneigt, die obere Breite nicht unter $1{\cdot}0 + \frac{h}{20}$. Reichliches Sackmaß, etwa $\frac{1}{25}\,h$, muß gegeben werden (h = Mauerhöhe).

Steilere Neigungen der Vorderfläche ermöglichen

2. Trockenmauern aus mit dem Hammer bearbeiteten, regelrecht in Verband gesetzten und möglichst großen lagerhaften Bruchsteinen, die mit Steinsplittern gegeneinander verzwickt werden. Die Lagerfugen sind möglichst senkrecht zur Drucklinie, also an der Vorderfläche senkrecht zu dieser und von da nach und nach zur Wagrechten übergehend anzuordnen. Neigung der Vorderfläche meist $1 : {}^2/_3$, im unteren Teil hoher Mauern besser $1 : {}^4/_5$, bei niedrigen Mauern – höchstens 6 – 8 m – $1 : {}^1/_2 - {}^1/_3$; Rückfläche im Auftrag senkrecht, im gewachsenen Boden etwa gleichgerichtet

mit der Vorderfläche. Die Stärke der Mauer hängt wesentlich von Größe und Lagerhaftigkeit der Steine ab. Im allgemeinen Kleinstmaß der Kronenbreite 0·6 *m*, wo starke Erschütterungen in Frage kommen, z. B. bei Eisenbahnen, erheblich größer. Der Kopf der Mauer soll der unmittelbaren Einwirkung der Erschütterungen möglichst entzogen werden. Beispiele ausgeführter Trockenmauern an Eisenbahnen zeigt Taf. IX, Abb. 1—5.

Bei großen Höhen ist eine Hinterpackung der Trockenmauern mit Steinsätzen zweckmäßig, jedoch ohne Verband der beiden Steinkörper. In Dämmen ist die Vorderkante von Trockenmauern und Steinsätzen um ein Maß δ vor die Böschungsfläche zu legen, das für Steinschüttungen zu $\delta = \frac{h_1}{25} + \frac{h_2}{50}$, für Erdschüttungen zu $\delta = \frac{h_1}{15} + \frac{h_2}{50}$ angenommen werden kann (Taf. IX, Abb. 6).

Lagerhaftigkeit und Größe der Steine, vor allem in der Ansichtsfläche, ist für die Haltbarkeit der Mauer besonders wichtig. Von der Ausfüllung der Fugen mit Erde oder Moos ist abzuraten, da eine bessere Auflagerung der Steine hierdurch nicht erreicht werden kann, die Wasserabführung aber gehindert und das Vollsaugen der Fugen mit Wasser nur gefördert wird.

Wo gute lagerhafte Steine häufig sind, Sand aber fehlt, können Trockenmauern zweckmäßig erscheinen. Die Erfahrungen mit hohen Trockenmauern sind indessen nicht allenthalben günstige gewesen, da die Mauern infolge ungleicher Druckverteilung und ungleichen Setzens leicht Ausbauchungen erhalten, die bei großen Höhen schwierige Ausbesserungen ergeben.

Abtreppungen im Grunde werden der zu befürchtenden ungleichen Setzungen wegen besser vermieden.

Noch weitere Einschränkungen in der Neigung der Vorderfläche — bis zur Senkrechten — und geringere Stärken — etwa $^2/_3 - ^3/_4$ der Trockenmauerabmessungen — gestatten

3. M ö r t e l m a u e r n aus Bruchsteinen, Beton und Eisenbeton, seltener aus Hausteinen oder Ziegeln. Gemischtes Mauerwerk mit Verblendung aus Hausteinen oder Ziegeln ist des verschiedenen Setzens wegen nicht zu empfehlen. Es sind entweder volle Mauern mit gleichmäßig durchgehendem Querschnitt oder zur Baustoffersparnis aufgelöste, gegliederte Bauwerke mit ebenen oder gekrümmten Schilden zwischen einzelnen Schäften anzuwenden.

Verkleidungsmauern werden meist mit vollem Querschnitt ausgeführt (Taf. IX, Abb. 8).

a) V o l l e M a u e r n am zweckmäßigsten mit geradlinig begrenzter, unter 1 : 5 — 1 : 6, nach Bedarf auch steiler geneigter Vorderfläche (Taf. IX, Abb. 9). Die Rückfläche wird nach dem Verlauf der Stützlinie begrenzt, im Teil ü b e r Gelände meist der leichteren Ausführung wegen lotrecht, im gewachsenen Boden vielfach gleichgerichtet mit der Vorderfläche. Mauern mit lotrechter Vorder- und Hinterfläche (Taf. IX, Abb. 10) sind wenig vorteilhaft, weil viel Baustoff erfordernd. Muß auf lotrechte Vorderfläche Wert gelegt werden, so ist zur Querschnittsverringerung die Rückfläche geneigt anzuordnen (Taf. IX, Abb. 11). Verkleidungsmauern werden an der Rückfläche oft in gleichem Sinne geneigt wie an der Vorderfläche (Taf. IX, Abb. 12).

Im Querschnitt gekrümmte Mauern sind wegen der hohen Herstellungskosten jetzt nur selten angewendet; der Mehraufwand an Arbeitslohn, den sie erfordern, übersteigt die Kosten des bei geraden Querschnittsbegrenzungen mehr erforderlichen Mauerwerks gewöhnlich wesentlich.

Die Mauern sind mit möglichst geringem Aufwand von Baustoff durchzubilden, ihre Stärke ist unter Berücksichtigung des auf sie wirkenden Erddrucks (s. d.) zu ermitteln und ihre Abmessungen sind hiernach statisch zu begründen. Für erste Annahmen kann zu grunde gelegt werden:

b (mittlere Mauerstärke) $= 0{\cdot}29\ h$ (Mauerhöhe) bei trockener wagrechter Hinterfüllung;

$b = 0{\cdot}33\ h$ für gewöhnliche Verhältnisse und nicht zu nasse Hinterfüllung;

$b = 0{\cdot}43\ h$ für tonige oder lehmige, zur Rutschung neigende Hinterfüllung.

Intze gibt die Mauerdicke x in beliebiger Tiefe h unter der Mauerkrone mit:

$x = 0{\cdot}32\ h + 0{\cdot}011\ h^2$ für trockenen und mit
$x = 0{\cdot}40\ h + 0{\cdot}016\ h^2$ für nassen Hinterfüllungsboden.

Bei einem Anlauf der Vorderfläche von $1 : {}^1/_5 - {}^1/_6$ und bei lotrechter hinterer Begrenzung kann die erforderliche Kronenbreite a_1 für Mauern zur Stützung von Dammkörpern (Taf. IX, Abb. 13) zu $0{\cdot}45 + 0{\cdot}30 \cdot h - 0{\cdot}1 \cdot h\,(1 - \frac{h_1}{3\,h})^2$, für Mauern zur Stützung von gewachsenem Boden (Taf. IX, Abb. 14) zu

$$0{\cdot}30 + 0{\cdot}27 \cdot h - 0{\cdot}1 \cdot h\,(1 - \frac{h_1}{3\,h})^2$$

angenommen werden.

Liegen hinter der Mauer Steinsätze von mindestens gleicher Stärke wie diese und nach rückwärts geböscht, so kann die Stärke der Mauer um 5 — 8 % verringert werden. Kleinstmaß der Kronenbreite bei Bruchstein 0·5 — 0·6 *m*, bei Ziegel 2 Steinlängen, bei Beton 0·3 — 0·4 *m*.

Beispiele ausgeführter Mauern vgl. Taf. IX, Abb. 7, 15, 16, 21, 22.

Stütz- und Verkleidungsmauern.

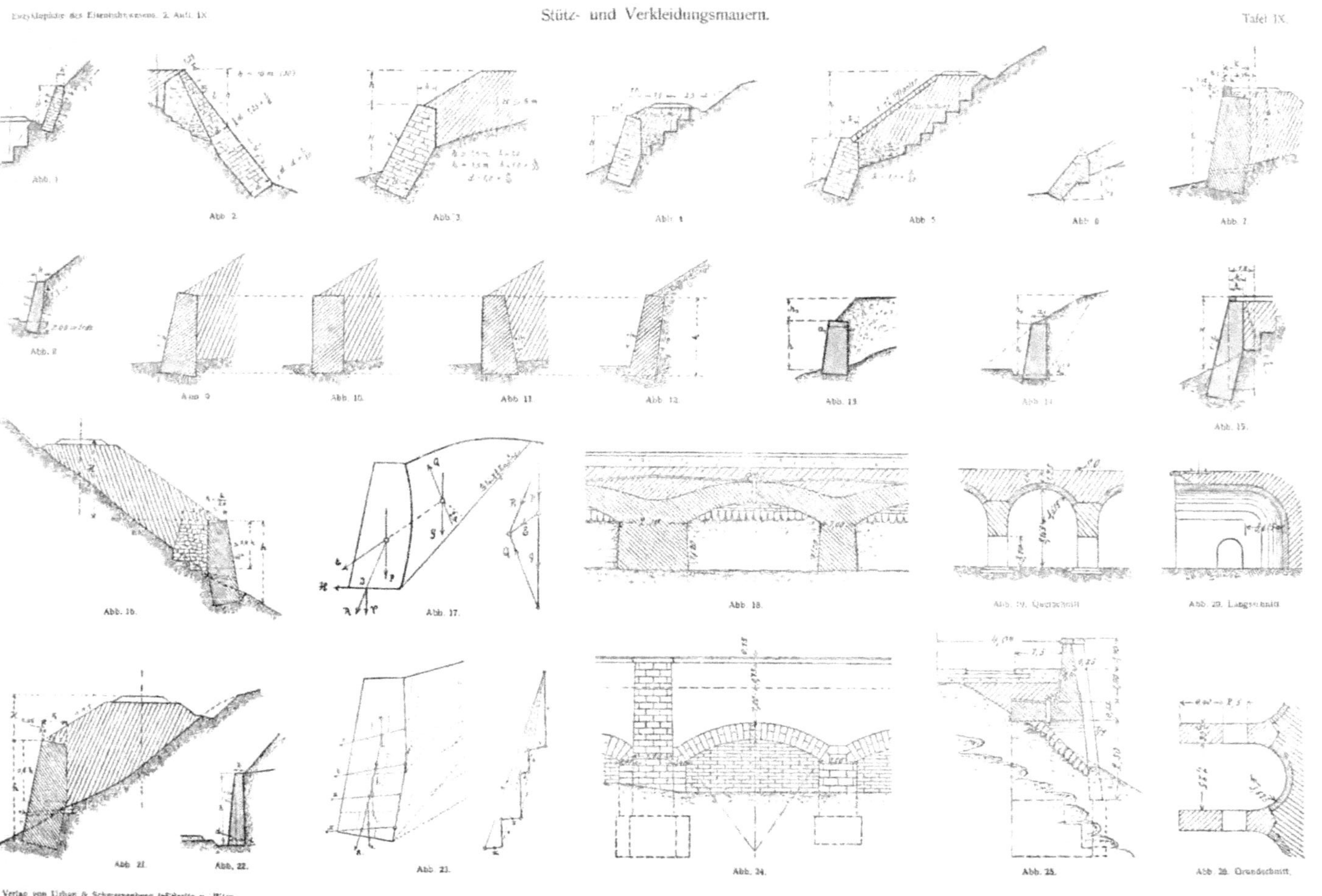

Abb. 1 Abb. 2 Abb. 3 Abb. 4 Abb. 5 Abb. 6 Abb. 7

Abb. 8 Abb. 9 Abb. 10. Abb. 11 Abb. 12 Abb. 13 Abb. 14 Abb. 15.

Abb. 16. Abb. 17. Abb. 18. Abb. 19. Querschnitt Abb. 20. Langsschnitt

Abb. 21. Abb. 22. Abb. 23. Abb. 24. Abb. 25. Abb. 26. Grundschnitt.

Verlag von Urban & Schwarzenberg in Berlin u. Wien.

Einfach gestaltet sich die zeichnerische Untersuchung des zunächst nach den vorstehenden Anhalten anzunehmenden Mauerquerschnitts. Vorausgesetzt sei, daß der angreifende Erddruck E (s. d.) auf die irgendwie gestaltete Rückwand nach Größe, Richtung und Angriffspunkt gegeben sei. Dann setzt sich dieser (Taf. IX, Abb. 17) mit dem Gewicht P der Mauer zu einer Mittelkraft R zusammen, deren Richtung die Bodenfuge des Mauerquerschnitts bei I schneidet.

Die Standsicherheit der Mauer ist alsdann an die Bedingungen geknüpft, daß

1. der durch die lotrechte Seitenkraft V der Mittelkraft R erzeugte Bodendruck in der Sohle die zulässigen Grenzen nicht überschreiten darf;
2. die wagrechte Seitenkraft H der Mittelkraft R bei frei, ohne Mörtelverbindung u. dgl. in der Sohle gestützter Mauer so viel kleiner sein muß als der durch V erzeugte Reibungswiderstand $V \cdot \operatorname{tg} \varphi$, daß die Sicherheit der Mauer gegen Verschieben mindestens $1\frac{1}{2}$ – 2fach wird;
3. in keinem Punkt des Mauerquerschnitts die zulässige Fugenspannung überschritten wird, auch dann nicht, wenn die Mauer noch nicht hinterfüllt ist, damit sie auch ohne Erddruckwirkung standfähig ist.
4. der Angriffspunkt der Mittelkraft im allgemeinen nicht aus dem mittleren Drittel der Fugenbreite heraustritt, demnach Zugspannungen im Mauerwerk in der Regel nicht auftreten. Ausnahmen sind zur Erzielung einer zweckmäßigen Ausgestaltung der Mauervorderfläche und einer ausreichenden Unterstützung des Mauerschwerpunktes nicht immer zu vermeiden, namentlich nicht in der Bodenfuge, aber möglichst zu beschränken.

Werden für eine Reihe aufeinanderfolgender Fugen die Erddrücke auf die Hinterflächen der einzelnen Mauerabschnitte ermittelt und mit den Gewichten der Mauerkörper zwischen diesen Fugen mittels eines Kraftecks zusammengesetzt, so findet sich die Mittelkraftlinie für die Stützmauer (Taf. IX, Abb. 23), mit deren Hilfe die Mauerwerksspannungen und der Bodendruck in den Kantenpunkten der einzelnen Fugen nach der Gleichung $k = \frac{V \cdot 1000}{100 \cdot b} \pm \frac{6 V \cdot x \cdot 1000}{100 \cdot b^2}$ berechnet werden können (b = Fugenbreite).

Statisch würde unter sonst gleichen Umständen diejenige Form die günstigste sein, bei der die Mittelkraftlinie für die maßgebende Belastung durch die Mitte aller Fugen verläuft. Das würde im allgemeinen einen Querschnitt mit gekrümmten Begrenzungen ergeben, der zwar die geringste Mauerwerksmasse erfordern würde, aber deshalb noch nicht die wirtschaftlich richtigste Form darzustellen brauchte, weil die Herstellung krummer Wände mehr Arbeitslohn kostet als die gerader oder gebrochener Wände.

Das Mauerwerk der Stützmauern ist gleichmäßig herzustellen; Lagerfugen senkrecht zur Vorderfläche, bei starken Mauern allmählich in die Wagrechte übergehend. Möglichst großes spezifisches Gewicht, guter Verband und gutes Lager der Steine, kräftige Binder, große Kopfsteine in der Ansichtsfläche, guter Schluß der Fugen in der Vorderfläche mit Zementmörtel. Das Fundament – in Erde 0·8 – 1·0 *m* unter Bodenfläche – ist sorgfältig gegen Gleiten und Unterspülen zu sichern. Zur Abführung des sich hinter der Mauer ansammelnden Wassers sind Entwässerungskanäle von etwa 10 × 15 *cm* Querschnitt oder Röhren von wenigstens 5 *cm* Durchmesser an richtiger Stelle vorzusehen und an der Rückseite mit wasserdurchlässigem Geröll zu umpacken. Bei zu erwartender größerer Feuchtigkeit 50 – 90 *cm* starke Steinpackung hinter der Mauer mit einer Sickerrinne längs des Fußes. Hinterfüllung sorgfältig und gleichmäßig in nahe wagrechten, nicht zu starken, gut anzustampfenden, keinesfalls gegen die Mauer abfallenden Schichten mit Massen, die möglichst wenig Druck verursachen – Sand, Kies, Gerölle, Geschiebe. Kopf der Mauer möglichst widerstandsfähig, am besten aus einer kräftigen Rollschicht von ausgesuchten Steinen zu bilden, bei Backsteinen wohl auch, wenn Rollschichten und kräftige Platten aus natürlichen Steinen schwer zu beschaffen sind, aus Backsteinrollschichten. Schwächere Platten leisten nicht genügenden Widerstand gegen das Abschieben.

Die Hinterfläche der Mauer ist mit Mörtel auszuschweißen und mit einem Anstrich von Teer und Asphalt zu versehen, bei Betonmauern auch wohl durch 2 – 3 Lagen von aufzuklebendem Asphaltfilz oder von Asphaltpappe gegen das Eindringen der Bodenfeuchtigkeit zu schützen.

Bei in Kalkmörtel hergestellten Mauern ist zu empfehlen, das Mauerwerk einige Wochen unverfüllt stehen zu lassen, damit es genügend austrocknen kann.

Bei rutschenden, gefährlichen Lehnen kann es zweckmäßig sein, etwa nötig werdende Einschnittsstützmauern vor der Aushebung der Einschnittsmassen aus einzelnen Schäften zu bilden, die in bergmännisch abzusenkenden Schächten aufgemauert werden.

b) A u f g e l ö s t e (gegliederte) M a u e r n können durch Schwierigkeiten der Gründung veranlaßt sein, die es wünschenswert erscheinen lassen, nur einzelne Pfeiler entsprechend zu gründen und die Mauer entweder auf Grundbögen zu stellen oder den Raum zwischen den hochgeführten Pfeilern durch Gewölbe mit wagrechter, senkrechter oder schräger Achslinie zu schließen. Sie können auch bedingt sein durch das Streben nach Verringerung der Mauermasse, wenngleich hiermit heutzutage nur in seltenen Fällen sehr teurer Baustoffe eine Verringerung der Kosten verknüpft sein wird, die überdies auch stets mit einer Erhöhung der Unterhaltungskosten bezahlt werden muß. Indessen können dessenungeachtet ausnahmsweise statische Gründe, namentlich bei hohen Mauern (10 – 15 *m*) solche Planungen zweckmäßig, wenn auch nicht billig, erscheinen lassen (vgl. Taf. IX, Abb. 18, 24, 25). In Einzelfällen, z. B. bei der Hochlegung von Eisenbahnen im bebauten Stadtgebiet, kann auch das Streben nach Gewinnung nutzbaren Raumes unter der Eisenbahn zu einer solchen Auflösung in weitgehendem Maß Veranlassung geben (Taf. IX, Abb. 19, 20, 26). In der Bauweise selbst begründet ist sie bei allen Stützmauern aus Eisenbeton, die ihrem Baugrundsatz nach aus einzelnen Schäften bestehen müssen, zwischen die sich biegungsfest mit jenen verbundene, lotrechte und wagrechte Platten einschieben (Abb. 250—254).

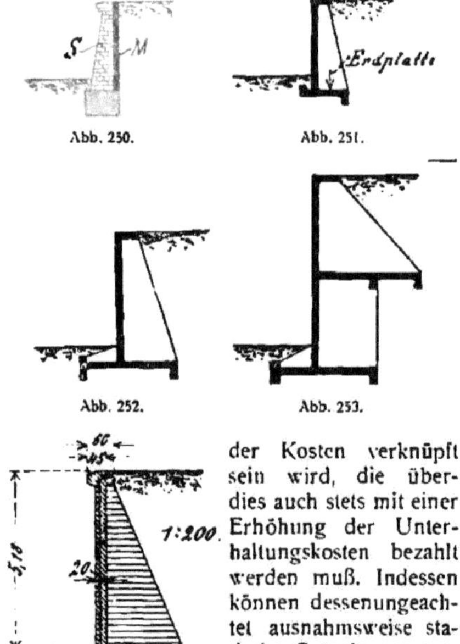

Abb. 250. Abb. 251. Abb. 252. Abb. 253. Abb. 254.

Literatur: v. Kaven, Stützmauern und Steinbekleidungen. Dresden 1882. — Haeseler, Konstruktion der Stütz- und Futtermauern. Hb. d. Ing. W. Leipzig, Bd. I, 2. Teil, 5. Kapitel. — Müller, Breslau, Erddruck auf Stützmauern. Stuttgart 1906. *Lucas.*

Stufenbahnen *(moving platforms; plateformes mobiles; piattaforme mobile)* werden Bahnen genannt, wobei 2 oder mehrere, mit kleinen Höhenunterschieden von etwa 10 *cm* dicht nebeneinander liegende Plattformen, die geschlossene Ringe von beliebiger Grundrißform bilden, so bewegt werden, daß die erste, an den feststehenden Bahnsteig anschließende mit der Geschwindigkeit des Fußgängers von 3 – 5 *km* Std., die übrigen Plattformen nacheinander folgend mit der 2-, 3-, 4- und mehrfachen der angegebenen Fußgängergeschwindigkeit dauernd und so bewegt werden, daß die Reisenden gehend von der ersten bis auf die letzte, mit der größten Geschwindigkeit bewegte Plattform und vor Beendigung der Reise umgekehrt von der letzten allmählich bis auf den festen Bahnsteig ohne Gefahr gelangen können.

Die letzte Plattform kann für längere Fahrten auch mit Sitzen versehen und gedeckt sein. Nach der ursprünglichen Anordnung wurden die einzelnen Plattformen durch Vermittlung von Drahtseilen bewegt, während bei späteren

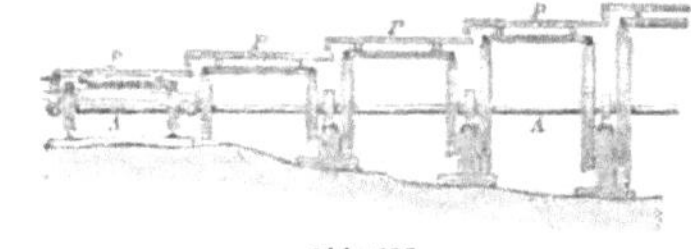
Abb. 255.

Ausführungen nach Abb. 255 auf einer durchlaufenden Achse *A* die mit wachsendem Durchmesser angeordneten Räderpaare der einzelnen Plattformen *P* aufgekeilt wurden, auf denen sie mittels biegsamer Schienen verbunden werden, die sich auf dem Radumfang abwickeln und daher infolge zunehmenden Durchmessers größere Geschwindigkeit erreichen lassen.

Der Antrieb erfolgte hierbei elektrisch.

Da Wege- und Straßenkreuzungen in Bahnhöhe undurchführbar sind, so müssen diese Bahnen, falls solche Kreuzungen erforderlich sind, als Hoch- oder Tiefbahnen ausgeführt werden. Die S., die von den Gebr. W. und H. Rettig erfunden wurde, ist in abgeänderten Formen auf den Ausstellungsplätzen in Chicago 1893, dann in Berlin 1896 und in Paris 1900 ausgeführt worden.

Die Pariser S. hatte 3·4 *km* Länge und 11 Stationen; sie wurde auf Grund von Versuchen auf einer in Saint Ouen bei Paris ausgeführten Probestrecke von 400 *m* Länge ungefähr in der aus Abb. 256 ersichtlichen Weise mit 2 Plattformen erbaut.

Der feste Bahnsteig hatte 1·1 *m*, die erste, mit 3·5 – 4·0 *km*/Std. bewegte Plattform 1·0 *m*, die zweite, die 7·0 – 8·0 *km*/Std. Geschwindigkeit erreichte, 2 *m* Breite. Der Antrieb erfolgte elektrisch. Zur Unterstützung dienten Eisenträger, die zur Verminderung des Geräusches von Holzjochen gestützt wurden.

Das Leergewicht der beiden zu bewegenden Plattformen dürfte ungefähr 1170 *t* betragen haben.

Bei 7 *km*/Std. Geschwindigkeit der äußeren Plattform und Besetzung mit 15.000 Personen war der Kraftverbrauch etwa 330 Kilowatt, was

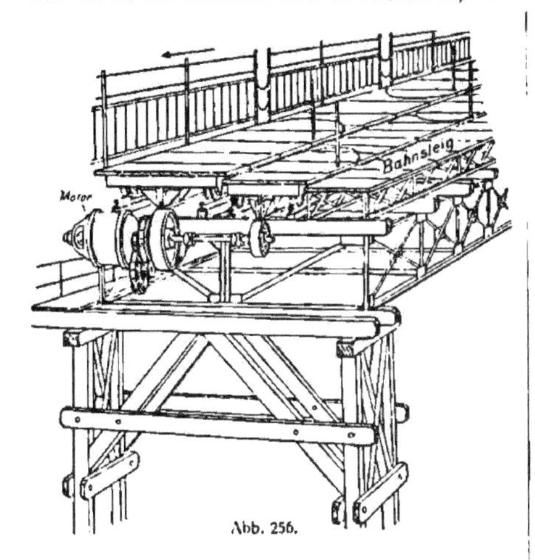

Abb. 256.

sehr gering ist gegenüber dem Verbrauch der elektrischen Straßenbahnen für die gleiche Zahl von Personen.

Die Kosten der 3·4 *km* langen Bahnen werden mit 2·8 Mill. M., daher für den laufenden *m* mit 800 M. angegeben.

Für Paris wurde sodann eine 10 *km* lange Untergrundbahn als S. geplant. Auch für New York wurde nach den Plänen von Schmidt & Gallatin eine vierstufige Bahn mit größter Geschwindigkeit der vierten Plattform mit 14·5 *km*/Std. in Aussicht genommen und nach Stevenson eine S. mit 19 *km*/Std. Größtgeschwindigkeit, auf der in der Stunde 84.000 Personen befördert werden könnten.

Als Vorteile der S. sind hervorzuheben die große Betriebssicherheit, die Vermeidung der Aufenthalte und Ansammlung der Reisenden auf den Stationen, daher großer Massenverkehr bewältigt werden kann; das leichte Verlassen der Bahn im Fall eines Stillstands, das geringe, auf den Reisenden entfallende tote Gewicht und die günstige Ausnützung der Betriebskraft; dagegen sind als Nachteile anzusehen die großen Anlagekosten, namentlich infolge der Aufrechthaltung des Querverkehrs und der großen zu bebauenden Fläche, die Stillegung des ganzen Betriebs bei Eintritt einer Störung und der Umstand, daß der volle Betrieb auch in den Stunden schwachen Verkehrs aufrecht erhalten werden muß.

Bisher haben die S. keine weitere Verbreitung gefunden.

Literatur: Die Stufenbahn nach amerikanischem System. Leipzig 1896, Verlag Geidel. – Kollmann, Das Verkehrswesen der Weltausstellung in Paris 1900. Ztschr. dt. Ing. 1900. – Die Stufenbahn. Railr. gaz. 1904; Railway Age 1904; Gen. civ. 1899. – W. u. H. Rettig, Patent für eine Stufenbahn. 1888. – Stufenbahn auf der Berliner Ausstellung. Glasers Ann. 1896. *Dolezalek.*

Stuhlschienen *(chair-rails; rails à champignon, rails à coussinet; rotai a doppio fungo)*, Schienen mit doppelkopfförmigem Querschnitt, die in gußeisernen Unterlagen (Stühlen) mittels Keilen befestigt werden (s. Oberbau).

Stumpfgleis, Stutzgleis *(dead-end siding; voie en cul de sac; binario cieco o morto)*, Gleis, das nur von einem Ende her Weichenanschluß hat, am andern Ende durch einen Prellbock abgeschlossen ist. Gleise, die zwar auch nur von einem Ende her Weichenanschluß besitzen, am andern Ende auf eine Drehscheibe, Schiebebühne, die Landebrücke einer Fähranstalt u. s. w. ausmünden, pflegt man nicht als S. zu bezeichnen. *Cauer.*

Stundengelder s. Fahrdienstgebühren.

Stundenpaß s. Fahrbericht.

Subventionen, im weitesten Sinn Unterstützungen jeder Art, die an Privatbahngesellschaften seitens des Staates, der Provinzen, Gemeinden, anderer öffentlicher Körperschaften oder auch Privater bei der Kapitalbeschaffung gewährt werden. Gewöhnlich versteht man unter S. kurzweg die weitaus am häufigsten vorkommenden Staatssubventionen. Mit Ausnahme Englands hat sich in allen Staaten, die nicht vorweg das Staatsbahnsystem annahmen und insolange sie nicht zu letzterem übergingen, die Notwendigkeit ergeben, die Aktiengesellschaften, denen die Ausführung der Eisenbahnen übertragen wurde, durch S. zu unterstützen.

Die Begründung der staatlichen S. liegt zunächst in der Differenz zwischen der direkten und indirekten Rentabilität der Eisenbahnen. Vielfach reicht die direkte Rentabilität, der von den Aktionären aus dem Betrieb der Bahn zu ziehende Gewinn, nicht hin, um die Kapitalisten zur Anlage ihrer Kapitalien in dieser Weise zu bewegen. Will nun der Staat nicht auf die Vorteile, die nicht genügend rentierende Bahnlinien in volkswirtschaftlicher, politischer und strategischer Beziehung bieten, verzichten, so bleibt nichts übrig, als eine entsprechende Unterstützung zu gewähren und so das Kapital heranzuziehen, wenn der Staat nicht selbst den Bau und Betrieb der Bahnen übernehmen kann oder will.

Die gewährten S. sind in den einzelnen Ländern nach Umfang, Höhe und Methode außerordentlich verschieden. Während Österreich, Frankreich, Italien, Spanien und Rußland in großem Maßstab S. gewährten, blieben diese in den meisten deutschen Staaten ziemlich beschränkt, teils wegen des Vorherrschens der Staatsbahnen, teils aber auch wegen einer gewissen Abneigung gegen das ganze System. Was die Methoden der S. anbelangt, so ist zunächst zu unterscheiden zwischen den positiven und negativen S. Positive S. sind jene, die in einer direkten vermögensrechtlichen Leistung zu gunsten der zu unterstützenden Bahngesellschaft bestehen, während bei negativer S. die betreffenden Gesellschaften von gewissen, ihnen sonst obliegenden Lasten, also namentlich Steuern, befreit werden. Unter den positiven S. sind wieder solche zu unterscheiden, die ohne eine unmittelbare Gegenleistung der Gesellschaft, also gewissermaßen à fonds perdu gewährt werden, und solche, bei denen im bestimmten Verhältnis zur gewährten S. stehende Gegenleistungen der Gesellschaft bedungen werden. Die einfachste Form der S. der ersten Art bilden die Landschenkungen. Diese erfolgen entweder in geringem Umfang, beschränkt auf die für den Bau selbst notwendigen Grundstücke, wo sie dann zumeist von Bezirken, Gemeinden oder Privaten geleistet werden. Oder aber es werden der Gesellschaft große Landstrecken zur Verfügung gestellt, was freilich nur dort möglich ist, wo unbesiedeltes Land vorhanden ist. In großem Umfang wurde diese Art der S. angewendet in den Vereinigten Staaten von Amerika, wo vom Kongreß der „Land-grants" für die Pacific-Linien großartige Landschenkungen bewilligt wurden (s. Art. Grant).

Eine andere Subventionsmethode mit Naturalleistungen wurde durch das Ges. vom 11. Juni 1842 in Frankreich eingeführt. Darnach stellte der Staat den ganzen Unterbau und die Hochbauten her, wobei Departements und Gemeinden $^2/_3$ der Kosten der Grundeinlösung tragen mußten. Der Gesellschaft erübrigte nur die Legung des Oberbaues und die Beschaffung des Betriebsmaterials. Die kurze Dauer der Konzessionen (50 Jahre) und der Anteil des Staates an den Reinerträgnissen bot kein entsprechendes Entgelt für die enormen Kosten dieser Subventionsmethode, und sie wurde schon 1845 aufgegeben.

Zu den S. à fonds perdu gehört endlich noch die Gewährung von Baukostenbeiträgen ohne Rückzahlung, sei es, daß diese Beiträge in einer Pauschsumme für die ganze Bahn oder nach der Längeneinheit bestimmt werden, oder daß ein prozentueller Anteil der wirklichen Baukosten vom Staat getragen wird. Diese Methode wurde in größerem Umfang namentlich in Frankreich und Spanien, in geringerem Maß in Deutschland und Österreich angewendet. Auch die von Deutschland, Italien und der Schweiz gemeinsam gewährte S. für die Gotthardbahn wurde in dieser Weise veranlagt, wobei auch deutsche Privatbahnverwaltungen Beiträge leisteten.

Im Gegensatz zu den bisher erwähnten Subventionsformen stehen jene, bei denen die subventionierte Gesellschaft nicht nur naturgemäß einer erweiterten Staatsaufsicht unterworfen, sondern auch verpflichtet wird, die erhaltene S. in irgend einer Form rückzuersetzen. Dahin gehören nun die Darlehen und Bauvorschüsse in ihren verschiedenen Formen, dann aber in den meisten Fällen auch die Ertrags- oder Zinsengarantie (s. Ertragsgarantie). Die Modalitäten, unter denen Darlehen an Eisenbahngesellschaften gewährt wurden und noch werden, sind außerordentlich verschieden. Ihre Höhe wird entweder im ganzen bestimmt oder auch nach einer Einheitssumme f. d. *km*. Sie werden weiters entweder unverzinslich oder verzinslich gewährt. Die Rückzahlung erfolgt entweder zu bestimmten Fristen oder auch nur nach Maßgabe der Betriebsüberschüsse. Die verzinslichen Vorschüsse erfolgen wieder entweder ohne besondere Formen oder gegen Übernahme eines Teiles der ausgegebenen Aktien oder Prioritäten, gewöhnlich unter Verzicht auf einen Teil der Verzinsung. Die Übernahme von Aktien ist zwar streng juristisch nicht zu den Anlehen zu zählen, hat aber doch zumeist eine wesentlich gleiche Wirkung. Die Gewährung von Darlehen ohne Übernahme von Titres findet sich zumeist in Frankreich, wo ja überhaupt die verschiedenen Subventionsmethoden am meisten entwickelt sind, und in Spanien. In Preußen war namentlich die Übernahme von Aktien seitens des Staates beliebt. Sie erfolgte beispielsweise bei der Köln-Mindener, der niederschlesischen (Frankfurt-Breslau), der oberschlesischen (Aktien lit. B), der Stargard-Posener Bahn ($^1/_7$ des Aktienkapitals), bei der Thüringer Bahn, der Bergisch-märkischen, der Berlin-Anhalter, der Berlin-Hamburger und bei der Berlin-Stettiner Bahn.

In großem Maß wurde die Anlehensmethode in Österreich angewendet, u. zw. zumeist in solchen Zeiten, wo die Beschaffung der Mittel infolge der Verhältnisse des Geldmarktes sehr erschwert war. So 1859 Kaiserin-Elisabeth-Bahn, 1866/67 Franz Josefsbahn, böhmische Nordbahn, Kronprinz-Rudolf-Bahn (durchwegs Bauvorschüsse gegen Aktien), später Pilsen-Priesener, Buschtěhrader, ungarisch-galizische, Prag-Duxer, niederösterreichische Südwestbahnen u. s. w. (Anlehen teils gegen Aktien, teils gegen Prioritätsobligationen). In großem Maßstab erfolgte die Übernahme von Aktien und Obligationen durch den Staat auch in Rußland.

In den Ländern, in denen das Staatsbahnsystem vorherrscht, und auch anderwärts erfolgt in neuerer Zeit die Erteilung von S. fast ausschließlich nur mehr für Bahnen untergeordneter Bedeutung (s. Art. Lokalbahnen).

Sudan s. Ägypten.

Südafrikanische Bahnen s. Britisch-Südafrika.

Südafrikanische Union s. Britisch-Südafrika.

Südaustralien, englische Kolonie, zum australischen Bund (common wealth of Australia) gehörig, 2,341.611 km^2, 434.000 Einwohner. Landgrenzen: Westaustralien, Queensland, Neusüdwales, Victoria, im Süden der Indische Ozean, an dem auch die Hauptstadt Adelaide liegt. Die erste Eisenbahn von City of Adelaide nach Port Adelaide wurde am 21. April 1854 eröffnet und im folgenden Jahr von Adelaide nach Salisbury, im Jahre 1860 bis Kapanda fortgesetzt.

Die meisten Bahnen sind Staatsbahnen; ihre Entwicklung ergibt sich aus folgender Tabelle[1]. Außer den Staatsbahnen besteht eine von ihnen am 1. Januar abgetrennte Bundesbahn von Port Augusta nach Oodnadatta (769 *km*). Die einzige, in S. früher vorhandene Privatbahn von Palmerstone nach Pine Creek (234 *km*) ist gleichfalls am 1. Januar 1911 in das Eigentum des Bundes übergegangen. Der Betrieb dieser Bundesbahnen ist an die Staatsbahnen verpachtet.

Von den im Jahre 1913 vorhandenen Staatsbahnen sind 1163 *km* breitspurig (1·6 *m*) und 1566 *km* haben die schmale (Kap-) Spur von 1·067 *m*. Die Bundesbahnen sind schmalspurig.

Seit langer Zeit schweben 2 Pläne zur Erschließung von S. durch 2 große Überlandbahnen. Die eine, die Nordbahn, soll Australien von Norden nach Süden durchqueren und die Häfen Port Darwin und Port Augusta verbinden. Im Zusammenhang mit diesem Bahnbau steht der Übergang der beiden vorerwähnten Bahnen in das Eigentum des Bundes. Zu bauen ist noch die Strecke Pine Creek (im Norden) nach Oodnadatta (Süden). Bei dem zweiten Plan handelt es sich um eine Bahn, die den Südwesten Australiens (Perth) mit dem Südosten (Melbourne) verbinden soll. Von dieser Bahn wäre noch die Strecke von Kalgoorlie nach Port Augusta zu bauen. Durch den Bau dieser beiden Bahnen würde das australische Eisenbahnnetz um 3529 *km* vergrößert. Wie weit diese Pläne ausgeführt sind, ist nicht bekannt (vgl. Proposed transcontinental Railway from Kalgoorlie to Port Augusta, Melbourne 1903; Arch. f. Ebw. 1904, S. 447/48).

v. der Leyen.

Entwicklung der Staatsbahnen 1880–1913.

Jahr	Länge *km*	Anlagekapital £	Einnahmen £	Ausgaben £	Überschuß £	Betriebszahl %	Verzinsung %
1880	731	3,073.388	369.845	242.527	—	—	—
1890	2591	10,302.472	1,043.878	529.005	514.473	50·68	5·03
1900	2794	13,070.087	1,106.987	657.841	509.146	56·37	3·91
1905	2809	13,587.406	1,273.321	736.796	536.530	57·86	3·95
1911	3076	14,352.602	1,840.399	1,069.140	771.259	60·66	5·37
1912	2315	13,644.155	2,090.563	1,293.987	796.516	61·89	6·05
1913	2719	14,178.485	2,222.431	1,398.775	828.611	62·71	5·84

Südnorddeutsche Verbindungsbahn (285·073 *km*), in Böhmen gelegene, eingleisige, normalspurige Hauptbahn, ehemals Privatbahn mit dem Sitz in Wien, seit 1908 gleichzeitig mit der österreichischen Nordwestbahn (s. d.), die (seit 1869) bis zu diesem Zeitpunkt auch den Betrieb der S. geführt hatte, vom Staat angekauft und am 15. Oktober 1909 in Staatsbetrieb übernommen. Die S. umfaßt die eigenen Linien Pardubitz-Reichenberg-Reichsgrenze bei Tschernhausen (200·106 *km*), Josefstadt-Reichsgrenze bei Königshan (62·552 *km*), Eisenbrod-Tannwald (17·721 *km*) und die gepachteten Strecken Reichsgrenze bei Tschernhausen-Seidenberg (2·066 *km*) und Reichsgrenze bei Königshan-Liebau (2·628 *km*).

Die Stammstrecke der S. ist die Linie Pardubitz-Reichenberg. Die Konzession für den Bau und Betrieb dieser Bahn einschließlich einer

[1] Die Zahlen sind nicht unmittelbar vergleichbar, weil das Jahr, für die sie in der amtlichen Statistik aufgestellt sind, wiederholt gewechselt hat. Der Rückgang in der Länge u. s. w. von 1911 auf 1912 hat seine Gründe in dem Übergang der Strecke Port Augusta-Oodnadatta in den Besitz des Bundes.

Flügelbahn von Jaroměř und Schwadowitz erfolgte 1856 unter Zusicherung der staatlichen Zinsengarantie. Die Eröffnung des Betriebs erfolgte 1857 – 59. 1865 erhielt die Gesellschaft die Konzession für die Bahn von Schwadowitz nach Königshan (eröffnet 1868). 1868 wurde der S. und Konsorten die Konzession der österreichischen Nordwestbahn verliehen, die 1871 an die Gesellschaft der österreichischen Nordwestbahn (s. d.) überging. 1872 erfolgte die Konzessionierung der Linie Reichenberg-Reichsgrenze bei Seidenberg nebst der Flügelbahn Eisenbrod-Tannwald, gleichfalls unter Zusicherung der Zinsengarantie. Die Eröffnung der Linien Reichenberg-Seidenberg und Eisenbrod-Tannwald hat 1875 stattgefunden. 1888 bzw. 1889 übernahm die S. den Betrieb der Lokalbahnen Reichenberg-Gablonz und Königshan-Schatzlar. Auf Grund des mit Ges. vom 27. März 1909 genehmigten Übereinkommens vom 21. Oktober 1908 erwarb die Staatsverwaltung das gesamte Vermögen der S., insbesondere das Eigentum an den konzessionierten Linien und übernahm anderseits alle Lasten, hauptsächlich die Anlehen (Restbetrag aus der Beteiligung der S. mit ursprünglich 6·3 Mill. K an der Lotterieanleihe der österreichischen Kreditanstalt für Handel und Gewerbe), ferner die noch nicht getilgten Obligationen des von der S. 1892 aufgenommenen Prioritätsanlehens von ursprünglich 48 Mill. K. Außerdem gewährte die Staatsverwaltung für jede Aktie den Umtausch gegen den Nennbetrag von 425 K, für jeden Genußschein den Umtausch gegen den Nennbetrag von 15 K in auf 400 K oder ein Vielfaches hiervon lautende, zu 4% verzinsliche Eisenbahnstaatsschuldverschreibungen.

Sumatra, Eisenbahnen. S. ist die zweitgrößte der Großen Sundainseln, durch die Malakkastraße im NO. von der Malayischen Halbinsel, durch die Sundastraße im S. von Java geschieden; 433.795 *km*², etwa 3,6 Mill. Einwohner. Das Land wird in seinem westlichen Teil von einer wilden Gebirgskette durchzogen. Die Osthälfte ist eine sumpfreiche, von vielen z. T. schiffbaren Flüssen durchzogene Ebene.

Die erste Eisenbahn an der Westküste von Port Emma und Padang nach Fort de Kock mit einer Abzweigung von Kubu-Puding nach Lunto (179,5 *km*) ist am 1. Juli 1891 eröffnet worden. Sie ist zur Förderung der Ausbeute der reichen Ombilien-Kohlenfelder gebaut worden, eine gemischte Reibungs- und Zahnstangenbahn nach System Riggenbach. Spurweite 1,067 *m*. Eine zweite kleinere Eisenbahn führt an der Ostküste von Deli-Bag an der Mündung des Deliflusses in das Innere des Landes, sie ist 1895 im wesentlichen fertiggestellt. Im Jahre 1911 ist von den Generalstaaten der Niederlande der Bau einer Südbahn zur Verbindung der Handelsplätze Telak Betong an der Südküste der Insel und Palembang beschlossen worden. Auf dem Wege liegt das wichtige Handelszentrum Batoeradja, eine Zweigbahn soll nach dem Hinterland Mocara Enim führen. Die Bahn soll 38 Mill. Gulden kosten, die zu 1/7 von der niederländischen Regierung und zu 6/7 von der niederländisch-indischen Regierung zu tragen sind; sie sollte in spätestens 6 Jahren fertig sein.

Die Statistik der Eisenbahnen in S. wird regelmäßig veröffentlicht in dem amtlichen Verslag der Staatsspoorwegen in Nederländisch-Indie. Dieser sind folgende Zahlen entnommen:

		1907	1910	1911	1912	1913	1914
Länge	*km*	210	245	245	245	245	245
Anlagekapital	fl.	21,170.883	22,731.572	22,985.715	23,298.776	23,733.684	23,869.760
Einnahmen	"	1,684.150	1,846.088	1,967.163	2,215.810	2,386.555	2,564.945
Davon: Personenverkehr	"	341.491	403.433	486.953	585.488	687.193	729.171
Güterverkehr	"	1,146.951	1,265.394	1,236.662	1,203.907	1,253.470	1,304.092
Ausgaben	"	1,116.790	1,125.477	1,250.836	1,305.696	1,343 893	1,417.247
Betriebszahl	%	66·3	61	63·6	58·9	56·3	55·3

v. der Leyen.

Supergabahn s. Bergbahnen u. Seilbahnen.

Surinam s. Niederländisch-Guayana.

Suttenbildung s. Oberbau.

Számostalbahn *(Számosvölgyi vasút),* in Siebenbürgen gelegene normalspurige Privatlokalbahn mit dem Sitz der Gesellschaft in Dés, umfaßt die Strecken Apahida-Dés (eröffnet 1881, 46·7 *km*), die Salzbahn Dés-Désakna (2·9 *km*, eröffnet 1882), ferner die Linien Dés-Besztercze (60·2 *km*, eröffnet 1886), Dés-Zilah (98·9 *km*, eröffnet 1890), Beszterczc-Borgóbeszterczc (29·7 *km*, eröffnet 1898), zusammen 238 *km*.

Außerdem hat die S. in Mitbetrieb die Linien Apahida-Kolozsvár der ungarischen Staatsbahnen (12·6 *km*) und Zilah-Einmündung der S. (2·6 *km*).

Das Gesamtnetz erreicht daher die Länge von 253·6 *km*; ferner betreibt die S. 2 fremde Lokalbahnen in der Länge von 146·8 *km* (Zsibo-Nagybányes und Naszódvidéker Lokalbahnen).

Das Anlagekapital beträgt 33·6 Mill. K, die Dividende durchschnittlich 5%.

Die Linien der S. haben große Bedeutung für die Ausbeutung der mächtigen Waldgebiete und Bergwerke in ihrem Bereich.

Anschluß hat die S. in Kolozsvár (Klausenburg) und Apahida an die ungarischen Staatsbahnen, in Zilah an die Szilágyságer und in Sajómagyaros an die Marosludas-Beszterczeer Lokalbahn.

T.

Tachymetrie.

Einleitung. Unter T. versteht man die rasche Vermessung von Gebieten nach Lage und Höhe zum Zweck der Herstellung von Plänen mit Höhenlinien für technische Aufgaben oder von Karten kleineren Maßstabs – topographische Karten – für allgemeine Zwecke. Der Unterschied gegen andere Meßmethoden besteht in der Anwendung der optischen Entfernungsmessung.

Die Feldaufnahme erfolgt nach Polarkoordinaten, die Längenbestimmung durch das entfernungsmessende Fernrohr mit Distanzlatte. Den mittleren Fehler der Lagebestimmung eines Meßpunktes bis zu etwa 400 *m* Entfernung vom Instrument kann man bei der gewöhnlichen Meßart mit Ablesung der Latte auf *cm*, mit der Entfernung von 0·3 – 0·6 *m* wachsend veranschlagen; der Höchstfehler ist 3mal größer zu nehmen. Die schärfere Lattenablesung auf *mm*, anwendbar bis gegen 100 *m* Entfernung, gibt den ebenfalls mit der Entfernung zunehmenden mittleren Fehler von 0·15 – 0·25 *m*. Die Genauigkeit der Höhenmessung gewöhnlicher Meßpunkte findet in der natürlichen Unebenheit des Bodens, also in etwa 0·1 *m*, ihre praktische Grenze. Wechselpunkte für den Instrumentenstand werden schärfer gemessen, weil sich ihre Fehler übertragen.

Da es sich meist um ausgedehnte Gebiete handelt, sind den Tachymeteraufnahmen genauere Vermessungen zu grunde zu legen: für die Lage ein Dreiecknetz, nach Bedarf mit Einfügung von Polygonzügen; für die Höhe Nivellementszüge längs Tälern und Höhen, mit Ergänzung durch trigonometrische Höhenmessung. Die Festpunkte für Lage und für Höhe brauchen nicht identisch zu sein. Zwischen diese Festpunkte in Entfernungen von 1 – 3 *km* sind Tachymeterzüge mit der Flächenpunktmessung einzuschalten. Die Höhenmessung hat bei Tachymeteraufnahmen eine größere Bedeutung als die Bestimmung der Lage. Wenn der Lageplan schon vorhanden ist, erübrigt sich die Dreiecksmessung.

Instrumente und Meßmethoden. Zu Tachymetermessungen kann jeder Universaltheodolit mit Distanzfäden im Fernrohr und jede Nivellierlatte benutzt werden. Die Haupteigenschaften der Meßart: rasche Aufnahme großer Gebiete, also Beweglichkeit, ferner die Einschränkung der Genauigkeit der Winkelmessung auf das durch die optische Distanzmessung gegebene Maß geben die Anhaltspunkte für die Umgestaltung des Universaltheodolits wie für die Nivellierlatte, auch für die Einrichtung der Meßmethode für die T. Die Messung geht bergauf und -ab bei raschem Wechsel der Standpunkte, sie führt durch Feld und Wald und ist auch bei weniger gutem Wetter vorzunehmen. Der Tachymetertheodolit (Abb. 257) muß also leicht und zugleich feldfest sein; er soll mit Stativ nur wenige *kg* wiegen und darf leicht verletzliche Teile nicht enthalten. Das Stativ braucht nur eben so stark zu sein, daß das Instrument auch bei stärkerem Wind nicht zittert; eine Vorrichtung zum Zentrieren des Instruments muß das Stativ nicht notwendig haben. Da eine auf die Kippachse des Fernrohrs aufsetzbare Kreisbussole mit kräftiger Bezifferung und Einteilung in volle Grade vorhanden sein muß, ist das Instrument und Stativ eisenfrei herzustellen. Doch kann die Stehachse des Instruments aus Stahl sein, da deren Einwirkung auf die ebenfalls zentrisch sitzende Magnetnadel belanglos ist. Die rasche Messung erfordert eine Dosenlibelle zur Horizontierung und eine mit dem Nonius fest verbundene, durch Feinschraube drehbare Höhenwinkellibelle; auch muß auf dem Fernrohr eine Nivellierlibelle sitzen. Das Fernrohr soll so lichtstark sein, daß man die in *cm* geteilte und nach *dm* bezifferte Latte bis gegen 100 *m* Entfernung noch auf *mm*, die in *dm* geteilte und groß bezifferte Latte bis auf 400 *m* auf *cm* ablesen kann. Das Instrument ist für Horizontal- und Vertikalwinkelmessung und zum Nivellieren vollständig zu berichtigen, da man nur in einer Fernrohrlage mißt. Der Beobachter soll alle Ablesungen am Instrumente machen können, ohne seinen Standort ändern zu müssen; darnach ist die Ablesestelle am Horizontal- und am Vertikalkreis zu wählen und die Abschrägung des Vertikalkreises zu bemessen. Die Kreise sind je nur an einer Stelle abzulesen mit Lupen, die am Instrument befestigt sind, die Ablesung am Vertikalkreis ist auf volle Minuten zu machen, am Horizontalkreis entweder ebenso oder nur auf Zehntelgrade; vorteilhaft ist eine besondere Ablesestelle mit Strichablesung für den Horizontalkreis etwas seitlich der Fernrohrebene. Die Genauigkeitsstufe der optischen Distanzmessung entspricht der Bestimmung der Horizontalrichtung auf Zehntelgrade. Deshalb kann man fast immer, wenigstens für eingeschaltete Züge, den Horizontalkreis durch die Bussole ersetzen und trotz der täglichen

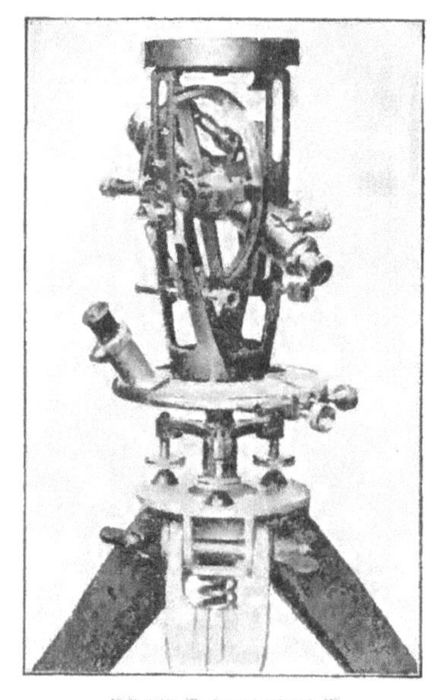

Abb. 257. Tachymetertheodolit.

Variation und der Störungen die Richtungen magnetisch bestimmen. Man liest die hochkantgestellte Balkennadel nur am Nordende ab, hat aber auf gute Erhaltung von Pinne und Hütchen zu achten, also die Nadel vor jedem Wechsel zu sperren. Außerdem ist erforderlich, daß die Bussole stets gleich und unverändert auf der Kippachse sitzt. Ein kleiner Kreuzungswinkel von Null in der Kompaßteilung und Zielachse (Orientierungsfehler) schadet nicht, wichtig ist nur, daß dieser Winkel unverändert bleibt. Die tägliche Schwankung der Magnetnadel beeinträchtigt die Genauigkeit der Züge nur wenig. Die Größe dieser Schwankung beträgt im Durchschnitt in 55° nördlicher Breite im Sommer 0·2°, im Winter die Hälfte. Bei Abnahme der Breite um 3° nimmt die Schwankung um 1′ ab. Auf Ortszeit bezogen hat die westliche Deklination ihren geringsten Betrag morgens 7 Uhr, ihren höchsten mittags 1 Uhr; durch die Mittellage geht sie um 10 Uhr vor- und 6 Uhr nachmittags. Der einzelne Tagesverlauf kann einige Minuten vom durchschnittlichen abweichen; außerdem ist die Magnetrichtung öfters kurzen unregelmäßigen Abweichungen unterworfen; diese Störungen sind aber selten groß und dann bei der Messung zu erkennen. Bei eingeschalteten oder an feste Richtungen angeschlossenen Zügen fällt die magnetische Mißweisung heraus, es bleibt nur eine kleine Ausbiegung infolge der Variation zurück. Muß man ohne gegebene Anschlußrichtung messen, so entnimmt man für nichteingeschaltete Bussolenzüge die Deklination für die betreffende Zeit einer magnetischen Karte. Zur Reduktion auf 1918·0 muß man in den „Magnetischen Karten von Norddeutschland (von Ad. Schmidt) und Südwestdeutschland (von Nippoldt) für 1909" (Veröff. des kgl. preuß. Meteorol. Inst. Nr. 217, 224, 276, erstere Karte auch in Jordan-Eggert, Bd. II, 8. Aufl., S. 792) der westlichen Deklination den Betrag −1° 21′ hinzufügen; in den „Magnetischen Übersichtskarten von Deutschland für 1912" (von Haußmann; in Petermanns Mitt. 1913, 1. Halbband) sind die Werte um −57′ zu ändern. Die jährliche Abnahme der westlichen Deklination beträgt für die Gegend von Berlin gegenwärtig 9′.

Die Distanzlatte muß leicht sein, sie ist meist auf der einen Seite als Nivellierlatte ausgebildet, auf der andern in *dm* oder deren Hälfte geteilt und mit großen Ziffern für die *m* versehen. Gewöhnlich ist die Latte 4 *m* lang, mit Dosenlibelle versehen; für Aufnahmen in kleineren Kartenmaßstäben, bei großer Multiplikationskonstante und $^1/_2$ *dm*-Teilung auch wohl nur 2 *m* lang. Zum Ruhighalten der 4 *m*-Latte bei schärferen Messungen wird ein leichter Stab als Strebe benutzt. Zum Einmessen von Einzelheiten zwischen die Tachymeterpunkte, insbesondere bei Meßtischaufnahmen wird Schrittzähler, Handbussole und Aneroid, auch wohl Meßband und Gefällmesser verwendet. Bei großen Höhenunterschieden und gegebener Lage wird das Aneroid zur barometrischen Höheneinschaltung ausgiebig benutzt.

Optische Entfernungsmessung. Im allgemeinen wird der Reichenbachsche Distanzmesser verwendet. Gleich weit entfernt vom wagrechten Mittelfaden sind auf der Fadenplatte 2 gleichlaufende Distanzfäden gespannt. Wenn die Latte senkrecht zur Mittelvisur gestellt wird, so ist, vom vorderen Brennpunkt der Objektivlinse (anallaktischer Punkt) aus gezählt, die Entfernung D zur Latte proportional dem Lattenabschnitt l zwischen den Distanzfäden, es ist also $D = k \cdot l$. Die Multiplikationskonstante k wird aus bekannten Entfernungen bestimmt, indem man auf wagrechter Linie vom vorderen Brennpunkt der Objektivlinse aus runde Strecken von 40 – 80 *m* abmißt, für diese das Lattenstück l auf *mm* genau bestimmt und daraus zunächst $1/k$ berechnet. Gewöhnlich nimmt man $k = 100$, für Aufnahmen in kleinerem Kartenmaßstab auch wohl $k = 200$, Werte, die der Mechaniker recht genau einhalten kann. Die Entfernung der Latte vom Aufstellungspunkt ist um die Strecke c von der Kippachse zum vorderen Brennpunkt größer als D. Die beiden Bestandteile dieser Additionskonstanten c, die Entfernung e der Objektivlinse von der Kippachse und die Brennweite f dieser Linse werden durch direkte Abmessung auf *cm* genau bestimmt. Die Additionskonstante c ist immer klein, 0·2 – 0·6 *m*, sie kann für kleine Kartenmaßstäbe bei der Berechnung der Entfernung vernachlässigt werden. Man kann c auch in die auf S. 260 genannte Zahlentafel für $\triangle E$ einbeziehen. Oder man läßt durch den Mechaniker die Multiplikationskonstante k ein wenig kleiner als 100 machen, führt sie gleichwohl genau zu 100 in die Rechnung ein, so daß für mittlere Entfernungen der Betrag c in $100\,l$ mitaufgenommen ist; dann bringt die Vernachlässigung von c nur einen geringen Fehler mit sich. Beim Fernrohr von Porro ist durch eine eingeschaltete, mit dem Objektiv fest verbundene Linse der anallaktische Punkt bis zur Kippachse zurückversetzt, die Additionskonstante wird $c = 0$. Das Zielfernrohr beim Instrument von Hammer-Fennel (Abb. 260) ist dieserart. Die Distanzlatte wird bei der Messung aus praktischen Gründen stets lotrecht gestellt; sie ist nur senkrecht zur Mittelvisur, wenn diese wagrecht ist. In diesem besonderen Fall ist die wagrechte Entfernung E der Latte von der Kippachse, die allein in Frage kommt: $E = c + k \cdot l$, wo $l = o - u$ das Lattenstück zwischen den Distanzfäden ist.

Ist die Mittelvisur um den Winkel α gegen die Wagrechte geneigt und der Lattenabschnitt der lotrechten Latte zwischen den Distanzfäden wieder mit l bezeichnet, so würde der entsprechende Lattenabschnitt der gegen die Mittelvisur senkrecht gestellten Latte sehr genähert $l \cdot \cos \alpha$, und damit die schiefe Entfernung $c + k \cdot l \cos \alpha$ sein. Die gesuchte wagrechte Entfernung der lotrechten Latte vom Instrument ist dann $E = (c + k \cdot l \cdot \cos \alpha) \cos \alpha$, wofür man mit stets vollausreichender Genauigkeit setzen darf:

$$E = (c + k \cdot l) \cos^2 \alpha$$

Der Höhenunterschied zwischen dem am Mittelfaden abgelesenen Lattenpunkt m und der Kippachse ist

$$h = E \cdot \operatorname{tg} \alpha = (c + k \cdot l) \frac{\sin 2\alpha}{2}$$

Bemerkungen zum Meßvorgang. Da die Objektivlinse ein umgekehrtes Lattenbild liefert, so gibt der obere Faden die kleinere Lattenablesung u. Es ist wichtig, die Ablesungen an beiden Distanzfäden gleichzeitig zu machen, was dadurch ermöglicht wird, daß man mit der Kippschraube des Fernrohrs den einen Faden auf ein rundes u einstellt und im selben Augenblick am andern Faden o abliest. Wenn die Latte bis zum Betrag $\triangle w$ gegen die Lotlinie schwankt, so kann dadurch l fehlerhaft werden um $\triangle l = (o - u) \operatorname{tg} \alpha \cdot \frac{\triangle w}{\varrho}$. Wenn man aber u und o zeitlich getrennt abliest, so kann der Fehler in l den Betrag erreichen $\triangle l = (o + u) \operatorname{tg} \alpha \cdot \frac{\triangle w}{\varrho}$. Unvermeidlich bei der Tachymetrie wird die zeitlich getrennte Ablesung von u und o nur dann, wenn durch teilweise Verdeckung der Latte nicht 2 Fäden zugleich abgelesen werden können. Man stellt dann den Mittelfaden nacheinander auf 2 möglichst weit voneinander entfernte Lattenpunkte m_1 und m_2 ein und liest die zugehörigen Höhenwinkel α_1 und α_2 ab. Man rechnet $l = m_2 - m_1$ und die Horizontalentfernung aus $E = l \frac{\cos \alpha_1 \cos \alpha_2}{\sin (\alpha_2 - \alpha_1)}$ oder genügend genau aus $E = l \frac{\varrho}{\alpha_2 - \alpha_1} \cdot \cos^2 \frac{\alpha_1 + \alpha_2}{2}$. Man hat darauf zu achten, daß die Latte während der Messung recht ruhig gehalten wird. Wegen dieses Umstands, auch wegen der langsamen Ausführung kommt die optische Distanzmessung durch Einstellung eines Fadens auf 2 (feste) Zielmarken auf der Latte mit Anwendung einer Meßschraube für die beiden zugehörigen Neigungen bei Tachymetermessungen nicht in Betracht. Wohl aber kann man zur Vereinfachung der Rechnung die Messung unter Verzicht auf eine vollständige Meßprobe aber bei noch ausreichendem Schutz gegen grobe Ablesefehler dahin abändern, daß man nach Ablesung von o und u den Mittelfaden mit der Kippschraube des Fernrohrs auf den nächsten vollen *dm*-Strich verschiebt und dann erst m und α abliest. (Für Zwischenpunkte wird man ohne diese Verschiebung gleich den vollen *dm* anschreiben.) Daß diese kleine Veränderung während des Meßvorgangs für die Praxis ganz unmerkliche Ungenauigkeiten mit sich bringt, erkennt man aus der Differentialgleichung der Grundformel. Man erhält $\triangle E = -2h \cdot \frac{\triangle \alpha}{\varrho}$

und $\triangle h = -2h \operatorname{tg} \alpha \cdot \frac{\triangle \alpha}{\varrho}$, also Fehlerbeträge weit innerhalb der Meßgenauigkeit. Von diesem Umstand macht man Gebrauch bei nahezu wagrechten Zielungen, um kleinere Neigungswinkel zu vermeiden, indem man zuerst bei einspielender Nivellierlibelle *m* abliest, dann erst bei etwas geneigtem Fernrohr *o* und *u*. Die Ablesung des Höhenkreises und die Berechnung von *h* fällt dann weg.

Eine wesentliche Vereinfachung der Messung und der Rechnung wird erreicht, wenn man den Mittelfaden ganz ausschaltet oder ihn nur zur reinen Meßprobe abliest, und ihn durch den oberen Distanzfaden, der die kleinere Lattenablesung liefert, ersetzt; die Ablesung *u* ist dann zugleich *m*. Darnach ist die Höhenwinkellibelle bei der Instrumentenberichtigung umzustellen. Die Latte erhält dann zweckmäßig ihren Nullpunkt in mittlerer Instrumentenhöhe 1,4 *m* und wird von hier nach unten negativ beziffert. Dieses vereinfachte Verfahren ist sehr zu empfehlen.

Berechnung der Horizontalentfernung *E* und des Höhenunterschieds *h*. Die Bildung von $l = o - u$ ist sehr einfach, da *u* eine runde Zahl, meist ein voller Meter ist. Ebenso ergibt sich $(c + k \cdot l)$ ohneweiters, wenn die Multiplikationskonstante *k* genau 100 (oder 200) ist. Weicht *k* vom runden Sollwert ein wenig ab, so legt man sich eine kleine Korrektionstabelle an. Ist *k* aber vom runden Wert stark verschieden, so berechnet man sich eine mit *l* fortschreitende Zahlentafel für $(c + k \cdot l)$.

Die Berechnung von $E = (c + k \cdot l) \cos^2 \alpha$ und von $h = E \operatorname{tg} \alpha = (c + k \cdot l) \frac{\sin 2\alpha}{2}$ führt man mit Zahlentafeln oder mit Rechenschiebern aus. Die Tachymetertafeln von Jordan, Stuttgart (bei Metzler, 5. Aufl. 1912) schreiten von *m* zu *m* fort und gehen von 10–250 *m*. Für *E* ist das Winkelintervall 1°, für *h* ist es 1–3′, je nach der Größe der Entfernung. Eine Erweiterung der Tafeln auf 350 *m* hat Reger veröffentlicht. Tachymetertafeln für zentesimale Winkelteilung hat Jadanza herausgegeben, deutsche Ausgabe von Hammer. Der logarithmisch-tachymetrische Rechenschieber von Wild, gefertigt von Kern in Aarau, gibt *E* durch Einstellung des Schiebers, *h* durch Einstellung der Zunge. Der Schieber von Werner gibt mit einer Einstellung Längenreduktion und Höhenrechnung. Da im allgemeinen die Neigung der Visur nicht groß ist, etwa den Betrag von 15° nicht übersteigt, so ist *E* meist nicht viel kleiner als $(c + k \cdot l)$. Man legt sich daher eine Zahlentafel für den auf *dm* abgerundeten Abzug $\triangle E$ an, den man an $(c + k \cdot l)$ anzubringen hat, um $E = (c + k \cdot l) \cos^2 \alpha$ zu erhalten. Für kleine Winkel ist dieser Abzug $(c + k \cdot l) \cdot \left(\frac{\alpha}{\varrho}\right)^2$, für größere $(c + k \cdot l) \cdot \left[\left(\frac{\alpha}{\varrho}\right)^2 - \frac{1}{3}\left(\frac{\alpha}{\varrho}\right)^4\right]$. Für die Praxis genügt es, den Abzug nur für $k \cdot l$ zu berechnen und die Additionskonstante *c* in diese Reduktionstabelle hereinzunehmen. Dadurch wird die Berechnung von *E* einfacher. Wenn man dann für kleinere Höhenwinkel, etwa bis 10°, die Horizontalentfernung *E* mittels dieser Reduktionstabelle, den Höhenunterschied *h* mit dem Wildschen Rechenschieber, für größere Höhenwinkel *E* und *h* mit diesem allein bestimmt, so geht die Rechnung schnell und bequem. Für größere Neigungswinkel ist die Ablesung von *E* am Wildschen Schieber einfacher als die Rechnung mit der Reduktionstabelle. Die Berechnung von *h* mit dem Schieber ist unmittelbar nur für Winkel von 0°35′ an möglich. Kleinere Höhenwinkel multipliziert man zunächst mit 2 oder mit 10.

Besondere Tachymeter. Zur Ersparung der Rechnung von *E* und von *h* sind Schiebetachymeter gebaut worden von Kiefer-Breithaupt, Kreuter, Wagner-Fennel, Puller-Breithaupt; auch ein selbstreduzierendes Instrument von Hammer-Fennel. Bei den 3 ersten muß die Latte senkrecht zur Mittelvisur gehalten werden, eine für die Praxis ungeeignete Art der Messung. Die beiden letzten gestatten die Lotrechtstellung der Latte, ein Verfahren, das allein noch im Gebrauch ist. Die weitergehende Leistung aller dieser Konstruktionen wird gewonnen durch Verringerung sonst erwünschter Eigenschaften, man hat je nach der Bauart vermehrtes Gewicht oder geringere optische Leistung. Wegen der Gewichtsvermehrung werden diese Instrumente gleich als Topometer zur Meßtischaufnahme eingerichtet, wo ihre Leistungsfähigkeit besonders gut zum Ausdruck kommt und die Gewichtsvermehrung bei dem ohnehin schwerfälligen Meßapparat keine Rolle spielt.

Selbstrechnender Schnellmesser von Puller-Breithaupt. Der Limbus ist als große Scheibe ausgebildet, an der durch Schätzung an einem Zeiger auf 2′ abgelesen wird. Diese Scheibe kann zugleich als Meßtischplatte dienen, auf die Pauspapier (mit zentrischem Loch für die Stehachse) aufgelegt werden kann. In der Mitte der Scheibe wird die Achse der abnehmbaren Alhidade eingesteckt. Die Alhidade besteht aus dem Meßfernrohr und dem seitlich davon angebrachten Rechenapparat, auch einer Punktiervorrichtung zum Einzeichnen der Meßpunkte. Der Rechenapparat hat teils mit dem Fernrohr, teils mit dem Fernrohrträger fest verbundene, teils an diesen beiden verschiebbare Teile. Fest verbunden mit dem Fernrohr, also mit ihm drehbar, ist die Längsschiene *AA* mit der Führungsstange *L* und die senkrecht dazu stehende, sich mit der Kippachse kreuzende Stange *AD*. Am Fernrohrträger festgemacht ist die wagrechte Skala *CC* und die Führungsstange *MM*. Die Skala *BB* wird beim Kippen des Fernrohrs an der Führungsstange *MM* parallel bewegt durch ein an der Stange *AD* verschiebbares Gelenk. Die Stange *FEG* ist parallel zu *AD*, also senkrecht zu *L*, sie ist längs der Führungsstange *L* verschiebbar. An der Stange ist der Nonius *H* und unten der Nonius *G* befestigt; der letztere wird zugleich an *NN* geführt. Längs der Skala *CC* läßt sich der Schieberahmen *P* mit Nonien *I* und *K* und der Höhenskala zwischen *H* und *I* bewegen. Diese Skala für die Höhenablesung läßt sich durch eine Schraube so am Nonius *I* verstellen und außerdem am weißen Mittelstreifen so beziffern, daß man bei *H* unmittelbar die Höhe des Standpunkts der Latte abliest. Im Fernrohr liest man $l = o - u$ am Lattenbild ab. Dann stellt man *G* auf $k \cdot l$ ein, schiebt den Rahmen an *H* heran, liest die Entfernung bei K und die Höhe bei H ab oder sticht den Punkt ins Papier ein, ohne K abzulesen, wobei der Kartenmaßstab 1:1000 oder 1:2500 vorgesehen ist. Der selbsttätige Rechenvorgang ist aus Abb. 259 ersichtlich; die Linie OS entspricht der Zielrichtung.

Das selbstreduzierende Tachymeter von Hammer-Fennel. Die Lattenablesung in cm gibt die Horizontalentfernung in m und den 20. Teil des Höhenunterschieds unmittelbar an. Statt geradliniger Distanzfäden sind Kurven vorhanden, deren Abstand sich im Verhältnis $\cos^2\alpha : 1$ verkleinert; für die Höhenablesung ist eine besondere zweiästige Kurve vorhanden. Diese Kurvenplatte, photographisch auf eine Glasplatte übertragen, steht seitlich des Fernrohrmantels über der etwas nach unten versetzten Kippachse und ist fest mit dem Fernrohrträger verbunden. Im Fernrohr selbst ist nur der Nivellierfaden (Nullfaden) angebracht. Im Mantel des anallaktischen Zielfernrohrs ist ein Ablesefernrohr derart eingebaut, daß das gemeinschaftliche Okular in der einen Hälfte des Gesichtsfeldes das Bild der Latte, in der andern die Kurven zeigt. Die vertikale Trennungslinie ist Ablesekante. Abb. 261 zeigt im Horizontalschnitt die Anordnung. Die vertikale Kurvenplatte DD wird auf dem Weg über das Prisma P', die Linse L und das Prisma P'' in der Fadenkreuzebene A des Zielfernrohrs abgebildet. Durch Verschiebung des Objektivs wird in dieser Ebene auch das Lattenbild entworfen. Durch das Okular sieht man das in Abb. 262 dargestellte Bild, in dem man an der Trennungslinie AA der Gesichtsfelder beider Fernrohre ablesen würde: 12·4 und −10·1 cm, was $E = 12{\cdot}4\ m$ und $h = -20 \cdot 10{\cdot}1\ cm = -2{\cdot}02\ m$ ergibt. Die Ablesekurven sind in Abb. 263 abgezeichnet. Den Kreisbogen GOG um die Mitte der Kippachse stellt man auf den in Instrumentenhöhe 1·4 m an der Latte angebrachten Nullpunkt der Teilung ein und liest an der Kurve EE_0E den Betrag für die Entfernung

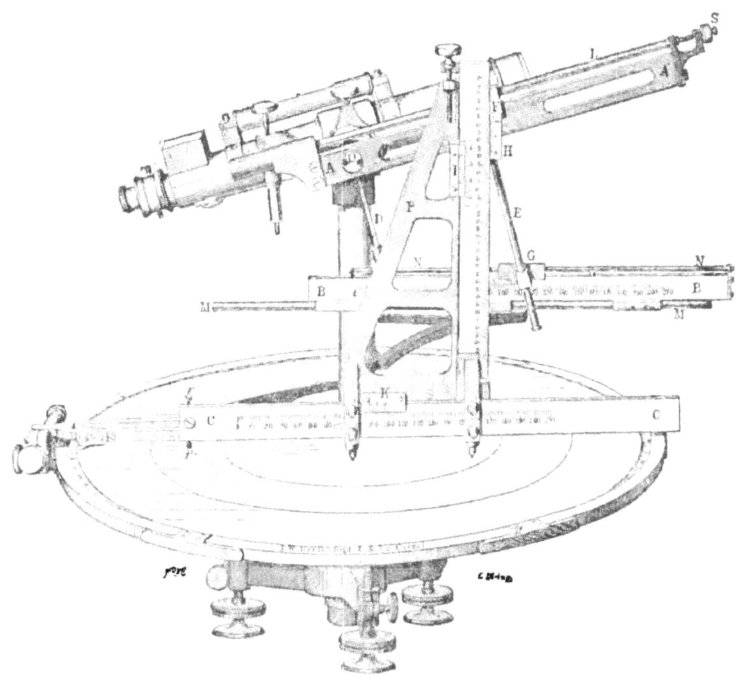

Abb. 258. Tachymeter Puller-Breithaupt.

ab. Die Ablesung für den Höhenunterschied erhält man an der Kurve $-H\ O + H$. Beim Kippen des Fernrohrs stellen sich die verschiedenen Radien $A\ B$

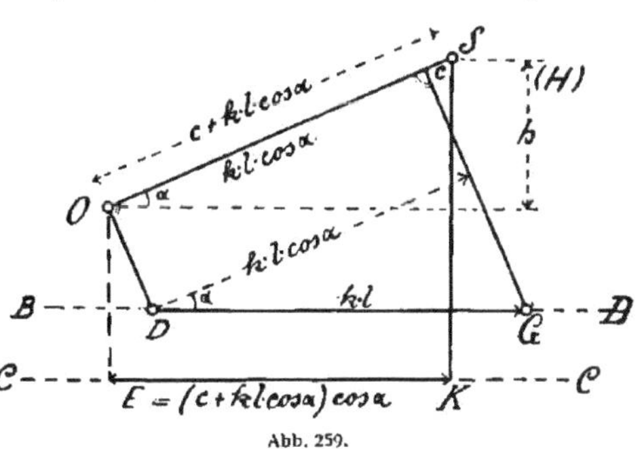

Abb. 259.

zwischen den Enden der Kurvenplatte an der Ablesekante ein, indem die Kurven scheinbar quer zur Kante wandern.

Meßtischtachymetrie. Für Aufnahmen in kleinerem Maßstab, etwa von 1:10000 ab, kann die Zahl der Tachymeterpunkte stark ein-

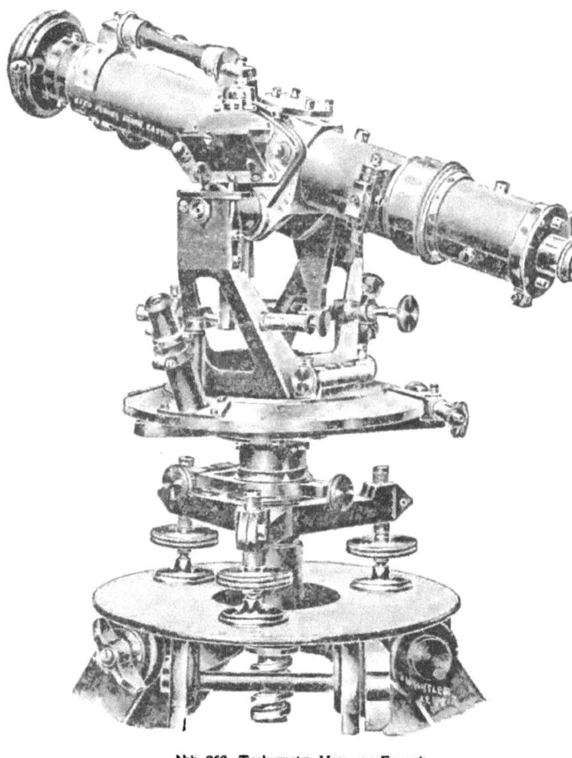

Abb. 260. Tachymeter Hammer-Fennel.

geschränkt werden, dagegen werden viele Einzelheiten durch flüchtige Aufnahme, Ein-

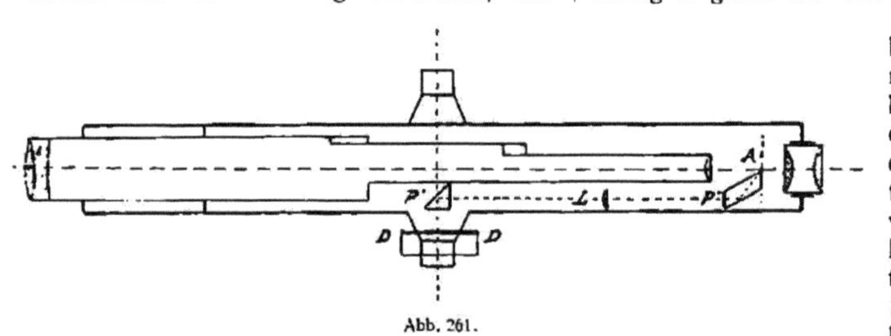

Abb. 261.

schreiten mit Kompaß und Barometerbestimmung dazwischen eingemessen werden können. Dann ist es oft von Vorteil, statt der Zahlentachymetrie die Meßtischtachymetrie anzuwenden, also gleich die Karte während der Messung im Feld herzustellen. Man stellt im Feld den Zeichentisch – die Meßtischplatte auf einem Stativ wagrecht und orientiert auf. Auf dem Meßtischplan sind die gegebenen Festpunkte eingetragen. Statt des Theodolits hat man die Kippregel: ein mit Distanzfäden ausgestattetes Meßfernrohr mit Kippachse und Höhenbogen, mittels Stütze auf einem Zeichenlineal (Regel) befestigt. Man legt das Lineal, am besten Parallellineal, an dem im Plan eingezeichneten Standpunkt an und zielt nach der Latte, liest an dieser u, o und m und am Instrument den Neigungswinkel α ab, bestimmt E und h und trägt mit Zirkel und Maßstab den Meßpunkt nach Lage und Höhe ein. Der graphischen Meßart entsprechend werden E und h nicht berechnet, sondern ebenfalls graphisch bestimmt. Man entnimmt einem Transversalmaßstab, in den die Additionskonstante c eingefügt ist, mit dem Zirkel die Größe $(c + k \cdot l)$. Nun geht man in ein Strahlenbüschel für $\cos^2 \alpha$ ein und erhält daraus E. Mit E geht man in ein 5- oder 10fach überhöhtes Strahlenbüschel für $\operatorname{tg} \alpha$ ein und erhält an einem passend bezifferten Längenmaßstab, der im Einklang mit der gewählten Überhöhung steht, die Höhe des Meßpunktes, indem man stets die Lattenablesung m gleich der Instrumentenhöhe macht.

Der Puller-Breithauptsche Schnellmesser (Abb. 258) kann ohneweiters für den Maßstab 1:1000 oder 1:2500 als Meßtisch benutzt werden, wenn man ein rundes Pauspapier mit zentralem Loch auf die Horizontalkreisplatte legt. Mit der Punktiervorrichtung am Schieberahmen zeichnet man unmittelbar den Punkt ein, statt E an der Schiene CC abzulesen, und schreibt die bei H abgelesene Meereshöhe dazu (s. o.). Die verschiedenen Pauspapierblätter verwendet man zur später anzufertigenden Reinzeichnung.

Auch das Hammer-Fennelsche Instrument ist als Topometer ausgebildet, es gestattet das unmittelbare Auftragen der Messung auf eine runde Papierscheibe, die leicht ausgewechselt werden kann.

Zusammenfassung. Die T. ist ein Meßverfahren zur raschen Aufnahme eines Geländes nach Lage und Höhe zum Zweck der Her-

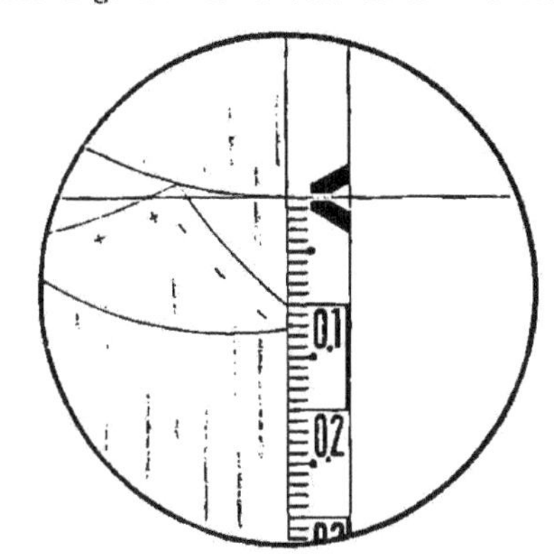

Abb. 262. Lattenablesung.

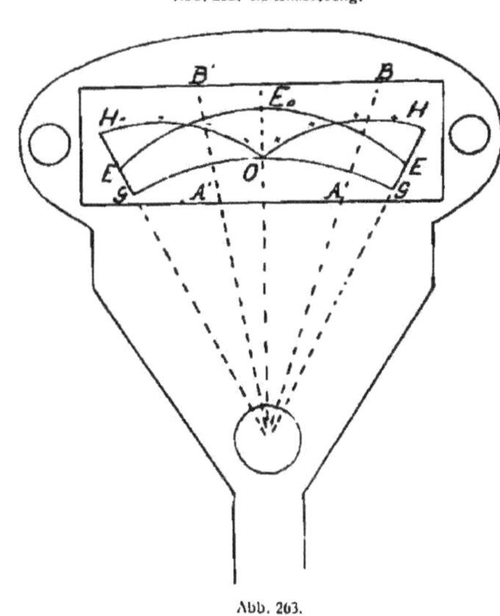

Abb. 263.

stellung von Höhenlinienplänen; diese Pläne werden gebraucht zur Anlage technischer Bauwerke, insbesondere solcher, die größere Erdmassenbewegungen erfordern oder die die Kenntnis der Wasserverteilung notwendig machen, oder aber zu rein topographischen Zwecken. Die Höhenaufnahme ist der wichtigere Teil der Messung.

Vor Beginn der tachymetrischen Aufnahme ist das Gebiet mit einem Klein-Dreiecknetz zu überspannen und mit Nivellementszügen zu durchsetzen. In dieses Gerippe von 1 – 3 *km* Maschenweite werden Tachymeterzüge eingefügt mit so viel Zwischenpunkten, daß die Bodenform im Einzelverlauf zur Darstellung gebracht werden kann. Wie dicht die Meßpunkte zu nehmen sind, hängt von der geologischen Formation und von der zu lösenden Aufgabe ab. Auf den ruhigen Hängen des Bundsandsteins werden Punkte in 50 -- 100 *m* Entfernung voneinander für alle Zwecke genügen, im Keuper, in Dünenlandschaften und Moränen wird man die Meßpunkte viel enger nehmen müssen. Der Kanalbau und der Straßenbau erfordern ein stärkeres Eingehen in die Bodenform als der Eisenbahnbau, für die Feststellung der Wasserscheiden oder für topographische Karten braucht man die Bodengestaltung nur in größeren Zügen zu kennen. Von den Tachymeterpunkten aus werden Einzelheiten in Lage und Höhe nach Augenmaß, durch Abschreiten oder mit Meßband, auch mit der Bussole aufgenommen. In besonderen Fällen können Höhenmessungen mit dem Aneroid eingeschaltet werden. Doch nicht in der Ebene, da barometrisch bestimmte Punkte im allgemeinen um einige Meter unsicher sind.

Die Wahl der Instrumente hängt davon ab, ob man die Feldarbeit auf die eigentliche Messung beschränkt, wobei die Lage der Punkte, die Leitkurven und die Einzelheiten nur skizziert werden, und die Ausarbeitung zeitlich davon getrennt im Zimmer vornimmt, oder ob man im Feld zugleich mit der Messung auch die Kartierung durchführt. Bei Aufnahmen in größeren Maßstäben wird man die erstere, bei solchen in kleineren die letztere Art vorziehen; die Grenze kann bei 1 : 10.000 gezogen werden. Die erstere Art wird Zahlentachymetrie, die letztere Meßtischtachymetrie genannt. In unruhigem Gelände mit kleinen regellosen Bodenformen, wie in Dünen, Moränen und rissigen Hängen, in Rutschungsgebieten, ist die Kartierung im Felde auch bei größeren Kartenmaßstäben geboten.

Bei der Zahlentachymetrie werden kleine leichte Universaltheodolite mit Distanzfäden, mit Nivellierlibelle und mit Vollkreisbussole verwendet. Die Instrumente müssen vollständig berichtigt sein, da das Fernrohr nur in einer Lage benutzt wird. Die Kreise werden nur an einer Stelle abgelesen, der Höhenkreis auf 1′, der Horizontalkreis auf 1′ oder nur, wie die Bussole, auf 0·1°. Die Wechselpunkte der Tachymeterzüge werden sorgfältiger und schärfer gemessen als die gewöhnlichen Zwischenpunkte.

Bei Verwendung der Bussole führt man die Tachymeterzüge in „Sprungständen" oder „Lattenständen" aus, man wechselt also den Instrumentenstand gegen die Latte in derselben Art wie beim Nivellieren. Wenn für die Aufnahme 2 Beobachter zur Verfügung stehen, wird der erfahrenere Ingenieur die Meßpunkte auswählen, dabei die Skizzen anfertigen mit Eintrag dieser Punkte, den Einzelheiten im Gelände und mit sorgfältigem Eintrag der Leitkurven für die Bodenformen. Der Techniker oder auch ein gewandter Meßgehilfe macht die Ablesungen am Instrument und deren Eintrag ins Feldbuch. Nicht die Zahl der Meßpunkte, sondern ihre Auswahl und die Einzeichnung der Leitkurven ist für die Güte der Aufnahme entscheidend.

Die Berechnung der Horizontalentfernung $E = (c + k \cdot l) \cdot \cos^2 \alpha$ und des Höhenunterschieds $h = E\,\mathrm{tg}\,\alpha = (c + k \cdot l)\frac{\sin 2\alpha}{2}$ geschieht getrennt von der Messung mit tachymetrischen Rechenschiebern oder mit Zahlentafeln oder mit beiden zusammen. Ebenso die Berechnung der Höhen selbst $H_B = H_A + i + h - m$. Hierbei ist i die unmittelbar gemessene Instrumentenhöhe über dem Festpunkt, also $1 \cdot 3 - 1 \cdot 5\ m$; die Höhe $H_A + i$ ist die Horizontalhöhe der Kippachse. Man kann den Mittelfaden (Nivellierfaden) auf die gleiche Höhe an der Latte (Zielscheibe) einstellen wie die Instrumentenhöhe, also $m = i$ machen; dadurch wird die Rechnung von H etwas vereinfacht, die Messung aber etwas verzögert.

Die Rechnung von E und von h wird erspart, wenn man das selbstreduzierende Tachymeter von Hammer-Fennel benutzt, oder das selbstrechnende Tachymeter von Puller-Breithaupt, oder das Kontakttachymeter von Sanguet.

Die Anfertigung der Höhenkurvenpläne kann für die Zahlentachymetrie in jedem Maßstab erfolgen; man nimmt für Ingenieurarbeiten 1:500 bis 1:5000.

Bei der Meßtischtachymetrie trägt man die Meßpunkte nach Lage und Höhe zugleich mit der Messung in die anzufertigende Karte ein und macht die Karte in Bleistiftzeichnung im Feld fertig. Die Karte auf der Meßtischplatte wird durch Eintrag des Koordinatennetzes und der Dreieckspunkte, auch der Höhenfestpunkte vorbereitet. Der Meßapparat besteht aus dem Meßtisch mit Stativ, Lotgabel und Orientierungsbussole (Kastenbussole), der Kippregel, Zirkel und Maßstäbe, dazu die Distanzlatte. Die Berechnung von E und h geschieht im Feld mit Diagrammen, der Eintrag der Punkte am Ziehlineal der Kippregel mit Zirkel und Maßstab. Die Meßtischaufnahme wird meist nur für kleinere Maßstäbe 1:10000 bis 1:25000 angewendet, die Umwandlung in größere Maßstäbe ist nur mit Drangabe der Genauigkeit möglich.

Der Puller-Breithauptsche Schnellmesser, der besonders für Eisenbahnvorarbeiten dienen soll, ist für Meßtischaufnahme im Maßstab 1:1000 bis 1:2500 bestimmt. Der Hammer-Fennelsche Tachymeter ist als Topometer für die Meßtischaufnahme eingerichtet.

Anmerkung. Im Flachland, wo viel nivelliert werden kann und größere Höhenwinkel nicht vorkommen, wird statt des Tachymetertheodolits vielfach ein Nivelliertachymeter verwendet, ein Nivellierinstrument mit Gefällschraube und einem wagrechten Meßkreis.

Häufig liegt für die Tachymeteraufnahme der Fall so, daß schon ein Lageplan vorhanden ist, der zum Höhenplan erweitert werden soll. Die Dreiecksmessung fällt weg. Im ebenen Gelände werden dann die Lagepunkte einnivelliert. Im hügeligen Gebiet wählt man als Instrumentenstand gut gelegene, örtlich scharf bezeichnete und in der Karte angegebene Punkte, stellt die in Instrumentenhöhe mit Zieltafel versehene Latte in bekannten Kartenpunkten auf, dann hat man nur je die Höhenwinkel zu messen, da die Horizontalentfernung der Karte entnommen werden kann. Für den Karteneingang rechnet man eine entsprechende Zahlentafel der Vergrößerung des Vertikalwinkels. Durch Differentiation von $h = E\,\mathrm{tg}\,\alpha$ erhält man für den mit der Richtung veränderlichen Karteneingang von $p\,\%$:

$$\triangle\alpha' = -17' \cdot p \cdot \sin 2\alpha$$

Die Höhenbestimmung geschieht mit Zirkel, einem überhöhten Diagramm für $E \cdot \mathrm{tg}\,\alpha$ und einem entsprechend geteilten und bezifferten Längenmaßstab. Im bergigen Gelände kann man Höhenpunkte zwischen nivellierten oder trigonometrisch bestimmten Tal- und Bergpunkten durch Aneroidmessungen einschalten; wenn man die Züge bei ruhiger Wetterlage ausführt und sie nicht über etwa 2 Stunden ausdehnt, so kann man die Luftdruckschwankungen als gleichmäßig mit der Zeit gehend annehmen, so daß ihr Einfluß durch die Einschaltung herausfällt. In Waldschneisen von Tal zu Berg ohne kartierte Zwischenpunkte kann man Profile mit Meßband und Aneroid legen. Mit Vorteil, besonders im Gebirge, wird man photogrammetrische, hauptsächlich stereophotogrammetrische Aufnahmen zur Ergänzung und zu teilweisem Ersatz der Tachymetermessungen einschalten (s. Stereophotogrammetrie).

Ausarbeitung der Höhenlinien. Hat man die Meßpunkte nach Lage und Höhe in die Pläne eingetragen, wobei man für Bussolenzüge mit Vorteil parallel liniertes Pauspapier verwendet, und ist der Lageplan fertig gestellt, so sind die Höhenlinien zu konstruieren. Man zeichnet diese Linien in runden Höhen von 10 zu 10 *m*, mit Unterteilung in flachem Gelände. In ganz ebenem Gelände wie in Niederungen ist es vielfach besser, keine Höhenlinien einzuzeichnen und sich nur an die Höhenpunkte zu halten. Da man die Höhenlinienpunkte im größten Gefälle interpolieren muß, so zeichnet man zunächst die Linien nach Augenmaß roh ein. Dann interpoliert man in den Gefällinien. So gut es geht, ordnet man schon im Feld die Meßpunkte längs dieser Linien an, doch kann diese beste Lage nicht immer erreicht werden, da man den Meßgehilfen mit der Latte den Hängen entlang schickt, nicht im Gefälle, was eine Kraft- und Zeitvergeudung wäre. Sind benachbarte Punkte nicht stark verschieden gegen die Gefällsrichtung, so kann man unbedenklich in ihrer Verbindungsrichtung interpolieren, ist ihre Verbindungslinie aber mehr als etwa 20^0 davon abweichend, so wird man zwischen 2 ungefähr gleich hohen Nachbarpunkten erst einen geeigneten Zwischenpunkt suchen und diesen dann zur weiteren Interpolation benutzen. In jedem Fall ist aber zu beachten, ob die Gefälllinie beträchtlich konvex oder konkav verläuft, ob und wieviel also der linear interpolierte Punkt verschoben werden muß. Durch flüchtige Herstellung des Profils wird die lineare Interpolation schnell richtiggestellt, man erlangt aber schon bald eine so große Übung und Sicherheit, daß Hilfskonstruktionen überflüssig werden. Die lineare Interpolation zwischen den Höhenpunkten führt man mit Zirkel und einem Diagramm aus. Es gibt eine große Anzahl von Hilfsapparaten für diese Interpolation. Sehr bequem ist ein parallel liniertes Zeichenpapier, etwa ein Stück *mm*-Papier, mit Lineal und Zirkel (Abb. 264). Die Höhenzahlen erscheinen in der Abszissenlinie, senkrecht dazu wird mit dem Zirkel der Punktabstand abgesetzt und die Linealkante an der Zirkelspitze und der Höhenzahl des andern Punktes angeschlagen. Dann kann man die Maße für beliebige Zwischenpunkte mit dem Zirkel abnehmen. Oder man zeichnet sich ein Strahlenbüschel für Proportionalteilung, wie in Abb. 265 angegeben, und trägt mit dem Zirkel den Punktabstand für die betreffenden Höhenzahlen ein und greift die gesuchte Länge ab. In den Abbildungen ist dargestellt, wie man zwischen 2 Punkten vom Abstand *s* und den Höhen 387·6 und 395·5 die Entfernung *x* der 390 *m*-Linie vom tieferen Punkt aus bestimmt.

Die Zeichnung der Höhenlinien für Täler, Kuppen, Sättel und Schluchten kann nur vom

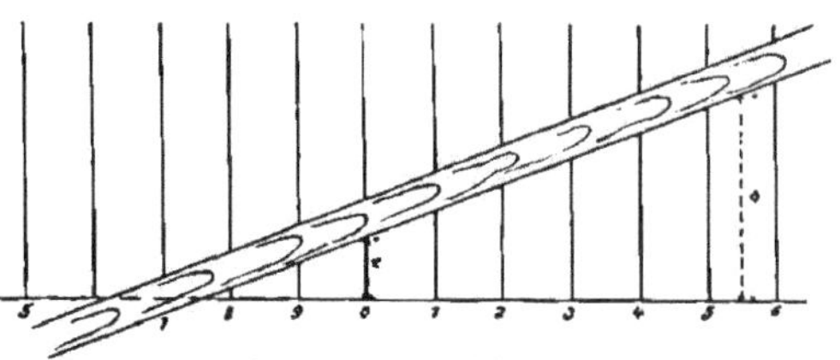

Abb. 264. Punkteinschaltung.

geübten Beobachter und an Hand der während der Messung im Feld gezeichneten Leitkurven und Gerippelinien richtig ausgeführt werden. Die nur nach mathematischer Auffassung eingezeichneten Kurven sind meist Zerrbilder der Natur. Vielmehr gehört die Kenntnis der Boden-

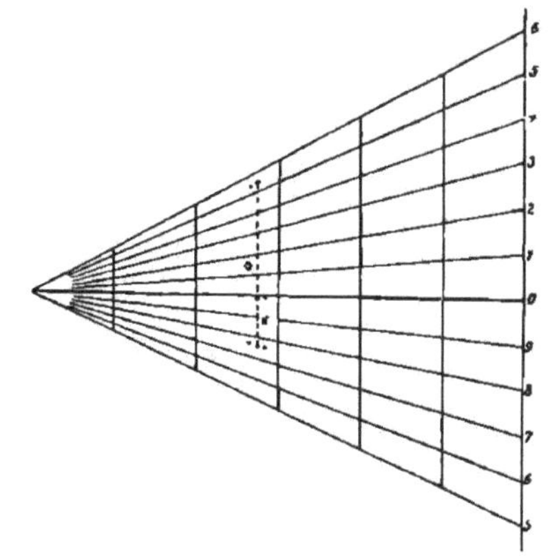

Abb. 265. Punkteinschaltung.

gestaltung geologischer Formationen und die Übung im Aufnehmen des Geländes zur richtigen Darstellung der Bodenformen. Auf Berggipfeln und im Satteltiefsten muß die dort gemessene

Abb. 266. Höhenlinien.

Höhenzahl eingetragen sein. Die Höhenliniendarstellung muß dem Ingenieur schon an sich einen Anhalt dafür geben, ob er es mit standfesten oder mit zu Rutschungen geneigten Schichten zu tun hat. Dieser Gesichtspunkt soll in Abb. 266 a u. b, 2 Darstellungen desselben Geländes (im Knollenmergel des Keupers) zum Ausdruck gebracht werden.

Literatur: Puller, Schnellmesser, Schiebetachymeter für lotrechte Lattenstellung. Ztschr. f. Vermess.-Wesen 1901. Jordan-Eggert, Handbuch der Vermessungskunde, Bd. III, 8. Aufl., S. 737 837. Literatur in § 190, S. 826. – Hartner-Doležal, Handbuch der niederen Geodäsie. Bd. II, 3. Abt., S. 341 415. – Koppe, Genauigkeit der Höhendarstellung in topographischen Plänen und Karten für allgemeine Eisenbahnvorarbeiten. Organ 1905. – Ad. Schmidt, Magnetische Beobachtungen in Potsdam 1900–1910. Veröff. des Kgl. Preuß. Meteorol. Instituts, Nr. 289. *Haußmann.*

Taff Vale Railway, eine der ältesten Eisenbahnen von Wales. Die Stammlinie von Merthyr Tydfil zu den Cardiff Docks wurde 1840 für den Personenverkehr eröffnet. Nach Fusion mit anderen Linien (Cowbridge, Dare Valley, Llantisant und Taff Vale Junction, Rhonda Valley und Hirwain Junction, Treferic Valley, Cardiff-Penarth und Barry Junction, Cowbridge und Aberthaw, Aberdare) hat sie eine Betriebslänge von rund 200 *km* erreicht.

Tagsignale s. Signalwesen.

Tarif *(tariff; tarif; tariffa)* – vom arabischen 'tarif = Kundmachung stammend (die Ableitung von der maurischen Hafenstadt Tarifa an der Meerenge von Gibraltar ist wohl irrig) – ist das Verzeichnis der für bestimmte Leistungen zu entrichtenden Preise, das auch die Bestimmungen für ihre Anwendung, die Tarifvorschriften, enthält. Die Beförderungspreise, Fahrpreise im Personenverkehr, Frachtsätze im Sachverkehr genannt, werden nach bestimmten Systemen gebildet; das Tarifschema zeigt ihre äußere Einrichtung und Anordnung.

Die T. lassen sich nach der Art ihrer Beförderungsgegenstände, nach den Verkehrsbezirken, innerhalb deren sie gelten, nach der besonderen Zweckbestimmung, nach der Gültigkeitsdauer in folgende Gruppen einteilen:

1. Personen-, Gepäck-, Güter- (Expreß-, Eil- und Frachtgüter-), Tiertarife.
2. Binnen- (Lokal-) T., direkte T. (Nachbar- oder Wechseltarife, Verbandstarife, internationale T.), Reexpeditionstarife.
3. Einfuhr-, Ausfuhr-, Durchfuhrtarife, Seehafentarife.
4. Dauer- und Zeit- (Saison-) T.

Nach ihrer Bildung unterscheidet man regelmäßige (Normal-, Klassen-, Spezial-) T., Ausnahme- und Differentialtarife, ferner Kilometer- und Zonentarife, bei denen für alle Entfernungen gleiche Einheitssätze angewendet werden und Staffeltarife mit nach Entfernungen abgestuften Einheitssätzen.

Für die von den kilometrischen Gebührenberechnungstabellen abweichenden Preissätze werden Stationstarife erstellt, bei denen als Unterarten die Schnittarife und Anstoßtarife zu erwähnen sind.

Die materielle Tarifbildung wohl aller Eisenbahnen setzt den Wert in den Vordergrund, den die Beförderung für den die Beförderung benutzenden Interessenten hat; im Personenverkehr geht deshalb der T. von einer Anzahl Wagenklassen aus und überläßt es dem Ermessen des Reisenden, welcher Klasse er sich bedienen und damit welchen Preis er zahlen will; im Güterverkehr ordnet er die Güter in eine Klassifikation ein und bestimmt, daß für alle die Güter, die nicht in der Klassifikation genannt sind, die Fracht nach der allgemeinen Wagenladungsklasse, also nach der teuersten Klasse berechnet wird. Jedes Gut ist also an sich einem bestimmten T. unterworfen, der für alle Beteiligten gleich anwendbar ist und von dem zu keines Gunsten abgewichen werden darf

Die Eisenbahntarife unterscheiden sich wesentlich von den Beförderungskosten auf den Wettbewerbswegen anderer Beförderungsmittel, denn sie müssen auch die Kosten der Verzinsung und Ablösung des Anlagekapitals und der Unterhaltung berücksichtigen, die bei den Wasserstraßen und auch bei den Landstraßen zum großen Teil fortfallen. Dieser unbestreitbare Vorteil vor dem Schienenweg wird oft durch das dringende Verkehrsbedürfnis des Versenders in Frage gestellt, das nur durch die Schnelligkeit und Planmäßigkeit der Eisenbahn vollkommen befriedigt werden kann. Der Wasserweg könnte an sich mit großem Nutzen arbeiten, muß aber seinen Verdienst infolge des Wettbewerbs der Eisenbahn schmälern; abgesehen hiervon wirken noch verschiedene zeitlich und örtlich schwankende Umstände preisbestimmend auf die Beförderungspreise der Wasserstraßen und Landwege, so daß es nicht möglich ist, sie von vornherein ein für allemal bindend für längere Zeit festzusetzen. Angebot und Nachfrage sind hier die wesentlichen Preisbildner, Schwankungen bilden die Regel und ein festes Preisgesetz ist undenkbar. Anders bei den Eisenbahnen. Sie haben auf diesem Gebiet eine monopolartige Stellung, wenigstens faktisch. Der Versender selbst ist nicht in der Lage, bei der Gestaltung der Frachtpreise des einzelnen Beförderungsgeschäftes mitzuwirken. Staats- und Privatbahnen machen hier keinen Unterschied. Nur bei der Gestaltung der T. im allgemeinen kann man von einer Beeinflussungsmöglichkeit des Versenders sprechen, indem die öffentliche Meinung durch geeigneten Druck auf die Verkehrsanstalten einzuwirken versucht, ihre T. wunschgemäß zu regeln. Diesem nicht ganz willkommenen Zwang kommen die Staatsbahnen zuvor, indem sie durch gesetzlich eingerichtete Beiräte eine wenn auch nur gutachtliche Mitwirkung in allen Verkehrsfragen zugelassen haben. Soviel steht aber fest, daß alle Verkehrsanstalten als öffentliche Unternehmungen, auch wenn sie sich von einem ausgesprochenen Dividendeninteresse leiten lassen, die allgemeinen volkswirtschaftlichen Rücksichten nicht vernachlässigen dürfen. Sind sie Staatsanstalten, dann versteht sich dies von selbst; die Exekutive liegt schließlich bei der verfassungsmäßigen Volksvertretung; sind sie Privatbahnen, dann sorgt der Staat kraft seiner gesetzlichen Aufsichtsbefugnis für allgemein nützliche T. Hierin liegt eine der Aufgaben der öffentlichen Gewalt gegenüber dem Verkehrswesen. Der Staat soll eingreifen dürfen, um die Ausbeutung der Allgemeinheit zu gunsten der Einzelinteressen zu beseitigen und zu verhüten. Er hat die Tarifhoheit, vermöge deren er die T. und ihre Anwendungsbedingungen beaufsichtigt und genehmigt und auf ihre Höhe einwirkt. Er bestimmt, daß die T. rechtzeitig veröffentlicht werden müssen, und verhindert so geheime Tarifvergünstigungen; er verlangt, daß die T. jedermann zu gleichen Bedingungen zur Verfügung gestellt werden, und versucht so, den Einzelnen gegen Refaktien und differentielle Tarifbildungen zu schützen. Allerdings läßt sich nicht verhehlen, daß das Interesse der Privatbahnen an möglichster Steigerung ihrer Einnahmen oftmals Wege fand, die staatlichen Anordnungen zu umgehen. Unstreitig ist aber das staatliche Eingreifen auf die äußere Gestaltung der T., also auf das einheitliche Tarifschema von großem Erfolg gewesen (s. auch Differentialtarife, Gepäcktarife, Gütertarife u. Personentarife). *Grunow.*

Tarifbildung. Hierunter versteht man im allgemeinen die Grundsätze, wonach die Beförderungspreise gebildet werden. Bei der T. kann man entweder von dem privatwirtschaftlichen Verwaltungsgrundsatz ausgehen, um einen möglichst hohen Betriebsüberschuß zu erzielen oder man kann den gemeinwirtschaftlichen Verwaltungsgrundsatz annehmen, wobei durch die Eisenbahnen für die Gemeinwirtschaft der höchste Nutzen erreicht wird (s. Gütertarife, insbesondere Bd. V, S. 464). Der Umstand, daß die Verwaltungen der Privateisenbahnen oft durch gesetzliche Vorschriften oder durch den Wettbewerb an der unbeschränkten Durchführung der privatwirtschaftlich günstigsten T. gehindert werden, oder daß bei den Staatsbahnen mit Rücksicht auf den Geldhaushalt des Staates aus Gründen der Steuerpolitik die gemeinwirtschaftlich beste T. nicht durchgeführt wird, ergibt keine neuen Verwaltungsgrundsätze, sondern nur eine unvollständige Durchführung eines oder des andern der beiden genannten allein möglichen Verwaltungsgrundsätze.

Für die T. kommen von den beiden Gruppen der Betriebsausgaben, den festen und den veränderlichen (s. Gütertarife, Bd. V, S. 455), nur die veränderlichen Betriebskosten in Betracht, die in gleichem Verhältnis mit der Zahl der Verkehrseinheiten wachsen. Die festen Betriebskosten bilden eine von der Art der T. ganz unberührt bleibende Ausgabe. Die mit der Verkehrsmenge wachsenden Betriebskosten, die Betriebskosten im eigentlichen Sinn, setzen sich aus den Ausgaben für Aufnahme und Abgabe des Verkehrs a und den mit der Fahrlänge x wachsenden Transportkosten $f_0 x$ zusammen, sind also für die auf die Entfernung x beförderte Einheit $= a + f_0 x$. Dieser Betrag, der die Mehrkosten darstellt, die aus der Beförderung einer neu hinzukommenden Einheit entstehen, ist natürlich von Fall zu Fall nicht der gleiche, sondern ändert sich oft sprungweise, wenn die Einstellung eines neuen Wagens in einen Zug oder die Einrichtung eines neuen Zuges u. s. w. durch den Verkehrszuwachs nötig wird. Für den Betrieb einer größeren Bahnstrecke ergeben sich indessen für die Zahlenwerte a und f_0 gleichbleibende Durchschnittswerte, die aber verschieden für die einzelnen Verkehrsgattungen sind, wie beispielsweise für die Personen der verschiedenen Wagenklassen, für Stückgüter, Wagenladungsgüter, Eilgüter u. s. w. Die Schwierigkeit, diese Zahlenwerte in einer für die praktische Benutzung genügend scharfen Weise festzustellen, beeinträchtigt den Wert der Theorie der T. nicht, denn diese Theorie hat nicht die Aufgabe, für die zweckmäßigste Art der T. unmittelbar verwendbare Zahlenwerte festzustellen, sondern soll zunächst die Gesetze entwickeln, die für eine zweckmäßige Art der T. maßgebend sind.

Als einfachste und deshalb auch am weitesten verbreitete Gesetzmäßigkeit der T. erscheint die Erhebung eines gleichmäßig mit der Beförderungsweite zunehmenden Beförderungspreises; es ist dies der einfache Entfernungstarif. Wird zur Vereinfachung der Betrachtung zunächst angenommen, daß die Kosten der Aufnahme und Abgabe des Verkehrs durch Erhebung einer den Selbstkosten gleichkommenden Abfertigungsgebühr (Expeditionsgebühr) a gedeckt werden, so wird bei einem Tarifsatz f an einer auf die Entfernung x beförderten Einheit ein Betriebsüberschuß $u = (f - f_0)x$ gewonnen.

Wird ein Gut an seinem Ursprungsort zu einem Preis p abgegeben und findet es zum Preis m noch Abnehmer, so ist sein Versendungswert $m - p - a = v$ und bei einem Frachtsatz f die äußerste Versendungsweite $r = \frac{v}{f}$.

Ein Verbrauchsort kann also mit diesem Gut aus einem Marktgebiet von der Größe $\pi r^2 = \frac{\pi v^2}{f^2}$ versorgt und ebenso von einem Erzeugungsort ein gleich großes Absatzgebiet damit versehen werden. Werden auf die Flächeneinheit des Marktgebiets γ Gütereinheiten erzeugt oder verbraucht, so ist die Anzahl der zu leistenden Verkehrseinheiten (*tkm*):

$$V = 2\gamma\pi\int_0^r x^2\,dx = \frac{2}{3}\gamma\pi r^3$$

und mithin der gesamte, aus der Versendung dieses Gutes entstehende Betriebsüberschuß:

$$N = \frac{2}{3}\gamma\pi v^3 . \frac{(f-f_0)}{f^2} .$$

Man erkennt leicht, daß dieser Betriebsüberschuß für $f = 1^1/_2 f_0$ sein höchstes Maß erreicht. Es wird also bei Annahme des einfachen Entfernungstarifs für Güter, deren Versendungsgebiet keine andere Einschränkung als durch die Höhe der Frachtkosten erleidet, der Frachtsatz am zweckmäßigsten auf den $1^1/_2$fachen Betrag der Selbstkosten des Betriebs festgestellt.

Bei der Ableitung dieses Satzes wurde für die ganze Ausdehnung des Versendungsgebiets eine gleiche Verkehrsdichtigkeit γ angenommen, während in Wirklichkeit die Verkehrsdichtigkeit mit der Versendungsweite im allgemeinen abnehmen wird. Allein dieser Umstand beeinträchtigt die Richtigkeit des gefundenen Satzes nicht im mindesten, da man statt eines einzigen Gutes, dessen Verkehrsdichtigkeit nach irgendwelchem Gesetz mit wachsender Versendungsweite abnimmt, eine größere Anzahl verschiedener Güter von sehr kleiner, aber gleichbleibender Verkehrsdichtigkeit $\triangle\gamma$ annehmen kann, deren jedes einen andern Versendungswert v und dementsprechend eine andere äußerste Versendungsweite r hat. Für jedes einzelne dieser Güter mit gleichbleibender Verkehrsdichtigkeit gilt dann der gefundene Satz, daß der Frachtsatz zu dem $1^1/_2$fachen Betrag der Betriebskosten angenommen werden muß, und folglich auch für die Summe aller dieser Güter, die an Stelle eines einzigen Gutes mit veränderlicher Verkehrsdichtigkeit gesetzt waren. Der Satz bleibt auch ferner zutreffend, wenn die Rechnung nicht auf ein volles, kreisförmiges Verkehrsgebiet, sondern nur auf einen Kreisausschnitt von kleinerem Zentriwinkel bezogen wird.

Geht die äußerste Versendungsweite des Gutes über die Grenzen des eigenen Bahngebiets hinaus, so wird der günstigste Frachtsatz größer als $1^1/_2 f_0$ und steigt für sehr kleine Bahngebiete im äußersten Fall auf $2 f_0$, wie durch einen dem vorstehenden ähnlichen Rechnungsgang leicht nachgewiesen werden kann. Hierdurch wird die wichtige Tatsache erwiesen, daß Verwaltungen großer Bahngebiete in ihrem eigenen Interesse niedrigere Fahrpreise erheben müssen als kleine Bahnverwaltungen.

Auch für den Fall, daß das Marktgebiet eines Gutes durch den Wettbewerb benachbarter Marktorte eine Einschränkung erleidet, wie z. B. das Versendungsgebiet der Saarkohle durch das der Ruhrkohle, wird der günstigste Frachtsatz höher als $1^1/_2 f_0$.

Bemerkenswert ist noch, daß auf Zweigbahnen, die für Rechnung des umgebenden Hauptbahnnetzes betrieben werden, niedrigere Frachtsätze erhoben werden müssen als auf Zweigbahnen, die unter gesonderter Verwaltung stehen. Die Rechnungen, durch die diese Wahrheiten nachgewiesen werden, sind zu finden in Launhardt, Kommerzielle Trassierung, Hannover, 2. Aufl., 1887; ferner in Launhardt, Mathematische Begründung der Volkswirtschaftslehre, Leipzig 1888; endlich auch in Launhardt, Theorie der Tarifbildung, Arch. f. Ebw. 1890, auch im Sonderabdruck erschienen.

Bei dem bis jetzt erörterten einfachen Entfernungstarif wird der an der Beförderung einer Einheit erreichte Betriebsüberschuß um so größer, je größer die Beförderungsweite ist, und erreicht sein höchstes Maß an der Versendungsgrenze, über die hinaus bei Festhaltung des einfachen Entfernungstarifs nun plötzlich nichts mehr zu gewinnen ist. Es liegt nun sehr nahe, für weitere Entfernungen dadurch noch eine lohnende Versendung möglich zu machen, daß man für diese einen etwas ermäßigten Streckensatz einführt. Eine solche Abweichung von dem reinen Entfernungstarif hat man bekanntlich als Differentialtarif bezeichnet und vielfach mit Vorteil für den Verkehr wie für die Eisenbahnen in mannigfacher Weise angeordnet. Dabei hat das Willkürliche und die Systemlosigkeit dieser Einrichtungen aber auch nicht selten zu einer Verletzung wesentlicher Verkehrsinteressen geführt. Die meistens aber unbestreitbaren Vorteile der Differentialtarife erweisen, daß der reine Entfernungstarif keineswegs die zweckmäßigste Art der T. ist (vgl. Differentialtarif, Bd. III, S. 371).

Um die günstigste Art der T. zu finden, ist vor allem die Tatsache zu beachten, daß die Verkehrsmenge von der Höhe der Fracht abhängig ist und mit Erhöhung der Fracht nach irgendwelchem Gesetz abnimmt. Setzt man die Höhe der Fracht für die Einheit $= F$, die bei dieser Fracht zur Beförderung kommende

Verkehrsmenge V, so besteht zwischen beiden eine Funktion, die das Gesetz der Verkehrsdichtigkeit bildet und zu setzen ist: $V = \varphi(F)$. Betragen die Betriebskosten für die Beförderung der Einheit auf die Entfernung, für die die Fracht F erhoben wird, B, so ist der bei dieser Beförderungsweite erreichte Betriebsüberschuß $N = (F - B)\,\varphi(F)$.

Man erfährt durch Differentiation nach F, daß dieser Betriebsüberschuß sein höchstes Maß erreicht, wenn $\varphi(F) + (F - B)\,\varphi'(F) = 0$ ist. In Abb. 267 sind die Größen der Fracht F auf der Abszissenachse zu messen, während die Ordinaten der Kurve der Verkehrsdichtigkeit $ACEG$ die Verkehrsmengen angeben.

Aus der für die günstigste Höhe der Fracht gefundenen Bedingung erhält man:

$$F - B = -\frac{\varphi(F)}{\varphi'(F)}$$

also in Worten ausgedrückt: Der Betriebsüberschuß muß gleich der Subtangente der Kurve der Verkehrsdichtigkeit an der Stelle des günstigsten Frachtbetrags sein.

Trägt man in der Abbildung die Höhe der Betriebskosten für irgendeine Entfernung mit OB auf der Abszissenachse ab, so muß man eine Tangente DET derart an die Kurve der Verkehrsdichtigkeit legen, daß deren Berührungspunkt E in der Mitte zwischen dem Schnittpunkt D mit der Ordinate der Betriebskosten und deren Schnittpunkte T mit der Abszissenachse liegt. Das Rechteck $BHEF$ stellt den höchsten erreichbaren Betriebsüberschuß dar, der durch Festsetzung der Fracht auf das Maß OF gewonnen wird.

Die Entwicklung der Gestalt der Kurve der Verkehrsdichtigkeit bietet allerdings praktisch große Schwierigkeiten; sie wird für jedes einzelne Frachtgut eine verschiedene sein. Ohneweiters läßt sich nun behaupten, daß diese Kurve sowohl die Ordinaten wie die Abszissenachse schneiden muß, da selbst bei einer Fracht = 0 die Verkehrsmenge noch eine endliche Größe haben muß und da der Verkehr schon gleich Null werden wird für eine noch endliche Höhe der Fracht. Ferner erkennt man schon aus einer oberflächlichen Beobachtung der Tatsachen, daß die Kurve von der Sehne AG sehr stark nach unten abweicht. Aus dieser Natur der Kurve der Verkehrsdichtigkeit folgt, daß die absolute Höhe des Betriebsüberschusses mit wachsender Beförderungsweite abnehmen und für die Versendungsgrenze gleich Null werden muß. Man hat eine solche Art der T. wohl als den Tarif mit fallender Skala bezeichnet. Eine Annäherung an diese T. zeigen die Staffeltarife, bei denen man mit wachsender Entfernung den kilometrischen Frachtsatz nicht stetig, sondern von Strecke zu Strecke vermindert. Auch bei den Zonentarifen nimmt die Fracht meistens langsamer zu als die Beförderungsweite. Indessen liegt hierin nicht das Wesentliche des Zonentarifs, sondern darin, daß die Fracht oder das Fahrgeld nicht unmittelbar nach der kilometrischen Entfernung, sondern nach größeren Entfernungsabschnitten, die man Zonen nennt, bestimmt wird. Für kleine Entfernungen würde eine nach der Kurve der Verkehrsdichtigkeit bestimmte Fracht so hoch ausfallen, daß mit Rücksicht auf den Wettbewerb des gewöhnlichen Straßenverkehrs eine nicht unerhebliche Ermäßigung vorzunehmen sein würde.

Da für wertvolle Güter die Kurve der Verkehrsdichtigkeit flacher gestreckt ist und sich

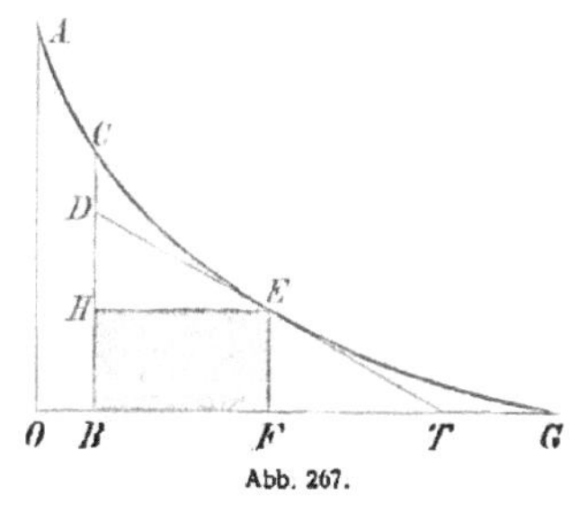

Abb. 267.

der Abszissenachse langsamer nähert als bei wohlfeilen Gütern, so muß der günstigste Frachtsatz allgemein größer mit zunehmendem Wert der Güter ausfallen. In diesem Umstand liegt die wahre Begründung für die Wertklassifikation bei der T., nicht aber in dem dafür meistens angeführten Umstand, daß die wertvolleren Güter höhere Frachten vertragen könnten.

Für den Personenverkehr ist die Kurve des Reisegesetzes nach Untersuchungen von Eduard Lill (Ztschr. d. österr. Ing.-V.) eine gemeine Hyperbel. Nach anderen Untersuchungen, die sich auf die Betriebsergebnisse der preußischen Staatseisenbahnen gründen (Launhardt, Das Personenfahrgeld. Arch. f. Ebw. 1890, H. 6) ist das Reisegesetz weniger einfach, entspricht aber immerhin einer Kurve, die man als eine Hyperbel höherer Ordnung bezeichnen kann.

Bei der Untersuchung der günstigsten gemeinwirtschaftlichen T. ist wieder von der Kurve der Verkehrsdichtigkeit auszugehen. Ist bei den Betriebskosten OB die Fracht auf OF festgesetzt (Abb. 268), so wird der durch die Eisenbahn erzielte Betriebsüberschuß durch das Rechteck $BHEF$ dargestellt. Setzt man jetzt die Fracht von OF auf OK herab, so verliert die Eisenbahn an dem Verkehr EF den durch das Rechteck *KMEF* dargestellten Betrag, der aber von den Verkehrsinteressenten gewonnen wird. Dieser Verlust und Gewinn gleichen sich gemeinschaftlich aus. Durch die Frachtherabsetzung steigert sich aber die Verkehrsmenge von *FE* auf *KI*, also um das Maß *IM* und an diesem Verkehrszuwachs gewinnt die Eisenbahn einen Betriebsüberschuß, der durch das Rechteck *HLIM* dargestellt wird. Die Frachtherabsetzung hat also den gemeinwirtschaftlichen Nutzen der Eisenbahn um diesen letztgenannten Betrag erhöht. Jede weitere Herabsetzung der Fracht wirkt in ähnlicher Weise, bis die Fracht auf die Höhe der Betriebskosten herabgesetzt ist. Von hier ab ist durch eine weitgehende Frachtherabsetzung keine Erhöhung des gemeinwirtschaftlichen Nutzens mehr zu erreichen, sondern jede Herabsetzung der Fracht würde von da ab den gemeinwirtschaftlichen Nutzen vermindern, weil an dem neugeweckten Verkehr die Eisenbahn eine Einbuße erleidet. Durch diese einfache Betrachtung zeigt sich, daß der höchste gemeinwirtschaftliche Nutzen der Eisenbahnen durch Herabsetzung der Tarife auf die Höhe der Selbstkosten des Betriebs erreicht wird. Es mag bemerkt werden, daß hierbei wieder nicht die festen Betriebsausgaben, sondern nur die veränderlichen, gleichmäßig mit der Verkehrsmenge wachsenden Betriebskosten in Betracht kommen. Die Durchführbarkeit dieser günstigsten gemeinwirtschaftlichen T. ist allerdings an die Voraussetzung gebunden, daß der Staat zur Deckung der festen Betriebsausgaben, also auch zur Verzinsung der Anlagekosten, andere Mittel zur Verfügung hat.

Wäre vor Anlage der Eisenbahn auf den vorhandenen Wegen eine Fracht *OT* erhoben, bei der ein Verkehr *ST* möglich war, so würde sich im günstigsten Fall durch die Eisenbahn ein gemeinwirtschaftlicher Gewinn

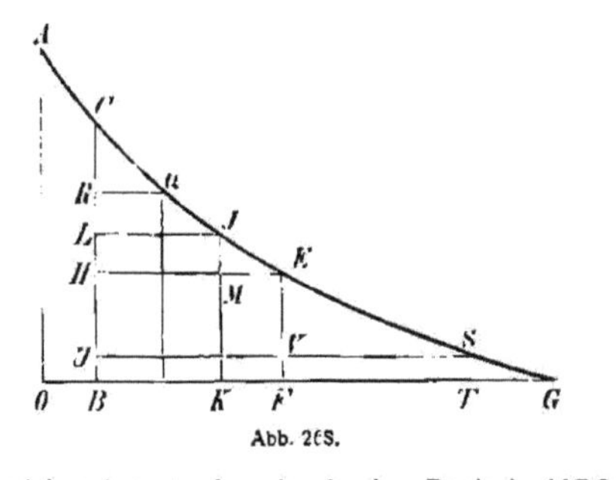

Abb. 268.

erzielen lassen, der durch das Dreieck *UCS* dargestellt wird. Wird die Fracht aber nicht bis auf die Betriebskosten *OB* herabgesetzt, sondern zu *OF* festgestellt, so wäre der gemeinschaftliche Nutzen der Eisenbahn dem Dreieck *VES* entsprechend. Hierauf lassen sich auch ohne genaue Kenntnis der Form der Kurven der Verkehrsdichtigkeit schätzungsweise Rechnungen stützen, nach denen der gemeinwirtschaftliche Nutzen der Eisenbahnen den Betriebsüberschuß um das 3- oder gar 4fache übersteigt. *Launhardt* †.

Tarifenqueten s. Enqueten.

Tarifhoheit. Während nach allgemein volkswirtschaftlichen Grundsätzen der Gewerbetreibende, besonders auch die Verkehrsanstalt, die Preise für die Leistungen selbständig feststellen kann, unterliegt dieses Recht bei den öffentlichen Verkehrsanstalten (Eisenbahn, Post, Telegraph) der Mitwirkung des Staates, es gehört zu den sog. staatlichen Hoheitsrechten. Seine innere Begründung findet das Tarifhoheitsrecht bei den Eisenbahnen in ihrer allgemein wirtschaftlichen Bedeutung und ihrem Monopolcharakter. Bei den Staatsbahnen ist das Recht, die Tarife festzustellen, unbeschränkt. Den Privatbahnen wird in den Konzessionen dieses Recht – meist unter bestimmten Bedingungen und Beschränkungen – verliehen, es kann nicht nur aus bestimmten Gründen, z. B. Ablauf der Zeit, auf die es verliehen ist, Mißbrauch u. s. w., entzogen oder beschränkt werden, sondern auch durch die Gesetzgebung unter Umständen gegen Gewährung einer Entschädigung.

Ein Ausfluß der T. ist auch die Befugnis des Staates, gewisse Grundsätze für die Bildung und Gestaltung der Eisenbahntarife durch besondere Gesetze festzustellen. Diese Grundsätze sind sowohl für die Staatsbahnen als auch für die Privatbahnen maßgebend und bei letzteren in die Konzessionen aufzunehmen. Solche Gesetze sind z. B. das preußische Eisenbahngesetz vom 3. November 1838, das amerikanische Bundesverkehrsgesetz (Interstate Commerce Act, s. d.) sowie eine Reihe einzelstaatlicher Gesetze in den Vereinigten Staaten, das englische Eisenbahn- und Kanalgesetz vom 10. August 1888 u. s. w. (s. die Art. über die einzelnen Länder).

Literatur s. bei dem Art. Gütertarife. – Laun, Tariffreiheit und Tarifhoheit. Wien 1914. *v. der Leyen.*

Tarifkartelle s. Kartelle.

Tarifkrieg ist ein Wettkampf um den Verkehr, der von Eisenbahnen untereinander oder mit anderen Verkehrswegen durch Unterbietung in den Beförderungspreisen geführt wird (vgl. den Art. Wettbewerb).

Tariflänge, die der Tarifberechnung zu grunde gelegte Entfernung zweier Stationen. Sie weicht von der wirklichen Länge vor allem deshalb ab, weil bei der T. Bruchteile des Längenmaßes, z. B. eines Kilometers, zu ganzen Kilometern aufgerundet oder fallen gelassen werden. Abgesehen hiervon wird aus Wettbewerbsgründen der Tarifberechnung mitunter die geringere Länge einer im Wettbewerb stehenden Eisenbahnlinie zu grunde gelegt, anderseits werden bei der T. Zuschläge zu den tatsächlichen Entfernungen gemacht, um eine Entschädigung für schwierige Strecken (starke Steigungen), für kostspielige Bauwerke (Brücken, Tunnel, Verbindungsbahnen) zu gewähren. Vgl. Distanzzuschläge und Virtuelle Länge.

Tarifpolitik s. Eisenbahnpolitik.

Tarifzuschläge s. Distanzzuschläge und Gütertarife.

Tasmanien, Insel, südlich vom australischen Festland, englische Kolonie, zur Commonwealth von Australien gehörig, Umfang einschließlich der Nebeninseln 68.334 *km*², Einwohner etwa 180.000. Das Eisenbahnnetz bestand (1912) aus 757 *km* Staatsbahnen und 266 *km* dem öffentlichen Verkehr dienenden Privatbahnen. Außerdem waren eine Anzahl Trambahnen vorhanden. Die Hauptlinie erstreckt sich von der im Süden der Insel gelegenen Hauptstadt der Kolonie, Hobart, nach Launceston im Norden mit einer Zweigbahn nach dem Macquarie-Hafen. Die Spurweite der Bahnen ist 3′ 6″ englisch.

Die Erträge der Bahnen sind sehr verschieden. Bei 5 Linien im Umfang von 140 *km* deckten im Jahre 1911 die Betriebseinnahmen nicht die Ausgaben. Die Betriebszahl betrug bei einer Bahn 244 %, dagegen hatte die vorgenannte Hauptlinie eine Betriebszahl von 69 % und verzinste das Anlagekapital mit 2·66 %.

Hauptbetriebsergebnisse der Staatsbahnen (Rechnungsjahr 1. Juli bis 30. Juni).

	Einnahmen	Ausgaben	Überschuß	Betriebszahl	Verzinsung des Anlagekapitals	Beförderte Personen	Beförderte Güter
	Pfund Sterling						*t*
1909	280.036	204.127	75.909	72·89 %	1·89 %	1,547.016	467.417
1910	284.063	211.677	72.386	74·51 %	1·78 %	1,650.455	422.793
1911	277.916	215.530	62.386	77·55 %	1·52 %	1,682.386	346.186

v. der Leyen.

Tastensperre, elektrische *(electric plunger lock; enclenchement électrique de la touche; arresto elettrico del bottone)* ist eine Vorrichtung, die das Niederdrücken einer Blocktaste verhindert, bis ein zu der Vorrichtung gehörender Elektromagnet Strom erhält und die Sperrung beseitigt.

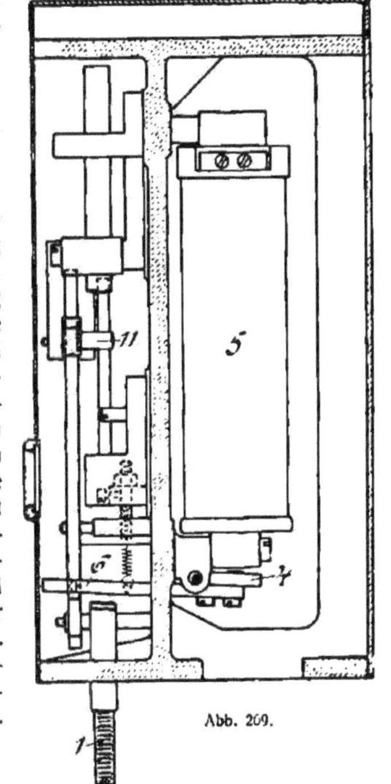

Abb. 269.

Die elektrische T. findet bei der Streckenblockung und bei der Stationsblockung Anwendung. Bei der Streckenblockung wird sie benutzt, um die Freigabe des Signals am Anfang der rückliegenden Blockstrecke von der Mitwirkung des aus dieser Strecke ausfahrenden Zuges abhängig zu machen (s. Blockeinrichtungen, Bd. II, S. 392). Die T. wird dann meistens mit dem Endfeld der Streckenblockung verbunden und hält bei entblocktem Feld dessen Blockstange fest. In der Regel wird die Sperrung aufgehoben, wenn die erste Achse eines Zuges bei Fahrsignal einen Schienenstromschließer befährt und so einen Stromschluß herbeiführt, der den Elektromagnet der T. erregt. Das Blocken des Endfeldes und damit die Freigabe der rückliegenden Strecke ist dadurch davon abhängig gemacht, daß eine Zugfahrt erfolgt und bis zu einer bestimmten Stelle gelangt sein muß. Auf den preußischen Bahnen wird der Schienenstromschließer im allgemeinen etwa 30 *m* hinter das Einfahr- oder Blocksignal verlegt. Auf den bayerischen Bahnen ist zwischen dem Blocksignal und dem Schienenstromschließer meist eine volle Zuglänge vorhanden. Durch die elektrische T. wird also verhindert, daß ein Zug in eine Blockstrecke eingelassen wird, bevor der vorausgefahrene Zug beim Verlassen dieser Blockstrecke eine bestimmte Stelle erreicht hat.

Abb. 270.

Bei der Stationsblockung findet die elektrische T. Anwendung, um die Bedienung von Signalfreigabe- oder Zustimmungsfeldern von der Mitwirkung eines Beamten oder von dem Befahren eines Stromschließers durch ein Fahrzeug abhängig zu machen. Am häufigsten wird sie so benutzt bei Nebenbefehlstellen, wenn der Fahrdienstleiter die Bedienung des Signalfreigabefeldes einem andern Beamten überträgt, oder als Aufsichtszustimmung, wenn die Signalfreigabe von der Zustimmung eines Aufsichtsbeamten abhängig gemacht werden soll. Auch die Erlaubnisabgabefelder der Streckenblockung für eingleisige Bahnen erhalten häufig elektrische T., um die Bedienung dieser Felder ohne Wissen des Fahrdienstleiters zu verhindern.

Abb. 272.

Die Abb. 269 bis 272 zeigen die Bauart einer elektrischen T. Sie ist auf dem Blockkasten über demzugehörigen Blockfeld aufgebaut. Auf die Stange *1* (Abb. 269 und 270), die aus dem Gehäuse der T. nach unten hinaustritt, ist ein Kuppelstück aufgeschraubt, das die unter ihr liegende Blocktaste umfaßt (Abb. 270). An ihrem oberen Teil trägt die Stange *1* das Druckstück *2*. In der Grundstellung der T. (Abb. 269 u. 270) stößt dieses Stück bei dem Versuch, die Blocktaste niederzudrücken, auf die Sperrklinke *3*. Die Blocktaste ist also gesperrt. Wird aber durch Befahren eines Schienenstromschließers oder durch einen von einem Beamten bedienten Schlüsselstromschließer der Elektromagnet *5* (Abb. 269)

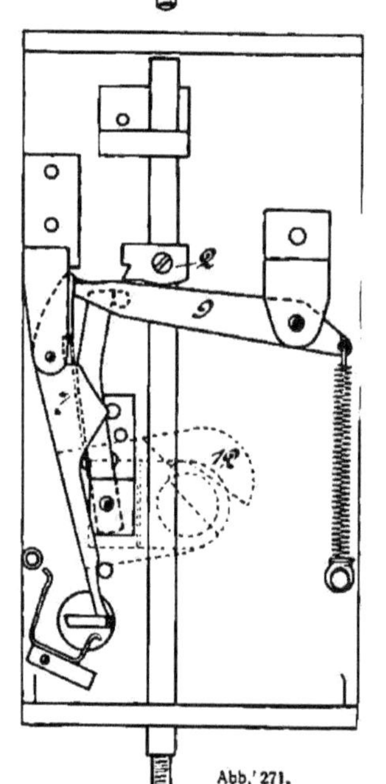

Abb. 271.

erregt, so zieht dieser seinen Anker *4* an. Der vordere Teil *6* dieses Ankers senkt sich dann. Der Verschlußhalter *7* verliert seine Abstützung am Ankerhebel *6* und schwingt unter dem Druck des von der Feder *10* angezogenen Auslösehebels *9* im unteren Teil nach rechts aus. Der Auslösehebel *9* tritt alsdann aus der Einklinkung *8* heraus und geht unter dem Zug der Feder *10* nach oben. Dabei schiebt ein auf dem Hebel *9* befestigter Stift die Sperrklinke *3* beiseite. Die T. nimmt dann die in Abb. 271 dargestellte Stellung ein, sie ist ausgelöst. Wird jetzt versucht, die Blocktaste niederzudrücken, so findet das Druckstück *2* kein Hindernis. Die Blockbedienung kann jetzt durchgeführt werden. Wird die niedergedrückte Blocktaste nach erfolgter Blockung losgelassen, so tritt die Grundstellung wieder ein. Der Auslösehebel *9* hat nämlich beim Heruntergehen der Stange *1* den Verschlußhalter *7* wieder in seine Grundstellung gebracht, in der dieser durch den vorderen Teil des inzwischen abgefallenen Ankers des Elektromagneten 5 festgehalten wird. *Hoogen.*

Taster, Telegraphiertaster. Der Teil der Telegrapheneinrichtung, mit dem die zur Zeichengebung erforderlichen Schließungen und Unterbrechungen hervorgebracht werden (s. Telegraph, *A.* Telegraphenanlagen). *Fink.*

Tatbestandaufnahme s. Frachtrecht u. Reklamationsverfahren.

Taubahnen (Kabelbahnen) s. Seilbahnen.

Tauernbahn, im eigentlichen Sinn die Verbindungslinie von der Station Schwarzach-St. Veit der Linie Salzburg-Innsbruck nach der Station Spittal a. d. Drau der Südbahn (Pustertallinie). Vom Standpunkt des Verkehrs wäre allerdings im weiteren Sinn die Strecke Salzburg-Bischofshofen-Villach als ein einheitliches Ganzes aufzufassen. Die T. durchschneidet das vor ihrer Herstellung eisenbahnlose Gebiet zwischen der Brennerbahn im Westen und der Linie Selzthal-Villach im Osten ungefähr in der Mitte seiner mehr als 200 *km* langen west-östlichen Ausdehnung; sie verbindet das Salzachtal mit dem Drautal und verkürzt die Verbindung zwischen Salzburg und Villach um etwa 185 *km.* Die T. ist nicht nur eine wichtige Verbindung der österreichischen Kronländer Salzburg und Kärnten, sondern sie hat auch eine große Bedeutung für den Weltverkehr, indem sie in Verbindung mit der Karawanken- und Wocheiner Bahn die lang ersehnte „zweite Eisenbahnverbindung mit Triest" und dem Orient herstellt (Abb. 273).

Die Notwendigkeit einer solchen zweiten Eisenbahnverbindung mit Triest neben der durch die Südbahn verwirklichten veranlaßte die österreichische Regierung und den Reichsrat schon 1868, sich mit dem Plan ihrer Erbauung zu beschäftigen. In den Jahren 1869, 1870, 1872 und 1875 wurden dem Reichsrat von der Regierung Entwürfe vorgelegt, die auf die Herstellung dieser Verbindung abzielten und in denen die Predillinie (von Tarvis unter dem Predil nach Görz) bevorzugt wurde. Aber keine dieser Vorlagen kam zur Beratung im Haus und die Sache geriet ganz ins Stocken, als sich im Jahre 1876 der Eisenbahnausschuß gegen die Predillinie aussprach. Erst anfangs der Achtzigerjahre kam neues Leben in die Frage und es trat nunmehr die Forderung immer bestimmter auf, daß die Verbindung Triests mit dem Hinterland von Kärnten durch die „Tauern" (östlicher Teil der Zentralalpen) nach Salzburg und Süddeutschland geführt werden müsse; da aber hierfür zahlreiche Möglichkeiten vorlagen, entbrannte ein lebhafter Streit der Beteiligten, ohne daß eine bestimmte Linie unangefochten in den Vordergrund getreten wäre. Dieser Kampf der Meinungen führte aber dazu, daß nunmehr von verschiedenen Seiten, darunter auch von der Staatsverwaltung selbst eingehende Studien über die Möglichkeiten sowie über die Vorteile und Nachteile jeder einzelnen Tauernbahnlinie und der sonst noch in Betracht kommenden Verbindungen mit Triest durchgeführt wurden. 1897 waren die Studien der Regierung so weit gediehen, daß sie einen Gesetzentwurf fertig-

Abb. 273. Lageplan der Tauernbahn.

stellen konnte, der damals wohl nicht zur parlamentarischen Behandlung kam, 1900 aber, erweitert durch die Einfügung der Karawankenbahn, dem Reichsrat zuging. Da auch diese Vorlage infolge Schlusses der Tagung nicht zur Behandlung kam, wurde dem Reichsrat 1901 jene Vorlage unterbreitet, die am 6. Juni desselben Jahres Gesetzeskraft erlangte und den in den Jahren 1901 – 1909 erfolgten Bau der sog. „neuen Alpenbahnen“ ermöglichte. Durch dieses Gesetz wurde die Regierung ermächtigt, auf den bestehenden Staatsbahnen Investitionen für den Betrag von 272 Mill. K vorzunehmen und für fast 200 Mill. K neue Eisenbahnen zu erbauen, darunter: 1. die T., abzweigend von der bestehenden Station Schwarzach-St. Veit der Staatsbahnlinie Bischofshofen-Wörgl über Badgastein und Mallnitz nach der Station Möllbrücken oder Spittal a. d. Drau der Pustertaler-Linie der Südbahn; 2. die Karawanken- und Wocheiner Bahn Klagenfurt-Rosenbachtal-Aßling-Podbrdo-Görz-Triest mit einem Flügel Villach-Rosenbachtal; beide zusammengenommen bilden die lang ersehnte zweite Eisenbahnverbindung mit Triest.

Im Laufe der jahrzehntelangen Studien waren fast 20 verschiedene Linien projektiert und im Gelände abgesteckt worden. Unter den zahlreichen Linien, die die mächtige Gebirgskette der Hohen Tauern in nordsüdlicher Richtung durchqueren sollten, wurde die Gasteiner Linie zur Ausführung gewählt; denn sie vereinigt die Vorzüge, daß sie die kürzeste und billigste Linie ist, den kürzesten Scheiteltunnel besitzt und zwischen Salzburg und Villach eine Wegkürzung von 185 *km* bei dem geringsten Aufwand von kilometrischen Baukosten bewirkt, während sie bezüglich der Baulänge, der erstiegenen Höhe beider Rampen und der Höhe des Scheitelpunktes den sonst möglichen günstigsten Verhältnissen wenigstens ganz nahe kommt.

Die T. (vgl. Längenschnitt Abb. 274) ist 80·9 *km* lang. Die Anfangsstation Schwarzach-St. Veit liegt in einer Seehöhe von 591 *m*, der höchste Punkt im Scheiteltunnel 1226 *m*, die Endstation Spittal-Millstättersee in der Seehöhe von 543 *m*; die überwundene Steigung beträgt also auf der Nordseite 635 *m*, auf der Südseite 683 *m*. Die T. ist als Hauptbahn ersten Ranges und eingleisig gebaut; nur die Strecke zwischen den Stationen Böckstein und Mallnitz mit dem Scheiteltunnel ist zweigleisig. Die größte Steigung von durchschnittlich $25\frac{1}{2}$‰ ist auf der Nordrampe auf 20.729 *m* = 51% der Länge, auf der Südrampe auf 23.977 *m* = 59% der Länge und insgesamt auf 44.713 *m* = 55% der Gesamtlänge, der kleinste Bogenhalbmesser von 250 *m* auf 12.752 *m* = 16% der Gesamtlänge zur Anwendung gebracht.

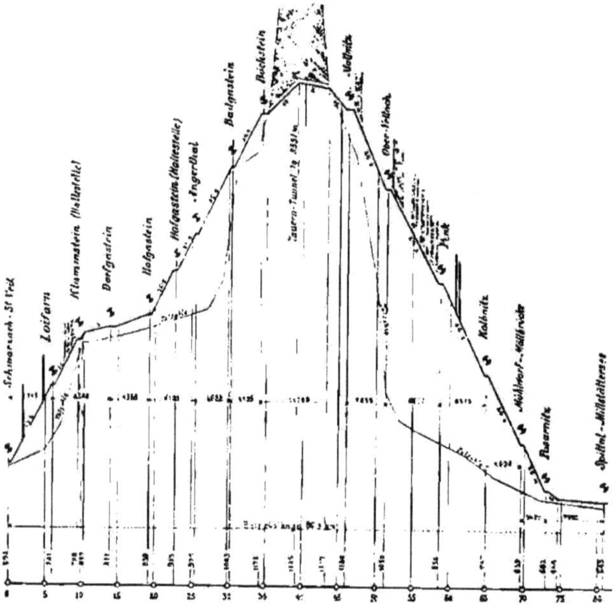

Abb. 274. Längenschnitt der Tauernbahn.

Die T. enthält außer den beiden Anschlußstationen 10 Stationen von zusammen 5563 *m* Länge, 3 Haltestellen von zusammen 380 *m* und 2 Betriebsausweichen von zusammen 1009 *m* Länge; die letzteren dienen auch für den Personen- und beschränkten Güterverkehr.

Der Charakter der Linie ist durch die eigenartige Gestaltung des Gasteinertals einerseits und des Mallnitz- und Mölltals anderseits sowie durch die Bestimmung, daß die T. als Hauptbahn ersten Ranges herzustellen war, festgelegt. Geht man auf der Nordseite von Lend aus dem Lauf der Gasteiner Ache entgegen, so hat man zunächst eine untere, mehr als 200 *m* hohe Talstufe zu überwinden, die von der Ache in eng gewundener Klamm durchbraust wird, worauf man zu dem sanft geneigten Talboden zwischen der Klamm und dem Ort Badgastein gelangt. Dieser Badeort schmiegt sich der zweiten, fast 250 *m* hohen Talstufe an, in der die Ache die weltberühmten Gasteiner Wasserfälle bildet. Dann erreicht man den oberen Talboden, der sich bis Böckstein am Zusammenfluß des Anlauf- und Naßfelderbaches in mäßiger Neigung hinzieht. Daselbst wendet sich die Bahn ins steilere Anlauftal, um über die Station Böckstein nach etwa $1^1/_2$ *km* Entfernung von der Talgabelung den Nordeingang des Tauerntunnels zu erreichen. Auf der Nordseite entfallen also etwa 10 *km* Länge zur Überwindung der untersten Talstufe von 255 *m* Höhe, etwa 10 *km* auf den darauffolgenden flachen Talboden mit einer Höhe von 33 *m*, etwa 10 *km* zur Überwindung der zweiten oberen Talstufe bei Gastein mit 242 *m* und endlich etwas über 3 *km* zur Überwindung der letzten Höhe bis Station Böckstein mit 86 *m*; es sind also nordseits rd. 23 *km* Bahnlänge als Gebirgsbahn schwierigsten Charakters und ein etwa 10 *km* langes Zwischenstück als Talbahn mit mäßigen Schwierigkeiten anzusprechen.

Hinter Böckstein folgt unmittelbar der Nordeingang des Tauerntunnels (s. d.), dessen höchster Punkt 1225·884 *m* hoch gelegen ist, von dem aus sich die Bahn bis zu der 3 *km* nach dem südlichen Mundloch gelegenen Station Mallnitz auf 1180 *m* Seehöhe senkt. Der Mallnitzbach nimmt etwa noch 1 *km* nach der Station Mallnitz einen flachen Verlauf und bricht sodann mit 2 unmittelbar aufeinanderfolgenden, von zahlreichen Wasserfällen durchsetzten Steilstufen von über 400 *m* Höhe zum Mölltal nieder, das wieder einen verhältnismäßig flachen, nur von wenigen und kurzen, steileren Gefällen unterbrochenen Verlauf bis zur Einmündung in die Drau nimmt. Zum Abstieg über diese von der Mallnitz gebildete Steilstufe und den weiteren Lauf der flößbaren Möll benutzt die Bahn die östliche und nördliche Lehne des Mallnitz- und Mölltals. Diese Lehnenstrecke gehört zu den großartigsten und schwierigsten Baustrecken dieser Art, die je hergestellt wurden. Bei Station Pusarnitz erreicht die Bahn das bereits im Drautal gelegene Lurnfeld und im weiteren Verlauf ohne Schwierigkeiten die Anschlußstation Spittal a. d. Drau.

Die T. enthält eine große Anzahl von z. T. sehr bedeutenden Kunstbauten, wie aus folgender Zusammenstellung ersichtlich ist:

	Gegenstand	Gewölbte und gedeckte Durchlässe unter 20 *m* lichter Weite	Offene Durchlässe unter 20 *m* lichter Weite	Gewölbte Brücken	Eiserne Brücken	Gewölbte Viadukte	Überwölbte Einschnitte und Galerien	Eingleisige Tunnel
Nordrampe *km* 0·00 – 30·447	Anzahl	120	11	2	5	9	1	4
	Summe der lichten Weite in *m*	124·8	64·0	42·0	260·2	45 Öffnung. 496 *m*	7·6 *m* lang	1754·9 *m* lang
Südrampe *km* 30·417 80·896	Anzahl	156	22	1	7	20	3	12
	Summe der lichten Weite in *m*	343·3	121·5	25·0	391·2	88 Öffnung. 906 *m*	84·3 *m* lang	4360 *m* lang

Unter den Eisenbahnbrücken ist besonders erwähnenswert: die wildromantisch zwischen Flußwänden der Klamm eingespannte, gewölbte Klammbrücke *km* 8·2 von 22 *m* lichter Weite zwischen den beiden Klammtunneln; die Angertalbrücke, *km* 25·1, ein eiserner Zweigelenksbogen von 110·2 *m* lichter Weite, in 80 *m* Höhe das Tal überspannend (siehe Bogenbrücken, Bd. II, Abb. 223); der Dössenviadukt in *km* 47·7 mit einer gewölbten Öffnung von 32 *m* lichter Weite 35 *m* hoch; der Zwenbergviadukt mit 3 eisernen Öffnungen von zusammen 125 *m*, 60 *m* über dem Tal; der Rickenbachviadukt in *km* 62·8 mit einer eisernen Öffnung von 81 *m* lichter Weite, 50 *m* hoch über dem Tal. Außerdem mußten selbstverständlich, dem Charakter einer schwierigen Gebirgsbahn angemessen, zahlreiche Stütz- und Futtermauern, Lehnenschutzbauten, Uferversicherungen u. dgl. m. zur Ausführung gebracht werden.

Der zwischen *km* 34·636 und *km* 43·187 gelegene zweigleisige Tauerntunnel ist 8550·6 *m* lang (s. Tauerntunnel).

Der Bau der T. wurde mit der Auffahrung des Sohlstollens auf der Nordseite des Tauerntunnels im Juli und der des Sohlstollens auf der Südseite im Oktober 1901 begonnen; der Bau der Nordrampe selbst von Schwarzach-St. Veit bis Badgastein wurde im Jahre 1902 der Unionbaugesellschaft in Wien zugeschlagen und der Betrieb auf dieser Strecke am 20. September 1905 eröffnet. Die Ausführung des restlichen Teiles der Nordrampe sowie des ganzen Tauerntunnels und der Südrampe bis zum unteren Kapponigtunnel, *km* 52·5, wurde von der Bauunternehmung Brüder Redlich & Berger, Wien, am 2. Dezember 1905 und der restliche Teil der Südrampe bis zur Station Spittal a. d. Drau von der Bauunternehmung Doderer, Wien, im Sommer 1906 zur Ausführung übernommen. Die Betriebseröffnung der Strecke Badgastein bis Spittal a. d. Drau erfolgte am 5. Juli 1909 in Anwesenheit des Kaisers Franz Joseph I.

Während des Baues haben sich zahlreiche und bedeutende Schwierigkeiten ergeben. Im September 1903 wurde durch ein außergewöhnliches Hochwasser der Gasteiner Ache der Bau lange gestört und es wurden arge Verwüstungen angerichtet. Die Beschaffung der Baustoffe für die hoch über der Talsohle liegenden Lehnenstrecken der Nord- und besonders aber der Südrampe war mit bedeutenden Kosten verbunden und erforderte die Anwendung maschineller Einrichtungen, wie Seilbahnen und Aufzüge, sowie die Herstellung zahlreicher Lokomotivdienstbahnen von vielen Kilometern Länge; die Arbeiten obertags hatten vielfach unter der Ungunst der winterlichen Verhältnisse im Hochgebirge zu leiden und noch im letzten Baujahr verursachten heftige Lawinenstürze schwere Unglücksfälle, so bei Böckstein, woselbst kurz vor der Fertigstellung der Verlegung des Anlaufbaches durch eine schwere Grundlawine 26 Arbeiter ihr Leben einbüßten.

Von den zahlreichen Wildbächen im Bereich der T. hat sich nach der Betriebseröffnung nur der früher erwähnte Höhkaarbach infolge seiner Lage über dem nördlichen Ende des Tauerntunnels bemerkbar gemacht und eine sehr teuere Verlegung und Versicherung des Baches verursacht.

Unangenehmer waren zahlreiche Lawinengänge und Schneeabrutschungen: Am Thomaseck und am Hochstuhl zwischen Gastein und Böckstein sowie über dem Südportal des Tauerntunnels und an den Hängen des Auernigg nächst der Station Mallnitz mußten zahlreiche und ausgedehnte Lawinenschutzbauten in Höhen von 1200 bis 1900 *m* ausgeführt werden, die einen Kostenaufwand von über 300.000 K erforderten. Zur Sicherung des Südeingangs des Tauerntunnels gegen Lawinengefahr ist eine Verlängerung der Tunnelröhre um 80 *m* geplant.

Der Schienenwanderung in den stark geneigten Strecken der beiden Rampen wurde während des Betriebs durch Einbau von Stützklemmen und Stemmwinkeln entgegengearbeitet.

Sehr unangenehm machte sich im Dössentunnel auf der Südrampe der T. die Rauchplage geltend; es wurde daher beim nördlichen Eingang dieses eingleisigen Tunnels eine elektrisch betriebene Lüftungsanlage System Saccardo errichtet.

In der ursprünglichen Gesetzesvorlage vom Jahre 1901 war für den Bau der T. ein Betrag von 60 Mill. K vorgesehen. Für die Durchführung des Baues selbst wurde im Gesetz vom 6. Juni 1901 ein Betrag von $19^1/_2$ Mill. K und im Gesetz vom 24. Juli 1905 ein weiterer Betrag von $55^1/_2$ Mill. K bewilligt. Wegen der vielen Bauschwierigkeiten sowie mit Rücksicht auf die zur Zeit der Baudurchführung gegenüber den ursprünglichen, weit zurückliegenden Kostenberechnungen stark geänderten Preisverhältnisse haben sich namhafte Überschreitungen ergeben, die die tatsächlichen Baukosten auf einen Betrag von 90·5 Mill. K hinaufbrachten. Über die Kosten des Tauerntunnels selbst s. d.

Der Personenverkehr auf der T. gestaltete sich sehr lebhaft.

Der örtliche Güterverkehr auf der T. kommt nahezu gar nicht in Betracht, da er sich nur auf etwas Holz und Vieh, wenig Baumaterialien und Approvisionierungsartikel beschränkt. Der Hauptanteil des Durchzugsverkehrs entfällt auf die Richtung Böhmen-Triest mit Zucker, Maschinen, Kohle, Glas und Bier, Baumwolle, Südfrüchte, Gemüse, Schwefel, Tabak und Wein.

Der Auslandverkehr geht hauptsächlich in der Richtung nach Süddeutschland und umfaßt ähnliche Artikel wie der böhmische Verkehr. Die Verkehrsbewegung umfaßte 1912 in beiden Richtungen etwa 560.000 *t* für den böhmischen Verkehr und 110.000 *t* für den Auslandverkehr. Gegenüber einer Betriebslänge von 81 *km* weist die T. eine Tariflänge von 105 *km* auf (s. Längenprofil Abb. 274).

Literatur: Technisch-kommerzieller Bericht über die zweite Eisenbahnverbindung mit Triest. Wien 1901. – Steinermayer, Der Bau der zweiten Eisenbahnverbindung mit Triest. Allg. Bauztg. 1906. – Zuffer, Die offenen Strecken der neuen Alpenbahnen. Ztschr. d. Österr. Ing.-V. 1907. – Dr. techn. R. Schönhöfer, Die Brücke über die Angerschlucht im Zuge der Tauernlinie der zweiten Eisenbahnverbindung mit Triest. Allg. Bauztg. 1909. – Hans Raschka, Steinförderung auf Schlitten beim Bau der neuen Alpenbahnen. Ztschr. d. Österr. Ing.-V. 1909. – Ing. Fritz Hromatka, Vom Bau der Linie Schwarzach-St. Veit-Badgastein. Allg. Bauztg. 1911. – v. Klodic, Reiß u. Schumann, Der Bau des Tauerntunnels. Allg. Bauztg. 1912, 77. Jg., S. 107 u. s. w. – Ing. R. Schumann, Studien an den Lüftungsanlagen des Tauern- und Dössentunnels. K. k. Staatsbahndirektion Villach 1914; Tunnellüftanlagen der Tauernbahn. Ztschr. dt. Ing., 1915, Bd. LIX. – Wessely, Die Südrampe der Tauernbahn. Techn. Blätter, 41. Jg., H. 4. – Zuffer, Trassierung, Unterbau und Brückenbau der zweiten

Eisenbahnverbindung mit Triest. Gesch. d. Eisenb. d. öst.-ung. Monarchie, Bd. VI. von Strach.

Enderes-Kleinwächter.

Tauerntunnel. Der zweigleisige, 8550·6 *m* lange, gerade Tunnel der Tauernbahn liegt zwischen den Stationen Böckstein in Salzburg, Nordseite (1172·8 *m* ü. M.), und Mallnitz in Kärnten, Südseite (1219 *m* ü. M.), unterfährt die Hohen Tauern (2790 *m*), steigt vom Nordmund mit 10 und 3·3‰ und fällt nach dem Südmund mit 4 und 2‰, wie Abb. 275 zeigt.

Die größte Überlagerung beträgt 1567 *m*. Von Nord nach Süd geht der Tunnel auf 350 *m* Länge durch Bergschutt mit großen Blöcken (schwieriger Bau), dann auf 1950 *m* durch feinkörnigen Gneisgranit auf 5676 *m* durch harten porphyrartigen Granitgneis mit Knallgebirgsstrecken, schließlich durch Glimmerschiefer, wobei Quellen mit 40, 50 und 60 *l*/Sek. Wasser angeschnitten wurden. Die höchste Gesteinstemperatur betrug 22·4° C.

Der Sohlstollen als Richtstollen wurde nordseits auf etwa 630 *m* Länge durch Handarbeit, dann bei einem Querschnitt von 3·0 *m* Breite und 2·2 *m* Höhe mit hydraulischen Drehbohrmaschinen Brandt, wovon 3 – 4 auf einer mit einem Bohrwagen verbundenen Spannsäule befestigt waren, bei einem durchschnittlichen Tagesfortschritt von 5·0 *m* hergestellt. Zur Bohrung des im Mittel 3·4 m^2 großen Firststollens wurden 2 elektrische Kurbelstoßbohrmaschinen Siemens-Schuckert (1 PS.) verwendet und hiermit ein mittlerer Tagesfortschritt von 1·5 *m* erreicht.

Nach Durchschlag des Sohlstollens wurden die frei werdenden Drehbohrmaschinen im Firststollen verwendet.

In der 350 *m* langen Bergschuttstrecke wurde der Firststollen nicht vom Sohlstollen, sondern durch 2 Schächte von der Oberfläche aus in Abständen von 41 *m* und 233 *m* vom Nordmund erreicht. Auf der Südseite arbeiteten im 6·5 m^2 großen Sohlstollen 3 Drehbohrmaschinen Brandt mit einem durchschnittlichen Tagesfortschritt von 4·5 *m*. Im 4·2 m^2 großen Firststollen arbeiteten 2 Drehbohrmaschinen mit einem mittleren Tagesfortschritt von 3·2 *m*. Der Durchschlag des Sohlstollens erfolgte am 21. Juli 1907, 6164 *m* vom Nordmund entfernt. Die hierbei festgestellten Abweichungen betrugen in der Richtung 55 *mm*, in der Höhe 56 *mm* und in der Länge 2·93 *m*. Da die angenommene Durchschlagstelle sich nennenswert nach Süden verschob, wurde der Längsschnitt in der aus Abb. 275 ersichtlichen Weise abgeändert.

Nach Herstellung des Firststollens erfolgte der Vollausbruch in Zonenlängen von 8 – 10 *m*, die Zimmerung nach der Längsträgerbauweise mit Brust- und Mittelschwellen.

Der Tunnel wurde trotz festen Gebirges wegen möglicher Gesteinsablösungen durchwegs meist mit plattenförmigen Bruchsteinen (Gneisgranit) in Zementmörtel ausgemauert.

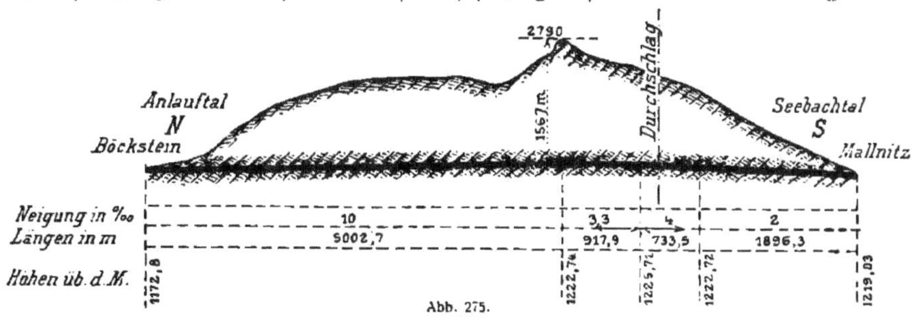

Abb. 275.

Die Druckstrecke im Schuttkegel am Nordeingang erhielt Gewölbestärken von 0·9 – 1·0 *m* und Sohlgewölbe von 0·8 *m* Stärke.

Die Förderung geschah in den Arbeitsstrecken mit Benzinlokomotiven, im fertigen Tunnel mit elektrischen Lokomotiven. Erstere zeigten die auch schon bei anderen Tunnelbauten beobachteten Übelstände der Luftverschlechterung. Zur Lüftung dienten auf beiden Seiten je 6 Hochdruckventilatoren mit je 350 m^3/Min. Luftansaugung, die teils durch Turbinen, teils durch elektrische Motoren angetrieben wurden. Die Luftleitung hatte 500 – 800 *mm* Durchmesser.

Die für den Antrieb der Maschinen erforderlichen Kräfte lieferten auf der Nordseite der Anlaufbach und der Höhkaarbach, und da die Wasserkräfte im Winter nicht ausreichten (120 Sek/*l* mit 180 PS.), wurde noch eine Dampfkraftanlage erforderlich. Auf der Südseite lieferte der Mallnitzbach die erforderlichen Kräfte (Winterminimum 600 Sek/*l* mit 900 PS.).

Mit den Bauarbeiten wurde auf der Nordseite im Voreinschnitt des Tunnels am 6. Juli 1901 begonnen. Die Ausführung der Arbeiten erfolgte zunächst im Akkordweg mit 14tägiger

Kündigung durch die bekannte Bauunternehmung Brüder Redlich & Berger. Erst am 22. Dezember 1905 wurde der Bau endgültig dieser Unternehmung übertragen, da die für die Fertigstellung des Tunnels erforderlichen Mittel erst durch das Ges. vom 24. Juli 1905 sichergestellt wurden.

Im September 1903 wurde der Bau auf der Nordseite durch die bedeutenden Hochwässer des Anlauf- und Höhkaarbaches, die teils durch die genannten Schachtanlagen in den Tunnel drangen und mit etwa 4000 Sek/*l* aus dem Sohlstollen über die Bauplätze flossen, gestört, so daß die Arbeiten bis Mitte Jänner 1904 eingestellt bleiben mußten.

Der Tunnel wurde am 23. Januar fertiggestellt und am 26. Februar 1909 durch Lokomotiven befahren. Die verhältnismäßig lange Bauzeit des sonst sehr zweckmäßig betriebenen Tunnelbaues hat wohl hauptsächlich darin seinen Grund, daß die zur Vollendung erforderlichen Geldmittel so sehr verspätet zur Verfügung gestellt werden konnten.

Für die Lüftung des Tunnels während des Eisenbahnbetriebs wurde auf der Südseite eine Lüftungsanlage nach Bauart Saccardo erstellt, wobei die Luft von Süd nach Nord entgegen den in der Steigung von 10‰ aufwärts fahrenden Zügen gedrückt wird, wozu die für den Bau erstellte Wasserkraftanlage bei Mallnitz (Lassach) benutzt wird. Die Kosten für den T. werden angegeben:

für den Tunnelbau mit . . . 23,338.500 M.
für die Baubetriebsanlage mit . 4,146.700 „

zusammen mit . . 27,485.200 M.

daher für den laufenden *m* mit 3215 M., worin die am Südmund für die Tunnellüftungsanlage erforderlichen Mauerungsarbeiten enthalten sind. Die für den Bahnbetrieb auf der Südseite ausgeführten Lüftungsanlagen haben etwa 700.000 M. gekostet.

Die jährlichen Betriebskosten dieser Anlagen gibt Heine (s. Literatur) mit Rücksicht auf die mögliche Einschränkung im Winter mit 21.000 – 23.000 M. an.

Die 12 *km* lange Strecke Böckstein-Mallnitz mit dem T. wird in 16 – 18 Min. durchfahren.

Literatur: Hannack, Der Tunnelbau. Geschichte der Eisenbahnen der österr.-ungar. Monarchie, Teschen 1909. – Schueller, Über Gesteinsbohrungen mit Berücksichtigung des Stollenvortriebs in den Alpentunnels. Ztschr. d. Österr. Ing.-V. 1909. – Heine, Bericht 5, betreffend die Frage über lange Eisenbahntunnels. Bulletin d. Int. Eis.-Kongr.-Verb.

Dolezalek.

Taunusbahn, in den Jahren 1837 und 1838 von der Stadt Frankfurt, dem Großherzogtum Hessen und dem Herzogtum Nassau konzessionierte Privatbahn, umfassend die Strecken von Frankfurt a. M. über Kastel nach Wiesbaden mit der Abzweigung von Curve nach Bieberich sowie von Höchst nach Soden. Die Strecke Frankfurt a. M.-Hattersheim (14·8 *km*) wurde 1839, die von Hattersheim bis Wiesbaden (27·02 *km*) 1840 dem Betrieb übergeben. Die ursprünglich mit Pferdekraft betriebene Zweigbahn Curve-Bieberich (1·49 *km*) ist 1872 für den Lokomotivbetrieb eröffnet worden.

1863 erwarb die Gesellschaft die Höchst-Sodener Bahn (6·6 *km*), die sie seit Eröffnung (1847) bereits in Betrieb gehabt hatte.

Das Gesamtanlagekapital belief sich auf 7,032.000 M.

Mit Ges. vom 3. Mai 1872 erwarb der preußische Staat die T. zu einem Gesamtpreis von 10,001.000 M.

Ihre Linien wurden zunächst der Direktion in Wiesbaden unterstellt und gehören jetzt zur Eisenbahndirektion Frankfurt a. M.

Die Ergebnisse der T. waren fortdauernd günstige.

Die Stammaktien erhielten 1840 – 1870 durchschnittlich 6·8% Dividende.

Literatur: Dröll, Sechzig Jahre hessische Eisenbahnpolitik, Leipzig 1912, insbesondere S. 7 – 16.

Technikerversammlungen des VDEV. Bald nach Gründung des VDEV. wurde eine Kommission eingesetzt, der die Berichterstattung über die Vorarbeiten zur Herbeiführung der möglichsten Übereinstimmung im deutschen Eisenbahnwesen und zur Anbahnung eines allgemeinen deutschen Eisenbahngesetzes übertragen wurde.

Von dem Bevollmächtigten der hannoverschen Staatsbahn, dem Baurat Mohn, wurde dieser Kommission eine Denkschrift über folgende Beratungsgegenstände vorgelegt: „Vorschläge zur Erreichung einheitlicher Bestimmungen im deutschen Eisenbahnwesen, insonderheit gleichmäßige Konstruktionen des Bahnbaues und gleichmäßige Betriebseinrichtungen betreffend“ und „Vorschläge zu einer Vereinbarung wegen Durchführung der ersteren nebst transitorischen Bestimmungen, solange allgemeine gesetzliche Vorschriften nicht erlassen sind“.

Der Denkschrift war für den Bahnbetrieb, die Betriebsmittel und das Telegraphensystem ein Entwurf der für die tunlichst allgemeine Benutzung der deutschen Eisenbahnen teils unumgänglich notwendigen, teils sehr erwünschten Vorschriften beigegeben.

Die Generalversammlung zu Wien am 15. bis 19. Oktober 1849 beschloß auf Antrag der Kommission, daß die Techniker der sämtlichen Verwaltungen, die den deutschen Eisenbahnverband bilden, zur Beratung über obiges

Promemoria zusammentreten und daß hierzu auch die Techniker der anderen deutschen Eisenbahnverwaltungen, die noch nicht zum Verein gehören, eingeladen werden sollen.

Die Beratungen dieses Technikerausschusses fanden unter Vorsitz der Bauräte Mohn und Neuhaus in der Zeit vom 18. bis 27. Februar 1850 in Berlin statt.

Das Ergebnis dieser Beratungen bildeten die „Grundzüge für die Gestaltung der Eisenbahnen Deutschlands" und „Einheitliche Vorschriften für den durchgehenden Verkehr auf den bestehenden Vereinsbahnen" (vgl. Technische Vereinbarungen).

Während dieser Verhandlungen wurde von der Kommission zur Vorberatung der Grundzüge die Bildung eines Vereins der deutschen Eisenbahntechniker beantragt. Dieser Antrag fand allseitige Zustimmung und es wurde die Gründung des Vereins sogleich durch schriftliche Verpflichtung der Teilnehmer vorgenommen.

Bei den Verhandlungen der Generalversammlung des VDEV. zu Aachen vom 29. Juli bis 1. August 1850 fand eine Beratung der „Einheitlichen Vorschriften" statt, die in fast unveränderter Fassung angenommen und den Vereinsverwaltungen dringend zur baldmöglichsten Ausführung empfohlen wurden. Die „Grundzüge" wurden als schätzenswertes Material zur Kenntnis der Verwaltungen gebracht.

Zu der Gründung des Vereins deutscher Eisenbahntechniker beantragte die Kommission:

„Der bei Gelegenheit der Zusammenkunft der Techniker gegründete Verein der deutschen Eisenbahntechniker kann zwar nur als ein Privatverein angesehen werden, doch wird mit Rücksicht auf die ersprießlichen Folgen, die die Zusammenkünfte und gemeinschaftlichen Erörterungen der tüchtigsten und erfahrensten Eisenbahntechniker haben können, den Verwaltungen zu empfehlen sein, die Zusage zu erteilen, daß jede Vereinsverwaltung tunlichst gestatten wolle, daß eines ihrer dem Technikerverein angehörenden Mitglieder bzw. Beamten den Versammlungen beiwohne."

Nach Erledigung der ersten und bedeutendsten Aufgabe ist der Verein der deutschen Eisenbahntechniker längere Zeit nicht wieder in die Öffentlichkeit getreten.

Erst in der Generalversammlung des VDEV. zu Frankfurt a. M. am 21. und 22. Juli 1856 machte sich bei Gelegenheit der Erörterung wichtiger technischer Fragen das Bedürfnis nach einer neuerlichen Versammlung der Techniker des VDEV. fühlbar. Diese wurde im Jahre 1857 in Wien abgehalten. Neben der Vervollständigung der Vorschriften vom Jahre 1850 wurden noch verschiedene andere technische Fragen behandelt. Zwischen der zweiten und dritten T., die auf Veranlassung der 1864 in Salzburg abgehaltenen Generalversammlung des VDEV. einberufen wurde, lag wieder ein großer Zeitabschnitt.

Die dritte T. fand 1865 in Dresden, u. zw. ebenfalls hauptsächlich zum Zweck der weiteren Ausgestaltung der „Grundzüge" und „Einheitlichen Vorschriften" statt; hierbei wurde die langwährende Unterbrechung der Versammlung des Vereins als ein Nachteil für die gründliche und fachgemäße Erledigung der Aufgaben bezeichnet. Von der Versammlung wurde der Wunsch ausgesprochen, daß es ihr gestattet sein möge, künftighin in kürzeren, womöglich regelmäßig wiederkehrenden Zeitabschnitten zu tagen.

Infolgedessen wurde die nächste Versammlung im Jahre 1868, u. zw. nach München einberufen. Die folgenden Versammlungen fanden dann meistens in 3- oder in 2jährigen Zwischenräumen statt.

In der T. des Jahres 1865 wurden die „Grundzüge" und „einheitlichen Vorschriften" nach abermaliger Umarbeitung in ein einziges Werk zusammengefaßt, das unter der Bezeichnung: „Technische Vereinbarungen des Vereins deutscher Eisenbahnverwaltungen über den Bau und die Betriebseinrichtungen der Eisenbahnen" in der Generalversammlung zu Mainz im Jahre 1866 die Genehmigung fand. Weitere Prüfungen und Ergänzungen der „Technischen Vereinbarungen" fanden in den Beratungen zu Hamburg 1871, Constanz 1876, Graz 1882, Salzburg 1886, Constanz 1888, Berlin 1890, Straßburg 1893, Budapest 1896, Hamburg 1908, Teplitz-Schönau 1914 statt.

Im Jahre 1876 verhandelte die T. über die „Grundzüge für die Gestaltung der sekundären Bahnen". Diese Vorschriften waren schon vordem, im Auftrag des VDEV. von der technischen Kommission verfaßt und später umgearbeitet, 1873 zu Frankfurt genehmigt worden.

Eine durchgreifende Umarbeitung dieser Grundzüge ergab sich zu Anfang der Achtzigerjahre infolge der starken Vermehrung derartiger Bahnen im vorangegangenen Jahrzehnt sowie mit Rücksicht auf die bei ihrem Bau und Betrieb gewonnene Erfahrung. Um den bis dahin allgemein als sekundär bezeichneten Bahnen die erwünschten größtmöglichen Erleichterungen gewähren zu können, wurde eine Unterscheidung dieser in Nebenbahnen und Lokalbahnen vorgenommen. Die hiernach von der technischen Kommission entworfenen „Grundzüge für den Bau und Betrieb der Nebeneisenbahnen" und „für den Bau und Betrieb der Lokaleisenbahnen" wurden von der T. im Jahre 1886 durchberaten und in demselben Jahr von der Generalversammlung des VDEV. angenommen.

Außer den vorgenannten Beratungen war die Haupttätigkeit der T. der Erörterung wichtiger technischer Fragen des Eisenbahnwesens gewidmet. Schon in der Versammlung zu Wien 1857 war durch mehrere Fragen die Anregung zu einem lebhaften Meinungsaustausch gegeben worden, der in den späteren Sitzungen, namentlich durch sorgfältige Auswahl der zur Erörterung gestellten Fragen und durch die umfassende und gründliche Vorbereitung der Beratungen, mehr und mehr an Bedeutung gewann. Die zur Beratung zu stellenden Fragen wurden von der technischen Kommission ausgewählt und durch die geschäftsführende Verwaltung den sämtlichen Vereinsverwaltungen zur Abgabe ihrer Gutachten oder Mitteilung ihrer Erfahrungen zugestellt. Nach diesen Antworten wurden dann von der technischen Kommission die der T. vorzulegenden Berichte mit den hieraus sich ergebenden Schlußfolgerungen und Gutachten angefertigt. Um das wertvolle Ergebnis dieser gutachtlichen Urteile, die bereits im Jahre 1868 zwei stattliche Foliobände füllten und später zu noch größerem Umfang anwuchsen, auch weiteren Kreisen zugänglich zu machen, wurden sie dem Buchhandel übergeben (s. Erg.-Bd. I – XV zu der Zeitschrift: Organ für die Fortschritte des Eisenbahnwesens).

Die Ergebnisse dieser Beratungen geben ein treues Bild von dem jeweiligen Stand der Eisenbahntechnik. Alle Wandlungen, die diese im Lauf der Zeit durchgemacht hat, spiegeln sich in den Sitzungsberichten der technischen Kommission (jetzt „technischer Ausschuß") und der T. des Vereins wieder; viele sind auf die Anregungen zurückzuführen, die die einzelnen Teilnehmer der Beratungen aus diesen selbst geschöpft hatten.

Die bedeutendsten Fortschritte im Eisenbahnwesen, wie die allgemeine Einführung des Stahls als Baumaterial für Schienen, Radreifen und Achsen, des eisernen Oberbaues, der doppelten Kreuzungsweichen, der Weichensicherungen, des höheren Dampfdrucks, der Dampfstrahlpumpen und Bremsen der Lokomotive, der Aborte, der verbesserten Heizungs- und Beleuchtungseinrichtungen der Personenwagen, der Flußstahl-Scheibenräder und der verbesserten Radreifenbefestigungen sowie der durchgehenden Bremsen, ferner die Verstärkungen der Zugvorrichtungen an den Betriebsmitteln, die Begutachtung wichtiger Fragen der Bahnunterhaltung und der Bahnbewachung, die Aufstellung von Leitsätzen für den Bau von Weichen und Kreuzungen in Hauptgleisen u. a. sind auf die Beratungen des technischen Ausschusses und der T. zurückzuführen. Zu den weiteren Früchten, die diese Beratungen gezeitigt haben, gehören ferner: die Statistik der Dauer der Schienen, die Ergebnisse der von den Vereinsverwaltungen mit Eisenbahnmaterial angestellten Güteproben, die statistischen Nachrichten über die auf den Vereinsbahnen vorgekommenen Achsbrüche sowie jene der Radreifenbrüche, die Klassifikation von Eisen und Stahl, die Lieferungsbedingnisse für Achsen, Radreifen und Schienen aus Flußeisen bzw. Flußstahl u. s. w.

Die Wirksamkeit der T. hatte in den Satzungen des VDEV. keine Unterlage. Da die Tätigkeit des Vereins der deutschen Eisenbahntechniker aber ausschließlich dem VDEV. gewidmet und die T. tatsächlich zu einem mitwirkenden Faktor in der Vereinsgesetzgebung geworden war, mußte schließlich ihr privater Charakter fallen. Es wurde deshalb vom technischen Ausschuß 1891 der Antrag auf Ergänzung der Vereinssatzungen durch Einfügung von Bestimmungen über die T. gestellt.

Über diesen Antrag wurde auf Grundlage eines Berichts des Ausschusses für Vereinssatzungen in der Vereinsversammlung vom Jahre 1892 der Beschluß gefaßt, in die Vereinssatzungen (als § 15) folgende Bestimmung aufzunehmen:

1. Der Ausschuß für technische Angelegenheiten kann im Bedarfsfall zur T. erweitert werden, an der sämtliche Vereinsmitglieder teilzunehmen berechtigt sind.

2. Welche Beratungsgegenstände der T. zu überweisen sind und ob und wann diese zu berufen ist, bestimmt – insofern nicht die Vereinsversammlung darüber Beschluß gefaßt hat – der Ausschuß für technische Angelegenheiten im Einvernehmen mit der geschäftsführenden Verwaltung; glaubt die letztere ihre Zustimmung nicht erteilen zu können, so ist die Entscheidung der Vereinsversammlung anzurufen.

3. Die T. wird von der geschäftsführenden Verwaltung vorbereitet und einberufen.

4. Den Vorsitz in der T. führt die vorsitzende Verwaltung des Ausschusses für technische Angelegenheiten, der auch die Befugnis zusteht, die berichterstattende Verwaltung für die einzelnen Beratungsgegenstände zu ernennen. Die Vertretung der Vereinsverwaltungen in der T. erfolgt durch einen oder mehrere Abgeordnete; das Stimmrecht wird im letzteren Fall jedoch nur durch einen von ihnen ausgeübt. Die Vertretung einer Verwaltung durch eine andere ist unzulässig. Bei den Abstimmungen gebührt jeder Vereinsverwaltung eine Stimme.

5. Im übrigen finden die in § 14, Abs. 4 bis 9 für die Geschäftsführung der Ausschüsse getroffenen Bestimmungen auch auf die Geschäftsführung der T. Anwendung.

Diese Bestimmungen sind im allgemeinen unverändert geblieben. Die frühere Unzulässigkeit der Vertretung in den Versammlungen ist dadurch aufgehoben, daß die Möglichkeit einer Vertretung in den Ausschüssen durch Beschluß der Vereinsversammlung in Budapest 1910 allgemein eingeführt wurde. Gleichzeitig wurde hierbei das Abstimmungsverfahren, das bis dahin jeder Verwaltung nur eine Stimme gewährte, nach der Länge der Vereinsbahnstrecken geregelt.

Hervorzuheben ist noch der von der Hamburger T. 1892 ausgesprochene Grundsatz,

1. daß durch die Bezeichnung „Technikerversammlung" das Selbstbestimmungsrecht der einzelnen Vereinsverwaltungen, zu den T. Personen ihrer Wahl – also auch solche, die dem Technikerstand nicht angehören – zu entsenden, in keiner Weise beschränkt werde;

2. daß es jedem Ausschuß freistehe, zu seinen Beratungen auch außerhalb des Vereins stehende Personen zuzuziehen, wenn dies im Interesse der Sache für nützlich gehalten wird.

Literatur: Rückblick auf die Tätigkeit der Technikerversammlungen des VDEV. 1850 – 1890. Berlin 1890.

Technische Einheit im Eisenbahnwesen *(technical standards in railway matters; unité technique adoptée dans les chemins de fer; unità tecnica in materia ferroviaria)*, das Übereinstimmende in technischer Anlage und Betriebführung verschiedener Eisenbahnen. Sie entwickelt sich im allgemeinen aus denselben Bedingungen wie die Eisenbahneinheit (s. d.) überhaupt, von der die T. nur einen besonderen Zweig bildet; es können daher auch hier entweder gesetzliche oder obrigkeitliche Vorschriften oder freie Vereinbarungen der beteiligten Eisenbahnverwaltungen in Frage kommen. Solche durch freies Übereinkommen entstandene Bestimmungen sind z. B. die vom VDEV. aufgestellten und für die Bahnen des Vereinsgebiets gültigen technischen Vereinbarungen (Technische Vereinbarungen über den Bau und die Betriebseinrichtungen der Haupt- und Nebenbahnen, Grundzüge für den Bau und die Betriebseinrichtungen der Lokalbahnen u. s. w.). In ähnlicher Weise kamen auch die durch die amerikanische Master Car Builder Association (s. d.) aufgestellten Vorschriften und Normalien zu stande.

Im engeren, gewöhnlich gebrauchten Sinn wird unter T. die aus den Beschlüssen der internationalen Berner Konferenzen sich ergebende T. verstanden. In dem folgenden sollen nun über letztere T. einige Angaben gemacht werden.

Die erste internationale Konferenz in Bern, zu der der schweizerische Bundesrat die Regierungen von Deutschland, Österreich-Ungarn, Frankreich und Italien in der Absicht eingeladen hatte, eine Verständigung über die T. zu erzielen, hat in den Sitzungen vom 16., 17., 18. und 19. Oktober 1882 über die sämtlichen Verhandlungsgegenstände teils einstimmige, teils Beschlüsse mit Stimmenmehrheit gefaßt. Es handelte sich hierbei um die Festsetzung von Normen für Erleichterung des Übergangs von Rollmaterial auf den mitteleuropäischen Eisenbahnen.

Die Abgeordneten der bei der Konferenz vertretenen Regierungen haben als Ergebnis der Beratungen das folgende festgestellt:

Das Rollmaterial der Eisenbahnen, das für den internationalen Durchzugsverkehr bestimmt ist, soll gewissen in einer besonderen Zusammenstellung verzeichneten Bedingungen genügen. Die in dieser Zusammenstellung angegebenen Größt- und Kleinstmaße gelten für bestehendes und neu herzustellendes Material mit einigen Vorbehalten (Art. 1).

Das Rollmaterial eines Staates, das den Bedingungen des vorstehenden Artikels entspricht und außerdem sich in gutem Zustand befindet, ist zum freien Verkehr auf dem Landesgebiet der anderen Staaten zugelassen (Art. 2).

Die Spurweite auf geraden Strecken soll bei neu zu legenden oder umzubauenden Gleisen höchstens 1440 und mindestens 1435 *mm* betragen (Art. 3).

Die Konferenz erklärt es einstimmig für zweckmäßig, daß eine allgemeine größte Querschnittsumgrenzung für Eisenbahnwagen aufgestellt werde. Es werden jedoch weitere Erhebungen für notwendig gehalten; der Bundesrat möge daher die beteiligten Regierungen um die Übersendung der erforderlichen Nachweisungen ersuchen und nach dem Einlangen derselben die Konferenz für Aufstellung einer endgültigen Umgrenzungslinie für Eisenbahnfahrzeuge einberufen. Vorläufig wurde festgestellt, daß auf allen Bahnen der bei der Konferenz vertretenen Länder ein Ladeprofil unbehindert verkehren kann, das in 1300 *mm* Höhe über Schienenoberkante eine Breite von 3000 *mm* hat und mit einem Halbkreis von 1500 *mm* Halbmesser in einer Gesamthöhe von 4150 *mm* über Schienenoberkante abschließt. Die Konferenz wünsche, daß die Frage einheitlicher Vorschriften betreffend den Zollverschluß für Eisenbahnwagen geregelt werde; ferner sprach sie den Wunsch aus, daß ein einheitlicher Schlüssel für die im internationalen Verkehr verwendeten Wagen angenommen werde (Art. 4).

Die Verhandlungsschrift der Konferenz wurde den beteiligten Regierungen mitgeteilt und an diese das Ersuchen gestellt, ihre endgültigen Entscheidungen dem schweizerischen Bundesrat bis zum 1. Juli 1883 kundzugeben.

Die zweite internationale Eisenbahnkonferenz, die in Bern vom 10. bis 15. Mai 1886 tagte, einigte sich über Vorschriften betreffend sicherere Einrichtung der im internationalen Verkehr unter zollamtlichem Raumverschluß abzufertigenden Eisenbahnwagen und über die Punkte des Schlußprotokolls der ersten Berner Konferenz, die in der Zwischenzeit zu Beanstandungen und Abänderungsvorschlägen Anlaß geboten hatten. Das Übereinkommen wurde von den Abgeordneten am 15. Mai 1886 unterzeichnet, mit dem Vorbehalt der Genehmigung durch die betreffenden Staatsregierungen.

Das Schlußprotokoll umfaßte 6 Artikel und eine Zeichnungsbeilage zu § 25 des Art. II (Doppelschlüssel für die dem internationalen Verkehr dienenden Personenwagen).

Nachdem sämtliche beteiligten Staaten ihre Zustimmung zu dem Schlußprotokoll der zweiten internationalen Konferenz erklärt hatten, trat das Übereinkommen mit 1. April 1887 in Kraft.

Die dritte internationale Konferenz für T. tagte in Bern vom 6. bis 18. Mai 1907. An ihr nahmen teil Abgeordnete der Regierungen des Deutschen Reiches, von Österreich, Ungarn, Belgien, Bulgarien, Dänemark, Frankreich, Italien, Norwegen, den Niederlanden, Rumänien, Rußland, Schweden und der Schweiz.

Das Programm betraf Überprüfung bestehender Bestimmungen, das Ladeprofil und die Einschränkungen der Breitenmaße der Wagen und Ladungen als Ergänzung zum Art. II, § 23 des Schlußprotokolls von 1886, ferner Unterhaltung und Beladung der Wagen sowie schließlich Anregungen zu Studien.

Die Beschlüsse der Konferenz wurden im Schlußprotokoll vom 18. Mai 1907 niedergelegt. Nach Zustimmung sämtlicher beteiligter Staaten zu diesem Schlußprotokoll traten die Bestimmungen der 3. internationalen Konferenz am 1. Juni 1908 in Kraft.

Nicht alle Punkte des Konferenzprogramms von 1907 konnten jedoch damals erledigt werden; für einzelne waren noch Vorarbeiten nötig.

So trat später auf Anregung der 3. internationalen Konferenz eine internationale Kommission zusammen zur Feststellung der Bedingungen, denen eine durchgehende Güterzugbremse zu genügen hat, und ferner eine Kommission zur Aufstellung einer allgemeinen Begrenzungslinie für Güterwagen und zur Festsetzung der mit Rücksicht auf das Durchfahren von Krümmungen erforderlichen Breiteneinschränkungen dieser Wagen und ihrer Ladungen.

Die erstgenannte Kommission stellte im Mai 1909 in Art. I ihrer Beschlüsse die Anforderungen, die an eine durchgehende Güterzugbremse zu stellen sind, und in Art. II das Programm fest, wie die Versuche vorgenommen werden sollen.

Art. I lautet:

Die internationale Kommission ist der Ansicht, daß an eine durchgehende Güterzugbremse folgende Anforderungen gestellt werden sollten:

1. Die Bremse soll selbsttätig wirken.
2. Die Bremse soll von einfacher Bauart sein.
3. Die Anschaffungs- und Unterhaltungskosten der Bremse sollen möglichst klein sein.
4. Alle Teile müssen aus gutem, die der Abnutzung unterworfenen Teile aus besonders widerstandsfähigem Material hergestellt werden.
5. Das Gewicht der Bremseinrichtung soll möglichst gering sein.
6. Die Bremsschläuche müssen so angeordnet sein, daß jeder Wagen mit jedem andern Personen- oder Güterwagen verbunden werden kann.
7. Die Bremse ist so einzurichten, daß das Schleifen der Räder möglichst vermieden wird.
8. Bei den Wagen soll der Bremsklotzdruck (berechnet aus dem größten Kolbendruck ohne Berücksichtigung der Reibung) mindestens 70% des Leergewichts des Wagens betragen. Der größte zulässige Hub des Bremskolbens in *mm*, geteilt durch das Übersetzungsverhältnis von der Kolbenstange bis zu den Bremsklötzen, soll mindestens 25 ergeben.
9. Alle Wagen müssen mit durchgehender Leitung versehen sein. Die Bremswagen müssen so eingerichtet sein, daß sie bei Beschädigung der Bremsapparate noch als Leitungswagen benutzt werden können.
10. Die Handhabung der Bremse muß einfach, die Wirkung der Bremseinrichtungen zuverlässig sein. Die Witterung darf die Wirkung der Bremseinrichtungen nicht beeinträchtigen.
11. Die Handbremsen müssen unabhängig von der vorhandenen durchgehenden Bremse bedient werden können.
12. Die Bremse muß sowohl als Betriebs- wie als Schnellbremse gleich gut zu gebrauchen sein. Sie ist auch derart als Notbremse einzurichten, daß sie vom Zug aus in Tätigkeit gesetzt werden kann.
13. Das Auffüllen der Kraftbehälter des Zuges auf den normalen Druck nach eingeleiteter Entbremsung soll möglichst wenig Zeit beanspruchen.
14. Die Leitungen der Wagen sollen sich in möglichst einfacher Weise kuppeln und entkuppeln lassen. Die zum Kuppeln und Entkuppeln der Leitungen erforderliche Zeit muß möglichst kurz sein.
15. Die Bremsprobe muß derart möglich sein, daß der Lokomotivführer in einfachster Weise volle Gewißheit darüber erhält, daß die Bremsleitung des ganzen Zuges verbunden und wirksam ist.
16. Die Bremse sollte in Zügen bis zu 200 Achsen verwendbar sein.
17. Es muß möglich sein, Gruppen von Leitungswagen an beliebiger Stelle des Zuges einzufügen.
18. Die Bremse soll mit Personenzugbremsen gleichen Systems anstandslos zusammenarbeiten.
19. Bei Betriebsbremsungen muß selbst beim längsten Zug schon bei einer Änderung des normalen Leitungsdrucks um $1/10$ auch die Bremse des letzten Wagens in Tätigkeit treten.

20. Die Bremse soll unter allen Verhältnissen ohne gefährliche Stöße und Zerrungen für Personal, Ladung und Fahrzeuge wirken; dabei ist vorausgesetzt, daß die Entfernung der Bufferscheiben nicht mehr als 10 *cm* betrage.

21. Es dürfen auch dann schädliche Wirkungen für den Zug nicht entstehen, wenn bei einer kräftigen Betriebsbremsung eine unbeabsichtigte Schnellbremsung eintritt.

22. Die Bremse muß ohne schädliche Stöße und Zerrungen auch während der Fahrt gelöst werden können.

23. Der Vorrat an Bremskraft darf sich auch bei Fahrten auf langen und starken Gefällen nicht erschöpfen.

24. Die Bremse muß derart beschaffen sein, daß die längsten und stärksten, auf Hauptbahnen vorkommenden Gefälle mit voller Sicherheit und möglichst geringen Schwankungen der vorgeschriebenen Geschwindigkeit befahren werden können.

25. Die bei Schnellbremsungen aus nicht vorgebremstem Zug erzielten Bremswege sollen kleiner sein als die bei gleichen Bremsprozenten mit den heutigen Handbremsen erreichbaren Bremswege.

Dabei ist unter Bremsprozenten zu verstehen:

a) bei den Handbremsen das Verhältnis des Gesamtgewichts der gebremsten Wagenachsen zum Gesamtgewicht des Wagenzugs;

b) bei durchgehenden Bremsen, bei denen nur das Leergewicht abgebremst wird, das Verhältnis des Gesamtleergewichts der gebremsten Wagenachsen zum Gesamtgewicht des Wagenzugs;

c) bei durchgehenden Bremsen, die geeignet sind, die beladenen Wagen entsprechend ihrem Gesamtgewicht abzubremsen, das Verhältnis des Gesamtgewichts der gebremsten Wagenachsen zum Gesamtgewicht des Wagenzugs.

Art. II lautet:

Die internationale Kommission empfiehlt, Versuche mit durchgehenden Güterzugbremsen künftig nach folgendem Programm vorzunehmen:

1. Der Versuchszug ist mit Ausnahme der Beobachtungswagen tunlichst aus Güterwagen zu bilden und sowohl mit einer Lokomotive als auch mit 2 Lokomotiven zu fahren.

2. Es sollen tunlichst Wagen verschiedener Bauart, auch solche mit hoher Tragkraft, verwendet werden.

3. Auf den Zug sind mindestens 3 Beobachter gleichmäßig zu verteilen.

Es ist erwünscht, daß beiläufig auf je 20 Wagen ein Beobachter kommt.

4. Es ist wünschenswert, daß die Beobachtungswagen mit Vorrichtungen zum Messen der durch die Kupplungen übertragenen Kräfte versehen werden oder daß mindestens ein so ausgerüsteter Wagen abwechselnd an den Platz der übrigen Beobachtungswagen gestellt werde.

5. Die Stärke und die Belastung des Zuges (ausschließlich Lokomotive und Tender) sollen betragen:

a) in der Ebene und auf Gefällen von höchstens 16‰ bis zu 150 Achsen und 1100 *t*;

b) auf längeren Gefällen über 16‰ bis zu 110 Achsen und 800 *t*.

Es ist erwünscht, daß auch Züge bis zu 200 Wagenachsen vorgeführt werden.

6. Die Versuche sollen mit leerem, teilweise beladenem und voll beladenem Zug ausgeführt werden. Hierbei sollen Last und Bremsen möglichst ungleichmäßig verteilt sein, worüber vor Beginn der Versuche Aufzeichnungen zu machen sind.

7. Der Zug soll derart lose gekuppelt sein, daß die Entfernung der Bufferscheiben bei ungespannter Zugvorrichtung des gestreckten Zuges wechselnd bis zu 10 *cm* beträgt.

8. Die Bremsungen sollen sowohl bei gestrecktem als auch bei aufgelaufenem Zug vorgenommen werden.

9. Der Sandstreuer darf, abgesehen von Gefahrfällen, bei den Bremsversuchen nicht verwendet werden.

10. Es sind von verschiedenen Stellen des Zuges aus Notbremsungen auszuführen.

11. Der Gesamtbremsklotzdruck der gebremsten Wagen hat wechselnd 10, 20, 35, 50 und 60% des ganzen Zuggewichts (ausschließlich Lokomotive und Tender) zu betragen. Schließlich sind sämtliche Wagenachsen des Versuchszugs, insbesondere die eines leeren Zuges von 150 Achsen, zu bremsen.

Es wird jedoch nicht gefordert, daß bei einem Zug von mehr als 150 Achsen mehr als 150 Achsen gebremst werden.

12. Schnell- und Betriebsbremsungen sind bei Geschwindigkeiten von 10, 20 *km*/Std. u. s. w. bis zur erreichbaren Höchstgeschwindigkeit auszuführen, alle anderen Arten von Bremsungen, wie z. B. Regulierbremsungen, Notbremsungen vom Zug aus u. s. w., bei verschiedenen Geschwindigkeiten.

Es wäre erwünscht, daß Züge von 120 Achsen mit der Höchstgeschwindigkeit von 90 *km*/Std. vorgeführt werden könnten.

13. Die Bremsungen auf der Flachbahn sind tunlichst in gerader und horizontaler Bahn vorzunehmen, um den Vergleich der Bremswege zu erleichtern. Doch sind auch Schnell- und Notbremsungen in starken Krümmungen vorzuführen.

14. Bei Anwendung niedriger Bremsprozente sind Gruppen bis zu 15 Leitungswagen (30 Achsen) zu bilden.

15. Die Verwendbarkeit der Bremse zum Herabfahren langer und starker Neigungen ist vorzuführen. Dabei ist der Zug derart abzubremsen, daß der erreichbare größte Gesamtklotzdruck der wirkenden Wagenbremsen das 10fache der Schwerkraftkomponente des ganzen Zuges samt Lokomotive und Tender beträgt.

16. Auf Gebirgsstrecken sind Bremsversuche mit angehängter Schiebelokomotive vorzuführen. Es ist sowohl von der Zug- als auch von der Schiebelokomotive aus zu bremsen.

17. Es ist zu erproben, ob die Versuchsbremse mit den vorhandenen Personenzugbremsen zusammenarbeitet, insbesondere an:

a) einem Güterzug von insgesamt 110 Achsen mit einer Gruppe von Personenwagen (mindestens 12 Achsen), die an verschiedenen Stellen des Versuchszugs einzureihen ist;

b) einem Personenzug von insgesamt 60 Achsen mit einer Gruppe von halb beladenen Güterwagen (mindestens 12 Achsen), die sowohl an die Spitze als auch an das Ende des Zuges zu stellen ist.

Beide Züge sind sowohl mit Personen- als auch mit Güterzuglokomotiven zu fahren.

18. Die Anordnung der Bremsschläuche an den verschiedenen Güterwagengattungen ist vorzuführen.

19. Nach jeder Trennung und Wiederverbindung der Bremsleitung ist vor der Abfahrt eine Bremsprobe vorzunehmen, durch die der Lokomotivführer Gewißheit erhält, daß die Bremsleitung bis an das Zugende verbunden ist.

Die hierzu erforderliche Zeit ist festzustellen.

Es ist zu verzeichnen, ob außer dem Lokomotivführer noch andere Personen bei der Bremsprobe mitwirkten oder ob diese vom Lokomotivführer allein ausgeführt wurde.

20. Bei Verschubbewegungen auf den Anfangs-, Zwischen- und Endstationen ist die durchgehende

Bremse zu benutzen. Es ist hierbei die Zeit festzustellen, die für das Trennen und Wiederverbinden der Bremsleitung, für das Anstellen, Lösen und Laden der Bremse zwischen den einzelnen Bewegungen erforderlich ist.

Der Zeitaufwand für das Endbremsen eines abzustellenden Zugteils oder einzelner abzustellender Wagen ist zu ermitteln.

21. Es ist festzustellen, in welcher Zeit sich bei abgestellten Wagen die mit voller Kraft angezogene Bremse von selbst löst und in welchem Maße sich die Bremswirkung der von der Kraftquelle abgeschalteten Wagen ändert.

22. Es sind Versuche über das Entlaufen von Zugteilen auf den auf Hauptbahnen vorkommenden stärksten Neigungen zu machen. Namentlich ist der von einem abgelösten Zugteil vom Eintritt des Kupplungsbruches bis zum vollständigen Anhalten zurückgelegte Weg zu bestimmen.

Dabei ist an dem ablaufenden Zugteil der Gesamtbremsklotzdruck gleich der 10fachen Schwerkraftkomponente dieses Zugteils anzunehmen.

23. Es sind die verschiedenen Fälle des Versagens der Bremse – zufällige oder absichtlich herbeigeführte – die ein Anhalten des Zuges auf offener Strecke veranlassen können, näher zu untersuchen. Ferner sind die für die Weiterfahrt anzuwendenden Hilfsmittel zu prüfen und die für das Suchen und Beheben der Störung verwendete Zeit zu verzeichnen.

24. Es ist erwünscht, daß Versuche bei großer Kälte vorgenommen werden.

25. Von den verschiedenen Bremsungsarten ist mittels einer Schreibvorrichtung mindestens je ein Schaubild aufzunehmen, aus dem sowohl die Durchschlagszeit als auch die Zeit bis zur Erreichung des höchsten Druckes im Bremszylinder ersichtlich ist. Ferner ist die für das Lösen der Bremse und die Wiederherstellung des normalen Leitungsdrucks erforderliche Zeit in einem Schaubild festzulegen.

Sämtliche Angaben sind für verschiedene Zuglängen und Bremsprozente, besonders im letzten Wagen des Versuchszugs, festzustellen.

26. Bei Ermittlung der Leitungslängen ist sowohl die durchgehende Länge der Leitung als auch die Gesamtlänge (durchgehende Länge + Länge der Abzweigungen) festzustellen.

Die Durchschlagsgeschwindigkeit ist bloß aus der Länge der durchgehenden Hauptleitung ohne Abzweigungen zu berechnen.

27. Vor Beginn der Versuche sind die Bremskolbenhübe sämtlicher Fahrzeuge festzustellen und zu verzeichnen.

Es sollen Versuche mit möglichst gleichen und mit möglichst ungleichen Kolbenhüben vorgenommen werden.

28. Es sind Angaben zu machen über das Material der Bremsklötze und der Radreifen sowie über die Bauart und Stärke der Zug- und Stoßvorrichtungen.

29. Die während des Bremsens und Lösens im Zug auftretenden Schwankungen, Zuckungen und Stöße sowie das Maß des Auflaufens und Streckens sind zu verzeichnen.

30. Für die Aufschreibungen sind Formblätter nach den aufgestellten 2 Mustern zu verwenden.

31. Den Formblättern sind möglichst vollständige Angaben über die Steigungs- und Krümmungsverhältnisse der Versuchsstrecken beizufügen.

Im Oktober 1911 trat die zweite der vorgenannten Kommissionen zusammen. Sie beantragte, am Schlußprotokoll der dritten internationalen Konferenz für T. vom 18. Mai 1907 Abänderungen und Ergänzungen vorzunehmen, die sich auf die §§ 18, 22, 25 des Art. II, Bauart der Fahrzeuge, und auf §§ 6 und 9 des Art. IV, Beladung der Güterwagen, bezogen. Im Hinblick auf die große Zahl der in der Kommission vertretenen Staaten wurde es für entbehrlich gehalten, die Beschlüsse der Kommission einer internationalen Konferenz vorzulegen. Das Schlußprotokoll wurde daher den an den Vereinbarungen für T. beteiligten Regierungen unmittelbar mit dem Ersuchen übermittelt, die Abänderungen und Ergänzungen zu genehmigen und sich bereit zu erklären, die neuen Vorschriften etwa bis 1. Januar 1914 in Kraft zu setzen.

Nach Genehmigung der Kommissionsbeschlüsse durch die einzelnen Regierungen traten die Bestimmungen der T. in der Fassung vom Jahre 1913 bei sämtlichen beteiligten Staaten mit Ausnahme Deutschlands am 1. Mai 1914 in Kraft. In Deutschland hatten die Bestimmungen vom 1. Juni 1914 an Gültigkeit[1]. Die Bestimmungen sind vereinbart zwischen dem Deutschen Reich, Belgien, Bulgarien, Dänemark, Frankreich, Griechenland, Italien, Luxemburg, den Niederlanden, Norwegen, Österreich, Ungarn, Rumänien, Rußland, Schweden, der Schweiz und Serbien. Sie finden Anwendung auf alle dem internationalen Verkehr dienenden vollspurigen Eisenbahnen. In Rußland nur auf die Warschau-Wiener Eisenbahn und die Zweigbahn nach Lodz, in Griechenland nur auf die Linie Piräus-Larissa mit deren Fortsetzung bis zur ehemaligen türkischen Grenze.

Art. I enthält Vorschriften über die Spurweite.

Die Bestimmungen des Art. II, Bauart der Eisenbahnfahrzeuge, erstrecken sich auf folgende Gegenstände:

§ 1. Allgemeine Bemerkungen über Zulässigkeit und Einstellung der Fahrzeuge und über die Gültigkeit der nachstehend angegebenen größten und kleinsten Maße für vorhandenes wie für neu zu beschaffendes Material, soweit nicht für ersteres die in Klammern beigefügten Maße zugelassen sind.

§ 2. Radstände von Wagen und Drehgestellen, Verschiebbarkeit der Achsen, wenn mehr als 2 Achsen in einem gemeinsamen Rahmen gelagert sind.

§ 3. Abstand der Räder einer Achse, größtes Maß 1366, kleinstes Maß 1357 *mm*.

§ 4. Breite der Radreifen, größtes Maß 150, kleinstes Maß 130 *mm*, zulässiges Minimum für bestehendes Material, unter der Bedingung, daß der Abstand der Räder mindestens 1360 *mm* betrage, kleinstes Maß (125 *mm*).

§ 5. Entfernung von Außenkante zu Außenkante der Spurkränze, größtes Maß 1425, kleinstes Maß 1405 *mm*.

§ 6. Höhe der Spurkränze, größtes Maß 36, kleinstes Maß 25 *mm*.

[1] In Deutschland ist der Wortlaut der Beschlüsse mit sämtlichen Zeichnungen und Tabellen als Textausgabe unter dem Titel: „Technische Einheit im Eisenbahnwesen, Fassung 1913“ im Verlag von Wilhelm Ernst & Sohn, Berlin, im Druck erschienen.

§ 7. Stärke der Radreifen, kleinstes Maß 25 *mm*.

§ 8. Schalengußräder.

§ 9. Elastische Zug- und Stoßapparate.

§ 10. Höhenlage der Buffer, bei leeren Wagen größtes Maß 1065 *mm*, bei größter Belastung kleinstes Maß 940 *mm*.

Zulässige Maße für das vor 1887 gebaute Material, bei leeren Wagen größtes Maß (1070 *mm*), bei größter Belastung kleinstes Maß (900 *mm*).

§ 11. Abstand der Buffer, größtes Maß 1770 *mm*, kleinstes Maß 1710 *mm*.

Zulässige Maße für das vor 1887 gebaute Material, größtes Maß (1800 *mm*), kleinstes Maß (1700 *mm*).

§ 12. Durchmesser der Bufferscheiben, kleinstes Maß 340 *mm*.

Zulässiges Maß für das vor 1887 gebaute Material, kleinstes Maß (300 *mm*).

Für Fahrzeuge, bei denen der Abstand der Buffer geringer ist als 1720 *mm*, muß der horizontale Durchmesser der Bufferscheiben mindestens 350 *mm* betragen.

§ 13. Freie Räume an den Stirnseiten der Wagen zu beiden Seiten der Zugvorrichtung, zwischen dieser, den Bufferscheiben und den vor der Kopfschwelle vortretenden festen Teilen an beliebiger Stelle, Breite kleinstes Maß 400 *mm*.

Tiefe bei völlig eingedrückten Buffern, kleinstes Maß 300 *mm*.

Höhe über Schienenoberkante, kleinstes Maß 1800 *mm*.

Für bestehendes Material wird kein Maß festgesetzt.

§ 14. Vorsprung der Buffer über den Zughaken, von der Angriffsfläche des nicht angezogenen Hakens bis zur Stirn der nicht eingedrückten Buffer, größtes Maß 400 *mm*, kleinstes Maß 300 *mm*.

Zulässiges Maß für das vor 1887 gebaute Material, Personenwagen größtes Maß (430 *mm*).

Güterwagen größtes Maß (430 *mm*), kleinstes Maß (223 *mm*).

§ 15. Länge der Kupplungen, von der Stirnseite der nicht eingedrückten Buffer bis zur Innenseite des Einhängbügels, bei ganz ausgeschraubter und gestreckter Kupplung gemessen, größtes Maß 550 *mm*, kleinstes Maß 450 *mm*.

Für das vor 1887 gebaute Material werden keine Maße festgesetzt.

§ 16. Kleiner Durchmesser des Querschnitts der Kupplungsbügel am Berührungspunkt mit dem Zughaken, größtes Maß 35 *mm*, kleinstes Maß 25 *mm*.

§ 17. Sicherheitskupplungen.

§ 18. Kupplungsteile, die auf weniger als 140 *mm* über Schienenoberkante herabhängen könnten, müssen mindestens auf diesen Abstand eingeschraubt oder aufgehängt werden können.

§ 19. Tragfedern.

§ 20. Bremsen.

§ 21. Abstand der Bremsersitze von der Stirnfläche der vollständig eingedrückten Buffer, kleinstes Maß 40 *mm*.

§ 22. Querschnittsmaße der Wagen.

Bedingungen für Güterwagen, die ohne besondere Prüfung ihrer Querschnittsmaße übergehen sollen (Transitwagen).

§ 23. Schlösser der dem internationalen Verkehr dienenden Personenwagen.

§ 24. Äußere Schiebtüren.

§ 25. Anschriften an den Wagen.

Art. III. Unterhaltungszustand der Eisenbahnfahrzeuge.

§ 1. Die Wagen sollen sich in befriedigendem, die Sicherheit des Bahnbetriebs in keiner Weise gefährdendem Zustand befinden, wenn dies nicht der Fall ist, dürfen sie zurückgewiesen werden.

§ 2. Zeit der letzten Revision nicht mehr als 3 Jahre, Ausnahme bei nach der Heimat zurückkehrenden lauffähigen Wagen.

§ 3. Schmierungen der Achsbüchsen.

§ 4. Desinfektion der zur Viehbeförderung benutzten Wagen.

§ 5. Mängel, die zur Zurückweisung berechtigen.

A. Mängel an Rädern und Achsen.

B. „ „ Achsbüchsen und Lagern.

C. „ „ Tragfedern.

D. „ „ Stoßvorrichtungen.

E. „ „ Zugvorrichtungen.

F. „ „ Untergestellen und Wagenkasten.

§ 6. Nichtzurückweisung von Wagen mit schadhaften oder unbrauchbaren Bremsen.

§ 7. Übernahme eigener leerer Wagen.

Art. IV. Beladung der Güterwagen.

§ 1. Nichtzurückweisung von Wagen wegen ihrer Beladung.

§ 2. Die verladenen Gegenstände müssen sicher und fest liegen.

§ 3. Verteilung der Ladung auf den Wagen.

§ 4. Die Belastung eines Wagens darf die Tragfähigkeit nicht überschreiten.

§ 5. Raddrücke eines Wagens.

§ 6. Lademaße und Einschränkungen der Ladungen.

§ 7. Überragung der Ladung offener Güterwagen über die Kopfschwelle des Wagens.

§ 8. Verladung langer Gegenstände, die auf einem Wagen nicht gelagert werden können.

§ 9. Vorschriften bei Verwendung von Schemelwagenpaaren, von Schutzwagen oder eines Zwischenwagens.

Den Bestimmungen für die T. sind 6 Anlagen beigegeben.

Anlage *A* enthält ein Zeichen ←⊖→ für Wagen nach Art. II, § 2, Absatz 4, d. h. für Wagen, die Krümmungen von 150 *m* Halbmesser durchfahren können mit einem Radstand von mehr als 4500 *mm*.

Anlage *B* enthält eine Zeichnung eines Doppelschlüssels für die dem internationalen Verkehr dienenden Personenwagen nach Art. II, § 23.

Anlage *C* enthält eine Zeichnung einer allgemeinen Begrenzungslinie für Güterwagen nach Art. II, § 22, Absatz 2.

Anlage *D* enthält eine Zeichnung eines Zeichens für Transitwagen nach Art. II, § 25, Absatz 10.

Anlage *E* enthält eine Ladetabelle nach Art. IV, § 6, Absatz 2, für Breiteneinschränkungen der Ladungen auf jeder Seite.

Anlage *F* enthält eine Tabelle nach Art. IV, § 9, Absatz 1b, für wagrechte Entfernungen auf jeder Seite zwischen den Ladungen und den Seitenwänden der Wagen bei Verwendung von tragenden Schemelwagen, von Schutzwagen oder eines Zwischenwagens.

Technische Vereinbarungen *(technical regulations; conventions techniques; convenzioni tecniche)* über den Bau und die Betriebseinrichtungen der Haupt- und Nebenbahnen (abgekürzte Bezeichnung T. V.) sollen im Sinne des § 1 der Satzungen des VDEV. dazu beitragen, den gegenseitigen Verkehr auf den Haupt- und Nebenbahnen des Vereins hinsichtlich der technischen Einrichtungen zu erleichtern und die Betriebssicherheit zu erhöhen.

Hierbei sind unter Nebenbahnen vollspurige, dem öffentlichen Verkehr dienende Eisenbahnen zu verstehen, auf die Fahrzeuge der Hauptbahnen übergehen können, bei denen aber die Fahrgeschwindigkeit von 50 *km*/Std. nicht überschritten werden darf und für die, entsprechend der geringeren Geschwindigkeit und dem einfacheren Betrieb, erleichternde Bestimmungen Platz greifen dürfen.

Die T. gingen hervor aus den „Grundzügen für die Gestaltung der Eisenbahnen Deutschlands" und den „Einheitlichen Vorschriften für den durchgehenden Verkehr auf den bestehenden Vereinseisenbahnen", die das Ergebnis der Beratungen der ersten Technikerversammlung (s. d.) Berlin, 18.—27. Februar 1850, gewesen sind.

Das Verdienst, einen ersten Versuch unternommen zu haben, „Vorschläge zur Erreichung einheitlicher Bestimmungen im deutschen Eisenbahnwesen, insonderheit gleichmäßige Konstruktionen des Bahnbaues und gleichmäßige Betriebseinrichtungen betreffend" auszuarbeiten, gebührt dem Baurat Mohn der ehemaligen kgl. hannoverschen Staatsbahn. Er überreichte dem VDEV. seine Vorschläge im Jahre 1849 mit einer Begründung, in der die damaligen Zustände bei den Eisenbahnen ausführlich behandelt waren. Seine Vorschläge wurden in der ersten Technikerversammlung (Berlin 1850) den Beratungen über die Aufstellung einheitlicher Bestimmungen für den durchgehenden Eisenbahnverkehr zu grunde gelegt.

Dem aus den Beratungen der ersten Technikerversammlung hervorgegangenen Werk zollte die in demselben Jahr in Aachen abgehaltene Generalversammlung die gebührende Anerkennung. Sie beschloß, die „Grundzüge" nebst den ihnen beigegebenen „Sicherheitspolizeilichen Bestimmungen für den Zustand der Bahn und der Betriebsmittel, sowie Handhabung des Fahrdienstes" zur Kenntnis der Vereinsverwaltungen zu bringen und die „Einheitlichen Vorschriften" dringend zur baldmöglichen Ausführung zu empfehlen.

Nach dem Wortlaut des Beschlusses der Aachener Generalversammlung war der Vereinsverwaltung kein Zwang auferlegt, es war jedoch selbstverständlich, daß die wertvollen Beschlüsse der Technikerversammlungen allen Ausführungen als Grundlage dienten. Mit den Fortschritten des Eisenbahnwesens mußte das Bedürfnis einer weiteren Vervollkommnung dieser Bestimmungen sich geltend machen. Einen diese Ausbildung fördernden Beschluß faßte die Generalversammlung zu Frankfurt a. M. im Jahre 1856. Sie setzte eine zweite Technikerversammlung fest, die zu Wien im Jahre 1857 tagte. Die Ergebnisse dieser Beratung fanden ihre Genehmigung durch die Generalversammlung im Jahre 1858 in Triest und bestanden der Hauptsache nach in der Festsetzung der bei allen Bauwerken einzuhaltenden Umrißlinien des lichten Raumes sowie in der Aufstellung von Zeichnungen für Schrauben- und Kettenkupplung. Die dritte Technikerversammlung, abgehalten 1865 zu Dresden, bildete aus den „Grundzügen", „Sicherheitspolizeilichen Anordnungen" und „Einheitlichen Vorschriften" nach abermaliger durchgreifender Umarbeitung und Hinzufügung eines neuen Abschnitts „Signalordnung für die deutschen Eisenbahnen" ein einziges Werk, das unter der Bezeichnung „Technische Vereinbarungen des Vereins Deutscher Eisenbahnverwaltungen über den Bau und die Betriebseinrichtungen der Eisenbahnen" auch im Buchhandel erschien.

Weitere Ergänzungen und Neuausgaben des Werkes haben in den Jahren 1871, 1876, 1882, 1888 und 1909 stattgefunden. Die Ergebnisse der Beratungen vom Jahre 1914 in Teplitz-Schönau sind bisher noch nicht veröffentlicht.

Hatte der ursprüngliche Entwurf der T. den Zweck, eine einheitliche Gestaltung des Bahnbaues, der Betriebsmittel und Betriebseinrichtungen zu erstreben, so sollten die späteren Umarbeitungen und Ergänzungen die einmal erzielte Einheitlichkeit auch bei der rasch fortschreitenden Entwicklung des Eisenbahnwesens aufrecht erhalten. Durch die Einheitlichkeit war bereits eine größere Sicherheit des Betriebs erzielt, aber außerdem trat überall das Bestreben zu Tage, durch vervollkommnete Einrichtungen und durch schärfere Fassung der Vorschriften die dem Eisenbahnbetrieb anhaftenden Gefahren zu mindern und Erleichterung für Personen- und Güterverkehr zu schaffen.

Ein Teil der in den T. niedergelegten Bestimmungen, durch fetten Druck hervorgehoben, ist für die Vereinsbahnen bindend. Diese bindenden Bestimmungen müssen von jeder Verwaltung für alle Einrichtungen so weit befolgt werden, als nicht durch Staatsverträge oder durch die obersten staatlichen Aufsichtsbehörden abweichende Bestimmungen getroffen sind oder getroffen werden.

Bindende Bestimmungen, die nur für Neubauten und größere Umbauten gelten, sind als solche ausdrücklich bezeichnet. Als Neubau gilt auch der Bau weiterer Hauptgleise der freien Strecke. Die Bestimmungen für Lokomotiven, Tender und Wagen gelten sinngemäß auch für Triebwagen.

Die letzte, am 1. Jänner 1909 erschienene Ausgabe der T. enthält Bestimmungen[1] über:

[1] Der Inhalt der Bestimmungen ist bei den einzelnen Artikeln angeführt.

A. Bau und Unterhaltung der Bahn.
a) Allgemeine Bestimmungen.
b) Freie Strecke.
c) Stationen.
B. Bau und Unterhaltung der Fahrzeuge.
a) Allgemeine Bestimmungen.
b) Lokomotiven.
c) Tender.
d) Wagen.
C. Telegraphen-, Signal- und Sicherungswesen.
D. Betriebsdienst.
a) Bahndienst.
b) Fahrdienst.

Angeschlossen sind ein Sachregister und 23 Beilagen.

Die 23 Beilagen der letzten Ausgabe enthalten Angaben über:

Verkehrslast für neue und umzubauende Brücken, Umgrenzung des lichten Raumes für Haupt- und Nebenbahnen, Spielraum der Spurkränze, Umriß der Lauffläche des Spurkranzes für abgedrehte Radreifen, Schaulinien zur Bestimmung der kleinsten zulässigen Schenkel- und Nabendurchmesser von Güterwagenachsen aus Flußstahl, Schaulinien zur Bestimmung der kleinsten zulässigen Schenkel- und Nabendurchmesser von Achsen aus Flußstahl der Personen-, Gepäck- und Postwagen und Tender, Zughaken, Schraubenkupplung, doppelte Kupplung Handgriffe für Wagenkuppler, Schlauchkupplung für Dampfheizungen, Schlauchkupplung für Luftdruckbremsen, Schlauchkupplung für Luftsaugebremsen, Umgrenzung für Lokomotiven und Tender, Umgrenzung für Wagen Spielraumlinie für die Stellung der Wagen, in Krümmungen, Zeichen der für den internationalen Verkehr bestimmten Wagen mit Vereinslenkachsen, Übergangsbrücken und Faltenbälge, Einrichtung eines Faltenbalgrahmens geringerer Lichtweite für die Verbindung mit Vereinsrahmen, Gaseinrichtungen für Wagen, Glasglocken zur Beleuchtung der Wagen, Richtungsschilder und Kloben, Bremsweg.

Vgl. auch die Artikel: Grundzüge für den Bau und die Betriebseinrichtungen der Lokalbahnen, Technikerversammlungen und Technische Einheit im Eisenbahnwesen. *Pollak.*

Technisch-polizeiliche Prüfung s. Abnahme der Bahn.

Teerwagen s. Kesselwagen.

Teilfahrten sind im Geltungsbereich der deutschen Fahrdienstvorschriften solche Zugfahrten, die nur einen Teil des Weges zwischen 2 zur Ablassung und Auflösung von Zügen berechtigten Stationen (Zugmeldestellen) zurücklegen und auf demselben Gleis zurückkehren, ohne die nächste Station erreicht zu haben. Bei zweigleisigem Betrieb finden die T. entweder bei der Hinfahrt oder bei der Rückfahrt auf dem falschen Gleis statt. Diese Abweichung von der Fahrordnung ist im § 53 der EB. zugelassen für Arbeitszüge, Hilfszüge und Hilfslokomotiven, zurückkehrende Schiebelokomotiven, für die Bedienung von Anschlußgleisen (s. d.), die auf freier Strecke abzweigen, sowie für den Fall von Gleissperrungen. Hiernach bilden die T. eine von der Regel abweichende Betriebsweise, die nur in Ausnahmefällen und unter Anwendung besonderer Sicherungsmaßnahmen zugelassen werden dürfen. Nach § 27 der deutschen FV. müssen die beiden Zugmeldestellen (s. Fahrdienstleitung), zwischen denen die von der T. berührte Strecke liegt, über die Zeit der Abfahrt und Rückkehr, über den Endpunkt der Fahrt und bei zweigleisigem Betrieb über das zu benutzende Gleis unterwiesen werden oder sich gegenseitig verständigen. Die von der T. berührten Blockstellen müssen vor der Abfahrt beauftragt werden, die T. nicht zurückzumelden und endlich müssen die Schrankenwärter an der zu befahrenden Teilstrecke – abgesehen von Hilfszügen (s. Sonderzüge) – besondere Nachricht erhalten, weil die zur Ankündigung der gewöhnlichen Zugfahrten dienenden Läutesignale hierfür in der Regel nicht benutzt werden können.

Auf den österreichischen Staatsbahnen sind durch Art. 139 (14) und Abschnitt XVI der Vorschriften für den Verkehrsdienst in gleicher Weise Sicherheitsmaßnahmen für Züge, die nach und von einem Punkt der Strecke eingeleitet werden, getroffen. Die Bezeichnung T. wird für solche Züge nicht angewendet. *Breusing.*

Telegraph (Fernschreiber) *(telegraph; télégraphe; telegrafo).*

Man versteht darunter eine Vorrichtung, mit der die an einem Ort zum Ausdruck gebrachten Gedanken an einem andern Ort sofort in für das Auge oder das Ohr verständlichen Zeichen wahrnehmbar gemacht werden können. Zu diesem Zweck bedient man sich der Elektrizität, u. zw. entweder indem man elektrische Ströme in metallischen Drähten nach dem entfernten Ort leitet und sie dort die zur Hervorbringung der telegraphischen Zeichen erforderliche mechanische Arbeit leisten läßt (elektromagnetischer T.) oder indem man elektrische Wellen von bestimmten Längen in bestimmt abgegrenzten Zwischenräumen durch die Luft sendet, die am entfernten Ort aufgefangen und in Zeichen umgesetzt werden (Funkentelegraph, s. Funkentelegraphie).

A. Telegraphenanlagen.

Die ersten Versuche zur Nachrichtenübermittlung durch elektrische Ströme fallen zeitlich zusammen mit dem Bau der ersten Eisenbahnen, bei denen sehr bald das Bedürfnis nach einem schnellen Verständigungsmittel zwischen den Betriebsstellen hervortrat. Die bekannten Erfolge der Göttinger Professoren Gauss und Weber veranlaßten im Jahre 1835 die Verwaltung der damals im Bau begriffenen Leipzig-Dresdener Bahn, mit diesen beiden Gelehrten wegen der Anlage eines elektrischen T. in Verbindung zu treten. In England wurde schon im Jahre 1839 eine 13 englische Meilen lange Strecke der Great Western-Bahn, im Jahre 1841 die London-Blackwell-Bahn mit dem von Cooke und Wheatstone gebauten Nadeltelegraphen ausgerüstet (s. Nadeltelegraphen). In Deutschland haben die Rheinische Bahn im Jahre 1843 und die Taunusbahn im Jahre 1844 zuerst Zeigertelegraphen auf ihren Linien verwendet. In Österreich wurde im Jahre 1847 auf der Kaiser-Ferdinands-Nordbahn der Bainsche Nadeltelegraph eingeführt. Von da ab machte die Entwicklung und Verwendung der Zeiger- und Nadeltelegraphen bei den Eisenbahnen rasche Fortschritte. Um diese Zeit fing auch der Morsesche Schreibtelegraph an, sich Eingang zu verschaffen, bei dem der Telegraphierende durch Gruppen von längeren und kürzeren Stromschlüssen oder Unterbrechungen an der empfangenden Stelle Schriftzeichen aus Gruppen von Strichen und Punkten auf einem Papierstreifen hervorruft. Die Eisenbahnverwaltungen zögerten jedoch mit der Einführung dieses T., weil sie seine Bedienung gegenüber der Bedienung der Zeiger- und Nadeltelegraphen für zu schwierig hielten. Durch die Erfahrung wurde dieses Vorurteil widerlegt. Der Morsetelegraph fand bald Eingang auch im Eisenbahnbetrieb, zunächst neben den Zeiger- und Nadeltelegraphen, bald aber diese gänzlich verdrängend. Nur bei den englischen Bahnen wird auch jetzt noch neben dem Morsetelegraphen der Nadeltelegraph verwendet. Mit der zunehmenden Entwicklung des Telegraphenverkehrs trat dann mehr und mehr das Bedürfnis nach einer Steigerung der Leistungsfähigkeit der Telegrapheneinrichtungen hervor und es entstanden die Typendrucktelegraphen, die Mehrfachtelegraphen und die Schnelltelegraphen. Im Vergleich zum Morsetelegraphen sind diese wesentlich verwickelter gestaltet, und ihre Handhabung und Bedienung erfordert große Geschicklichkeit und Sachkenntnis. Diese für große Leistungsfähigkeit geschaffenen Einrichtungen eignen sich im allgemeinen nur zur unmittelbaren Verbindung großer Plätze, auf denen die Telegramme stets in solcher Zahl zur Beförderung vorliegen, daß sie in geschlossenen Reihen abtelegraphiert werden können.

Für den Eisenbahntelegraphenverkehr steht allgemein der Morsetelegraph in Anwendung. Während die Verwaltung der T. für den öffentlichen Verkehr fast überall in den Händen des Staates liegt, ist den Eisenbahnverwaltungen allgemein das Recht zugestanden, auf ihren Linien und für die Zwecke ihres Betriebs eigene T. zu errichten und für ihre Rechnung zu betreiben.

Die Grundlagen für die Ausrüstung der Eisenbahnen mit T. bilden die allgemeinen Bestimmungen für den Bau und den Betrieb der Eisenbahnen. So fordert z. B. für die deutschen Bahnen die BO. als das Mindestmaß an Telegrapheneinrichtungen,

daß auf Hauptbahnen und solchen Nebenbahnstrecken, die mit mehr als 40 *km* Geschwindigkeit befahren werden, die Zugfolgestellen[1] durch T. und auf den sonstigen Strecken durch T. oder Fernsprecher zu verbinden sind und

daß auf Hauptbahnen auf der freien Strecke in Entfernungen von höchstens 4 *km* Einrichtungen zum Herbeirufen von Hilfe vorhanden sein müssen.

Im wesentlichen decken sich diese Forderungen auch mit denen in anderen Ländern.

Auf Hauptbahnen und den wichtigeren Nebenbahnen ist hiernach mindestens eine Leitung vorhanden, die auf allen Zugfolgestellen mit Morsetelegraphen besetzt ist. Auf Hauptbahnen von größerer Länge und solchen mit lebhafterem Zugverkehr oder einer großen Zahl zu verbindender Stellen findet sich noch eine zweite Leitung, die nur die hauptsächlichsten Stellen einschließt. Die erste Morseleitung dient dann dem nachbarlichen Verkehr (Bezirksleitung) und ist dementsprechend je nach Erfordernis in 2 oder mehr Kreise abgeteilt, während die zweite Morseleitung dem Fernverkehr dient (Fernleitung).

Auf Hauptbahnen und verkehrsreichen Nebenbahnen ist in der Regel auch noch eine besondere Morseleitung für den Zugmeldedienst, die Zugmeldeleitung vorhanden; jedoch kann hierfür, wenn der Zugverkehr sich in mäßigen Grenzen hält, die ohnehin vorhandene Läutewerkleitung mitbenutzt werden.

Auf Hauptbahnen tritt bei wachsendem Verkehr eine zweite Morseleitung für den nachbarlichen Verkehr hinzu – eine zweite Bezirksleitung – in die jedoch die unbedeutenderen Betriebsstellen nicht mit eingeschaltet werden, und sofern dem Bedürfnis auch dann noch nicht genügt ist, eine zweite Morseleitung für den Fernverkehr – eine zweite Fernleitung – in

[1] Zugfolgestellen sind Betriebsstellen, die einen Streckenabschnitt begrenzen, in den ein Zug nicht einfahren darf, bevor ihn der vorausgefahrene Zug verlassen hat.

die dann nur die allerwichtigsten Betriebsstellen eingeschaltet werden.

Bei noch größerem Verkehr kann auch die Herstellung einer dritten Bezirksleitung und unter Umständen einer dritten Fernleitung in Frage kommen. Die Zahl der Fernleitungen wächst namentlich dann, wenn die Notwendigkeit eines unmittelbaren Telegrammverkehrs der leitenden Behörden (Direktionen) der verschiedenen Verwaltungsbezirke vorliegt.

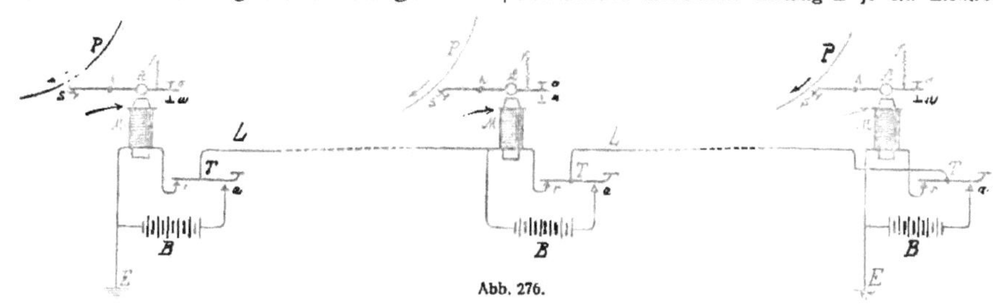

Abb. 276.

Nebenbahnen mit geringem Verkehr und die sog. Kleinbahnen werden vielfach auch nur mit Fernsprechleitungen ausgerüstet.

Für die die verschiedenen Eisenbahndienststellen verbindenden Leitungen bildet die oberirdische Führung längs der Bahnstrecke die Regel. (Näheres s. unter Leitungen für elektrische Schwachstromanlagen.)

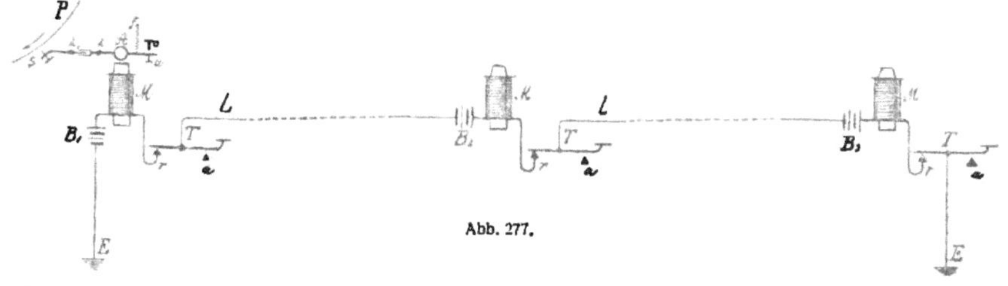

Abb. 277.

Da auch die Telegraphenverwaltungen für den öffentlichen Verkehr (Landes-, Staats-, Reichstelegraphenverwaltungen) ihre Leitungen vorzugsweise auf Eisenbahngelände führen, weil dann die Bewachung leicht mit der Bahnbewachung verbunden werden kann, ist es in der Regel nicht nötig, daß jede der beiden Verwaltungen eigene Gestänge aufstellt. Die Leitungen beider Verwaltungen werden vielmehr an gemeinsamen Gestängen angebracht. In fast allen Ländern bestehen hierüber Übereinkommen zwischen beiden Verwaltungen. Im Deutschen Reichs-Telegraphengebiet z. B. sind in dieser Beziehung die Bestimmungen des Bundesratsbeschlusses vom 21. Dezember 1868 betreffend die Verpflichtungen der Eisenbahnverwaltungen im Interesse der Reichstelegraphenverwaltung maßgebend, in Preußen außerdem der Vertrag zwischen der Reichs-Post- und Telegraphenverwaltung und der preußischen Staatseisenbahnverwaltung vom $\frac{\text{8. September}}{\text{28. August}}$ 1888.

Die grundsätzliche Anordnung und Wirkungsweise des Morsetelegraphen ist die folgende (s. die schematische Darstellung Abb. 276):

Auf jeder der untereinander in telegraphischen Verkehr zu bringenden Stellen ist in die diese Stellen verbindende metallische Leitung *L* je ein Elektromagnet *M* eingeschaltet. Der Anker *A* des Elektromagneten bildet das eine Ende eines zweiarmigen Hebels *h*, dessen anderes Ende die Schreibvorrichtung *s* trägt. Solange die Leitung stromlos, ist werden die Elektromagnetanker durch Spiralfedern *f* in ihrer oberen Lage gehalten; sobald aber die Leitung und demnach auch die Elektromagnetwindungen ein elektrischer Strom durchfließt, werden die Anker der Elektromagnete angezogen und, solange der Strom andauert, in der angezogenen (unteren) Lage festgehalten. In diesem Fall drückt die Schreibvorrichtung *s* am andern Ende des Ankerhebels leicht gegen ein durch ein Laufwerk fortbewegtes Papierband *P* und schreibt auf dieses einen farbigen Strich, während im ersteren Fall die Schreibvorrichtung das Papierband nicht berührt. Ein Stromschluß von kurzer Dauer ruft also auf dem Papierband einen kurzen Strich, ein Stromschluß von längerer Dauer einen längeren Strich hervor. Aus kürzeren und längeren Strichen (Punkten und Strichen) in richtiger Zusammensetzung wird die Morseschrift gebildet. Zwei feste Anschläge *o* und *u* begrenzen die Bewegung des Ankerhebels. Den Strom erhält die Leitung aus galvanischen Batterien *B* (Näheres s. unter Elemente, galvanische), die auf den Telegraphenstellen aufgestellt sind und mittels Stromschließer *T* ein- und ausgeschaltet werden. Der Stromschließer dient hierbei als Zeichengeber oder Telegraphiertaster.

Abweichend von der vorbeschriebenen Betriebsweise, bei der die Leitung im Ruhezustand stromlos ist und die Schreibvorrichtung das Papierband nur bei Stromschluß berührt, kommt noch eine zweite Betriebsweise zur Anwendung, bei der die Leitung im Ruhezustand unter Strom steht, der bei jedem Druck auf den Telegraphiertaster unterbrochen wird, so daß die Schreibvorrichtung das Papierband nur bei Stromunterbrechung berührt (s. die schematische Darstellung Abb. 277). Die erstere Betriebsweise heißt der Arbeitsstrombetrieb, die letztere der Ruhestrombetrieb (vgl. Ruhestromschaltung).

Da beim Arbeitsstrombetrieb immer nur die Batterie der gebenden Stelle in Anspruch genommen wird, so muß die Batterie jeder Stelle so groß bemessen werden, daß sie den Strom zur Erregung der Elektromagnete aller in die Leitung einbezogenen Stellen zu liefern vermag, während dazu beim Ruhestrombetrieb eine solche Batterie ausreicht, deren Elemente auf die einzelnen Stellen verteilt werden können. Arbeitsstrombetrieb wird daher im allgemeinen nur für Leitungen mit wenigen Betriebsstellen, Ruhestrombetrieb für Leitungen mit vielen Betriebsstellen zur Anwendung kommen.

Die Handhabung des Telegraphiertasters ist bei beiden Betriebsweisen die gleiche, die Wirkung auf den Ankerhebel aber die entgegengesetzte; bei Arbeitsstrombetrieb wird beim Drücken des Telegraphiertasters der Anker angezogen, die Verlängerung des Ankerhebels also vom oberen Anschlag *o* nach dem unteren *u* bewegt, bei Ruhestrombetrieb dagegen wird beim Drücken des Tasters der vorher vom Elektromagnet festgehaltene Anker losgelassen, also vom unteren nach dem oberen Anschlag bewegt. Damit aber die am andern Ende des Ankerhebels befindliche Schreibvorrichtung sich in beiden Fällen in gleicher Richtung, d. h. gegen das Papierband bewegt, ist bei den Schreibwerken für Ruhestrombetrieb die Schreibvorrichtung nicht wie bei Arbeitsstrombetrieb unmittelbar am Ankerhebel angebracht, sondern an einem durch Gelenk mit diesem verbundenen besonderen zweiarmigen Hebel h_1, wie in der schematischen Skizze Abb. 277 bei der linken Endstelle angedeutet ist. Bei den beiden anderen Stellen ist der Einfachheit wegen der Ankerhebel mit Schreibvorrichtung weggelassen.

Der Ruhestrombetrieb ist für Eisenbahntelegraphenleitungen allgemein in Anwendung, weil diese fast immer eine größere Zahl von Betriebsstellen umfassen.

Wie jeder elektrische Strom, so kann auch der Telegraphierstrom nur in einem vollständig geschlossenen Leitungskreis zu stande kommen; die Leitung, in die die Telegraphenstellen eingeschaltet sind, muß also zu einem Kreis geschlossen sein. Die beiden Enden der Leitung müssen deshalb entweder durch eine metallische Rückleitung verbunden oder an die Erde angeschlossen sein, so daß diese als Rückleitung dienen kann. Metallische Rückleitung kann aber für Telegraphenleitungen nur dann in Frage kommen, wenn es sich um eine so geringe Länge der Rückleitung handelt, daß der Leitungswiderstand wesentlich kleiner sein würde als die Summe der Übergangswiderstände der Anschlüsse der beiden Enden der Leitung an die Erde, also wesentlich kleiner als 20 Ohm oder, in Leitungslänge ausgedrückt, als 2 *km* (s. Erdleitungen).

Der Schlag des Schreibhebels dient als Anruf für die Beamten; er muß deshalb bei den Eisenbahn-Telegrapheneinrichtungen ein möglichst lauter sein, damit er von den Beamten auch bei ihren sonstigen Dienstgeschäften (Zugdienst, Abfertigungsdienst u. s. w.) deutlich wahrgenommen werden kann. Die Vergrößerung der Schlagstärke bedingt aber eine Vergrößerung des Arbeitsweges des Schreibhebels und diese wieder eine entsprechende Verstärkung der elektromagnetischen Kraft. Bei unmittelbarer Einschaltung der Schreibwerke in die Leitung würde das aber einen ganz unverhältnismäßig großen Aufwand an Betriebsstrom und Batterie erfordern und den Betrieb nicht nur sehr unwirtschaftlich, sondern infolge des raschen Verbrauchs der Batterieelemente (s. Elemente, galvanische) auch sehr unsicher gestalten. Die Schreibwerke der Eisenbahntelegraphen werden deshalb nicht unmittelbar in die Leitung geschaltet, sondern jedes Schreibwerk arbeitet in einem auf die Örtlichkeit beschränkten Stromkreis, dem Ortsstromkreis, mit besonderer Batterie. Die zur Hervorbringung der telegraphischen Schriftzeichen dienenden Unterbrechungen und Schließungen des in der Leitung fließenden Betriebsstroms – des Leitungsstroms – werden durch ein Relais (s. d.) auf diesen besonderen Stromkreis – den Ortsstromkreis – übertragen in dem Sinne, daß beim Ruhestrombetrieb jede Unterbrechung des Leitungsstroms die Schließung des Ortsstromkreises und jede Schließung des Leitungsstroms die Unterbrechung des Ortsstromkreises zur Folge hat. Die Schreibvorrichtung braucht deshalb auch nicht, wie oben angedeutet und durch Abb. 277 erläutert, durch Gelenk mit dem Ankerhebel verbunden zu werden, sondern wird wie beim Arbeitsstrombetrieb nach Abb. 276 unmittelbar am Ankerhebel angebracht. Der Ankerhebel des Relais vertritt im Ortsstromkreis die Stelle des Stromschließers. In Abb. 278 ist diese Anordnung in einfachen

Linien dargestellt. *S* ist das Schreibwerk, *OB* die Batterie für den Ortsstromkreis – die Ortsbatterie –, *R* das Relais, *a* die Stromschlußvorrichtung des Relais; mit *Ltg* ist die Leitung bezeichnet, mit *LB* der auf der Telegraphenstelle aufgestellte Teil der Batterie für den Leitungsstrom – die Leitungsbatterie – mit *T* der Telegraphiertaster (s. Abb. 278).

Es besteht entweder aus einer Anzahl feststehender, isolierter, in den Stromweg eingeschalteter Drahtwindungen, in deren Wirkungsraum ein leichter Magnetstab um eine feine Achse schwingt, oder aus einem feststehenden starken Magneten, zwischen dessen Polen – in dessen Kraftlinienfeld (vgl. Induktionsströme) – ein mit den im Stromweg liegenden feinen isolierten Drahtwindungen bewickeltes leichtes Rähmchen um eine feine Achse spielt. Sobald und solange Strom in der Leitung fließt, wirken bei der

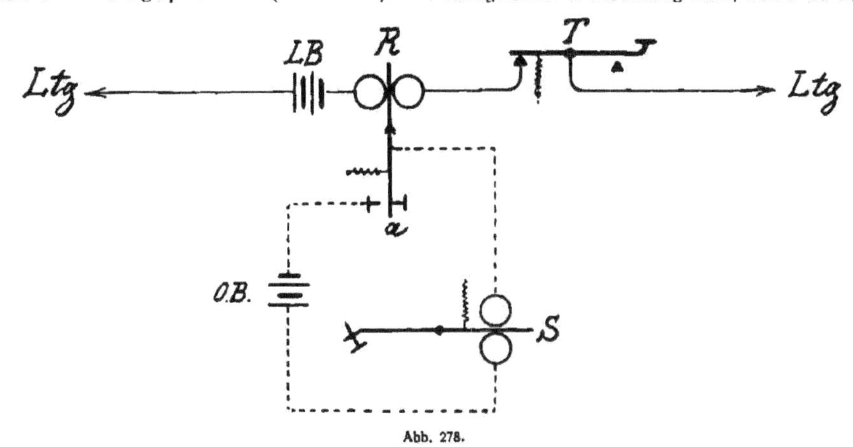

Abb. 278.

zuerst erwähnten Form die stromdurchflossenen Windungen ablenkend auf den Magnetstab; bei der letzteren Form wirkt der Magnet ablenkend auf die stromdurchflossenen Drahtwindungen. Je nach der Richtung des Stromes erfolgt die Ablenkung nach der einen oder der andern Seite. Die Größe des Ablenkungswinkels bildet ein ungefähres Maß für die Stärke des Stromes; sie wird auf einer Skala, vor der ein am bewegten System befestigter Zeiger spielt, abgelesen. Sobald der Leitungsstrom unterbrochen wird, schwingt das bewegte System unter der Einwirkung eines Richtmagneten oder feiner Spiralfedern in die Nullstellung zurück.

Das Relais erfordert zu seiner Bewegung nur geringe Kraft, weil der denkbar kleinste Arbeitsweg für dessen Ankerhebel genügt und dieser deshalb auch sehr leicht gebaut sein kann. Für die Bewegung genügt infolgedessen auch nur ein geringer Strom in der Leitung, in der Regel 15 Milliampère; dabei wird die Leitungsbatterie so wenig verbraucht, daß sie unbedenklich 6 Monate im Betrieb bleiben kann, ohne in ihrer Leistungsfähigkeit nachzulassen. In dem mit dem Widerstand der Leitung nicht belasteten Stromkreis der Ortsbatterien wird dagegen mit wenigen Elementen die zur Hervorbringung eines genügend lauten Schlages des Schreibhebels erforderliche elektromagnetische Kraft erreicht.

Die Morsewerke der Eisenbahntelegraphie sind im wesentlichen dieselben, wie sie die öffentliche Telegraphie verwendet. Sie setzen sich zusammen aus den bereits genannten Teilen: Schreibwerk, Telegraphiertaster und Relais; dazu kommt noch der Stromzeiger (oder das Galvanoskop), der Blitzableiter und der Umschalter; letztere beiden werden gewöhnlich zu einem Stück vereinigt.

Der Stromzeiger soll dem Beamten sichtbar anzeigen, ob Strom in der Leitung fließt oder nicht und ob der Strom die vorgeschriebene Stärke und Richtung hat; er ist also ein zur Prüfung des betriebsfähigen Zustands der Leitung sowie zur Feststellung von Fehlern unentbehrliches Instrument.

Der Blitzableiter schützt die Telegrapheneinrichtung vor der zerstörenden Wirkung der auf die oberirdisch geführte Leitung treffenden Blitzschläge. Da, wie oben gesagt, die Enden der Telegraphenleitungen an die Erde angeschlossen sind, so bieten sie den Blitzentladungen stets einen bequemen Weg zur Erde. Die in diesem Weg liegenden feinen Drahtwindungen des Relais und des Stromzeigers würden aber dabei ohne den Blitzableiter der Zerstörung durch Überhitzung ausgesetzt sein. Ein solcher Blitzableiter besteht in der Regel aus je einer vor die Telegrapheneinrichtung in jede Zuleitung geschalteten Metallplatte, die mit möglichst geringem Zwischenraum – höchstens 0·5 *mm* – über oder unter einer andern Metallplatte liegt, die an die Erde angeschlossen ist. Die atmosphärische Elektrizität überspringt vermöge ihrer außerordentlich hohen Spannung den kleinen Zwischenraum zwischen beiden Platten und kürzt dadurch ihren Weg zur Erde unter Vermeidung der vielen feinen Drahtwindungen des Relais und des Stromzeigers ganz wesentlich ab, dadurch diese vor dem zerstörenden Einfluß der hochgespannten Elektrizität schützend. Zur Erleichterung des Überspringens sind die einander zugekehrten Flächen der Platten fein geriffelt. Die Leitungsplatten beider Zuführungen einer Telegrapheneinrichtung, nicht selten auch die Leitungsplatten mehrerer auf einer Betriebsstelle befindlichen Telegrapheneinrichtungen werden so nebeneinander angeordnet, daß sie eine gemeinsame Erdplatte erhalten können.

Die Platten der Blitzableiter werden zweckmäßig so angeordnet, daß die Leitungsplatten jeder Telegrapheneinrichtung mittels Metallstöpsel sowohl untereinander als auch jede einzelne mit der Erdplatte verbunden werden können, wodurch die Möglichkeit geschaffen wird, die Telegrapheneinrichtung je nach Erfordernis entweder aus der Leitung auszuschalten oder auf Zwischenstellen nach der einen oder andern Seite an Erde zu legen und den entgegengesetzten Leitungsteil abzuschalten. Der Blitzableiter vertritt dann zugleich die Stelle des Umschalters. Andernfalls muß hierfür eine besondere Vorrichtung angeordnet werden.

Die einzelnen Bestandteile der Telegrapheneinrichtung sind in der Regel auf einem gemeinsamen Grundbrett befestigt, unter dem die Drahtverbindungen zwischen den einzelnen Teilen fest angebracht sind. Eine für Eisenbahnbetriebsstellen sehr zweckmäßige Zusammenstellung von Siemens & Halske zeigt die Abb. 279. Der Unterrahmen des Grundbretts paßt in einen Ausschnitt des zugehörigen Tisches, Abb. 280. Die Zuführungsdrähte von der Leitung und den Batterien sind nicht unmittelbar an das Grundbrett, sondern nur an Klemmen des Tisches angeschlossen. Zur Verbindung dieser Klemmen mit dem Grundbrett dienen Stromschlußböcke und Federklinken. Diese Anordnung ermöglicht es dem bedienenden Beamten, die Telegrapheneinrichtung, wenn sie unbrauchbar werden sollte, ohne Benutzung von Werkzeugen und ohne Lösung von Schrauben leicht und schnell gegen ein Ersatzwerk auszuwechseln oder auf größeren Telegraphenstellen bis zur Beseitigung des Fehlers oder bis zum Eintreffen eines Ersatzwerkes durch sofortiges Einsetzen eines gerade unbenutzten Werkes den Betrieb aufrecht zu erhalten.

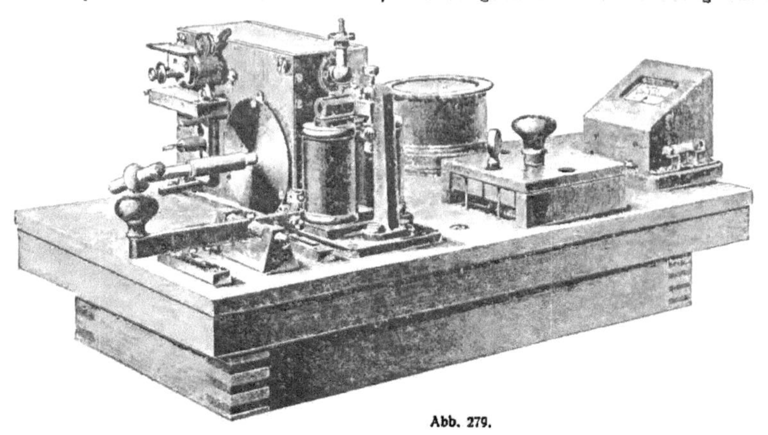

Abb. 279.

Abb. 280.

Die Verbindungen zwischen den einzelnen Teilen der Telegrapheneinrichtung sowie zwischen den einzelnen Stellen einer Leitung sind in Abb. 281 durch 2 Endstellen und eine Zwischenstelle dargestellt. Mit *S* ist das Schreibwerk, mit *R* das Relais, mit *T* der Telegraphiertaster, mit *Bl* der Blitzableiter, mit *LB* die Leitungsbatterie, mit *OB* die Ortsbatterie bezeichnet. Wie ersichtlich, sind die Leitungsbatterien nicht besonders an das Grundbrett angeschlossen, sondern liegen auf den Zwischenstellen in der Zuführung der Leitung, auf den Endstellen in der Zuführung der Erdleitung. Es empfiehlt sich, wie in der Abbildung dargestellt, auf den Zwischenstellen die Elemente der Leitungsbatterie auf beide Leitungszuführungen zu verteilen, auch vor der Leitungsbatterie einen Ausschalter (*A* in der Abbildung) anzubringen, damit die Telegrapheneinrichtung einschließlich der eigenen Batterie aus der Leitung ausgeschaltet und so ihr Zustand durch den Stromzeiger festgestellt werden kann. Am Blitzableiter kann bei der dargestellten Anordnung nur die Telegrapheneinrichtung ohne die Batterie ausgeschaltet werden.

Zur Erzielung ungestörter Abwicklung des telegraphischen Verkehrs dürfen die Leitungen nicht überlastet werden, d. h. die Zahl der zu einem Leitungskreis oder Stromkreis zu verbindenden Betriebsstellen darf nie so groß sein, daß sie sich gegenseitig in der Benutzung der Leitung hindern; vielmehr muß allen die rechtzeitige und ungehinderte Abwicklung des telegraphischen Schriftwechsels möglich sein. In der Regel dürfen deshalb je nach der Dichtigkeit des Verkehrs nicht mehr als 10 – 15 Stellen zu einem Stromkreis verbunden werden. Leitungen, die mehr Betriebsstellen berühren, müssen in 2 oder mehr Stromkreise abgeteilt werden. Die Stromkreisendstellen, zu denen immer größere und wichtigere Betriebsstellen ausersehen werden, erhalten dann für jeden Stromkreis eine besondere Telegrapheneinrichtung und werden außerdem als Zwischenstelle an die längs der Strecke geführte Fernleitung angeschlossen.

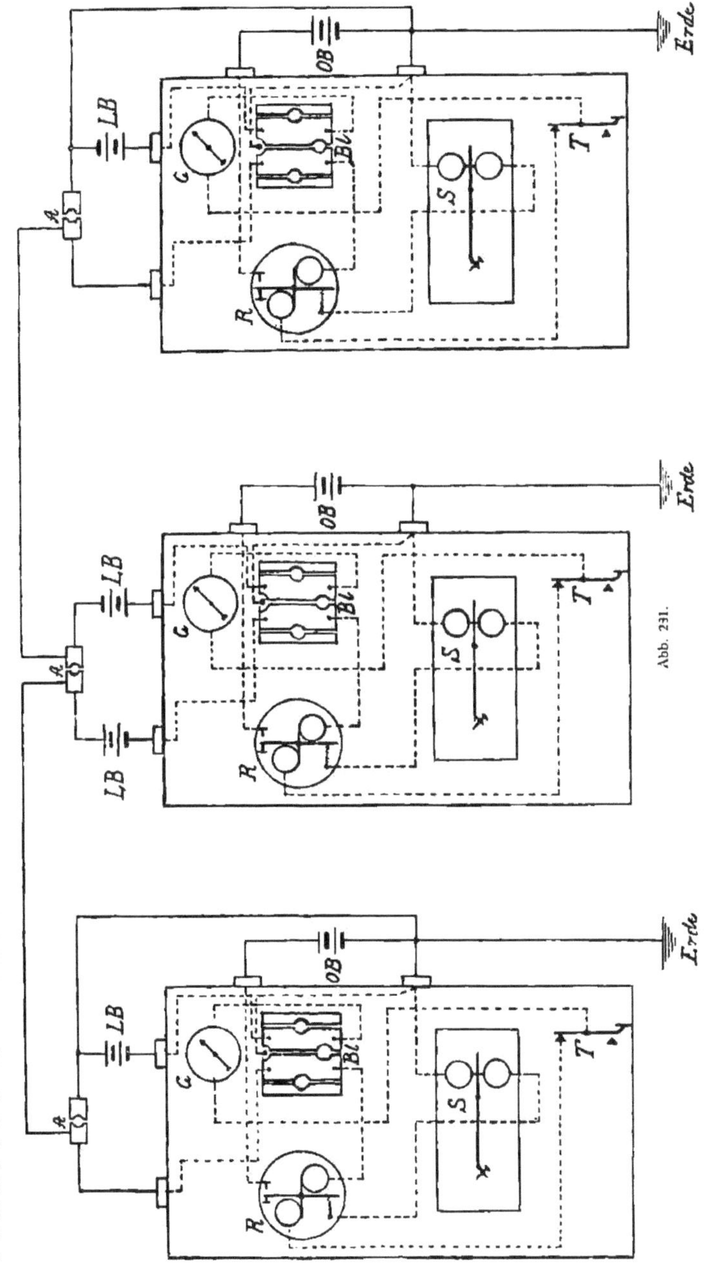

Abb. 231.

Auf großen Übergangsbahnhöfen, wo die Fernleitungen der verschiedenen Bahnlinien zusammenlaufen, kann für die von einer Linie auf die andere übergehenden Telegramme selbsttätige Übertragung eingerichtet werden. Abb. 282 veranschaulicht in einfachen Linien diese Übertragung für 2 auf einer Dienststelle endende Ruhestromfernleitungen – Ltg_1 und Ltg_2 – mit den Telegrapheneinrichtungen *I* und *II*. R_1 und R_2 bedeuten darin die Relais, S_1 und S_2 die Schreibwerke. Die Telegraphiertaster, Stromzeiger und Blitzableiter sind der besseren Übersicht wegen fortgelassen. Skizze *A* zeigt die Grundschaltung, in der beide Telegrapheneinrichtungen als gewöhnliche Endstellen arbeiten. Abb. 282 *B* dagegen zeigt die Übertragungsschaltung, wobei die in einer der beiden Leitungen – Ltg_1 oder Ltg_2 – telegraphierten Schriftzeichen selbsttätig in die andere übertragen werden. Wie aus Abb. 282 *B* zu ersehen, findet bei dieser Schaltung die Leitung nicht wie bei der Grundschaltung (Abb. 282 *A*) Erdschluß in der eigenen Telegrapheneinrichtung, sondern über einen Stromschließer a_1 oder a_2 am Schreibwerk der andern Telegrapheneinrichtung. Auf diesen Stromschließer wirkt der Schreibhebel wie die Hand des Beamten auf den Telegraphiertaster; die auf der einen Leitung ankommenden Zeichen werden also durch den Schreibhebel in die andere Leitung weitertelegraphiert oder übertragen.

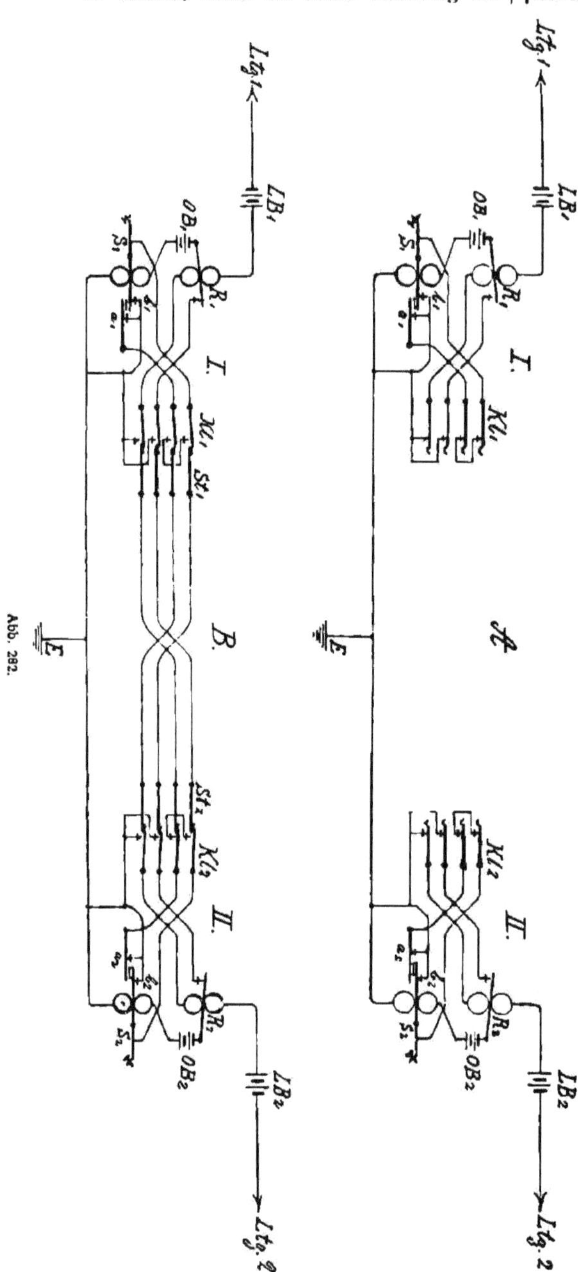

Abb. 282.

Der Schreibhebel betätigt noch einen zweiten Stromschließer — b_1 b_2 —, der in der Übertragungsschaltung beim Schreiben den Stromkreis der Ortsbatterie für das Schreibwerk der andern Leitung unterbricht, damit dessen Schreibhebel nicht gleichzeitig betätigt wird, und rückwirkend auch den Erdschluß der ersteren Leitung unterbricht, weil dadurch dauernde Unterbrechung auf beiden Leitungen eintreten würde.

Siemens & Halske bauen sehr zweckmäßige und handliche Schaltvorrichtungen für die Übertragung, wie in Abb. 283 dargestellt. Für jede Leitung ist ein Klinkenkästchen und für je 2 Klinkenkästchen eine vieraderige Leitungsschnur mit je 4 Metallstöpseln an jedem Ende erforderlich. Die Übertragungsschaltung wird dadurch hergestellt, daß die Klinkenkästchen der beiden auf Übertragung zu schaltenden Leitungen mit der Stöpselschnur durch Einstecken der Stöpsel in die Löcher der Kästchen verbunden werden. In der Abb. 282 sind die Klinkenkästchen mit Kl_1 und Kl_2 und die Stöpsel mit St_1 und St_2 bezeichnet. Wie ersichtlich, unterbrechen die eingesteckten Stöpsel im Klinkenkästchen 4 in der Grundstellung geschlossene Stromschlußstellen und schließen 4 neue. Die Klinkenkästchen für die verschiedenen Leitungen werden auf gemeinsamen Konsolen oder Schalttafeln angebracht.

Die Übertragungseinrichtungen erfordern dauernd eine sachkundige Überwachung und Nachhilfe. Die Stromschlußstellen an den Schreibwerken müssen öfter gereinigt werden, weil sich durch den Öffnungsfunken Brandstellen darauf bilden, die den Stromschluß in Frage stellen. Es muß auch dafür gesorgt werden, daß die Bewegung des Schreibhebels für die

Übertragung voll ausgenutzt wird; je mehr nutzlose Bewegung, desto spitzer wird die übertragene Schrift; sie bleibt dann in größerer Entfernung leicht aus. Anderseits muß aber durch empfindliche Einstellung der Übertragungseinrichtung dafür gesorgt werden, daß etwa spitz ankommende Schrift möglichst kräftig übertragen wird. Die selbsttätige Übertragung sollte beschränkt bleiben auf groß-Betriebsstellen, auf denen ein besonderer Aufsichtsbeamter mit ausreichender Sachkenntnis vorhanden ist, der die Gewähr bietet für sachgemäße Benutzung dieser Einrichtungen.

Auch darf nicht angenommen werden, daß die Zahl der auf Übertragung zusammenzuschaltenden Leitungen unbegrenzt ist. Je mehr selbsttätige Übertragungen im Beförderungsweg eines Telegramms gleichzeitig arbeiten, desto mehr steigern sich die Schwierigkeiten. Es sollten in der Regel nicht mehr als 2, allenfalls unter ganz besonders günstigen Voraussetzungen ausnahmsweise 3 Leitungen auf Übertragung zusammengeschaltet werden.

Eine wichtige Anwendung findet die selbsttätige Übertragung bei der täglichen Übermittlung des **Zeitsignals** an die Betriebsstellen von einer Zentralstelle aus. Nach diesem Zeitsignal haben die Betriebsstellen ihre Uhren einzustellen; denn genau richtige, auf allen Stellen übereinstimmende Zeitangaben sind für einen geordneten und gesicherten Eisenbahnbetrieb unerläßliche Bedingung. Die nachstehende Beschreibung bezieht sich auf eine Einrichtung, wie sie in Deutschland in Anwendung steht und in Abb. 284 in einfachen Linien dargestellt ist. Auf der Zentralstelle (in Deutschland Berlin) befindet sich eine Präzisionsuhr *PU*, deren genau richtiger Gang von einer astronomischen Stelle (Sternwarte u. s. w.) aus überwacht wird. Das 24-Stunden-Rad der Uhr betätigt 2 Stromschließer. Durch den einen wird

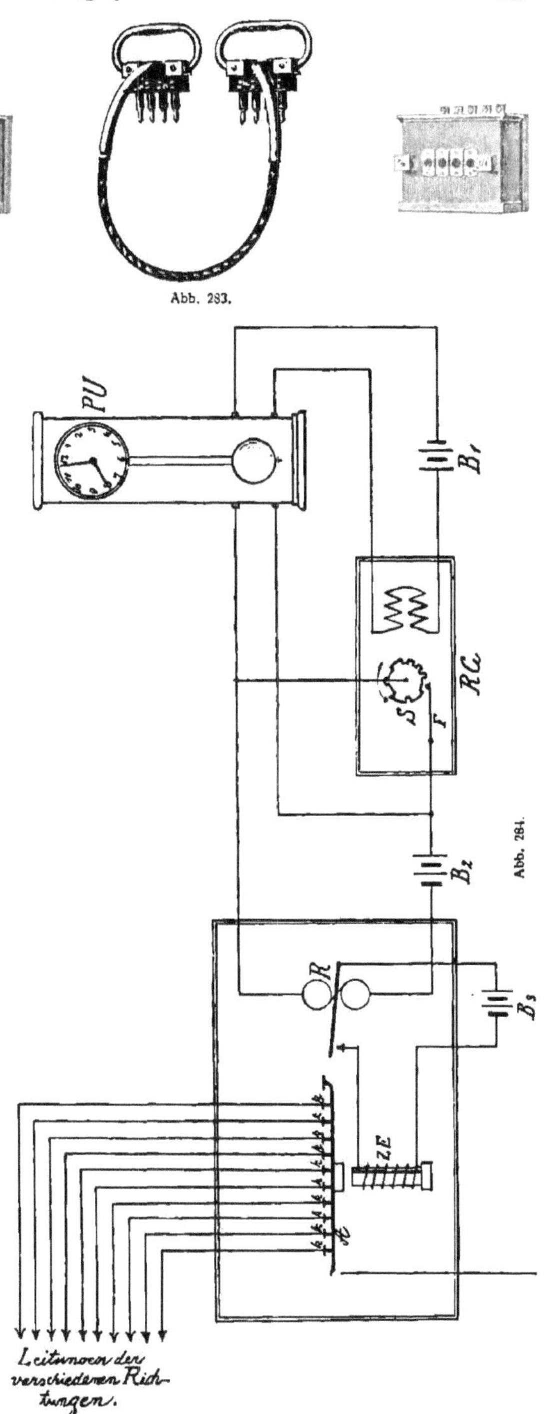

Abb. 283.

Abb. 284.

2 Minuten vor dem Zeitsignal (8 Uhr vormittags) elektromagnetisch das Laufwerk des Rufzeichengebers *RG* ausgelöst. Das Laufwerk versetzt beim Ablaufen eine gezahnte Metallscheibe *S* in Drehung, auf deren Zähnen eine vom Werk isolierte Metallfeder *F* schleift. Scheibe und Feder bilden die beiden Enden des Stromkreises für den Relaiselektromagneten *R* des Zeitsignalgebers, der geschlossen wird, wenn die Feder über einen Zahn schleift, also Feder und Scheibe einander berühren, und geöffnet wird, wenn eine Zahnlücke an der Feder vorübergeht, also Feder und Scheibe einander nicht berühren. Das Relais überträgt die Stromschließungen und Unterbrechungen auf den Stromkreis des Zeitgeberelektromagneten *ZE*. An den Zeitsignalgeber sind alle Telegraphenleitungen angeschlossen, in denen das Zeitsignal zu geben ist. Der Ankerhebel *A* des Zeitgeberelektromagneten *ZE* betätigt in den angeschlossenen Leitungen je einen Stromschließer *kk* ---- in der gleichen Weise wie die Hand den Telegraphiertaster; er unterbricht also die Leitungen, sobald der Anker vom Elektromagneten angezogen wird, und schließt die Leitungen wieder, sobald der Anker wieder losgelassen wird. Die Zähne der Scheibe *S* stellen in Morseschrift ein bestimmtes Zeichen dar, in Deutschland MEZ (Mittel-Europäische Zeit), das durch den Zeitgeber in alle angeschlossenen Leitungen in ununterbrochener Folge und ohne Rücksicht darauf, ob die Leitungen noch besetzt sind oder nicht, als Rufzeichen übertragen wird. Dadurch werden die Betriebsstellen aufmerksam gemacht, daß das Zeitsignal zu erwarten und deshalb der telegraphische Schriftwechsel einzustellen ist. Etwa 1 Minute vor dem Zeitsignal schließt die Uhr den zweiten mit dem 24-Stunden-Rad verbundenen Stromschließer und stellt dadurch dauernden Schluß des Relaisstromkreises mit der Batterie B_2 und dadurch des Zeitgeberstromkreises mit der Batterie B_3 her, so daß der Ankerhebel *A* alle angeschlossenen Leitungen bei *kk* ---- dauernd unterbricht. Genau zum festgesetzten Zeitpunkt öffnet die Uhr diesen zweiten Stromschließer wieder, der Zeitgeberelektromagnet *ZE* läßt infolgedessen seinen Anker wieder los und die Unterbrechung der Leitungen hört auf. Das Aufhören der Unterbrechung ist das Zeitsignal. Der Rufzeichengeber *RG* ist inzwischen gleichfalls zum Stillstand gekommen.

Der Elektromagnet *ZE* des Zeitgebers erfordert für die gleichzeitige Betätigung aller Leitungsstromschließer *kk* ---- eine verhältnismäßig große elektromagnetische Kraft. Die erregende Batterie muß deshalb einen entsprechend starken Strom liefern, womit der zarte Stromschließer in der Uhr nicht belastet werden kann. Aus diesem Grund ist das Relais *R* dazwischen geschaltet, das selbst mit schwachem Strom arbeitet, aber zum Schließen und Unterbrechen einer kräftigen Batterie B_3 dient.

Alle in die an den Zeitsignalgeber angeschlossenen Leitungen eingeschalteten Betriebsstellen haben das Zeitsignal aufzunehmen, die Dienstuhren damit zu vergleichen und soweit erforderlich richtigzustellen. Auf den an diesen Strecken liegenden Verwaltungsbezirkshauptstellen und Übergangsbahnhöfen sind weitere Zeitsignalgeber, aber ohne Uhr und Rufzeichengeber, aufgestellt, die das von der Zentralstelle ankommende Zeitsignal auf ihren Relais aufnehmen und auf die Bezirksleitungen und die Leitungen der abzweigenden Strecken übertragen. Auf diese Weise ist ein einheitliches und genau richtiges Zeitsignal für einen beliebig großen Verwaltungsbezirk gewährleistet.

Wie bereits erwähnt, sind für die telegraphischen Zugmeldungen auf Hauptbahnen und verkehrsreichen Nebenbahnen besondere Zugmeldeleitungen vorhanden, die entweder in eine Anzahl kleinerer Leitungskreise abgeteilt sind, die dann nur eine geringe Zahl von Betriebsstellen umfassen oder, was das vollkommenere ist, Kreisschluß auf jeder Zugmeldestelle[1] haben, so daß auf dieser Leitung jede Zugmeldestelle nur mit den beiderseits benachbarten Zugmeldestellen verbunden ist. Die Leitung ist dann jederzeit zur Abgabe der Zugmeldungen frei. Damit auch in der Annahme Verzögerungen vermieden werden, ertönt der Anruf durch Klingelzeichen, das sich von den durch den Schlag des Schreibhebels hervorgebrachten Geräuschen der übrigen Telegrapheneinrichtungen scharf unterscheidet. Grundsätzlich würde eine solche Anordnung auf jeder Zugmeldestelle für jeden Leitungskreis eine besondere Telegrapheneinrichtung erfordern und sich dadurch unwirtschaftlich gestalten. Siemens & Halske haben deshalb eine Anordnung angegeben, nach der nur eine Telegrapheneinrichtung erforderlich ist, die in der Ruhe keine Verbindung mit der Leitung hat und nur je nach Erfordernis mittels besonderer Schaltvorrichtungen in den einen oder den andern Leitungskreis eingeschaltet werden kann. In die Leitung ist für jede Richtung ein Wecker mit Selbstunterbrechung eingeschaltet, auf dem der Anruf wahrgenommen

[1] Zugmeldestellen sind die Zugfolgestellen (s. o.), auf denen es möglich ist, Züge beginnen, endigen, wenden, kreuzen, überholen, von einem Hauptgleis auf das andere gelangen oder auf eine abzweigende Bahnstrecke übergehen zu lassen.

wird. Eine besondere Batterie ist für den Wecker nicht nötig; die Leitungsbatterie wird dafür mitbenutzt. Die Schaltung einer solchen Anordnung ist in Abb. 285 dargestellt. In der Ruhe fließt der Strom aus der Leitung durch die Elektromagnetwindungen des Weckers W_1 oder W_2, die Leitungsbatterie LB_1 oder LB_2, den Umschalter U_1 oder U_2 und zur Erde E; dabei ist der Weckeranker angezogen. Drückt die Nachbarstelle beim Rufen den Telegraphiertaster, nachdem sie vorher die Telegrapheneinrichtung durch Umlegen des Umschalterhebels U_1 oder U_2 von rechts nach links in den betreffenden Leitungskreis eingeschaltet hat, so hört der Strom in der Leitung auf, der Anker des Weckers dieses Leitungskreises fällt ab, berührt den Anschlag S_1 oder S_2 und schließt dadurch die Leitungsbatterie LB_1 oder LB_2 zu einem kurzen Kreis, in dem der Wecker als gewöhnlicher Selbstunterbrecher arbeitet. Hört der Tastendruck auf der Nachbarstelle auf, so tritt der Leitungsstrom wieder ein und der Weckeranker wird wieder festgehalten. Das Ertönen des Weckers kann selbst vom unaufmerksamsten Beamten, auch wenn in demselben Raum eine größere Anzahl von Telegrapheneinrichtungen gleichzeitig arbeitet, nicht überhört werden. Schaltet die gerufene Stelle daraufhin durch Umlegen ihres Umschalters U_1 oder U_2 gleichfalls ihre Telegrapheneinrichtung in den betreffenden Leitungskreis ein, so hört das Klingeln auf und der telegraphische Schriftwechsel kann in der gewöhnlichen Weise vor sich gehen. Nach Beendigung des Schriftwechsels legen beide Zugmeldestellen den Umschalterhebel wieder von links nach rechts, womit der Ruhezustand wieder hergestellt ist.

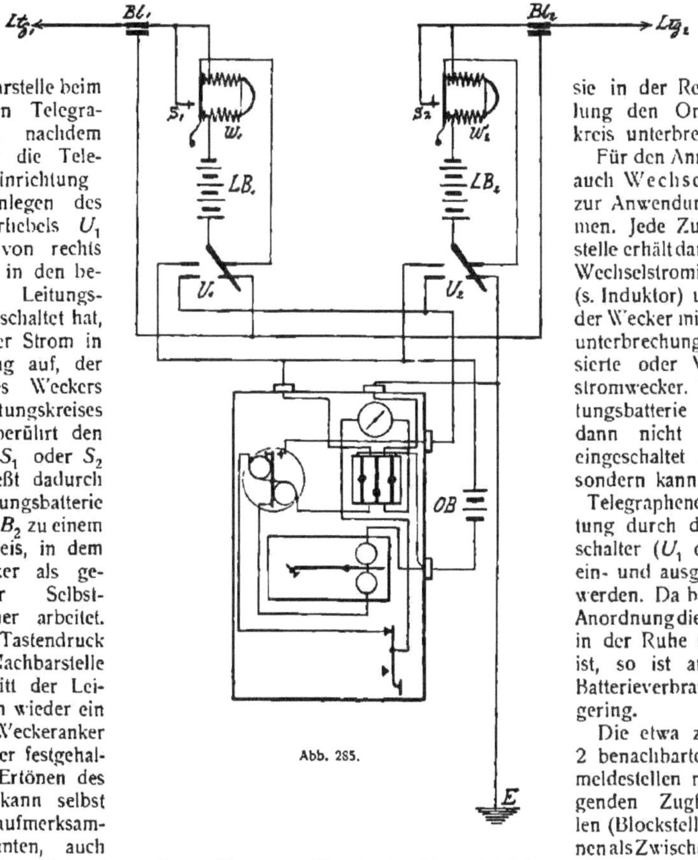

Da im Zustand der Ruhe die Telegrapheneinrichtung keinen Strom erhält, würde, wie aus der Stromlaufskizze Abb. 285 hervorgeht, der Relaisanker dauernd den Ortsstromkreis schließen und die Ortsbatterie schnell verbraucht werden. Um dies zu verhindern, sind die Umschalter U_1 und U_2 so eingerichtet, daß sie in der Rechtsstellung den Ortsstromkreis unterbrechen.

Abb. 285.

Für den Anruf kann auch Wechselstrom zur Anwendung kommen. Jede Zugmeldestelle erhält dann einen Wechselstrominduktor (s. Induktor) und statt der Wecker mit Selbstunterbrechung polarisierte oder Wechselstromwecker. Die Leitungsbatterie braucht dann nicht dauernd eingeschaltet zu sein, sondern kann mit der Telegrapheneinrichtung durch den Umschalter (U_1 oder U_2) ein- und ausgeschaltet werden. Da bei dieser Anordnung die Leitung in der Ruhe stromlos ist, so ist auch der Batterieverbrauch nur gering.

Die etwa zwischen 2 benachbarten Zugmeldestellen noch liegenden Zugfolgestellen (Blockstellen) können als Zwischenstellen in die Zugmeldeleitung eingeschaltet werden. Sie können sich dann auch jederzeit durch Mitlesen der Zugmeldungen über den Lauf der Züge unterrichten.

Statt der Handumschalter U_1 und U_2 werden vielfach Fußumschalter verwendet. Da diese aber sich der Überwachung entziehen, sind sie so eingerichtet, daß sie beim Loslassen des Tritthebels durch Federkraft selbsttätig in die Grundstellung zurückschnellen. Die Rückstellung kann also nicht versäumt werden.

Sie haben aber auch den Nachteil, daß der Beamte während der Aufnahme einer Meldung die Telegrapheneinrichtung nicht verlassen kann, weil er den Umschalterhebel mit dem Fuß festhalten muß.

Für Bahnlinien mit geringerem Verkehr ist es nicht erforderlich, die Zugmeldeleitung auf allen Zugmeldestellen mit einer besonderen Telegrapheneinrichtung zu besetzen; für die minderwichtigen Stellen deren Telegraphendienst gering ist, ist es angängig, die Telegrapheneinrichtung der durchgehenden (Bezirks-) Leitung für die Zugmeldeleitung mitzubenutzen. Es kommt dann eine Umschaltvorrichtung zur Anwendung, die es ermöglicht, die Telegrapheneinrichtung aus der durchgehenden Leitung aus- und in die Zugmeldeleitung nach der einen oder der andern Richtung einzuschalten. Die besonderen Anrufwecker für die Zugmeldeleitung sind selbstverständlich auch hier nicht zu entbehren. In solchem Fall sind aber Fußumschalter, die selbsttätig die Rückschaltung in die durchgehende Leitung bewirken, unerläßlich, weil bei Handumschaltern die Rückschaltung vergessen und dann der Anruf auf der durchgehenden Leitung nicht wahrgenommen werden kann.

Wie bereits früher angedeutet, kann auf Bahnlinien mit mäßigem Verkehr die besondere Zugmeldeleitung entbehrt und die Läutewerksleitung als Zugmeldeleitung mitbenutzt werden.

Die glatte Abwicklung des Telegraphiergeschäfts ist in erster Linie davon abhängig, daß Störungen in den Anlagen möglichst vermieden werden oder, wenn solche auftreten, deren rascheste Beseitigung erfolgt.

Die weitaus häufigsten Störungen sind auf Isolationsfehler (s. Isolatoren) zurückzuführen. Dadurch entstehen Stromverluste infolge Ableitung des Stromes zur Erde an Stellen, wo eine möglichst vollkommene Isolation der Leitung von der Erde Bedingung ist. Solche Stromableitungen bezeichnet man kurz mit »Nebenschließungen«. Sie verhindern bei Ruhestrombetrieb beim Drücken des Telegraphiertasters das vollständige Aufhören des Betriebsstroms in der jenseits der Nebenschließung liegenden Leitungsstrecke. Die Relaisanker auf dieser Strecke fallen dann nicht ordnungsmäßig ab, weil infolge des zurückbleibenden Stromteils auch der Elektromagnetismus nicht vollständig verschwindet. Ist der Stromverlust nur unwesentlich, also der Ableitungswiderstand groß, dann wird der zurückbleibende geringe Elektromagnetismus noch von den Ankerabreißfedern überwunden, aber der Ankerabfall erfolgt mit Verzögerung, so daß die Schriftzeichen verkürzt – spitz – erscheinen. Mit zunehmendem Stromverlust, also weiterer Verringerung des Ableitungswiderstandes, nimmt diese Verkürzung zu, bis die Punkte ganz ausbleiben und die Schrift nicht mehr lesbar erscheint. Bei noch größerem Stromverlust bleiben dann auch die Striche aus, so daß von den gegebenen Schriftzeichen überhaupt nichts erscheint. Durch entsprechende Anpassung der Relaiseinstellung, u. zw.:

Anspannen der Ankerabreißfeder,

Vergrößerung des Abstandes zwischen Anker und Pol,

äußerste Verkleinerung des Arbeitsweges des Ankers,

ist die empfangende Stelle im stande, der Verzögerung des Ankerabfalls zu begegnen und die Verkürzung der Schriftzeichen auszugleichen. Ist die Stromableitung aber so groß, daß dies Mittel wirkungslos bleibt, dann ist eine unmittelbare Verständigung zwischen den beiderseits der Nebenschließung liegenden Stellen unmöglich; die Telegrammbeförderung zwischen diesen Stellen läßt sich dann nur mit Umtelegraphierung aufrechterhalten.

Die Ursachen solcher Nebenschließungen können die mannigfaltigsten sein, hauptsächlich kommen die folgenden in Betracht:

1. Es kann ein mehr oder weniger leitendes Schmutzteilchen, Feuchtigkeit oder ein Fremdkörper zwischen Leitungsplatte und Erdplatte des Blitzableiters geraten oder durch Blitzschlag eine die beiden Platten verbindende Abschmelzung entstanden sein.

2. Es kann, sei es durch Mutwillen oder bei heftigem Wind, ein Fremdkörper – abgebrochener Baumzweig, Seil, Lappen, Drahtstück u. dgl. – auf die Leitung geraten sein und Verbindung zwischen Leitung uud Gestänge oder Bauwerk herstellen.

3. Die Leitung kann mit den Zweigen benachbarter Bäume oder Gebüsche Berührung haben.

4. Die Leitung kann sich vom Isolator gelöst haben und auf den in der Erde befestigten Drahtanker des Gestänges oder auf den eisernen Isolatorenträger, auf ein darunter befindliches Bauwerk, auf eine eiserne Läutewerksbude u. dgl. gefallen sein oder sie kann am Gestänge anliegen.

5. Die Leitung kann mit einer andern Leitung Berührung haben.

6. Es kann in das Gehäuse eines Kabelendverschlusses (s. Leitungen für elektrische Schwachstromanlagen) nach und nach so viel Niederschlagswasser eingedrungen sein, daß es die Leitungsklemmen erreicht hat und dadurch Verbindung zwischen Leitung und Gehäuse herstellt.

Die Fälle zu 2, 3 und 4 machen sich in verstärktem Maße bei Regen oder feuchter Luft bemerkbar.

Der schlimmste Feind der Isolation bei oberirdischen Leitungen ist der Nebel. Während die Doppelglockenform der Isolatoren eine Gewähr dafür bietet, daß bei Regen die inneren Wandungen der Isolatoren trocken bleiben, gelangen die feinen Wasserbläschen des Nebels von der Luft getragen auch in die inneren Höhlungen der Isolatorglocken, überziehen deren äußere und innere Wandungen nach und nach mit Feuchtigkeit und stellen bald eine ununterbrochene feuchte Verbindung von der Leitung über die nassen Flächen des Isolators und das Gestänge nach der Erde her. Wenn auch der Stromverlust an jedem einzelnen Isolator nur sehr klein ist, so summieren sich doch diese kleinen Verluste längs der ganzen im Nebel liegenden Leitungsstrecke zu einem verhältnismäßig großen Verlust, der um so fühlbarer, je länger die Nebelstrecke ist und dem auch durch die peinlichste Überwachung und Unterhaltung der Leitungen und durch die oben angedeutete Veränderung der Relaisstellung nicht begegnet werden kann; alle Bemühungen und Versuche nach dieser Richtung müssen als unnütze Zeitvergeudung bezeichnet werden. Es erübrigt nur, an Stelle des unmittelbaren Telegrammwechsels über die Nebelstrecke hinaus unverzüglich Umtelegraphierung treten zu lassen. Dagegen bietet die Beseitigung der vorstehend unter 1–6 bezeichneten Störungsursachen in der Regel keine besonderen Schwierigkeiten.

Zur Feststellung der örtlichen Lage einer Nebenschließung durch die Betriebsstellen ermittelt die untersuchende Stelle, indem sie unter Beobachtung des Stromzeigers die Leitung nacheinander auf den verschiedenen Stellen kurz unterbrechen läßt, bis zu welcher Stelle der Strom bei der Unterbrechung noch vollständig verschwindet, der Stromzeiger also Null zeigt, und von welcher Stelle ab ein Rest von Strom in der Leitung verbleibt, der Stromzeiger also einen Ausschlag zeigt. Zwischen diesen beiden Stellen liegt die Nebenschließung. Handelt es sich um eine Fernleitung, die nicht auf allen Betriebsstellen eingeführt ist, dann müssen diese die Leitungsunterbrechung unter Zuhilfenahme der an solchen Stellen in der Regel zu diesem Zweck in die Leitung eingebauten Untersuchungsstelle vornehmen.

Die zweite Hauptgruppe von Störungen sind die Unterbrechungen. Sie können hervorgerufen werden durch Leitungsbruch auf der Strecke, in der Zuführung zur Betriebsstelle und zur Erdleitung, an den Verbindungsdrähten der Telegrapheneinrichtung, an oder in den Batterieelementen und durch mangelnden Stromschluß am Telegraphiertaster infolge unbeabsichtigten Zwischenklemmens eines nicht leitenden Fremdkörperchens.

Der Fehler wird durch die Betriebsstellen ermittelt, indem die untersuchende Stelle unter Beobachtung des Stromzeigers die in der Richtung der Unterbrechung liegenden Stellen nacheinander ihre Telegrapheneinrichtung mittels des Umschalters kurz an Erde legen läßt. Zwischen der entferntesten Stelle, bei deren Erdschluß der Stromzeiger noch einen Ausschlag anzeigt, und der nächsten darauf folgenden Stelle, bei deren Erdschluß der Stromzeiger Null zeigt, liegt die Unterbrechung. Auch wird bei Fernleitungen auf den Betriebsstellen, in die die Leitung nicht eingeführt ist, der Erdschluß unter Benutzung der in die Leitung eingebauten Untersuchungsstelle hergestellt.

Außer durch diese wichtigsten und häufigsten Störungen kann der Telegraphenbetrieb noch behindert werden durch örtliche Fehler an den Telegrapheneinrichtungen, deren Feststellung und Beseitigung aber selten Schwierigkeiten bereitet.

Ganz zu vermeiden sind Störungen im Telegraphenbetrieb nicht; sie können aber durch gewissenhafte Überwachung und Unterhaltung der Telegraphenanlagen von seiten der zuständigen Beamten und Bediensteten auf ein sehr geringes Maß eingeschränkt werden.

Literatur: Schellen, Der elektromagnetische Telegraph. Braunschweig, Vieweg & Sohn. – Zetzsche, Handbuch der elektrischen Telegraphie, Bd. IV, Berlin, J. Springer. – Bauer, Prasch, Wehr, Die elektrischen Einrichtungen der Eisenbahnen. Wien u. Leipzig, Hartleben. – Strecker, Telegraphentechnik. Berlin, J. Springer. – Karras, Geschichte der Telegraphie. Braunschweig, Vieweg & Sohn.

B. Telegraphendienst.

Der Eisenbahntelegraphendienst umfaßt die verantwortliche Bedienung der auf den Eisenbahndienststellen befindlichen Telegrapheneinrichtungen zum Zweck der Beförderung telegraphischer Nachrichten. Dieser Dienstzweig bildet einen Teil des gesamten Eisenbahnbetriebsdienstes und wird von den Eisenbahnbetriebsbeamten neben ihren sonstigen Dienstobliegenheiten – Zug- und Abfertigungsdienst – mit wahrgenommen. Nur auf den Hauptverwaltungsstellen und auf großen Übergangsbahnhöfen werden besondere Beamte für diesen Dienstzweig beschäftigt.

Die Ausübung des Telegraphendienstes erfolgt nach besonderen, von den obersten Verwaltungsbehörden erlassenen Vorschriften, deren wesentlichste Bestimmungen nachstehend angegeben sind.

Der Eisenbahntelegraph hat in erster Linie der Beförderung eisenbahndienstlicher Nachrichten zu dienen; jedoch ist seine Benutzung auf wirklich eilige Nachrichten zu beschränken. Für solche Mitteilungen, die sich unbeschadet des Dienstes schriftlich erledigen lassen, soll der T. nicht in Anspruch genommen werden. Die Beförderung nichteisenbahndienstlicher Nachrichten ist nur unter gewissen Beschränkungen zugelassen und nur soweit der Eisenbahndienst dadurch nicht benachteiligt wird. Bei der Beförderung haben aber die eisenbahndienstlichen Telegramme unter allen Umständen den Vorrang vor den nichteisenbahndienstlichen.

Die Beförderung eisenbahndienstlicher Nachrichten ist gebührenfrei; für die Beförderung nichteisenbahndienstlicher Nachrichten gelten die Gebührenvorschriften des öffentlichen Telegraphenverkehrs.

Zur Aufgabe von eisenbahndienstlichen Telegrammen – Bahntelegrammen – sind nur die oberen Verwaltungsbehörden der Eisenbahn, die Vorstände von deren Bureauabteilungen, die Bezirksaufsichtsstellen, die Überwachungsbeamten für den Betriebs-, Verkehrs- und Lokomotivdienst, die Dienststellenvorsteher und die Fahrdienstleiter befugt.

Die Telegramme müssen von den Berechtigten schriftlich aufgegeben oder den Telegraphierenden zur Niederschrift diktiert werden. Die mündliche Aufgabe durch Vermittlung dritter Personen ist nicht zulässig.

Die Telegramme, ausgenommen die telegraphischen Zugmeldungen und Wagenmeldungen, für die bestimmte Formen ein für allemal festgesetzt sind (s. u.), sollen aus Aufschrift, Inhalt und Unterschrift bestehen. Der Wortlaut soll unbeschadet der Deutlichkeit und Verständlichkeit möglichst kurz abgefaßt sein; Höflichkeitsformen sollen vermieden werden.

Zwischen größeren Verwaltungsgruppen, z. B. zwischen den Verwaltungen des VDEV., sind Abkürzungen für die Aufschriften und Unterschriften vereinbart, deren sich die Aufgeber bedienen sollen.

Aufschrift und Unterschrift von chiffrierten Telegrammen sollen in gewöhnlicher Sprache abgefaßt sein.

Wird ein und dasselbe Telegramm nach verschiedenen Orten gerichtet, so dürfen diese Bestimmungsorte vom Aufgeber nicht in einer Aufschrift zusammengefaßt werden, weil sonst das Telegramm an ein und demselben Bestimmungsort von verschiedenen Seiten mehrere Male eingehen würde. Solche Telegramme sollen vielmehr für jeden Bestimmungsort in besonderer Niederschrift aufgegeben werden. Nur soweit die Bestimmungsorte von der Aufgabestelle auf derselben Leitung erreichbar sind, dürfen sie in der Aufschrift zusammengefaßt werden.

Zur Beförderung der Telegramme soll möglichst der geographisch kürzeste Weg gewählt werden; es sollen nicht lediglich zur Erreichung selbsttätiger Übertragung unter Inanspruchnahme großer Leitungslängen Umwege gewählt werden (s. *A.* Telegraphenanlagen). Wenn sich jedoch der Beförderung auf dem hiernach zu wählenden kürzesten Weg Schwierigkeiten entgegenstellen, soll die Beförderung nicht durch umständliche Feststellungen und Versuche verzögert, sondern ohne Verzug der geeignetste Umweg gewählt werden. Jede hierbei in Anspruch genommene Telegraphendienststelle ist verpflichtet, die ihr angetragene Vermittlung, ohne Einwendung und ohne nach Gründen zu fragen oder zu suchen, bereitwilligst zu übernehmen. Bedenken gegen die Rechtmäßigkeit der Anforderung dürfen nach erfolgter Vermittlung bei der vorgesetzten Stelle vorgebracht werden.

Ist die Beförderung durch den Bahntelegraphen infolge von Störungen nicht möglich, so muß der öffentliche T. – Landes-, Staats-, Reichstelegraph – in Anspruch genommen werden. Fast in allen Ländern ist dieser auf Grund besonderer, auf Gegenseitigkeit beruhender Abmachungen in solchem Fall verpflichtet, die Beförderung kostenfrei zu übernehmen.

Bei der Abtelegraphierung und der Aufnahme der Telegramme kommt das gleiche Verfahren zur Anwendung wie beim öffentlichen T. Dabei ist folgende Ordnung zu beobachten:

a) Anruf,
b) Meldung,
c) Abtelegraphierung (Abgabe) und Aufnahme,
d) Empfangsbestätigung (Quittung).

Andere als die nachstehenden, international festgesetzten Schriftzeichen dürfen nicht benutzt werden. Änderungen oder Kürzungen des Wortlauts oder die Anwendung eigenmächtiger Abkürzungen sind den Telegraphierenden nicht gestattet.

Schriftzeichen des Morsetelegraphen.

a	· —	n	— ·
ä	· — · —	ñ	— — · — —
á å	· — — · —	o	— — —
b	— · · ·	ö	— — — ·
c	— · — ·	p	· — — ·
d	— · ·	q	— — · —
e	·	r	· — ·
é	· · — · ·	s	· · ·
f	· · — ·	t	—
g	— — ·	u	· · —
h	· · · ·	ü	· · — —
i	· ·	v	· · · —
j	· — — —	w	· — —
k	— · —	x	— · · —
l	· — · ·	y	— · — —
m	— —	z	— — · ·

		abgekürzt
1	· — — — —	· —
2	· · — — —	· · —
3	· · · — —	· · · —
4	· · · · —	· · · · —
5	· · · · ·	· · · · ·
6	— · · · ·	— · · · ·
7	— — · · ·	— · · ·
8	— — — · ·	— · ·
9	— — — — ·	— ·
0	— — — — —	—
Bruchstrich	— — — — — —	— —

Punkt .	· · · · · ·
Strichpunkt ;	— · — · — ·
Komma ,	· — · — · —
Doppelpunkt :	— — — · · ·
Fragezeichen ?	· · — — · ·
Ausrufungszeichen !	— — · · — —
Apostroph '	· — — — — ·
Bindestrich -	— · · · · —
Klammer[1] ()	— · — — · —
Anführungszeichen „	· — · · — ·
Unterstreichungszeichen[2]	· · — — · —
Trennungszeichen[3] –	— · · · —
Anruf	— · — · —
Verstanden	· · · — ·
Irrung	· · · · · · · ·
Schluß der Übermittlung	· — · — ·
Dringend	— · ·
Warten	· — · · ·
Quittung	· — · · · — · · — ·

[1] Vor und hinter die einzuschließenden Worte zu setzen.

[2] Vor und hinter die zu unterstreichenden Worte zu setzen.

[3] Das Trennungszeichen scheidet den Kopf des Telegramms von der Aufschrift, die Aufschrift vom Inhalt und den Inhalt von der Unterschrift.

Die Länge des Striches gleich 3 Punkten.

Der Raum zwischen den Zeichen eines Buchstaben gleich 1 Punkt, zwischen 2 Buchstaben gleich 3 Punkten, zwischen 2 Wörtern gleich 5 Punkten.

Die ankommenden Telegramme mit allen Dienstvermerken müssen voll auf dem Morsestreifen aufgenommen werden. Die Aufnahme nach dem Gehör ist verboten.

Die Telegraphendienststellen führen Telegrammbücher, in die die aufgegebenen und angekommenen Telegramme nach der Zeitfolge einzutragen sind. Die Aufgeber sind berechtigt, die von ihnen aufgegebenen Telegramme selbst in das Telegrammbuch einzutragen.

Bei der Abtelegraphierung wird die Nummer, die das Telegramm bei der Eintragung auf der Aufgabestelle nach dem Telegrammbuch erhalten hat, mittelegraphiert. Diese Nummer behält das Telegramm auf dem ganzen Beförderungsweg bei.

Die ankommenden Telegramme können auch mittels Durchschrift unmittelbar auf dem Ausfertigungsvordruck niedergeschrieben werden; in das Telegrammbuch sind dann nur Nummer, Aufschrift, Unterschrift und die Beförderungsvermerke einzutragen. Eine Ausfertigungsniederschrift wird als Ausweis zurückbehalten.

Der Wortlaut chiffrierter und solcher Telegramme, die vom Aufgeber als „geheim“ bezeichnet sind, wird nicht in das Telegrammbuch eingetragen, sondern nur Aufschrift, Unterschrift und die Beförderungsvermerke. An Stelle des Wortlauts ist der Vermerk „chiffriert“ oder „geheim“ einzutragen.

Soweit nicht Ausnahmen ausdrücklich zugelassen sind, soll nach der Abtelegraphierung die Vergleichung erfolgen. Sie besteht in der Wiederholung der Nummer des Telegramms, der in dem Telegramm vorkommenden Zahlen, Namen und wenig bekannten Wörter durch die aufnehmende Stelle. Den Richtigbefund der Vergleichung hat die abgebende Stelle durch das Quittungszeichen und die Abkürzung ihres Namens zu bestätigen.

Chiffrierte Telegramme sind ihrem ganzen Wortlaut nach zu vergleichen.

Bei der Vergleichung von Zahlen dürfen die abgekürzten Zifferzeichen angewendet werden.

Für Telegramme, die an mehrere oder an alle Stellen eines Leitungskreises gerichtet sind, kommt ein vereinfachtes Beförderungsverfahren, in Deutschland z. B. das folgende zur Anwendung:

Ist das Telegramm an die Minderheit der Stellen abzutelegraphieren – Umlauftelegramm –, so werden diese der Reihe nach aufgerufen und zum Mitlesen aufgefordert. Wenn sich alle gemeldet haben, erfolgt die Abtelegraphierung unter mehrmaliger Voranschickung des Zeichens „U“ (Umlauf). Alle beteiligten Stellen haben das Telegramm aufzunehmen. Vergleichung und Quittung erfolgt aber nur zwischen der entferntesten und der abtelegraphierenden Stelle; alle übrigen Stellen lesen dabei mit.

Ist das Telegramm an alle oder an die Mehrzahl der Stellen eines Leitungskreises gerichtet – Kreistelegramm –, so ruft die abtelegraphierende Stelle nur die am weitesten gelegene Stelle auf, gibt dann als Weckruf für die übrigen Stellen eine Minute lang das Zeichen „Ks“ (Kreis) und läßt darauf unmittelbar die Abtelegraphierung des Telegramms folgen. Alle Stellen des Kreises lesen mit; die etwa nicht beteiligten erkennen aus der Aufschrift, daß das Telegramm nicht für sie bestimmt ist und scheiden aus; die übrigen haben das Telegramm aufzunehmen. Vergleichung wie bei Umlauftelegrammen. Quittung geben alle beteiligten Stellen der Reihe nach, wobei die Abtelegraphierungsstelle beginnt. Wenn bei der Quittungsleistung eine oder mehrere Stellen fehlen, so hat die Abtelegraphierungsstelle diesen das Telegramm nachträglich besonders zu übermitteln, die Säumigkeit aber bei der zuständigen Aufsichtsstelle zur Anzeige zu bringen.

Auch bei der Beförderung der täglichen Wagenverteilungstelegramme kommt das Verfahren für Kreistelegramme zur Anwendung.

Die Bezeichnungen „Umlauftelegramm“ und „Kreistelegramm“ kennzeichnen nicht die Gattung des Telegramms, sondern nur das Beförderungsverfahren. Der Aufgeber hat diese Bezeichnung nicht anzuwenden. Denn ein und dasselbe Telegramm kann für einen Teil der Bestimmungsstellen gewöhnliches Einzeltelegramm, für andere Umlauftelegramm und für noch andere Kreistelegramm sein.

Für die tägliche telegraphische Wagenmeldung und -verteilung sowie für die telegraphischen Zugmeldungen – Anbieten, Annehmen, Abmelden und Rückmelden der Züge, Meldungen bei Verwendung von Schiebelokomotiven, beim Fehlen des Zugschlußsignals, beim ausnahmsweisen Befahren des falschen Gleises, bei Fahrten, die auf der freien Strecke endigen, beim Verlegen von Zugkreuzungen, beim Verlegen von Überholungen, bei Zugverspätungen – sind ganz bestimmte Wortlaute und Abkürzungen und ganz bestimmte Formen der Abtelegraphierung festgesetzt, von denen die Telegraphierenden nicht abweichen dürfen. Die Vergleichung unterbleibt bei diesen Meldungen.

Auf den Morsestreifen soll von den Telegraphierenden jeder Tag der Benutzung und die Beförderungszeit jeden Schriftwechsels kenntlich gemacht werden.

In Deutschland werden die Morsestreifen in ganzen Rollen beschrieben; das Herausnehmen von Teilen aus diesen Rollen ist nicht gestattet.

Die Morsestreifen, die Telegrammbücher, die Urschriften der abgegebenen und die Durchschriften der aufgenommenen Telegramme bilden die Ausweisstücke über den telegraphischen Schriftwechsel und sollen mindestens ein Jahr lang geordnet aufbewahrt werden.

Die Telegraphierenden sind zur Geheimhaltung des telegraphischen Schriftwechsels verpflichtet; sie müssen jede Handlung verhindern, durch die andere Personen als ihre Vorgesetzten und die berechtigten Empfänger Kenntnis von dem Inhalt eines solchen Schriftwechsels erlangen können.

Für die Besetzung der Telegraphendienststellen, die nicht ununterbrochenen Dienst haben, gilt als Regel, daß jede zum Dienst bereit sein muß, sobald ein Zug in den Bereitschaftslokomotivbezirk tritt, zu dem sie gehört, und daß sie besetzt bleiben muß, bis der letzte Zug den Bezirk verlassen oder innerhalb desselben sein Ziel erreicht hat.

Die mit der Bedienung der Telegrapheneinrichtungen betrauten Beamten haben sich während der vorgeschriebenen Dienstzeit so einzurichten, daß sie den telegraphischen Anruf unbehindert hören und sofort beantworten können.

Kein Beamter oder Bediensteter darf zur Wahrnehmung des Telegraphendienstes zugelassen werden, der nicht von der zuständigen Behörde oder Bezirksaufsichtsstelle nach zuvor bestandener Prüfung hierzu ausdrücklich ermächtigt worden ist. *Fink.*

Telegraphenapparate, Telegrapheneinrichtung s. Telegraph, *A.* Telegraphenanlagen. *Fink.*

Telegrapheninstruktion, Zusammenstellung der Vorschriften für den Telegraphendienst s. Telegraph, *B.* Telegraphendienst. *Fink.*

Telegraphen- und Fernsprechleitung s. Leitungen für elektrische Schwachstromanlagen. *Fink.*

Telephon s. Fernsprecheinrichtungen. *Fink.*

Tender *(tender, engine tender; allège, tender; tender),* unmittelbar mit der Lokomotive gekuppeltes Fahrzeug zur Aufnahme der für den Lokomotivbetrieb erforderlichen Mengen von Brennstoff und Speisewasser; außerdem werden auf dem T. noch verschiedene Werkzeuge und Geräte untergebracht. Bei Tenderlokomotiven sind die den gleichen Zwecken dienenden Einrichtungen auf der Maschine selbst vorhanden (s. Art. Lokomotive).

I. Geschichtliches.

Die Vollkommenheit der Bauart der heutigen T. gründet sich auf eine über 100 Jahre dauernde Entwicklungszeit, denn schon die ursprünglichen Lokomotiven, die zu Ende des 18. und Beginn des 19. Jahrhunderts in Wales gebaut und verwendet wurden, waren mit T. (Munitionswagen genannt) versehen.

Als erste Lokomotive, die keinen T. nach sich zog, erscheint die „Novelty" (gebaut von Braithwaite & Ericson, eine der bei den Wettfahrten von Rainhill 1829 zur Erprobung zugelassenen Lokomotiven); bei dieser sind die Wasser- und Brennstoffvorräte auf dem Lokomotivuntergestell untergebracht.

In der ältesten Ausführungsweise – beinahe typisch bis zum Jahre 1829 – ist der T. ein kleiner vierrädriger Wagen, auf dem, mit geeigneten Unterlagen befestigt, ein gewöhnliches Faß oder ein einfacher viereckiger Eisen- oder Holzkasten als Wasserkasten dient. In dem Raum vor dem Faß wurde der Brennstoff gelagert. Zur Verbindung des Wasserkastens mit den Speiseapparaten der Lokomotive verwendete man einfache Leder- oder Hanfschläuche.

Das Untergestell dieser T. war aus Holz angefertigt; die Achslagerführungen waren aus Eisenblech, an den Langbäumen angeschraubt oder in Konsolform aus Gußeisen hergestellt. Buffer waren ursprünglich keine vorhanden; die mit Blech oder Leder überzogenen, vorstehenden Enden der hölzernen Langträger vertraten ihre Stelle. Ebenso einfach war die Kupplung zwischen Lokomotive und T.: ein Winkelstück am Feuerkasten angeschraubt, dessen wegstehender Schenkel von der Gabel eines Zugeisens umfaßt wird, das ein Loch zur Aufnahme des Kupplungsbolzens trägt (s. Abb. 286, T. der Lokomotive „Rocket").

Erst in den Dreißigerjahren wird auch dem Tenderbau eine größere Beachtung zu teil. Das Untergestell wird kräftiger gehalten und der auf dem Untergestell aufgesetzte Wasserkasten aus Eisenblech hat eine der heutigen Ausführungsart entsprechende Form erhalten. Die hauptsächlichsten, im Verlauf der Jahre ausgeführten Formen der Wasserkasten sind jene in „Hufeisen"-Form, als „Sattel"-Kasten mit einer zwischen die Räder reichenden Wanne und schließlich als Kasten mit ebenem Boden mit wagrechter oder z. T. geneigter Decke. In Amerika finden auch T. der Bauart „Vanderbilt" mit zylindrischem Behälter Verwendung.

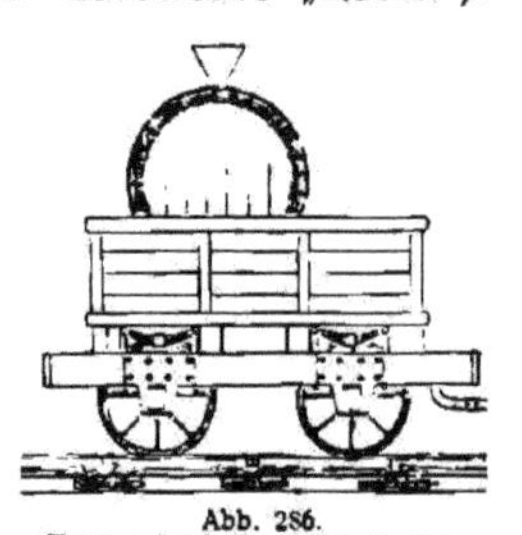
Abb. 286.
Tender der Lokomotive Rocket.

Das Untergestell, bis in die Fünfzigerjahre der Hauptsache nach aus Holz angefertigt, wird von da ab aus Eisen hergestellt. Die Form der alten Holzuntergestelle (2 Langträger mit Blech armiert und mit angeschraubten Achslagergabeln) dient auch der Ausführung in Eisen als Vorbild, indem an gewalzte **C**- oder **I**-Träger die Achslagergabeln angeschraubt werden oder indem 2 dünne Rahmenplatten Verwendung finden, die, durch Füllstücke und Futtereisen zu einem festen Ganzen verbunden, in entsprechenden Ausschnitten die Achslager aufnehmen. Abweichend von diesen an die alte Holzbauweise sich anlehnenden Ausführungsarten werden schon frühzeitig in England und Frankreich die Tenderuntergestelle ähnlich den Lokomotivrahmen ausgeführt. Man verwendet 2 starke Rahmenbleche (18 – 23 *mm* dick), auf denen die Achslagerbacken aufgenietet sind; die beiden Bleche sind durch ein System von Längs- und Querverbindungen gegenseitig abgesteift, oben mit einem Holzrost versehen, auf dem der „Hufeisen"-Wasserkasten mit Schrauben befestigt ist.

In Amerika werden die T. mit 2 Drehgestellen ausgeführt. Bei besonders schweren T. haben die Drehgestelle 3 Achsen. Der Wasserkasten ist beinahe immer als „Hufeisen" behandelt und in vielen Fällen (bei Verschublokomotiven) wegen der unbehinderten Aussicht rückwärts abgeschrägt.

II. Bauart der neueren T.

a) Allgemeines. Der T. besteht im allgemeinen aus einem Untergestell mit Rädern, Achsen, Lagern u. s. w., aus einem Wasserbehälter, der entweder auf das Untergestell aufgesetzt ist oder mit seinen Wandungen selbst einen Teil dieses Gestells bildet, und aus einem auf dem Wasserbehälter angeordneten oder in diesen eingebauten Raum für den Brennstoff. Die T. besitzen besondere Einrichtungen für das Füllen, das Untersuchen, Reinigen u. s. w. (Füll- und Einsteigöffnungen) der Wasserkasten, für das Erkennen des Wasserstands (s. Wasserstandzeiger), für die Wasserentnahme aus dem T. und oft auch noch für das Vorwärmen des Tenderwassers.

An geeigneter Stelle sind Werkzeugkasten angebracht; meist ein großer Werkzeugkasten rückwärts zur Unterbringung der weniger oft gebrauchten größeren Werkzeuge, wie Winden, Beißer, Ketten u. s. w., und 2 kleine Werkzeugkasten auf der vorderen Plattform, bestimmt, die vom Führer oft benötigten Handwerkzeuge, Schraubenschlüssel, Feilen, Zangen, Hammer aufzunehmen.

Auf dem vorderen Teil des T. wird eine Plattform angeordnet, die mit der rückwärtigen gleich hoch liegenden Lokomotivplattform durch ein Brückenblech verbunden wird. Es bestehen aber auch Ausführungen, bei denen der T. keine besondere Plattform besitzt, sondern wo jene der Lokomotive in den T. hineinragt und der Spalt zum T. mit einem Brückenblech überdeckt ist. Zur Tenderplattform, die nach außen durch Geländer oder Türen abgeschlossen ist, führen beiderseits Aufstiege.

T. werden ausnahmslos mit Bremsen versehen, u. zw. immer mit Handbremse, wenn auch noch, wie dies bei den neueren T. in der Regel der Fall ist, eine andere Bremse (z. B. durchgehende Druckluft- oder Saugebremse) vorhanden ist.

Für die Dampfheizung der Wagen werden am T. die nötigen Dampfleitungsröhren angebracht. Für das Aufstecken von Signalen (Laternen, Scheiben) wird die Anordnung von Signalstützen (Laternenstützen, -kloben) erforderlich; bei Bahnen, die noch die Signalleine benutzen, sind am T. Führungen für diese anzubringen.

In betreff der Zug- und Stoßvorrichtung ist zu bemerken, daß die Verbindung zwischen Lokomotive und T. am vorderen Tenderende durch besondere Ausführungsarten bewirkt wird, während die am rückwärtigen Ende des T. befindliche Verbindung der gewöhnlichen Anordnung bei Wagen entspricht (s. Buffer, Kuppelungen).

Die Untergestelle ruhen auf 2 – 6 Achsen, die in festen Rahmen oder Drehgestellen gelagert sind. Bei mehr als 2 Achsen in einem Rahmen erhalten einzelne Achsen zum leichteren Befahren der Krümmungen ein Seitenspiel. Moderne, für hohe Geschwindigkeiten und große Vorräte bestimmte T. besitzen fast ausnahmslos Drehgestelle. Gestellrahmen, die heute aus Eisen hergestellt sind, haben entweder eine Anordnung ähnlich wie bei den Wagenuntergestellen oder eine solche wie die Rahmen der Lokomotiven.

Es werden fast immer Speichenräder aus Stahlguß verwendet, seltener gewalzte Flußeisenscheiben. Die Räder werden auf die Achsen ohne Keil aufgepreßt; die Verbindung der Radreifen mit dem Radstern erfolgt fast nur mehr durch Sprengringe.

Gute Bauart und Ausführung der Einzelheiten vorausgesetzt, werden mit allen Formen der heute bestehenden Achslager gute Ergebnisse erzielt. Man findet geschlossene Gußeisenlager mit abnehmbarem Oberteil, Bügellager, Lagergehäuse aus einem Stück mit Stirndeckel und Lager ähnlich wie die Lokomotivlager mit abnehmbarem Unterlager

(Schlepplager) u. s. w. überall in Verwendung. In die gußeisernen Lagergehäuse ist stets eine Lagerschale aus Rotmetall oder Eisen eingelegt – fest gelagert oder um einen mittleren Zapfen etwas drehbar – die einen Ausguß von Weißmetall erhält.

Die Abfederung durch die Tragfedern ist jener der Wagen bzw. der Lokomotiven ganz ähnlich; bei dreiachsigen T. werden zuweilen die Federn der ersten und zweiten oder der zweiten und dritten Achse durch seitliche Ausgleichhebel verbunden.

Dem Wasserkasten wird ein Inhalt von 8 – 32 m^3 und darüber gegeben. Der Wasserkasten erhält entweder 2 seitliche Füllöffnungen oder nur eine Füllöffnung. Im letzteren Fall ist diese in der Regel in der Mitte am rückwärtigen Teil des Kastens angebracht und hat eine solche Größe, daß sie auch als Einsteigöffnung benutzt werden kann. Die seitlichen Füllöffnungen sind bei neuen österreichischen T., nach Angaben Gölsdorfs, über den größten Teil des Wasserkastens reichend ausgeführt, was infolge ihrer Länge ein leichtes Anhalten beim Wasserkran ermöglicht (s. Abb. 288 u. 291). Bei seitlichen Füllöffnungen befindet sich meist rückwärts eine besondere Einsteigöffnung in der Mitte. Sämtliche Öffnungen erhalten Verschlußdeckel oder -klappen; die Füllöffnungen werden mit siebartigen Einsätzen versehen oder es bestehen, wie bei den österreichischen T. mit langen Füllöffnungen, deren Böden aus gelochten Blechen.

An der tiefsten Stelle des Wasserkastens münden symmetrisch zur Längsachse des T. die beiden Saugrohre. Um den Wasserzufluß zu den Speiseapparaten der Lokomotiven absperren und auch bei abgekuppeltem T. einen Wasserverlust vermeiden zu können, werden Absperrventile oder Absperrhähne angebracht. Damit der am Boden sich ansammelnde Schlamm nicht in die Abflußöffnung eintreten kann, soll auf diese Öffnung ein Saugkorb aus Kupferblech gesetzt werden.

T. mit besonderer Einrichtung zum Wassernehmen während der Fahrt finden in Fällen Verwendung, in denen es sich darum handelt, möglichst große Strecken unter Vermeidung von Aufenthalt durchfahren zu können, ohne große und schwere T. verwenden zu müssen. Auf einigen englischen und amerikanischen Bahnen sind an durch Signale bezeichneten Stellen zwischen den Gleisen Wasserrinnen angebracht – etwa 1 *km* lang – aus denen das Wasser während der Fahrt vermittels eines um Scharniere beweglichen, senkbaren Schnabels in den T. gefördert wird; bei einer Geschwindigkeit von etwa 40 *km* in der Stunde, einer Breite der Schöpföffnung von 20 *cm* und Eintauchung von nur 5 *cm* können nach Versuchen 1000 *l* Wasser auf 100 *m* Weglänge in den T. gehoben werden. Bei den in England üblichen Geschwindigkeiten ist durch diese Einrichtung der T. in einigen Sekunden gefüllt (Abb. 287).

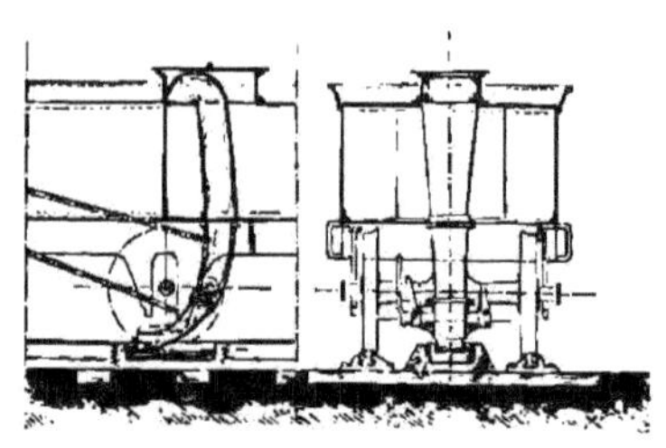

Abb. 287.

Die Schlauchverbindung zwischen Maschine und T. erfolgt durch universalgelenkig angeordnete Kupferrohre mit Kautschukringdichtung oder durch gewöhnliche Kautschukschläuche, die mit den Enden der Rohrleitung durch eine leicht und rasch lösbare Flanschen- oder Überwurfmutterkuppelung verbunden sind.

Eine der am meisten angewendeten Ausführungsarten ist dargestellt in den Abb. 288 (T. der österreichischen Staatsbahnen). Unter der Plattform des T. und der Lokomotive befinden sich nahe der Längsachse Trompeten aus Metall, die einerseits mit dem Tenderboden, anderseits durch Kupferrohre mit dem Speiseapparat verbunden sind. Über der Einmündungsstelle dieser Trompeten im T. befindet sich ein korbförmiges Sieb; in die Trompeten sind Kupferrohre eingeschoben, die durch aufgezogene starke Kautschukringe in den Trompeten abgedichtet sind; diese einfache Dichtung ermöglicht das nötige Spiel in den Krümmungen. An Stelle der Gummiringe werden nach der Bauart Szasz in Unschlitt getränkte Hanfringe, die durch Rohrschraubenmuttern zusammengepreßt werden, angewendet. In dem Hals der Tendertrompeten sind Absperrhähne angebracht.

In Deutschland, England, Frankreich und Amerika werden fast ausschließlich Kautschukschläuche verwendet.

Um den im Kessel unter gewissen Verhältnissen überflüssigen Dampf zum Vorwärmen des Wassers verwenden zu können, wurden an dem Kessel der Lokomotive absperrbare Wärmrohre angebracht, die vor den Schlauchkuppelungen in die Saugrohre der Lokomotive münden. Bei Lokomotiven mit Injektoren erfolgt das Vorwärmen des Tenderwassers dadurch, daß der überflüssige Dampf durch die Injektoren (Öffnen des Wasserwechsels, Schließen des Schlabberventils) durch die Saugrohrleitung in den T. geführt wird. Das Vorwärmen des Tenderwassers kann nur bis zu einem gewissen Grad getrieben werden, da sonst das Tenderwasser zu heiß wird und die Speiseapparate der Lokomotive dann versagen.

Die letztere Schwierigkeit hat auch dazu geführt, daß die vielfach versuchte Nutzbarmachung des aus dem Blasrohr entweichenden Abdampfs zum Vorwärmen des Tenderwassers trotz der auf diese Weise erzielten Brennstoffersparnisse meist wieder aufgegeben wurde. Derartige Kondensationseinrichtungen waren auf vielen deutschen Bahnen, insbesondere in Sachsen (Leipzig-Dresdener Bahn) in Gebrauch; auf der englischen London-Brighton-Bahn stehen sie heute noch in Anwendung.

Als Raum für Brennstoff wird bei hufeisenförmigen Wasserkasten hauptsächlich der Raum zwischen den beiden Schenkeln des Wasserkastens benutzt; bei sattelförmigen Wasserkasten wird der Brennstoffraum durch die Decke des Wasserkastens und durch seine nach aufwärts verlängerten Seitenwände gebildet. Bei neueren T. wird der Kohlenkasten auf der Decke des Wasserkastens besonders aufgebaut. Die erforderliche Größe des Brennstoffraums ist von der Art des Brennstoffs (Kohle, Holz, Torf) und von der Bauart der Lokomotive abhängig, für die der T. verwendet werden soll. Für Torf wurden wegen der Feuergefährlichkeit dieses Brennstoffs allseitig verschließbare Räume angeordnet.

In der nebenstehenden Tabelle sind die hauptsächlichsten Angaben für verschiedene T. zusammengestellt.

b) Beschreibung einiger T.

1. T. mit einfachen Blechrahmen und „Sattel“-Wasserkasten der österreichischen Staatsbahnen (Abb. 288).

Dieser T. entspricht der in Österreich, Ungarn und auf deutschen Bahnen angewendeten Bauart mit 3 Achsen.

Tabelle über die Hauptabmessungen verschiedener T.

Nr.	Bahn	Achszahl	Raddurchmesser	Radstand	Art der Handbremse	Art der durchgehenden Bremse	Fassungsraum für Wasser	Fassungsraum für Kohle	Eigengewicht	Eigengewicht pro *t* Wasser	Anmerkung
			m	*m*			m^3	*t*	*t*		
1	Österreichische Staatsbahnen . .	3	0·995	3·200	Spindel	Aut. Vakuum	16·0	6·5	17·0	1 062	Einfacher Plattenrahmen
2	„ „	4	0·995	5·300	„	„ „	21·0	8·0	22·9	1·085	Drehgestelle mit Blechrahmen außen
3	„ „	4	0·995	5 600	„	„ „	30·0	9·0	23·5	0·782	Drehgestelle mit Blechrahmen innen
4	Preußische Staatsbahnen	3	—	4 400	Wurfbremse	Knorr	16·5	7·0	21·0	1·275	Einfacher Plattenrahmen
5	„ „	4	—	4·600	„	„	21·5	5·0	22·9	1·063	Drehgestelle mit Blechrahmen
6	„ „	4	—	5·600	„	„	31·5	7·0	24·83	0·782	Drehgestelle mit Flacheisenrahmen
7	Bayerische Staatsbahnen	4	1·006	5·100	„	Westinghouse	21·0	6·0	22·0	1·050	Drehgestelle mit Blechrahmen
9	Badische Staatsbahnen	3	1·095	3·500	Spindel	„	12·0	5·0	14·0	1·167	Einfacher Blechrahmen
10	„ „	4	1·006	5·350	„	„	20·0	6·5	22·7	1·124	Drehgestelle aus Flacheisen
11	Ungarische Staatsbahnen . . .	4	1·050	5·050	„	„	26·0	8·0	21·8	0·840	Drehgestelle aus Flacheisen
12	Schwedische Staatsbahnen . . .	4	0·970	5·400	„	Aut. Vakuum	25·0	6·5	23·5	0·940	Drehgestelle mit Blechrahmen

Der Wasserkasten ist in Sattelform ausgeführt, besitzt lange Gölsdorfsche Fülltaschen, deren innere Wände nach oben verlängert den seitlichen Abschluß des Kohlenkastens bilden. Der Rahmen besteht aus einfachen Platten von 20 *mm* Stärke, vorn und rückwärts durch Horizontalbleche verbunden. Die Federn sind außerhalb der Rahmenbleche angeordnet. Als Handbremse dient eine Spindelbremse, als durchgehende die automatische Vakuumschnellbremse. Sämtliche Räder sind gebremst; die 6 Bremsklötze sind derart angeordnet und durch Ausgleichhebel verbunden, daß jeder Bremsklotz gleichen Druck erhält. Die Bremszylinder für die Vakuumbremse hängen in am Wasserkasten befestigten Lagern hinter der ersten Achse.

2. T. mit einfachem Plattenrahmen und Hufeisen-Wasserkasten (Ausführung der französischen Orléansbahn, Abb. 289). Das Untergestell ist gebildet aus 2 inneren Hauptrahmen, 22 *mm* dick, auf denen die Achslagerbacken aufgenietet sind, und 3 inneren Nebenrahmen, 10 *mm* dick, die durch Quer-

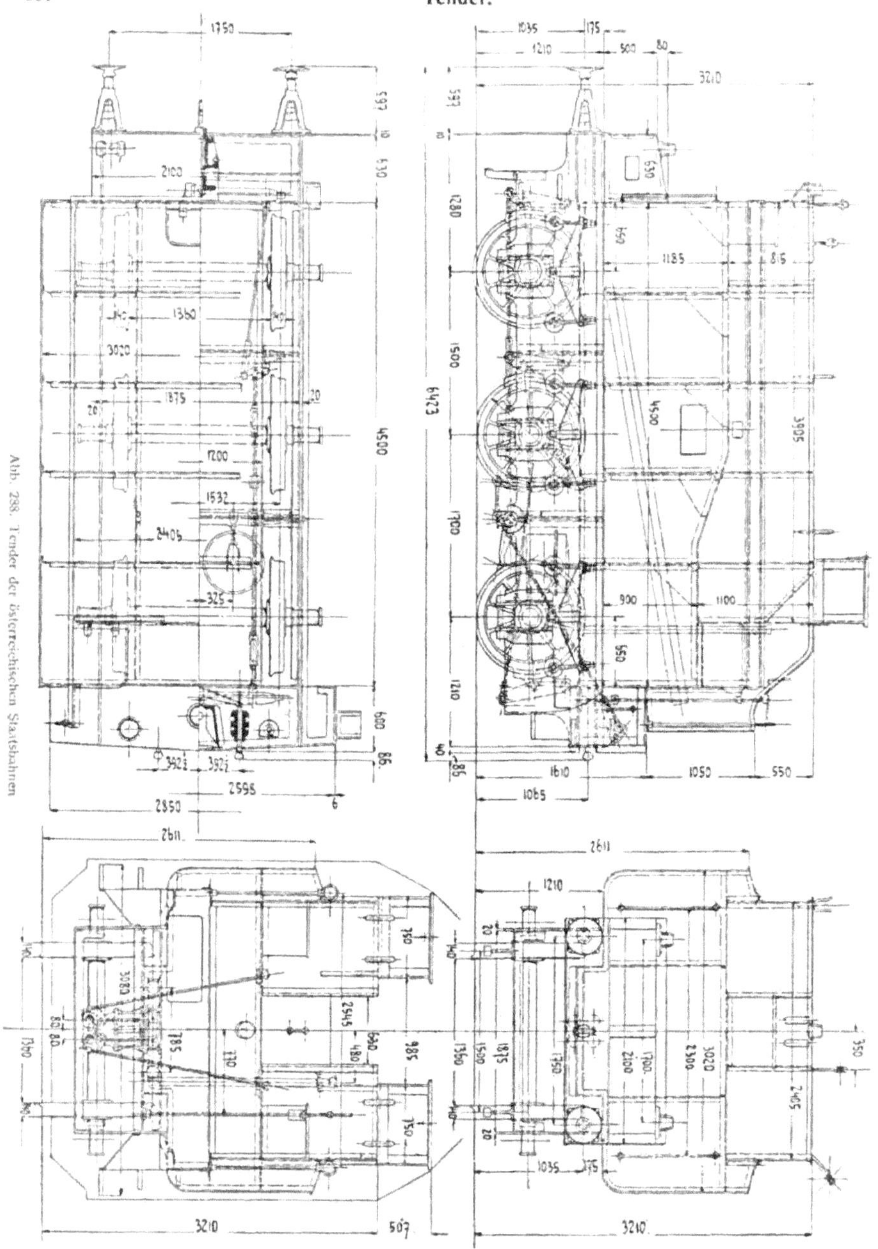

Abb. 238. Tender der österreichischen Staatsbahnen

bleche untereinander und mit dem Hauptrahmen verbunden sind. Der vordere und rückwärtige Zugkasten ist durch wagrechte Bleche gebildet, die zwischen sich die einzelnen Bestandteile der Zug- und Stoßvorrichtung tragen.

Auf dem Untergestell liegt ein Rost, der aus 50 *mm* starkem Eichenholz angefertigt ist;

auf dem ist der Hufeisenwasserkasten mit Schrauben befestigt. Die Spindelbremse, kom-

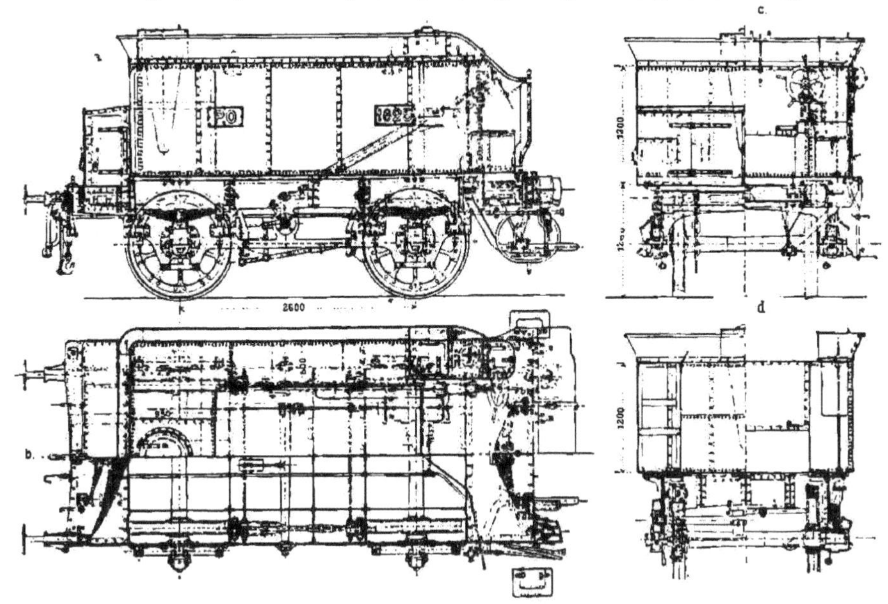

Abb. 289. Tender der französischen Orléansbahn.

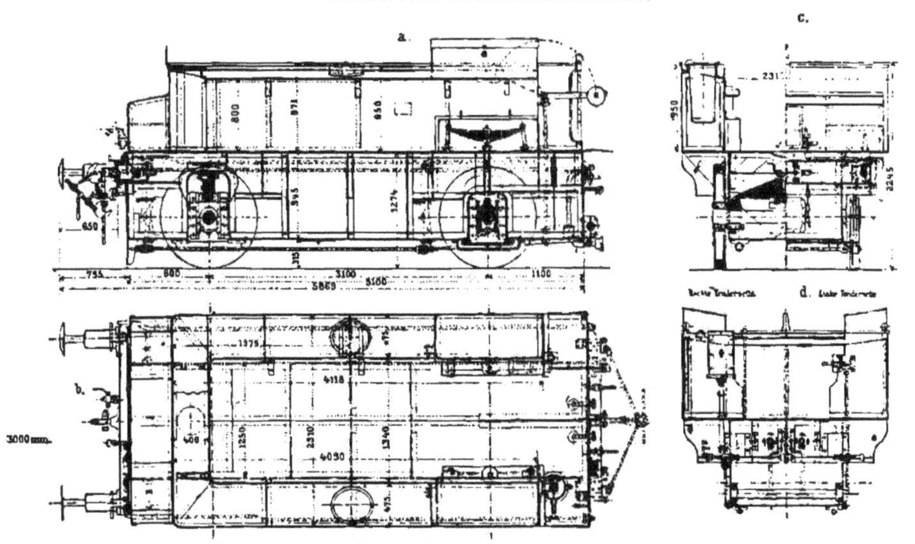

Abb. 290. Tender mit Wasserkastenrahmen der oldenburgischen Staatsbahnen.

biniert mit Westinghousebremse, wirkt mit 4 Bremsklötzen auf die 4 Räder. Die Tragfedern sind außerhalb der Räder angeordnet.

3. T. mit Wasserkastenrahmen (Ausführung der großherzoglich oldenburgischen Staatseisenbahnen, Abb. 290). Das Untergestell ist ähnlich wie bei den Tenderlokomotiven von Krauß kastenförmig ausgebildet und

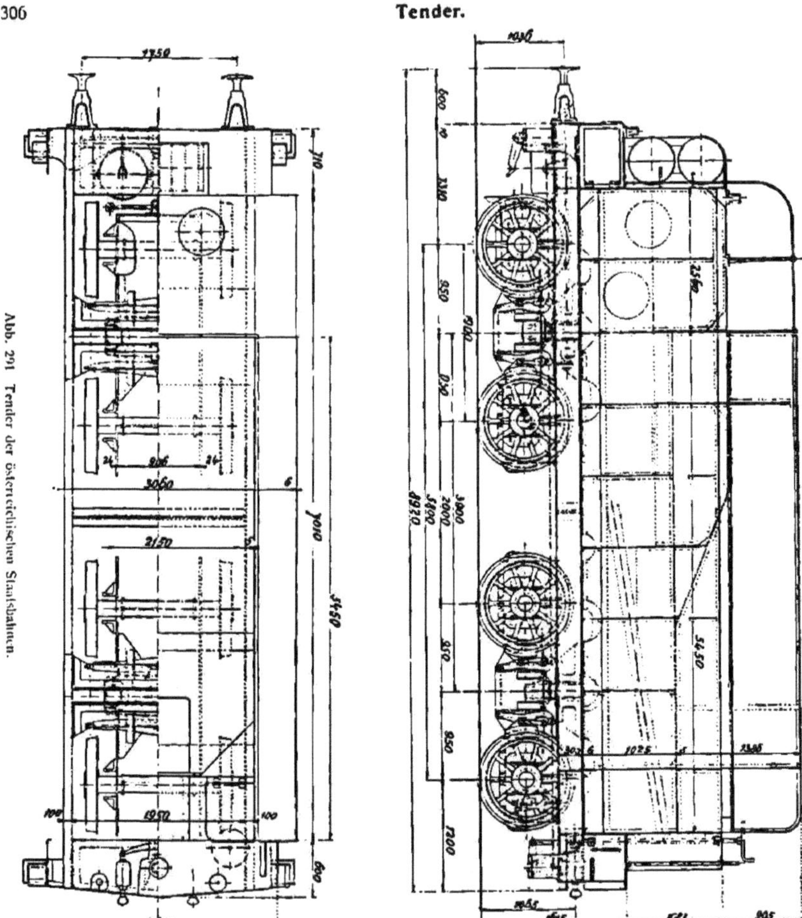

Abb. 291 Tender der österreichischen Staatsbahnen.

dient zur Aufnahme eines Teiles des Speisewassers; der obere Teil des Wasserkastens ist hufeisenförmig gehalten. An den Stellen, wo die Achslagerführungen an die dünnen (7 *mm* starken) Rahmenplatten angeschraubt sind, sind auf diesen Rahmenplatten Verstärkungsbleche aufgenietet.

Der T. hat nur 2 Achsen; die Federn der Vorderachse liegen in Blechkasten im Kohlenraum, die gemeinschaftliche Querfeder der rückwärtigen Achse liegt in einer entsprechend versteiften Aussparung im unteren Wasserkasten (Lagerung auf 3 Punkten). Die Handbremse – gewöhnliche Wurfbremse – wirkt mit 4 Bremsklötzen einseitig auf die Räder. Die Kuppelung zwischen Maschine und T.

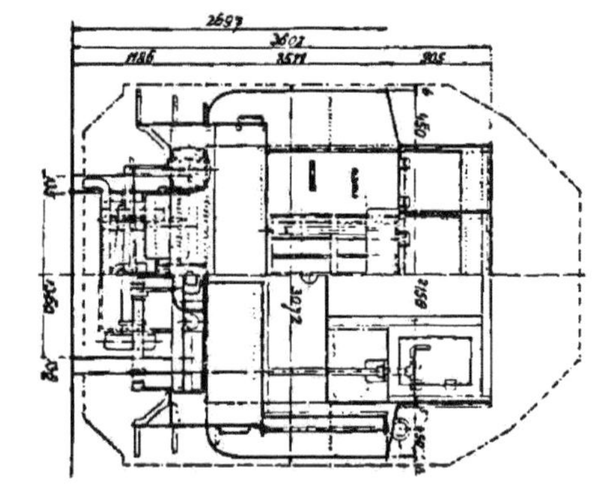

erfolgt durch die Wolfsche Kuppelung (s. Kuppelungen).

4. T. mit Drehgestellen der österreichischen Staatsbahnen (Abb. 291). Der Wasserkasten für 30 m^3 Inhalt ist innen durch kräftige Längs- und Querverbindungen versteift, die gleichzeitig als Schwellbleche dienen. Er ist auf 2 ⊏-Eisen aufgebaut, zwischen denen die beiden Zugkasten und die Verbindungen und die Träger für die Drehgestellzapfen liegen.

Da bei Ausnützung des Inhalts von 30 m^3 der bei den österreichischen Staatsbahnen noch zulässige Achsdruck von 14·5 t überschritten werden würde, ist ein Überlaufrohr vorgesehen, das ein Füllen von nur 27 m^3 Wasser derzeit gestattet.

Zur Aufnahme des Schürhakens ist vorne in der Mitte des Wasserkastens ein Rohr vorgesehen. Die seitlichen Fülltaschen sind mit dem Kohlenkasten, der sich auf dem Wasserkasten aufbaut, gleich lang.

Um das Eigengewicht des T. möglichst herunterzudrücken, wurden die Drehgestelle wie bei den Lokomotiven mit Innenrahmen ausgeführt und die Räderpaare gleich den Laufachsen einer großen Zahl von Lokomotiven gewählt. Die Innenrahmen gestatten auch die Anordnung eines sehr leicht zugänglichen Bremsgestänges. Die unter dem hinteren Zugkasten hängenden Vakuumbremszylinder betätigen das vollkommen ausgeglichene Bremsgestänge, an dessen anderm Ende die Spindelbremse angreift.

III. Besondere Tenderbauarten.

Die T. haben je nach der von den Betriebsverhältnissen abhängigen Achsenzahl und Anordnung ein Dienstgewicht von 20 – 70 t; die Mitführung dieser großen toten Last auf großen Steigungen verursacht bedeutende Förderkosten; um diese zu vermindern, wurden verschiedene Bauarten ausgeführt, durch die ein Teil des Tendergewichts oder das ganze Tendergewicht als Adhäsionsgewicht nutzbar gemacht werden kann. Diese Ausführungsarten, die in weiterer Durchbildung zum Bau kurvenbeweglicher Tenderlokomotiven führen, bestehen darin, daß durch Balancierkuppelungen und Gleitplattenauflagerungen ein Teil des Tendergewichts auf die Maschine übertragen wird, mithin eine Vermehrung der Adhäsion bewirkt wird (Ausführung Großmann, österreichische Nordwestbahn, verschiedene ähnliche amerikanische Entwürfe), oder darin, daß das Tenderuntergestell unter die Maschine hinein verlängert ist, wodurch der T. nicht allein als Träger für Wasser und Brennstoff erscheint, sondern auch einen Teil des Lokomotivgewichts übernimmt. Diese Bauarten ermöglichen unter Umständen, einen Motor zu schaffen, der bei gleichem Wasser- und Kohlenraum und bei gleichem Adhäsionsgewicht ein geringeres Gesamtgewicht, mithin eine geringere tote Last aufweist als die gewöhnliche Ausführung, bei der Lokomotive und T. als getrennte Fahrzeuge erscheinen. Ausführungen dieser Art – System Behne-Kool, Engerth, ferner Deichsel-Drehgestelle – sind jedoch überaus schwerfällig und kompliziert und heute fast vollständig aufgegeben. Es wurden überdies viele Bauarten erdacht und auch ausgeführt, um die Räder des T. bei Engerth-Lokomotiven mit denen der Lokomotive zu kuppeln, um also einen Motor zu schaffen, dessen ganzes Gewicht als Adhäsionsgewicht nutzbar ist (System Fink und Zahnradkuppelung Fischer v. Rößlerstamm).

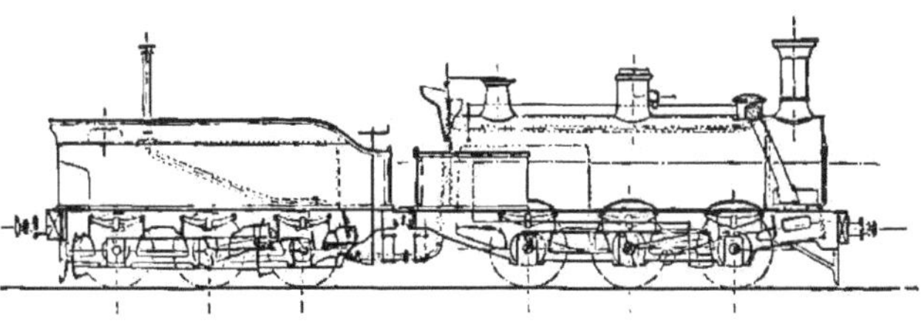

Abb. 292. Tender Bauart Sturrock.

In die Gruppe dieser Ausführungen gehört auch die Bauart Sturrock: Anbringung von Dampfzylindern mit vollständigem Mechanismus am T., Anordnung einer Dampfzuleitung zwischen Lokomotive und T., um die Maschine am T. zu betreiben. T. dieser Bauart wurden in den Sechzigerjahren gebaut für die englische Great Northern-Bahn und für die französische Ostbahn, wurden aber später in gewöhnliche T. umgebaut.

Diese wohl nur historisches Interesse bietende Ausführung ist in Abb. 292 gezeichnet.

Der T. ist ähnlich dem französischen T. ausgeführt, hat einfache, außerhalb der Räder liegende Plattenrahmen und Hufeisenwasserkasten. Die Dampfzylinder sind innerhalb der Rahmen angeordnet; sämtliche Achsen sind gekuppelt.

In neuester Zeit (1916) wurde diese Bauart in Amerika bei mächtigen Mallet-Lokomotiven, deren T. ebenfalls als Triebmaschine ausgebildet ist, wieder aufgegriffen, so daß eine dieser Lokomotiven samt T. die Achsfolge 1 D + D + D 1 aufweist.

Literatur: Heusinger, Hb. f. spez. E.-T. Bd. III, Leipzig 1882. -- Meyer, Grundzüge des Eisenbahnmaschinenbaues, Teil I, Berlin 1883. -- Organ 1893, Erg.-Bd. X. -- Das Eisenbahnmaschinenwesen 1903.

Gölsdorf-Riohsek.

Tenderlokomotive s. Lokomotive.

Terminals, Terminal facilities ist die in England und in den Vereinigten Staaten von Amerika übliche Bezeichnung für die Bahnhöfe, insbesondere die Güterbahnhöfe mit ihren Anlagen zur Be- und Entladung der Güter. Diese Anlagen sind häufig im Besitz und Betrieb besonderer Gesellschaften. Unter Terminals = Terminal charges (Station charges) versteht man auch die für Benutzung dieser Anlagen zu zahlenden Gebühren, Abfertigungsgebühren, die meist in die Frachtsätze eingerechnet sind. In England hat das die Folge, daß die Übersichtlichkeit und Kontrolle der Gütertarife erschwert wird. Den dortigen Eisenbahnen waren in den Konzessionen meist nur Höchstsätze oder Normalsätze für die Streckengebühr vorgeschrieben; die Festsetzung der Stations- und der Abfertigungsgebühren war ihrem freien Belieben überlassen. Durch Änderung dieser Gebühren konnte also leicht die wahre Höhe der Tarife verschleiert werden. Infolgedessen ist auch im Art. 24 des Ges. vom 10. August 1888 die Feststellung von Höchstsätzen für T. vorgesehen. In den Vereinigten Staaten von Amerika ist die Trennung von Stations- (Expeditions-) und Streckensätzen gleichfalls nicht üblich, wird aber vielfach zur Erhöhung der Übersichtlichkeit der Frachtsätze und zur Vermeidung ungebührlicher Unterschiede zwischen den Frachtsätzen für lange und für kurze Entfernungen verlangt. *v. der Leyen.*

Terminushotels s. Bahnhotels.

Territet Glion, Drahtseilbahn, die den Kurort Montreux mit dem am Fuß der Rochers de Nage liegenden Ort Glion verbindet. Von hier findet die Bahn als Zahnradbahn Fortsetzung nach den Rochers de Nage. Näheres s. Bergbahnen.

Tertiärbahnen s. Kleinbahnen.

Texas and Pacific Railway Company. Die Hauptlinie erstreckt sich im Süden der Vereinigten Staaten von New Orleans nach Fort Worth und El Paso in westlicher Richtung, dort schließt sie an die Southern Pacific an und erhält damit eine Verbindung nach dem Stillen Ozean. Von Fort Worth geht eine Hauptlinie nach Norden bis zum Red River. Die Gesamtlänge des Netzes beträgt 3034 *km*, davon die Stammbahnen 2356 *km*, die anschließenden Zweigbahnen 678 *km*. Die Bahn gehört zu dem Gouldsytem der südwestlichen Staaten, sie hat ihren Freibrief am 3. März 1871 erhalten, hat sich dann durch Erwerb von Teilen der Southern Pacific, der Southern Transcontinental und der Memphis El Paso and Pacific-Eisenbahn erweitert, stellte 1886 ihre Zahlungen ein, wurde zwangsweise verkauft und am 8. November 1887 reorganisiert. Zu dem System der T. gehören eine größere Anzahl kleiner Bahnen im Gesamtumfang von 1037 *km*, die von der T. kontrolliert werden. Die längste und bedeutendste von diesen ist die Trinity and Brazos Valley Railway im Umfang von 494 *km*. Das Anlagekapital der T. beläuft sich auf 38,763.810 Dollar in Aktien und 57,818.142 Dollar in Bonds verschiedener Art.

Die wesentlichen Betriebsergebnisse der T. ohne die von ihr kontrollierten Bahnen sind folgende:

	1906	1910	1911	1912	1913
Beförderte Personen . .	2,536.661	3,251.298	3,373.629	3,298.959	3,516.678
Beförderte Güter . . . *t*	4,734.002	5,900.801	5,937.019	4,442.082	6,915.402
Gesamtverkehrseinnahmen Dollar	14,914.608	16,375.805	16,139.029	16,973.223	1,807.878
Gesamtausgaben . „	9,854.923	12,272.841	12,248.019	13,308.296	14,772.781
Gesamtreineinnahmen „	5,115.702	4,210.024	4,141.739	3,835.643	3,473.079
Überschuß (nach Abzug der Steuern, Zinsen, Renten u. s. w.) . . . . Dollar	1,564.243	447.378	186.976	−384.769	−760.342

v. der Leyen.

Theißbahn (606·129 *km*), in Ungarn gelegene Eisenbahn, ehemals Privatbahn mit dem Sitz in Budapest, seit 1880 verstaatlicht, umfaßte zur Zeit der Verstaatlichung die Strecken Czegled-Szolnok (28·582 *km*, übernommen von der südöstlichen Staatsbahn, eröffnet 1847), Szolnok-Debreczin (121·041 *km*, eröffnet 1857), Püspök Ladány-Großwardein (68·069 *km*, eröffnet 1858), Szajol-Arad (142·611 *km*, eröffnet 1858), Debreczin-Miskolcz (136·785 *km*, eröffnet 1859), Miskolcz-Kaschau (89·088 *km*, eröffnet 1860) und Mezötur-Szarvas (19·953 *km*, eröffnet 1880). 1871 übernahm die T. auch den Betrieb der Arad-Temesvarer Eisenbahn. Die Gesellschaft genoß auf Grund der Konzession die Staatsgarantie für ein $5^1/_5$ %iges

Erträgnis des Anlagekapitals, das sich 1880 auf 100,384.400 K stellte. In diesem Jahre erfolgte die Einlösung der Bahn durch den Staat, der die Verzinsung und Tilgung der Anlehen übernahm und sich verpflichtete, die Aktien binnen 10 Jahren mit 490 K einzulösen.

Themsetunnel. Das reich verzweigte Netz der Londoner Schnellbahnen (s. d.) kreuzt mit zahlreichen Linien den Themsefluß. Aus der im engen, verkehrsreichen Stadtinnern unerläßlichen unterirdischen Führung der Bahnen ergab sich an den Kreuzungsstellen mit dem Fluß die Anlage zahlreicher Unterwassertunnel. Vortrieb eines Richtstollens mit Schildvortrieb von beiden Ufern aus, Preßluft; Wandung aus gußeisernen Ringstücken mit Betonauskleidung, Gesamtbauzeit $3^1/_2$ Jahre, Bodenverhältnisse günstig, geringer Wasserzudrang, täglicher Vortrieb rd. 12 *m*, höchste Tagesleistung rd. 19 *m*); der

Blackwalltunnel (1897, Gesamtlänge 1891 *m*, davon 368 *m* unter dem Fluß, Zugang durch sehr lange Rampen 1 : 34 und 1 : 36 und Fußgängertreppen, Kreisquerschnitt 7·40 *m* innerer Durchmesser, Fahrstraße 4·88 *m*, Fußwege 0·95 *m* breit; Bau des Unterwasserteils

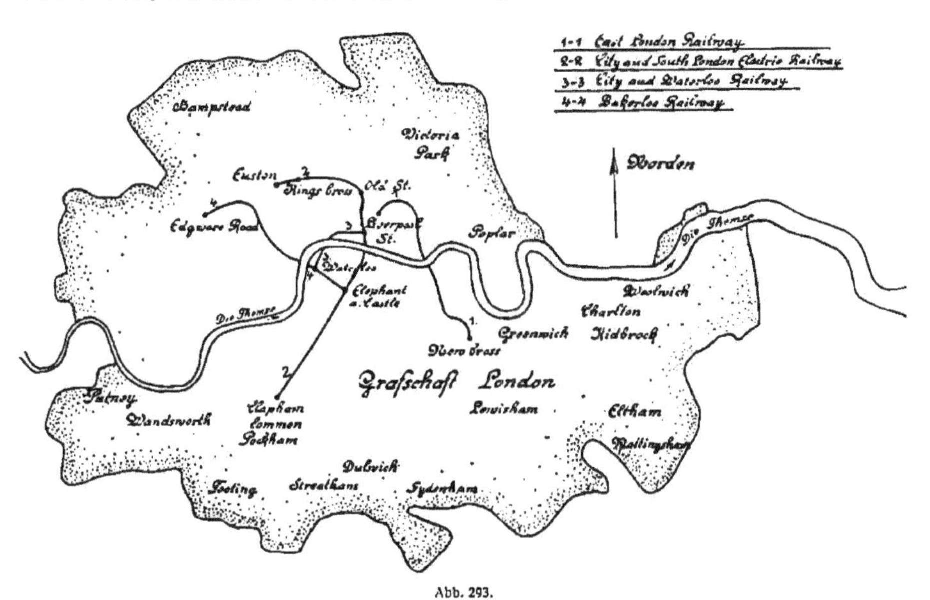

Abb. 293.

Auch der Straßenverkehr ist unterhalb der Londonbrücke, von der an abwärts eine starke Schiffahrt den Fluß belebt, vielfach auf diesen Weg verwiesen worden; so dient dem Fußgängerverkehr der bereits 1869 erbaute

Tower Subway (375 *m* lang im festen Ton, Kreisquerschnitt 2·2 *m* Durchmesser, innen mit Gußeisenringen verkleidet, Zugang durch Treppen; Bau durch Schildvortrieb, täglicher Fortschritt 1·5 – 2·75 *m*, Baukosten rd. 400.000 M.), dem gesamten Straßenverkehr; der

Rotherhithetunnel (1907, Gesamtlänge 2099 *m*, Länge ohne die z. T. abgedeckten Voreinschnitte 1092 *m*, davon rd. 480 *m* unter dem Fluß, Zugang durch Rampen 1 : 37 und Fußgängertreppen, Kreisquerschnitt 8·2 *m* innerer Durchmesser, Fahrstraße 4·86 *m* breit, Bürgersteige je 1·2 *m*. Bau des Unterwasserteils nach mit Schildvortrieb und Preßluft, Wandung aus mit Ziegeln bekleideten eisernen Ringstücken, Gesamtbauzeit rd. 5 Jahre, davon 13 Monate auf den Unterwasserteil, Bodenverhältnisse ungleich, häufig starker Wasserzudrang, jedoch keine Menschenverluste durch Bauunfälle, Baukosten rd. 17 Mill. M., f. d. *m* Tunnellänge 1012 M.); der

Tunnel zwischen Greenwich und Milwall (Schildvortrieb mit Preßluft), dem Fußgängerverkehr endlich noch die Tunnel zu

Greenwich und Woolwich.

Neben diesen dem Straßenbahnverkehr dienenden Verbindungswegen bestehen noch 4 Eisenbahntunnel, die 4 Bahnlinien, der East-London-Bahn, der City and South London Electric Railway, der City and Waterloo Railway und der Bakerloo Railway (Waterloo-Baker-Straße) die Unterfahrung des Themseflusses ermöglichen, dessen Bett mit seinem Klaiboden ja im allgemeinen für Tunnelbauten überaus günstige Verhältnisse bietet. Weder in den Tonnoch in den Kiesschichten waren, von zeitweise stärkerem Wasserzudrang abgesehen, erhebliche Schwierigkeiten zu überwinden.

Abb. 293 zeigt die Lage der 4 Eisenbahntunnel an. Der älteste von ihnen, zugleich der erste

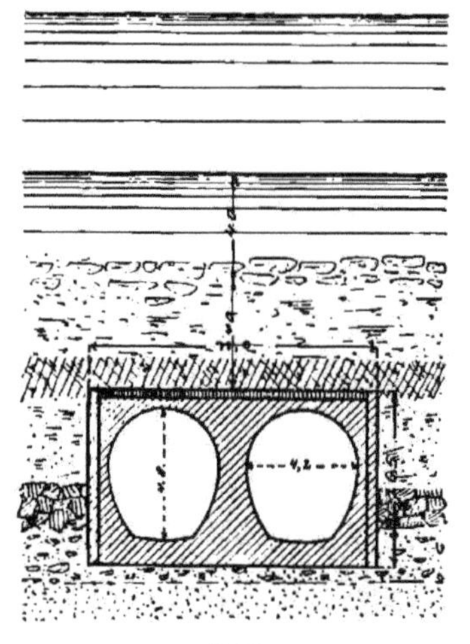

Abb. 294.

für den menschlichen Verkehr bestimmte Unterwassertunnel überhaupt, ist der von Brunel 1825–1843 erbaute Tunnel zwischen den Stadtteilen Rotherhithe und Wapping. Das ursprünglich für den Fußgängerverkehr bestimmte Bauwerk wurde 1865 von der East-London-Bahn erworben und 1877 zum Eisenbahntunnel umgebaut (hierzu war wegen der knappen lichten Abmessungen die besondere Genehmigung des Parlaments notwendig). Querschnittsabmessungen und Bodenverhältnisse zeigt Abb. 294. In einem etwa 400 *m* langen Mauerklotz von rechteckigen Umrissen mit 11 *m* Breite und 6·5 *m* Höhe sind 2 Röhren von je 4·2 *m* Breite und 4·8 *m* Höhe ausgespart. In der Mitte der Themse lag der Tunnel nur 4 *m* unter dem Flußbett, mit dem First im Schlamm des Flusses, mit der Sohle auf festem Sand und Schotter ruhend. Der Bau hatte große Schwierigkeiten zu überwinden; wegen Mangels an Geld lag er 8 Jahre lang völlig still und konnte erst zu Ende geführt werden, nachdem nationaler Ehrgeiz das Parlament veranlaßt hatte, die zur Vollendung erforderlichen Mittel zu bewilligen. Einbrüche kamen infolge der zu gering gewählten Tiefe des Tunnels unter dem lockeren Flußschlamm 10mal vor, setzten den Bau unter Wasser und vernichteten Menschenleben. Jedoch verdient die Ausdauer und Umsicht, mit der Brunel trotz aller Fehlschläge den Bau schließlich der Vollendung entgegenführte, vollste Anerkennung.

Die Eigenart der von Brunel eingeführten Bauweise beruhte in der Verwendung eines eisernen Schildes, der rings etwas über den Umfang des Mauerwerks hinausragte und aus 12 einzelnen Abteilungen (Rahmen) bestand. Jeder Rahmen vermochte durch Übertragung des Erddrucks auf die nächste Abteilung für sich entlastet zu werden, so daß allmählich die einzelnen Rahmen und so schließlich der ganze Schild vorgeschoben werden konnte. Jede Abteilung war in 3 Stockwerke gegliedert, an deren Wänden der Arbeiter an jeder beliebigen Stelle kleine Öffnungen machen und den Boden fördern konnte. Der Schild befand sich gewöhnlich etwa 2·7 *m* vor der Stirnfläche des gleichmäßig nachrückenden Mauerwerks.

Die Kosten des in $9^2/_3$ Jahren effektiver Bauzeit hergestellten Tunnels erreichten die gewaltige Summe von 9 Mill. M. Diese Summe entsprach in keiner Beziehung den erreichten Vorteilen; denn vor seinem Umbau in einen Eisenbahntunnel war die Benutzung durch Fußgänger ganz gering. Für alle Zeiten aber wird das kühn geplante Werk ein glänzendes Zeugnis für die Erfindungs- und Tatkraft seines Erbauers sein.

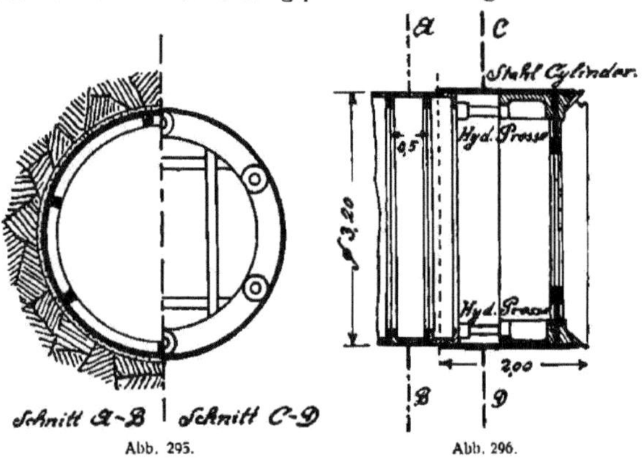

Abb. 295. Abb. 296.

Erwähnt sei hier noch eine andere, ebenfalls im Zuge der East-London-Bahn liegende, zweigleisige Tunnelanlage, die Unterfahrung eines 190 *m* breiten Beckens der Londondocks. Bei geringer Wassertiefe wurde der Bau unter dem Schutz von Fangedämmen ausgeführt. Nach Auspumpen des Wassers aus der Baugrube wurde so nahezu im Trockenen gearbeitet. Um den Schiffsverkehr nicht unterbrechen zu müssen, geschah die Bauausführung in 2 Abschnitten von je 95 *m* Länge. Der 15 *m* breite, 7·5 *m* hohe Mauerklotz, der 2 Röhren von je 4·3 *m* Weite enthielt, wurde zum Schutz und zur Dichtung mit einer 0·6 *m* starken Betonlage und einer 1 *m* starken Tonschicht abgedeckt.

Erst fast 1/2 Jahrhundert später als der Brunelsche T., im Jahre 1890, wurde der zweite Eisenbahntunnel unter der Themse dem Verkehr übergeben. Die erste elektrisch betriebene Stadtbahn Englands, die City and South London Railway, kreuzt dicht oberhalb der Londonbrücke den Fluß. Der hier ausgeführte Unterwassertunnel besteht aus 2 gußeisernen Röhren von je 3·05 *m* Durchmesser. Er wurde von Ingenieur J. H. Greathead erbaut und ähnelt in der Bauart dem älteren, kleineren Tower Subway. Jedes Rohr ist aus Ringen von 0·5 *m* Länge mit 11·5 *cm* breiten inneren Flanschen mittels Schraubenbolzen zusammengesetzt, jeder Ring besteht wiederum aus 5 Stücken, die unter Verwendung einer 0·6 *cm* starken Zwischenlage von Kiefernholz in gleicher Weise miteinander verschraubt sind (Abb. 295 u. 296).

Zum Vortrieb des Tunnels wurde ein stählernes, etwa 2 *m* langes Vorstück von etwas größerem Durchmesser, als das Tunnelrohr besaß, durch hydraulische Pressen vorgeschoben Das Vorstück war am vorderen Ende durch einen starken gußeisernen Ring verstärkt und trug am Kopf eine Stahlschneide; es nahm den Erddruck so lange auf, bis ein neuer Ring an das bereits fertige Tunnelstück angesetzt war.

Wider Erwarten war man beim Vortrieb in dem Klaiboden des Themsetals auf Kies- und Sandlager mit großem Wasserzudrang gestoßen; durch Verwendung von Preßluft wurden die sich hieraus ergebenden Schwierigkeiten behoben. Das Verfahren bewährte sich vollauf, kein ernster Unfall, kein Verlust an Menschenleben war während der ganzen Bauausführung zu beklagen.

Bemerkenswert war die Schnelligkeit des Vortriebs, die im letzten halben Jahr rd. 24 *m* im täglichen Durchschnitt erreichte. Dies entsprach einem Bodenaushub von rd. 200 m^3.

Literatur: Dolezalek, Subaquare Tunnel. Meyers Konv.-Lexikon 1883; Die elektrische City- und Süd-London-Bahn. Zentralbl. d. Bauverw. 1891; Der Rotherhithe-Themse-Tunnel. Zentralbl. d. Bauverw. 1906. - Kämmerer, Der Rotherhithetunnel in London. Ztschr. dt. Ing. 1908; Der Rotherhithetunnel. Ztschr. d. Österr. Ing.-V. 1909. – Tunnel für Straßenverkehr unter der Themse zwischen Stepney und Rotherhithe. Engg. News 1907. – Der Blackwalltunnel unter der Themse in London. Zentralbl. d. Bauverw. 1893. – Themsetunnel bei London zwischen Greenwich und Millwall. Gén. civ. 1902/03. – Themsetunnel zu Greenwich für Fußgänger. Ann. d. trav. publ. d. Belg. 1903. – Der Fußgängertunnel unter der Themse in Woolwich. Engg. 1905 1912. *Seidel.*

Theodolit s. Winkelmessung.

Thessalische Eisenbahnen s. Griechische Eisenbahnen.

Thielen, Carl v., kgl. preußischer Staatsminister und Minister der öffentlichen Arbeiten, einer der hervorragendsten und erfolgreichsten Förderer des preußischen und des deutschen Eisenbahnwesens, geboren 30. Januar 1832 in Wesel, gestorben 10. Januar 1906 in Berlin. T. studierte die Rechts- und Staatswissenschaften, wurde 1854 Auskultator 1860 Regierungsassessor, als welcher er in der allgemeinen Verwaltung tätig war. 1864 trat er bei der Eisenbahndirektion Saarbrücken in den Staatseisenbahndienst ein, aus dem er 1867 ausschied, um als Direktionsmitglied in die Rheinische Eisenbahngesellschaft einzutreten. Nach deren Erwerb für den Staat wurde er 1881 Präsident der Eisenbahndirektion Elberfeld und 1887 Präsident der Eisenbahndirektion Hannover. Am 20. Juni 1891 wurde er als Nachfolger des Ministers v. Maybach (s. d.) zum Minister der öffentlichen Arbeiten und Chef der Verwaltung der Reichseisenbahnen berufen. Am 23. Juni 1902 schied er aus beiden Ämtern aus und lebte bis zu seinem Tod in Berlin im Ruhestand. Unter seiner Verwaltung sind in allen Zweigen des preußischen Staatsbahnwesens große Fortschritte gemacht worden. Durch Erlaß des Kleinbahngesetzes vom Jahre 1892 wurde der Ausbau des Eisenbahnnetzes wesentlich gefördert. Sein Verdienst war die Neuordnung der Staatseisenbahnverwaltung im Jahre 1895. Das Staatsbahnnetz wurde durch Erwerb einiger Privatbahnen erweitert, vor allem durch den der hessischen Ludwigsbahn gemeinsam mit der großherzoglich hessischen Regierung, worauf im Jahre 1896 die preußisch-hessische Eisenbahngemeinschaft gebildet wurde, der später die Main-Neckar-Bahn beitrat. Zahlreiche Verbesserungen im Personenverkehr (u. a. die D-Züge) und in den Personentarifen (die 45tägigen Rückfahrkarten) wurden von ihm eingeführt. Seine Pläne zum Ausbau des Wasserstraßennetzes (Mittellandkanal) scheiterten.

v. der Leyen.

Thommen, Achilles, einer der bedeutendsten Ingenieure aus der Etzelschen Schule und Leiter der Baues der Brennerbahn, geboren am 25. Mai 1832 zu Basel, gestorben am 21. August 1893 zu Wien. Er besuchte nach

Beendigung der Gymnasialstudien zunächst durch 1½ Jahre die Basler Universität, wo er mathematischen und naturwissenschaftlichen Studien oblag. Die in Aussicht stehende Aufnahme von Bahnbauten in der Schweiz veranlaßte T., die Universitätsstudien aufzugeben und 1850 – 1852 das Karlsruher Polytechnikum zu absolvieren. Anfangs 1853 trat er unter Etzel (s. d.) in den Dienst der schweizerischen Zentralbahn, 1857 in jenen der Franz Joseph-Orientbahn, bei deren Bau er sich hervorragend betätigte. 1861 wurde ihm die ehrenvolle Aufgabe zu teil, die Leitung von Etzels größtem Werk, des Brennerbahnbaues (s. d.) zu übernehmen. Diese großartige und schwierige Aufgabe hat T. im Verein mit den ihm zugeteilten Ingenieuren in der Zeit bis zum 18. August 1867, wo der erste Zug von Innsbruck nach Bozen verkehrte, bewältigt, wiewohl die ungemein schwierigen und z. T. lebensgefährlichen Trassierungs- und die Entwurfsarbeiten 2 Jahre in Anspruch genommen und die Kriegsereignisse eine 4monatliche Baueinstellung zur Folge gehabt hatten.

Im September 1867 bereits folgte T. der Einladung der ungarischen Regierung nach Pest, wo er die Baudirektion organisierte und den Bau der Linien Großwardein-Klausenburg, Losoncz-Kremnitz-Rutka, Karlstadt-Fiume samt Bahnhof und Hafen u. s. w. leitete.

Nebenbei war T. Regierungskommissär für die neu entstandenen Privatbahnen (Alföldbahn, Nordostbahn, Kaschau-Oderberger Bahn, erste Siebenbürger Bahn u. a. m.). Einen großen Teil der Trassen und Profile dieser Bahnen hatte T. festzusetzen, und die Ausführung erfolgte nach den von ihm für das ganze neue ungarische Netz einheitlich aufgestellten Typen.

Infolge der ungeheuren Anstrengung, die mit seiner Tätigkeit in Ungarn verknüpft war, trat T. 1871 zurück und übersiedelte nach Wien, wo er bis zu seinem Tode lebte, von der unmittelbaren Bautätigkeit zwar sich zurückziehend, aber als scharfsinniger Ratgeber in schwierigen eisenbahntechnischen Fragen hoch angesehen und vielfach in Anspruch genommen.

Thüringische Eisenbahn (521·25 *km*), in den Königreichen Preußen und Sachsen, im Großherzogtum Sachsen-Weimar und in den Herzogtümern Sachsen-Coburg-Gotha, Sachsen-Meiningen, Sachsen-Altenburg, Schwarzburg-Sondershausen, Schwarzburg-Rudolstadt und Reuß j. L. gelegene Eisenbahn, ehemals Privatbahn, seit 1882 im Betrieb, seit 1886 im Eigentum des preußischen Staates, umfaßte zur Zeit der Verstaatlichung die Stammbahnen Halle-Gerstungen (189·46 *km*, konz. 1844, eröffnet 1846/49), Leipzig-Corbetha (31·11 *km*, konz. 1855, eröffnet 1856), Übergabebahnhof Leipzig-Möckern (4·63 *km*), Weißenfels-Gera (59·51 *km*, konz. 1857, eröffnet 1859) und Dietendorf-Ilmenau (37·29 *km*, bis Arnstadt konz. 1866, eröffnet 1867, bis Ilmenau konz. 1877, eröffnet 1878/79) sowie die Zweigbahnen Gotha-Leinefelde (67·13 *km*, konz. 1866, eröffnet 1870), Gera-Eichicht (77 *km*, konz. 1868, eröffnet 1871).

Das Stammkapital war für die Hauptlinie mit 27 Mill. M. in Stammaktien zu je 300 M. mit zunächst 4% Bauzinsen festgesetzt worden.

Den vierten Teil des Stammkapitals übernahmen die beteiligten Regierungen und verzichteten zu gunsten der Privataktionäre so lange auf Dividende, als auf diese aus dem Reinertrag des laufenden Jahres nicht mehr als 3% kommen sollten.

Die in Barneck von der Linie Leipzig-Corbetha abzweigende Bahn Barneck-Zeitz (eröffnet 1873) wurde am 27. April 1870 konzessioniert.

Bei dem Werrabahn-Unternehmen beteiligte sich die T. mit Stammaktien von 3 Mill. M. und führte auch den Betrieb von der Eröffnung im Jahre 1858 bis Ende 1875; ferner übernahm die T. den Betrieb der 1876 eröffneten Eisenbahn Gotha-Ohrdruf.

Die Hauptlinie der T. erfreute sich stets eines regen und einträglichen Verkehrs, während die Zweigbahnen sich nur schwach entwickelten, so daß diesen von den Garantiestaaten bis Ende 1881 Zinszuschüsse von mehr als 10 Mill. M. zu zahlen waren.

Die Bahn ging laut Ges. vom 28. März 1882 mit Rechnung vom 1. Januar am 1. Mai desselben Jahres in Verwaltung und Betrieb, am 1. Juli 1886 ins volle Eigentum des Staates über.

Der von Preußen entrichtete Kaufpreis betrug 182,134.822·50 M. in 4%igen Konsols (für die Einlösung der Stammaktien, Lit. A, B und C zusammen 119,271.225 M., an Abfindungen für die am Unternehmen beteiligten Städte und Landkreise 14,603.950 M., an Konvertierungsprämien 892.647·5 M., an noch nicht getilgten Prioritätsobligationen zu 4½% 45,893.100 M., dann an noch nicht getilgten Darlehen von Sachsen-Weimar und Sachsen-Coburg-Gotha 1,473.900 M.). Dagegen fielen dem Staat an Fonds 6,812.647 M. sowie die Werrabahnaktien im Betrag von 6 Mill. M. zu. Die Bahn erhielt zunächst eine besondere königliche Direktion in Erfurt und gehört jetzt zur Eisenbahndirektion Erfurt.

Literatur: Lins, Die thüringischen Eisenbahnverhältnisse und ihre geschichtliche Entwicklung und die gegenwärtige Lage. Jena 1910.

Thunerseebahn (Schweiz) Normalspurbahn im Berner Oberland. Ursprünglich auf die Strecke Scherzligen-Spiez (Abzweigung der Lötschbergbahn)-Därligen beschränkt, die 1893 eröffnet wurde, erwarb sie 1900 die Bödelibahn Därligen-Interlaken-Bönigen (s. d.), ging jedoch selbst 1912 durch Fusion an die Lötschbergbahn, s. Bern-Lötschberg-Simplon, über. Zur selben Zeit gingen auch die Dampfschiffe auf dem Thuner- und Brienzersee, mit denen sie sich gleichzeitig vereinigt hatte, an die Lötschbergbahn über. *Dietler.*

Tiefbahnen (*underground railways; chemins de fer souterrain; ferrovie sotterane*), unterirdisch geführte Stadtschnellbahnen im Gegensatz zu den als Hochbahnen (Viaduktbahnen) oder als offene Bahnen, d. h. in Geländehöhe (auf Dämmen und in Einschnitten) gebauten Schnellbahnen. In geringer Tiefe unter dem Straßenboden liegend, wird die Tiefbahn zur »Unterpflasterbahn". Englisch: underground (deep level und shallow) railways im Gegensatz zu den elevated railways (vielfach kurzweg als L bezeichnet); französisch: chemins de fer souterrains im Gegensatz zu den chemins de fer élevées. *Kemmann.*

Tiefbohrungen.

Inhalt: I. Allgemeines über Anwendung der T. – II. Beschreibung der Tiefbohrverfahren: 1. Meißelbohrungen; 2. Kronenbohrungen. – III. Vor- und Nachteile und Anwendung der verschiedenen Arten von T. Behandlung der Bohrproben.

I. Allgemeines über Anwendung der T.

Die T. finden im Eisenbahnwesen in erster Linie zur Aufklärung der Gebirgsverhältnisse beim Tunnelbau Anwendung, u. zw. besonders dann, wenn es sich um Tunnel mit großer Überlagerungshöhe handelt.

Daneben können sie sehr wohl zur Ermittlung der Wasserzuflüsse und der Wärmeverhältnisse im Tunnelgebirge mit Vorteil verwendet werden.

Sodann lassen sie sich, wie die Erfahrungen des Feldzugs gezeigt haben, in vorteilhafter Weise dazu benutzen, um starke Wasserzuflüsse in Einschnitten u. s. w., die durch wassertragendes Gebirge am Versacken gehindert werden, in tiefe, belegene, zerklüftete und wasserführende Schichten abzuleiten. Endlich können sie recht wohl zur Erschließung von in größerer Tiefe liegendem Druckwasser ausgeführt werden.

II. Beschreibung der Tiefbohrverfahren.

Die T. zerfallen in 1. Meißelbohrungen und 2. Kronenbohrungen. Ihre Technik ist namentlich in Deutschland und Österreich zu hoher Vollendung gediehen. Insbesondere haben die deutschen Bohringenieure Tiefen erzielt, wie sie weder andere europäische, noch amerikanische Staaten erreicht haben. Gegenwärtig sind in Deutschland mit dem Meißel Bohrungen bis zu 1300 *m*, mit der Krone solche bis zu 2240 *m* Tiefe ausgeführt worden. Auch die Tagesleistungen sind z. T. sehr große. Es sind bei Verwendung des Meißels an einem Tag bis zu 160 *m*, bei Verwendung der Diamantkrone an einem Tag bis zu 50 *m*, letztere einmal in ziemlich ungünstig ausgebildetem Buntsandstein abgebohrt worden.

Von den zurzeit im Gebrauch befindlichen Tiefbohrapparaten sind nachstehend jene näher beschrieben, die sich am besten für Bodenuntersuchungen des Eisenbahnbaues eignen.

1. Meißelbohrungen.

Bei den Meißelbohrungen sind 2 Arten, die Freifall- und die Schnellschlagbohrung, zu unterscheiden. Bei der ersteren beträgt die Anzahl der Schläge höchstens 60 in der Minute mit 60 – 80 *cm* Hubhöhe, während bei der letzteren bis zu 120 Schläge in der Minute mit 8 – 10 *cm* Hubhöhe gemacht werden können.

Des weiteren lassen sich die Meißelbohrungen in Trockenbohrungen und Spülbohrungen einteilen. Bei der Trockenbohrung arbeitet der Meißel entweder in vollkommen wasserfreiem Bohrloch oder im Grundwasser bzw. im Gebirge mit Quellzutritt. In sehr hartem trockenen Gebirge muß dem Bohrloch allerdings von Zeit zu Zeit etwas Wasser zugeführt werden. Der Bohrschlamm wird bei diesem Verfahren mittels der Schlammbüchse aus dem Loch entfernt. Mit Rücksicht auf die hierdurch entstehende zeitraubende Unterbrechung der Arbeit kommt dieses Verfahren mehr und mehr in Abnahme; für größere Tiefen als 200 *m* sollte es überhaupt nicht mehr angewendet werden.

Bei der Spülbohrung wird der Bohrlochsohle durch das hohle Bohrgestänge beständig Druckwasser zugeführt, das den Bohrschlamm in den ringförmigen Hohlraum zwischen der Bohrwand und dem Gestänge ununterbrochen zu Tage spült. Bei 50 *cm* Sekundengeschwindigkeit des aufsteigenden Wasserstroms werden Gesteinsstücke von 2 *cm* Durchmesser, bei 100 *cm* solche von 5 *cm* Durchmesser, bei 200 *cm* sogar Metallteile des Bohrgezähes, die sich etwa losgelöst haben, zu Tage gefördert.

Die Bohrapparate bestehen aus dem eigentlichen Bohrgezähe, dem Gestänge mit seinen Verbindungen, den Haspeln, dem Antrieb und dem Motor. Dazu kommen noch die Verrohrung des Loches, zahlreiche Instrumente zum Auswechseln einzelner Teile der Apparate und für Fangarbeiten u. s. w. bei Betriebsstörungen. Ferner tritt bei den Spülbohrungen noch die

Spülpumpe mit ihren Rohren und Schläuchen hinzu.

Sämtlichen hier in Frage kommenden Apparaten gemeinsam ist als Antrieb der Bohrschwengel. Er besteht aus einem ungleicharmigen Hebel, dessen kürzerer Arm, der Schwengelkopf, das Bohrgestänge hebt und senkt, während der längere Arm, der Schwengelschwanz oder das Schwengelende, bei der Freifallbohrung mit dem Kolben des Schlagzylinders, bei dem Schnellschlag mit einer

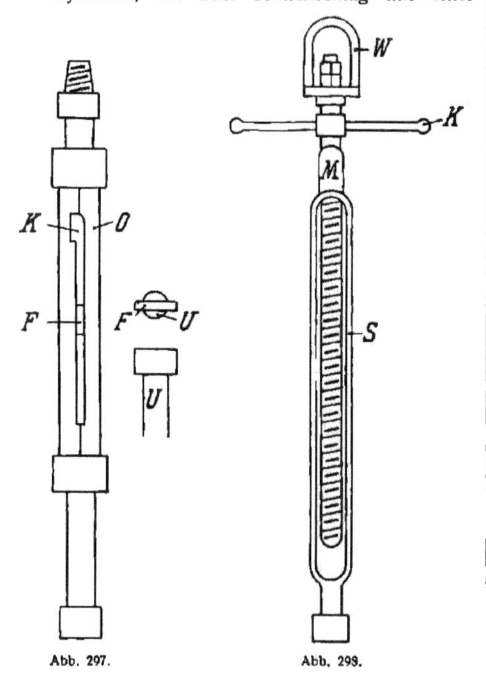

Abb. 297. Abb. 298.

Pleuelstange oder einem Exzenter nebst Exzenterstange gekuppelt ist. Bei größerer Tiefe des Bohrlochs wird das Schwengelende derartig mit angehängtem Gewicht belastet, daß dadurch ein Teil des Gestängegewichts ausgeglichen ist.

Der Schwengel ist entweder aus einem sehr kräftigen, 4kantigen Holzbalken oder aus einem genieteten Eisenträger gebildet und mittels eines wagrechten Zapfens in etwa 2·0 *m* Höhe über dem Boden auf den Schwengelbock verlagert. Das Gestell des letzteren ist gleichfalls aus Holz oder aus Profileisen hergestellt.

Freifallbohrung.

Das eigentliche Bohrgezähe besteht aus dem Meißel, bei der Freifallbohrung außerdem noch dem Bär und dem Freifallstück.

Der Meißel wird aus Schmiedeeisen mit gehärteter Schneide, besser noch aus Gußstahl hergestellt. Seine Schneidebreite schwankt zwischen 100 und 400 *mm*, sein Gewicht zwischen 20 und 250 *kg*. Bei der Spülbohrung sind Meißelgewinde und -schaft hohl, damit die Spülung aus dem Hohlgestänge die Bohrlochsohle neben der Meißelschneide trifft. Neben den eben beschriebenen Flachmeißeln kommen noch sog. Kernstoßmeißel vor, die ringförmigen Querschnitt besitzen und in der Mitte des Bohrloches einen Kern von Gestein stehen lassen. Bei der Freifallbohrung beträgt, wie bereits bemerkt, die Hubhöhe des Meißels bis zu 80 *cm*. Diesen Hub müßte bei steifem Gestänge – englische Bohrmethode – das ganze Gestänge mitmachen. Bei größerer Tiefe des Bohrloches und dementsprechendem, sehr bedeutendem Gewicht des Gestänges würde das letztere infolge der Stauchungen häufigen Brüchen ausgesetzt sein.

Man hat deshalb beim Freifallbohren mit der großen Hubhöhe zwischen Meißel und Gestänge den Bär und ein sog. Freifallstück eingefügt – deutsche Bohrmethode. Der Bär hat lediglich den Zweck, den Meißel zu belasten; er ist 200 – 500 *kg* schwer und besteht aus einem voll- oder hohlzylindrischen Stück Eisen, das unten ein Muttergewinde zum Aufschrauben auf das Meißelende, oben ein Gewinde für die Verbindung mit dem Freifallstück besitzt. Letzteres ist recht verschiedenartig gebaut. Am zweckmäßigsten hat sich noch das am häufigsten angewendete Fabiansche Freifallstück erwiesen.

Das Oberstück *O* (Abb. 297) besteht aus 2 Teilen, die oben und unten durch warm aufgezogene Ringe verbunden sind. In seinem Schlitz, der sich oben zu einem Keilsitz *K* verbreitert, gleiten die Flügelkeile *F* des Unterstücks *U*. Steht letzteres auf seinem tiefsten Punkt, so ruht der Meißel auf der Bohrlochsohle. Senkt sich *O* mit dem Gestänge, so schiebt sich *U* mit seinen Flügelkeilen *FF* in *O* in die Höhe, die Keile werden am höchsten Punkt seitlich auf den Keilsitz *K* gedrängt. In dieser Stellung wird das Ganze auf dem Gestänge hochgehoben, letzteres erhält über Tag eine Prellung und zugleich eine kurze Drehung. Dadurch werden die Flügelkeile nach rechts geschoben, *U* mit dem daranhängenden Bär und Meißel wird abgeworfen und der Meißelschlag auf die Sohle erfolgt, ohne daß das Gestänge beansprucht wird.

Als Gestänge werden bei T. heutzutage vorwiegend Mannesmannrohre von je 5 *m* Länge mit angedrehten konischen Gewinden für die Verbindung der einzelnen Rohre miteinander verwendet, u. zw. so, daß das Muttergewinde jeweils am unteren Ende des Rohres sitzt.

Über Tag wird das Gestänge am Schwengelkopf aufgehängt. Da es aber beim Bohren mit Zunahme der Lochtiefe nachgesenkt und von Zeit zu Zeit durch Aufsetzen einer neuen Stange verlängert werden muß, so ist am oberen Ende des Gestänges noch die sog. Nachlaßvorrichtung (Abb. 298) eingefügt. Sie bestand ursprünglich aus einer einfachen, 1 – 1·5 *m* langen Schraubenspindel, die mittels Wirbel *W* am Schwengelkopf aufgehängt war, und aus der sog. Schere *S*, in deren Mutter *M* die Spindel gehoben und gesenkt werden konnte. Am unteren oder oberen Ende der Schere, die das Gestänge trägt, ist der Krückel *K* zum Umsetzen und Abwerfen des Meißels angebracht. Diese einfache und dauerhafte Vorrichtung ist auch jetzt noch vielfach in Gebrauch. Sie verlangsamt aber den Bohrbetrieb insofern, als jedesmal, nachdem das untere Ende der Schraubenspindel in der Mutter *M* angelangt ist, ein neues, noch dazu nur etwa 1·5 *m* langes Gestängestück zwischen der Schere und dem Gestänge eingesetzt werden muß.

Zur Vermeidung dieses Übelstandes ordnet man 2 Spindeln nebeneinander an; diese sind oben und unten durch Traversen verbunden, auf die das nach oben über die obere Traverse hinausragende oberste Gestängerohr mit einfachem Rohrbündel abgefangen ist. Hierdurch wird erreicht, daß die Unterbrechung der Bohrarbeit bei Ablauf der Spindel auf das Zurückschrauben der Muttern, das Lösen des Rohrbündels und das Wiederfestschrauben des letzteren in 1·5 *m* höherer Lage beschränkt ist. Auch diese Unterbrechung wird noch in zweckmäßiger Weise durch die stetig wirkende Nachlaßvorrichtung des Bergrats Köbrig (Abb. 299) vermieden. Bei dieser besitzen die beiden Schraubenspindeln in der oberen Hälfte Rechtsgewinde, in der unteren Linksgewinde. Jede Traverse trägt Muttergewinde für die Spindeln, deren Bewegung unten durch Zahnräder *Z* und ein kleines Handrad bewirkt wird. Ist das Gestänge mit dem Bündel *Bu* der Traverse *Tu* abgefangen, so ist *Bo* lose. Beim Bohren und Drehen der Spindeln bewegt sich *Tu* mit dem Gestänge nach unten, bis sie am unteren Spindelende angekommen ist. Dabei ist gleichzeitig *To* am oberen Spindelende angelangt. Jetzt wird *Bu* gelöst, *Bo* festgemacht und damit das Gestänge auf *To* abgefangen. Die Gestänge werden von jetzt ab in umgekehrter Reihenfolge gedreht, die obere Traverse *To* mit dem Gestänge bewegt sich abwärts, während die unbelastete *Tu* wieder aufsteigt u. s. w.

Das Aufholen und Einlassen des Gestänges und Bohrgezähes erfolgt durch einen besonderen Haspel, dessen Seil über eine kräftige, im höchsten Punkt des Bohrturms über dem Bohrloch aufgehängte Seilscheibe führt. Der Haspel wird maschinell betrieben und bietet in seiner Bauart nichts bemerkenswertes.

Die Bewegung des Bohrschwengels und damit des Meißels wird durch den Schlagzylinder bewirkt, der unterhalb des Schwengelendes aufgestellt ist.

Er stellt einen Dampfzylinder dar, dem der Dampf durch Rohrleitung in der Regel von einer Lokomobile her zugeleitet wird. Die Kolbenstange greift am Schwengelende an; sie zieht es nach jedem Schlag abwärts, hebt also den Schwengelkopf mit dem daran hängenden Gestänge. Der Zylinder besitzt selbsttätige Umsteuerung. Der Dampf pufft nach jedem Kolbenhub aus, wobei dann das Übergewicht des Gestänges den Schwengelkopf senkt, das Ende hebt. Neuerdings ist in einzelnen Fällen der stehende Schlagzylinder durch Pleuelstangenexzenter ersetzt worden, die durch Riementrieb von der Lokomobile her bewegt werden.

Als Motor dient vorwiegend die Lokomobile, die je nach der Tiefe der Bohrung 10 – 40 PS. besitzt. Elektrische Kraftübertragung ist bislang nur sehr selten verwendet worden.

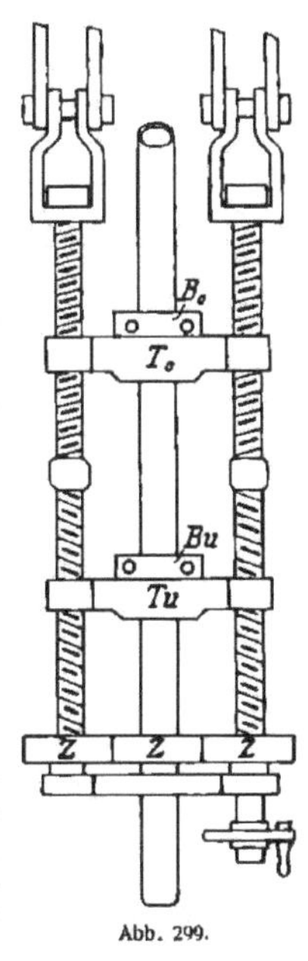

Abb. 299.

Wie oben bemerkt, erfolgt die Förderung des Bohrschlamms von der Lochsohle bei Bohrungen geringer Tiefe durch die Schlammbüchse, einen Blechzylinder mit Klappenventil im Boden. Sie wird mit Seil eingelassen und gehoben.

Tiefere Bohrungen werden besser mit Wasserspülung ausgeführt, wobei das Wasser durch das Hohlgestänge der Lochsohle zuströmt.

Von der im Bohrturm aufgestellten Riemen- oder Dampfpumpe geht das Wasser dem Hohlgestänge durch einen Schlauch zu. Dieser endigt in einem einfachen Gestängekopf, der auf das obere Ende des Gestänges aufgeschraubt ist. Der Kopf ist mit oberer und unterer Stopfbüchse versehen, so daß auch drehende Bewegung des Gestänges ohneweiters möglich ist.

Wie bei den Seichtbohrungen muß das Bohrloch auch bei der Tiefbohrung gegen „Zusammengehen“ durch Futterrohre geschützt werden, die nur in ganz festem Gebirge entbehrt werden können. Sofern eine solche Rohrtour, die mehrere 100 *m* lang sein kann, im Loch nicht mehr abwärts bewegt werden kann, wird innerhalb derselben eine engere eingeführt. Bei sehr tiefen Bohrungen stehen des öfteren 5–6 Rohrtouren ineinander. Selbstverständlich nimmt mit der Weite der Futterrohre auch die Lochweite und die Meißelbreite ab.

Schnellschlagbohrung.

Bei den Schnellschlagbohrungen wird auch bei größter Tiefe das Freifallstück und der Bohrbär ausgeschaltet. Der Meißel ist also unmittelbar an das untere Gestängeende angeschraubt. Das Gestänge wie auch die sonstigen Teile des Bohrapparates besitzen im allgemeinen die gleiche Anordnung wie bei der Freifallbohrung. Um indes die bei den schnell aufeinander folgenden Schlägen eintretenden Stauchbeanspruchungen möglichst unschädlich zu machen und insbesondere das Gestänge vor Beschädigungen zu schützen, wird der Bohrschwengel in elastischem Rahmen aufgehängt, der auf einer Gruppe von Pufferfedern gelagert

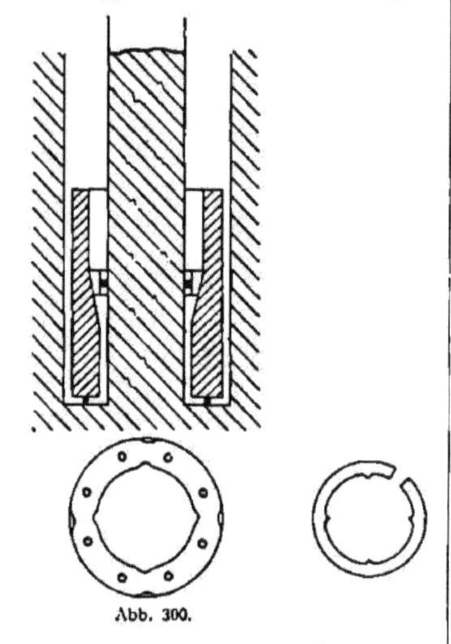

Abb. 300.

ist. Bei anderen Bauarten erhält der Schwengel selbst eine Verlagerung auf Pufferfedern oder eine Unterstützung durch Gestängevierecke mit Federn.

Der Schwengel wird durch Pleuelstange oder Exzenter bewegt, da der Schlagzylinder die große Anzahl der Schläge nicht zu leisten vermag.

Mit den Schnellschlagapparaten lassen sich in günstigem Gebirge Tagesfortschritte erzielen, die jene der Freifallbohrungen um das 5—10-fache übertreffen. Anderseits erfordern die ersteren verhältnismäßig viele Reparaturen. Am besten bewährt haben sich bislang die Schnellschlagapparate System „Raky“ und System der Deutschen Tiefbohrgesellschaft zu Nordhausen. Ferner sind folgende Systeme zu nennen: Thumanns Schnellschlagapparat, Faucks Expreßbohrkran, Trauzls Rapid-Bohrkran.

2. Kronenbohrungen.

Bei den Kronenbohrungen wird im Bohrloch nicht der ganze Vollzylinder des Gebirges zermalmt, sondern nur ein ringförmiger Hohlraum eingeschnitten, in dessen Mitte ein Gebirgskern unverletzt stehen bleibt. Geschickte Bohrmeister liefern im festen Gebirge nicht selten Kerne ab, deren Gesamtlänge bis 98% der Bohrlochtiefe beträgt. Im einzelnen sind Kerne mit Stücklängen von mehr als 10 *m* vorgekommen.

Die Bohrung wird stets als Spülbohrung und so ausgeführt, daß die Krone, ein Hohlzylinder, dessen Fuß das Einschneiden in das Gebirge besorgt, mit dem Gestänge in drehende Bewegung gesetzt wird.

Das eigentliche Bohrgezähe besteht aus der Krone und dem Kernrohr.

Bei weicheren Gesteinen stellt die Krone einen Hohlzylinder aus Stahl dar, dessen unterer Rand gezähnt ist.

Im festeren Gebirge muß dagegen der untere Kronenrand mit Diamanten besetzt werden. Versuche der amerikanischen Bohringenieure, die Diamanten durch Karborund zu ersetzen, haben sich nicht bewährt.

In den unteren Rand der Krone werden zur Aufnahme der Diamanten Löcher gebohrt, in diese die Steine eingesetzt und dann die Löcher wieder mit Kupfer verstemmt. Die Diamanten sind dabei etwa so auf der Ringfläche zu verteilen, wie Abb. 300 zeigt. An der Innen- und Unterseite der Krone sind flache Rinnen angebracht, die die Wasserwege für die Spülung bilden. Im mittleren Teil sind die Innenwände konisch nach unten verengt: in diesem konischen Teil der Krone liegt ein Federring — vgl. Abbildung — der an der Innenseite 4 oder 5 Dornfortsätze trägt. Wird die Krone angehoben, so wird der Federring nach unten gedrängt, er wird enger, seine Dornfortsätze krallen sich in den Gebirgskern ein und der letztere wird bei weiterem Anheben des Gestänges abgerissen und mit zu tage gefördert.

Der Durchmesser der Kronen und demzufolge auch der Kerne ist sehr verschieden. Im allgemeinen wird man mit dem Kronendurchmesser nicht über 40 *cm* hinausgehen. In den untersten Tiefen der beiden über 2000 *m* tiefen Bohrungen von Paruschowitz und Czuchow hatten die letzten Kerne nur noch wenige *cm* Durchmesser.

Um möglichst lange Kerne abbohren zu können, setzt man auf die Krone noch ein Kernrohr, das als einfacher Hohlzylinder die Verlängerung der Krone nach oben bildet und das sich mit dem Fortschreiten der Bohrung allmählich über den Kern herabsenkt. Das Kernrohr kann bis zu 15 *m* Länge erhalten. Größere Längen sind unzweckmäßig, weil sowohl das Gewicht des Kernrohrs wie auch das des abgerissenen Kernes zu groß wird.

Das Gestänge ist das gleiche wie bei der Meißelbohrung, doch fehlt an seinem oberen Ende die Nachlaßvorrichtung.

Die Drehung des Gestänges und der Krone erfolgt mittels des Bohrwagens, der auf einer Bühne im Bohrturm 5 – 6 *m* über dem Erdboden aufgestellt ist.

Der Bohrwagen (Abb. 301) trägt eine wagrechte Welle, an deren einem Ende die Riemenscheibe *R* für den Antrieb, an deren anderm ein stehendes Kegelrad aufgekeilt ist. Letzteres treibt ein liegendes Rad an, dessen Nabe eine hohle Spindel, die sog. Bohrspindel *B* umschließt. Die Spindel ist in der Nabe senkrecht verschiebbar. In *B* wird das Gestänge mit Klemmfutter befestigt; es muß also die Drehung des Kegelrades und der Spindel mitmachen. Letztere ist aber am Schwengelkopf aufgehängt und mittels des Schwengels so ausbalanciert, daß die Krone im Bohrloch höchstens 250 – 400 *kg* Belastung erhält. Die Zuführung der Spülung erfolgt in gleicher Weise wie bei der Meißelbohrung von oben her.

Durch Lösen des Klemmfutters und der Spindel, durch Aufziehen der letzteren und Zurückfahren des Bohrwagens kann das Gestänge in wenigen Minuten zur Aufnahme des Schlagbetriebs freigemacht werden. Ebenso leicht ist umgekehrt der Übergang von der Meißelbohrung zur Kronenbohrung zu vollziehen, nachdem selbstverständlich vorher Krone und Meißel vertauscht sind.

Bei den T. werden sämtliche Apparate in einem aus Holzfachwerk mit Bretterverschalung hergestellten Bohrturm vereinigt. In diesem finden neben Bohrapparat, Lokomobile und Pumpe auch eine kleine Schmiede und ein Raum für die Bohrproben Platz.

Wagrechte Kernbohrungen.

Diese kommen für Bodenuntersuchungen im Eisenbahnbau nur in seltenen Fällen in Betracht, können jedoch bei Gebirgsuntersuchungen für Tunnel, die in geringer Entfernung hinter Steilhängen verlaufen, wichtige Dienste leisten. Sie werden mit der Krone, u. zw. entweder der Stahl- oder der Diamantenkrone zur Ausführung gebracht. Der Kerndurchmesser beträgt meist nur 6 – 8 *cm*. Die Drehung erfolgt durch Kurbelmechanismus

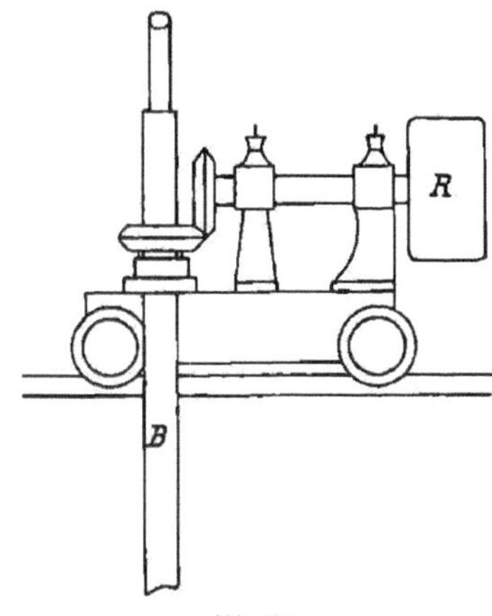

Abb. 301.

entweder von Hand oder von einem Arbeitsmotor aus, der mit Dampf, hin und wieder auch elektrisch betrieben wird. Der Tagesfortschritt beträgt bei Handbetrieb 1 – 2 *m*, bei Maschinenbetrieb 3 – 8 *m*. Dabei sind Bohrungen bis zu 450 *m* Länge ausgeführt worden.

Mit der gleichen Maschine lassen sich übrigens auch senkrechte Bohrungen, überhaupt Bohrungen in jeder beliebigen Richtung ausführen. Hin und wieder sind senkrechte oder doch sehr steil geneigte Seichtbohrungen bis zu 100 *m* Tiefe mit einem solchen Apparat niedergebracht worden.

III. Vor- und Nachteile und Anwendbarkeit der verschiedenen Arten von T. Behandlung der Bohrproben.

Die Meißelbohrungen besitzen den Kernbohrungen gegenüber den Vorteil größerer Schnelligkeit und geringerer Kostenerfordernisse. Sie sind deshalb einmal da am Platz, wo es sich lediglich um die Erschließung einer bestimmten Gesteinsschicht handelt, also z. B. bei Wasserbohrungen. Sodann werden sie zweckmäßig im oberen Teil eines Bohrloches verwendet, in dem, wie beispielsweise im Tunnelbau, die genaue Ermittlung des Gebirgsprofils durch Kernbohrung auf eine bestimmte Tiefe dicht über und in der Tunnelebene beschränkt werden kann.

Dagegen ist es als ein Nachteil der Meißelbohrung zu bezeichnen, daß sie mit Rücksicht darauf, daß das durchbohrte Gestein in völlig zermalmtem Zustand zu Tage gefördert wird, keine genaue Deutung des Bohrlochprofils zulassen.

Im übrigen wird zweckmäßig in mildem Gebirge, bei weichem tonigen Sandstein, Ton, Tonschiefer, Mergel und Gips die Schnellschlagbohrung, im festen Gebirge dagegen die Freifallbohrung angewendet.

Die Kernbohrung gestattet die Aufnahme eines bezüglich der Mächtigkeit, der Größe des Einfallswinkels und der Beschaffenheit des durchsunkenen Gebirges ziemlich genauen Profils, dagegen vermag sie keine sichere Auskunft über die Richtung des Streichens und des Einfallens der Schichten zu geben, weil die gewonnenen Gesteinskerne infolge des dem Bohrgestänge innewohnenden „Dralles" beim Aufholen sich mehrfach drehen müssen und daher in veränderter Stellung an die Oberfläche gelangen. Die zur Unschädlichmachung dieses Übelstandes bislang verwendeten Vorkehrungen, sog. Stratameter, die die Streich- und Fallrichtung des Gebirges schon auf der Bohrlochsohle teils mittels Kompaß, teils mittels zweier senkrecht zueinander schwingender Lote und mit Selbstzeichner festlegen sollen, arbeiten gleichfalls nur recht unvollkommen.

Immerhin wird es dem erfahrenen und geologisch geschulten Ingenieur möglich sein, aus einer Reihe von nicht zu entfernt voneinander niedergebrachten Kernbohrungen in Verbindung mit den Oberflächenaufschlüssen und unter Berücksichtigung des allgemeinen geologischen Charakters der betreffenden Gegend ein brauchbares Längenprofil für einen Tunnel od. dgl. aufzustellen.

Im Ton, nicht zu festen, von Quarz- und Eisenkieseinlagerungen freien Tonschiefer, Mergel, Gips und selbst in weichem Kalkstein läßt sich recht wohl die Stahlkrone verwenden. In allen härteren Gebirgsarten ist die Diamantkrone nicht zu entbehren, so teuer sie auch sein mag.

Die Bohrproben der Meißelbohrungen werden an der Luft getrocknet und in Holzkästen mit Einzelfächern für jedes abgebohrte *m* oder doch für zusammenhängende Abschnitte des Profils aufbewahrt.

Die Kerne der Kronenbohrungen werden zunächst mit Wasser abgespült, an der Luft getrocknet und dann gleichfalls in langen Holzkästen oder Blechhülsen aufbewahrt.

Von jedem Bohrloch ist ein Profil aufzutragen, das auf genauer Bezeichnung der einzelnen Gesteinsarten, der Tiefenangabe jedes Gesteinswechsels, der Angabe der Einfallwinkel der Schichten, etwaiger Verwerfungen, aller Wasserzugänge, Spülverluste und vorkommendenfalls der Kernverluste zu versehen ist. *Hoyer.*

Tiefgangwagen, Tiefladewagen *(basket cars; wagons à plateforme basse; carri a piattaforma ribassata),* sind offene Güterwagen, bei denen der zwischen den beiden Drehgestellen liegende Teil der Ladebühne eingesattelt ist. Sie dienen zur Beförderung umfangreicher Güter (Transformatoren, Turbinen, Dampfkessel, nicht regelspurige Lokomotiven u. s. w.), die bei Verladung auf Wagen mit der gewöhnlichen Höhenlage des Plattformfußbodens in die vorgeschriebene Ladeumgrenzung ragen würden. Jene Teile der Ladebühne, die den Übergang von den Kopfträgern zur Einsattlung bilden, müssen wegen der hier auftretenden hohen Beanspruchungen besonders kräftig und sorgfältig ausgeführt werden. Auf die Anbringung einer durchgehenden Zugvorrichtung muß bei diesen Wagen verzichtet werden. Die Ladebühne ist in der Regel ohne Fußbodenbelag ausgeführt, so daß auch noch zwischen den Langrahmen freie Räume vorhanden sind, die für besonders tief reichende Teile der Ladung ausgenützt werden können.

Im Bedarfsfall kann natürlich ein Fußbodenbelag immer angebracht werden.

Taf. X. Sechsachsiger T. der österreichischen Staatsbahnen. Der Wagen besitzt 2 dreiachsige Drehgestelle mit Rahmen aus Preßblech. Die Zug- und Stoßvorrichtung ist zum Zweck des leichteren Befahrens von scharfen Bahnkrümmungen am Drehgestell angebracht. Das eine Drehgestell ist mit Handspindelbremse bremsbar. Da die Bremse auch auf die Mittelachse wirkt, ist bei diesem Drehgestell die Anwendung eines größeren Radstandes als bei dem Drehgestell ohne Bremse notwendig. Die Bremshütte ist leicht abnehmbar aufgesetzt, so daß sie bei Be- oder Entladung des Wagens entfernt werden kann.

Die Tragfedergehänge sind durch Ausgleichhebel miteinander verbunden.

Die Langrahmen der Ladebühne sind als Kastenträger ausgebildet.

Die Auflagerung der Bühne erfolgt auf dem Drehgestell mit Bremse in der Mitte durch eine kalottenförmige Drehpfanne und seitlich durch kugelförmige Auflagen, auf dem Drehgestell ohne Bremse in der Mitte durch einen Kugelzapfen und seitlich durch abgefederte Stößel. Durch diese Anordnung wird eine weitgehende Beweglichkeit für das Befahren von Schienenüberhöhungen und Gleisunebenheiten, somit eine erhöhte Sicherheit gegen Entgleisungsgefahr erreicht.

In den oberen Traggurten der Langrahmen sind Löcher von 25 *mm* Durchmesser für die

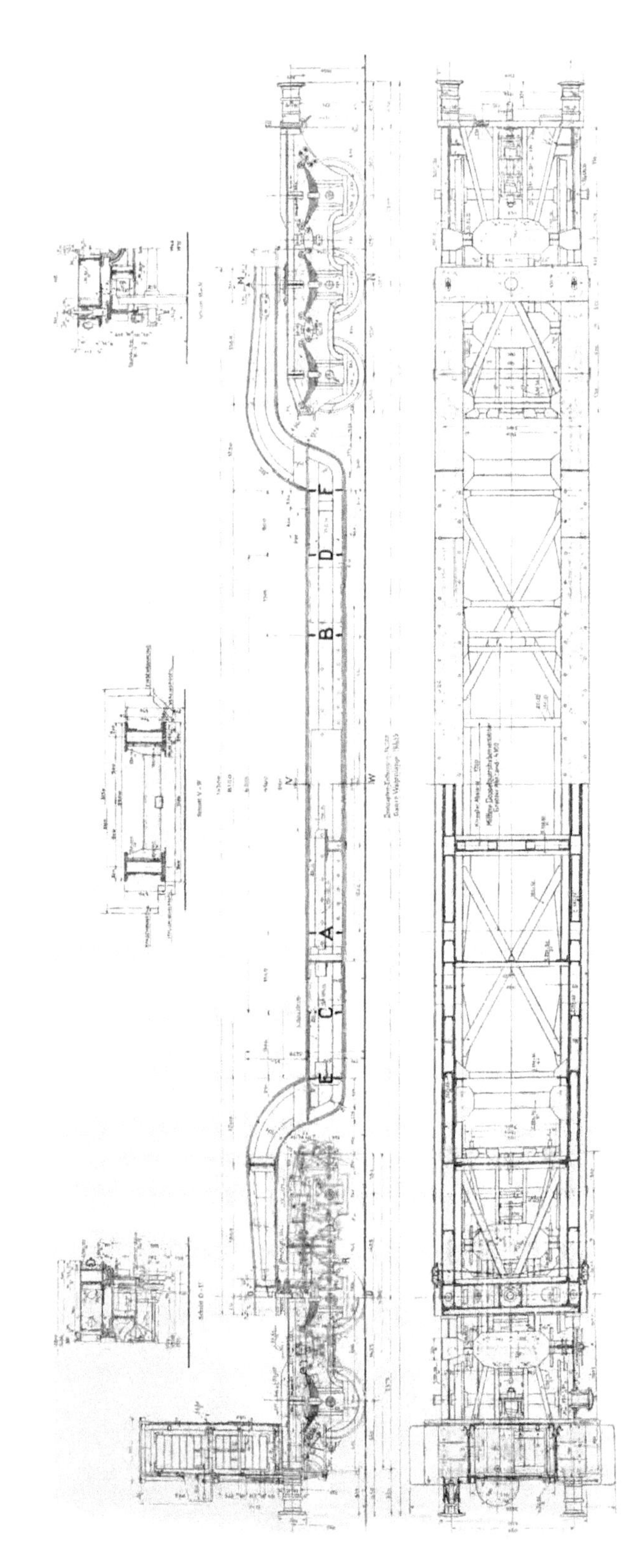

Befestigung der Ladung vorgesehen. An den Außenseiten der Rahmen sind Marken für die zulässige kleinste Ladelänge des Gutes je nach seinem Gewicht (40, 45 und 50 *t*) nebst der notwendigen erläuternden Anschrift angebracht.

Das Eigengewicht des Wagens beträgt 33·5 *t*, die Tragfähigkeit 50 *t*.

Abb. 302. Sechsachsiger T. der Hannoverschen Maschinenbau-Aktiengesellschaft. Dieser Wagen unterscheidet sich von dem vorbeschriebenen vornehmlich durch die Anordnung der Zug- und Stoßvorrichtung und der Bremshütte sowie durch die Auflagerung der Ladebühne auf den Drehgestellen. Die Zug- und Stoßvorrichtung ist auf den Kopfträgern der Ladebühne angebracht, wodurch eine Entlastung der Drehgestellzapfen von den auftretenden Zug- und Stoßkräften herbeigeführt wird. Die Bremshütte ist auf die Ladebühne aufgesetzt. Die Bremse wirkt nur auf die Endachsen des der Bremshütte benachbarten Drehgestells.

Die Lagerung der Ladebühne erfolgt auf dem einen Drehgestell mittels eines Kugelzapfens, auf dem andern, das in der Mitte einen Drehzapfen aufweist, mittels zweier seitlicher Gleitstücke.

Das Eigengewicht des Wagens beträgt 32·4 *t*, die Tragfähigkeit 51·6 *t*. *Cimonetti.*

Tierbeförderung *(cattle traffic; transport du bétail; trasporto bestiame).* Sie umfaßt insbesondere die Beförderung von Hunden in Begleitung Reisender, von kleinen Tieren in Käfigen, Kisten, Säcken u. dgl. als Gepäck oder Fracht, von Pferden und Hunden mit Personenzügen, von Einzelstücken und Wagenladungen aller anderen Arten Klein- oder Großvieh und von wilden Tieren, auch ganzen Menagerien u. dgl.

Die Beförderung lebender Tiere (getötete Tiere, geschlachtetes Vieh einschließlich Geflügel fallen unter die Beförderung von Gütern im allgemeinen) unterliegt überall besonderen, durch die Eigenart dieser Transporte bedingten Beförderungsvorschriften, die zum nicht geringen Teil veterinärpolizeilicher Natur sind. Diese polizeilichen Vorschriften betreffen insbesondere die Vorsorge für entsprechende Ladevorrichtungen und Einrichtung der Viehwagen, die Feststellung der Zulässigkeit eines Viehtransports mit Rücksicht auf bestehende Seuchenvorschriften, die Sicherstellung des Gesundheitszustandes der aufzugebenden Tiere, den Ausschluß kranker Tiere, die Art der Verladung, die Auswahl geeigneter Züge, die Tränkung und Fütterung während

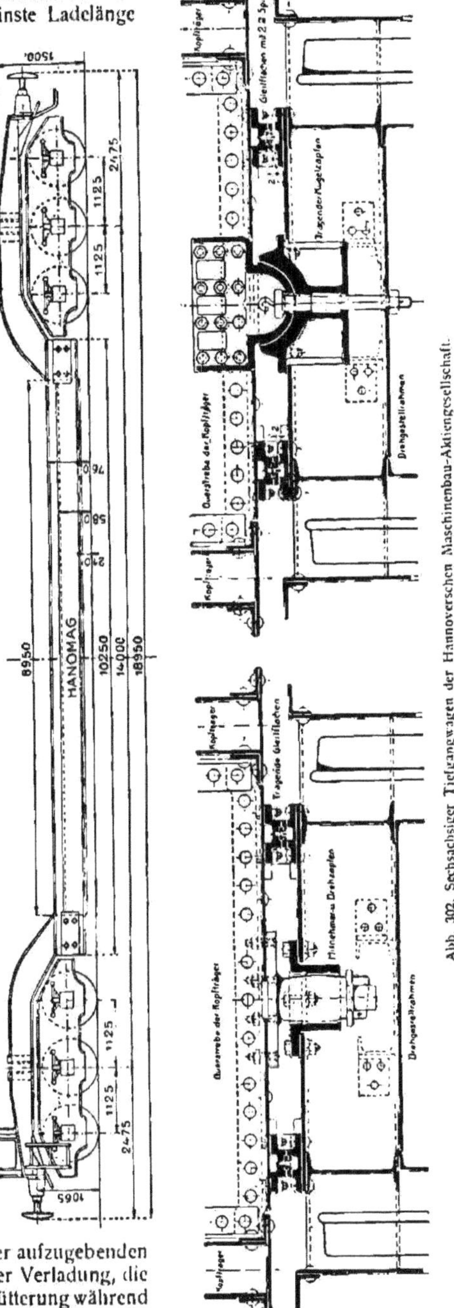

Abb. 302. Sechsachsiger Tiefgangwagen der Hannoverschen Maschinenbau-Aktiengesellschaft.

der Beförderung, die Beigabe der nötigen Begleitpapiere sowie von Begleitern zur Beaufsichtigung der Tiere, die Desinfektion und Reinigung der zur Beförderung verwendeten Wagen u. s. w.

Die übrigen Beförderungsvorschriften regeln insbesondere die Art der Abfertigung, die Anmeldung und Wagenbestellung, die Frachtzahlung und die Fahrgebühren für die Begleiter, die Abnahme der Tiere und das Verfahren bei Ablieferungshindernissen, die Lieferfrist und die Haftung für Tiersendungen.

I. Polizeiliche Vorschriften.

1. Ladeanlagen. Die Ver- und Entladung von Vieh erfordert besondere Vorrichtungen, weshalb die Annahme und Ausfolgung von Vieh nur in Stationen erfolgen darf, die derartige Einrichtungen besitzen. In Deutschland müssen nach der Eisenbahnverkehrsordnung und deren Anlage B, die die hauptsächlichsten und grundlegenden Bestimmungen über die T. enthält, die Stationen, die nahe dem Tarif unbeschränkt oder beschränkt für den Viehverkehr bestimmt sind, mit Vorrichtungen versehen sein, die den Abfertigungsbefugnissen entsprechend ein zweckmäßiges Ein- und Ausladen der Tiere gestatten. Die Oberfläche der festen Rampen darf eine stärkere Neigung als 1:8 und die der beweglichen Vorrichtungen eine stärkere Neigung als 1:3 nicht erhalten. Die Überladebrücken zwischen Rampe und Wagen müssen eine hinreichende Breite haben uud zu beiden Seiten mit Einfriedigung versehen werden. Auf Bahnhöfen mit regelmäßigem größeren Viehversand sowie auf den Tränkestationen sind von den Bahnen zur Unterbringung des Viehs eingefriedete und überdeckte Räume (Buchten, Bansen) herzustellen und mit Brunnen oder einer Wasserleitung sowie mit Vorrichtungen zum Füttern und Tränken der Tiere zu versehen. Die Räume sind zum Zweck der Trennung der verschiedenen Gattungen des Groß- und Kleinviehs in kleinere Abteilungen zu teilen. Der Fußboden muß eine ordnungsmäßige Reinigung ermöglichen.

In Österreich mangeln allgemeine Bestimmungen über Ladeanlagen, dagegen sind ähnliche Vorschriften wie für Deutschland in der Schweiz durch Bundesratsbeschluß vom 28. November 1905 eingeführt worden, jedoch fehlen dort Bestimmungen über die zulässige Neigung der Brücken sowie über die Unterteilung der Unterkunftsräume für das Vieh.

In Frankreich behält sich die Regierung vor, die Stationen zu bestimmen, in denen Ladeanlagen für Pferde und Vieh eingerichtet werden müssen.

In Rußland sind nur bestimmte Stationen von der Eisenbahnverwaltung im Einverständnis mit der Veterinärbehörde mit den für die Ver- und Entladung von Vieh erforderlichen Einrichtungen versehen. Nur auf diesen Stationen darf Großvieh in einer Anzahl, die der normalen Beladung eines gewöhnlichen Wagens entspricht oder darüber hinausgeht, sowie Kleinvieh in Mengen von mehr als 15 Stück regelmäßig ein- und ausgeladen werden, während es zur Ver- und Entladung dieser Mengen auf anderen Stationen besonderer Genehmigung bedarf. Vieh in geringerer Menge kann auf jeder Station ein- und ausgeladen werden.

2. Beschaffenheit und Einrichtung der Wagen. Nach den für Deutschland geltenden Vorschriften sind Tiere in bedeckten oder hochbordigen offenen Wagen zu befördern; letztere dürfen jedoch in den Monaten Januar, Februar, März, November und Dezember nur auf Antrag des Versenders gestellt werden. Geflügel darf nur in bedeckten Wagen befördert werden. Unter gewissen Voraussetzungen findet die Beförderung auch in mehrbödigen Wagen statt. Die lichte Breite der zur Beförderung von Großvieh dienenden Wagen muß mindestens 2·60 *m* betragen. Die offenen Wagen müssen bei Verwendung für Großvieh eine Bordhöhe von mindestens 1·50 *m* und bei Verwendung für Kleinvieh eine solche von mindestens 0·75 *m* über dem Fußboden haben.

Bei Verwendung bedeckter Wagen zur T. sind solche Wagen auszuwählen, die in der Nähe der Wagendecke an den Längs- oder Stirnseiten je 2 verschließbare Öffnungen von je mindestens 0·40 *m* Länge und 0·30 *m* Breite haben und außerdem an den Türen mit Vorrichtungen versehen sind, die ihr Offenhalten in einer Breite von 0·35 *m* bei Großvieh und von 0·15 *m* bei Kleinvieh ermöglichen. Bleiben die Türen während der Fahrt ganz geöffnet, so müssen die Türöffnungen durch einen 1·50 *m* hohen Bretterverschlag oder durch Lattengitter verstellt sein. Zum Festbinden der Tiere müssen Vorrichtungen, wie eiserne Ringe u. dgl., in den Wagen angebracht sein. Die Ladefläche der zur Beförderung von Tieren dienenden Wagen muß an der Außenseite angegeben sein, u. zw. bei mehrbödigen und bei den in mehrere Abteile geteilten Wagen derart, daß die Größe eines jeden Raumes ersichtlich ist.

Die in Österreich geltenden Vorschriften unterscheiden sich insofern wesentlich von den in Deutschland in Anwendung stehenden, als in Österreich bei Neuanschaffung von Hornviehwagen nur gedeckte derartige Wagen in Bestellung gebracht werden dürfen und der Gebrauch offener Hornviehwagen für die T. nur unter bestimmten Beschränkungen und unter der Voraussetzung zugelassen wird, daß diese Wagen in gewissen Fällen zum Schutz der Tiere mit Plachen überdeckt werden.

Im übrigen beziehen sich die österreichischen Vorschriften nur im allgemeinen auf die regelmäßige Verwendung von Etagewagen mit Tränkevorrichtungen zur Borstenviehbeförderung, die tunlichste Größe der Lüftungsöffnungen, die Vorrichtungen zum Festhalten der Lüftungsschieber und der Türen in der offenen Stellung u. s. w.

In der Schweiz soll die lichte Breite der zur Beförderung von Pferden und Großvieh benutzten Wagen nicht unter 2·45 *m* betragen. Die Tiere sollen in der Regel nur in gedeckt gebauten Wagen, die mit guten Böden und nahe an der Wagendecke liegenden, genügenden und verschließbaren Öffnungen versehen sind, befördert werden. Fehlen diese, so müssen an den Türen der Wagen Vorrichtungen angebracht sein, die das ganze oder teilweise Offenstellen der Türen ermöglichen. Bei Kleinviehbeförderung soll dem Versender in allen Fällen gestattet sein, auf seine Verantwortung und Kosten einen Bretterverschlag oder ein Lattengitter an die Stelle der ganz oder teilweise geöffneten Tür anzubringen. Zum Festbinden der Tiere sind die Wagen mit geeigneten Vorrichtungen (eiserne Ringe u. dgl.) zu versehen. Offene Wagen mit Decken dürfen nur ausnahmsweise und nur auf kürzeren Strecken verwendet werden; während der Winterszeit ist diese Beförderungsweise ausgeschlossen.

In Italien sind die für T. zu verwendenden gedeckten Wagen mit Lüftungsöffnungen zu versehen. Bei Kleinviehsendungen werden diese geöffnet, während die Türen geschlossen bleiben. Bei Großviehsendungen werden die Türen auf den ersten oder zweiten Haken eingehängt, wogegen die Lüftungsöffnungen geschlossen bleiben. Wenn keine Gefahr des Entspringens der Tiere vorliegt, können die Türen auch ganz offen bleiben.

In Rußland werden für die Beförderung von Vieh nach dem Ermessen der Eisenbahn besondere (Spezial-)Viehwagen (auch vergitterte) oder gewöhnliche bedeckte Güterwagen bestimmt. In der Zeit vom 1. April bis zum 1. November kann das Vieh mit Genehmigung des Absenders in offenen Wagen mit hohen – dichten oder vergitterten – Seitenwänden befördert werden. Die für die Beförderung von Großvieh bestimmten Wagen müssen eine entsprechende Anzahl von Ringen aufweisen, die in die Stützen der Längsbalken eingeschraubt sind, damit auf Wunsch der Versender die Tiere angebunden werden können. Für die Beförderung von Pferden werden bedeckte Güterwagen von mindestens 7²/₃ Fuß Höhe verwendet, die nach dem für Pferdebeförderung der Militärverwaltung festgesetzten Muster eingerichtet sind. Lebendes Geflügel und Kleinvieh werden auch zur Beförderung in Etagewagen angenommen.

3. Art der Verladung. Nach den deutschen Vorschriften dürfen die Tiere nicht geknebelt und in Säcken, Käfigen, Kisten oder ähnlichen Behältern, nur wenn sie hinlänglich geräumig sind, zur Beförderung aufgegeben werden. Bei Festsetzung der größten Anzahl der in einem Wagen zu verladenden Tiere ist davon auszugehen, daß Großvieh nicht aneinander oder gegen die Wandung des Wagens gepreßt werden darf, für Kleinvieh aber genügender Raum, um sich legen zu können, verbleiben muß. Die Verladung von Großvieh und Kleinvieh sowie von Tieren verschiedener Gattung in denselben Wagen ist nur gestattet, wenn die Einstellung in durch Barrieren, Bretter- und Lattenverschläge voneinander getrennten Abteilungen erfolgt. Über die zulässige größte Stückzahl der in einem Wagen oder in die einzelnen Abteilungen aufzunehmenden Tiere entscheidet im Streitfall der diensthabende Stationsbeamte. Das Bestreuen der Fußböden offener Wagen mit brennbarem Material (Stroh, Spreu, grasartiger Streu und Torfstreu) ist unzulässig.

In Österreich haben ähnliche Bestimmungen wie in Deutschland allgemeine Anwendung erlangt, daß sie in das für sämtliche Bahnen geltende gemeinsame Tarifheft I mit behördlicher Genehmigung Aufnahme gefunden haben (Zusatzbestimmungen II, III, IV zu § 44 des Betriebsreglements). Was die Maßnahmen gegen die Überfüllung der Viehwagen anbelangt, so ist auch in Österreich eine Reihe von Verfügungen ergangen, die dahin zielen, diesem Übelstand zu steuern, der insbesondere bei Anwendung von Wagenraumtarifen sich fühlbar macht. Hierbei wurde im Gegensatz zur deutschen Auffassung von dem Grundsatz ausgegangen, daß die Bahnorgane auf Grund der reglementarischen Bestimmungen zu einer Zurückweisung überfüllter Viehwagen insolange nicht berechtigt sind, als eine die Betriebssicherheit gefährdende Überlastung der Wagen nicht stattfindet, daß dagegen sonstige Überfüllungen nach der Verordnung vom 15. Februar 1855, betreffend die Tierquälerei, zu beurteilen sind, deren Handhabung nicht den Eisenbahnbeamten, sondern den polizeilichen Behörden obliegt.

Die Bahnorgane sind daher, insolange eine betriebsgefährliche Überlastung nicht vorliegt, nur berechtigt bzw. verpflichtet, auf die Versender wegen Hintanhaltung von Überfüllungen entsprechend einzuwirken und, wenn die Einwirkung erfolglos bleibt, die Anzeige an die zuständige Behörde zu erstatten.

Nach den Schweizer Vorschriften soll die Verladung der Tiere mit der größten Sorgfalt und Umsicht geschehen, damit nicht Grund zu Beschwerden über Tierquälerei gegeben werde. Kranke Tiere sowie an den Füßen gebundene Kälber, Schweine u. s. w. werden nicht zugelassen.

Die Verladung von Groß- und Kleinvieh sowie von Tieren verschiedener Gattung in demselben Wagen ist gestattet, wenn die Einstellung in durch Barrieren-, Bretter- oder Lattenverschläge voneinander getrennte Abteilungen erfolgt. Großvieh darf nicht enger verladen sein, als daß ein Mann zwischen 2 Stücken einer Wagenladung leicht sich bewegen kann; für Kleinvieh muß so viel Raum vorhanden sein, daß es sich legen kann. Ausnahmsweise soll für die Schafe in Herden eine Bodenfläche von mindestens 0·22 m^2 auf das Stück als genügend angesehen werden. Die Unterbringung der Tiere in den zwischen den Wagenachsen befindlichen Kasten ist unzulässig. Die Tiere, die angebunden werden, sollen mit den Köpfen der gleichen Seite zugekehrt werden. Ausnahmsweise können Zuchtochsen verschränkt verladen werden (senkrecht zur Längsseite des Wagens, aber mit den Köpfen nicht nach derselben Seite oder derart, daß hinter den in gleicher Richtung nebeneinander gestellten Tieren noch solche den Seitenwänden des Wagens entlang untergebracht werden).

Die Verladung ist Sache der Versender, die auch das Anbinden mit ihrem Material zu besorgen haben. Auf Verlangen übernimmt die Eisenbahn die Verladung.

In den Niederlanden (Zusatzbestimmungen zum Reglement, Art. 29) können in einen Wagen so viele Tiere geladen werden, als ohne Nachteil für die Tiere und ohne Überlastung des Wagens Platz finden. Bei Meinungsverschiedenheiten über die zu ladende Anzahl entscheidet der diensthabende Beamte. Das Verladen und Befestigen der Tiere ist Sache der Partei.

In Italien richtet sich die Zahl der in den Wagen zu verladenden Tiere nach der Tragfähigkeit der Wagen unter Zugrundelegung der Normalgewichte. Die Tiere dürfen durch Überfüllung nicht leiden. In Wagen mit 8 und 10 *t* werden verladen: 8 Stück Pferde oder Großvieh, 12 Esel oder Füllen, 24 Kälber oder Schweine, 36 Milchkälber, kleine Schweine und Hunde, 72 Ziegen oder Schafe.

In einem Wagen darf nur Vieh gleicher Gattung verladen werden. Die Eisenbahn haftet nicht für den Schaden infolge Überfüllung der Wagen.

In Belgien und Frankreich ist die Anzahl der Tiere, die ein Wagen enthalten darf, nicht bestimmt; die Versender können auf ihre Gefahr so viele Stücke unterbringen, als sie für zulässig erachten.

Das Ein- und Ausladen geschieht auf Veranlassung und unter Verantwortung der Partei.

In Rußland wird das Großvieh hinsichtlich der in einen Wagen (von 21 Fuß Länge und 9 Fuß Breite) zu verladenden Mengen in 4 Gruppen (große, mittlere, kleinere, kleine Stücke) eingeteilt und darnach die Beladung eines Wagens mit 8, 10, 12 und 14 Stück zugelassen. Von Kleinvieh können in einen gewöhnlichen Güterwagen 30 – 60 Stück verladen werden. Bei der Verladung von Pferden ist f. d. Stück regelmäßig ein Raum von mindestens 10 Fuß Länge und 2 Fuß 2 Zoll Breite zur Verfügung zu stellen.

4. Beförderung.

a) Züge. Die Beförderung erfolgt in Deutschland in Viehzügen und Güterzügen, nach näherer Bestimmung der Eisenbahn auch in Personenzügen. Viehzüge müssen auf Strecken mit regelmäßigem starken Viehverkehr an bestimmten, von der Eisenbahn bekanntzumachenden Tagen – regelmäßig oder nur nach Bedarf – nach den bei jedem Fahrplanwechsel festzusetzenden Fahrplänen verkehren; sie müssen derart gelegt sein, daß der Aufenthalt für das auf den Anschlußlinien zu- und abgehende Vieh auf das unbedingt nötige Maß beschränkt wird. Bei Aufstellung der Fahrpläne ist für die Trinkstationen ein ausreichender Aufenthalt vorzusehen. Steht so viel Vieh zur Beförderung, daß zu seiner Verladung mindestens 20 Achsen erforderlich sind, so ist in Ermanglung anderer Beförderungsgelegenheiten ein besonderer Viehzug abzulassen. Die durchschnittliche Geschwindigkeit der Viehzüge darf – vorbehaltlich der Befugnis der Landesaufsichtsbehörde, bei besonderen Verhältnissen nach Genehmigung des Reichseisenbahnamts Abweichungen zu gestatten – nicht weniger als 25 *km* in der Stunde betragen.

Auch in Österreich bestehen Vorschriften, die den Bahnverwaltungen die Verpflichtung auferlegen, in Ausführung der §§ 42 und 43 des BR. die zur Viehbeförderung bestimmten Züge in entsprechender Weise kundzumachen. Die Beförderung hat, abgesehen von Hunden und Pferden, die zu den von den mitfahrenden

Reisenden benutzten Personen- oder Schnellzügen angenommen werden, in der Regel nur mit den für die T. bestimmten Güterzügen zu erfolgen.

Die Bemühungen der Regierung waren seit langem darauf gerichtet, die Bahnen zu bestimmen, Vieh möglichst mit direkten und schnellverkehrenden Zügen (nötigenfalls mit gemischten Zügen) zu befördern, worauf rücksichtlich der für die Versorgung Wiens bestimmten Sendungen ein besonderer Wert gelegt wird. Auch ist eine Reihe von Verfügungen an die Bahnen ergangen, die die Einhaltung der für Viehzüge festgesetzten Fahrordnungen bezwecken.

In der Schweiz haben die Eisenbahnen unter Genehmigungsvorbehalt des Bundesrats die Züge zu bezeichnen, mit denen Vieh in gewöhnlicher oder in Eilfracht befördert wird. Die für die Beförderung in gewöhnlicher Fracht bestimmten Züge sollen sich in billiger Weise den örtlichen Bedürfnissen anpassen. Auch ist darauf Bedacht zu nehmen, daß, soweit möglich, von jeder Station aus wenigstens einmal täglich die 24stündige Fahrleistung (ohne Übernachten) erzielt wird.

Die Beförderung geschieht nach dem Ermessen der Bahnanstalt mit Personen- oder Güterzügen. Mit Schnellzügen werden keine Tiere befördert.

In den Niederlanden erfolgt die Beförderung der Tiere mit Vieh-, Güter- oder gemischten Zügen, mit Personenzügen jedoch nur auf Grund fallweiser Bewilligung; mit Schnellzügen ist (Pferde ausgenommen) die Beförderung ganz ausgeschlossen.

Die Züge, mit denen die Beförderung stattfindet, sind kundzumachen.

In Belgien werden lebende Tiere in der Regel mit gemischten oder Güterzügen, die die Verwaltung bezeichnet, und nur ausnahmsweise mit Bewilligung des Betriebschefs in Personenzügen befördert.

Falls die Tiere die Ladung von 10 Wagen umfassen, können Sonderzüge gestellt werden.

In Italien werden Tiere gewöhnlich (von Pferden in Luxuswagen abgesehen) nur mit Güterzügen befördert. Will der Versender eine beschleunigtere Beförderung, so muß er eine höhere Gebühr entrichten.

In Frankreich erfolgt die Beförderung bei Aufgabe als Eilgut mit gewöhnlichen Personenzügen, die alle Wagenklassen führen; bei Aufgabe als Frachtgut in besonderen Viehzügen oder gemischten Zügen.

b) Tränkung und Fütterung. In Deutschland sollen alle Tiere, deren Beförderung 24 Stunden oder länger in Anspruch nimmt, vor der Verladung vom Absender gefüttert und getränkt werden. Dauert die Beförderung mehr als 36 Stunden, so sind die Tiere spätestens nach je 36 Stunden zu füttern und zu tränken. Für die unterwegs erforderliche Fütterung und Tränkung sind nach Bedarf besondere Stationen mit Einrichtungen zu versehen. Diese „Tränkstationen" werden vom Reichseisenbahnamt nach Anhörung der beteiligten Bundesregierungen bestimmt und sind in den Tarifen bekanntzumachen.

In Österreich gilt (Handelsministerialerlaß vom 26. Februar 1875) bezüglich des Borsten- und Hornviehs gleichfalls der Grundsatz, daß das Tränken der Tiere innerhalb 24 Stunden stattzufinden hat und daß es, insoferne den Tieren kein Begleiter beigegeben oder von diesem die Tränkung unterlassen wird, von der Bahn gegen eine angemessene Entschädigung zu bewerkstelligen ist. (Die Tränkungsgebühr beträgt bei den österreichisch-ungarischen Bahnen für Großvieh f. d. Stück 20 h. Für das Tränken sonstiger Tiere werden für jeden Wagen bzw. für jede Etage 50 h eingehoben. Die letztere Gebühr wird verdoppelt, wenn der Sendung kein Begleiter beigegeben ist. Für Fütterung und Tränkung von Geflügel beträgt die Gebühr 5 h für 10 *kg* und mindestens 50 h).

In der Schweiz sollen Tiere, die ihren Bestimmungsort nicht innerhalb 24 Stunden erreichen, inzwischen mindestens einmal auf einer Zwischenstation gefüttert und getränkt, und wenn sie unterwegs auf einer Station übernachten müssen, in dieser ausgeladen werden. Ausnahmsweise sind Schaftransporte in Herden im Durchzug durch die Schweiz auf einer der Grenzstationen bzw. auf der Übergangsstation auszuladen, zu füttern und zu tränken. Milchkälber, die zur Ausfuhr aufgegeben werden und deren Beförderung von der Aufgabe- bis zur Bestimmungsstation fahrplanmäßig mehr als 10 Stunden in Anspruch nimmt, sind auf der Übergangsstation mit Nahrung zu versehen (nahrhaft zu tränken).

Die Käfige, Körbe und sonstige Behälter, in denen Geflügel und andere kleine Tiere zur Beförderung gelangen, sollen mit dichten Böden versehen, luftig und geräumig genug sein, um den Tieren die nötige Bewegung sowie um deren Fütterung und Tränkung zu gestatten.

Wenn Geflügelsendungen, bei denen dieser Forderung nicht genügend Rechnung getragen ist, auf den Übergangsstationen anlangen, so sollen sie in Reservekäfige (Körbe) umgeladen werden, die von den Bahnen vorrätig zu halten sind.

Geflügelsendungen sollen nicht länger als 12 Stunden ohne Tränkung und Fütterung bleiben.

In Frankreich müssen die Absender den Tieren die zu ihrer Erhaltung erforderliche Pflege angedeihen lassen. Weitere Vorschriften bestehen nicht.

In Rußland kann das Tränken des Viehs, das ausschließlich den Begleitern obliegt, auf sämtlichen Stationen vorgenommen werden, falls eine Ausladung nicht stattfindet und die fahrplanmäßige Aufenthaltszeit des Zuges es zuläßt. Im übrigen werden von dem Verkehrsminister und dem Minister des Innern gewisse Tränkstationen besonders bestimmt, die mit besonderen Vorrichtungen ausgerüstet sind und auf denen die Verwaltung auf Ersuchen der Begleiter ohne irgendwelche Vergütung genügend Wasser herzugeben und Arbeiter zur Hilfeleistung beim Tränken zu stellen hat.

c) Verschieben. Die deutschen Vorschriften bestimmen, daß das Verschieben der mit Tieren beladenen Wagen auf das dringendste Bedürfnis zu beschränken und stets mit besonderer Vorsicht vorzunehmen ist; insbesondere ist heftiges Anstoßen dabei zu vermeiden. Dieselben Vorschriften sind auch für die Schweizer Bahnen gegeben; ähnliche Vorschriften bestehen auch in Österreich.

d) Begleiter. Auf den deutschen Bahnen wird Großvieh in Wagenladungen nur in Begleitung angenommen; für je 3 zu einer Sendung gehörige Wagen muß mindestens ein Begleiter gestellt werden. Bei Aufgabe von Kleinvieh in Wagenladungen sowie von einzelnen Stücken Groß- und Kleinvieh kann von der Beigabe eines Begleiters nach dem Ermessen der Versandstation abgesehen werden.

Zu jeder Sendung und, wenn eine Sendung aus mehr als einer Wagenladung besteht, zu jedem Wagen wird ein Begleiter zugelassen. Diese Begleiter haben ein Fahrgeld von 2 Pf. f. d. Tarif*km* zu zahlen, wenn sie im Viehwagen, im Packwagen oder in der niedrigsten Klasse des Zuges fahren, sonst das Fahrgeld der benutzten Klasse. Über diese Zahl hinaus werden Begleiter zur Fahrt in den Güter-, Eilgüter- und Viehzügen zugelassen, soweit Platz vorhanden ist. Diese Begleiter haben, wenn sie im Viehwagen oder im Packwagen fahren, ein Fahrgeld von 2 Pf. f. d. Tarif*km*, wenn Personenwagen gestellt werden, das Fahrgeld der benutzten Klasse zu zahlen. Jedem Begleiter ist gestattet, einen Hund im Viehwagen unentgeltlich mitzunehmen. Bei Fahrten zur Nachtzeit müssen die Begleiter mit gut brennenden Laternen versehen sein.

In Österreich-Ungarn werden lebende Tiere, mit Ausnahme von kleinen Tieren in Käfigen, zur Beförderung in der Regel nur angenommen, wenn für jede Sendung mindestens ein Begleiter beigegeben wird; für mehrere in einem Wagen nach derselben Bestimmungsstation verladene Sendungen genügt ein Begleiter für den Inhalt des ganzen Wagens. Falls die Sendung aus mehreren Wagenladungen besteht, soll bei Großvieh für je 3 Wagen mindestens ein Begleiter gestellt werden; bei Kleinvieh genügt ein Begleiter für jede Sendung ohne Rücksicht auf die Zahl der Wagenladungen.

Bei Sendungen von Pferden, die zur Beförderung mit Personenzügen aufgegeben werden, wird von der Beigabe einer Begleitung überhaupt nicht abgesehen. Bestehen die Sendungen aus mehreren Wagenladungen, so kann auch für jeden Wagen ein Begleiter verlangt werden.

Wird die genügende Anzahl von Begleitern oder überhaupt Begleitung nicht beigegeben, so kann die Bahn vom Absender die Ausstellung einer entsprechenden Erklärung verlangen, und übernimmt die Bahn in keinem Fall die Haftung für den Schaden, für den sie im Fall der Begleitung nicht aufzukommen gehabt hätte.

Was die Fahrbegünstigungen für Tierbegleiter in Österreich betrifft, so gelten hierüber bei den einzelnen Bahnen besondere Bestimmungen. Zumeist wird bei Hornviehsendungen die freie Rückfahrt für die Viehbegleiter (auf 3 Wagen je ein Begleiter) gewährt, jedoch besteht die Absicht, bezüglich der Viehbegleiter einen einheitlichen Vorgang für alle Bahnen einzuführen, bzw. die gebührenfreie Abfertigung der Begleiter nur bei Kleinviehbeförderungen zuzulassen, die freie Rückfahrt aber ausnahmslos aufzuheben.

In Belgien sollen den Sendungen von Pferden und anderen Tieren Begleiter beigegeben werden; andernfalls trägt der Absender die Folgen, die durch den Mangel der Begleitung hervorgerufen werden.

Für jede Sendung oder Wagenladung wird ein Begleiter unter der Voraussetzung, daß er in demselben Wagen wie die Tiere Platz findet, frei befördert.

In den Niederlanden ist die Eisenbahn Begleitung zu fordern berechtigt. Bei Kleinvieh, insbesondere Geflügel in Käfigen, bedarf es der Begleitung nicht.

Für jede volle Wagenladung wird die unentgeltliche Beförderung eines Begleiters, der nach Bestimmung des Stationsvorstands im Viehwagen oder einem Wagen III. Klasse Platz zu nehmen hat, zugestanden.

Begleiter von Pferden in Stallwagen werden nur in letzteren frei befördert. Erfolgt die Beförderung ohne Begleiter, dann muß der Frachtbrief „Bahn restante" lauten, und ist der Absender verpflichtet, dem Adressaten Kenntnis von der Absendung zu geben, um diesen in den Stand zu setzen, die Sendung gleich nach der Ankunft abzunehmen.

Auf den schweizerischen Eisenbahnen soll jede Sendung zum Zweck der Beaufsichtigung, Wartung und Fütterung der Tiere während der Fahrt in der Regel von einem Führer begleitet werden, der seinen Platz in dem Wagen zu nehmen hat, in dem die Beförderung der Tiere erfolgt; wenn der Aufenthalt im Viehwagen unmöglich sein sollte, so ist dem Begleiter ein Platz in einem Personenwagen III. Klasse oder im Gepäckwagen bzw. in einem gedeckten Güterwagen anzuweisen. Soweit die Bahn auf die Begleitung der Sendung verzichtet hat, haben ihre Organe die den Umständen angemessene Wartung und Fütterung der Tiere zu besorgen, und ist die Verwaltung berechtigt, die daraus erwachsenen Kosten nachzunehmen. Die Begleitung von Zuchtstieren, Hengsten und bösartigen Tieren ist vorgeschrieben. Sie wird ausnahmsweise im Verkehr der normalspurigen Bahnen unter sich, u. zw. auch hier nur dann erlassen, wenn der Versender die Verwendung eines eigenen Wagens verlangt und dafür die im Tarif festgesetzte Zuschlagstaxe bezahlt. Sofern der Begleiter Sendungen dieser Art, die ohne Zuschlagstaxe, d. h. ohne besonderen Wagen abgefertigt worden sind, vor vollendeter Beförderung verläßt, kann die Eisenbahn die Umladung der betreffenden Tiere selbst oder der allfällig beigeladenen anderen Tiere anordnen und die tarifmäßige Gebühr für die Aus- und Einladung, sowie die Zuschlagstaxe ab derjenigen Station, ab der die Begleitung fehlt, vom Empfänger der betreffenden Sendung erheben. Auch hat der Eigentümer der Tiere für alle Folgen aufzukommen, die aus der Nichtbegleitung entstehen können. Besteht eine Sendung aus einer oder mehreren Wagenladungen, so hat für jede Wagenladung ein Begleiter Anspruch auf freie Fahrt. Bei Sendungen, die nicht eine ganze Wagenladung ausmachen, hat er Anspruch auf Beförderung zur halben Personentaxe III. Klasse, bei Beförderung von Kleinvieh (Kälber, Schweine, Schafe, Ziegen) jedoch nur, wenn die Sendung mindestens 5 Stück umfaßt.

In Frankreich ist keine Begleitungspflicht. Begleiter von Eilgutsendungen haben in den Personenwagen Platz zu nehmen und den Fahrpreis der Wagenklasse zu zahlen, die sie einnehmen. Begleiter von Frachtgutsendungen erhalten fast auf allen Bahnen für sich und mitgenommene Hunde einen Freifahrtschein III. Klasse für Hin- und Rückfahrt. Für jeden Wagen wird ein Freischein, für jede Sendung werden höchstens 2 Freischeine gewährt. Die Begleiter sind berechtigt, den Tieren vorauszufahren und sie auf den Bahnhöfen zu erwarten, auf denen sie sie verpflegen wollen.

In Italien kann die Verwaltung verlangen, daß der Viehsendung Begleitung beigegeben werde. Die Begleiter haben bei der Fahrt in Vieh- und Stallwagen den halben Preis der III. Klasse zu bezahlen. Bei Beförderung in Personenwagen ist der volle Preis zu bezahlen.

In Rußland wird Vieh nur mit Begleitern befördert, u. zw. wird für jeden Wagen höchstens ein Begleiter zugelassen, während für je 8 Wagen Großvieh und ebenso für je 6 Wagen Kleinvieh mindestens ein Begleiter vorhanden sein muß. Wird das Vieh nach Stückzahl befördert, so ist jeder einzelnen Sendung ein Begleiter beizugeben. Die Begleiter sind in einem Wagen III. oder IV. Klasse unterzubringen, wenn sich ein solcher im Zug befindet; andernfalls ist ihnen ein Platz im Dienstabteil anzuweisen. Die Beförderung von lebendem Geflügel und Kleinvieh in Kisten, Käfigen und Körben ist auch ohne Begleitung zulässig. Für die Beförderung der Begleiter wird eine Gebühr nach einem besonderen Tarif erhoben.

II. Sonstige Beförderungsvorschriften.

1. Art der Abfertigung. In Deutschland wird Kleinvieh (einschließlich Hunde) in Käfigen, Kisten, Säcken u. dgl. oder wilde Tiere in Käfigen nach Wahl der Versender auf Gepäckschein (Beförderungsschein) oder auf Frachtbrief abgefertigt; im ersteren Fall erfolgt die Abfertigung durch die Gepäckabfertigungsstellen. Alle übrigen Sendungen werden nur auf Grund von Frachtbriefen, u. zw. bei den Eilgut- oder Güterabfertigungsstellen abgefertigt.

In Österreich-Ungarn werden, abgesehen von kleinen Tieren in Behältern, die auf Gepäckschein befördert werden können, dann von Hunden, die gegen Beförderungsscheine (Hundekarten) aufgegeben werden, lebende Tiere nur auf Grund von Frachtbriefen als Eil- oder Frachtgut zur Beförderung angenommen.

In der Schweiz erfolgt die Abfertigung der Tiere als Eil- oder Frachtgut. Dem Absender wird von der Aufgabeexpedition ein Beförderungsschein ausgestellt, der bei Empfangnahme der Tiere auf der Bestimmungsstation zurückzugeben ist.

Die Aufgabe erfolgt in der Regel bei den Gepäcksabfertigungen.

In den Niederlanden erfolgt die Beförderung der Tiere gegen Frachtbrief oder Beförderungsschein.

Kleine Tiere, Hunde und Vögel, die in geschlossenen Kisten, Käfigen u. dgl. zur Aufgabe gebracht werden und keine Wagenladung bilden, können als Bestellgut gegen Bezahlung der Fracht vom doppelten Gewicht angenommen werden.

In Belgien werden Tiere auf Frachtbrief in grande oder petite vitesse befördert, u. zw. als grande vitesse nur Pferde, Esel, Maulesel, unter der Voraussetzung, daß die zu durchfahrende Strecke wenigstens 75 *km* beträgt oder die Aufgabs- und Bestimmungsstationen der Sendung zugleich Anfangs- und Endstation des Zuges sind.

Kleine Tiere in Behältern können auch nach dem Tarif II: „service acceleré" befördert werden.

In Frankreich werden Pferde und Großvieh nur in und nach Stationen angenommen, die Laderampen besitzen. Hunde in oder ohne Begleitung von Reisenden werden nur als Eilgut, andere Tiere als Eilgut oder Frachtgut angenommen. Die Abfertigung geschieht auf Grund einer Versanderklärung (déclaration d'expedition), die im wesentlichen die gleichen Angaben enthält wie ein Frachtbrief.

In Italien erfolgt die Beförderung von Vieh entweder in beschleunigter Beförderung (à piccola velocità accelerata) gegen Beförderungsschein (nota di spedizione) oder als Frachtgut auf Frachtbrief.

In Rußland werden lebende Tiere nur auf Frachtbrief angenommen.

Ebenso können nach dem IÜ. lebende Tiere nur auf Frachtbrief aufgegeben werden.

2. Vorherige Anmeldung und Wagenbestellung. Diesbezüglich gelten in Deutschland und Österreich sowie im Vereinsverkehr zunächst die Vorschriften des § 44 des BR. und der Verkehrsordnung, (s. auch Zusatzbestimmung 8 zu § 43 des VBR.) Darnach sind die Tiere rechtzeitig, einzelne Stücke mindestens 1 Stunde vor Abgang des Zuges auf den Bahnhof zu bringen.

Die Bestellung von Wagen hat in Deutschland in der Regel schriftlich bei der Aufgabsstation zu erfolgen und ist hierbei die Anzahl und Gattung der Wagen, die Bestimmungsstation u. s. w. anzugeben.

In den Niederlanden müssen Wagen für Viehbeförderung 24 Stunden vorher bestellt werden. Bei Bestellung ist auf Verlangen ein Angeld von 5 K zu erlegen, das nicht zurückgegeben wird, wenn der Wagen nicht am bestellten Tag benutzt wird.

Die Tiere müssen 2 Stunden vor dem Abgang des Zuges auf die Station gebracht werden; wenn der Zug des Nachts oder vor 7 Uhr früh verkehrt, müssen die Tiere am Abend vorher zur Beförderung angemeldet werden.

In der Schweiz hat die Anmeldung der Tiersendungen mit Ausnahme der Hunde in den Zwischenstationen mindestens einen Tag voraus, in den Hauptstationen für einzelne Stücke und einzelne Wagenladungen mindestens 2 Stunden vor Abgang des betreffenden Zuges, für 2 oder mehrere Wagenladungen ebenfalls einen Tag vorher zu erfolgen.

Die Zufuhr hat bei Pferden 1 Stunde, bei den übrigen Tieren 2 Stunden vor Abgang des betreffenden Zuges zu erfolgen.

In Belgien müssen Viehsendungen mindestens 48 Stunden vorher angemeldet werden.

Handelt es sich um mehr als 5 Wagen, so verdoppelt sich die Anmeldefrist.

Die Tiere müssen mindestens 1 Stunde vor der Abfahrt eingeladen sein.

In Frankreich sind die Versandstationen 24 Stunden vorher von der Anzahl und Art der in Wagenladungen als Frachtgut zu befördernden Tiere zu benachrichtigen. Bei Nichtbeachtung dieser Vorschrift stellt die Eisenbahn den Versendern solche Wagen, die im Augenblick der Verladung gerade verfügbar sind. Die Zufuhr der Tiere zum Bahnhof hat wenigstens 3 Stunden vor Abgang des Zuges, mit dem die Beförderung ausgeführt werden soll, zu erfolgen.

In Italien muß die Anmeldung der Sendung, falls Wagen nicht vorhanden sind, 12 Stunden vor der Aufgabe erfolgen. Die Verladung muß spätestens 1 Stunde vor Abgang des Zuges vollendet sein.

In Rußland hat der Versender die Versandstation vor Einreichung des Frachtbriefs von jeder bevorstehenden Wagenladung unter Mitteilung der Stückzahl des abzufertigenden Viehs, der Bestimmungsstation und der gewünschten Wagen schriftlich zu benachrichtigen und gleichzeitig für jede Wagenladung 3 Rubel als Kaution zu erlegen, die verfällt, wenn das Vieh nicht abgesandt wird. Vor der Absendung wird das Vieh, soweit es eine Wagenladung bildet, auf der Versandstation regelmäßig tierärztlich untersucht; ausnahmsweise kann die Untersuchung auch auf der Empfangsstation stattfinden, der in diesem Falle die Sendung vorgemeldet wird.

3. Zahlung der Fracht[1]. In Deutschland und Österreich-Ungarn, sowie im

[1] Wegen der Fahrgebühren für Viehbegleiter s. o. S. 324.

Vereinsverkehr ist die Bahn (s. deutsche Verkehrsordnung, österreichisch-ungarisches BR. und VBR.) berechtigt, die Vorauszahlung der Fracht zu beanspruchen.

Nach den Zusatzbestimmungen zu § 48 der Verkehrsordnung für die Eisenbahnen Deutschlands ist bei den auf Beförderungsschein oder Gepäckschein abgefertigten Tiersendungen der Fahrpreis stets am Absendeort zu erlegen und eine Nachnahmebelastung ausgeschlossen. Bei Frachtbriefsendungen ist es dem Ermessen der Eisenbahnverwaltungen überlassen, in den einzelnen Verkehren unfrankierte Aufgabe und Nachnahmebelastung zuzulassen und die Bedingungen, unter denen die Zulassung geschieht, festzusetzen.

In Österreich-Ungarn sind laut Zusatzbestimmung zu § 46 des BR. die entfallenden Gebühren für Pferde, Fohlen, Maultiere, Hunde und wilde Tiere stets bei der Aufgabe zu entrichten. Für sonstige Tiere können die Beförderungsgebühren nach Wahl des Absenders auch an den Empfänger zur Zahlung überwiesen werden.

In Frankreich und Belgien ist es ebenfalls dem Versender freigestellt, die Fracht im vorhinein zu bezahlen oder die Sendung mit überwiesenen Gebühren aufzugeben.

In der Schweiz, den Niederlanden und in Italien ist die Frachtgebühr stets bei der Aufgabe zu entrichten. Der Taxzuschlag für die streckenweise Beförderung als Eilgut kann in der Schweiz auf der betreffenden Unterwegsstation oder auf der Empfangsstation bezahlt werden.

In Rußland können Fracht- und Nebengebühren auf Wunsch des Versenders auf den Empfänger überwiesen werden; anderseits kann bei der Beförderung von Geflügel und Kleinvieh in Kisten, Käfigen und Körben die Eisenbahn verlangen, daß Fracht- und Nebengebühren im voraus bezahlt werden.

4. Mitnahme von Futter und Gepäck durch die Begleiter. Bei den deutschen Bahnen wird das während der Eisenbahnfahrt zur Fütterung der Tiere erforderliche Futter, das etwaige Geschirr der Tiere sowie das übliche Handgepäck der Viehbegleiter unentgeltlich im Viehwagen mitbefördert. Sonstiges Gepäck oder Güterstücke dürfen in den mit Vieh beladenen Wagen nicht mitgeführt werden, sind vielmehr ordnungsmäßig aufzugeben.

Bei den österreichisch-ungarischen Eisenbahnen dürfen Futtervorräte, die dem Verbrauch während der Fahrt entsprechen, begleiteten Sendungen beigegeben werden.

Das Reisegepäck der Viehbegleiter unterliegt der allgemeinen Bestimmung.

In der Schweiz wird das während der Eisenbahnfahrt zum Unterhalt der Tiere erforderliche Futter bis zum Gewicht von 50 *kg* für den Wagen sowie das Handgepäck der Viehbegleiter unentgeltlich im Viehwagen mitgenommen. Die Begleiter der Tiersendungen, denen die Fütterung der Tiere übertragen ist, haben dafür zu sorgen, daß das Futter in ihrem Bereich verbleibt und nicht verdorben wird. Der Aufenthalt auf den Plattformen der Wagen ist nicht gestattet. Treibhunde, die zu Viehsendungen in ganzen Wagenladungen gehören, werden taxfrei befördert. Es wird aber nur ein Treibhund auf die Wagenladung angenommen.

In Italien ist für jedes zur Beförderung aufgegebene Pferd unentgeltliche Beförderung des Geschirrs, der Geräte und des für die Reise nötigen Futters im Höchstausmaß von 40 *kg* (hierunter höchstens 10 *kg* Futter) für das Pferd zugestanden, unter der Bedingung, daß diese Gegenstände ohne die Ausnutzung des Wagens hinsichtlich der Anzahl der Tiere zu hindern, im selben Wagen mitverladen werden können.

Der Begleiter ist zur unentgeltlichen Mitnahme des eigenen Gepäcks, soweit dieses nicht die für das Handgepäck bestimmten Grenzen übersteigt, berechtigt.

In Belgien können Streu- und Futtervorräte auf Kosten der Versender im Viehwagen untergebracht werden.

In Rußland darf das zur Fütterung der Tiere bestimmte Körnerfutter, Gras, Heu und Stroh, in einem für die einzelnen Viehsorten verschieden bemessenen Umfang kostenlos mitgeführt werden.

5. Abnahme der Tiere, Ablieferungshindernisse. Nach den in Deutschland und Österreich geltenden reglementarischen Bestimmungen werden Tiere bei der Ankunft an dem Bestimmungsort gegen Rückgabe des Beförderungsscheins oder nach Aushändigung des Frachtbriefs an den Empfänger gegen dessen Bescheinigung ausgeliefert. Das der Partei obliegende Ausladen und Abtreiben muß spätestens 2 Stunden nach der Bereitstellung und dem Ablauf der zur etwaigen zoll- oder steueramtlichen Abfertigung erforderlichen Zeit erfolgen. Nach Ablauf dieser ist die Eisenbahn berechtigt, die Tiere auf Gefahr und Kosten des Absenders in Verpflegung zu geben, oder falls sie deren ferneren Aufenthalt auf dem Bahnhof gestattet, ein im Tarif festzusetzendes Standgeld zu erheben.

Das Transportreglement für die schweizerischen Eisenbahnen bestimmt, daß das Ausladen dem Empfänger obliegt. Verlangt er, daß die Ausladung durch die Bahn geschehen soll, welchem Verlangen die Bahnverwaltungen nachzukommen nicht verpflichtet sind, so werden die im Tarif vorgesehenen Gebühren eingehoben. Ebenso auch dann, wenn die Entladung wegen Abwesenheit des Empfängers oder Begleiters durch das Bahnpersonal erfolgt. Nimmt die Bahn die Ausladung vor, so haftet sie nicht für Verlust und Beschädigung infolge Entspringens, Fallens, Stoßens und ähnlicher Ursachen.

Das Ausladen und Abnehmen des Viehs hat längstens 1 Stunde nach Ankunft zu geschehen, widrigenfalls es, soweit nicht Zoll- oder sanitätspolizeiliche Vorschriften entgegenstehen, auf Gefahr des Empfängers ausgeladen und in Pflege gegeben wird.

Im andern Fall ist unter Beobachtung der obigen Bestimmungen nach den Weisungen der Zoll- oder Sanitätspolizeiorgane vorzugehen.

Nach 8 Uhr abends kann die Ausladung und Unterbringung auch vor Ablauf einer Stunde vorgenommen werden.

Zur Aufbewahrung von Hunden, die nach der Ankunft nicht sofort abgeholt werden, ist die Bahnverwaltung nicht verpflichtet.

In Frankreich hat die Entladung auf Veranlassung und unter der vollen Verantwortlichkeit der Versender, u. zw. sofort nach der Ankunft (Bereitstellung) vor sich zu gehen, widrigenfalls sie auf Kosten und Gefahr des Verfügungsberechtigten eisenbahnseitig ausgeladen und in Pflege gegeben werden.

Auf den italienischen Bahnen muß die Ausladung innerhalb 4 Stunden nach Beistellung des Wagens geschehen bei sonstiger Einstellung des Viehs auf Gefahr und Kosten des Eigentümers. Die Entladung selbst erfolgt auf Veranlassung und Gefahr des Empfängers.

Können Viehsendungen, die des Abends einlangen, infolge Zoll- oder Sanitätsvorschriften oder aus anderen Gründen nicht ausgeladen und abgenommen werden, so haben sie gegen Entrichtung einer im Tarif festgesetzten Gebühr im Wagen zu verbleiben.

Für die Entladung und die Begleitung bis zum Ort der Einstellung werden ebenfalls tarifmäßig bestimmte Gebühren eingehoben.

In Belgien sollen Tiere 2 Stunden nach der Ankunft abgeholt werden. Nach dieser Frist werden sie entweder auf Rechnung und Gefahr des Absenders in Futter gegeben oder die Bahn behält sie gegen Ersatz der auflaufenden Kosten selbst in Kost.

Ähnliches gilt auch in den Niederlanden, mit der Abänderung, daß Pferde, nicht wie die übrigen Tiere, erst nach 2, sondern bereits nach 1 Stunde ausgeladen und abgeführt werden müssen. Hunde sind längstens 1/2 Stunde nach ihrer Ankunft abzuholen; über diese Zeit sind die Eisenbahnen zu ihrer Verwahrung nicht verpflichtet.

In Rußland muß die Entladung innerhalb 12 Stunden vor sich gehen, jedoch darf Großvieh nicht vor erfolgter tierärztlicher Beschau abgetrieben werden. Nach diesem Zeitraum wird das Vieh unter Aufstellung eines Protokolls der Ortspolizei zur weiteren Verpflegung und Veranlassung übergeben.

6. Lieferfristen. In Deutschland dürfen die Lieferfristen folgende Höchstfristen nicht überschreiten: bei einer Entfernung bis zu 150 Tarif*km* 1 Tag, bei größeren Entfernungen für weitere angefangene je 300 Tarif*km* 1 weiteren Tag. Der Lauf der Lieferfrist ruht für die Dauer des Aufenthalts auf den Tränkstationen und für die Dauer der ärztlichen Viehbeschau.

In Belgien geschieht die Beförderung mit jenen gemischten oder Güterzügen, die zum mindesten 1 Stunde nach der Auflieferung zur Beförderung abgehen und von der Verwaltung hierzu bestimmt worden sind. Die Ablieferung in der Bestimmungsstation hat mit dem gleichen oder aber mit dem nächsten Anschlußzug zu erfolgen. Kann die Beförderung zum Bestimmungsort nicht mit dem gleichen Zug vor sich gehen, mit dem die Viehsendung von der Aufgabsstation abrollte, so wird sie, wenn es die Regelmäßigkeit des Dienstes erheischt, im Lauf aufgehalten und selbst im Fall des Zusammentreffens mit dem früheren, doch erst mit dem darauffolgenden Anschlußzug befördert.

In Italien werden berechnet für je angefangene 225 *km* 24 Stunden, für jeden Übergang von Bahn zu Bahn 8, und für jeden Übergang über eine Strecke mit Neigungen über 20‰ 6 Stunden.

In Rußland ist für Großvieh eine Transportfrist von 24 Stunden für je 250 Werst nebst einer 8stündigen Manipulationsfrist für jede Übergangsstation bestimmt. Bei Kleinvieh werden für je 200 Werst 24 Stunden, für die Abbeförderung ebenfalls 24 Stunden und für jeden Übergang von Bahn zu Bahn 8 Stunden gerechnet.

In Amerika (Leyen, Amerikanische Eisenbahnen, S. 260) ist die Zusicherung des Einhaltens bestimmter Lieferfristen verboten.

Was die Haftung für Versäumnis der Lieferfrist betrifft, so gelten hierfür sowohl in den einzelnen Staaten als auch nach dem internationalen Übereinkommen über den Eisenbahnfrachtverkehr dieselben Bestimmungen wie für Güter überhaupt.

7. Haftung für Verlust und Beschädigung. In Österreich, Deutschland, der Schweiz, Belgien, Italien, Rußland und nach dem IÜ. richtet sich die Haftung nach den Bestimmungen über die Beförderung von Gütern (s. Frachtrecht), jedoch haftet die Eisenbahn nicht für den Schaden, der aus der mit der Beförderung lebender Tiere verbundenen besonderen Gefahr entstanden ist, sowie für den Schaden, dessen Abwendung durch die Begleitung bezweckt wird, u. zw. wird bis zum Nachweis des Gegenteils vermutet, daß der Schaden aus der betreffenden Gefahr wirklich entstanden ist.

Tritt Ersatzpflicht ein, so ist der Wert der zu grunde gegangenen Tiere bzw. bei Beschädigung der Minderwert zu ersetzen. Bei Deklaration des Interesses ist auch der übersteigende Schaden zu ersetzen.

In den Niederlanden gelten ebenfalls die vorstehenden Haftungsbeschränkungen bei Verlust eines Tieres. Mangels einer Wertversicherung werden die folgenden Beträge als Höchstentschädigungssätze gezahlt: 300 fl. für ein Pferd, 125 fl. für einen Mastochsen, 12 fl. für ein Kalb, 90 fl. für jedes andere Stück Großvieh, 36 fl. für ein Mastschwein, 15 fl. für ein mageres Schwein, 4 fl. für ein Spanferkel, 7 fl. für ein Schaf oder eine Ziege, 4 fl. für einen Hund, endlich 36 fl. für 100 *kg* sonstiger Tiere.

Ist Wertangabe erfolgt, so ist neben dem tarifmäßigen Beförderungspreis ein Zuschlag zu bezahlen, der 1‰ der ganzen deklarierten Summe für jede angefangenen 150 *km* der ganzen Strecke und mindestens 20 Ct. beträgt.

In Frankreich ist die Haftung auf 5000 Fr. f. d. Stück beschränkt, wenn im Aufgabeschein nicht ein höherer Wert deklariert ist. Im allgemeinen besteht in Frankreich bei Verlust oder Beschädigung gegen die Bahngesellschaften die Vermutung des Verschuldens ebenso wie bei anderen Waren.

In England bestimmt die Railway and Canal Traffic Act vom 10. Juli 1854, daß die Bahnen für den Verlust von Pferden und Vieh während der Beförderung nicht über gewisse Beträge (bei Pferden z. B. nicht über 50 Pfund Sterling f. d. Stück) haften sollen, ausgenommen es würde eine angemessene Versicherungsprämie dafür gezahlt.

Aber auch diese enthebt den Eigentümer der Sendung nicht vom Nachweis der Höhe seines Schadens. Weiters bestimmt obiges Gesetz, daß die Eisenbahnen bei Vieh- und Pferdesendungen für Schäden, die durch Nachlässigkeit ihrer Organe entstehen, zu haften haben, und Bedingungen, die diese Haftpflicht ausschließen, nichtig seien, wobei Bedingungen, die das Gesetz für gerecht und angemessen findet, nicht eingeschlossen sein sollen.

In Amerika lehnen die Bahnen jede Haftung, insbesondere für Ersticken des Viehs oder für Beschädigungen, die die Tiere einander zufügen, ab.

8. Beförderung wilder Tiere (Menagerien). Diesbezüglich bestimmt § 44 der deutschen Verkehrsordnung und des österreichisch-ungarischen BR., daß die Eisenbahn zur Beförderung wilder Tiere nur bei Beachtung der im Interesse der Sicherheit vorzuschreibenden Bedingungen verpflichtet ist. Die Bedingungen bezwecken die Sicherstellung einer solchen Verpackung oder Verladung, daß die Gefahr einer Beschädigung von Personen, Tieren oder Gütern ausgeschlossen ist.

Ähnliche Bestimmungen gelten auch in anderen Staaten. In der Schweiz finden auf die Beförderung wilder Tiere – wenn solcher übernommen wird, wozu die Bahnverwaltungen nicht verpflichtet sind – die Bestimmungen des „Reglements und Tarifs für die Beförderung von im Tarif für lebende Tiere nicht benannten – auch wilden Tiere – sowie von ganzen Menagerien auf den schweizerischen Bahnen“ Anwendung, bzw. ist eine besondere Verständigung mit der Bahnverwaltung erforderlich.

In Belgien werden wilde Tiere nur in festen, gut verschlossenen Kisten zur Beförderung angenommen, und behält sich die Verwaltung ebenfalls das Recht vor, die Beförderung zurückzuweisen.

In Italien werden wilde Tiere nur in festen Eisenkäfigen übernommen; sie müssen von den Eigentümern oder Aufsehern begleitet sein und muß auf der Abgangsstation der Erlaubnisschein der Sicherheitsbehörde beigebracht werden. Die Beförderung geschieht auf Gefahr des Versenders, u. zw. mit Güterzügen, ausnahmsweise mit gemischten Zügen, falls auf einer Linie keine Güterzüge verkehren. Der Versender hat Seile, Ketten und was sonst zur Befestigung der die wilden Tiere enthaltenden Käfige oder Fuhrwerke nötig ist, beizustellen.

Tiertarife regeln die Beförderungspreise und Beförderungsbedingungen für lebende Tiere. Als Tiere gelten im allgemeinen Pferde, auch Ponies, Großvieh (Rindvieh, Maultiere, Esel, Fohlen u. dgl.), Kleinvieh (Schweine, Kälber, Schafe, Ziegen, Hunde, Gänse u. s. w.). Tarifarisch gehören Tiere zu den niedrig tarifierenden Beförderungsgegenständen, denn die Tierfrachten entsprechen z. B. in Deutschland ungefähr den Sätzen des Spezialtarifs III und des Rohstofftarifs, sind also im Verhältnis zum Wert des Gutes sehr gering. Ihre durchschnittliche Höhe wird noch wesentlich heruntergedrückt durch die zahlreichen Ermäßigungen für Zuchttiere und Weidetiere und die frachtfreie Rückbeförderung der Tiere von Ausstellungen, die stets zugleich als Märkte dienen. Demgegenüber sind die Selbstkosten der Eisenbahn infolge der raschen Beförderung hoch. Für die Berechnung der Tierfrachten können die geläufigen Grundsätze der Gütertarife nicht Anwendung finden, vielmehr wird in den einzelnen Ländern ganz verschieden verfahren und ein im wesentlichen einheitliches Tarifsystem ist nicht vorhanden. Deutschland, Dänemark, Frankreich und die Niederlande legen der Frachtberechnung die Ladefläche des benutzten Wagens zu grunde, Österreich-Ungarn daneben beim Zuchtvieh die Stückzahl der benutzen Wagen und Ungarn z. T. das Gewicht der Tiere; Belgien, Norwegen, Schweden gehen von der Stückzahl der Tiere aus. Die Schweiz und Rumänien lassen die Stückzahl der benutzten Wagen entscheiden, ebenso Rußland bei Pferden, während es im übrigen die Fracht nach der Stückzahl der Tiere berechnet; England legt bei Pferden die Stückzahl, bei Groß- und Kleinvieh die Länge des benutzten Wagens, Italien das Ladegewicht des benutzten Wagens und die Vereinigten Staaten das Gewicht der Tiere der Frachtberechnung zu grunde. Jedes dieser Tarifsysteme hat seine Vorzüge und seine Nachteile; seine praktische Durchführbarkeit hängt vielfach von Handelsgewohnheiten und Rücksichten auf die Landwirtschaft ab. Die Mängel, die den einzelnen Systemen anhaften, sind wohl erkannt, indes eine allgemein befriedigende, den Interessen der Versender, Empfänger und der Eisenbahn in gleichem Maße gerecht werdende Lösung ist trotz vielfacher Versuche bisher nicht gefunden.

I. Bei der Frachtberechnung nach dem Gewicht ist zu unterscheiden, ob ihr das wirkliche Gewicht oder ein Normalgewicht zu grunde gelegt werden soll.

1. Die Frachtberechnung nach dem wirklichen Gewicht sichert eine gleichmäßige Behandlung der Verfrachter, fördert die Interessen an der Gestellung großer Wagen und vermeidet den Anreiz zum Zusammendrängen der Tiere; sie setzt voraus, daß ein Handel nach Gewicht besteht, was nicht überall der Fall ist; ferner, daß geeignete Wägevorrichtungen auf allen Stationen vorhanden sind. Sie führt aber zur Verlangsamung der Beförderungen, sowohl bei Einzeltieren, die sich häufig nicht ohne Widerstand zur Wage führen lassen, als auch bei ganzen Wagenladungen, für deren Verbringung nach und von der Gleiswage nicht immer Verschiebemaschinen zur Verfügung stehen werden; Zugverspätungen, Anschlußversäumnisse, Verschlechterung des Wagenumlaufs, Nachteile für die Tiere selbst sind die unausbleiblichen Folgen. Zur Verminderung des Gewichts werden die Tiere ohne vorherige Fütterung und Tränkung verladen und das Fleisch wird schließlich infolge der ungleichen Fleischausbeute auch ungleichmäßig mit Fracht belastet. Eine gerechte Durchführung des Gewichtssystems nach Lebendgewicht wird wegen der Sperrigkeit der Tiere die Fläche bei der der Station obliegenden Auswahl des Wagens nicht außer Betracht lassen dürfen, da es auch erforderlich sein wird, eine bestimmte Höchstzahl der in einen Wagen zu verladenden Stücke festzusetzen, um Frachtungleichheiten und Bevorzugungen vorzubeugen, die sich aus der Verladung einer größeren Stückzahl in Wagen mit besonders großem Laderaum ergeben.

2. Das Normalgewichtssystem vermeidet die Nachteile des Lebendgewichtsystems und besitzt dessen Vorteile, wenn die Normalgewichte verschiedener Tierarten so niedrig gegriffen werden, daß sich hiernach fast regelmäßig die billigsten Frachten ergeben. Dieses System ist in Österreich neben der Frachtberechnung nach der Ladefläche fakultativ zugelassen. Gegen die Feststellung solcher Normalgewichte kann eingewendet werden, daß für Gebiete, die nach ihrer geschichtlichen Entwicklung volkswirtschaftlich nicht zu eng verknüpft, räumlich weit ausgedehnt, landwirtschaftlich anders geartet sind, die Festsetzung verschiedener Normalgewichte notwendig sein wird. Dieses erschwert oder macht die Herstellung direkter Tarife so gut wie unmöglich. Das Interesse der Verfrachter an der Gestellung großer Wagen führt leicht zu dem Nachteil ungünstiger Wagenausnutzung. Auch wird Magervieh für dasselbe Gewicht frachtpflichtig wie Schlachtvieh, was volkswirtschaftlich nicht gerechtfertigt ist.

II. Bei der Frachtberechnung nach der Stückzahl kann eine Normalstückfracht oder eine Staffelung der Stücksätze in Frage kommen. Die erstere Berechnungsart bezweckt die Berechnung der Fracht nur nach der Stückzahl der verladenen Tiere. Inhaltlich gibt sie hiermit alle Vorteile des Wagenraumsystems auf, das Interesse der Versender an der Gestellung und Ausnutzung ganzer Wagen geht verloren, ein erhöhter Wagenbedarf ist die unausbleibliche Folge. Sie erfordert auch eine Tierklassifikation, ohne die Sicherheit einer in allen Fällen gleichen und gerechten Frachtbelastung zu bieten.

Eine Staffelung der Stücksätze hat zur Voraussetzung, daß die auf den m^2 entfallende

Zahl der einzelnen Tiere annähernd gleich ist und daß die als Norm festzusetzenden Durchschnittsziffern den tatsächlichen Verhältnissen im einzelnen Fall nicht wesentlich widersprechen. Das ist aber nach allen Erfahrungen auf diesem Gebiet nicht der Fall.

III. Die Frachtberechnung nach der Ladefläche des benutzten Wagens kommt dem im Gütertarif aufgestellten Grundsatz hinsichtlich der nach dem Ladegewicht tarifierenden Güter am nächsten; bestmögliche Wagenausnutzung und deshalb Verringerung des Wagenbedarfs und der Beförderungskosten sind die anerkannten Vorzüge dieses Systems, das kaum zu ernsteren Beanstandungen Veranlassung geben würde, wenn der Wagenpark der Eisenbahnen aus Wagen mit einer einheitlichen Ladefläche bestände. Das trifft aber nicht zu. Deswegen bewegen sich die Klagen gegen dieses System vornehmlich in folgender Richtung: es sei ungerecht, weil es Zahlung für eine nicht gewünschte Leistung verlange; es behandle die Versender ungleichmäßig, indem dem einen der verlangte Wagen gestellt würde, dem andern nicht; die Frachtberechnung nach der Ladefläche sei auch wirtschaftlich verfehlt, weil sie die verschiedenen Tierarten nicht im gleichen Verhältnis zu ihrem Wert belastet. Hierzu ist zu bemerken, daß die Frachtverteuerung, die für kleinere Sendungen durch den Übergang zu größeren Wagen eintritt, ein Vorgang ist, mit dem die Interessenten wenigstens bei niedrig tarifierten Beförderungsgegenständen sich abfinden müssen, wenn anders nicht die wirtschaftlichen Vorteile der Vergrößerung der Wagen verloren gehen sollen. In dieser Hinsicht liegt die Sache beim Übergang zu größeren Ladeflächen im Tierverkehr genau so wie beim Übergang zu größeren Ladegewichten im Güterverkehr. Die Vergrößerung des Laderaums und Ladegewichts in Verbindung mit den Tarifvorschriften über die Berechnung der Fracht nach Ladefläche oder Ladegewicht ermöglicht allein eine gute Ausnutzung der Wagen und damit die möglichste Verbilligung der aus der Vorhaltung der Wagen entstehenden Kosten und der Beförderungskosten. Für den Güterverkehr ist auch infolgedessen die Beschaffung der Wagen mit niedrigem Ladegewicht im allgemeinen aufgegeben.

Es hat nicht an Versuchen gefehlt, im Rahmen dieses Systems Unterarten zu schaffen, die die Härten ausgleichen und die Mängel beheben sollen; indessen auch diesen ist der praktische Erfolg versagt geblieben.

Über die Einzelheiten der T. s. Gütertarife.

Grunow.

Tilgung s. Anleihen.

Töchterhorte. Der Eisenbahn-Töchterhort der vereinigten preußischen und hessischen Staatseisenbahnen und der Reichseisenbahnen ist eine im Jahre 1902 errichtete Stiftung mit dem Sitz in Berlin, deren Zweck es ist, unverheirateten Töchtern verstorbener Beamten und Arbeiter dieser Eisenbahnverwaltungen im Fall der Hilfsbedürftigkeit und Würdigkeit, insbesondere zur Ausbildung und Förderung ihrer Erwerbsfähigkeit Beihilfen zu gewähren. Ihr Bestreben ist es, den gesetzlichen Fürsorgeeinrichtungen des Staates und den Hilfsfonds der Eisenbahnverwaltung helfend zur Seite zu treten. Vorübergehende Notlagen sucht sie durch einmalige Geldunterstützungen zu beseitigen, bei dauernder Bedürftigkeit durch fortlaufende Zuwendungen zu helfen. Schwächliche oder kränkliche Kinder sendet sie in Bäder und Ferienkolonien. Vor allen Dingen aber greift sie da ein, wo es den Waisen an der nötigen Erziehung im Elternhaus und an der Möglichkeit zur Ausbildung für einen Beruf fehlt. Auch will sie Waisen, die alleinstehend im Alter keinen eigenen Herd besitzen, Unterkunft gewähren.

Die Organe der Stiftung sind ein Hauptausschuß in Berlin und 23 Bezirksausschüsse, je einer für die Direktionsbezirke und das Zentralamt der preußisch-hessischen Staatseisenbahnen und für die Reichseisenbahnen in Elsaß-Lothringen. Zur Unterstützung der Bezirksausschüsse sind Vertrauensmänner an allen Orten, wo Eisenbahner Dienst tun, und nach Bedarf Ortsausschüsse eingerichtet. An der Spitze steht ein Aufsichtsrat. Sämtliche Verwaltungsämter, in denen höhere, mittlere und untere Beamte, Hilfsbeamte, Handwerker und Arbeiter vertreten sind, werden unentgeltlich wahrgenommen, wie überhaupt die Verwaltungskosten auf das geringste Maß herabgemindert sind.

Die Stiftung besitzt ein eigenes Töchterheim, das Christianenheim in Erfurt. Dieses Heim kann in 112 Wohn- und Schlafräumen 239 Waisen aufnehmen. Entsprechend seiner Zweckbestimmung ist das Heim in 3 Abteilungen, das Kinderheim, das Zöglingsheim und das Pfleglingsheim eingeteilt. In dem Kinderheim werden die zur Waisenpflege aufgenommenen Waisenkinder im Alter von 5–15 Jahren untergebracht. Das Zöglingsheim beherbergt die zur vorübergehenden Aufnahme zwecks Ausbildung für einen Beruf bestimmten Zöglinge. Das Pfleglingsheim dient der dauernden Versorgung erwerbsunfähiger oder erwerbsbeschränkter Waisen. Die Räume sind so angeordnet, daß die Waisenkinder, Zöglinge und Pfleglinge möglichst getrennt wohnen, schlafen und essen. Für jeden Pflegling ist ein Wohn- und Schlafzimmer vorhanden, während die Kinder und Zöglinge in mehreren Schlafsälen und mehreren Wohnzimmern zu etwa 5 Personen untergebracht sind. Zur allgemeinen Benutzung dienen Speisezimmer, Badeeinrichtung, Bücherei und Musikzimmer sowie Turn- und Spielräume. Die Verwaltung des Christianenheims ist dahin geregelt, daß unter der Leitung des Hauptausschusses und der ständigen Mitwirkung des Bezirksausschusses in Erfurt der gesamte Verwaltungskörper der Stiftung daran teilnimmt. Daneben ist ein Erziehungsbeirat mit dem Sitz in Erfurt eingerichtet, der sich aus Männern und Frauen beider christlicher Konfessionen zusammensetzt.

Zwecks Erziehung von Waisentöchtern zur praktischen Arbeit in der Haus-, Feld- und Gartenwirtschaft, zur Ausbildung geeigneter Bewerberinnen zu ländlichen Dienstboten sowie zur Versorgung des Christianenheims mit Lebensmitteln besitzt die Stiftung eine eigene Meierei, den „Aschenhof“, der nicht fern von Erfurt inmitten des Thüringer Waldes liegt.

Von den Gesamtaufwendungen der Stiftung entfallen auf Töchter von Unterbeamten und Arbeitern etwa 67% der Unterstützungsfälle und etwa 56% der Ausgaben, während der Anteil dieser Kreise an den Einnahmen nur annähernd 50% beträgt.

Die bedeutendste Einnahmsquelle ist die regelmäßige Sammlung unter den Beamten und Arbeitern der Staats- und Reichseisenbahnverwaltung. Auf diesem Weg ist der Grundstock gesammelt und auf gleichem Weg sind durch laufende und einmalige Beträge sehr erhebliche Summen beschafft. Wertvolle Unterstützung leisten die bei den Staats- und Reichseisenbahnen bestehenden allgemeinen Eisenbahnvereine sowie die Fachvereine der Beamten. Von besonderen Einnahmen verdienen hervorgehoben zu werden: der Reinertrag eines vom Vorsitzenden des Aufsichtsrats Ministerialdirektor Hoff verfaßten Werkchens „Eisenbahn-Töchterhort“ und das Ergebnis des Vertriebs eines Kriegsandenkens. Bis Ende 1917 sind über 6 Mill. M. eingekommen, von denen über 2 Mill. M. für Zwecke der Stiftung verausgabt sind. *Hausmann.*

Tößtalbahn (Schweiz). Sie verdankt ihre Entstehung der Anregung und dem Opfersinn der fast ausschließlich auf die Industrie angewiesenen Gemeinden des Tößtals und der als Ausgangspunkt der Linie mitinteressierten Stadt Winterthur.

Ursprünglich Teil einer von Waldshut nach dem oberen Zürichsee geplanten Transitlinie, wurde schließlich das Stück von Winterthur bis Bauma als selbständige Unternehmung verwirklicht. Als 1870 – 1875 der Bau einer Verbindungslinie von Rappersweil nach Pfäffikon begonnen und auch von Rüti gegen Wald eine Bahnlinie hergestellt wurde, gaben die Interessenten der zwischen Bauma und Wald gelegenen Ortschaften die Anregung zur Erstellung des zweiten Teiles der T., des kurzen Zwischenstücks Bauma-Wald, und es gelang mit Aufbietung aller Kräfte von Gemeinden und Privaten, die nötigen Mittel zu beschaffen.

So konnte 1874 auch mit dem Bau dieser Strecke begonnen werden, während die Linie Winterthur-Bauma schon 1872 in Angriff genommen worden war. Die Teilstrecke Winterthur-Bauma wurde 1875, die ganze Strecke 1876 eröffnet.

Die T. verläßt den Bahnhof Winterthur in östlicher Richtung, läuft mit den nach Konstanz, Romanshorn und St. Gallen ausgehenden Linien auf etwa 2 *km* parallel und erreicht bei *km* 2·5 ihre erste eigene Station Grüze.

Von hier zieht sich die Linie in südöstlicher Richtung gegen das Dorf Seen und erreicht bei Sennhof das eigentliche Tößtal. Bei der Ortschaft Steg verläßt sie das Tößtal, um sich wieder in südlicher Richtung gegen Wald, ihre Endstation, hinzuziehen.

Die Betriebslänge ist 40 *km*, die Höchststeigung 30‰, der kleinste Bogenhalbmesser 215 *m*. Die gesamten Baukosten haben Ende 1915 8,422.010 Fr., auf 1 *km* 214.990 Fr. betragen. Die Gesamteinnahmen erreichten im Jahre 1913 629.836 Fr., auf 1 *km* 15.746 Fr., die Gesamtausgaben 551.543 Fr., auf 1 *km* 13.789 Fr. Mit dem Bundesrat wurde am 29. September/12. Oktober 1917 ein Vertrag betreffend Verstaatlichung zum Preis von 2½ Mill. Fr. und Entschädigung der vorhandenen Vorräte und Ersatzstücke abgeschlossen. Die ständerätliche Kommission für den freihändigen Rückkauf der T. und der Wald-Rüti-Bahn beschloß einstimmig das Eintreten auf die Vorlage. Mit 1. Oktober 1918 ist die T. in den Besitz der S. B. B. übergangen. *Dietler.*

Toggenburger Bahn (Schweiz), jetzt Linie der Schweizer Bundesbahnen, zweigt auf der Station Wyl vom Netz der Bundesbahnen ab. Sie ist eine unter schwierigen Verhältnissen durch einsichtig geleitete und beharrlich fortgesetzte Anstrengungen der beteiligten Bevölkerung ins Leben gerufene Unternehmung. Ihre Begründung geht in das Jahr 1856 zurück, in welchem Jahr die Linie St. Gallen-Wyl zur Eröffnung kam. Infolgedessen faßte in Walwyl eine Anzahl von Männern den Entschluß, die nötigen Schritte zur Herstellung der T. einzuleiten. Diese Beschlußfassung wurde durch eine Aktienbeteiligung des Kantons St. Gallen in der Höhe von 2½ Mill. Fr. und die Zeichnung des restlichen Kapitals von 1½ Mill. Fr. seitens der Gemeinden und Privaten ermöglicht.

Die T. wurde am 24. Juni 1870 dem Betrieb übergeben. Durch Vertrag vom 7. Oktober 1901 ging die T. in das Eigentum der Vereinigten Schweizer Bahnen und mit diesen am 30. Juni 1902 gegen Anrechnung des Vertragswertes von 2¾ Mill. Fr. in dasjenige des Bundes über.

Literatur: Schweizer, Das Werden der Toggenburger Bahn. St. Gallen 1870. *Dietler.*

Togo. Das deutsche Schutzgebiet T., 87.200 km^2 mit rd. 1 Mill. Einwohnern, ist wegen seiner begrenzten Küstenausdehnung und seiner Lage zwischen 2 fremden Nachbarländern bei geringer Breite – durchschnittlich etwa

175 *km* – und großer Ausdehnung in das Hinterland 560 *km* – geographisch sehr ungünstig zugeschnitten. Dabei ist es aber, mit einer Bevölkerung von 11·45 (Bezirk Anecho sogar 44) Seelen auf 1 km^2, das am dichtesten bevölkerte der deutschen afrikanischen Schutzgebiete und bietet wegen seines offenen Geländes für den Eisenbahnbau günstige Vorbedingungen. Die friedliebende, fleißige Bevölkerung hat sich als besonders willig und befähigt zu den Eisenbahnarbeiten erwiesen, so daß die Arbeiterfrage keine Schwierigkeiten machte.

Die Erschließung des Schutzgebiets durch eine bis an die Nordgrenze vordringende Stammbahn bleibt eine Aufgabe der Zukunft. Es gelang noch nicht, die Bahn zu finanzieren.

1. Die erste Eisenbahn war die Küstenbahn von Lome nach Anecho. Zur Verbesserung des durch die schwere Brandung gefährdeten Landungsbetriebs in Lome wurde 1898 der Bau einer eisernen Landungsbrücke und der Plan einer Bahn von Lome nach Anecho ins Auge gefaßt; dadurch gewann man die Möglichkeit, die Reede von Anecho zu sperren und den Zollverkehr des Schutzgebiets in Lome zu vereinigen. Nachdem der Brückenbau im März 1904 vollendet war, wurde der Bahnbau der Aktiengesellschaft Augsburg-Nürnberg übertragen. Die Mittel von 1,120.000 M. wurden etatsmäßig bewilligt. Die Spurweite wurde auf 1 *m* festgesetzt. Der Bahnbau im Küstengebiet bot keine Schwierigkeiten, Erdarbeiten und Kunstbauten waren nur in geringem Umfang erforderlich; die niedrigen Baukosten, rd. 26.100 M/*km*, finden hierin ihre Erklärung. Die wichtigsten Zwischenstationen sind Bagida nebst Vorwerk, Porto Seguro und Kpeme. Die Bahn hat sehr günstige Linienverhältnisse, größte Steigung 1:800, kleinsten Bogenhalbmesser 300 *m*. Sie wurde in 44 *km* Länge am 18. Juli 1905 dem Verkehr übergeben, gleichzeitig die Reede von Anecho gesperrt. Die Baugesellschaft m. b. H. Lenz & Co., Berlin, übernahm den Betrieb und vereinigte damit später den Betrieb der anderen Bahnen des Schutzgebiets.

2. Die Inlandbahn Lome-Palime. 1902 machte das kolonialwirtschaftliche Komitee in Berlin die Vorarbeiten; der Bahnbau wurde 1904 genehmigt und das Reich gewährte dem Schutzgebiet die Mittel, 7·8 Mill. M., in Form eines mit $3^1/_2$% zu verzinsenden Darlehens. Der Bahnbau in Meterspur wurde der Firma Lenz & Co. übertragen, September 1904 begonnen und 1907 vollendet, die 119 *km* lange Bahn am 27. Januar 1907 dem Verkehr übergeben. Stärkste Steigung landwärts 1:60, küstenwärts (Ausfuhr) 1:100.

Die Bahn verläßt Lome in nördlicher Richtung und folgt im wesentlichen der nordwestlichen Richtung des Straßenzugs nach Palime; wichtigste Zwischenstationen Noëpe, Badja, Assahun, Gadja und Agu.

Südlich Gadja umfährt die Bahn das wertvolle Pflanzungsgebiet des Agubergs und erreicht in Agu auf 246 *m* Seehöhe ihren höchsten Punkt. Der Betrieb wurde am 1. April 1908 mit dem der Küstenbahn und Landungsbrücke in Lome auf 12 Jahre verpachtet. Die Züge werden von Palime über Lome nach Anecho und umgekehrt durchgeführt.

3. Die Hinterlandbahn Lome-Atakpame. Ihr Bau war in der Kolonialbahnvorlage von 1908 enthalten. Die der Westgrenze des Schutzgebiets zustrebende Bahn Lome-Palime genügt nicht, um dieses in seinem mittleren und nördlichen Teil zu erschließen. Hier war eine Bahn notwendig, die die Mitte des Schutzgebiets von Süd nach Nord durchschneidet, das Rückgrat des Verkehrs bildet und seitlich anschließende Straßen oder Stichbahnen als Zubringer aufnimmt. Zunächst wurden nur die Mittel in Höhe von 11·2 Mill. M. für rd. 165 *km* Baulänge (68.000 M/*km*) bis Atakpame bewilligt. Der Bau wurde der Betriebspächterin der Schutzgebietsbahnen übertragen und im allgemeinen bis zum 1. April 1911, die etwas steilere Reststrecke Agbonu-Atakpame am 2. Mai 1913 vollendet. Die Linie zweigt bei *km* 2·7 von der Bahn Lome-Palime ab und verläuft in nördlicher Richtung; der Bau bot keine besonderen Schwierigkeiten. Da zahlreiche von Nordwest nach Südost gerichtete Wasserläufe die Bahnlinie schneiden, so war eine Anzahl verlorener Steigungen und Gefälle – über etwa 8 höhere Rücken – nicht zu umgehen. Kleine Zwischenstationen sind Tsewie, Agbeluvhoe und Nuatjä.

Von Agbonu steigt die Bahn auf 4·6 *km* bis zur Endstation Atakpame mit Steigungen bis zu 1:50 und Krümmungen bis zu 200 *m* Halbmesser und endigt mit 167 *km* Gesamtlänge auf 329 *m* Meereshöhe.

Am 1. April 1911 wurde die Bahn in den Pachtvertrag einbezogen und der Mindestpachtzins von 306.500 auf 523.000 M. jährlich erhöht.

Der Oberbau der Togobahnen verwendet für einen Raddruck von 3·5 – 4 *t* eine Schiene von 20 *kg* metrischen Gewichts und 10 *m* Länge auf 12, in Krümmungen, deren Halbmesser kleiner als 300 *m* ist, auf 13 eisernen trogförmigen Querschwellen. Die Bahnen sind mit Fernsprechdoppelleitung aus Bronzedraht ausgerüstet; zum Schutz der Wegübergänge sind Läutetafeln aufgestellt. An Fahrzeugen waren am Schluß des Rechnungsjahrs 1913 vorhanden: 16 Lokomotiven, 15 Personenwagen, 5 vereinigte Post- und Gepäckwagen, 70 bedeckte und 132 offene Güterwagen.

Infolge des Weltkriegs fand der Eisenbahnbetrieb am 4. August 1914 sein Ende.

Rechnungsjahr 1913	Küstenbahn	Inlandbahn	Hinterlandbahn	Landungsbrücke in Lome	Verkehrsanlagen im ganzen
Betriebslänge . . . . *km*	44	119	167	–	–
Einnahmen:					
Personenverkehr . . . . . . M.	73.370	113.385	82.018	12.266	–
Güterverkehr . . . . „	22.950	250.949	263.622	280.002	–
Tierverkehr . . . . „	612	553	614	199	–
Sonstige Quellen . . . . . . „	5.782	16.186	28.695	1.348	–
Gesamteinnahme . M.	102.714	381.073	374.949	293.815	1,152.551
Betriebsausgaben . . . . . . „	78.094	165.419	229.033	179.019	651.565
Betriebszahl . . . . %	76	43·4	61·1	60·9	56·5
Betriebsüberschuß . . . . . . M.	24.620	215.654	145.916	114.796	500.986
Befördert:					
Personen	69.977	68.004	40.768	2.957	–
Pkm	2,371.130	3,509.250	2,429.090	–	–
Güter *t*	6.906	13.261	12.720	32.497	–
tkm	292.536	952.392	1,158.981	–	–
Zug*km*	29.128	55.346	63.301	–	–
Anlagekapital . . . . . Mill. M.	1.150	7.190	10.350	1.870	–
Der Betriebsüberschuß verzinst das Anlagekapital mit %	2·14	3·0	1·41	6·15	–

Obwohl das Jahr 1913 unter den sinkenden Preisen des Produktionsmarkts zu leiden hatte und ungünstiger war als das Vorjahr, so ergibt sich doch eine wenn auch niedrige Verzinsung des Anlagekapitals. *Baltzer.*

Toledo St. Louis and Western Railroad Company von Toledo (Ohio) nach St. Louis (Illinois) 767 *km*, Freibrief des Staates Indiana vom 5. Juli 1900.

Die Bahn gewann erst größere Bedeutung dadurch, daß sie im August 1907 die Mehrheit der Aktien der am 8. März 1906 konzessionierten Chicago and Alton-Eisenbahn (1661 *km*) erwarb und seitdem die Kontrolle über diese Bahn ausübt. Eine Verschmelzung der beiden Bahnen hat bisher nicht stattgefunden, auch wird jede Bahn formell besonders verwaltet. Durch die Chicago and Alton-Bahn erhält die T. weitere Ausdehnung nach dem Westen zu (Chicago, St. Louis, Kansas u. s. w.).

Das Anlagekapital der T. beträgt je 10 Mill. Dollar in gewöhnlichen und Vorzugsaktien und 28,477.000 Dollar in Obligationen. Die Verkehrs- und Finanzverhältnisse sind in der folgenden Tabelle zusammengestellt:

	Beförderte Personen	Beförderte Güter *t*	Einnahmen	Ausgaben	Überschuß
			Dollar		
1906	672.600	3,041.448	4,205.051	3,016.026	1,189.025
1910	692.156	3,240.531	3,772.631	2,385.772	1,386.874
1911	664.497	3,443.760	3,777.677	2,608.013	1,169.664
1912	623.087	3,186.952	3,865.229	2,665.858	1,199.371
1913	492.236	3,502.205	4,335.167	2,900.257	1,434.910

Nach Abzug der Zinsen, Renten, Steuern u. s. w. haben die Jahre 1906, 1910 und 1913 einen geringen Überschuß abgeworfen, während die Jahre 1911 und 1912 einen Fehlbetrag aufweisen. Die gewöhnlichen Aktien haben überhaupt keine Dividende, die Vorzugsaktien eine solche von 4% nur in den Jahren 1910 und 1911 erhalten.

Das Anlagekapital der Chicago and Alton-Eisenbahn besteht aus 43,659.300 Dollar in Aktien und rd. 90 Mill. Dollar in Obligationen.

Nach Abzug von Renten, Zinsen, Steuern u. s. w. schließen die Jahre 1910 – 1913 mit einem Fehlbetrag ab. Auf die Vorzugsaktien sind früher Dividenden von 1 – 4% bezahlt. Seit 1911 haben die Dividendenzahlungen bei den Vorzugs- und den gewöhnlichen Aktien aufgehört. *v. der Leyen.*

Verkehr und Finanzen.

	Beförderte Personen	Beförderte Güter	Einnahmen	Ausgaben	Überschuß
		t	Dollar		
1906	3,109.318	6,812.469	11,586.095	7,818.904	3,767.191
1910	3,833.022	8,511.682	13,358.475	8,640.207	4,718.868
1911	3,781.436	9,484.618	14,592.519	10,446.636	4,145.883
1912	3,823.772	10,123.710	14,535.722	10,885.200	3,650.522
1913	3,887.642	10,678.122	15,254.865	12,840.072	2,414.792

Tonnenkilometer s. Bruttotonnenkilometer.

Topfwagen s. Kesselwagen.

Tote Last (Tara) s. Gütertarife unter III. Tarifgrundlagen, 1. Raumsystem.

Totes Gewicht, Eigengewicht der Betriebsmittel im Gegensatz zu ihrer Nutzlast (s. d.).

Tränkungsverfahren *(impregnation, wood preservation, antiseptic treatment; imprégnation, imbibition, injection; conservazione legno, iniezione).*

Verfahren, um aus dem Holz mittels Durchtränkung desselben mit fäulniswidrigen Stoffen den Pflanzensaft zu entfernen und dadurch die Lebensdauer der Hölzer zu erhöhen.

Holz wird im Eisenbahnwesen hauptsächlich verwendet zur Stützung, für Schwellen und Masten, im Brückenbau sowie zum Gerippe und zur inneren Einrichtung der Fahrzeuge.

Inhaltsübersicht: *A.* T. für Eisenbahnhölzer. – *B.* Anwendungsgebiete für Eisenbahnhölzer; I. Hölzerne Eisenbahn-Querschwellen, 1. Verbreitung in verschiedenen Ländern, 2. Tränkstoffaufnahme, 3. Liegedauer, 4. Tränkungskosten; II. Hölzer für Stangen und Leitungsmaste, 1. Rohe Stangenhölzer, 2. Fäulnisschutz für Stangenhölzer; III. Hölzer für Eisenbahnbrücken; IV. Hölzer für Eisenbahnfahrzeuge. – *C.* Tränkanstalten für Eisenbahnhölzer; I. Einrichtung und Betrieb von Tränkanstalten; II. Ausgeführte Tränkanstalten.

A. T. für Eisenbahnhölzer.

Sorgfältiges Trocknen des frischen Holzes an der Luft oder in besonderen Trockenanstalten, wodurch dem Holz das Wasser entzogen wird, erhöht seine Dauer nur wenig. Auch läßt sich durch Eintauchen, Auslaugen, Kochen, Dämpfen, Dörren und andere Verfahren, durch die ein Teil der zersetzlichen Stoffe beseitigt wird, nur selten eine genügende Erhaltung der Hölzer erzielen.

Eintauchen (Verfahren von Kruskopf, Ott und Guissani). Man legt das Holz in die Tränkflüssigkeit hinein und läßt es längere Zeit darin liegen. Aber je nach der Beschaffenheit des Holzes ist das Eindringen der Tränkflüssigkeit in das Holz so wenig tief, daß nur durch großen Zeitaufwand bei ganz besonders hierfür geeigneten Hölzern der gewünschte Erfolg erreicht werden kann. Alle dicht gewachsenen Hölzer eignen sich für dieses Verfahren wenig oder gar nicht. Bei Anwendung des Tränkstoffs in erhitztem Zustand ist bei dem Eintauchverfahren ein besseres Eindringen der Flüssigkeit in das Holz zu erreichen; doch auch hier wieder versagen besonders dicht gewachsene Hölzer. Auslaugen (Wässern der Hölzer). Hierbei werden die Hölzer in fließendes Wasser gelegt und 1 – 2 Jahre darin liegen gelassen. Das Wasser laugt aus dem Holz die Protoplasma und Eiweiß enthaltenden Zellsäfte, die die Nahrung für holzzerstörende Pilze bilden können. Kochen nimmt oft viele Jahre in Anspruch, bis ein Beharrungszustand im Holz eingetreten ist. Deshalb hat man versucht, diesen Zustand durch Behandeln des Holzes in kochendem Wasser mit folgender künstlicher Trocknung schneller herbeizuführen. Bei Behandlung von Eichenholz erreicht man auf diese Weise, daß Reißen, Werfen und Schwinden des Holzes nicht mehr auftritt. Doch ist dieses Verfahren nur im kleinen und bei wertvollem Holz im Wagenbau anwendbar, da es bei größeren Mengen viel zu teuer wird. Beim Dämpfen werden die Hölzer in dicht verschlossenen eisernen Kesseln mit gespannten Wasserdämpfen behandelt. Versuche der Preußischen Chemischen Eisenbahn-Versuchsanstalt haben ergeben, daß bei mehrstündiger Behandlung nicht zerkleinerten Holzes in Dampf von $1^1/_2$ – 2 Atm. Spannung höchstens 2% der durch langes Auskochen ausziehbaren Stoffe ausgezogen werden können, und auch das nicht gänzlich ohne Schädigung des Holzes. Ein nennenswertes Heraustreiben der Säfte aus dem Holz findet durch Dämpfen also nicht statt. Dörren (Vulkanisieren), das von dem Amerikaner Haskin eingeführt wurde, hat ziemlich günstige Erfolge gehabt. Hiernach wird das Holz in einen schmiedeeisernen Kessel gebracht, in dem sich Dampfschlangen zum Heizen befinden. Nach Verschluß des Kessels wird Luft, die auf 300 – 500° C erhitzt ist, unter einem Druck von 10 – 14 Atm. eingepreßt, worauf unter Beibehaltung des Druckes die Abkühlung eintritt. Durch den Druck wird das Reißen des Holzes und das Verflüchtigen der Holzfeuchtigkeit verhindert; durch die hohe Temperatur soll das Holz an Festigkeit gewinnen.

T. ohne Anwendung eines Antiseptikums können also nur geringen Erfolg haben, weil einmal die im Holz vorhandenen Pilze dabei nicht abgetötet werden und nach Ablauf einiger Zeit wieder aufleben können, und weil ferner durch Bildung von Rissen Möglichkeiten für neu von außen entstehende Pilze gebildet werden. Alle diese Verfahren, wie Trocknen, Eintauchen, Auslaugen, Kochen, Dämpfen und Dörren dienen heute eigentlich nur noch als Vorbereitungsarbeiten für die Tränkung der Hölzer. Eine größere Lebensdauer erhalten diese erst dann, wenn sie mit fäulniswidrigen Stoffen behandelt werden, u. zw. müssen die Tränkstoffe derart gewählt sein, daß sie die Fäulniserreger töten, die schädlichen Reste der Saftbestandteile in unlösliche Verbindungen überführen und mit dem Wasser keine löslichen Verbindungen eingehen. Zu diesem Zweck muß sich das Antiseptikum in flüssiger oder gasförmiger Form befinden, da es in fester, unlöslicher Form nicht imstande ist, auf den Organismus der Bazillen im Holz einzuwirken.

Nicht jedes Holz läßt sich gleich gut durchtränken. Vollkommen durchtränkungsfähig ist alles Splintholz und das farblose Kernholz der Laubhölzer. Nicht tränkbar sind alle schon von Natur aus mit einem Farbstoff im Kern durchtränkten Hölzer, sowie Hölzer mit Farbenfehlern, d. h. mit Abweichungen von der gewöhnlichen Farbe des Splint- oder Kernholzes. Unvollkommen, doch meist noch genügend durchtränkungsfähig ist das von Natur aus trockene, aber farblose Kernholz der Nadelhölzer, z. B. der Fichten und Tannen, wobei das viele Vorhandensein von Harz das Tränken erschwert. Um diese Nadelhölzer für die Tränkung geeignet zu machen, haben Haltenberger und Berdenich (s. S. 351) ein Verfahren gefunden, das darin besteht, daß man die Hölzer (Schwellen oder Stangen) vor der Tränkung mit Bohrmaschinen am Umfang punktiert, d. h. mit feinen Löchern versieht.

Die ersten Holztränkungsversuche mit antiseptischen Stoffen – abgesehen von dem bloßen Anstreichen der Hölzer mit geeigneten Schutzmitteln – reichen bis zum Anfang des 18. Jahrhunderts zurück, u. zw. war es besonders in England, wo bereits so früh Patente auf Mittel zur Tränkung von Hölzern erteilt wurden. So erhielt Emerson 1737 ein Patent für Tränkung mit heißem Öl, das mit giftigen Stoffen gemischt wurde; Lewis 1754 für Behandlung des Holzes mit einem Destillat aus Teer; Jackson 1768 für Kochen des Holzes in einer Lösung kalkhaltiger Erde oder Vitriol. Seitdem wurde bis zum Jahre 1832 eine große Zahl von Patenten erteilt, welche die Holztränkung betrafen und die Vorläufer von späteren bewährten Erfindungen waren. Unter diesen verdient besonders ein in Oxford 1822 patentiertes Verfahren Beachtung, das als erstes die Anwendung eines aus Steinkohlenteer zu destillierenden Öles umfaßte. In das Jahr 1832 fällt das noch heute angewendete Verfahren von Kyan, das Tränken der Hölzer mit Quecksilbersublimat, nach dem Erfinder mit „Kyanisieren" bezeichnet. Margary ließ sich 1837 die Tränkung des Holzes mit Kupfervitriol und Burnett 1838 das Tränken mittels Zinkchlorid patentieren. Weniger bekannt ist das Verfahren von Payne (1841), der das Holz zunächst mit einer Eisenvitriollösung und dann mit kohlen- oder salzsaurem Natron tränkte. Zu erwähnen wären noch die Verfahren von Mott aus dem Jahre 1836 und Hall aus dem Jahre 1838, von denen für die Holztränkung Steinkohlenteeröl als wesentlich bezeichnet wurde; doch hat erst Bethell, ebenfalls 1839, praktisch dieselbe Theorie wie seine beiden genannten Vorgänger genauer verfolgt, und gilt er daher allgemein als Erfinder der Tränkung des Holzes mit bituminösen Stoffen, namentlich mit karbolsäurehaltigem Teeröl in eisernen, luftdicht verschlossenen Zylindern unter starkem Druck, ein Verfahren, das noch heute vorwiegend zur Anwendung kommt. Bald darauf, im Jahre 1841, führte Boucherie in Frankreich das Tränken des Holzes mit Kupfervitriol ein.

Man unterscheidet die verschiedenen T. nach der Behandlung der Hölzer beim Tränken und nach den Stoffen, die zum Tränken verwendet werden. Bezüglich der Behandlung unterscheidet man, ob die Hölzer mit dem Schutzmittel angestrichen werden, ob die Tränkungsstoffe ohne äußeren Druck nur durch Eintauchen, mit geringem Druck oder mit Hochdruck auf die Holzflächen wirken. Von den vielen, zum Tränken des Holzes benutzten Stoffen sind zurzeit entweder wässerige Metallsalzlösungen oder ölige Flüssigkeiten in Gebrauch. Von den Salzen sind von größerer Bedeutung: Kupfervitriol, Quecksilberchlorid (Sublimat) und Zinkchlorid, von den Ölen das Steinkohlenteeröl. Demnach ergeben sich viererlei Hauptverfahren zum Tränken von Hölzern:

1. Tränken mit Kupfervitriol, unter schwachem Druck auf das Hirnholz (Boucherie);
2. Tränken mit Quecksilberchlorid, ohne Druck (Kyan);
3. Tränken mit Zinkchlorid, unter Hochdruck gegen alle Holzflächen (Burnett);

4. Tränken mit Steinkohlenteeröl, unter Hochdruck gegen alle Holzflächen (Bethell).

Durch Fäulnisversuche in besonders dazu angelegten Fäulniskammern ist es in den letzten Jahren geglückt, den Wert dieser Tränkungsstoffe möglichst genau zu bestimmen. Abb. 303 stellt solch eine Fäulniskammer dar, wie sie in Stendal von den Rütgers-Werken errichtet wurde. Die Kammer liegt in einem Keller mit Wänden und Fußboden aus Beton, unterhalb eines kleinen Ziegelsteingebäudes, das als Museum und Laboratorium benutzt wird. Der Keller besteht aus 4 Räumen; einer von ihnen enthält die Heizvorrichtung, ein anderer dient zur Züchtung verschiedener Pilzarten, und die letzten beiden sind Prüfräume. Die Temperatur in der Fäulniskammer beträgt $17-21^{0}$ C. Für genügende Feuchtigkeit ist gesorgt durch Öffnungen in den Wänden, sowie durch einen durch den Keller geleiteten Wasserstrom. Die holzzerstörenden Pilze pflanzen sich in zinkausgelegten Kästen fort. Will man die Pilze zu Kulturversuchen mit Holz als Nährboden benutzen, so impft man mit ihnen die zu prüfenden Holzstücke. Man hat z. B. durch solche Versuche festgestellt, daß ungetränktes Fichtenholz, das mit Pilzen infiziert wurde, in 7 – 8, ungetränktes Kiefernholz in 6 – 12 Monaten ganz zerstört war. Auf diese Art erhält man Vergleichsergebnisse zwischen getränktem und ungetränktem Holz und zwischen den einzelnen Tränkungsmitteln.

Abb. 303. Fäulniskammer der Rütgers-Werke.

Tränken mit Kupfervitriol. Es beruht auf dem Vorgang, durch den hydrostatischen Druck der Tränkflüssigkeit den Zellsaft aus dem Holz auszupressen und an seine Stelle die Lösung zu bringen, in der das Kupfer den wirksamen Bestandteil darstellt. Eine Lösung von 1·5 Gewichtsteilen Kupfervitriol auf 100 Gewichtsteile Wasser wird verwendet. Vor dem Tränken werden die frischgefällten Baumstämme, die noch in Rinde sind und ihren natürlichen Saftgehalt noch ganz besitzen, schräg gelagert. In die senkrechte Schnittfläche des höher liegenden Stammes wird die Tränkflüssigkeit unter schwachem Druck aus einem 10 – 12 *m* höher stehenden Gefäß hineingepreßt. Der durch den Tränkungsstoff verdrängte Holzsaft fließt am unteren Ende anfangs allein, später mit der Tränkflüssigkeit vermengt ab. Als beendet gilt die Tränkung, wenn die Ausflußmenge etwa $^{2}/_{3}$ Kupfervitriol enthält. Die Dauer der Tränkung einer 10 *m* langen Telegraphenstange aus Nadelholz beträgt etwa 13 Tage. Aus Abb. 304 ist der eben beschriebene Tränkungsvorgang ersichtlich.

Neuerdings werden die Stämme nicht mehr an einem Ende, sondern in der Mitte angebohrt, so daß infolge des Druckes der Lauge auf den Baumsaft der Saft und später auch die Lauge an beiden Stammenden austritt. Sollen z. B. Schwellen nach diesem Verfahren getränkt werden, so muß die Tränkung des Holzes in rundem Zustand vorgenommen werden. Erfolgt dann erst, nach beendeter Tränkung das Zuschneiden der Schwellen, so zeigt sich, daß die Lauge nicht gleichmäßig in das Holz eingedrungen ist und daß nur die äußeren Stammteile gut von dem Kupfervitriol durchtränkt sind. Es wurde der am meisten durchtränkte äußere Holzteil abgeschnitten und der ungenügend getränkte Kern bloßgelegt. Ein weiterer Nachteil ist, daß das Kupfervitriol durch Eisen und Kalk zersetzt wird, weshalb das verwendete Wasser frei von Kalk sein muß. Ferner werden Eisenteile, wie Schienennägel, Schwellenschrauben, Unterlagsplatten vom Kupfervitriol angegriffen. Für Schwellentränkung hat daher Kupfersulfat keine eigentliche Bedeutung; nur bei halbrunden Schwellen könnte es erfolgreich verwendet werden. Dagegen hat für Rundhölzer, z. B.

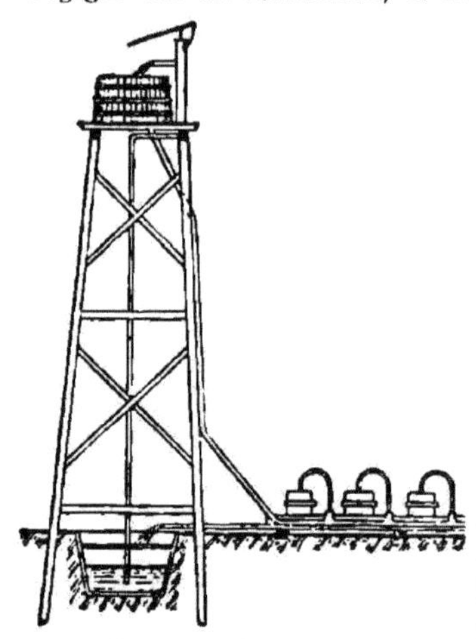

Abb. 304. Tränkung mit Kupfervitriol.

Telegraphenstangen, Kupfervitrioltränkung Verbreitung gefunden.

Verbesserungen des Boucherie-Verfahrens sind die Verfahren von Pfister, Lebioda und Köpfer. Sie benutzen zur Druckerzeugung

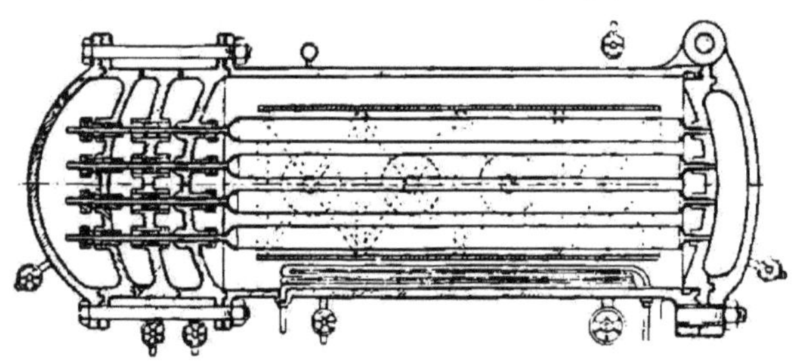

Abb. 305. Tränkung mit Kupfervitriol im Kessel.

nicht die Flüssigkeitssäule, sondern eine tragbare Pumpe, mittels der unter starkem Druck der Tränkstoff durch Rohre in die Baumstämme geleitet wird. Die zu tränkenden Hölzer werden hiernach so in den Kessel (Abb. 305) eingebracht, daß an beiden Stirnflächen Glocken mit scharfen Schneiden sich in die Hölzer eindrücken. Diese Glocken sind durch Rohre mit Hohlräumen in Boden und Decke des Kessels verbunden. In einem dieser Hohlräume wird nach Füllung des Kessels mittels einer Pumpe weitere Tränkflüssigkeit unter beliebig hohem Druck eingepreßt, die nun durch die Glocken in die Hölzer eingedrückt wird. Hierdurch soll die Tränkflüssigkeit durch die Zellen- und Wasserbahnen des Holzes von einem Ende zum andern durchfließen. Der Vorteil gegenüber Boucherie besteht darin, daß die Durchtränkung schneller erreicht wird und daß der Tränkungsprozeß im Wald unmittelbar nach Fällung der Hölzer vor sich gehen kann, sich somit die Beförderung der Hölzer nach einer Tränkungsanstalt erübrigt.

Tränken mit Quecksilberchlorid (Sublimat) hat ebensowenig wie das Kupfervitriol für die Tränkung von Holzschwellen Bedeutung erreicht. Wenn auch von sämtlichen für die Holzerhaltung benutzten Metallsalzen das Sublimat am stärksten antiseptisch wirkt, so stehen dem gegenüber als Nachteile seine Giftigkeit und seine Eigenschaft, sich leicht zu verflüchtigen. Auch greift es ebenso wie Kupfervitriol Eisen stark an, so daß das Tränken der Hölzer durch Eintauchen in eine kalte, in Zement- oder Holztrögen zubereitete Sublimatlösung erfolgen muß. Vorher fertig bearbeitete Nadelholzschwellen bleiben 8—10 Tage, Eichenholzschwellen 12—14 Tage in diesem Bad, bis die Tränkung beendet ist. Hierbei nimmt jede Schwelle etwa 0·125 *kg* Sublimat, u. zw. bis 2 *mm* unter der Oberfläche auf.

Im Trog müssen die Hölzer durch Latten voneinander getrennt werden, damit die Lauge sämtliche Oberflächenteile berührt; denn da ohne Druck gearbeitet wird, wirkt die Lauge nur durch ihr Eigengewicht auf die Holzoberflächen, und es findet nur ein ganz oberflächliches Eindringen der Flüssigkeit in das Splintholz statt. Durch eine derartige Tränkung wird die Lebensdauer der Schwellen nur wenig verlängert, und wenn sie auch nach längerem Gebrauch äußerlich einen gesunden Eindruck machen, sind sie tatsächlich doch im Innern bereits in Fäulnis übergegangen. Außerdem ist von Nachteil, daß Quecksilberchlorid sehr teuer und in Mengen kaum zu beschaffen ist. Nur zum Tränken von Telegraphenmasten wird es noch vereinzelt benutzt. Versuche, Sublimat unter Druck einzupressen, sind erfolglos gewesen, da es schwierig ist, die erforderlichen Apparate aus einem Stoff herzustellen, der von der Flüssigkeit nicht angegriffen wird.

Tränken mit Zinkchlorid findet noch zuweilen bei Schwellen Verwendung. Bei einigen Eisenbahnverwaltungen (Sachsen, Österreich) ist man gegenüber früher jetzt wieder mehr zur Tränkung mit Zinkchlorid, allerdings nicht Chlorzinklauge allein, zurückgekehrt, weil dieses Verfahren billiger ist als alle bisher angewendeten mit Teeröl. Eine volle Durchtränkung der Schwellen unter starkem Druck im Kessel läßt sich gerade noch vornehmen, was bei Tränkungen mit Kupfervitriol und Quecksilberchlorid nicht möglich ist, obgleich auch durch Chlorzink Eisen stark angegriffen wird. Es kommt also hier das sog. Dampfdruck- oder pneumatische Verfahren zur Anwendung, wo die zu tränkenden Hölzer vor der Tränkung getrocknet und für den späteren Gebrauchszweck fertig zugerichtet sein müssen — im Gegensatz zum hydrostatischen Druckverfahren bei Boucherie, das frisch gefälltes Holz in der Rinde voraussetzt.

Tränken mit Chlorzinklösung allein. Sie zerfällt in 3 Teile: 1. Dämpfen des Holzes, 2. Herstellung der Luftverdünnung und Einlassen der Chlorzinklösung, 3. Anwendung der Druckpumpe. Das in dem luftdicht verschlossenen Tränkungskessel befindliche Holz wird zunächst durch Dampf erhitzt. Die Dauer des Erhitzens ist von Jahreszeit und Beschaffenheit des Holzes abhängig. Der Dampfstrom wird so geleitet, daß der mit dem Tränkungskessel verbundene Druckmesser nach mindestens 30 Min. eine Spannung von 1 1/2 Atm. Überdruck anzeigt. Dieser Dampfspannung bleibt das Holz weitere 30 Min. ausgesetzt. Bei dem Einlassen des Dampfes wird die in dem Kessel befindliche Luft durch einen an seinem unteren Teil befindlichen Verschluß herausgetrieben, bis Dampf ausströmt. Dies gilt für Eichen- und Kiefernholz. Da Buchenholz größere Mengen eines sehr leicht in Gärung übergehenden Holzsaftes enthält, so muß die Einwirkung des Dampfes so lange fortgesetzt werden, bis der Holzsaft im innersten Kern den Siedepunkt erreicht hat. Deshalb wird Buchenholz 4 Stunden lang der Dampfeinwirkung ausgesetzt, wobei die 30 Min. zur Herstellung der Spannung von 1 1/2 Atm. mit eingerechnet werden. Nach genügend langer Behandlung des Holzes mit Dampf wird letzterer aus dem Kessel abgelassen. Nach Entfernung des Dampfes wird in dem mit dem Holz gefüllten Kessel eine Luftverdünnung von mindestens 60 *cm* QS. erzeugt und 10 Min. lang unterhalten. Darauf beginnt die Füllung des Tränkkessels mit Chlorzinklösung, die vorher auf mindestens 65° C erhitzt worden ist. Nach erfolgter Füllung wird mittels Pumpen Chlorzinklösung in das Holz gedrückt und der Druck bis auf wenigstens 7 Atm. Überdruck gesteigert. Zur Erreichung möglichst vollständiger Sättigung des Holzes soll dieser Druck bei Kiefern- und Buchenholz mindestens 30 Min., bei Eichenholz 60 Min. bestehen bleiben, worauf die Holztränkung vollendet ist und die Chlorzinklösung abgelassen wird.

Zinkchlorid ist eigentlich ein gutes Holztränkungsmittel, weil es antiseptisch wirkt, wenn auch nicht in so hohem Grad wie das Sublimat. Es konnte sich aber trotzdem nicht dauernd allein halten, weil es sehr stark hygroskopisch ist. Ein allmähliches Auslaugen des Chlorzinks findet statt, so daß die Hölzer nach und nach immer ärmer an Chlorzink werden und nur unvollkommen gegen Fäulnis geschützt sind. Auch besitzt das Chlorzink, wie alle Metallsalze, den Übelstand, mit den Bodenbestandteilen und Holzfasern unlösliche Verbindungen einzugehen und freie Säure abzuspalten, die nicht allein die Holzfaser mit der Zeit brüchig macht, sondern auch auf die mit dem Holz in Berührung kommenden Eisenteile (besonders bei Schwellen) eine zerstörende Wirkung ausübt.

Tränken mit Zinkchlorid unter Zusatz von Teeröl (Mischungsverfahren nach Rütgers). Es wird zunächst ebenso ausgeführt wie das Verfahren mit Chlorzink allein. Das Teeröl wird während der Erwärmung der Chlorzinklösung zugesetzt, u. zw. für jede Schwelle von 2·5 *m* Länge oder mehr 2 *kg*, bzw. für jedes m^3 Holz 20 *kg*. Um eine möglichst gute Mischung von Chlorzink und Teeröl zu erreichen, ist eine geeignete Mischvorrichtung unter Zuströmung von Dampf und Luft anzuwenden.

Tränken zunächst mit Zinkchlorid und dann mit Teeröl (Doppeltränkung). Hierdurch, wie auch durch das vorgenannte Verfahren sollen die Schwellen gegen das Eindringen des Wassers und Auslaugen des Tränkstoffs mehr geschützt werden. Doch wurde der gewünschte Erfolg, eine gleichmäßige Durchtränkung des Holzes mit Chlorzink und Teeröl meistens nicht erreicht. Denn im Tränkkessel trennen sich die spezifisch verschieden schweren Stoffe schnell wieder, so daß stets ein Teil des Holzes mehr oder weniger mit reinem Teeröl und ein anderer mit reiner Chlorzinklauge getränkt wird.

Tränken mit Steinkohlenteeröl. Es hat nicht allein die Eigenschaft, die mit ihm in Berührung kommenden Metallteile nicht anzugreifen; es schützt diese sogar vor schädlichen Einflüssen des Wassers und der Luft. Außerdem können die mit Teeröl getränkten Hölzer sofort nach beendeter Tränkung ihrer eigentlichen

Bestimmung zugeführt werden; die mit Salzlösungen dagegen müssen einem vorherigen mehrmonatlichen Trockenprozeß unterworfen werden.

Steinkohlenteeröl ist eine Mischung von verschiedenen schwer verdunstbaren Ölen. Man bezeichnet es als „schweres Steinkohlenteeröl", nach falschem Sprachgebrauch als Kreosot. Es wird hergestellt durch Destillation aus dem bei der Gas- oder Koksgewinnung entstandenen Steinkohlenteer. Hauptbezugsquellen für

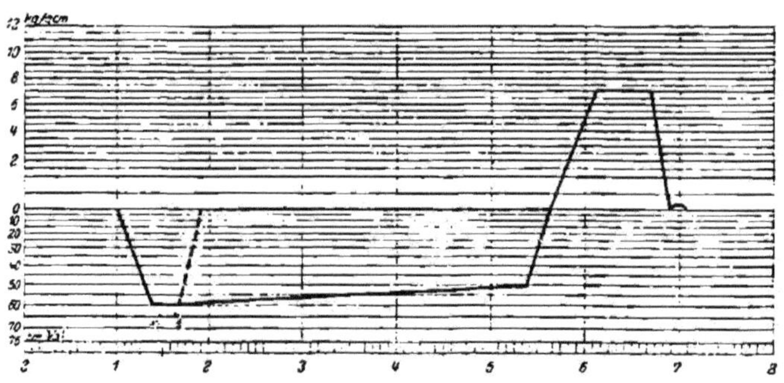

Abb. 306. Volltränkung von buchenen Hölzern mit Teeröl.

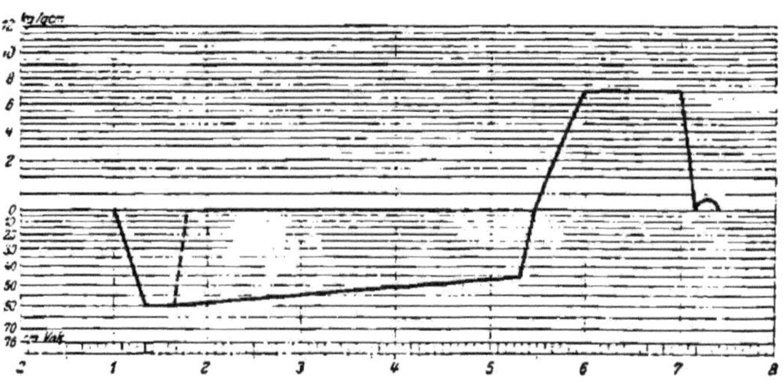

Abb. 307. Volltränkung von eichenen Hölzern mit Teeröl.

Steinkohlenteeröl sind Deutschland und England. In Deutschland sind besonders die großen Kokereien in Westfalen und Oberschlesien ein bedeutendes Absatzgebiet für Steinkohlenteeröl. Konservierende Eigenschaften im Teeröl besitzen hauptsächlich seine hochsiedenden neutralen Bestandteile. Nach den Vorschriften für die preußischen Staatseisenbahnen soll das Öl so zusammengesetzt sein, daß bei der Destillation bis 150° C höchstens 3 %, bis 200° höchstens 10 %, bis 235° höchstens 25 % überdestillieren. Zwischen 150 und 400° C soll das Teeröl sieden; doch muß der Siedepunkt von mindestens 75 % über 235° C liegen. Der Gehalt an sauren Bestandteilen, die in Natronlauge vom spezifischen Gewicht 1·15 löslich sind, soll wenigstens 6 % betragen. Das spezifische Gewicht des Öles bei 15° C muß zwischen 1·04 und 1·15 liegen. Bei + 40° C soll das Öl vollkommen klar sein; beim Vermischen mit gleichen Raumteilen Benzol muß der Tränkstoff klar bleiben und darf höchstens Spuren ungelöster Körper ausscheiden. Gießt man 2 Tropfen dieser Mischung und des unvermischten Öles auf mehrfach zusammengelegtes Filtrierpapier, so müssen diese vollkommen von dem Papier

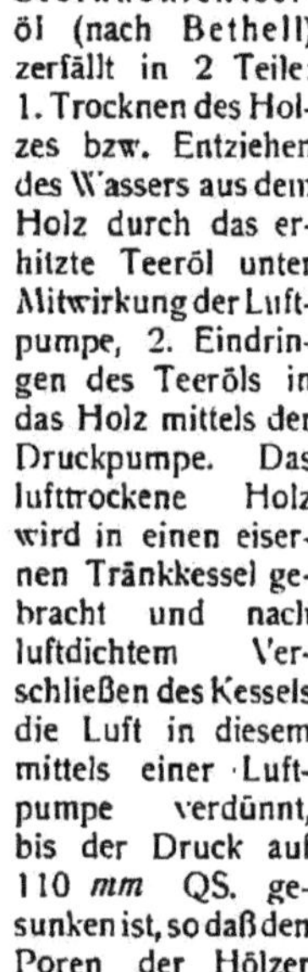

aufgesogen werden, und nur Spuren ungelöster Stoffe dürfen auf dem Papier zurückbleiben.

Das T. mit erhitztem Steinkohlenteeröl (nach Bethell) zerfällt in 2 Teile: 1. Trocknen des Holzes bzw. Entziehen des Wassers aus dem Holz durch das erhitzte Teeröl unter Mitwirkung der Luftpumpe, 2. Eindringen des Teeröls in das Holz mittels der Druckpumpe. Das lufttrockene Holz wird in einen eisernen Tränkkessel gebracht und nach luftdichtem Verschließen des Kessels die Luft in diesem mittels einer Luftpumpe verdünnt, bis der Druck auf 110 *mm* QS. gesunken ist, so daß den Poren der Hölzer weiter Luft und Saft entzogen wird. Hierauf wird unter fortgesetzter Tätigkeit der Luftpumpe die auf etwa 80° C vorgewärmte Tränkungsflüssigkeit in den Kessel eingelassen, bis das Öl beinahe bis zum Kesseldom gestiegen ist. Sodann wird die Luftpumpe außer Tätigkeit gesetzt und die Füllung des Kessels mit einer Druckpumpe beendet, indem mit ihr ein Druck von 5 – 8 Atm. ausgeübt und das Teeröl in die Holzzellen eingepreßt wird. Hat das Holz die nötige Ölmenge aufgenommen, so wird die Druckpumpe abgestellt, das noch im Kessel befindliche überflüssige Öl tritt in den Ölbehälter zurück, der Kesseldeckel wird geöffnet und die Wagen mit den getränkten Hölzern werden hinausgefahren. Die graphische Darstellung der Abb. 306 u. 307 zeigt den Tränkungsvorgang von buchenen und eichenen Hölzern mit erhitztem Teeröl.

Die sog. „Volltränkung“ mit Teeröl dauert bei Eichenholz etwa 2, bei Buchenholz etwa 3 Stunden. Im einzelnen setzt sich die Tränkungsdauer aus folgenden Abschnitten zusammen:

		Eichenholz	Buchenholz
1	Beschicken des Kessels	15 Min.	15 Min.
2	Erzeugung der Luftleere . . .	30 „	30 „
3	Füllung des Kessels mit vorgewärmtem Teeröl unter Beibehalten der Luftleere . . .	13 „	15 „
4	Fortsetzung der Kesselfüllung mit Teeröl durch Nachpressen des Öles, bis im Kessel ein Druck von 5—8 Atm. entsteht . . .	17 „	30 „
5	Unterhalten des Druckes . . .	30 „	60 „
6	Abstellen der Druckpumpe und Ablassen des Öles aus dem Kessel	25 „	25 „
7	Abnehmen des Kesselverschlusses und Herausschaffen der Wagen . .	15 „	15 „
		2 Std. 25 Min.	3 Std. 10 Min.

Der hauptsächlichste Nachteil dieser Volltränkung, bei der man die Hölzer mit so viel Teeröl tränkte, als sie aufzunehmen vermochten, ist ihr hoher Preis, weil man nur durch vollständige Sättigung des Holzes mit großen Ölmengen eine zufriedenstellende Durchtränkung zu erreichen glaubte. Nach Vorschrift der preußischen Staatseisenbahnverwaltung mußte eine kieferne Schwelle von 2·7 *m* Länge und 16/26 *cm* Stärke an Teeröl 36 *kg* aufnehmen. Demnach würde bei einem Teerölpreis von 6 M. für 100 *kg* solch eine Schwelle an Teeröl M. 2·16 kosten.

Sparverfahren. Um den hohen Verbrauch an kostspieligem Teeröl zu verringern, sind in den letzten Jahren verschiedene Vorschläge und Versuche gemacht worden.

Blythe dämpfte die Schwellen vor dem Tränken mit Teeröl zunächst 6—20 Stunden in karbolsäurehaltigem Wasserdampf. Ferner wurde mit erhitztem Teeröl getränkt, wobei das Einpressen des Öles erst erfolgt, nachdem das vorgewärmte Öl bereits während der Luftverdünnung in den Tränkkessel gelangt und dort auf etwa 110° C erhitzt worden ist. Paradis versuchte, das Teeröl in Dampfform unter hohem Druck in das Holz zu bringen, nachdem dieses vorher mittels Wasserdampfes ausgelaugt und dann mit überhitztem Wasserdampf getrocknet wurde. Andere Sparverfahren sind: Verdünnung geringerer Teerölmengen mit Wasser und Verwendung des Öles in Gestalt von Emulsionen, wobei das Öl mit einer wässerigen Harzseifenlösung zusammengerührt wurde und so als Tränkstoff diente; Behandlung von Harzöl mit konzentrierter Schwefelsäure und Benutzung des Produkts hieraus als Lösungsmittel für das Teeröl, das man alsdann mit Wasser verdünnt als feine Emulsion in die Holzfaser brachte. Doch werden beim Tränken mit derartigen Emulsionsmassen die Teerteilchen bereits an der Holzoberfläche zurückgehalten, da Holz hochgradig filtrierfähig ist, und nur das Wasser dringt in das Holzinnere ein. Nicht durch Verdünnung des Teeröls, sondern auf mechanischem Wege mit geringeren Ölmengen wird Durchtränkung des Holzes erreicht, indem man nur so viel Teeröl einpreßt, als man im Holz nach beendeter Tränkung tatsächlich haben will. Das nur in den äußeren Holzschichten sitzende Öl wird sodann durch nachträgliches Dämpfen möglichst gleichmäßig und tief verteilt. Dies ist das Heyse-Verfahren, in Amerika creo-air-process genannt. Es wird seit 1904 bei der österreichischen Staatstelegraphenverwaltung zum Tränken von Leitungsmasten aus Nadelholz benutzt. Bis Ende des Jahres 1910 waren bereits etwa 175.000 so behandelte Masten aufgestellt worden. Auch nach dem Northeimer Verfahren wird ähnlich gearbeitet. Hierbei wird etwa die Hälfte der für das Holz bestimmten Ölmenge mehr in das Holz eingedrückt und nachher alles durch Luftleere wieder aus dem Holz entfernt und zurückgewonnen. Nach dem Evakuierungsverfahren wird eine etwas größere Menge Tränkstoff als später im Holz bleiben soll, mittels Druckpumpe eingepreßt und die nicht gewünschte Ölmenge durch Evakuieren des Holzes wieder entfernt. Bei dem Rüping-Verfahren wurde erreicht, die Wandungen der Zellen und sonstigen Hohlräume, die allein der Fäulnis ausgesetzt sind, mit Teeröl zu durchtränken, ohne dabei gleichzeitig auch den Hohlraum der Zellen u. s. w. mit Teeröl auszufüllen. „Hohltränkung“ heißt dieses Verfahren im Gegensatz zur Volltränkung, wo alle Zellen im Holz mit Teeröl ständig gefüllt werden. Abb. 308 zeigt den Verlauf der Drucklinie für Kiefernholztränkung nach 3 verschiedenen Sparverfahren bei gleicher Teerölaufnahme f. d. m^3.

T. von Rüping. Hiernach werden die Zellen des lufttrockenen Holzes vor dem Ein-

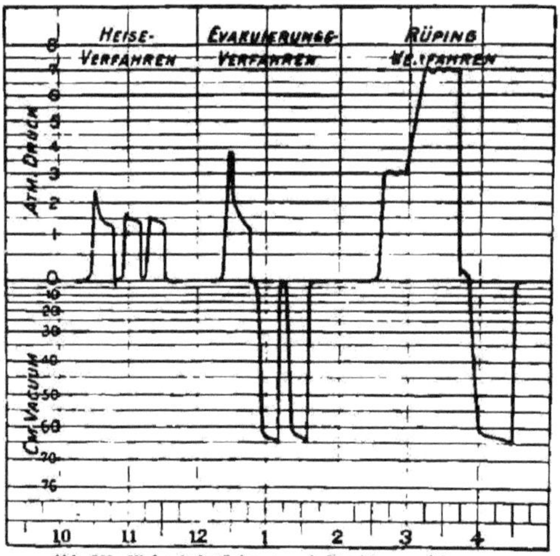

Abb. 308. Kiefernholztränkung nach Teerölsparverfahren.

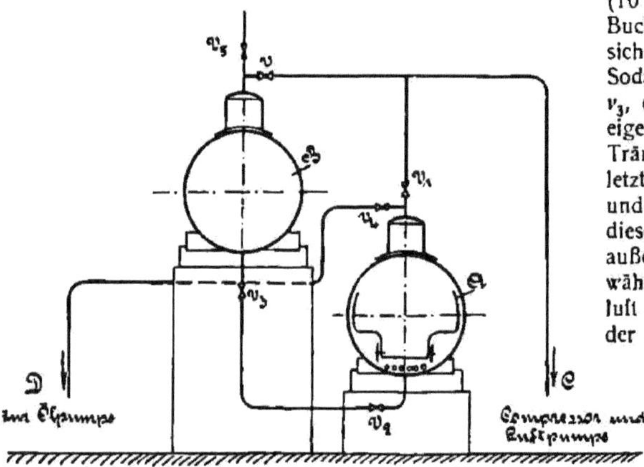

Abb. 309. Tränkvorgang nach dem Rüping-Verfahren.

pressen der Tränkungsflüssigkeit nicht wie bei der Volltränkung evakuiert, sondern im luftdicht verschlossenen Tränkungskessel einem Luftdruck von 5 Atm. ausgesetzt, so daß sich sämtliche Zellen und Hohlräume im Holz mit Druckluft füllen. Sodann läßt man die auf etwa 100° C erwärmte Flüssigkeit in den Kessel eintreten, bis das Holz vollkommen von Öl bedeckt ist und steigert den Druck — je nach Beschaffenheit der zu tränkenden Holzart — bis auf 15 Atm., so daß die Flüssigkeit schneller in die einzelnen Zellen eindringt. Sind die Hölzer genügend getränkt, so wird der Druck aufgehoben und das Öl aus dem Kessel abgelassen. Ist der Druck auf die atmosphärische Spannung gefallen, so setzt man das Holz im Kessel noch eine Zeitlang einem Vakuum aus, nach dessen Aufhebung der Tränkungsvorgang beendet ist.

Bei dem Rüping-Verfahren werden die lufttrockenen Hölzer auf Tränkwagen in den Kessel *A* gebracht (Abb. 309), dieser wird luftdicht verschlossen, worauf eine Verbindung zwischen dem Tränkkessel *A* und dem Ölfüllkessel *B* hergestellt wird, indem die Ventile v und v_1 geöffnet und die Ventile v_2, v_3, v_4 geschlossen gehalten werden. Hierauf setzt man Tränk- und Füllkessel mittels der Pumpe *C* unter einen Luftdruck, der der Art und Trockenheit der Hölzer entsprechend zu bemessen ist, jedoch nicht weniger als 1 ½ und nicht mehr als 4 Atm. Überdruck betragen soll. Ist der jeweilige festgesetzte Luftdruck erreicht, so wird er weitere 5 Min. unterhalten (10 Min. bei Eichenholz, 15 Min. bei Buchenholz); während dieser Zeit füllen sich alle Holzzellen mit Druckluft. Sodann öffnet man die Ventile v_2 und v_3, das vorgewärmte Teeröl fließt durch eigene Schwere aus dem Füll- in den Tränkkessel, und die Druckluft wird aus letzterem durch die geöffneten Ventile v und v_1 in den Füllkessel getrieben. In diesem Augenblick sind die Schwellen außen ganz von Teeröl umgeben, während die Holzzellen noch mit Druckluft angefüllt sind, die ein Eindringen der Flüssigkeit in das Holzinnere zu hindern sucht. Nach vollständiger Füllung des Tränkkessels mit dem vorgewärmten Teeröl schließt man die Ventile v und v_1, öffnet das Ventil v_4 und preßt mittels der Flüssigkeitspumpe *D* eine weitere Teerölmenge in den Tränkkessel nach, bis dort ein Überdruck von 5 ½ – 7 Atm. entsteht (7 – 8 Atm. bei Eichen- und Buchenholz). In dem Maße, wie das Einpressen geschieht, läßt man Luft aus dem Ventil v_1 des Kessels *A* entweichen, um Raum für die nötige Flüssigkeitsmenge zu schaffen. Der Druck von 5 ½ – 7 Atm. ist wenigstens ½ Stunde im Tränkkessel zu unterhalten (3 Stunden bei Eichen-, 1 Stunde bei

Buchenholz). Unter diesem erhöhten Druck dringt die Tränkflüssigkeit in die einzelnen Zellen ein. Sind die Hölzer genügend durchtränkt, so wird der Druck aufgehoben, indem Ventil v_4 geschlossen und Füllkessel *B* durch Öffnen des Ventils v_5 wieder mit der Außenluft verbunden wird, worauf das Öl infolge des entstandenen Druckunterschieds aus dem Tränkungs- in den Füllkessel zurückfließt. Durch Herstellen des atmosphärischen Druckes dehnt sich die Druckluft in den Zellen aus und treibt infolge ihrer Ausdehnung das Öl wieder aus dem Holz heraus, soweit es nicht an den Zellenwandungen haften bleibt. Nach Aufheben des Druckes und Ablassen des Öles aus dem Tränkkessel werden Ventile v_2 und v_3 geschlossen, Ventil v_1 wird geöffnet, und im Tränkkessel *A* wird mittels Luftpumpe *C* eine Luftverdünnung von mindestens 60 *cm* QS. hergestellt, um das überflüssige Öl aus den Zellen herauszutreiben und nur das in die Zellwandungen eingedrungene zurückzulassen. Ist das Vakuum 10 Min. lang unterhalten (15 Min. bei Eichen-, 30 Min. bei Buchenholz), so ist die Tränkung beendet. Bei Tränkung von Buchenhölzern wird das sog. „Doppel-Rüping-Verfahren" angewendet, d. h. genau derselbe Vorgang wird noch einmal nach Beendigung der 30 Min. dauernden Luftverdünnung von Anfang an wiederholt. Acht (bei Buchenholz 2mal 8) verschiedene Arbeitsstufen ergeben sich. Diese sind in Tabelle 1 für alle 3 Holzarten mit den Angaben ihrer Zeitdauer nebeneinandergestellt. Abb. 310 u. 311 zeigen die 3 Tränkungs-

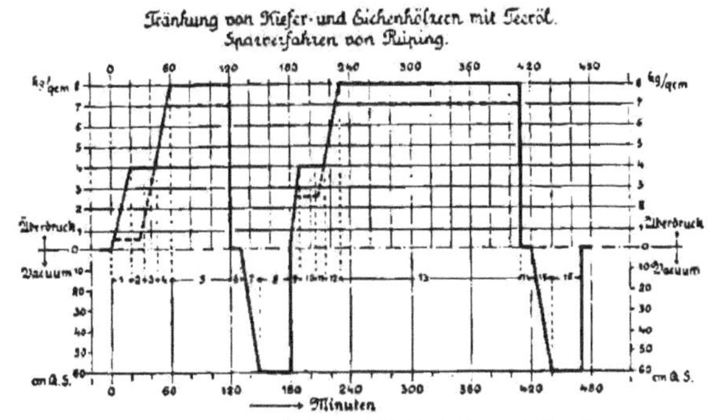

Abb. 310. Tränkung von Kiefern- und Eichenhölzern mit Teeröl nach dem Sparverfahren von Rüping.

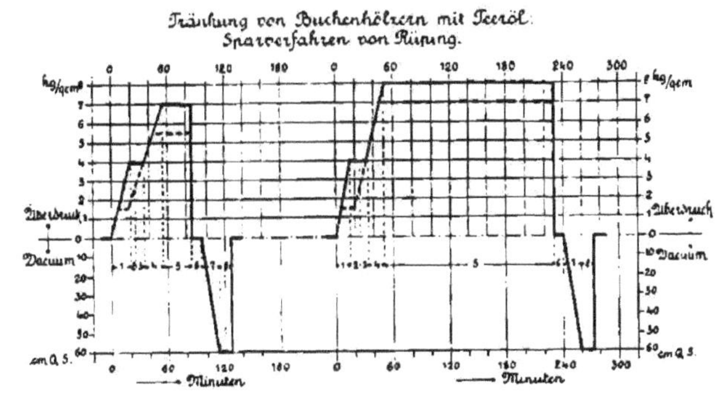

Abb. 311. Tränkung von Buchenhölzern nach dem Doppel-Rüping-Verfahren.

Tabelle 1.

	Arbeitsstufen	Einfaches Rüping-Verfahren		Doppel-Rüping-Verfahren	
		für Kiefernholz	für Eichenholz	für Buchenholz I	II
		Zeitdauer in Minuten			
1	Erzeugen des Luftdrucks: Minimum $1^1/_2$ Atm., Maximum 4 Atm.	20	15	20	10
2	Unterhalten des Luftdrucks	5	10	15	15
3	Füllung des Kessels mit vorgewärmtem Teeröl unter Beibehaltung des Luftdrucks	10	10	10	10
4	Nachpressen von Teeröl in den Kessel, bis in diesem ein Überdruck von $5^1/_2$—8 Atm. entsteht	20	15	15	15
5	Unterhalten des Druckes im Kessel	30	180	60	180
6	Ablassen des Teeröls aus dem Kessel	10	10	10	10
7	Herstellen einer Luftleere im Kessel von 60 *cm* QS.	20	20	20	20
8	Unterhalten der Luftleere im Kessel	10	15	30	30
	Gesamte Zeitdauer in Minuten	125	275	470	

vorgänge in ihren äußersten Grenzen schaubildlich. Die Zahlen von 1 bis 8 hierin entsprechen den einzelnen Arbeitsstufen der Tabelle 1.

Kombinierte Rüping-Verfahren.

Rüping-Rütgers-Werke. Die Rütgers-Werke haben das Rüping-Verfahren auch für nasse Hölzer geeignet umgestaltet in der Weise, daß der ersten Periode des Rüping-Verfahrens ein Trocknungsprozeß vorgeschoben wird derart, daß die Hölzer in heißem Öl hinreichend lange unter geringer Luftleere erhitzt werden. Hierdurch soll das Wasser des Holzes verdampft und ebenso wie bei der Volltränkung mit Teeröl entfernt werden. Nach Durchführung dieses Trocknungsprozesses wird das Öl abgelassen und dann das Rüping-Verfahren in vorbeschriebener Weise durchgeführt.

Heidenstam-Rüping. Nachdem die Preßluft einige Zeit auf das Holz gewirkt und dasselbe gefüllt hat, wird der Kessel entlüftet und sofort mit Öl gefüllt. Hierauf wird das Rüping-Verfahren angewendet. Heidenstam behauptet, daß hierbei nur die Preßluft aus dem Splintholz entweicht und die in das Kernholz eingepreßte Luft dabei darinbleibt.

B. Anwendungsgebiete für Eisenbahnhölzer.

I. Hölzerne Eisenbahn-Querschwellen.

1. Verbreitung in verschiedenen Ländern.

In Europa von Laubhölzern die Buche und Eiche, von Nadelhölzern die Lärche, Fichte, Tanne und Kiefer oder Föhre. Von den Nadelhölzern ist in Mitteleuropa Kiefernholz gegenwärtig am beliebtesten; in England wird fast ausschließlich die baltische Kiefer zum Holzschwellenbau benutzt. Noch im Jahre 1895, bevor man gute T. hatte, war der Buchenschwellenverbrauch in Deutschland sehr gering. Dagegen waren in Westeuropa, besonders in Frankreich, Buchenhölzer früher in ausgedehnterem Maße als Baustoff für Bahnschwellen in Anwendung gekommen. Die Schweizer Bundesbahnen benutzten bis zum Jahre 1907 größtenteils getränkte Eichen-, Kiefern- und Lärchenschwellen. Das Verhältnis der getränkten zu den nicht getränkten Schwellen im Gebiet des VDEV. ist aus Tabelle 2 ersichtlich. Die Zahl der getränkten Schwellen in % der gesamten Schwellenzahl ist außerdem schaubildlich in Abb. 312 dargestellt. Darnach hat das Tränken namentlich bis 1900 zugenommen, besonders in Österreich, wo jedoch die Zahl der getränkten Schwellen sogar im Höchstfall nur 50% beträgt. Seit 1900 ist die Zunahme der Tränkung in Preußen und Deutschland gering gewesen; in Österreich und bei sämtlichen Vereinsbahnen stellt sich sogar wieder ein Rückgang im Tränken ein. Man ersieht dies aus Tabelle 3, worin nach Holzarten getrennt angegeben ist, wieviel Schwellen einer bestimmten Holzgattung bei den einzelnen Verwaltungen getränkt wurden.

Tabelle 2.

Jahr	Preußische Staatseisenbahnen		Deutsche Eisenbahnen		Österreichisch-ungarische Eisenbahnen		Sämtliche Eisenbahnen des VDEV.	
	Getränkt	Nicht getränkt	Getränkt	Nicht getränkt	Getränkt	Nicht getränkt	Getränkt	Nicht getränkt
	Prozent							
1880	69·4	30·6	61·3	38·7	14·0	86·0	44·1	55·9
1885	71·3	28·7	70·1	29·9	20·3	79·7	49·3	50·7
1889	80·7	19·3	78·2	21·8	31·9	68·1	56·9	43·1
1894	86·8	13·2	83·4	16·6	37·9	62·1	61·9	38·1
1897	96·4	3·6	93·5	6·5	38·4	61·6	64·7	35·3
1900	98·2	1·8	94·2	5·8	50·6	49·4	66·8	33·2
1902	99·8	0·2	95·0	5·0	44·4	55·6	63·4	36·6
1904	99·8	0·2	96·4	3·6	45·9	54·1	62·6	37·4

Das Schwellentränken wird von den Bahnen teils im Eigenbetrieb besorgt, teils an Unternehmer vergeben. In Deutschland wird letzteres vorgezogen. 47 Tränkungsanstalten befanden sich 1911 in Deutschland, 14 in Frankreich und 9 in Belgien. Von diesen 70 Anstalten wurden 14 von den Eisenbahnverwaltungen selbst betrieben; die übrigen 56 waren in Privathänden. Die 9 Anlagen in Belgien sind sämtlich in privatem Besitz, während 6 von den 47 in Deutschland und 9 von den 14 in Frankreich von der Eisenbahn selbst verwaltet werden. Diese 6 staatlichen Tränkanstalten in Deutschland sind: Zernsdorf und Northeim für die preußische, Kirchseeon für die bayerische, Wulknitz und Falkenstein für die sächsische und Zuffenhausen für die württembergische Bahnverwaltung. Außer den

2 staatlichen Anlagen gibt es in Preußen weitere 26 Anlagen, die für die preußischen Staatseisenbahnen arbeiten. Allein die Rütgers-Werke unterhalten 14 Holzkonservierungsanlagen. Von ausländischen Bahnen tränken u. a. die französische Ostbahn in d'Amange und Port d'Atelier, die französische Staatsbahn in St.-Mariens, Surdon und Landebia, die holländische Eisenbahngesellschaft in Crailoo, die italienischen Staatsbahnen in Neapel, die dänischen Staatsbahnen in Kjöge und Horsens und die rumänische Staatsbahn in Ploësti ihre Schwellen im Eigenbetrieb. Ferner betreiben die ungarischen Staatsbahnen 5, die P.-L.-M.-Bahn 2 und die französische Nordbahn 3 eigene Anlagen. In den Vereinigten Staaten wurden die Holzschwellen im Jahre 1910 in 86 Anstalten getränkt, die 60 Verwaltungen gehörten und in 51 verschiedenen Staaten lagen. Von diesen 86 wurden 64 von 43 Privatgesellschaften und 22 von 17 Eisenbahnverwaltungen betrieben.

Die Frage, welche T. bei den verschiedenen Verwaltungen des VDEV. in Anwendung stehen, wurde von 29 Verwaltungen auf der XX. Technikerversammlung im Juni 1912 in Utrecht folgendermaßen beantwortet: es tränkten

2 Verwaltungen mit Quecksilbersublimat
2 „ „ Zinkchlorid
6 „ „ Zinkchlorid und Teeröl (Mischungsverfahren)
2 „ „ Zinkchlorid und dann Teeröl (Doppeltränkung)
5 Verwaltungen mit Teeröl (nach Bethell)
1 „ „ Teeröl (nach Sparverfahren, Bayern)
17 „ „ Teeröl nach dem einfachen Rüping-Verfahren
14 „ „ Teeröl nach dem doppelten Rüping-Verfahren.

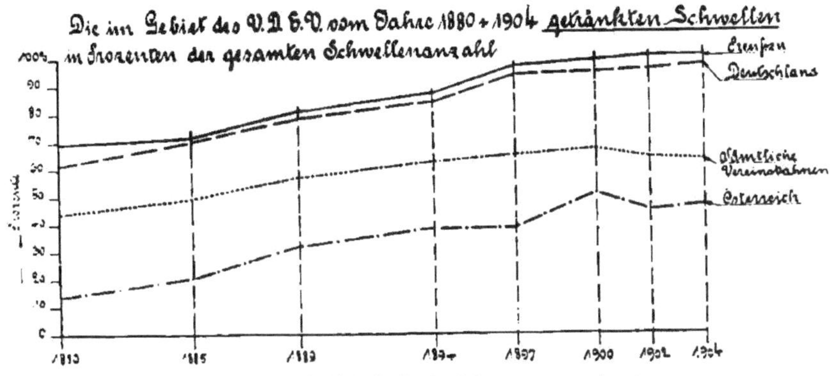

Abb. 312. Getränkte Holzschwellen im Verhältnis zu ungetränkten.

Auf die Holzarten verteilt ergibt sich bezüglich der einzelnen T. bei den Verwaltungen

Tabelle 3.

Verwaltungen	Holzarten	Im Jahre 1880	1885	1889	1894	1897	1900	1902	1904
		Prozent							
Preußische Staatseisenbahnen	Eichenholz	62·1	63·1	72·3	77·8	87·1	92·0	99·2	99·7
	Sonstige Laubhölzer	89·5	97·0	98·0	98·4	100·0	74·7	100·0	100·0
	Nadelholz	90·0	89·6	94·2	97·5	99·4	100·0	100·0	99·7
Deutsche Eisenbahnen	Eichenholz	46·5	53·4	62·5	67·7	74·8	72·3	75·6	73·7
	Sonstige Laubhölzer	53·4	75·3	94·2	95·7	99·5	99·5	99·9	100·0
	Nadelholz	80·8	91·0	94·0	96·3	99·2	99·4	99·2	99·9
Österreichisch-ungarische Eisenbahnen	Eichenholz	—	—	—	—	—	27·0	22·5	19·4
	Sonstige Laubhölzer	—	—	—	—	—	97·7	100·0	98·4
	Nadelholz	—	—	—	—	—	75·4	81·8	81·4
Sämtliche Eisenbahnen des VDEV.	Eichenholz	—	—	—	—	—	31·6	28·3	23·8
	Sonstige Laubhölzer	—	—	—	—	—	98·2	100·0	99·0
	Nadelholz	—	—	—	—	—	93·3	94·7	93·8

Tabelle 4.

Tränkungsverfahren	für Buchenholz	für Eichenholz	für Kiefernholz	für Lärchenholz	für Tannenholz
	bei Verwaltungen				
Quecksilbersublimat	–	1	1	–	–
Zinkchlorid	–	1	2	1	–
Zinkchlorid vermischt mit Teeröl (Mischungsverfahren)	–	1	6	2	–
Zinkchlorid und hierauf Teeröl (Doppeltränkverfahren)	2	1	1	1	–
Teeröl (nach Bethell)	1	3	–	2	–
Teerölsparverfahren (Bayern)	–	–	1	–	–
Einfaches Rüpingverfahren mit Teeröl	–	14	17	–	–
Doppeltes Rüping-Verfahren mit Teeröl	14	–	–	–	–

Tabelle 4. Die preußischen Staatseisenbahnen tränken seit dem Jahre 1909 sämtliche Schwellen nach dem Rüping-Verfahren. In Sachsen wurde bis 1895 nur mit reiner Zinkchloridlösung getränkt; erst 1896 setzte man Teeröl hinzu und verwendete das Mischungsverfahren; ebenfalls in Österreich-Ungarn bei leichtem Oberbau. Dagegen kommt bei schwerem Oberbau für Buchenschwellen das Doppelverfahren zur Anwendung.

Von ausländischen Bahnen lassen die Schweizer Bundesbahnen seit 1907 Schwellen in privaten Anstalten zu Zofingen, Glovelier und Sargans mit Teeröl nach Rüping tränken. Auch in Dänemark ging man 1907 zum Rüping-Verfahren über. Die rumänischen Staatsbahnen haben erst 1913 ihre Tränkanlage zu Ploësti umgebaut und arbeiten jetzt nach Rüping. Dagegen tränkt man in Belgien immer noch mit Teeröl nach Bethell. Die holländische Eisenbahngesellschaft behandelt ihre Schwellen mit reinem Zinkchlorid, während die niederländischen Staatseisenbahnen ihre Kiefernschwellen mit Zinkchlorid und Teeröl gemischt tränken. In Frankreich begann man 1880 alle Schwellen mit Ausnahme der splintreichen Eichenschwellen mit Teeröl zu tränken; 1886 ging man zur Zinkchloridtränkung über, bis 1890, von wo an mit Zinkchlorid und Teeröl vermischt getränkt wurde. Jetzt ist bei fast allen französischen Bahnen wieder die Volltränkung mit Teeröl eingeführt; nur bei der französischen Nordbahn wird nach Blythe und für die französische Staatsbahn in Bordeaux nach Rüping getränkt. Die Paris-Orleans-Bahn läßt ihre Eichen- und Buchenschwellen mit Teeröl nach Bethell, die Kiefernschwellen mit Kupfersulfat in Privatanstalten tränken. Die italienischen Staatsbahnen geben ihre Schwellen an Unternehmer, von denen sie nach Guissani und (seit 1907) nach Rüping behandelt werden. So sind in Neapel nach letzterem Sparverfahren vom Januar 1907 bis Oktober 1912 fertiggestellt worden: 682.652 Buchenschwellen, 40.750 Schwellen aus Steineiche, 173.851 aus Zerreiche und 1,722.884 aus Fichtenholz. Mit Ausnahme der London- und Südwest-Bahn, die noch heute ohne Druck in offenen Gefäßen Schwellen tränkt, behandeln die meisten englischen Bahnen ihre Schwellen mit Teeröl nach Bethell. Irgendwelche neuere Versuche sind wenig angestellt worden und mit Ausnahme von 50.000 nach Rüping getränkten Schwellen für die Große Nordbahn sind nur vereinzelt Bestrebungen bekannt, die darauf hinzielen, durch Anwendung von Sparverfahren weniger Teeröl zu verbrauchen. Kurz vor dem Weltkrieg waren jedoch auch schon in England wie in Schweden und Norwegen Unterhandlungen wegen Übernahme des Rüping-Verfahrens im Gang. In den Vereinigten Staaten arbeiten gegenwärtig etwa 14 Anstalten mit Zinkchlorid, teils allein, teils mit Teeröl vermischt, 42 mit Teeröl nach Bethell, 2 mit Quecksilberchlorid und 4 nach Rüping. So ist z. B. die Missouri-, Kansas- und Texasbahn auf das Rüpingsche T. übergegangen und die Atchison-Topeka- und Santa Fé-Eisenbahn hat in Sommerville (Texas) im Jahre 1907 in 7 Monaten etwa $1\frac{1}{4}$ Mill. Bahnschwellen und 3 Mill. Festmeter anderer Hölzer nach dem Rüping-Verfahren fertiggestellt.

2. Tränkstoffaufnahme.

Nach Art und Trockenheit des Holzes ist die Tränkstoffaufnahme bei jedem T. verschieden. Vorschriften darüber weichen bei den einzelnen Verwaltungen oft voneinander ab. Wirken die Tränkstoffe mit Druck auf die Holzflächen, so hat man es in der Hand, durch Druckerhöhung oder durch längeres Belassen im Tränkkessel beliebige Tränkstoffmengen einzupressen. Da jedoch Menge und Gewicht der zugeführten Tränkstoffe stets größer sind als die Saftabgabe, so tritt infolge Tränkung eine Gewichtszunahme der Schwellen ein. Schwellen aus Hölzern mit natürlicher Kernbildung, die gar kein Splintholz, wie die Eiche, oder nur wenig, wie die Kiefer und Lärche besitzen, nehmen weniger Tränkstoff auf als Buchenschwellen, die fast nur aus Splintholz bestehen. Grad und Gleichförmigkeit der Durchtränkung hängen somit bei verschiedenen Holzgattungen nicht nur von der aufgenommenen Flüssigkeitsmenge, sondern auch von dem Holzkörperaufbau ab.

Tränken mit Kupfervitriol. 1 m^3 Holz nimmt durchschnittlich 9·5 *kg* Tränkflüssigkeit auf, wodurch die Gewichtszunahme f. d. m^3 bei Fichtenholz 24 *kg*, bei Eichenholz 25 *kg*, bei Kiefernholz 57 *kg*, bei Buchenholz 95 *kg* beträgt. Nach Vorschrift der österreichischen Staatsbahnverwaltung belief sich die Gewichtszunahme bei der früher dort vorgenommenen Buchenschwellentränkung mit Kupfervitriol sogar auf 25 – 30 *kg* für die Schwelle.

Tränken mit Zinkchlorid. Dieses hängt von der Zusammensetzung (Verdünnung) der Zinkchloridlauge ab. Nach Burnett wurde eine Mischung von 1 Teil Salz und 59 Teilen Wasser angenommen. Allmählich ging man jedoch zur Beimischung von nur 14 Teilen Wasser zu 1 Teil Salz über. Im allgemeinen arbeitete man mit Lösungen von 1 : 60 bis 1 : 25, wobei schwächere Mischungen einem höheren und länger dauernden Druck ausgesetzt wurden als stärkere. Preußen, die Reichseisenbahnen und die pfälzischen Bahnen tränkten mit 25facher Verdünnung, während z. B. in Österreich Lösungen mit 2 – 3 % Chlorzinksalz verwendet wurden. Nach Angaben der preußischen Staatseisenbahnen betrug die Aufnahme an Chlorzinksalz für 1 m^3 Holz: bei Eichen 9 – 22 *kg*, bei Buchen 44 – 53 *kg*, bei Kiefern 11 – 42 *kg*. Dabei wurde insgesamt an Lauge verbraucht: 110 – 114 *kg* für 1 m^3 Eichenholz, 257 – 315 *kg* für 1 m^3 Kiefernholz, 286 – 429 *kg* für 1 m^3 Buchenholz. In Österreich ergaben sich bei Tränkung mit Zinkchloridlösung vorerwähnter Zusammensetzung Gewichtszunahmen von 7 – 10 *kg* für die Eichen-, 18 – 31 *kg* für die Kiefern- und 20 – 31 *kg* für die Buchenschwellen. Bei der holländischen Eisenbahngesellschaft muß jede Schwelle normaler Größe bei Eichenholz 6 – 9, bei Lärchenholz 9 – 15 und bei Fichtenholz 25 – 35 *l* Tränklauge aufnehmen.

Tränken mit Chlorzink und Teeröl gemischt (Mischungstränkung). Rütgers gab Anfang der Siebzigerjahre der auf 65° C erwärmten Chlorzinklösung einen Zusatz von 2 *kg* Teeröl für jede Schwelle; später wurde der Teerölzusatz erhöht. In Dänemark, wo bis 1907 nach dem Mischverfahren getränkt wurde, gab man der Chlorzinklauge ebenfalls 2 *kg* Zusatz an Teeröl für jede Schwelle; die gesamte Tränkstoffaufnahme sollte bei jeder Kiefern- und Buchenholzschwelle 27 *kg* betragen; auf 1 m^3 rechnete man insgesamt 310 – 325 *kg* Tränkstoff. Bei der italienischen Staatsbahn soll jede Schwelle außer 15 *kg* Zinkchlorid an Teeröl aufnehmen 8 *kg* bei der Buche, 4 *kg* bei der Steineiche und 7 *kg* bei der Zerreiche. Vorgeschrieben sind für die normale Schwelle: bei den preußischen Staatsbahnen 11 *kg* für Eichenholz und 36 *kg* für Buchen- oder Kiefernholz, bei den französischen Staatseisenbahnen 4 *kg* für Eichenholz und 30 *kg* für Kiefernholz, bei den österreichischen Staatseisenbahnen 8 *kg* für Eichenholz und 30 *kg* für Kiefernholz. Auf 1 m^3 Schwellenholz bezogen verlangen die preußischen Staatseisenbahnen etwa 100 *kg* Lauge bei Eichen- und 325 *kg* bei Buchen- und Kiefernholz, die niederländische Staatseisenbahn bei Kiefernholz 280 *kg* Lauge, in denen 20 *kg* Chlorzink und 50 *kg* Teeröl enthalten sein müssen.

Tränken mit Chlorzink und Teeröl in aufeinanderfolgender Behandlung (Doppelverfahren). Österreichische Staatsbahnen: für Kiefern- bzw. Buchenschwellen von 0·075 – 0·09 m^3 Rauminhalt außer mit Chlorzinklauge mit 5 bzw. 13 *kg*, bei größerem Rauminhalt mit 6 bzw. 15 *kg* Teeröl; für Lärchen- und Eichenschwellen aller Abmessungen mit Ausnahme von Schmalspurschwellen eine Teeröleinpressung von 4 *kg*.

Volltränkung mit reinem Teeröl. Die Anforderungen bezüglich Tränkstoffaufnahme sind verschieden; sie schwankt für 1 m^3 Holz bei Eichenholz zwischen 70 und 100 *kg*, bei Buchenholz zwischen 160 und 325 *kg*, bei Kiefernholz zwischen 140 und 325 *kg*. Die preußischen Staatsbahnen verlangen sogar für eine normale Schwelle Teerölaufnahmen von 11 *kg* bei Eichenholz und von 36 *kg* bei Buchen- und Kiefernholz. Andere Bahnen verlangen eine geringere Teerölaufnahme, u. zw.:

	für Eichenschwellen	für Buchenschwellen
Französ. Ostbahn	6 – 7 *kg*	27 – 30 *kg*
„ Nordbahn	5 *kg*	18 *kg*
„ P.-L.-M.-Bahn	5 – 6 *kg*	21 „
„ Westbahn	–	18 – 22 *kg*
Niederl. Staatsbahn	75 kg/m^3	160 kg/m^3

Englische Bahnen allgemein 18 – 22 *kg*.

Hohltränkung nach Rüping. Durchschnittliche Teerölaufnahme in Deutschland: 4 – 5 *kg* für Eichen-, 6 – 7 *kg* für Kiefern-

und 12—16 *kg* für Buchenschwellen. Demnach wiegt eine kieferne Schwelle nach Aufnahme von 7 *kg* Tränkungsflüssigkeit 67 *kg*, eine eichene nach Aufnahme von 5 *kg* Öl 85 *kg* und eine buchene etwa 91 *kg*. Die französische Staatsbahn schreibt 7·5 *kg* Teerölaufnahme für die Kiefern- und nur 11·5 *kg* für die Buchenschwelle vor, während bei der dänischen Staatsbahn an Öl 5·3 *kg* in Kiefernschwellen und 12 *kg* in Buchenschwellen von 0·084 m^3 Inhalt eingepreßt werden müssen. Bei den italienischen Staatsbahnen wird das Gewicht einer Buchenschwelle (0·087 m^3 Inhalt) um 11 *kg* durch die Tränkung vergrößert; für Steineichenschwellen von gleichem Inhalt soll die Gewichtszunahme 4·75 *kg*, für Zerreichenschwellen 8·25 *kg* bei jeder Schwelle betragen.

3. Liegedauer.

Rohe hölzerne Bahnschwellen sind der Zerstörung durch Fäulnis noch mehr ausgesetzt als die meisten anderen Nutzhölzer. Luft, Feuchtigkeit und eine gewisse Wärme brauchen die Fäulniserreger zu ihrer Entwicklung und Erhaltung; man kann die Schwellen aber weder dem schädlichen Wechsel von Feuchtigkeit und Trockenheit, noch dem Luftzutritt entziehen. Je poröser und schwammiger die Holzmasse ist und je weniger Harz und Gerbstoffe sie enthält, um so kürzer ist die Liegedauer der Schwellen. Denn unter diesen Umständen wird das Eindringen von Feuchtigkeit in das Holz erleichtert, die dann ihrerseits bereits bei mäßiger Wärme die Entwicklung und Förderung der Fäulnis verursacht. Über die durch Durchtränkung der Schwellen erreichte längere Liegedauer – d. h. Zeitabstand zwischen ihrem Einbau und ihrer Erneuerung – werden von den meisten Bahnverwaltungen fortwährend Beobachtungen angestellt. Man hat die verschiedenen Lebensdauern der Einzelschwellen wohl von der mittleren Lebensdauer der Gattung zu unterscheiden, welch letztere allein für Vergleichsrechnungen in Frage kommen. Auf eine Verwechslung dieser beiden Begriffe kommt es meist hinaus, wenn von sehr großen Lebensdauern einer Schwellenart gesprochen wird. Es wird dann die beobachtete höchste Lebensdauer einer beschränkten Anzahl von Einzelschwellen an Stelle der durchschnittlichen Lebensdauer der ganzen Einbaugruppe gesetzt. Es schwanken die Angaben über die mittlere Dauer der Holzschwellen etwa in den in Tabelle 5 angegebenen Grenzen.

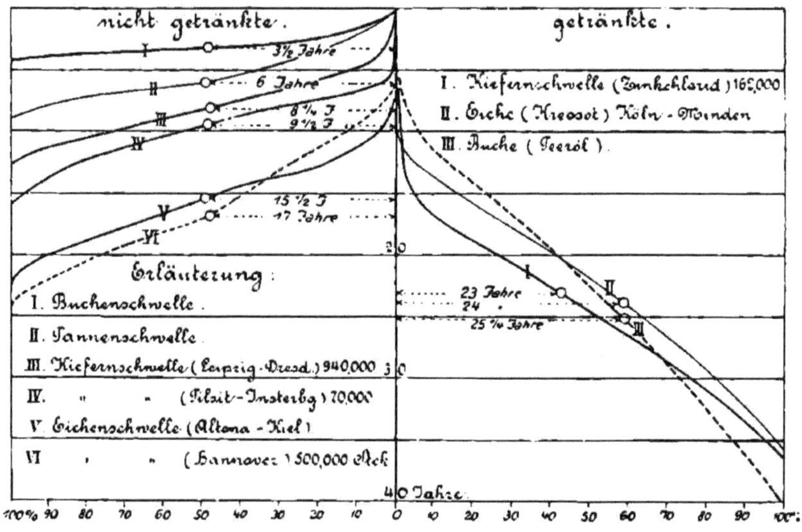

Abb. 313. Schaulinie für die Liegedauer getränkter und ungetränkter Schwellen.

Tabelle 5.

Holzarten	Mittlere Liegedauer in Jahren		
	Nicht getränkt	Getränkt	
		nach anderen Verfahren	mit karbolsäurehaltigem Teeröl
Eiche . . .	12–15	15–20	25
Lärche . .	8–10	15–20	20
Kiefer . . .	6–8	10–15	20
Buche . . .	2½–3	10–16	30

In Abb. 313 ist eine Anzahl von Schaulinien für die Liegedauern von Holzschwellen wiedergegeben, u. zw. links für ungetränkte und rechts für getränkte. Hierdurch ist nachgewiesen, daß die mittlere Lebensdauer der getränkten Holzschwelle infolge der T. beträchtlich gestiegen und mit ihrem Schwerpunkt den Liegedauerordinaten des linksseitigen Teiles der Darstellung nähergerückt ist.

Tränken mit Teeröl. 20 – 25 Jahre Liegedauer bei der französischen Nordbahn und P.-L.-M.-Bahn für Buchenschwellen, 18 – 25 Jahre für Eichenschwellen. Belgische Staatsbahn 10 – 12 Jahre in Hauptgleisen und etwa weitere 10 Jahre darauf in Nebengleisen für Buchen- und Eichenschwellen, so daß diese im ganzen 20 – 22 Jahre gebrauchsfähig sind. Dem internationalen Eisenbahnkongreß von 1900 wurde ein auf Grund der Mitteilungen von 64 Verwaltungen – hauptsächlich von Frankreich, England und Rußland – ausgearbeiteter Bericht unterbreitet, worin die in Tabelle 6 angegebenen mittleren Gebrauchsdauern von teerölgetränkten Schwellen bekanntgegeben wurden. Im Taschenbuch der Hütte sind folgende mittlere Liegedauern angegeben: 8 bis 15 Jahre bei Fichten- und Tannenschwellen, 15 – 20 Jahre bei Kiefern- und Lärchenschwellen, 20 – 30 Jahre bei Eichenschwellen, 25 – 35 Jahre bei Buchenschwellen.

Tabelle 6.

Holzarten	Dauer in Hauptgleisen	Nachher noch verwendbar in Nebengleisen	Gesamte Gebrauchsdauer
	Jahre		
Kiefernschwellen .	15	5	20
Eichenschwellen .	18	7	25
Buchenschwellen .	20	10	30

Tränken mit Kupfervitriol. Paris-Orléans-Bahn 10 Jahre Betriebsdauer für Buchenschwellen, 14 Jahre für Kiefernschwellen.

Tränken mit Quecksilbersublimat. In Bayern 15 Jahre für Kiefernschwellen, in Baden 18 – 20 Jahre für Eichen- und 12 Jahre für Buchenschwellen.

Tränken mit Zinkchlorid (nach Heinzerling). 22 Jahre Betriebsdauer für Eichen-, 15 für Lärchen-, 13 für Buchen-, 12 für Kiefern- und 10 Jahre für Tannenschwellen. In der Schweiz: 19 Jahre Betriebsdauer für Eichen-, 13 für Kiefern- und 12 für Buchenschwellen.

Tränken mit Chlorzink und Teeröl gemischt (Mischungstränkung). Holländische Eisenbahngesellschaft: Fichtenschwellen 12 – 14, Eichenschwellen 15 – 20 Jahre Lebensdauer. In Sachsen sank die Auswechslungsziffer von Kiefernschwellen in der Zeit von 1896 – 1905 auf jährlich 4·34%, was einer Verlängerung der Liegedauer um 4·6 Jahre im Mittel entspricht. In Österreich hatten weiche Schwellen Lebensdauererhöhungen von etwa 5 auf 12 Jahre, Lärchen- und Eichenschwellen von etwa 8 auf 16 Jahre.

Hohltränkung nach Rüping. 17 Verwaltungen beantworteten auf der Technikerversammlung zu Utrecht (im Jahre 1912) die Frage bezüglich Verlängerung der Schwellendauer dahin, daß noch keine Aufzeichnungen vorliegen und noch kein abschließendes Urteil gefällt werden kann, da ja die so behandelten Schwellenbestände noch gar nicht erneuert sind. Die voraussichtliche Dauer von Schwellen in Hauptgleisen wird bei Kiefern auf 15 – 17 Jahre, bei Eichen auf 15 – 20 Jahre und bei Buchen auf 18 – 25 Jahre geschätzt.

4. Tränkungskosten.[1]

Sie hängen hauptsächlich von der eingeführten Tränkstoffmenge ab. Die Kosten der Tränkmasse betragen etwa 50 – 75% (bis 90%) des gesamten Tränkungspreises. Letzterer ist am höchsten bei Buchenschwellen, weil diese am meisten Tränkstoff aufnehmen.

Die Kosten verschiedener Tränkungsarten einer Schwelle sind bei den Bahnen des VDEV. ermittelt und in Tabelle 7 für einige Jahre

[1] Die Angaben beziehen sich auf die Zeit unmittelbar vor Kriegsausbruch 1914.

Tabelle 7.

Holzarten	Jahr	Kupfervitriol	Quecksilberchlorid	Zinkchlorid	Teeröl (nach Bethell)	Zinkchlorid mit Teeröl (Mischungsverfahren)
Eiche . .	1884	–	–	0·37	1·0	0·61
	1893	–	0·40	0·43	0·93	–
	1903	–	–	0·33 – 0·50	0·75 – 1·20	0·62 – 1·20
	1912	–	–	0·30	0·73 – 0·78	0·68 – 0·73
Buche . .	1884	–	–	0·44	1·9	0·86
	1893	0·34	0·60	0·53	–	0·9
	1903	0·32	–	0·35 – 0·80	1·5 – 2·55	0·43 – 0·96
	1912	–	–	–	1·14	–
Kiefer oder Föhre	1884	0·40	0·75	0·47	1·7	0·74
	1893	0·23	0·52	0·50	1·5	0·69
	1903	0·45	0·55	0·25 – 0·65	2·33	0·59 – 0·88
	1912	–	0·66	0·30 – 0·53	–	0·63 – 0·82

angegeben. Bei der französischen Ostbahn beträgt z. B. der Preis einer nur mit Teeröl getränkten Eichen- oder Buchenschwelle etwa 5·9 M. Für sog. Schwellen I. und II. Kl. in Deutschland sind die Tränkkosten nach dem Rüping-Verfahren in Tabelle 8 wiedergegeben.

Tabelle 8.

Holzarten		Abmessung der Schwelle	Preußen	(Northeim) Direktion Cassel	Württemberg	Baden	Elsaß-Lothringische Reichseisenbahnen
Kiefer (Einfach-Rüping)	I. Kl.	2·7 *m* × 16/26 *cm*	U 0·97 M	E 0·71 M	E 0·76 M	2·7 × 15/25	U 1·15
	II. Kl.	2·5 *m* × 14/24 *cm*	U 0·86	E 0·65	E 0·59	U 1·39	–
Eiche (Einfach-Rüping)	I. Kl.	2·7 *m* × 16/26 *cm*	U 0·90	E 0·69	–	–	U 1·16
	II. Kl.	2·5 *m* × 14/24 *cm*	U 0·80	–	–	–	–
Buche (Doppel-Rüping)	I. Kl.	2·7 *m* × 16/26 *cm*	U 1·65	E 1·26	E 1·56	–	U 2·04
	II. Kl.	2·5 *m* × 14/24 *cm*	U 1·35	E 1·04	E 1·21	–	–

Am billigsten stellt sich darnach das Tränken von Eichenschwellen, nächstdem das von Kiefern- und am teuersten das von Buchenschwellen, weil eben der Aufwand an Tränkstoff bei Eiche am geringsten (5 *kg*), bei Buche am größten (16 *kg*) ist. Tränken im Eigenbetrieb (E) in der Direktion Cassel ist für die Kiefernschwelle I. Kl. um etwa $26^3/_4$ %, für die Eichen- und Buchenschwelle um etwa $23^1/_2$ % billiger, als wenn das Tränken der Schwellen an Unternehmer (U) vergeben werden würde. Vergleicht man die Rüpingsche Hohltränkung mit der Teerölvolltränkung, würde also eine Kiefernschwelle I. Kl. statt 36 *kg* nur 7 *kg* Teeröl enthalten, so würde bei einem Preis von 6 M. für 100 *kg* Teeröl eine nach Rüping getränkte Kieferschwelle nur für $(7 \times 6) : 100 = 0·42$ M. statt wie früher für $(36 \times 6) : 100 = 2·16$ M. Teeröl aufnehmen. Dies bedeutet eine Ersparnis von 1·74 M. für die Schwelle. Die deutschen Eisenbahnverwaltungen gebrauchen etwa 4 Mill. Bahnschwellen jährlich. Nimmt man an, daß bei der Volltränkung mit 300 kg/m^3, bei der Hohltränkung mit 60 kg/m^3 durchschnittlich getränkt wird, so müssen dafür 120.000 *t* bzw. 24.000 *t* Teeröl bewilligt werden; in Kosten ausgedrückt bedeutet dies bei 6 M. für 100 *kg* Teeröl eine jährliche Ersparnis an Ausgaben für Tränkflüssigkeit von etwa $5^3/_4$ Mill. M.

II. Hölzer für Stangen und Leitungsmaste.

1. Rohe Stangenhölzer.

In Deutschland und den anderen mitteleuropäischen Ländern verwendet man meist die Kiefer, weniger die Fichte, Lärche, Weißtanne; in den Vereinigten Staaten Amerikas fast immer die gelbe Zeder. Zerstörung der Stangen ausschließlich durch Fäulnis, die das Holz dicht unter der Erdoberfläche ergreift. Zum Teil werden die Stangen mangels leicht zu beschaffender getränkter Stangen noch jetzt roh verwendet. Im Jahre 1909 standen z. B. rund 14.900 ungetränkte Stangen in den Linien der deutschen Telegraphenverwaltung (gleich 0·4 %). Das Zopfende auf 40 *cm* Firsthöhe wird dann dachförmig abgeschrägt, um dem mit Fäulniskeimen gesättigten Niederschlagswasser (Regen, Schnee) den Weg durch die Hirnfläche in das Innere der Stange zu verlegen. Die Schnittflächen erhalten einen 2maligen Anstrich von Steinkohlenteer. Auf den zweiten Anstrich, der erst nach dem Erkalten des früheren aufzutragen ist, wird reiner gesiebter Quarzsand gestreut, der größere Haltbarkeit und besseres Haften des Teeröls bewirkt.

2. Fäulnisschutz für Stangenhölzer.

Einfachster Schutz durch Ankohlen der Stammenden. Hierdurch wird ein Kohlenmantel um das Holz gebildet, der zugleich Holzteer und andere aus der trockenen Destillation des Holzes herrührende Stoffe enthält. Dadurch wurde zwar die Stange gegen Angriffe aus dem Erdreich genügend geschützt, aber durch die nicht geschützten Teile in der Luft drangen dauernd atmosphärische Feuchtigkeit und Fäulniserreger ein. Verwendung dieses Mittels in neuester Zeit für Leitungsmaste der Lokalbahn Innsbruck-Hall im Jahre 1912. In abgelegenen Gegenden, wo Stangenbeförderung zur Tränkanlage zu teuer würde, wird Anstrich mit Holzteer angewendet, der, auf

Tabelle 9.

Jahr	Stangenbestand, getränkt				Stangenbestand, ungetränkt	Gesamter Stangenbestand
	Kupfervitriol	Zinkchlorid	Quecksilberchlorid	Teeröl		
1860	12.136 = 37·3%	18.783 = 57·7%	105 = 0·3%	566 = 1·7%	960 = 3·0%	32.500 = 100%
1875	137.149 = 30·1%	100.411 = 22·0%	26.437 = 5·8%	160.678 = 35·2%	30.930 = 6·8%	455.605 = 100%
1890	1,105.656 = 83·6%	15.642 = 1·2%	92.278 = 7·0%	103.999 = 7·9%	5.436 = 0·4%	1,323.009 = 100%
1905	2,846.314 = 89·2%	9.316 = 0·3%	224.855 = 7·0%	89.610 = 2·8%	20.871 = 0·7%	3,190.966 = 100%
	Mittlere Gebrauchsdauer in Jahren					
—	13·4	12·2	14·5	22·3	7·9	—

gut getrockneten Stangen aufgebracht, in einem Klima wie in Norwegen etwa 15 Jahre schützt.

T. bis zum Jahre 1905. Das Boucherie-Verfahren wurde früher am meisten von der deutschen Telegraphenverwaltung angewendet; in dem gleichen Maße die Volltränkung mit Teeröl nach Bethell, die 1903 ihren Höhepunkt erreichte. Das Verfahren mit Zinkchlorid und Teeröl gemischt unter künstlichem Druck ist völlig außer Gebrauch gekommen. Auch die Tränkung der Telegraphenstangen mit Quecksilbersublimat nach Kyan wurde lange deshalb stark eingeschränkt, weil die starke Giftigkeit des Quecksilbersublimats und seine Eigenschaft, leicht zu zerstäuben, sorgfältigste Vorsichtsmaßregeln nötig machten. Nur infolge des großen Bedarfs der Reichspostverwaltung an Stangen wurden aushilfsweise Lieferungen kyanisierter Stangen an Unternehmer vergeben.

Nach Angaben der deutschen Telegraphenverwaltungen, bei denen länger als 40 Jahre nur kyanisierte Stangen in Gebrauch waren, betrug die durchschnittliche Lebensdauer mit Quecksilberchlorid getränkter Stangen etwa 17 Jahre. Die Tränkungsarten bis zum Jahre 1905 (nach Archiv für Post und Telegraphie 1905/16) sind in Tabelle 9 enthalten. Die Preise für die Stangenhölzer sind in Tabelle 10 angegeben. Das in der Anschaffung teuerste Verfahren, die Tränkung mit Teeröl, ist also im Gebrauch das billigtse.

Tabelle 10.

Tränkungsarten	Mittlere Dauer Jahre	Für 1 m^3 Holz: Gesamtkosten M.	Für 1 m^3 Holz: Kosten für ein Jahr M.
Kupfervitriol	13·4	52·00	3·88
Zinkchlorid	12·2	48·82	4·02
Quecksilberchlorid .	14·5	52·77	3·64
Teeröl	22·3	64·26	2·88
Rohe Stangen . . .	7·9	41·50	5·25

Neuere Teeröl-Tränkungsverfahren. Das Rüping-Verfahren wird jetzt am meisten von der Reichstelegraphenverwaltung benutzt. Von 1904 bis Anfang 1912 sind etwa 8,000.000 solcher Stangen eingebaut worden. Nach dem Rütgersschen Sparverfahren sind von 1904 bis 1912 etwa 3,000.000 mit Teeröl getränkte Stangen eingebaut. Rüping verwendet nur etwa 60 kg/m^3 und Rütgers 100 kg/m^3 Öl. Die bisher für Stangenhölzer genannten Tränkungen konnten nur bei der Kiefer erfolgreich angewendet werden. Denn da der Tränkstoff nur das Splintholz, nicht aber den Kern durchtränkt, ist von unseren Nadelhölzern hierzu die Kiefer am geeignetsten, weniger die Lärche, ungeeignet Fichte und Tanne. Letztere eignen sich aber wegen ihres schönen, geraden Wuchses und ihrer Festigkeit besonders zu Telegraphenstangen. Nun besteht ein Verfahren von Haltenberger und Berdenich in Ungarn darin — um auch Fichte und Tanne für die Tränkung mit Teeröl geeignet zu machen — daß Stangen aus diesen Hölzern in ihrem unteren Teil auf 2 m Länge mit Bohrmaschinen am Umfang mit feinen Löchern versehen werden.

Die mittels Nadeln von etwa 2 mm Stärke 20—30 mm tief eingebohrten Löcher sind

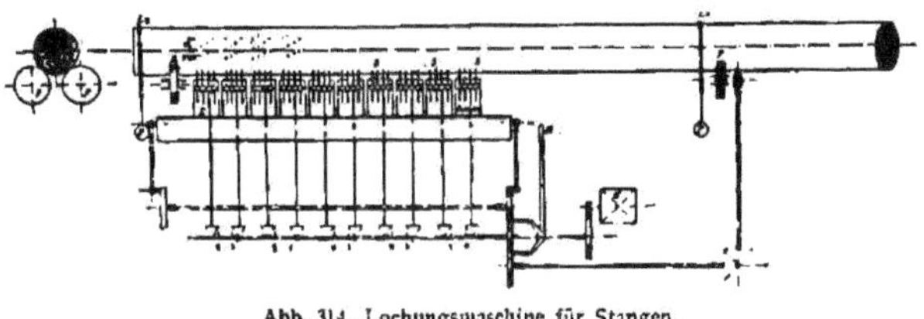

Abb. 314. Lochungsmaschine für Stangen.

in Abständen von rd. 10 *cm* in der Längsrichtung des Holzes in spiralförmigen Linien derart angeordnet, daß jede derselben gegen die nebenliegende versetzt ist. Durch die Anordnung der Bohrnadeln wird erreicht, daß der Tränkstoff durch den Splint hindurch bis zum Kern eindringt und sich in Längsrichtung des Holzes gleichmäßig verteilt. Abb. 314 zeigt solch eine Lochungsmaschine für Maste in schematischer Darstellung.

In Österreich wird zur Erreichung desselben Zieles noch ein anderer Weg eingeschlagen. Man tränkt nämlich die Stangen erst mit der wässerigen Lösung eines Metallsalzes (Natrium, Fluor) und preßt dann Teeröl bis zur Sättigung des Splintes nach. Durch Verdunsten der tiefer eindringenden Metallsalzlösung wird das Teeröl weiter in den Stamm hineingesaugt. Andere Versuche der österreichischen Telegraphenverwaltung erstrecken sich auf fäulnishindernde Salze. In neuester Zeit haben die Rütgerswerke nitrierte Phenole zum Tränken von Stangen benutzt. Sie wurden für Kiefernholz und auch für Fichten- und Tannenholz unter Anwendung des Haltenbergerschen Verfahrens angewendet.

III. Hölzer für Eisenbahnbrücken.

Es kommen vor hölzerne Eisenbahnbrücken in Neben- oder Kleinbahnen; hölzerne Eisenbahnbrücken für provisorische Zeitdauer, z. B. Not- und Kriegsbrücken zur Wiederfahrbarmachung zerstörter Eisenbahnteile, provisorische Holzbrücken zur schnelleren Inbetriebnahme einer neuen Eisenbahn, Arbeits- und Materialtransportbrücken. Die Hölzer werden getränkt zur Erhöhung der Wirtschaftlichkeit der Holzbrücken innerhalb gewisser Grenzen ihrer Spannweiten gegenüber dem Eisen. Von Nadelhölzern kommen in Betracht: Kiefern, Lärchen, Tannen und Fichten; von Laubhölzern Eichenholz zu Trägern, Stützen und Grundbauten, Erlenholz zu Grundbauten, Buchenholz zu Brückenbahnbelägen. Durch Öl- und Teeranstriche sucht man die Dauerhaftigkeit der Brückenhölzer zu erhöhen; doch bringen diese Verfahren neben zeitweise erforderlicher Erneuerung den Nachteil mit sich, daß der Oberflächenbezug durch Abhaltung der Luft den inneren Feuchtigkeitsgehalt des Holzes an der Verdunstung durch die Poren der Oberflächen hindert und so der Fäulnis von innen her Vorschub leistet. Wirksamste Abhilfe gegen diesen Fäulnisprozeß bildet Tränkung unter Hochdruck nach den neueren, vorher beschriebenen, antiseptischen Verfahren, besonders die Teerölspartränkung. Hierdurch wird auch die bauliche Zug- und Druckfestigkeit der Hölzer, hauptsächlich an ihren Verbindungsstellen, beträchtlich erhöht. Tabelle 11 weist Werte in *kg* auf, denen unter Zugrundelegung mäßiger Erschütterungen der rohe Holzstab ausgesetzt werden darf und wie groß die Erhöhungen der Festigkeiten durch die Tränkungen sind.

Tabelle 11.

Holzarten	Brücken mit rohen Hölzern			Brücken mit getränkten Hölzern		
	Elastizitätsziffer E	Zug Z kg/cm^2	Druck D kg/cm^2	Elastizitätsziffer E	Zug Z kg/cm^2	Druck D kg/cm^2
Tanne .	130.000	190	$^3/_4$ Z	120.000	100	$^3/_4$ Z
Fichte .	130.000	160	$^3/_4$ Z	113.000	80	$^3/_4$ Z
Kiefer .	130.000	210	$^3/_4$ Z	120.000	105	$^3/_4$ Z
Lärche .	130.000	230	$^3/_4$ Z	120.000	113	$^3/_4$ Z
Eiche .	120.000	160	$^5/_6$ Z	113.000	80	$^5/_6$ Z

IV. Hölzer für Eisenbahnfahrzeuge.

Tränken der sog. Werkstattnutzhölzer mit antiseptischen Mitteln findet nicht statt; höchstens Behandlung durch Trocknen, Dämpfen, Anstreichen und Auslaugen. Alle diese Mittel geben dem Holz eine größere Lebensfähigkeit.

Trocknen, bei erhöhter Temperatur (etwa 100° C) im Freien oder in Trockenöfen bei noch höheren Temperaturen. Nach einem besonderen Verfahren wird das Holz einer mehrstündigen Behandlung in ungespanntem Abdampf unterzogen und hierauf 5 Tage schwelenden Gasen von Holzspänen ausgesetzt, die unter mangelnder Luftzufuhr verbrennen. Der ins Holz eingedrungene Dampf wird hierbei durch die teerölhaltigen Verbrennungsgase ersetzt, das Holz getrocknet und haltbar gegen alle Einflüsse gemacht. Dämpfen und nachträgliches Tränken des Holzes durch eine salzige Flüssigkeit (Hasselmann), wodurch den Hölzern verschiedenartige Farbentöne (grau, bräunlich) gegeben werden können. Diese erhalten sich auch bei der Holzverarbeitung, wodurch ein Anstreichen überflüssig wird. Anstriche werden erfolgreich bei Holzteilen angewendet, bei denen der Anstrich leicht ausgeführt bzw. erneuert werden kann, z. B. bei Türen und Fensterhölzern. Anstrichmittel sind: Terpentin- und Leinöl, Ölfarbe, Holzfirnisse aller Art. Warmen Leinölanstrich erhalten z. B. die Verschalungsbretter gedeckter

Güterwagen; die der offenen Güterwagen werden erst mit einer Ölfarbe angestrichen und darüber lackiert. Mit den äußeren Holzteilen der Personenwagen wird ebenso verfahren wie mit den Verschalungsbrettern der offenen Güterwagen; die inneren Teile dagegen werden nur poliert[1]. Auslaugung bewirkt Entziehung der wasserlöslichen Bestandteile aus den Hölzern. Sie findet meist ohne besondere Absicht nebenher beim Flößen des Holzes statt.

C. Tränkanstalten für Eisenbahnhölzer.

I. Einrichtung und Betrieb von Tränkanstalten.

Zu jeder Tränkanlage gehört:

a) ein Bahnhof mit äußeren maschinellen Einrichtungen, in der Hauptsache Transportvorrichtungen sowie Schwellenbohr- und -hobelmaschinen;

b) innere maschinelle Einrichtungen, d. s. Einrichtungen für den Tränkungsvorgang. Zu *b* gehören: Tränkkessel; Füllbehälter und Meßgefäße; Preßluftbehälter, Kühler und Luftpumpen für Luft; Pumpen für Tränkflüssigkeit, Luft, Wasser und Dampf. Rohrleitungen zur Verbindung der Tränkeinrichtungen untereinander sind Luft-, Flüssigkeits-, Dampf- und Wasserleitungen. Man unterscheidet bei den Leitungen für Luft: Leitungen zum Drücken, Saugen, Auspuffen und Entlüften; bei den Leitungen für Tränkflüssigkeit: Leitungen zum Füllen, Drücken, Saugen und für Überlauf; bei den Leitungen für Dampf: Leitungen für Frischdampf, Abdampf und Heizdampf; bei den Leitungen für Wasser: Leitungen für Niederschlags-, Zu- und Ablauf für Kühl-, Speise- und Löschwasser. In alle diese Rohrleitungen müssen Absperrventile eingebaut sein, um je nach den Arbeitsstufen verbinden und absperren zu können. Da das Öffnen und Schließen der zerstreut angebrachten Ventile unbequem ist, bedient man Luft- und Tränkstoffleitungen getrennt durch Fernschalter von einer Stelle aus.

Der Verlauf des Arbeitsvorgangs bedingt als Form der Tränkanlage eine möglichst langgestreckte, schmale; Hobelhaus, Wage und Tränkgebäude sollen möglichst in einer Richtung liegen. Im Hauptgebäude der Tränkanstalt sind die Einrichtungen für den Tränkungsvorgang in 2 getrennten Räumen, dem Tränk- und Maschinenraum, oder in einem gemeinsamen Raum untergebracht. Austrocknen der Hölzer vor der Tränkung ist notwendig. Es gibt: *a)* natürliches Austrocknen im Freien mit Luft oder in luftigen, vor Feuchtigkeit geschützten Schuppen; *b)* künstliches Trocknen in Öfen mit heißer Luft oder mit Dampf; *c)* Trocknen mit Öl (sehr selten). Sind die Hölzer genügend trocken, so verladet man sie auf Zustellungswagen, die von kleinen Lokomotiven zu den Holzbearbeitungsmaschinen gebracht werden. Dort werden Schwellen vor der Tränkung gehobelt oder gekappt, besser auch noch gebohrt. Beim Abtransport nach dem Hobeln u. s. w. fallen die Schwellen von oben in die Tränkkesselwagen (Abb. 315). Diese müssen unmittelbar

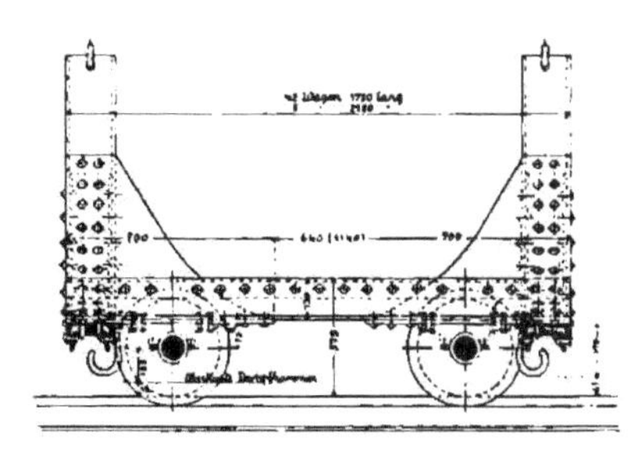
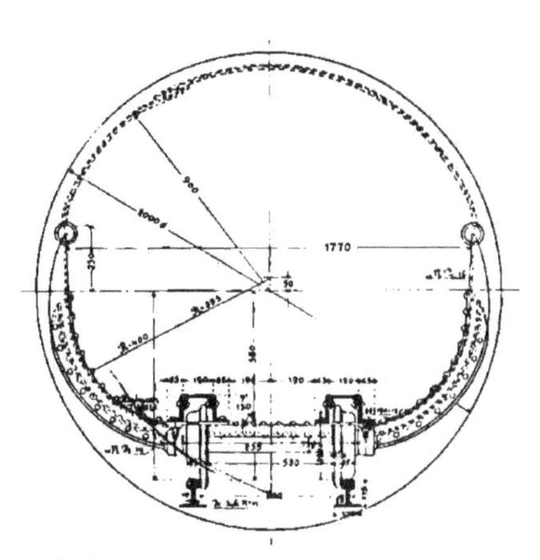

Abb. 315. Kesselwagen für Tränkkessel.

[1] Das Füllmaterial (Holzwolle), das zur Isolation bei den Personenwagen in den Seitenwänden und in den Zwischenräumen des Fußbodens verwendet wird, tränkt man nach dem Gantschen Verfahren.

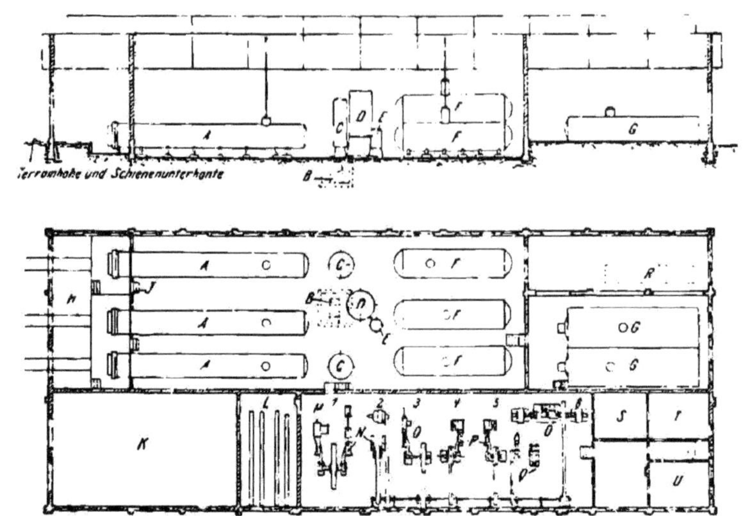

Abb. 316. Hauptgebäude der Tränkanstalt in Zernsdorf (preußische Staatsbahnen).

in den Tränkkessel einfahren können und genau in diesen passen; ihre Seiten sind deshalb stets kreisförmig gebogen. Diese Wagen bringen die Schwellen nach der Tränkung auch zu den Stapelplätzen zurück. Bevor die bearbeiteten Schwellen mit den Kesselwagen in den Tränkkessel gelangen, werden sie auf einer Gleiswage verwogen. Nach der Tränkung wird das Schwellengewicht wiederum ermittelt, um die Menge der aufgenommenen Tränkflüssigkeit bei jeder Wagenladung festzustellen.

II. Ausgeführte Tränkanstalten.

Zernsdorf für die preußischen Staatseisenbahnen ist eine Dreikesselanlage. An Gebäuden sind in Zernsdorf (Abb. 316) vorhanden: Hauptgebäude; Schuppen zum Schutz der Ölvorratsbehälter im Freien; Hobelhaus und Gebäude mit Wohlfahrtseinrichtungen für die Arbeiter. Das Hauptgebäude enthält den Tränkraum, Dampfkesselraum, Maschinenraum, Akkumulatorenraum, Versuchsraum und verschiedene Bureauräume. Im Tränkraum liegen: 3 Stück 17·5 *m* lange Tränkkessel *A*, 3 Ölvorwärmer *F* von 10 *m* Länge, 2 Meßgefäße *C*, ein Kondensator *D* für die Vakuum-

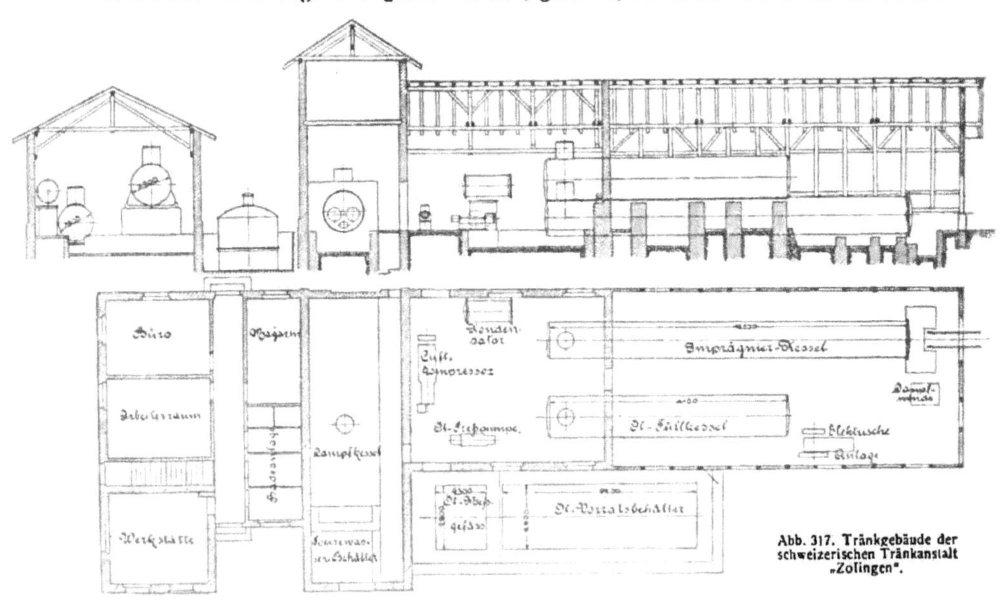

Abb. 317. Tränkgebäude der schweizerischen Tränkanstalt „Zolingen“.

leitung und ein Kondenswassergefäß *E*. Im Maschinenraum stehen 8 Maschinen. Die alte einzylindrige Betriebsdampfmaschine *M* dient nur noch zum Antrieb der Wellenleitung. Betriebsdampfmaschine *O* ist mit 2 Dynamomaschinen unmittelbar gekuppelt. Luftkompressor *N* wird benutzt zum Erzeugen von Preßluft für das Bewegen des Teeröls in den Leitungen und zum Nachdrücken des Öles aus den Meßgefäßen in die Hölzer. Zwei Vakuumpumpen *P* stellen den Unterdruck beim Tränkungsvorgang her, *Q* sind die Wasserpumpen. Die beiden Dynamomaschinen dienen zum Treiben der Elektromotoren für die Hobelmaschine, die Spillanlage, zur Beleuchtung u. a. m. In dem Gebäude *K* liegen 4 Ölvorratsbehälter, außerdem noch 3 im Freien.

Zofingen an der Bahnstrecke Luzern-Olten (Abb. 317). Außer Schwellen werden auch kieferne Telegraphenmasten und Brückenbeläge getränkt. Höchstleistung könnte bei 10stündiger Arbeitszeit an den Holzbearbeitungsmaschinen und 12stündiger am Tränkkessel etwa 15.000 m^3 Holz in 300 Arbeitstagen betragen; da jedoch nur 8 Monate jährlich (April bis Dezember) der Betrieb aufrechterhalten wird, so beträgt die jährliche Leistung nur etwa 8000 m^3 Holz. Im Hauptgebäude befindet sich ein Tränkkessel von 17 *m* Länge und 2 *m* Durchmesser, ein 28 m^3 Öl fassender Füllkessel, Luftkompressor, Ölpreßpumpe, Kondensator für die Vakuumleitung, elektrische Lichtanlage und Dampfwinde zum Herausschaffen der Wagen aus dem Kessel. Im Nebenraum stehen Dampfkessel und Speisewasserbehälter. Ferner sind Werkstatt-, Lager-, Arbeiter-, Bureau- und Baderäume vorgesehen. Viereckiges Meßgefäß und Ölvorratsbehälter befinden sich unter Dach im Freien.

Crailoo für die holländische Eisenbahngesellschaft. 4,000.000 Schwellen können in Stapeln auf den Lagerplätzen untergebracht werden. Die jährliche Schwellenzufuhr beträgt etwa 120.000 Stück Lärchen- und Fichtenhölzer sowie etwa 60.000 Eichenhölzer. Buchenholz kommt gar nicht in Anwendung, weil in Crailoo nur mit Chlorzink getränkt wird. Die Kesselwagen stehen auf Anfuhrwagen und werden auf diesen auf dem Gleis zum Tränkkessel gefahren. Das Hauptgebäude besteht aus 6 Räumen (Abb. 318): aus dem Tränkraum *A*, Maschinenraum *B*, Akkumulatorenraum *C*, aus den Lager-, Werkstatts- und Bureauräumen *D E F*. Im Tränkraum *A* liegen 2 Tränkkessel *a* von 2 *m* Durchmesser und 16·5 *m* Länge, so daß jeder Kessel einen Tränkzug aus 6 Wagen aufnehmen kann. Man hat damit Leistungen von 6000 Schwellen jährlich erzielt. Ferner enthält der Tränkraum einen Kellerraum mit 4 Arbeitströgen *b*, sowie einen hochliegenden Chlorzinkbehälter *c*; von dem Behälter aus wird die Lauge in den Mischtrog *d* abgezapft, um nach ihrer genügenden Verdünnung in die Arbeitströge *b* abgelassen zu werden. Kondensator *e* sorgt dafür, daß in der Nähe der Luftpumpe keine Feuchtigkeit vorhanden ist. Abzapfkessel *f* zapft Wasser aus den Tränkkesseln, nachdem die Luftpumpe in Tätigkeit getreten ist. Zwei Spänefänger *g* in den Leitungen von den Arbeitströgen zu den Flüssigkeitsdruckpumpen verhüten, daß Holzspäne in die Pumpen geraten. Brücke *h* ist nur zur Bedienung der verschiedenen Absperrventile angelegt. Im Maschinenraum *B* dient Dampfmaschine *l* zum Antrieb zweier Dynamos *m*, Dampfmaschine *n* zum Laden der Akkumulatorenbatterien im besonderen Raum *C*. *p* sind 2 Flüssigkeitspreßpumpen und *q* eine Luftpumpe.

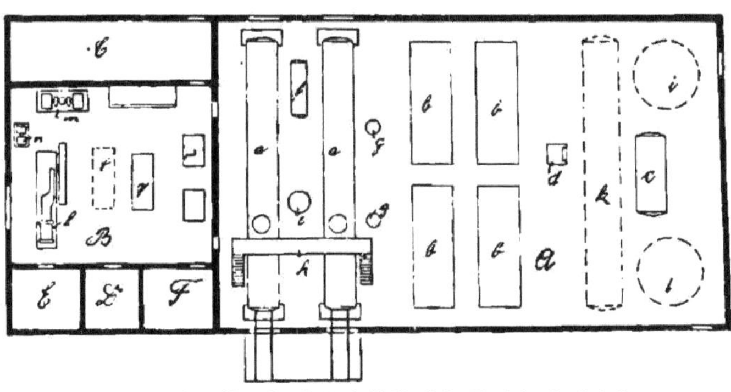

Abb. 318. Tränkgebäude in „Crailoo" (Holländische Eisenbahn-Gesellschaft).

Neapel hat eine Dreikesselanlage. Fast alle Einrichtungen für den Tränkungsvorgang liegen in einem Raum. Das Hauptgebäude umfaßt den Maschinenraum, den Dampfkesselraum, der jedoch vom Maschinenraum nicht zugängig ist, einen Raum für die Meßgefäße und 2 kleine, vorn angebaute Räume zum Unterbringen der Dampfwinden. Im Maschinenraum liegen 3 Tränkkessel von 2 *m* Durchmesser und 21·5 *m*

Länge; 3 Füllkessel von 2·5 *m* Durchmesser und 16 *m* Länge; 3 Ölpreßpumpen, 2 Luftpumpen und ein Kondensator. Die 3 Meßgefäße haben eine Höhe von 1·1 *m* und eine Grundfläche von 2·8 × 4 *m*.

Amerikanische Tränkwerke werden neuerdings mit hochstehenden Kesseln ausgerüstet. Die Kessel stehen im Freien, während die Lagerschuppen und Holzbearbeitungsmaschinen in besonderen Gebäuden untergebracht sind. Als Vorteile dieser Behandlung in stehenden Tränkkesseln werden folgende angegeben: 1. Vereinfachung der Arbeit, beginnend mit der Zuführung des Holzes von der Säge in die Fördergefäße; 2. der nicht mit Holz ausgefüllte Raum in den Tränkkesseln ist auf das geringste Maß eingeschränkt, weil der ganze Kessel mit Holz ausgefüllt wird, was bei liegenden Kesseln unmöglich ist, weil zur Aufnahme des Holzes Wagen erforderlich sind; 3. die stehenden Kessel erfordern nur $^1/_{10}$ der Grundfläche der liegenden; 4. die Anlagekosten sind bei weitem geringer als bei einer Anlage mit liegenden Kesseln. Der Hauptvorteil wird aber erreicht durch die Vereinfachung des Arbeitsverfahrens und dessen geringere Kosten. Diese lassen sich umsomehr einschränken, je weniger Raum die stehenden Kessel einnehmen. Außerdem ist die Größe der Kessel nicht mehr abhängig von der Form der Zuführungsgefäße, weil keine Wagen in die Kessel eingeführt werden. Kleine oder auch besonders geformte Kessel von der Form enger Röhren können daher aufgestellt werden. Masten brauchen in teilweise gefüllten Kesseln nur so weit getränkt zu werden, als sie später eingegraben werden müssen, während der freistehende, weniger der Zerstörung durch Fäulnis ausgesetzte Teil von der Tränkflüssigkeit nicht benetzt wird.

Literatur: Andés, Das Konservieren des Holzes. Wien 1888. – Deutsches Eisenbahnwesen der Gegenwart, Bd. II, Berlin 1911. – Eis. T. d. G. 1908, Bd. II, 2. Teil u. Bd. V, 1. Teil. – Gayer-Mayr, Die Forstbenutzung. Berlin 1909. – Hartig, Holzuntersuchungen. Berlin 1901. – Heinzerling, Konservierung des Holzes. 1885. – Igel, Hölzerne Eisenbahnschwellen unter Berücksichtigung ihrer Tränkung. Berlin 1915. – Janka, Mitteilungen aus dem forstlichen Versuchswesen Österreichs. Wien 1900, 1907, 1909. – Netzsch, Bedeutung der Fluorverbindungen für die Holzkonservierung. 1909. – Organ 1912, XIV. Erg.-Bd. – Statistisches Jahrbuch f. d. Deutsche Reich. 1913. – Taschenbuch der Hütte, 1915, 22. Aufl., Bd. I. – Troschel, Handbuch der Holzkonservierung. Berlin 1916. – Troske, Allgemeine Eisenbahnkunde, Bd. I, Leipzig 1907. – Wiehe, Fremde Nutzhölzer. Bremen 1912. – Winnig, Grundlagen der Bautechnik für überirdische Telegraphenlinien. – Bagster-Boulton, The antiseptic treatment of timber. – Samitca, La conservation des traverses en hêtre. Paris 1911. Archiv für Post u. Telegraphie 1905, 1911, 1913; E. T. Z. 1912, 1913; Elektrotechnik und Maschinenbau 1912; Glasers Ann. 1910–1912, 1915; Organ 1880, 1895–1899, 1901, 1903, 1906, 1909, 1912–1916; Österr. Chemiker-Ztg. 1908; Verkehrstechn. W. 1910/11, 1913/14, 1914/15; Ztg. d. VDEV. 1909, 1912, 1914–1916; Ztschr. dt. Ing. 1907, 1909, 1910; Ztschr. f. angewandte Chemie 1901, 1911; Ztschr. f. Architekten- u. Ingenieurwesen 1913; Schweizerische technische Rundschau 1910; De ingenieur 1910; Rev. gén. d. chem. 1891, 1905; Report Comitee of Preservation treatment 1910, 1911; Engg. News 1910; Railw. Age Gaz. 1906, 1908, 1909, 1912, 1913. *Igel.*

Tragbare Telegraphen s. Streckentelegraphen.

Tragfähigkeit der Wagen *(carrying capacity; capacité de charge; capacita di portata)*, die äußerste Grenze, bis zu der Wagen beladen werden dürfen (s. Ladegewicht).

Traglasten in Körben, Säcken oder Kiepen dürfen nach § 28 der deutschen Verkehrsordnung und des österr.-ungar. BR. in die 4. Klasse der Personenwagen mitgenommen werden, sofern sie ein Fußgänger mit sich führen kann.

Nach den Ausfuhrbestimmungen zur deutschen Verkehrsordnung darf jeder Reisende in der 4. Klasse nur eine T. mit sich führen. Sie kann auch aus mehreren Stücken bestehen. Gegenstände, die infolge ihres Umfangs, ihres Gewichts oder ihrer Anzahl ein einzelner Fußgänger nicht zu tragen vermag, werden auch dann nicht als T. zugelassen, wenn mehrere Fahrkarten vorgezeigt werden. Kleinere Tiere dürfen dagegen als T. mitgenommen werden.

Trajektanstalten s. Fähranstalten.

Transandinische Eisenbahn, auch nach ihrem Erbauer Transanden-Clark-Bahn genannt, ist die erste und bis jetzt einzige Eisenbahn, die das Festland von Südamerika durchquert und den Atlantischen mit dem Stillen Ozean verbindet. Sie durchzieht die Staaten Argentinien und Chili zwischen Buenos Aires und Valparaiso und ist 1436 *km* lang. Die Bahn führt von Buenos Aires zunächst nach Mendoza (1048 *km*), bis wohin die technischen Verhältnisse ziemlich einfach liegen. Ihre Spurweite beträgt bis dahin 1·646 *m*. In Mendoza beginnt die eigentliche Andenbahn, die bis Los Andes in Chili führt, 1 *m* Spurweite hat und 250 *km* lang ist. An sie schließt sich die wieder breitspurige Bahn von Los Andes nach Valparaiso (138 *km*). Der Bau der Gebirgsstrecke war mit außerordentlichen Schwierigkeiten verbunden. Die Bahn überschreitet in einer Höhe von 3200 *m* den 3842 *m* hohen Upsallatapaß (auch Juncalpaß genannt) mit einem 3030 *m* langen Tunnel. Auf der Bahnstrecke befinden sich 291 Durchlässe in einer

Gesamtlänge von 438 *m*, 39 Brücken in einer Gesamtlänge von 1276 *m* und 10 kleinere Tunnel in einer Gesamtlänge von 533 *m*. Ein Teil der Bahn ist als Zahnradstrecke gebaut. Die größte Neigung beträgt auf der Adhäsionsstrecke 25‰ auf 1·64 *km*, auf der Zahnradstrecke 60‰ auf 3·38 *km*. Der Durchschlag des größten Tunnels (Tunnel de la Cumbre) erfolgte am 27. November 1909, die ganze Bahn wurde am 25. Mai 1910 bei Eröffnung einer großen internationalen Ausstellung in Buenos Aires zur Hundertjahrfeier der Unabhängigkeit der argentinischen Republik dem Verkehr übergeben.

Die Bahn hat ihre Bedeutung als eine große neue Verkehrsstraße hauptsächlich zwischen den beiden südamerikanischen Republiken, die sie durchschneidet, aber auch den Nachbarrepubliken. Die Reise von Valparaiso nach Buenos Aires zur See durch die Magalhaensstraße dauerte 14 Tage, auf der Eisenbahn dauert sie 2 Tage. Die Beförderung der verhältnismäßig geringen Gütermengen über das Gebirge erfolgte früher durch Maultiere. Ungeachtet der durch die Bahn herbeigeführten Verbesserungen sind die wirtschaftlichen Erfolge des neuen Verkehrsweges bis jetzt nur mäßige. Es liegt das einmal daran, daß beim Wechsel der Spur eine 2malige Umladung der Güter erforderlich ist, und sodann an den klimatischen Verhältnissen der Gebirgsstrecken, die bei den starken Schneefällen und den heftigen Schneestürmen in der kalten Jahreszeit oft wochen-, ja monatelang gesperrt werden müssen. Der Güterverkehr stockt dann vollständig, die Reisenden werden mit Wagen über das Gebirge befördert. Für den Güterverkehr kommt dazu der Wettbewerb des Seewegs und der Umstand, daß das für Chili besonders wichtige Vieh immer noch besser und billiger zu Fuß über die Grenze geführt wird. Im Jahre 1910, für das allein Zahlen vorliegen, wurden nur 36.050 *t* Güter über die Bahn gefahren. Die Zahl der beförderten Personen betrug in demselben Jahr 20.566, während sie sich in den Vorjahren durchschnittlich auf 10.000 belief. Wie weit für den internationalen Verkehr der Panamakanal Einfluß haben wird auf die wirtschaftliche Entwicklung der T., ist noch nicht zu übersehen. Auch durch die mit Rücksicht auf die hohen Anlagekosten sehr hoch bemessenen Tarife wird der Verkehr stark beeinflußt. Die Entfernung wird durchwegs nicht nach der natürlichen, sondern nach der virtuellen Länge der Strecke bemessen, die stellenweise doppelt so hoch ist als die natürliche. Insgesamt sind die Personentarife, je nach dem Kurs des Geldes, 10 – 12mal, die Gütertarife etwa 8 – 10mal höher als die der übrigen Staatsbahnstrecken.

Ungeachtet dieser wenig günstigen wirtschaftlichen Verhältnisse ist der Bau weiterer, südlich gelegener, die Anden überschreitender Bahnen teils geplant, teils bereits in Angriff genommen. Eine Bahn soll über den Antucopaß gehen. Sie würde das chilenische Zentralnetz in der Nähe von Concepcion und Talcahuano mit einer von Bahia Blanca am Atlantischen Ozean ausgehenden argentinischen Bahn verbinden. Die andere, noch südlichere würde in der Gegend von Osorno zwischen Valdivia und Puerto Montt in Chili den Anschluß von einer Linie herstellen, die vom Golf San Antonio am Atlantischen Ozean nach dem Nauheluapisee führt. Auf dieser würden die Anden in einer Höhe von nur 1180 *m* zu überschreiten sein. Wie weit die Anlage dieser Bahnen in den letzten Jahren gefördert ist, ist nicht bekannt.

Literatur u. a.: Biedermann, Die transandinische Eisenbahn. Mit Übersichtskarte. Arch. f. Ebw. 1911, S. 366 ff. – Martner, Die Eisenbahnen Chiles. Arch. f. Ebw. 1916, S. 649 ff., 892 ff. – Offermann, Die technisch-wirtschaftliche Entwicklung von Patagonien. Arch. f. Ebw. 1917, S. 82 ff. – Ältere, meist überholte Literaturangaben bei Biedermann, a. a. O.

v. der Leyen.

Transbaikalbahn s. Sibirische Eisenbahn.

Transittarife s. Gütertarife.

Transitzüge (Durchgangszüge) s. Güterzüge.

Transkaspische Eisenbahn s. Mittelasiatische Bahnen.

Translation. In der Telegraphie die selbsttätige Übertragung der Schriftzeichen von einer Leitung auf eine andere (s. Telegraph, *A*. Telegraphenanlagen). *Fink.*

Transportberechtigter Weg s. Verkehrsleitung.

Transportdienst s. Güterdienst.

Transporteinnahmen s. Betriebsergebnisse.

Transportsteuern *(duties payable in respect of conveyance; impôts sur les transports; imposte sui trasporti)*, darunter sind jene Abgaben zu verstehen, die auf die Beförderung von Personen und Sachen mit bestimmten Beförderungsmitteln gelegt werden. Diese Abgaben erfassen lediglich den tatsächlichen Vorgang der Ortsveränderung ohne Rücksicht darauf, ob mit ihm auch eine Vermögensveränderung, wie sie für die „Verkehrssteuern" im technischen Sinn gefordert werden muß, verbunden ist oder nicht, und lassen den Zweck jenes Vorgangs ganz außer acht.

Der Entwicklung der mechanischen Mittel zur Personen- und Warenbeförderung entsprechend, bilden gegenwärtig die T. für Beförderungen mittels Eisenbahn (neben jener mittels Schiffen) die wichtigste, ja in vielen Staaten die einzige Art der T.

Bei der Regelung der Eisenbahntransportsteuer knüpft die Gesetzgebung der Staaten, in denen diese Steuer eingeführt ist, einerseits an die Tatsache der Beförderung in Verbindung mit dem für sie zu entrichtenden Preis, anderseits an die Tatsache der Errichtung bestimmter, die Beförderung betreffender Urkunden an.

Im ersteren Fall wird die T. in der Regel als fester oder perzentueller Zuschlag zu dem tarifmäßigen Beförderungspreis angefordert und sie ist seitens der staatlichen und privaten Eisenbahnunternehmungen von denen, die den Beförderungspreis zu entrichten haben, als den eigentlichen Steuerträgern zugleich mit jenem Preis für Rechnung des Staatsschatzes einzuheben und an die Staatskasse abzuführen.

In diese Gruppe gehört auch die in dem gleichnamigen Artikel bereits behandelte sog. „Fahrkartensteuer" im Deutschen Reich und in Österreich.

Im zweiten Fall wird die Entrichtung einer Stempelgebühr hinsichtlich der über die Beförderung zu errichtenden Urkunden aller Art (Personenfahrkarten, Frachtbriefe u. s. w.) entweder mit festen Beträgen für jede einzelne Urkunde oder auch mit einem dem Beförderungspreis proportionalen Satz auferlegt, was letzteres der Gerechtigkeit mehr entspricht als der Vorgang, Fahrten über kurze und weite Strecken und ohne Rücksicht auf die Wagenklasse mit gleich hohen und daher relativ ungleichmäßigen Stempelbeträgen zu belasten.

Die erste Einführung einer T. ist für den Verkehr mit den allgemeinen Wirkungen einer Tariferhöhung verbunden. Betrifft die neu eingeführte Steuer den Personenverkehr und ist sie nach der Güte der Wagenklasse ansteigend abgestuft, so bewirkt sie zunächst ein Abwandern der Reisenden aus den höheren in die niederen Wagenklassen, so daß sie die Eisenbahnunternehmungen zur Vermehrung des Bestandes an Wagen der unteren Klassen, also zu erhöhten Ausgaben nötigt und bei Staatseisenbahnen aus der gleichen Ursache den Erfolg der Besteuerung auf längere Zeit hinaus wettzumachen vermag.

(Näheres hierüber in Revue de science et de législation financière, 1909, S. 365 und in der Ztg. d. VDEV. vom 18. Sept. 1907, 26. Aug. 1908 und 11. Nov. 1908.)

In ihrem geschichtlichen Entwicklungsgang ist die T. auf die frühere Besteuerung öffentlicher Fuhrwerke in Frankreich und Großbritannien zurückzuführen.

In Frankreich hatte schon das Ges. vom 9. Vendemiaire des Jahres VI (30. Sept. 1797) auf die Personenplatzpreise der nach einem festen Fahrplan zwischen bestimmten Orten verkehrenden öffentlichen Fuhrwerke eine Abgabe mit 10% gelegt, die durch Ges. vom 6. Prairial des Jahres VII (26. Mai 1798) um $^1/_{10}$ als Zuschlag erhöht und durch Ges. vom 5. Ventôse des Jahres XII (25. Febr. 1803) auch auf den Preis der Beförderung von Waren mittels jener Fuhrwerke ausgedehnt wurde.

Das Ges. vom 2. Juli 1838 regelte nun die Anwendung der erwähnten Abgaben auf Eisenbahnen in der Art, daß die Eisenbahnunternehmungen verpflichtet wurden, die Abgabe von den Platzpreisen der Reisenden mit jener Quote zu entrichten, die auf den Preis der Beförderung im engeren Sinn entfiel. Die im Platzpreis inbegriffene sog. Peagegebühr und die Warenbeförderung durch Eisenbahnen blieb vorläufig unbesteuert.

Durch das Ges. vom 14. Juli 1855 wurde die Proportionalabgabe auf eine neue Grundlage gestellt. Das Gesetz bestimmte, daß die 11%ige Abgabe (10% + Zuschlag) von dem vollen Preis der Personenplätze und außerdem von dem Beförderungspreis der Eilgüter einzuheben sei, und fügte der Hauptabgabe einen weiteren Zuschlag von $^1/_{10}$ hinzu, so daß sich die Abgabe nun auf 12% stellte. Die Eisenbahnunternehmungen wurden ermächtigt, ihre Tarife um den Betrag der Abgabe zu erhöhen, wovon sie auch Gebrauch machten. Das Ges. vom 16. September 1871 (eine Folge des Krieges mit Deutschland) brachte eine Erhöhung der Abgabe um 10% des tatsächlichen Beförderungspreises von Personen und Eilgütern, so daß die Steuer auf 23·2% stieg.

Erst 1892 (und nachdem in der Zeit von 1874 bis 1878 auch der gewöhnliche Frachtenverkehr einer 5%igen Abgabe unterzogen worden war) konnte Frankreich an eine Herabsetzung der schweren Belastung des Personen- und Eilgutverkehrs schreiten.

Durch das Ges. vom 26. Januar 1892 wurde die 10%ige Zuschlagstaxe des Ges. vom 16. September 1871 vollständig beseitigt und die 12%ige Abgabe von den Nettopreisen der Eilfracht aller Art auf die Beförderung von Gepäcksübergewicht, von Geldsendungen (finances) und Hunden eingeschränkt. Da die Abgabe nur die Nettopreise der steuerpflichtig gebliebenen Personen- und Eilgutbeförderungen trifft, in den Tarifsätzen der Bahnen (den Bruttopreisen) aber die 12%ige Steuer mitenthalten ist, ergeben sich als Steuer bei den Hauptbahnen $^{12}/_{112}$ = 10·72 % des Tarifsatzes. Für Lokalbahnen wurde die Proportionalabgabe auf 3 % (2·91 % des Tarifsatzes) herabgesetzt.

Für Bahnen endlich mit einer Betriebslänge unter 10 *km* kann an Stelle der Proportionalabgabe eine feste jährliche Abgabe nach einem der Anzahl der Platzpreise entsprechenden Tarif treten, wie er für öffentliche, nur gelegentlich oder nach Belieben verkehrende Fuhrwerke ohne bestimmte Abfahrzeiten gilt. (Art. 28, Ges. vom 26. Januar 1892 und Art. 12, Ges. vom 16. April 1895.)

Ertrag der besprochenen Abgaben im Jahre 1911 rd. 83 Mill. Fr.

Personenfahrkarten unterliegen, wenn der Fahrpreis 10 Fr. übersteigt, dem durch Ges. vom 15. Juli 1874 erhöhten Quittungsstempel. Die effektive Stempelung kann durch Pauschalierung ersetzt werden.

Freifahrscheine und Legitimationen für Fahrten zu ermäßigten Preisen der Staatsbahnen und staatlich unterstützten Bahnen sind durch Ges. vom 29. März 1897 mit gewissen Ausnahmen einer Stempelgebühr unterworfen. Sie beträgt:

Für eine einmalige direkte Fahrt oder eine Hin- und Rückfahrt in der I. bzw. II. und III. Kl. 20 bzw. 10 und 5 Ct.; für Jahres-, Zeit- oder Permanenzkarten nach der Wagenklasse absteigend 1 bzw. 0·50 und 0·25 Fr.

Die von den Eisenbahnen jedem Aufgeber einer Fracht, der nicht die Ausfertigung eines förmlichen Frachtbriefs (Art. 101 und 102 des Code de commerce) beansprucht, und auch vom aufgegebenen Personengepäck obligatorisch auszustellenden Rezepisse sowie die ihnen durch Ges. vom 25. Dezember 1893 gleichgestellten internationalen Frachtbriefe (Berner Konvention vom 14. Oktober 1890) unterliegen der Gebühr von 35 Ct. bei Eilgut- und von 70 Ct. bei gewöhnlichen Frachtsendungen. Diese Gebühr ist auf 10 Ct. ermäßigt für Postkollis und die sog. „colis agricoles", deren Gewicht 50 *kg* nicht übersteigt.

Für Sammelsendungen unter gemeinsamer Adresse („groupage") müssen so viele Rezepisse ausgestellt und vergebührt werden, als faktische Bezugsberechtigte der vereinigten Einzelfrachten bestehen (Ges. vom 30. März 1872). Ertrag dieser Steuern 1911 rd. 73 Mill. Fr.

In Großbritannien wurde anschließend an die Besteuerung der öffentlichen Fuhrwerke im Jahre 1832 für die Beförderung von Personen auf Eisenbahnen ein sog. „Meilengeld" mit dem Satz von 0·5 d (4·25 Pf.) für eine englische Meile (1·609 *km*) und 4 Personen eingeführt.

Diese Abgabe wurde durch den Railway Passenger Duty Act vom 5. August 1842 (5 & 6 Vict. c. 79) in eine Steuer in der Höhe von 5 % des Ertrags des Personenverkehrs umgewandelt und nahm hierdurch den Charakter einer (partiellen) Ertragsteuer der Eisenbahnen an, denen es durch die Rechtsprechung der Gerichtshöfe verwehrt wurde, von den Reisenden außer dem Fahrgeld einen 5%igen Zuschlag zur Deckung der Steuer einzuheben, widrigens sie die Steuer auch von dem Zuschlag zu entrichten hätten. Gleichwohl kann kaum bezweifelt werden, daß die Steuer tatsächlich aus den Taschen der Reisenden fließt.

Durch den Railway Regulation Act vom 9. August 1844 (7 & 8 Vict. c. 85) wurden die Eisenbahngesellschaften verpflichtet, auf ihren Strecken an jedem Wochentag mit Ausnahme des Weihnachtstages und des Charfreitags (die Ausnahme gilt für Schottland nicht) einen in jeder Richtung verkehrenden, in jeder Station haltenden und mit Wagen III. Klasse versehenen Zug verkehren zu lassen, wobei der Fahrpreis dieser Wagenklasse 1 Penny f. d. Meile (5·28 Pf. f. d. *km*) nicht übersteigen durfte.

Über Fahrgeschwindigkeit, Ausstattung der Wagen, Freigepäck u. s. w. wurden nähere Bestimmungen getroffen.

Die Einnahmen der Eisenbahngesellschaften aus der Beförderung von Reisenden mit solchen Zügen und zu einem Fahrpreis, der den angegebenen Satz nicht überstieg, wurden von der Steuer befreit, was den Gesellschaften Anlaß gab, diese Art von Zügen, die sog. „parliamentary trains" (s. Parlamentszüge), ungemein zu vermehren, ohne sich immer streng an die gesetzten Bedingungen zu halten.

Deshalb wurde durch Abs. 14 des Revenue Act vom 29. Juni 1863 (26 & 27 Vict. c. 33) bestimmt, daß die durch das vorbezogene Gesetz hinsichtlich der Beförderung von Reisenden mit billigen Zügen („Cheap trains") zugestandene Steuerbefreiung nicht auf Züge ausgedehnt werden dürfe, die nicht wenigstens an 6 Tagen in der Woche oder an einem Markttag zu und von einem Marktort unter Genehmigung des Handelsamtes (Board of Trade) verkehren sollen oder die nicht von diesem Amt als regelmäßig laufende, Reisende der III. Klasse zum Satz von 1 Penny f. d. Meile befördernde Sonntagszüge erklärt wurden.

Mit Cheap Trains Act vom 20. August 1883 (46 & 47 Vict. c. 34) wurden die Fahrpreise, die den eben erwähnten Satz nicht übersteigen, für alle Arten von Zügen von der Passagiersteuer befreit und wurden die Einschränkungen, die die frühere Gesetzgebung an die Befreiung geknüpft hatte, aufgehoben. Fahrpreise für Hin- und Rückfahrts- sowie für Zeitkarten sollten jedoch nur dann steuerfrei sein, wenn der gewöhnliche Fahrpreis für die einfache Fahrt jenen Betrag nicht überstieg.

Zugleich wurde die (für Fahrten zum Preis von über 1 Penny f. d. Meile im allgemeinen fortbestehende 5%ige) Steuer für Beförderungen zwischen Stationen innerhalb solcher geschlossener Gebiete, die mehr als

100.000 Einwohner enthalten und vom Handelsamt als Stadtgebiete (urban districts) erklärt werden würden, was z. B. bezüglich der Metropole London am 7. April 1884 geschah, auf 2% herabgesetzt.

Falls eine Gesellschaft zu dem Fahrpreis von 1 Penny f. d. Meile Zuschläge für besondere Bequemlichkeiten (reserved accommodations) einhebt, hat sie auf die Befreiung solcher Fahrten von der Steuer keinen Anspruch.

Die vom Staat bezahlten, gegen Marschroute erfolgenden Beförderungen von Angehörigen der bewaffneten Macht (the forces), dann von Frauen, Witwen und Kindern solcher Personen sind von der Passagiersteuer befreit.

Ertrag dieser Steuer, die für Irland nicht gilt, betrug im Jahre 1907 rd. 350.000 £ = 1% des aufgewandten Anlagekapitals der Bahnen.

Für die Güterbeförderung auf Eisenbahnen besteht keine T., auch nicht in Stempelform.

Italien hat nach französischem Vorbild durch Ges. vom 6. April 1862 auf die unter den Begriff „trasporti a grande velocità" fallenden Beförderungen von Personen, Gepäck und Eilgut jeder Art eine Abgabe mit 10% des Beförderungspreises gelegt, die durch Ges. vom 14. Juni 1874 unter gleichzeitiger Einführung einer Abgabe mit 2% für gewöhnliche Güterbeförderungen (trasporti a piccola velocità) auf 13% erhöht wurde.

Um Vorkehrungen zur Beseitigung des Abgangs der wechselseitigen Pensionskassen des mittelländischen, adriatischen und sizilianischen Eisenbahnnetzes zu treffen, erfolgte im Grund des Ges. vom 15. August 1897 durch kgl. Dekret vom 27. November 1897 eine weitere Erhöhung der Abgabe für Personenbeförderungen über Strecken von mehr als 20 *km* in folgendem Ausmaß:

a) für Eilzugfahrten über 21 bis einschließlich 29 *km* von 13 auf 18%;

b) für Eilzugfahrten über mehr als 30 *km* von 13 auf 23%;

c) für Personenzugfahrten über mehr als 20 *km* von 13 auf 14%.

Der Mehrertrag der Steuer über 13% hinaus wurde den genannten Kassen zugewiesen.

Diese zunächst nur für die Zeit bis zum 31. Dezember 1898 eingeführten Steuererhöhungen wurden durch spätere Gesetze, zuletzt durch jenes vom 21. Dezember 1899 in Kraft belassen, jedoch nur bis zur endgültigen gesetzlichen Regelung der Fürsorgeinstitute für das Eisenbahnpersonal und längstens bis zum 31. März 1900. Diese Regelung erfolgte durch Ges. vom 29. März 1900, das jene Steuererhöhungen in seinem Art. 29 außer Kraft setzte.

Durch Art. 22 des Ges. vom 29. März 1900 wurde, jedoch nur für die Linien des adriatischen, mittelländischen und sizilianischen Netzes, die Abgabe von den Beförderungen „a grande velocità" von 13 auf 16% und von den Beförderungen „a piccola velocità" von 2 auf 3% erhöht.

Von den Erträgnissen der Züge, die ausschließlich aus Wagen der niedersten Klasse zusammengesetzt sind, den Lokal- oder Vorstadtverkehr besorgen, gelegentlich der Abhaltung von Märkten verkehren oder zur Beförderung von industriellen oder landwirtschaftlichen Arbeitern (operai e lavoratori della terra) eingeführt sind, wird nur die Abgabe für Beförderungen „a piccola velocità" (also 2 bzw. 3%) eingefordert (Ges. vom 27. Dezember 1896 und 30. Juni 1906). Die gleiche Begünstigung wurde durch das letztbezogene Gesetz den Wochen- und Feiertagsabonnementfahrkarten für die Beförderung von Arbeitern der genannten Berufsarten zugestanden.

Nach Art. 20, Z. 5 u. Z. 20 des Ges. vom 4. Juli 1897 unterlagen Personenfahrkarten und Empfangscheine (riscontri, ricevuti) über die Beförderung oder Aufbewahrung von Gepäck und Waren der festen Stempelgebühr von 5 Centesimi, dann Abonnementskarten für Reisen oder Warenbeförderung der festen Stempelgebühr von 50 Centesimi für jede einzelne dieser Urkunden.

Diese Gebühren wurden nach und nach, u. zw. zunächst für die Bahnen mit sog. „ökonomischem Betrieb" (Ges. vom 9. Juni 1901), dann hinsichtlich der Abonnementskarten für alle Bahnen (Ges. vom 30. Juni 1906), endlich hinsichtlich der 5%igen Stempelgebühr auch für die Hauptbahnen (Ges. vom 4. Juli 1912) durch Proportionalabgaben ersetzt, die nunmehr betragen:

1. für Warenbeförderungen „a piccola velocità" 0·4%;

2. für sonstige Waren- und für alle Personenbeförderungen 1·5%

des Beförderungspreises. Personenfahrkarten der III. Klasse zum Preis bis zu ½ Lire sind von dieser Abgabe frei.

Ertrag der Fahrkartensteuer im Jahre 1913 rd. 40 Mill. Lire, jener der Stempelsteuer im Jahre 1914 rd. 5·5 Mill. Lire.

Der Ausgabe von Freifahrscheinen bzw. Anweisungen zu ermäßigten Fahrten sind für die Staatsbahnen durch Ges. vom 22. April 1905, für die Privatbahnen durch Ges. vom 14. Juni 1874 ziemlich enge, durch Strafsanktion gesicherte Schranken gezogen.

In Deutschland gelangte erst mit dem Ges. vom 8. April 1917 eine Abgabe für die Beförderung von Personen auf Schienenbahnen und Wasserstraßen, ferner von Gepäck und Gütern zur Einführung.

Die Abgabe für die Beförderung von Personen beträgt I. Kl. 16%, II. Kl. 14%, III. Kl. 12%, IV. (III b) Kl. 10%, im Straßenbahnverkehr 6% des Beförderungspreises.

Befreit sind Beförderungen im Arbeiter-, Schüler- und Militärpersonenverkehr, soweit die Abfertigung in diesen Verkehren zu ermäßigten Preisen erfolgt.

Bei Neueinführung bzw. Neuregelung der angeführten Abgaben im Deutschen Reich wurden die Vorschriften des Reichsstempel-Gesetzes über den Personenfahrkartenstempel (Fahrkartensteuer, s. d.) außer Kraft gesetzt. Jedem Bundesstaat werden von den aus jenen Abgaben innerhalb seines Gebiets jährlich aufkommenden Einnahmen 2% aus der Reichskassa gewährt. Für Gepäck ist die T. mit 12% der Gepäckfracht festgesetzt. Gepäckbeförderungen im Militärgepäckverkehr sind, soweit die Abfertigung zu ermäßigten Preisen erfolgt, von der Abgabe befreit. Für die Beförderung von Gütern auf Schienenbahnen und Wasserstraßen innerhalb des Reichsgebiets ist eine Abgabe in der Höhe von 7% des Beförderungspreises zu entrichten.

Von der Abgabe sind u. a. befreit: Beförderungen von Gütern, die den eigenen Zwecken des Beförderungsunternehmens dienen, Beförderungen der unter I genannten Kohlenarten im Eisenbahnverkehr, gewisse Beförderungen im nichtöffentlichen Güterverkehr (Werkbahnen, Grubenbahnen).

Außer der durch Ges. vom 8. April 1917 eingeführten T. vom Personen- und Güterverkehr wird in Deutschland ein Frachturkundenstempel eingehoben, zunächst bloß für Frachtbriefe, welche auf die Ladung ganzer Eisenbahnwagen lauteten; normierte Stempel von 20 bzw. 50 Pf. wurden durch das Frachturkundenstempelgesetz vom 17. Juni 1916 auch auf Frachturkunden über Stückgüter ausgedehnt und durch das Reichsgesetz über die Besteuerung des Personen- und Güterverkehrs vom 8. April 1917 unter neuerlicher Erhöhung der Stempel für Frachturkunden im Eisenbahnverkehr festgesetzt wie folgt:

1. Frachtstückgut und Expreßgut . . . . M. 0·15
2. Eilstückgut . . . . „ 0·30
3. Frachtgut in Wagenladungen
bei einem Frachtbetrag von nicht mehr als 25 M. . . . . „ 1·50
bei höheren Beträgen . . . . „ 3·—
4. Eilgut in Wagenladungen
bei einem Frachtbetrag von nicht mehr als 25 M. . . . . „ 3·—
bei höheren Beträgen . . . . „ 6·—

Bei der Beförderung von Steinkohlen, Braunkohlen, Koks und Preßkohlen aller Art erhöhen sich die Sätze in Ziffer 3 auf 2 M. und 4 M.

In Österreich war bereits 1892 die Einführung einer T. für den Personen- und Frachtenverkehr mit folgenden Sätzen geplant: 5% für Frachten, 7% für Eilgut, 10% für Personen. Der Plan wurde jedoch wegen des Widerspruchs, den er in der öffentlichen Meinung hervorrief, fallen gelassen. Erst im Jahre 1902 erfolgte die Einführung einer T. vom Personenverkehr (Fahrkartensteuer) und mit kaiserlicher Verordnung vom 10. Januar 1917 eine solche vom Gepäck- und Güterverkehr.

Durch die angeführte kaiserliche Verordnung wurden die Sätze der Fahrkartensteuer zunächst bis 31. Januar 1920 wie folgt erhöht: *a)* auf Hauptbahnen von 12 auf 20%, *b)* auf Lokalbahnen von 6 auf 10%, *c)* auf Kleinbahnen von 3 auf 5% des in Österreich zur Einhebung gelangenden Fahrpreises, *d)* nach und von Ungarn, Bosnien und Hercegovina von 10 auf 18% jenes Teiles des Fahrpreises, der auf die Beförderung in Österreich entfällt. Eine besondere städtische Fahrkartensteuer wird auf Grund von Landesgesetzen im Verkehr einzelner städtischer Straßenbahnen eingehoben.

Gleichzeitig erfolgte die dauernde Erhöhung der Stempelgebühr für Anweisungen (Legitimationen) zur freien Fahrt sowie zur Fahrt zu ermäßigten Preisen auf das Doppelte der in § 12 des Ges. vom 19. Juli 1902, RGB. Nr. 153 aufgestellten Sätze.

Durch die erwähnte kaiserliche Verordnung vom 10. Januar 1917 wurde in Österreich auch eine Steuer für die Beförderung von Reisegepäck (auch Militärgepäck) auf Eisenbahnen, worunter auch die von den Reisenden mitgenommenen Hunde und das Expreßgut zu verstehen ist, mit den jetzt für die Fahrkartensteuer unter *a* bis *c* normierten Sätzen eingeführt.

Für die Beförderung von Gütern auf Eisenbahnen wurde auf Grund derselben kaiserlichen Verordnung für die Zeit bis 31. Januar 1920 eine Steuer in der Höhe von 15% des Beförderungspreises eingeführt und außerdem die Regierung ermächtigt, die Eisenbahnen anzuweisen, für die gleiche Zeit einen Kriegszuschlag zu den jeweiligen im Güterverkehr geltenden Beförderungspreisen einzuheben. Der Kriegszuschlag ist von der Regierung derart festzusetzen, daß er mit der Kriegssteuer zusammen höchstens 30% des Beförderungspreises ausmacht.

Neben der Steuer werden in Österreich Frachturkundengebühren eingehoben. Die Stempelgebühren von Frachtbriefen (Beförderungsscheinen, Begleitadressen u. dgl.), welche bis dahin 10 h betrug, wurde durch die kaiserliche Verordnung vom 28. August 1916 ab 1. November 1916 wie folgt erhöht:

a) bei Sendungen im Eisenbahnverkehr, deren Gewicht nicht weniger als 5000 *kg* beträgt oder für die wenigstens ein ganzer Wagen in Anspruch genommen wird, auf K 1·20.

b) bei sonstigen Sendungen auf 30 h.

In Ungarn wurde die T. durch Ges.-Art. XX vom 6. Mai 1875 eingeführt und betrug für Reisende, Gepäcksübergewicht und Sonderpersonenzüge 10%, für Eilgutsendungen 5% und für Frachtsendungen 2% des Beförderungspreises.

Durch Ges.-Art. LXI vom 23. Dezember 1880 wurden die angeführten Sätze auf 15 bzw. 7 und 3% und durch Ges.-Art. XIV vom 2. April 1887 auf 18 bzw. 7 und 5% festgesetzt bzw. erhöht.

Von der Steuer sind befreit:

1. der königliche Hof;

2. Personen-, Eilgut- und sonstige Beförderungen der gemeinsamen Armee, der Marine und der Honvédschaft, insoferne die Beförderung auf Grund der üblichen Militärausweise erfolgt;

3. die Eisenbahnunternehmungen in bezug auf jene Güter, die sie ausschließlich zu eigenen Bau-, Erhaltungs- und Betriebszwecken von einer eigenen Station zur andern befördern;

4. die zwischen den einzelnen Teilen der Landeshauptstadt die Personenbeförderung vermittelnden Eisenbahnen.

Lokalbahnen sind auf Grund des Ges.-Art. XXXI vom 13. Juni 1880 auf die Dauer von 10 Jahren nach ihrer Konzessionierung von der Entrichtung der T. befreit.

Auf Grund des Ges.-Art. VI vom 1. Februar 1917 wurde für die Zeit bis 1920 eine 30%ige Kriegssteuer von den Gebühren für Personen, Gepäck und Güter eingeführt.

Ertrag der T. 1913 rd. 44 Mill. K.

Für Personenfahrkarten ist eine Stempelgebühr zu entrichten, die für Fahrpreise bis zu 1 K 2 h, für höhere Fahrpreise so oft mal 2 h beträgt, als 100 h in dem Fahrpreis enthalten sind, wobei jeder Rest unter 100 h als voll anzurechnen ist.

Die Schweiz hat mit Bundesgesetz vom 4. Oktober 1917 einen Frachturkundenstempel eingeführt, der im Gepäck-, Tier- und Güterverkehr der Eisenbahnen zu entrichten ist. Er beträgt für jeden Frachtbrief 10 Rappen. Bei Wagenladesendungen ist für je volle oder angefangene 5000 *kg* ein Zuschlag von 25% zu entrichten. Befreit sind u. a. Frachturkunden über Lebensmittelsendungen und Militärtransporte. Die Abgabe soll 2 Jahre nach Beendigung des Krieges außer Kraft treten und wird 1/5 ihres Reinertrags den Kantonen nach Verhältnis der Wohnbevölkerung überwiesen.

In Spanien gilt gegenwärtig für die T. das Ges. vom 20. März 1900, das alle entgeltlichen Beförderungen von Reisenden und Waren zu Wasser und zu Lande innerhalb des Königreiches, auch im Durchzugs- und Ausfuhrverkehr trifft.

Die Steuer beträgt für Reisende 20%, für Waren aller Art, Metallgeld, Särge und Gepäcksübergewicht 5% des Beförderungspreises. Der ersterwähnte Satz wird auf 10% herabgesetzt in jenen Fällen, in denen die Eisenbahngesellschaften eine Herabsetzung der normalen Fahrpreise um 25% oder mehr zugestehen und dies öffentlich kundmachen.

Diese Ausnahme findet jedoch gemäß des Ges. vom 29. Dezember 1910 keine Anwendung auf Kilometer- und Rundreisebilletts zu ermäßigten Preisen. Solche Fahrscheine sind einer Abgabe mit 15% unterworfen.

Gemäß der bezogenen Gesetze sind von der T. u. a. befreit: im Dienst reisende Regierungsbeamte, Beamte der Eisenbahngesellschaften und Militärpersonen, Kinder unter 3 Jahren, Mitglieder der gesetzgebenden Körperschaften, dann Gegenstände, die für Rechnung des Staates befördert werden.

Ertrag der Steuer im Jahre 1913 rd. 28 Mill. Pesetas (à M. 0·81).

Rußland erhob von 1878 bis 1894 eine T. mit 25% von den Fahrscheinen I. und II. Kl., dann vom Reisegepäck und vom Eilgut, und mit 15% von den Fahrscheinen III. Kl.

Durch Ges. vom 19./31. Mai 1894 wurde die Steuer für den Personen-, Gepäck- und Eilgutverkehr auf den einheitlichen Satz von 15% gebracht.

Die Abgabe wird nicht erhoben von der Beförderung von Personen und Gütern, die auf Rechnung des Staates erfolgt (Militär, Häftlinge, Beamte, Postsachen u. s. w.).

Wie aus den Darlegungen des russischen Finanzministers zum Staatsvoranschlag für das Jahr 1913 hervorgeht, hatte die Einführung der T. in Rußland den besonderen Zweck, die durch das Sinken des Rubelkurses eintretende automatische Tarifherabsetzung teilweise auszugleichen.

Ertrag der T. im Jahre 1913 rd. 29 Mill. Rubel (zu 3·14 M. Gold).

In Rußland wird ferner auf Grund eines Ukas vom 15./27. November 1900 zu gunsten der Russischen Gesellschaft vom Roten Kreuz von den Reisenden eine Steuer von 5 Kopeken für jede Fahrt erhoben, u. zw. von den Reisenden der I. und II. Kl., wenn sie mindestens 2 Rubel, und von jenen der III. Kl., wenn sie mindestens 8 Rubel an Fahrpreis zu entrichten haben. Diese Steuer trifft auch Personen mit Freifahrscheinen der I. und II. Kl. Befreit sind nur Personen mit Militärausweisen.

Durch Ukas vom 4./17. Mai 1900 wurden bestimmte und durch Ges. vom 2./15. März 1910 alle an Bahnen gelegene Städte Rußlands ermächtigt, mit Genehmigung der Regierung von den mit der Eisenbahn in die Städte oder aus diesen beförderten Gütern eine Abgabe zu erheben, die den zehnten Teil des f. d. Gewichtseinheit (Pud), Stück oder Wagen und Werst (1·067 *km*) festgesetzten Tarifsatzes nicht übersteigen und nur zur Herstellung von Bahnhofzufahrtsstraßen (in einigen Städten auch zu Kasernenbauten u. dgl.) verwendet werden darf.

Durchgehende Güter, staatliche Sendungen und Reisegepäck unterliegen dieser Abgabe nicht.

Mit Verordnung vom 27. September 1914 wurden ab 30. November 1914 Kriegssteuern für die Eisenbahnbeförderung eingeführt. Die

Steuer beträgt für Personengepäck und Eilgut 25% des Beförderungspreises (einschließlich Reichsfahrkartensteuer). Befreit sind Beförderungen auf Pferde- und Stadtbahnen, ferner Militärpersonen und Reisende zu ermäßigten Preisen.

Für Gütersendungen sind pro Pud verschiedene Steuersätze festgesetzt, u. zw. für Sendungen in Personen- und Eilgüterzügen 15 Kopeken, für Milch 5 Kopeken, für andere Güter zwischen 10 und 0·25 Kopeken. Befreit sind Sendungen, für die die Fracht vom Reich gezahlt wird, ferner Güter, die frei oder zu ermäßigten Taxen befördert werden (Dienstgut, Hausgerät und Lebensmittel der Eisenbahnbediensteten).

Brasilien erhebt auf Grund des Ges. vom 10. März 1910 unter Aufhebung der früheren einschlägigen Gesetze ab 1. April 1910 eine Fahrkartensteuer mit 10% der einfachen Fahrpreise, jedoch nicht mehr als 2 Milreis (2·50 M.) für die einfache Fahrkarte. Bei Zeit- und Abonnementskarten sowie bei Kilometerheften beträgt die Steuer 10% ihres Preises. Befreit sind Fahrten innerhalb der Bundeshauptstadt und der Staatshauptstädte nebst Vororten, einfache Fahrkarten bis zu 5 Milreis (6·25 M.), Mitglieder der diplomatischen Korps u. s. w. Ertrag im Jahre 1913 rd. 3000 Contos (3·75 Mill. M.).

In Japan wurde im Jahre 1905 eine sog. „Reisesteuer" eingeführt, die von Reisenden auf Eisenbahnen und Dampfschiffen mit folgenden Sätzen (die Beträge in „sen" à 2·09 Pf.) eingehoben wird:

bei Fahrten	I. Kl.	II. Kl.	III. Kl.
unter 50 engl. Meilen	5	3	1
von 50 bis 100 engl. Meilen	20	10	2
„ 100 „ 200 „ „	40	20	3
über 200 engl. Meilen	50	25	4

Ertrag laut Voranschlag 1912/13 rd. 3·6 Mill. Yen (7·5 Mill. M.).

* * *

Bezüglich der Literatur wird auf die im Art. „Steuerrecht der Eisenbahnen" gemachten Angaben und weiter noch verwiesen auf: Sonnenschein, Die Eisenbahntransportsteuer in ihrer Stellung im Staatshaushalt. Berlin 1897; grundlegend, jedoch hinsichtlich der positiven Gesetzgebung leider schon veraltet. — C. Colson, Transports et Tarifs. Paris 1908. – Siehe auch den Art. Frachtbriefstempel.

Januschka.

Transportversicherung, Sicherstellung gegen die Schäden, denen der Güterverkehr, soweit er im planmäßigen Ortswechsel beweglicher Sachen, d. h. in der Beförderung, besteht, ausgesetzt ist. Die T. erfolgt in bezug auf die Eisenbahnbeförderung zunächst durch die Bahnen selbst, indem diese gegen Einhebung einer bestimmten Prämie eine über ihre rechtliche Verpflichtung hinausgehende Haftung für Verlust und Beschädigung übernehmen.

Nach dem IÜ. ebenso wie nach der deutschen Verkehrsordnung, dem österreichisch-ungarischen Betriebsreglement und dem Schweizer Transportreglement gibt die Deklaration des Interesses an der Lieferung Anspruch auf einen die festgesetzte Entschädigung für den Wert des in Verlust geratenen Gutes (Gepäckstücks) bzw. für die Beschädigung oder Lieferfristversäumnis übersteigenden Schadenersatz bis zur Höhe des in der Deklaration festgesetzten Betrags (vgl. Frachtrecht, internationales, Bd. V, S. 153).

Die Eisenbahnen decken sich mitunter gegen die Schäden aus der T. durch Bildung von Schadenversicherungsverbänden zur gemeinsamen Tragung der Schäden. Ein solcher Verband hat längere Zeit für die österreichischen und ungarischen Bahnen bestanden und besteht dermalen noch für die letzteren.

Abgesehen von der T., die die Bahnen selbst übernehmen, beschäftigen sich vielfach auch Privatversicherungsgesellschaften mit der Eisenbahntransportversicherung. Die T. hat durch Privatgesellschaften entweder eine einzelne Beförderung auf einem bestimmten Wege zum Gegenstand (Einzelversicherung) oder sie umfaßt eine Vielheit von Beförderungen auf einer oder mehreren Wegen innerhalb einer bestimmten Zeit (Abonnementsversicherung). Der Wert der Abonnements- oder Generalpolizze liegt darin, daß durch den generellen Vertragsabschluß die Einzelsendung bereits assekuranzrechtlich gedeckt ist, d. h. daß die Gefahr des Versicherers mit dem Beförderungsbeginn auch ohne Kenntnis dieser Tatsache seitens der Versicherungsnehmer wie seitens des Versicherten beginnt. Eine besondere Art der Generalpolizze ist im Landtransportgeschäft die Tauschpolizze mit Abschreibung (gewöhnlich monatlicher) – hier wird eine Summe im voraus festgesetzt, für die der Versicherte innerhalb eines bestimmten Zeitraums (gewöhnlich eines Jahres) versichert sein will, derart, daß mit jeder Einzelbeförderung eine Aufzehrung dieser Summe in der Höhe des Wertes dieser Einzelsendung eintritt – und die Tauschpolizze mit täglicher Versicherungssumme, sog. Tagespolizze, bei der der Versicherte innerhalb eines bestimmten Zeitraums (ein Jahr) für eine bestimmte Summe von neuem täglich versichert ist. Innerhalb der Landgefahren ist die Eisenbahnbeförderung die geringste und ist dementsprechend auch die meist f. 1000 ausgeworfene Prämie für die Eisenbahntransportversicherung am niedrigsten bemessen. In Österreich ist in den letzten Jahren unter Mitwirkung der Eisenbahnen die Reisegepäck- und Garderobeversicherung eingeführt worden.

Transvaal s. Britisch-Südafrika.

Trassenrevision s. Vorarbeiten.

Trassierung s. Vorarbeiten.

Treibstangen *(connecting-rods; bielles motorices; bielle di manovella)*, auch Leit-, Trieb- oder Pleuelstangen genannt, sind im Schubkurbelgetrieb der Lokomotivdampfmaschine das Verbindungsstück zwischen Kreuzkopf und Treibzapfen. Die Schaftlänge der Stange soll mindestens das 5fache des Kolbenhubs betragen, besser jedoch mehr, da sonst fühlbare Unregelmäßigkeiten bei der Kraftübertragung zwischen Kolben und Rad auftreten.

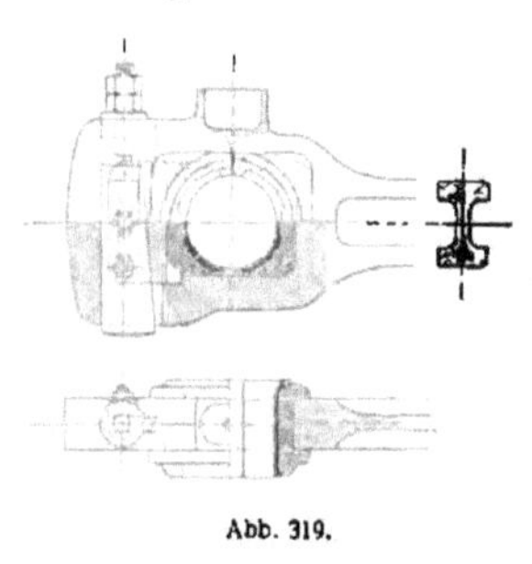

Abb. 319.

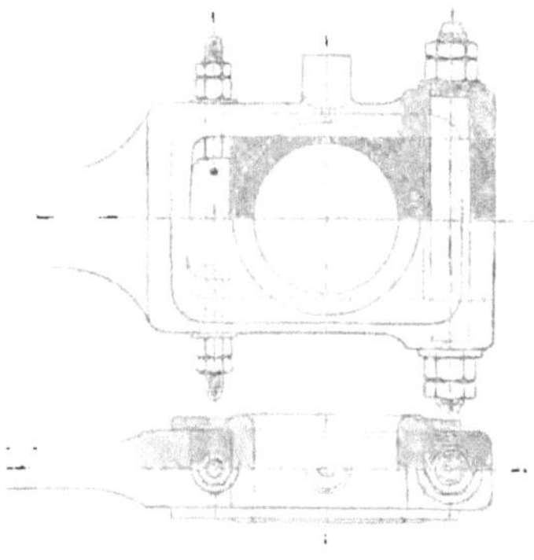

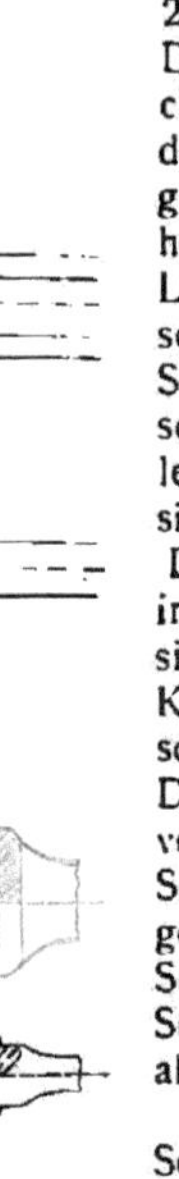

Abb. 320.

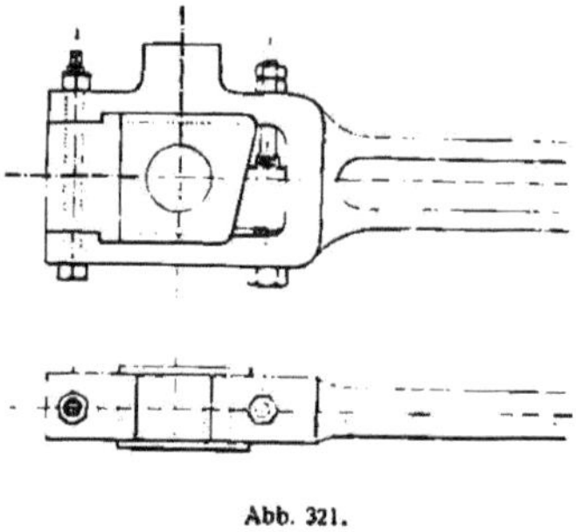

Abb. 321.

Abb. 322.

Abb. 323.

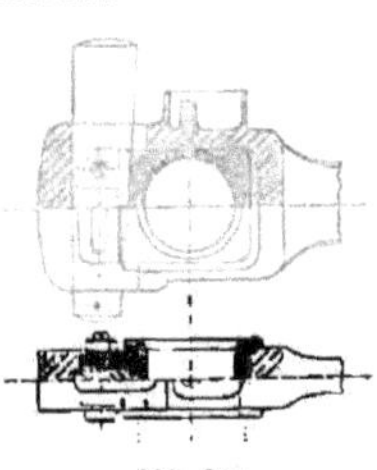

Abb. 324.

An den beiden Enden der Stange sind Köpfe mit Lagerschalen vorhanden, um einerseits den Kreuzkopfbolzen, anderseits den Treibzapfen aufzunehmen. Der Kopf an der Kreuzkopfseite ist gewöhnlich geschlossen, d. h. die Stange umschließt das Lager völlig (Abb. 319). An der Seite des Treibzapfens ist nur dann ein geschlossener Kopf möglich, wenn die Bauart der Kurbel ein Aufbringen der T. von außen zuläßt. Sonst sind Bügelköpfe erforderlich, bei welchen die Bügel durch einen oder mehrere Bolzen oder durch Keile festgehalten sind. Bügelköpfe für die T. von Lokomotiven mit inneren Dampfzylindern und Kurbelachsen erhalten besonders große Abmessungen und müssen der starken Beanspruchung wegen sorgfältig ausgeführt werden (Abb. 320 u. 321). Andere Ausführungen zeigen die Abb. 322, 323 u. 324. Die Lagerschalen der Stangenköpfe an der Kreuzkopfseite sind gewöhnlich wegen der hohen Lagerdrücke aus Rotguß oder Bronze ohne Weißmetallausguß hergestellt. Der spezifische Lagerdruck beträgt 280 – 330 *kg/cm²*. Dieses Lager ist stets nachstellbar hergestellt. Die Lagerschalen der Stangenköpfe an der Teilzapfenseite sind gewöhnlich aus Rotguß, Bronze oder Schweißeisen und mit Weißmetall ausgegossen. Der spezifische Lagerdruck ist hier 140 – 200 *kg/cm²*. In den meisten Fällen ist auch dieses Lager durch einen, seltener durch 2 Keile nachstellbar. Die Keile müssen Sicherungen besitzen, damit die einmal eingestellte Stellung erhalten bleibt und eine Lockerung ausgeschlossen ist. Auf die Schmierung muß besondere Sorgfalt gelegt werden. Es sind vorherrschend Dochtschmierungen in Verwendung, doch sind vereinzelt auch Kugel- und Stiftschmierungen ohne Docht mit Erfolg versucht worden. Die Schmiergefäße sind gewöhnlich mit den Stangen aus einem Stück hergestellt, da alle unnötigen Anbohrungen und Schraubengewinde in den Stangenköpfen wegen der Neigung zu Anbrüchen gefährlich sind. Die Stangen wurden früher aus Schweißeisen hergestellt, gegenwärtig sind sie aus Martinflußstahl oder Tiegelgußstahl gefertigt. Während früher der Schaft gewöhnlich rechteckig war, ist er gegenwärtig der Gewichtsersparnis wegen TT-förmig ausgebildet. Die Ausnehmungen werden durch Fräsen hergestellt.

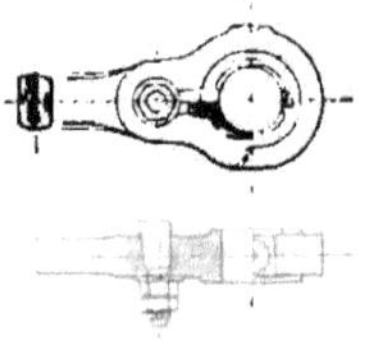

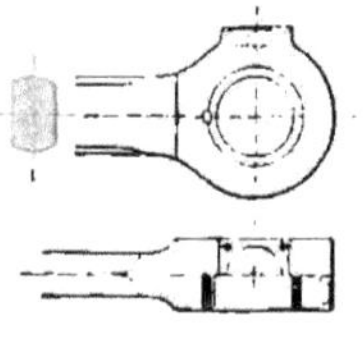

Da mit Rücksicht auf die Ruhe des Ganges der Lokomotiven die Massen des Triebwerks möglichst eingeschränkt werden müssen, so werden die T. so schwach gehalten, als es mit Rücksicht auf die Sicherheit möglich ist. Der Sicherheitsgrad gegen Knickung ist im lotrechten Sinn ungefähr 5 – 6·5, im wagrechten Sinn nur 1·5 – 3. Bei Lokomotiven für sehr hohe Umdrehungszahlen ist eine besondere Einschränkung des Stangengewichts noch deswegen erforderlich, da durch die Fliehkraft des Stangengewichts die T. (neben der Knickung durch die Kolbenkraft) auch noch auf Biegung beansprucht wird.

Die Berechnung der Abmessungen der T. erfolgt in ähnlicher Weise wie die der Kuppelstangen (s. d.).

Vgl. auch die beim Art. Kuppelstangen angegebene Literatur. *Sanzin.*

Trennungsbahnhöfe s. Bahnhöfe.

Treppenstation, Turmstation, s. Brükkenstation.

Triangulation. Zur Aufnahme großer Gebiete, als Unterlage für technische Messungen und zur Verbindung von Einzelmessungen führt man zusammenhängende Dreiecksmessungen aus. Man gibt den Dreieckspunkten eine dauernde Vermarkung, mißt eine Grundlinie, im übrigen nur Winkel, rechnet geographische und ebene Koordinaten für die Eckpunkte und nimmt diese Werte als Ausgang für alle weiteren Messungen.

Im Eisenbahnbau werden T. zur Festlegung der Achse längerer Tunnel durchgeführt, namentlich bei sog. Scheiteltunneln, weil hier die Aussteckung der Tunnelachse im Gelände der großen Überlagerung wegen nicht angängig ist.

Im großen werden die Dreiecksmessungen durch die Landesaufnahme ausgeführt. An sorgfältig ausgewählter und vorbereiteter Stelle wird mit hoher Genauigkeit eine Grundlinie, die Basis, gemessen, aus ihr leitet man durch Winkelmessung in rautenförmigem Basisnetz eine mehrfach längere Dreiecksseite ab, wobei besonders die spitzen Winkel mit großer Schärfe zu messen sind, und schließt durch Winkelmessung weitreichende Dreiecksketten an. Ein mit der Kette verbundener Punkt ist durch astronomische Messungen nach geographischer Breite und Länge zu bestimmen, auf gleichem Wege ist das Azimut einer Dreiecksseite festzulegen. Die Basis wird 2 – 8 *km*, die aus ihr abgeleitete Dreiecksseite 5- oder 6mal so lang genommen. In und zwischen die Dreiecksketten werden Füllnetze mit stufenweise kleineren Seiten gelegt. Die Dreiecke erster Ordnung haben Seiten von 25 – 75 *km*, gelegentlich bis über 100 *km*, die zweiter Ordnung von 15 bis 20 *km*, die dritter Ordnung von 3 – 5 *km*. Für die Dreiecke ist möglichst gleichseitige Form anzustreben.

Die Basismessung größter Genauigkeit erfordert viel Gehilfen und umfangreiche Meßvorrichtungen. Mit dem Basismeßapparat von Bessel oder von Brunner erreicht man innere Genauigkeiten von etwa ± 1/3 *mm* der einfach gemessenen *km*-Länge; die absolute Genauigkeit ist wegen systematischer Fehlereinflüsse, vor allem der Temperatur, viel geringer. Neuerdings sucht man nicht mehr die Genauigkeit der Längenmessung zu steigern, da sie durch die unvermeidlichen Fehler der Winkelmessung in den Dreiecken doch bald wieder verloren geht; vielmehr legt man, um der fortschreitenden Fehlerwirkung der Winkelmessungen zu begegnen, in bestimmten Abständen, alle 200 bis 300 *km*, eine neue Basis ein. Jetzt begnügt man sich vielfach auch mit geringerer Genauigkeit der Längenmessung, etwa 2 *mm* Un-

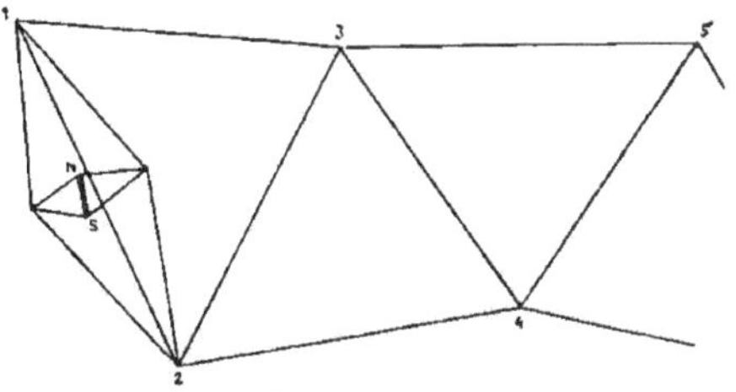

Abb. 325. Basisnetz mit Dreieckskette.

sicherheit auf 1 *km* einfach gemessener Länge, die man nach dem Verfahren von Jäderin mit Meßdrähten erreichen kann. Statt Drähten aus verschiedenem Metall zur Berücksichtigung des Temperatureinflusses werden jetzt durchweg Drähte aus Invar – 64% Stahl, 36% Nickel – genommen, die in diesem Mischungsverhältnis einen bis 100mal kleineren Koeffizienten der Wärmeausdehnung haben als Eisen. Die Neigung der Invardrähte zu sprungweiser Längenänderung wird durch monatelange Behandlung vor der Verwendung beseitigt; die Längung der Drähte wird dadurch berücksichtigt, daß man die Drähte vor und nach der Basismessung eicht, wozu die Hilfsbasis des geodätischen Instituts in Potsdam eingerichtet ist. Man verwendet nebeneinander 2 bis 4 Drähte zu einer Basismessung. Die gemessene Basislänge ist auf den Landesvermessungshorizont zu reduzieren.

Die Winkelmessung bei der Großtriangulierung wird mit Schraubenmikroskop-Theodoliten ausgeführt. Zur Kleintriangulierung kann man auch Nonien-Theodolite mit Repetitionseinrichtung benutzen. Die Sichtbarmachung der Dreieckspunkte geschieht durch Signale, Stangen und Pyramiden, auf große Entfernung unter Verwendung von Heliotroplicht oder elektrischem Licht. Wenn zur Überwindung der Erdkrümmung oder von Sehhindernissen der Theodolit auf einen Hochstand gestellt werden muß, so ist der Instrumentenpfeiler fest und erschütterungsfrei zu bauen, also vollständig getrennt vom Beobachterstand und Leuchtstand oder der Zielspitze zu erstellen; die beiden Holzpyramiden dürfen einander nicht berühren. Die Genauigkeit der Winkelmessung ist so zu bemessen, daß die Koordinatenwerte der Dreieckspunkte gegeneinander auf etwa 1 *dm* sicher sind.

Für die Landesaufnahmen rechnet man für die Dreieckspunkte geographische und rechtwinklig sphäroidische Koordinaten. Bei uns werden für das Erdellipsoid die von Bessel abgeleiteten Werte: große Halbachse $a = 6,377.397$ *m*, kleine $b = 6,356.079$ *m*, Abplattung 1 : 299 angenommen. In kleineren Vermessungsgebieten bezieht man die Berechnungen auf die Schmiegungskugel der Mitte des Gebiets. Die rechtwinkligen Koordinaten rechnet man in Meridianstreifen von 3° Breite, früher im Cassini-Soldnerschen Koordinatensystem, jetzt in konformen Koordinaten nach Gauß. Man verwendet dazu das Verfahren von Krüger der unmittelbaren konformen Abbildung des Ellipsoids auf die Ebene. Bei der Kleintriangulierung rechnet man, wie bei der Kleinmessung überhaupt, nur nach ebenen Koordinaten.

Für Ingenieurarbeiten wird man, wenn eine Landesaufnahme vorhanden ist, von dieser ausgehen und die Dreiecksmessung nach Bedarf weiter ins kleine treiben. Liegt aber eine solche Aufnahme nicht vor, so wird man sich eine selbständige Dreiecksmessung anlegen und im kleinen ähnlich verfahren wie die Landesaufnahme im großen. Man mißt an günstiger Stelle eine Grundlinie von einigen hundert Metern Länge. Hierzu kann man Invardrähte verwenden. Meist aber werden gute 5 *m*-Latten genügen, mit Neigungsmesser, wenn nur täglich vor und nach jeder Messung die Längen der Latten mit Normalmaßen geprüft werden. Man erhält mit dieser Lattenmessung einen mittleren Fehler von 2 – 3 *cm* der einfach gemessenen *km*-Strecke. Zur Winkelmessung wird im allgemeinen der Nonien-Theodolit genügen, da bei Horizontabgleichung der vierfach repetierte Winkel bis auf wenige Sekunden genau erhalten wird. Auf diese Weise läßt sich die selbständige Dreiecksmessung des Ingenieurs in einfacher Weise ausführen. Eine größere Sorgfalt erfahren die Dreiecksmessungen für die Gegenortsbetriebe großer Tunnels, die deshalb schwierig durchzuführen sind, weil sie meist im Hochgebirge vorkommen und bis in enge Täler hineinzubringen sind. Bei der Absteckung großer Alpentunnel der zweiten Eisenbahnverbindung Wien-Triest hat Tichy als Basislinie nur einen 1·2 *m* langen Invarstab genommen.

Literatur: Veröffentlichungen der Landesaufnahmen der verschiedenen Länder. — Jordan, Handbuch der Vermessungskunde, Bd. II und III, Feldmessung, Landesvermessung und Erdmessung (mit großer Literaturangabe). – Dolezalek, Durchschlag und Richtungsbestimmung des Gotthard-Tunnels. Ztschr. d. Arch. u. Ing.-Vereins zu Hannover 1880. – Koppe, Bestimmung der Achse des Gotthard-Tunnels. Ztschr. f. Vermess.-Wesen 1875 und 1876. – Gelpke, Bestimmung der Gotthard-Tunnelachse. Zivilingenieur 1870. – Rosenmund, Absteckung des Simplon-Tunnels. Schwz. Bauztg. 1901. – Baeschlin, Absteckung des Lötschberg-Tunnels. Schwz. Bauztg. 1911, Bd. LVIII. – Schumann, Lotstörungen und ihre Anwendung bei Tunnelabsteckungen. Ztschr. d. Österr. Ing.-V. – Tichy, Messung von Grundlinien genauer als mit optischtachymetrischem Verfahren, wo die gebräuchlichen Methoden versagen. Wien 1909. *Haußmann.*

Trichterwagen s. Fördermittel.

Triebwagen *(rail motor cars; automotrices; automotori).* Geschichtliches. Als ältester Eisenbahntriebwagen (Motorwagen) ist die „Novelty" („Neuheit") von Ericsson und Braithwaite anzusehen, die als „Lokomotive" an der Wettfahrt von Rainhill im Oktober 1829 beteiligt war. Es war ein leichtes zweiachsiges Wagenuntergestell, auf dem die stehende zweizylindrige innenliegende Maschine nebst Wasser- und Kohlenbehälter und der Kessel aufgebaut war[1] (vgl. Literatur). Letzterer[2] war aus einem Stehkessel mit Feuerbüchse und einem liegenden Walzenkessel mit schlangenförmig gekrümmtem Flammrohr zusammengesetzt. Nach diesem Vorbild, das noch heute im „Science Museum" („South Kensington Museum") in London aufbewahrt wird, baute der Oberingenieur Samuel der englischen Ostbahn – der auch als Erfinder des Eisenbahnfahrrads (Draisine) gilt – seine „Expreßmaschine"[3] mit stehendem Röhrenkessel und liegender Zwillingsmaschine, mit ebenfalls inneren Zylindern und Kropfachse. Zum Unterschied von der nur für die Bedienungsmannschaft Raum bietenden und zu deren Schutz mit einem einfachen Geländer versehenen „Novelty" besaß die ursprünglich für den Bahnaufsichtsdienst bestimmte – später auch für den Reiseverkehr benutzte – „Expreßmaschine" offene, völlig ungeschützte Sitzplätze für 7 Personen. Die Fahrgeschwindigkeit betrug auf längeren Reisen für gewöhnlich 48 *km*/Std., konnte aber vorübergehend auf 51 Meilen = 82 *km*/Std. gesteigert werden. Auf diesen T. folgte 1849 ein von Bridges Adams entworfener Dampfwagen[4], der aus einer zweiachsigen ungekuppelten Lokomotive (Bauart „Bury") und einem gewöhnlichen, fest damit verbundenen zweiachsigen Personenwagen zusammengebaut war. Ein anderer, im gleichen Jahr von Adams gebauter Dampfwagen[5] bestand aus einem zweiachsigen Wagen und einer einachsigen, mit diesem fest – aber doch leicht lösbar – verbundenen Lokomotive mit Blindwelle. Von letzterer aus wurde die Kurbelachse, auf der sich die Räder zum leichteren Durchfahren der Bahnkrümmungen lose drehten, von außen angetrieben. Die mittlere Achse des Fahrzeugs war seitlich verschiebbar. Heizung des Wagens mittels heißen Wassers in dünnen Metallröhren wurde damals schon in Vorschlag gebracht. Mehrere ähnlich gebaute Dampfwagen wurden in der Umgebung von London in Betrieb genommen. Der Fußboden beider letztgenannten Dampfwagen lag tief; beide fuhren gelegentlich mit 2 Anhängwagen.

Erst 1868 erscheint ein neuer Dampfwagen von Fairlie[6], der aus einem dreiachsigen zweistöckigen Personenwagen und einer ebenfalls dreiachsigen, als Wagen verkleideten Lokomotive bestand. Alle 3 Lokomotivachsen waren gekuppelt, ebenso die gleichfalls mit Dampfantrieb versehenen 3 Achsen des damit verbundenen Personenwagens; beide Achsgruppen waren mit mittlerem Drehzapfen ausgestattet. Der Dampfwagen war somit – bei niedrigem Raddruck – zur Fahrt auf stark geneigten Strecken mit scharfen Krümmungen und leichtem Oberbau geeignet, ähnlich wie die bekannte „Fairlie-Lokomotive". Im folgenden Jahr bauten Fairlie und Samuel gemeinsam 2 Dampfwagen verschiedener Größe mit je 2 Drehgestellen, von denen das eine den stehenden Röhrenkessel und die Maschine trug und 2 gekuppelte Achsen hatte. Diese Wagen können als Vorbild der heutigen vierachsigen britischen und irischen Dampfwagen gelten.

Es folgen dann nacheinander und zum Teil gleichzeitig die Dampfwagen von Grantham, Brunner, Belpaire, Rowan (s. Bd. VII, Abb. 212), Weißenborn, die zweistöckigen Wagen von Thomas (hessische Ludwigsbahn) und von Krauß, ferner Dampfwagen von Baldwin (Philadelphia) und feuerlose Wagen für Straßenbahnen[7]. Am längsten haben sich, z. T. bis heute, Wagen der Bauart Rowan behauptet. Ein bemerkenswerter, auch schon der Geschichte angehörender Dampfwagen ist fernerhin von Serpollet gebaut; dieser Wagen ist dadurch merkwürdig, daß sein Kessel (s. Bd. VII, Abb. 213) keinen eigentlichen Wasserraum besaß, indem das Wasser in den bis zur Rotglut erhitzten Röhren sofort verdampfte. Auch Druckluftwagen und die Gaswagen von Lührig für Straßenbahnen hatten keinen dauernden Erfolg, indem sie bald durch den elektrischen Betrieb verdrängt wurden.

Einen neuen starken Anlauf mit nachhaltigerem Erfolg nahm das Triebwagenwesen um die Jahrhundertwende. Die Förderung des Vorortverkehrs in der Nähe großer Städte, des Zwischenverkehrs auf Hauptbahnen und des Verkehrs der Nebenbahnen, namentlich seitens der großen staatlichen Eisenbahnverwaltungen, sind an diesem Erfolg ebenso beteiligt wie die Fortschritte der Technik. Während die früheren Eisenbahntriebwagen, dem damaligen Stand der Technik entsprechend, fast ausschließlich Dampfwagen sind, treten nunmehr Verbrennungsmaschinen und elektrischer Antrieb mit in Wettbewerb.

Neuere Eisenbahntriebwagen.

a) Dampfwagen. Die neueren Dampftriebwagen sind teils mit eigens entworfenen Kesseln und mit Maschinen besonderer leichter Bauart, teils auch mit solchen Kesseln und Maschinen versehen, die unmittelbar von bekannten und im Eisenbahnbetrieb üblichen Bauarten abgeleitet sind. Die ersteren sind vorwiegend auf Neben- und Kleinbahnen, die letzteren auf Hauptbahnen in Betrieb. T. von Ganz & Co. (Budapest) mit Kesseln der Bauart de Dion Bouton (Bd. VII, Abb. 214) und schnellaufenden, unter dem Wagenkasten aufgehängten Maschinen mit Zahnradübersetzung haben sich in Ungarn, Rumänien und Serbien bei sehr weichem Speisewasser und leichten Betriebsverhältnissen bewährt[8]. Erwähnenswert sind Wagen dieser Art für die Strecke Adriatico-Fermo-Amandola bei Ancona, mit einer stärksten Steigung von 7·5% (1 : 13) und Krümmungen bis zu 50 und selbst 18 *m* Halbmesser, bei einer Spur von 0·95 *m*. Sämtliche 4 Achsen der beiden zweiachsigen Drehgestelle dieser Wagen werden von einer unter dem Wagenkasten liegenden Welle aus mittels gelenkig angeschlossener Kegelräder angetrieben[9]. Rohrplattenkessel der Bauart Stoltz haben sich auf deutschen Bahnen – mit Rücksicht auf das durchwegs harte Speisewasser und auf die bessere Eignung der elektrisch angetriebenen Wagen – ebensowenig einführen können wie die vorerwähnten. Noch empfindlicher gegen hartes Speisewasser sind die Kessel von Komarek und Purrey mit gekrümmten Rohren. Dampfwagen sind heute in Deutschland noch in Betrieb bei den württembergischen und bei den bayerischen Staatseisenbahnen. Die teils regelspurigen, teils schmalspurigen T. der württembergischen

Staatseisenbahnen haben stehende Röhrenkessel (s. Bd. VII, Abb. 217) der Bauart Kittel mit Überhitzer. Ähnliche Kessel werden in den großen vierachsigen Dampfwagen der britischen und irischen Bahnen benutzt. Die Maschinen haben gewöhnliche Lokomotivbauart. Bei den vierachsigen Dampfwagen der bayerischen Staatsbahnen und vielen britischen und irischen Wagen ist das eine der beiden Drehgestelle durch eine zwei- oder auch dreiachsige Lokomotive ersetzt (Abb. 326). Bei den Dampfwagen der

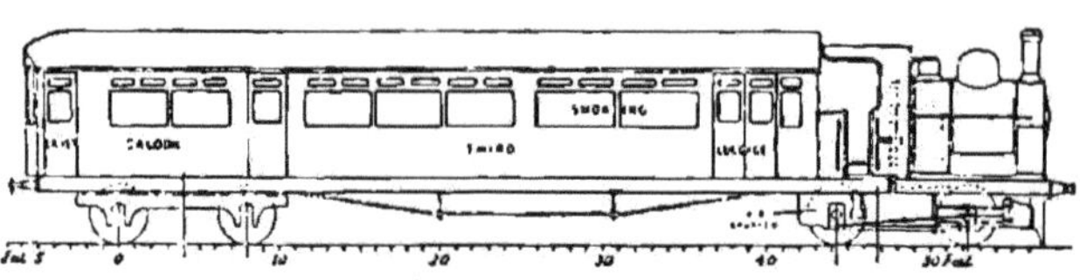

Abb. 326. Großbritannien.

bayerischen Staatseisenbahnen ist besonders ruhiger Lauf durch Anordnung von 2 hintereinander liegenden Zylindern auf jeder Seite, mit gegenläufigen Dampfkolben, erzielt. Andere

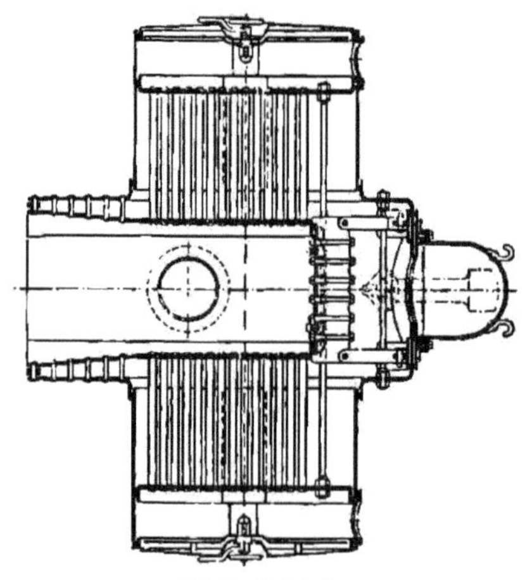

Abb. 327. Taff Vale.

Dampfwagen, in Großbritannien wie in Italien (italienische Staatsbahn) haben Kessel, die von der Lokomotivbauart abgeleitet sind (Abb. 327 bis 329). Durch Einrichtung von Füllfeuerungen und selbsttätiger Beschickung ist versucht worden, bei Dampfwagen wie auch bei den daraus abgeleiteten kleinen Lokomotiven für leichte Züge einmännige Bedienung zu ermöglichen. Durchführbar ist dies indessen aus Sicherheitsrücksichten nur auf Nebenbahnen und bei sehr geringer Fahrgeschwindigkeit im Zwischenverkehr von Hauptbahnen.

Besondere Erwähnung verdient der Dampftriebwagen mit überhitztem Dampf, Bauart Schmidt, der „Pilatusbahn" (mons pileatus), Schweiz (s. Bd. VIII, Abb. 72).

b) T. mit Verbrennungsmaschinen. Als Brennstoffe kommen nur Flüssigkeiten von hohem Heizwert – je nach der Örtlichkeit – Benzin (Ungarn) oder Benzol, für Dieselmaschinen schwere Öle (Deutschland), Gasolin (Nordamerika) in Frage. Die Triebkraft wird von der Verbrennungsmaschine auf die Triebräder entweder mechanisch oder elektrisch übertragen. Ein wesentlicher Nachteil der mechanischen Übertragung ist das Erfordernis mehrerer veränderlicher Übersetzungsverhältnisse mit den nötigen lösbaren Kupplungen, wenn die Maschinen bei der Fahrt auf Strecken mit wechselnden Neigungsverhältnissen annähernd mit regelmäßiger, wirtschaftlicher Umdrehungsgeschwindigkeit arbeiten sollen. Die Bedienung wird dadurch unbequem, die Vielteiligkeit gibt Anlaß zu Schäden und das Geräusch ist störend. Vereinzelte Versuche mit derartigen, mit 4 verschiedenen Übersetzungen ausgestatteten Wagen (der Daimler-Motoren-Gesellschaft) hatten auf deutschen Bahnen keinen bleibenden Erfolg; länger hat sich ein solcher Wagen bei den „Schweizer Bundesbahnen" behauptet. In größerer Zahl sind T. mit Verbrennungsmaschinen und mechanischer Kraftübertragung nur in Nordamerika, namentlich bei der Union Pacific-Bahn (Omaha) in Betrieb gekommen (s. Bd. IV, Abb. 186)[10]. Die Maschinen dieser Wagen arbeiten bei niedrigem Brennstoffpreis (15 Pf/*l*) mit nur 2 verschiedenen Übersetzungen. Die Kraft wird durch Kettentrieb und Reibungsräder auf die Triebachse übertragen; die höchste Fahrgeschwindigkeit der ohne Benutzung von Holz gebauten Wagen ist 80 und bis über 100 *km*/Std. Indessen ist auch in Nordamerika in letzter Zeit ein Versuch[11] (von Thomas) gemacht worden – mittels einer etwas verwickelten Einrichtung – bei Triebwagen mit Verbrennungsmaschinen und mechanischer Kraftübertragung eine günstigere mittlere Umlaufgeschwindigkeit der Verbrennungsmaschine zu erreichen, indem mechanische Kraftübertragung, Stromerzeuger und Stromspeicher wechselweise und z. T. gleichzeitig zum Antrieb benutzt werden. Dieser Versuch beweist, daß auch in Nordamerika die Mängel der mechanischen Kraftübertragung für Wagen mit Verbrennungsmaschinen fühlbar geworden sind.

Elektrische Kraftübertragung wird in Deutschland, Ungarn und Nordamerika bei T. mit Verbrennungsmaschinen erfolgreich angewendet. Der wesentliche Vorzug dieser Anordnung ist der, daß die Verbrennungsmaschine, vom Anfahren abgesehen, stets mit der wirtschaftlichsten regelmäßigen Umdrehungszahl laufen kann, während die Fahrgeschwindigkeit lediglich durch Änderung der Stromspannung geregelt wird. Die entsprechenden Wagen (Bd. IV, Taf. V, Abb. 3) der preußisch-hessischen Staatseisenbahnen – einschließlich 3 Dieselwagen im ganzen 19 Stück – sind vierachsig, letztere fünfachsig und fassen je etwa 90 Reisende; im Bedarfsfalle wird auf einzelnen Strecken ein Anhängwagen – mit 60 Plätzen – mitgenommen. Die mit dem Stromerzeuger von 138 Kilowatt Dauerleistung gekuppelte Verbrennungsmaschine mit 6 paarweise gegeneinander geneigten, oder auch mit 4 senkrecht hintereinander gestellten Zylindern ist auf dem vorderen Drehgestell des Wagens eingebaut. Die Verbrennungsgase werden nach dem rückwärtigen Ende des Wagens abgeleitet. Die hinter- oder nebeneinander schaltbaren elektrischen Triebmaschinen von je 130 PS. Stundenleistung wirken einzeln auf die beiden Achsen des andern Drehgestells. Erregt wird der Stromerzeuger durch einen kleinen Stromspeicher, der auch zur Beleuchtung, Zeichengebung sowie zur Auslösung der Schützensteuerung und des Bremsventils dient. Die höchste Fahrgeschwindigkeit der Wagen ist etwa 70 bis 80 *km*/Std. Zwei ähnlich gebaute, mit dem Rücken zusammengekuppelte Wagen bilden den Hofzug des Khedive von Ägypten.

Vorzüge der T. mit Verbrennungsmaschinen und elektrischer Kraftübertragung bilden die etwas höhere damit erreichbare Fahrgeschwindigkeit, die Möglichkeit zeitweiliger Überlastung auf starken Steigungen und ihr etwas größerer, ohne Erneuerung des Brennstoffvorrats zu durchlaufender Fahrbereich. Indessen liegt auf deutschen Bahnen selten ein Bedürfnis vor, die höhere Fahrgeschwindigkeit und den größeren Fahrbereich auszunutzen, und die elektrischen Speicherwagen bieten den Gegenvorzug, daß sich bei der Talfahrt auf stark geneigten Strecken ein erheblicher Teil des auf der Bergfahrt verbrauchten Stromes zurückgewinnen läßt.

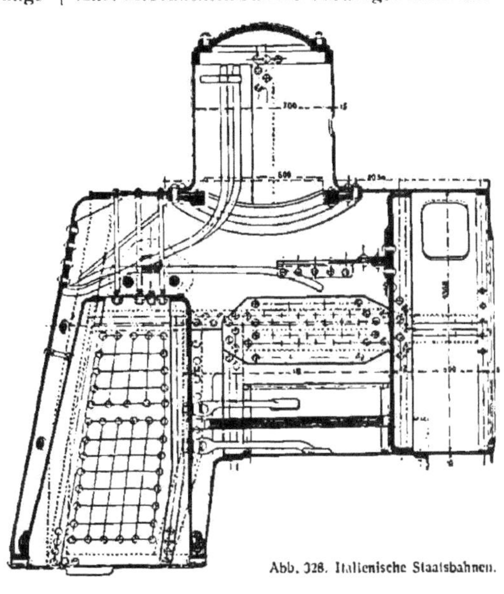

Abb. 328. Italienische Staatsbahnen.

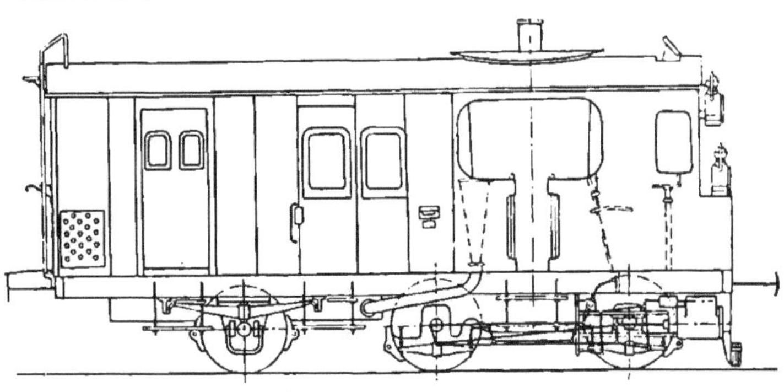

Abb. 329. Italienische Staatsbahnen.

Mit Dieselwagen sind bei der sächsischen und der preußisch-hessischen Staatseisenbahn – infolge der Beschlagnahme der Öle – noch keine sicheren Betriebsergebnisse erzielt worden.

Dieselwagen mit elektrischer Kraftübertragung sind, im Verhältnis zu der Anzahl Plätze für Reisende, erheblich schwerer als die benzolelektrischen Wagen der preußisch-hessischen Staatseisenbahn infolge des höheren Gewichts und der größeren Rauminanspruchnahme der Maschinenanlage.

T. mit Elektrizitätspeichern (Akkumulatoren). Dem Beispiel der Pfälzischen Eisenbahnen folgend, sind seitens der preußisch-hessischen Staatseisenbahnen im Lauf der letzten 10 Jahre nach und nach bis zu 182 T. mit Elektrizitätsspeichern beschafft worden. Während aber die entsprechenden, bei den pfälzischen Eisenbahnen nur in geringer Zahl benutzten Wagen durch Einbau der Speicher in gewöhnliche Personenwagen hergestellt sind, haben die preußisch-hessischen T. eine ganz neue Bauart erhalten (Bd. IV, Abb. 184), indem die Wagen (als Doppelwagen) aus je 2 kurzgekuppelten dreiachsigen Wagen gebildet und die Speicher in einem durch je 2 Achsen gestützten Vorbau jedes Einzelwagens untergebracht sind, wodurch die Bedienung und Unterhaltung erleichtert und die Belästigung der Reisenden durch Säuredämpfe und Beschmutzung der Kleider verhütet ist. Für besondere Fälle wird ein dritter, nicht mit Antrieb versehener Einzelwagen zwischen die beiden Hälften des Doppelwagens eingestellt und mit diesen durch Kurzkupplung und Übergangsbrücken verbunden. Der elektrische Antrieb dieser Wagen ist ähnlich wie bei den benzol-elektrischen Wagen; bei Speicherwagen für Stromrückgewinnung werden Nebenschlußmaschinen statt der sonst (wie bei Straßenbahnwagen) üblichen Hauptstrom- (Reihenschluß-) Maschinen verwendet. Die Schwierigkeit der Regelung zusammengeschalteter Nebenschlußmaschinen ist dadurch umgangen, daß nur eine solche Maschine für jeden Doppelwagen benutzt wird, unter Verzicht auf die Annehmlichkeiten, die sonst durch Verwendung von 2 wechselweise neben- oder hintereinander zu schaltenden Triebmaschinen für die Regelung der Fahrgeschwindigkeit geboten werden. Versuche mit Verbundwicklung der Triebmaschinen, die wenigstens teilweise die Vorzüge der Reihenschlußmaschinen mit denen der Nebenschlußmaschinen vereinigt, werden vorgenommen. Die meisten preußisch-hessischen Speicherwagen haben Bleispeicher, einige neuere Edisonspeicher (aus vernickeltem Stahl mit Füllung von Kalilauge) erhalten, die teurer sind und geringeren Wirkungsgrad, aber auch weit geringeres Gewicht haben. Die Edisonspeicher sind schon vor 16 Jahren erfunden, aber jetzt angeblich sehr verbessert worden; 1913 waren auf amerikanischen Bahnen etwa 90 T. mit Edisonspeicher neben 230 T. mit Bleispeicher in Benutzung. Im übrigen sind im Ausland bislang nur vereinzelte Versuche mit Speicherwagen gemacht worden.

Die höchste Fahrgeschwindigkeit der preußisch-hessischen Speicherwagen auf wagrechter Strecke ist 50 – 60 *km*/Std.; zu einer höheren Fahrgeschwindigkeit liegt bei dem durchweg nur geringen Abstand der Haltestellen im Zwischenverkehr der Hauptstrecken kein Bedürfnis vor. Beim Loslassen der Fahrkurbel kommen die Speicherwagen ebenso wie die benzol-elektrischen Wagen selbsttätig zum Stillstand; nur einmännige Besetzung der Wagen ist indessen bisher nirgend versucht und ist auch auf Hauptstrecken mit einigermaßen dichter Zugfolge sowie auf Nebenbahnen mit großem Stationsabstand kaum zulässig. Der ohne Aufladung der Speicher zu durchlaufende Fahrbereich ist 100, 130 und 180 *km* bei verschiedenen Wagengruppen; die höheren Werte sind durch die Verwendung größerer Speicherplatten und von Masseplatten statt glatter Platten, auch für den positiven Pol, erreicht. Dreiteilige Wagen mit Edisonspeichern haben einen Fahrbereich von 180 *km* bei einem Speichergewicht von nur 10·8 *t* für den ganzen Wagenzug. Das Netz der von den Speicherwagen regelmäßig bedienten Fahrstrecken ist so dicht, daß solche Wagen in verschiedenen Richtungen den ganzen Bereich der preußisch-hessischen Staatseisenbahnen durchkreuzen könnten, indem sie immer wieder rechtzeitig eine Ladestelle finden würden.

Verkehrstechnischer und wirtschaftlicher Wert der T. Der Nutzen der T. für den Verkehr auf Nebenbahnen und Vorortstrecken sowie im Zwischenverkehr der Hauptbahnen besteht neben ihrer steten oder doch baldigen Betriebsbereitschaft vornehmlich in der Ersparung an Gewicht und Betriebskosten gegenüber einem Lokomotivzug. Bei den preußisch-hessischen Staatseisenbahnen ist der Personenverkehr auf Nebenstrecken und der Zwischenverkehr auf Hauptstrecken durch Benutzung von T. belebt und wirtschaftlicher gemacht worden; auf gewissen Strecken des Ruhrkohlengebiets wird der gesamte Reiseverkehr durch Speicherwagen bewirkt. Bei den Arader und Csanáder Bahnen ist es unter gleichzeitiger starker Herabsetzung der Beförderungspreise gelungen, den Reiseverkehr durch Übernahme desselben auf benzin-elektrische T., an Stelle der früheren gemischten Lokomotivzüge, erheblich zu steigern und ihn einträglich zu machen, während früher die Ausgaben die Einnahmen überwogen; ähnliche, wenn auch nicht so auffallende Erfolge sind seitens der „Ostdeutschen Eisenbahngesellschaft" in Königsberg erzielt worden. Auf Vorortstrecken bei London ist seitens der Großen Westbahn ein erheblicher Teil des an Straßenbahnen und Omnibuslinien verlorenen Verkehrs mit Hilfe von Dampftriebwagen zurückgewonnen worden. Elektrische Speicherwagen sind insbesondere angenehm für die Reisenden durch die Ruhe des Laufes und durch ihre Sauberkeit in Ermanglung von Ruß und Rauch. Bedingung für die Wirtschaftlichkeit ihrer Verwendung ist gute Unterhaltung der Speicher und niedriger Strompreis. Die Benutzung der im Straßenbahnbetrieb (Schlieren bei Zürich) schon erprobten Quecksilberdampf-Gleichrichter zum Laden der Speicher an Stelle der sonst benutzten umlaufenden Strom- und Spannungsumformer bietet neue Aussichten für wirtschaftliche Verwertung billigen hochgespannten Drehstroms zum Betrieb von Speicherwagen.

Literatur: [1] Äußere Ansicht: Ztschr. dt. Ing. 1912, H. 10, S. 6; Brosius u. Koch, Schule des Lokomotivführers, Bd. I. — [2] Schnittzeichnung: Heusinger v. Waldegg, Hb. f. spez. Eis.-T., Bd. III, S. 207, Leipzig, Engelmann. — [3] Organ 1849. — [4] Eng. vom 8. Mai 1903 u. 26. Okt. 1906; ähnlich: Ann. f. Gew. u. Bauw. (Berlin) vom 1. April 1914. — [5] Pract. Mech. J. 1848/49, Bd. I, Patentamt London, C 40/848. — [6] Pract. Mech. J. 1868, 3. Serie, Bd. IV, Patentamt London. — [7] Vgl. wegen dieser und der folgenden T. des Verfassers Handbuch über T. für Eisenbahnen (München-Berlin 1908) und Ergänzungsheft 1919 mit Quellen. — [8] A. Sármezey, Motorwagen im Eisenbahnbetrieb. Budapest 1904 (S.-A. d. Ztschr. d. ung. Ing. u. Arch.-Ver.). — [9] Ztschr. dt. Ing. 1912, S. 1678. — [10] Ztg. d. VDEV. 1908, Nr. 82; Mitt. d. Ver. f. d. Förd. d. Lokal- u. Straßenbahnw. Wien 1909, H. 12 u. 1912, H. 10. — [11] Elektr. Kraftbetr. u. B. 1915, S. 326. — Elektr. Kraftbetr. u. B., München-Berlin 1913–1915; Mitt. d. Ver. f. d. Förd. d. Lokal- u. Straßenbahnw. Wien 1907, 1909 ff.; Niederschr. d. Internat. Perman. Straßenb.-Ver. (spät. Straß.- u. Kleinbahnver.) Stockholm 1896; desgl. Int. Eis.-Kongr.-Verb. Washington 1905, Frage XX; Bern 1910, Frage XII. — Spitzer u. Krakauer, Motorwagen und Lokomotive. Wien 1907. — Pascher, Lokalbahnwesen in Österreich. Wien 1904. — v. Stockert, Handbuch des Eisenbahnmaschinenwesens, Bd. I, Berlin 1908; Ztschr. dt. Ing. 1905, S. 1541 ff., 1906, S. 86. — W. R. Rowan, De la traction économique pour tramways. Paris 1891, Baudry & Cie. *C. Guillery.*

Trinidad, die größte der Kleinen Antillen, englische Kolonie, 4544 *km*², rd. 260.000 Einwohner, hat 130 *km* dem englischen Staat gehörige Eisenbahnen. Die Hauptstrecke geht von dem Hafenplatz San Fernando in nördlicher Richtung nach San José mit einer Zweigbahn von Cuva nach Serrat. Die Hauptstadt Puerto d'Espana oder Port of Spain ist gleichfalls durch eine Eisenbahn mit San José verbunden.

Statistik.

	1895	1910	1911	1912
Einnahmen	£ 70.597	108.578	107.805	100.166
Ausgaben	„ 51.516	64.268	66.018	68.833

v. der Leyen.

Trinkbrunnen *(drinking wells; fontaines d'eau potable; fontane d'aqua potabile)* zur Versorgung der Bediensteten sowie der Reisenden mit Trinkwasser werden zufolge behördlicher Vorschriften in allen Bahnhöfen errichtet. Als T. finden Pump- oder Schöpfbrunnen (s. Brunnen), Ausläufe von Wasserleitungen und Zisternen (s. d.) Verwendung. Ihre Lage wird derart gewählt, daß die Brunnen leicht von der Bahn, den Wohnungen, Arbeitsplätzen u. s. w. erreicht werden. Mit Rücksicht darauf erhalten Bahnhöfe zumeist mehrere T. Die TV. über den Bau und die Betriebseinrichtungen der Haupt- und Nebenbahnen empfehlen die Anlage von T. für Reisende auf den Bahnsteigen oder in deren Nähe.

Tripolis. Nach der Besetzung von T. durch Italien, Ende 1911, schritt die Heeresverwaltung sofort zum Bahnbau, um sich das Gebiet strategisch zu sichern. Zunächst wurde in 95 *cm* Spurweite (wie in Erithrea nach dem sizilischen Vorbild, unter Benutzung des Oberbaues und der Fahrzeuge von den dortigen Nebenbahnen) von der Stadt T. südlich nach Ain Zara, 12 *km*, gebaut und März 1912 vollendet; ferner westlich nach den Steinbrüchen von Gargaresch, 9 *km*; von dieser Linie führt eine die Altstadt nördlich bis zum Hafen umfahrende Bahn mit Abzweigung bei Baldari nach dem Truppenlager; ferner eine Bahn nach der Feste Tagiura, 15 *km*, und eine Abzweigung nach Osten. Bau und Betrieb wird durch die Wanderdünen sehr erschwert.

Von der Bahn von T. nach dem Gariangebirge wurde 1913 der Abschnitt Gheran-Zanzur-Suani-Azizia vollendet, so daß am 1. Mai 1913 im ganzen 85 *km* im Betrieb waren. Schienen, Lokomotiven und Personenwagen waren deutschen Ursprungs. Die anfangs militärischen Bahnen wurden am 1. Mai 1913 für den öffentlichen Verkehr freigegeben und gingen aus Militärbetrieb an die italienische Eisenbahnverwaltung (Generaldirektion der italienischen Staatsbahnen) über.

Neubaulinien sind geplant: von T. über Bir-Kuka nach Garian, etwa 38 *km*, und über Zanzur westlich nach Zuara, etwa 90 *km*, ferner über Tagiura nach Kussabat, etwa 70 *km*, und nach Homs (80 *km*). Die weiteren Pläne zu Eisenbahnen ins Innere von Garian, westlich nach Gadames und südlich nach Murzuk, ferner Ausdehnung der geplanten Küstenlinien bis an die Grenzen von Ägypten und Tunesien gehören der Zukunft an.

In Bengasi (Cyrenaïka), wo Bahnbauten bisher nicht ausgeführt sind, kommt in Frage die Verbindung von Bengasi und Derna und eine Bahn ins Innere, etwa nach Merg.

Baltzer.

Trockenelemente s. Elemente, galvanische. *Fink.*

Truckgestelle s. Drehgestelle.

Trunk Lines, von Trunk (Stamm) abgeleitet, nennt man in den Vereinigten Staaten von Amerika im weiteren Sinn große, durchgehende, ein bestimmtes Verkehrsgebiet beherrschende und wichtige Verkehrsmittelpunkte verbindende Hauptbahnen. Das Wort Trunk befindet sich in dieser Bedeutung in der Firma der Grand Trunk Railway of Canada und der Grand Trunk Pacific-Eisenbahn (vgl. Bd. V, S. 364, 365). Im engeren Sinn versteht man unter T. die 4 großen Eisenbahnsysteme, die das Gebiet der Vereinigten Staaten östlich von den großen Seen und nördlich vom Ohio und Potomac bis zur Küste des Atlantischen Ozeans durchziehen. Es sind dies:

1. die New York Central and Hudson River-Bahn mit ihrem Zubehör, die sog. Vanderbilt-Bahnen (s. d.);
2. die Pennsylvania-Eisenbahn (s. d.);
3. die New York Lake Erie and Western-Bahn und das sog. Erie-System (s. d.);
4. die Baltimore and Ohio-Eisenbahn (s. d.).

Die Linien dieser 4 Bahnen berühren alle größeren Verkehrsmittelpunkte des von ihnen durchschnittenen Gebiets, also New York, Philadelphia, Baltimore, Washington, Boston, Buffalo, Pittsburgh, Cleveland, Cincinnati, St. Louis, Chicago u. s. w.

Zwischen diesen Bahnen haben sich insbesondere in der Mitte der Siebzigerjahre bis in die Mitte der Achtzigerjahre des vorigen Jahrhunderts wiederholt die heftigsten Tarifkriege abgespielt, die durch das Eintreten der kanadischen Grand Trunk-Bahn noch vielfach verschärft wurden. Handel und Verkehr haben ebensowohl wie die Finanzen aller Bahnen stark unter diesen Konkurrenzkämpfen gelitten. Nachdem die Leiter der Bahnen wiederholt vergeblich versucht hatten, eine dauernde Verständigung über die Teilung des Verkehrs herbeizuführen, beriefen sie zu diesem Zweck den Präsidenten der Southern Railway and Steamship Association, Albert Fink (s. d.), dem es gelang, den sog. Trunk Line Pool, den Verband der T., zu stande zu bringen und nach mehrfachen Rückfällen in den früheren Kriegszustand so zu befestigen, daß nunmehr ein dauerndes Verbandsverhältnis zwischen den 4 T. und den kleineren, in ihrem Gebiet gelegenen Bahnen besteht. Der Verband hat, nachdem das Bundesverkehrsgesetz vom 4. Februar 1887 die Pools verboten, die Bezeichnung „Trunk Line Association" angenommen. Die diesem Verband angehörigen Bahnen haben sich gleichzeitig über eine einheitliche, am 1. April 1887 in Geltung getretene Güterklassifikation – die sog. Official Classification sowie über Normaleinheitssätze für den Lokal- und Verbandverkehr verständigt. Zur Zeit der Neubegründung der „Trunk Line Association" hatten die daran teilnehmenden Bahnen eine Länge von fast 77.000 *km* mit 10.461 Stationen. Die Klassifikation, später die der Joint traffic Association genannt, hat im Lauf der Jahre verschiedene Änderungen und Ergänzungen erfahren, sie ist aber eine einheitliche geblieben. Die Geschäfte des Verbands werden von einem in New York befindlichen besonderen Bureau geleitet, an dessen Spitze ein Präsident steht und in dem alle größeren Bahnen durch Bevollmächtigte vertreten sind. Durch Urteil des höchsten Gerichtshofes der Vereinigten Staaten vom 24. Oktober 1898 ist die Trunk Line (Joint traffic) Association aufgelöst worden, weil sie dem Antitrustgesetz vom 2. Juli 1890 widersprach (s. Art. Trust). Dieses Urteil machte seinerzeit viel Aufsehen, weil die allgemeine Überzeugung herrschte, daß gerade diese Vereinigung wohltätig gewirkt und insbesondere Ordnung in die dortigen Tarife gebracht habe. Durch Änderung in der Organisation sind die durch das vorgedachte Urteil erhobenen Bedenken beseitigt worden und tatsächliche Änderungen sind nicht eingetreten (vgl. den 12. Jahresbericht der Interstate Commerce Commission für 1898, S. 48 ff).

Literatur: v. der Leyen, Eisenbahnkriege und Eisenbahnverbände in dem Werk: Die nordamerikanischen Eisenbahnen. Leipzig 1885, S. 273 ff.; Nordamerikanische Eisenbahnzustände im Jahr 1888. Arch. f. Ebw. 1889, S. 768 ff.; Die Finanz- und Verkehrspolitik der nordamerikanischen Eisenbahnen. Berlin 1894, S. 25 ff. – Mc. Cain, Report on charges in Railway Transportation Rates on freight traffic throughout the United States. Washington 1893, S. 405 ff., 431 ff. *v. der Leyen.*

Trust, eine in England entstandene, in den Vereinigten Staaten von Amerika weiter ausgebildete Form einer Handelsgesellschaft. Es verbinden sich mehrere Aktiengesellschaften zu einer gemeinsamen Obergesellschaft, trust, oder auch Board of trustees genannt. Dieser übertragen sie ihre Aktien, die in trust certificates umgewandelt werden. Die Leitung der Geschäfte erfolgt durch den Board of trustees, der Gewinn wird an die Einzelgesellschaften nach Maßgabe ihrer trust certificates verteilt. Das Wort trust (von Treue, daher auch Treuhänder, Treuhandelsgesellschaft) bedeutet ursprünglich Vormundschaft, trustee Vormund. Der Zweck einer derartigen Vereinigung ist die Beseitigung des Wettbewerbs unter den einzelnen Gesellschaften, ihre einheitliche Leitung und die Vereinfachung des Betriebs. Diese Form der Vereinigung kam und kommt noch in den Vereinigten Staaten besonders häufig vor bei den Eisenbahngesellschaften, die auf diese Weise die in einigen Staaten verbotene Verschmelzung ihrer Linien verschleiern wollen.

Die öffentliche Meinung war von jeher in den Vereinigten Staaten stark gegen die T. eingenommen. In den Jahren 1888–1890 wurde eine eingehende Untersuchung über sie angestellt, deren Ergebnisse in einem 1890 in Washington erschienenen Preliminary Report on trusts and industrial combination veröffentlicht sind. Dieser Bericht war den betroffenen Unternehmungen so unbequem, daß sie alle vorhandenen Druckexemplare aufkauften und vernichteten. Das Ergebnis der Untersuchung war das Bundesgesetz vom 2. Juli 1890, der nach seinem Urheber so genannte Sherman Act, mit dem Titel: An act to protect trade and commerce against unlawful restraints and monopolies (Gesetz zum Schutz von Handel und Verkehr gegen ungesetzliche Einschränkungen und Monopole). Im § 1 des Gesetzes heißt es: „Jeder Vertrag, jede Vereinigung in Form der T. oder in anderer Form, oder jede Verschwörung zur Beschränkung von Handel und Verkehr zwischen den Einzelstaaten oder mit fremden Nationen wird hiermit für gesetzeswidrig erklärt." Zuwiderhandlungen werden mit Geldbußen bis zu 5000 Dollar, oder mit Gefängnis, oder mit beiden Strafen geahndet[1]. Auf Grund dieses Gesetzes sind einzelne, an sich nützliche Eisenbahnverbände, z. B. die sog. Transmissouri Association, die Trunk Line Association, die Northern Securities Company (s. d.), für ungesetzlich erklärt und sie mußten aufgelöst werden. Die Eisenbahnen haben stets andere Formen der Vereinigung gefunden, mit denen sie dieselben Zwecke wie mit den T. erreichten, z. B. die Holding Company (s. Bd. VI, S. 221), oder sie haben sich, soweit dies zulässig war, vollständig verschmolzen.

Das Sherman-, auch Antitrustgesetz bezeichnet, ist seit seinem Bestehen viel angefochten worden. Von einer Seite wurde die Abschaffung des Gesetzes gewünscht, weil infolge seiner Bestimmungen eine Reihe nützlicher, den Verkehr fördernder Vereine aufgehoben seien. Von anderen wurde eine Verschärfung der gesetzlichen Bestimmungen verlangt, durch die auch die vielen Umgehungen unmöglich gemacht würden. Der jetzige Präsident der Vereinigten Staaten Woodrow Wilson hatte sich in seinen Universitätsvorlesungen und seinen Schriften auf die letztere Seite gestellt und sich zum entschiedenen Gegner der T. erklärt. Als Präsident hat er in seinen Botschaften vom 2. Dezember 1913 und 20. Januar 1914 denselben Standpunkt mit allem Nachdruck vertreten und den Erlaß neuer Gesetze zur Bekämpfung der T. angeregt. Nach Ausbruch des Weltkriegs hat Wilson indes die bestehenden mächtigeren T. nach allen Richtungen hin unterstützt, so den an den Munitionslieferungen stark beteiligten Stahltrust, den die Geldunterstützung der Entente fördernden Geldtrust, an dessen Spitze Morgan steht, und auch die großen Eisenbahnverbände, denen er zur Durchsetzung ihrer Tariferhöhungen im Jahre 1915 mit seinem ganzen Einfluß verholfen hat. Dagegen sind 2 Gesetze erlassen worden, mit denen Wilson die in seiner Botschaft gegebenen Versprechungen einlösen wollte. Das eine Gesetz vom 20. September 1914 betreffend die Errichtung eines Bundes-Handels-Amts (Federal Trade Commission) hat zum Zweck, unsauberen Wettbewerb im Verkehrsleben zu bekämpfen. Das andere Gesetz vom 15. Oktober 1914 betreffend Ergänzung der geltenden Gesetze gegen ungesetzliche Beschränkungen und Monopole (nach seinem Urheber im Repräsentantenhaus auch Clayton Act genannt) enthält eine Reihe von Bestimmungen, durch die Zweifel bei Auslegung besonders des vorerwähnten Gesetzes vom 2. Juli 1890 beseitigt werden sollen. Daß diese beiden Gesetze zur Einschränkung oder zur Aufhebung der T. beigetragen haben, ist nicht bekannt.

Literatur: American economic Review. 1914, S. 840 ff. u. 1915, S. 38 ff. – Allyn A. Young, Journal of political economy, Jan. u. April 1915.

v. der Leyen.

[1] Eine Zusammenstellung aller in den Vereinigten Staaten damals geltenden Trustgesetze befindet sich im Bd. II des großen Berichts der Industrial Commission, Washington 1900.

Türkische Eisenbahnen. (Mit Karte, Taf. XI.)

Inhaltsübersicht: I. Europäische Türkei, Geschichtliches, Technische Anlage; II. Salonik-Monastir; III. Salonik-Dedeagadsch; IV. Asiatische Türkei.

I. Europäische Türkei.

Geschichtliches.

Die ersten in der europäischen Türkei eröffneten Bahnen waren die heute zu Rumänien gehörige, von einer englischen Gesellschaft erbaute Linie Konstantza-Czernavoda, eröffnet am 4. Oktober 1860 (s. Rumänische Eisenbahnen) und die am 7. November 1866 in Betrieb genommene Linie Rustschuk-Varna, die (von 1873–1888 von der Betriebsgesellschaft der orientalischen Eisenbahnen betrieben) einen Bestandteil der bulgarischen Eisenbahnen (s. d.) bildet.

Sie waren jedoch Sackbahnen und insolange ohne größere Bedeutung, als sie nicht mit einem in sich geschlossenen Eisenbahnnetz in Verbindung standen. Die Bestrebungen wegen Schaffung eines solchen reichen bis in den Beginn der Sechzigerjahre zurück.

1868 kam zwischen der Pforte und einem französisch-belgischen Unternehmen ein Übereinkommen zustande, demzufolge eine Hauptlinie von Konstantinopel über Adrianopel durch Rumelien und Bosnien an die Save mit Abzweigungen an die serbische Grenze und nach Salonik, sowie eine Linie von Varna über Adrianopel nach Enos zur Verbindung des Schwarzen Meeres mit dem Ägäischen Meer hergestellt werden sollte. Allenfalls sollte die Hauptlinie bei gleichzeitiger Vertagung des Baues der bosnischen Strecke unmittelbar durch Serbien an die Save geführt werden.

Dadurch, daß seitens der ursprünglichen Konzessionäre eine Reihe von Bedingungen unerfüllt blieb, erlosch jedoch diese Konzession; nach vielfachen Verhandlungen übertrug die türkische Regierung mit Vertrag vom 17. April 1869 den Bau der Eisenbahnen in der europäischen Türkei an Baron Hirsch bzw. an die von ihm gebildete „Société impériale des chemins de fer de la Turquie d'Europe".

Hierbei war die Herstellung folgender Linien vorgesehen:

1. der Hauptlinie von Konstantinopel über Adrianopel, durch Bulgarien, Serbien, Bosnien nach Doberlin im Anschluß an eine von Österreich auszuführende Linie Sissek-Doberlin;
2. einer Linie nördlich zur damaligen serbisch-türkischen Grenze bei Nisch und südlich über Üsküb nach Salonik;
3. einer Linie von Philippopel über Jamboli nach Burgas längs des südlichen Balkanabhangs;
4. einer Linie von Jamboli über Adrianopel nach Enos oder Dedeagadsch.

Für dieses Netz von beiläufig 2500 *km* Länge gewährte die türkische Regierung eine jährliche Ertragsgarantie von 14.000 Fr. f. d. *km* und versprach außerdem mit Rücksicht auf die hohen Baukosten der bosnischen Strecke entsprechende Subventionen. Ferner sollte die Verwaltung, die den Betrieb zu übernehmen gehabt hätte, und als die die österreichische Südbahngesellschaft in Aussicht genommen war, einen jährlichen Pacht von mindestens 8000 Fr. f. d. *km* entrichten.

Auf Grund der von der türkischen Regierung gewährleisteten Garantie wurde am 15. und 16. März 1870 eine öffentliche Subskription auf 750.000 Stück Prämienobligationen ausgeschrieben, jede zu 400 Fr.; diese wurden später in die Türkenlose umgewandelt.

Alsbald wurden auch von 4 verschiedenen Punkten (Konstantinopel, Dedeagadsch, Salonik und Doberlin) die Arbeiten begonnen und ziemlich rüstig gefördert, so zwar, daß bereits am 4. Januar 1871 die 10·4 *km* lange Teilstrecke von Jedikule (Konstantinopel) nach Kutschuk-Tschekmedsche dem Betrieb übergeben werden konnte.

Bald trat jedoch ein Stillstand ein; der europäisch gesinnte Großvezier Aali Pascha war gestorben, und an seine Stelle der Alttürke Mahmud Pascha getreten, der im Gegensatz zu seinem Vorgänger einer Verbindung mit Zentraleuropa abgeneigt war und den Anschluß an die russischen Bahnen über Rumänien anstrebte. Als die Türkei überdies ihren Verpflichtungen gegen die Société impériale nicht nachkommen konnte, legte diese am 18. Mai 1872, bevor noch eine der Hauptlinien ausgebaut war, ihre Konzession in die Hände der türkischen Regierung zurück, wogegen diese letztere die unmittelbare Haftung für die Verzinsung und Tilgung der Türkenlose auf sich nahm. Die Société impériale übernahm als Generalbauunternehmung nunmehr auf Grund eines neuen Vertrags die Fertigstellung des türkischen Staatsbahnnetzes, das sich aus folgenden Linien zusammensetzen sollte:

1. Konstantinopel-Adrianopel bis Bellova oder Sarambey mit den Abzweigungen von Adrianopel nach Dedeagadsch und von Tirnovo-Semenli nach Jamboli;
2. Salonik-Üsküb-Mitrowitza;
3. Doberlin-Banjaluka (hierüber s. Näheres im Art. Bosnisch-hercegovinische Eisenbahnen).

Das nunmehr aufgestellte Eisenbahnnetz besaß eine beiläufige Länge von 1230 *km*; für dessen Herstellung reichte das durch die Türkenlose aufgebrachte Kapital aus.

Ihrerseits verpflichtete sich die türkische Regierung, aus Staatsmitteln eine Linie von Jamboli über den Balkan nach Schumla im Anschluß an die Bahn Varna-Rustschuk, sowie die Strecke Sarambey-Sofia-Üsküb herzustellen. Durch erstere sollte das türkische Bahnnetz an die Donau geführt werden, um so eine Verbindung mit den rumänisch-russischen Bahnen zu schaffen, durch letztere die Strecke Salonik-Mitrowitza dem Hauptnetz angegliedert und damit erträgnisfähiger gemacht werden.

Überdies erklärte sich die Pforte bereit, die Herstellung der nötigen Zufahrtsstraßen zu den Stationen, der erforderlichen Hafenanlagen, Lagerhäuser u. s. w. aus eigenen Mitteln vorzunehmen.

Die im vorbesprochenen Vertrag von der Generalbauunternehmung zur Herstellung übernommenen Linien waren bis zum Jahre 1875 fertiggestellt, u. zw. wurden die Linie Konstantinopel-Adrianopel-Sarambey 1871 – 1873, die Flügel Adrianopel-Dedeagadsch und Adrianopel-Jamboli 1872 bzw. 1874, die Linien Salonik-Üsküb 1872 – 1873, Üsküb-Mitrowitza im

Jahre 1874, Banjaluka-Doberlin im Jahre 1872 eröffnet.

Der Betrieb der bereits fertiggestellten und noch fertigzustellenden Linien wurde an die durch Baron Hirsch mit einem Aktienkapital von 50 Mill. Fr. begründete Betriebsgesellschaft (Compagnie générale pour l'exploitation des chemins de fer de la Turquie d'Europe) pachtweise übertragen. Dieses Pachtverhältnis wurde auf die Dauer von 50 Jahren abgeschlossen, gerechnet vom Zeitpunkt der Betriebsübergabe aller im Vertrag bezeichneten sowie der von der Regierung herzustellenden Linien (an Stelle dieses Zeitpunkts wurde durch Vertrag vom April 1893 das Jahr 1958 festgesetzt). Mit Ablauf eines Jahres nach erfolgter Inbetriebsetzung sämtlicher Strecken hatte die Betriebsgesellschaft eine jährliche Rente von 8000 Fr. f. d. *km* an den Staat zu entrichten. In der Zwischenzeit sollte ein Pachtschilling nur dann bezahlt werden, wenn die Durchschnittseinnahmen der in Betrieb befindlichen Strecken 12.000 Fr. f. d. *km* übersteigen und sollte er dann 80% des Überschusses über 12.000 Fr., bis die Höchstrente 8000 Fr. erreicht, betragen.

Infolge des Staatsbankrotts, der Unzulänglichkeit der damaligen Verwaltungsbehörden, und in nicht geringem Maß auch infolge der Kriegsereignisse der Jahre 1877 und 1878, durch die die Türkei über Gebiete, auf denen die von ihr auszuführenden Verbindungsstrecken zum Teil gelegen waren, die Verfügung verloren hatte, konnte die Pforte den ihrerseits durch die Verträge von 1872 übernommenen Verpflichtungen nicht nachkommen. Anderseits wurde aber auch der Bruttoertrag von 12.000 Fr. niemals überschritten (die in den Jahren 1877 und 1878 erzielten Überschüsse wurden vertragsmäßig zur Deckung früherer Abgänge verwendet); die Betriebsgesellschaft weigerte sich daher, mit Berufung auf den abgeschlossenen Vertrag für die von ihr tatsächlich betriebenen Linien eine Pachtsumme zu bezahlen.

Um sich aus diesen auf die Länge unhaltbaren Verhältnissen zu befreien, drohte die türkische Staatsverwaltung mit der Sequestrierung der Bahneinnahmen. Da dies aber einer Konfiskation von Privateigentum gleichgekommen wäre, legte sich Österreich ins Mittel, worauf man seitens der Türkei davon Abstand nahm, und die Sache schon damals vor das in den Verträgen von 1872 vorgesehene Schiedsgericht bringen wollte. Doch auch hier blieb es nur bei der Absicht, bis endlich die Betriebsgesellschaft, die sich gleichwie die Baugesellschaft in der Hand des Barons Hirsch befand, sich aus anderen Ursachen bewogen fand, diesem Zustand ein Ende zu machen.

Zu Beginn der Siebzigerjahre hatte die damals bestandene Société impériale für die planmäßige Fertigstellung der von ihr übernommenen Arbeiten eine Kaution von 25 Mill. Fr. geleistet, die nach erfolgter endgültiger Übernahme der Bahnen zurückgestellt werden sollte. Da aber nur eine vorläufige, niemals eine endgültige Übernahme erfolgte, so war auch trotz aller erhobenen Einsprüche nur ein Teil der Kaution zurückgezahlt worden. Solange der übrige Teil noch ausständig war, konnte jedoch die als Baugesellschaft fortbestandene Société impériale, die nach Fertigstellung der vertragsmäßigen Linien ihre Aufgabe beendet hatte, nicht in Liquidation treten und insolange auch nicht ihrer Verpflichtungen enthoben werden. War die Pforte nun auch gegenüber der Betriebsgesellschaft machtlos, so konnte sie doch der Baugesellschaft dadurch, daß sie eine endgültige Übernahme verweigerte, Schwierigkeiten bereiten. Mit Rücksicht darauf beschloß Baron Hirsch, sich mit der türkischen Regierung ins Einvernehmen zu setzen, und so wurde gelegentlich eines zu Ende des Jahres 1885 seitens der Betriebsgesellschaft mit der Türkei gegen 7% Verzinsung und 1% Amortisation abgeschlossenen Anlehens von 23 Mill. Fr. auch eine Regelung dieser Streitpunkte angebahnt. Die noch übrige Kautionssumme sollte zurückgezahlt werden, während die Betriebsgesellschaft die unbedingte Bürgschaft für die Erledigung jener Anstände auf sich nahm, die sich bei der endgültigen Übernahme ergeben sollten.

Außerdem wurde an Stelle des früheren Teilungsschlüssels festgesetzt, daß die Betriebsgesellschaft 7000 Fr. f. d. Jahr und *km* vorab zur Bestreitung der Betriebsauslagen erhalten solle, und der Rest des Bruttoertrags in der Weise zu teilen sei, daß die Betriebsgesellschaft 55%, die Regierung 45% bekomme, wobei erstere die Bürgschaft dafür übernahm, daß der Anteil der Regierung mindestens den Betrag von 1500 Fr. f. d. *km* erreiche. Diese Beteiligung des Staates diente nunmehr als Unterpfand für die Verzinsung und Tilgung der Anleihe.

Ferner wurde vereinbart, daß der vorläufige Betrieb nach erfolgter Untersuchung der einzelnen Strecken durch eine technische Kommission mit schiedsrichterlicher Gewalt in einen dauernden überzugehen habe.

Eine Reihe von anderen, meist vermögensrechtlichen Fragen, die sich auf Leistung einer Pachtsumme seitens der Betriebsgesellschaft an die Regierung, auf Bezahlung einer Entschädigung für Kriegsschäden, auf Schaffung eines Garantiefonds u. s. w. bezogen, wurde vorderhand unberührt gelassen, bis auch diese Fragen zu Ende des Jahres 1888 durch den Schiedsspruch des Dr. Gneist ihre Lösung fanden. Während die soeben berührten Verhandlungen zwischen Baron Hirsch und der Türkei noch in Schwebe waren, hatte die auf Grund des Berliner Vertrags (1878) in Wien zusammengetretene „Conférence à quatre" durch die Eisenbahnkonvention vom 9. Mai 1883 die Frage über die Anschlüsse der türkischen Bahnen an das westliche Europa endgültig geregelt. Zufolge Art. 3 des Konferenzbeschlusses verpflichtete sich die kaiserlich ottomanische Regierung, die Anschlußstrecken Bellova-Vakarel (s. Art. „Bulgarische Eisenbahnen") und Üsküb-Sibeftsche an die bulgarisch-rumelische, bzw. serbische Grenze herstellen zu lassen und bis zum 15. Oktober 1886 gleichzeitig dem Betrieb zu übergeben.

Die Ausführung dieser beiden Strecken wurde einer unter Beihilfe des Comptoir National d'Escompte gebildeten Société de construction des lignes de raccordement de Roumélie übertragen. Die Herstellungskosten wurden mit 175.000 Fr. f. d. *km* festgesetzt. Die Eröffnung der Linie Üsküb-Sibeftsche erfolgte am 25. Mai 1888, die der Linie Bellova-Vakarel gleichzeitig mit der Strecke Tsaribrod-Vakarel am 7. Juli 1888; damit war endlich der direkte Schienenweg zwischen Mitteleuropa einerseits, Salonik und Konstantinopel anderseits hergestellt.

Bis zur Austragung der zwischen Baron Hirsch und der Türkei obwaltenden Schwierigkeiten wurde der Betrieb auf der Linie Üsküb-Sibeftsche gemäß des Vertrags vom 25. Februar 1888 vorläufig der Société des raccordements überlassen. Als dann Ende 1888 durch den früher erwähnten Schiedsspruch die letzten Streitpunkte mit Baron Hirsch beseitigt waren, wurde dieser Vertrag gekündigt; die Betriebsgesellschaft der Orientalischen Eisenbahnen (s. d.) übernahm nunmehr auch den Betrieb dieser Linie. Die Linie Bellova-Vakarel ist nach ihrer Fertigstellung sofort seitens Bulgariens okkupiert und dem bulgarischen Staatsbahnnetz einverleibt worden. Die finanzielle Seite dieser Angelegenheit wurde später einverständlich geregelt. Die Orientalischen Eisenbahnen hatten nunmehr, d. i. im Jahre 1888, eine Gesamtlänge von 1263·7 *km*.

Das rumelische oder Hauptnetz umfaßte die Hauptlinie Konstantinopel-Bellovo (561·1 *km*) sowie die Zweiglinien Adrianopel-Dedeagadsch (148·9 *km*) und Tirnovo-Semenli-Jamboli (105·7 *km*). Das mazedonische oder Saloniker Netz begriff in sich die Linie Salonik-Üsküb-Sibeftsche (328·5 *km*) und die Flügelbahn Üsküb-Mitrowitza (119·5 *km*).

Hiervon wurden schon im Jahre 1908 von der bulgarischen Regierung die sog. ostrumelischen Strecken (Ljubimetz (Grenze)-Bellova und Tirnovo-Semenli-Jamboli) in einer Länge von 309·6 *km* nach der Souveränitätserklärung Bulgariens besetzt. Die finanzielle Regelung erfolgte 1919 gleichzeitig mit der Schlichtung verschiedener Streitfragen zwischen der ottomanischen Regierung und der Betriebsgesellschaft.

Durch Vertrag vom 7./20. Juli 1910 wurde den orientalischen Eisenbahnen seitens der türkischen Regierung die Konzession zum Bau und Betrieb einer 45·62 *km* langen Zweiglinie von Babaeski nach Kirkkilisse erteilt, welche Strecke am 20. Juli 1912 dem öffentlichen Verkehr übergeben wurde. Außerdem wurde der Gesellschaft am 20. Juli/12. August 1912 die Konzession zum Bau und Betrieb einer Linie von Üsküb nach Gostivar über Kalkandelen übertragen. Der Bau wurde kurz vor Beginn der Balkankriege begonnen.

Infolge dieser Kriege, während deren Dauer der Betrieb der Gesellschaft auf 112 *km* gesunken war (Teile der Linien Salonik-Üsküb-Konstantinopel-Tschataldscha und Salonik-Monastir), gingen folgende Strecken in das Eigentum anderer Staaten über: an Bulgarien 85·6 *km* (Svilengrad-bulgarische Grenze und Grenze bei Demotika-Dedeagadsch), an Serbien 376·7 *km* (Gewgheli-Üsküb-Mitrowitza und Üsküb-Sibeftsche), an Griechenland 77·3 *km* (Salonik-Gewgheli).

In den Friedensverträgen der Türkei mit Bulgarien, Serbien und Griechenland sind diese Staaten in alle Rechte und Pflichten gegenüber der Betriebsgesellschaft eingetreten.

Der Betrieb der in Neuserbien gelegenen Linien wurde auch fernerhin von den serbischen Staatsbahnen weitergeführt. Die mit der serbischen Regierung geführten Ablösungsverhandlungen waren noch im Zuge, als der Weltkrieg ausbrach; sie konnten daher nicht zum Abschluß gebracht werden.

Die Linien auf bulgarischem und griechischem Gebiet sind von der Gesellschaft bis Oktober 1915 weiter betrieben worden.

Infolge einer freiwilligen Gebietsabtretung seitens der Türkei an Bulgarien sind weitere 142·5 *km* der gesellschaftlichen Linien (Svilengrad-Adrianopel-Küleli Burgas-Demotika) an Bulgarien übergegangen; die bulgarischen Staatsbahnen haben am 7. Oktober 1915 den Betrieb dieser 142·5 *km* und der infolge des Balkankriegs auf Bulgarien entfallenen 85·6 *km* an sich genommen. Die eingeleiteten Verhandlungen über die Ablösung des Betriebsrechtes der Gesellschaft an Bulgarien gelangten 1916 zum Abschluß.

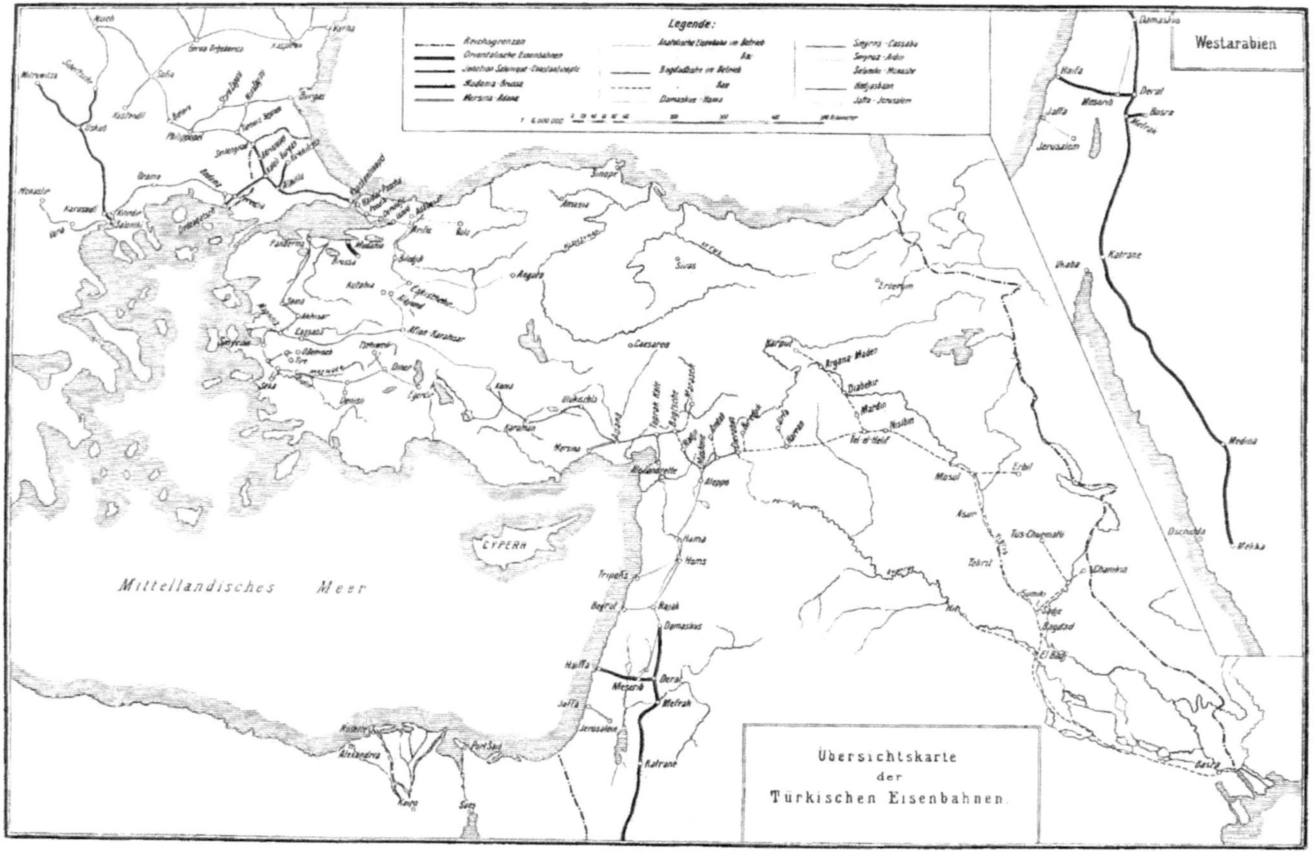

Übersichtskarte der Türkischen Eisenbahnen.

Legende:

- Reichsgrenzen
- Orientalische Eisenbahnen
- Jonction Salonique-Constantinople
- Mudania-Brussa
- Mersina-Adana
- Anatolische Eisenbahn im Betrieb
- Bau
- Bagdadbahn im Betrieb
- Bau
- Damaskus-Hama
- Smyrna-Cassaba
- Smyrna-Aidin
- Salonik-Monastir
- Hedjasbahn
- Jaffa-Jerusalem

Westarabien

Mittelländisches Meer

CYPERN

Desgleichen hat die griechische Regierung am 3. Oktober 1915 den Betrieb der auf ihrem Gebiet liegenden 77·350 *km* langen Teilstrecke Salonik-Gewgheli der orientalischen Bahnen übernommen.

Der Betrieb der Gesellschaft erstreckte sich Ende 1916 nur mehr auf die Strecke von Konstantinopel an die neue türkisch-bulgarische Grenze zwischen Uzunköprü und Küleli Burgas mit einer Baulänge von 278 *km* und auf die Zweiglinie Alpullu-Kirkkilisse mit einer Länge von 45·6 *km*.

Technische Anlage.

Konstantinopler Netz. Linie Konstantinopel-Bellova (561·1 *km*). Ausgangspunkt ist der am Ostende des Goldenen Horns gelegene Bahnhof von Konstantinopel. Anfänglich längs des Marmarameers durch welliges Hügelland fortführend, überschreitet sie unter Steigungen von 12·5 bis 15‰ die Wasserscheide bei Sinikli und senkt sich in das Maritzatal herab. Über die Maritza selbst führt eine in den Jahren 1912—1914 mit einem Kostenaufwand von 1¼ Mill. Fr. neuerbaute eiserne Brücke mit 7 Öffnungen von 50 *m* Spannweite. An diese schließen sich außerdem zu beiden Seiten Flutbrücken an. Am rechten Maritza-Ufer verbleibend, übersetzt die Bahn oberhalb Adrianopel einen Nebenfluß der Maritza, die Arda, mittels einer eisernen Brücke von 4 Öffnungen zu je 57·33 *m* Spannweite (Fachwerkträger, Fahrbahn unten, gemauerte Pfeiler) und erreicht in Bellova den Anschluß an die Bahnlinie Bellova-Vakarel.

Der kleinste Krümmungshalbmesser beträgt 225 *m* (bei Konstantinopel), sonst 275 *m*, die größte Steigung 15‰.

Linie Adrianopel-Dedeagadsch (148·9 *km*). Dieser an das Ägäische Meer führende Flügel zweigt von der Station Kuleliburgas der Hauptlinie ab und überschreitet, den Abhängen längs des rechten Ufers der Maritza folgend, mittels einer Steigung von 11‰ den Mahamlysattel. Auf dem Scheitel ist ein Ausweichgleis angeordnet, um längere Züge geteilt die Rampe hinaufbefördern zu können. Bei Feredjik schließt die Linie Salonik-Dedeagadsch an.

Linie Tirnova-Semenli-Jamboli (105·7 *km*). Diese vermittelt den Anschluß der Hauptbahn an die Linie Jamboli-Burgas und damit an das Schwarze Meer. Nach Übersetzung der Maritza mittels einer Brücke von 9 Öffnungen mit je 29 *m* lichter Weite wendet sie sich einem Seitental dieses Flusses zu und tritt sodann in die dem Balkan vorgelagerte Ebene ein, in der die Endstation Jamboli liegt. Ausgenommen die Maritzabrücke und den Beginn der im oben erwähnten Seitental gelegenen Teilstrecke, bot der Bahnbau keine bedeutenden Schwierigkeiten.

Diese beiden Linien liegen nunmehr ebenfalls auf bulgarischem Gebiet.

Saloniker Netz. Linie Salonik-Üsküb-Sibeftsche (448 *km*). Nach Überbrückung des Gallico folgt diese bis hinter Üsküb dem Lauf des Vardar, wendet sich sodann dem Gebiet der Morava zu und erreicht, in nördlicher Richtung fortschreitend, bei Sibeftsche die serbisch-türkische Grenze. Der weitaus größte Teil dieser Linie führt durch gebirgiges Land. Gleich hinter Salonik tritt sie in ein durch Wildbäche durchbrochenes Gelände und setzt zu wiederholten Malen über den Vardar. Die bedeutendste dieser Brücken besitzt 16 Öffnungen mit zusammen 310 *m* lichter Weite. Durch die Gebirgsschluchten des Vardar, worunter bemerkenswert die Schlucht von Demirkapu und jene hinter Köprülü, erreicht sie Üsküb. Auf einer Brücke aus Eisenkonstruktion mit kontinuierlichen Trägern von 120 *m* Länge und 3 Öffnungen zu je 40 *m* Spannweite überschreitet sie ein letztes Mal den Vardar und gelangt in das Gebiet der Morava. Der ausgesprochene Gebirgscharakter der Bahn machte zahlreiche Tunnelbauten nötig, worunter der Tunnel in der Schlucht hinter Köprülü der wichtigste ist. Er ist 300 *m* lang, nicht ausgemauert und führt durch mürben Gneis.

Die Steigung beträgt durchschnittlich 10‰, der kleinste Krümmungshalbmesser 275 *m*.

Von dieser Linie sind infolge der Balkankriege die 77·350 *km* zwischen Salonik und Gewgheli an Griechenland, der übrige Teil an Serbien gefallen.

Linie Üsküb-Mitrowitza (119·5 *km*). Am Beginn durch ebenes Gebiet führend, wendet sie sich in die Gebirgsenge von Katschanik. In dieser Strecke befinden sich 20 Brücken und 8 Tunnel von 100 – 200 *m* Länge, sämtlich durch druckhaftes Gestein führend. Das bisher benutzte Tal der Neredinka verlassend, senkt sich die Bahn zum berühmten Amselfeld (Kosovo polje) und zur Endstation Mitrowitza. Die größte Steigung findet sich in der Schlucht von Katschanik mit 17‰, sonst beträgt sie durchschnittlich 10‰; der kleinste Krümmungshalbmesser 275 *m*.

Diese Linie ist infolge der Balkankriege ganz an Serbien gefallen.

Von Mitrowitza sollte die sog. Sandschakbahn (s. d.) ausgehen, die schon in den ersten türkischen Bahnprojekten vorgesehen war, und für die die Betriebsgesellschaft der orientalischen Eisenbahnen im Jahre 1909 neue eingehende Pläne und Entwürfe aufgestellt hat.

II. Salonik-Monastir.

Diese Linie wurde mit Firman vom 15./27. Oktober 1890 an ein deutsches Syndikat konzessioniert. Die seitens der Pforte gewährte Ertragsgarantie sichert eine jährliche kilometrische Mindestbruttoeinnahme von 14.300 Fr. zu. Die Konzession lautet auf 99 Jahre und setzt den Eintritt des staatlichen Rückkaufsrechtes nach 30 Jahren fest.

Die Linie (219 *km*) ist in einer Länge von 96 *km*, d. i. bis Vertekop, am 9. Dezember 1892 eröffnet worden, während der restliche Teil bis Monastir am 13. Juni 1894 dem Verkehr übergeben wurde. Die Betriebführung der Linie wurde gegen eine feste Entschädigung der Betriebsgesellschaft der orientalischen Eisenbahnen überlassen. Eine Verlängerung an das Adriatische Meer ist in Aussicht genommen.

Der Bau gestaltete sich ziemlich schwierig; schon in der Nähe von Salonik waren zahlreiche Wildbacharbeiten und unweit davon mehrere größere Brückenbauten notwendig, so die 158 *m* lange Brücke über den Gallico und die Eisenbrücke von 330 *m* Länge zu 12 Öffnungen von je 27·36 *m* Lichtweite über den Vardar. Die Bahn überschreitet sonach den Gebirgskamm Vodena in anhaltender Steigung von 25‰. In diesem Teil der Bahn ergab sich die Notwendigkeit zahlreicher Kunstbauten; auf einer Länge von 14 *km* befinden sich 13 Tunnel und 9 große Viadukte.

Infolge der Balkankriege sind 213 *km* dieser Linie auf griechisches Gebiet, die übrigen 16 *km* mit der Endstation Monastir auf serbisches Gebiet zu liegen gekommen.

In den Betriebsverhältnissen war jedoch keine Änderung eingetreten, bis anfangs Oktober 1915 die griechische Regierung den Betrieb übernahm.

An Fahrbetriebsmitteln besaß die Bahn damals 13 Lokomotiven und 289 Wagen.

III. Salonik-Dedeagadsch.

Die Konzession wurde im Oktober 1892 einem unter der Firma „Compagnie des Chemins de fer de jonction Salonique-Constantinople“ durch die Banque impériale Ottomane in Verbindung mit belgisch-französischen Bankinstituten gebildeten Konsortium erteilt.

Die Pforte gewährt eine Ertragsgarantie, u. zw. sichert sie eine jährliche Bruttoeinnahme von Fr. 15.500 f. d. *km* zu.

Die Konzessionsdauer beträgt 99 Jahre; nach 30 Jahren kann die Bahn rückgekauft werden.

Die Linie (519 *km*), die in den Jahren 1894 und 1895 eröffnet worden ist, wurde hauptsächlich zu strategischen Zwecken errichtet.

Ausgangspunkt ist die Stadt Salonik, Endpunkt der Hafen Dedeagadsch am Ägäischen Meer; außerdem bestehen Abzweigungen, von denen die eine die Station Karasouli mit der Linie Salonik-Üsküb verbindet, die andere bei Feredjik die Verbindung mit der Linie Dedeagadsch-Adrianopel herstellt.

Infolge der Balkankriege kamen die Strecken Dedeagadsch bzw. Feredjik-Okschilar (143 *km*) an Bulgarien, die Strecken Okschilar-Salonik bzw. Karasouli (376 *km*) an Griechenland.

Das bulgarische Stück ist seit Oktober 1915 den bulgarischen Staatsbahnen einverleibt, während das griechische Stück bis Oktober 1915 im Betrieb der Gesellschaft verblieb.

IV. Asiatische Türkei.

Es befinden sich folgende Eisenbahnen in Betrieb:

1. Hedjasbahn (s. d.):	Länge in *km*	
Hauptlinie Damaskus-Medina .	1305	
Abzweigung von Déraa-Caiffa .	163	1468

Diese Bahn wurde von der Regierung erbaut und wird auch von ihr betrieben. Zu den Baukosten haben die Mohammedaner der ganzen Welt beigesteuert. Die kilometrischen Einnahmen betrugen im Jahre 1911 4100 Fr.

2. Jaffa-Jerusalem:

Die Konzession datiert vom Jahre 1888 und wurde auf 71 Jahre erteilt. Die Bahn ist schmalspurig (Länge 87 *km*). Zwei in der Konzession vorgesehene Zweiglinien (nach Naplus, Länge 50 *km*, und nach Ghaza, Länge 70 *km*) sind nicht gebaut worden. Die Regierung liefert keine Garantie. Die jährlichen kilometrischen Einnahmen schwankten in den Jahren 1906–1911 zwischen 12.931 und 13.963 Fr.

3. Damas-Hamah et Prolongements:

	Länge in *km*	
a) Beyrut-Damaskus	147	
b) Verbindung mit dem Hafen in Beyrut	2	
c) Damaskus-M'zerib	100	
d) Rayak-Aleppo	331	
e) Homs-Tripoli (Syrien) . .	102	682

Die Konzession für die erste Linie Beyrut-Damaskus (Länge 147 *km*, schmalspurig) wurde im Jahre 1889 erteilt. Die Regierung leistete keine Garantie, die Gesellschaft hat im Gegenteil jährlich einen Betrag von 1200 türkischen Pfund (rd. 27.500 Fr.) an die Regierung zu erlegen.

Die Konzession für die Abzweigung von Damaskus nach M'zerib (Länge 100 *km*, schmalspurig) wurde im Jahre 1890 erteilt, ebenfalls ohne Leistung einer Garantie seitens der Regierung, die für die Verlängerung von Damaskus nach Biredschik über Homs-Hamah-Aleppo im Jahre 1893. Letztere Bahn wurde jedoch vorerst bis Aleppo normalspurig in einer Länge von 331·5 *km* gebaut, u. zw. nicht von Damaskus aus, sondern von Rayak bei *km* 65 der Linie Beyrut-Damaskus. Die staatliche Garantie beträgt 13.600 Fr. f. d. Jahr und *km*.

Die normalspurige Zweiglinie Homs-Tripoli (in Syrien) mit einer Länge von 102 *km* wurde im Juni 1911 dem Betrieb übergeben; sie genießt keine Staatsgarantie.

Die kilometrischen jährlichen Einnahmen der Linie Beyrut-Damaskus-M'zerib betrugen in den Jahren 1907 – 1911 16.729 – 19.040 Fr., diejenigen der Linie Rayak - Hamah - Aleppo 5977 – 8063 Fr.

4. Mersina-Tarsus-Adana:

Die Konzession für diese Linie (67 *km*) datiert vom Jahre 1883. Die Bahn wurde im Jahre 1886 dem Betrieb übergeben.

Die Gesellschaft (türkische Aktiengesellschaft) war später Gegenstand einer finanziellen Reorganisation und ging in deutschen Besitz über.

Die kilometrischen Einnahmen betrugen:

Jahr	Fr.	Jahr	Fr.
1910	12.286	1913	13.682
1911	12.980	1914	15.045
1912	14.605	1915	9.593

5. Anatolische Eisenbahnen (s. d.): Länge in *km*

a) Eski-Chehir-Konia 445
b) Ismidt-Angora 486
c) Haidar Pascha-Ismidt . . 93
d) Abzweiglinie Arifié-Adabasar 9 1033

6. Bagdadbahn (s. d.): Länge in *km*

a) Konia-Eregli-Bulgurlu-Ulukischla-Karapunar 292
b) Dorak bis zum Fuße des Taurus via Adana 115
c) Abzweigung von Toprak nach Alexandrette 60
d) Radschu über Aleppo-Dscherablisse bis zum Amanus 305
e) von Bagdad gegen Norden bis Samara 119 891

7. Aïdin Railway: Länge in *km*

a) Smyrna-Aïdin-Diner (Hauptlinie) 376
b) Diner-Eguirdir (Hauptlinie) 93
c) Abzweiglinie Torbali-Tireh 48
d) „ Tschatal-Karagatsch-Eudemish 25
e) Abzweiglinie Paradiso-Budscha 2
f) Abzweiglinie Ghasi-Fumer-Seidliköi 1
g) Abzweiglinie Südlüdsche-Tschivril 31 576
h) Abzweiglinie Baladschik-Seukié 22
i) Abzweiglinie Gondscheli-Denizli 9 607

Die ursprüngliche Konzession für diese Linie wurde im Jahre 1856 erteilt; es ist dies also die älteste Eisenbahn in der Türkei. Der Staat hatte der Gesellschaft eine Verzinsung des Anlagekapitals von 6% f. d. Jahr gesichert, welche Bestimmung aber im Jahre 1888 aufgehoben wurde. Die Gesellschaft hatte von da an das Netz ohne jede Belastung der Regierung weiterbetrieben. Die kilometrischen Bruttoeinnahmen schwankten in den Jahren 1907 – 1911 zwischen 14.332 und 16.938 Fr.

8. Smyrna-Kassaba et Prolongements: Länge in *km*

a) Smyrna - Kassaba - Alachéir (Hauptlinie) 169
b) Abzweiglinie Jonction-Burnabat 5
c) Abzweiglinie Magnésie-Soma 92
d) „ Soma-Panderma 183
e) Alachéir-Afion-Karahissar . 253 702

Im Jahre 1894 wurde dem belgischen Staatsangehörigen Georges Nagelmackers, dem bekannten Gründer der internationalen Schlafwagengesellschaft, für die schon bestandenen Linien: Smyrna - Kassaba - Alachéir, Magnésia - Soma - Birum - Abat, im ganzen 266 *km*, eine neue Betriebskonzession und für eine Linie von Alachéir nach Afium-Karahissar, 247 *km*, eine Bau- und Betriebskonzession erteilt. Die Regierung garantierte für die schon bestehenden Linien eine Annuität von 2,310.000 Fr. während 99 Jahren, und für die zu bauenden Linien eine jährliche kilometrische Bruttoeinnahme von 830·76 türkischen Pfund (rund 18.880 Fr.). Die kilometrischen Jahreseinnahmen stiegen in den Jahren 1907 – 1911 auf den alten Linien von 14.816 Fr. auf 18.670 Fr., auf den neuen Linien von 5.065 Fr. auf 7.194 Fr. Der Vertrag für die Linie Soma-Panderma wurde erst im Jahre 1910 abgeschlossen. Die Regierung hatte der Gesellschaft 77.832 4%ige Staatsobligationen zu 500 Fr. zu übergeben. Den Betrieb hat die Gesellschaft auf ihre Rechnung und Gefahr gegen eine Entschädigung nach folgender Formel zu besorgen: Präzipuum 2300 Fr. f. d. *km* und Jahr, 20% von den Bruttoeinnahmen für den Verkehr, 80 Ct. f. d. beladenen Zug*km* für die Zugförderung, 90% von den Hamalgebühren.

9. Mudania-Brussa:

Die Konzession wurde im Jahre 1891 an den Gründer der Schlafwagengesellschaft Nagelmackers erteilt. Von der in dieser Konzession erteilten Ermächtigung, die Linie bis nach

Tschitli weiterzuführen, ist bisher kein Gebrauch gemacht worden.

Wenn die jährlichen kilometrischen Einnahmen 10.000 Fr. überschreiten, sind 25 % von dem Überschuß an die Regierung abzuführen. Die kilometrischen Einnahmen schwankten in den Jahren 1907 – 1911 zwischen 6366 und 11.581 Fr. Alle diese Eisenbahnen sind nach dem Ursprung der investierten Kapitalien wie folgt zu trennen:

	km
I. Ottomanisches Kapital:	
Hedjasbahn	1468
II. Deutsches Kapital:	
Anatolische Eisenbahnen	1033
Mersina - Tarsus - Adana	67
III. Deutsches und französisches Kapital:	
Bagdadbahn	891
IV. Französisches Kapital:	
a) Smyrna-Kassaba et Prolongements einschließlich Soma-Panderma	702
b) Damas-Hamah et Prolongements	682
c) Jaffa-Jerusalem	87
V. Französisch-belgisches Kapital:	
Mudania-Brussa	41
VI. Englisches Kapital:	
Aïdin Railway	607
Zusammen	5578

Die unter IV – VI angeführten Eisenbahnen, bei denen englisches, französisches und belgisches Kapital investiert ist, sind im August 1915 von der türkischen Regierung beschlagnahmt und in den Staatsbetrieb übernommen worden. Im September 1916 hat die türkische Deputiertenkammer ein provisorisches Gesetz votiert, wonach alle diese Bahnen auf Grund einer Expertise verstaatlicht werden sollen.

Tunis. Seit 1881 steht der Bei von T., dessen Gebiet 99.600 km^2 mit (1911) etwa 1·78 Mill. Einwohnern umfaßt, unter französischer Oberhoheit; als eingeborenem Herrscher stehen ihm jedoch Eisenbahnhoheitsrechte zu, wodurch sich ein wesentlicher Unterschied für das Eisenbahnwesen zwischen T. und Algier (s. d.) ergibt.

Für die Entwicklung des Bahnnetzes, die etwa 20 Jahre später als in Algier beginnt, war es von Vorteil, daß Bau und Betrieb von Anfang an im wesentlichen in einer Hand, bei der Bône-Guelma-Gesellschaft lagen; daher wurde die Mannigfaltigkeit von Spurweiten, an der die algerischen Bahnen leiden, vermieden. Neben der europäischen Vollspur, die nur anfangs für die wichtigsten Hauptbahnen angewendet wurde, gelangte die 1 *m*-Spur einheitlich zur Durchführung.

Die erste Eisenbahn war die 30 *km* lange vollspurige Bahn der tunesischen Eisenbahn-Gesellschaft von T. nach den nordöstlich gelegenen Hafenplätzen von La Goulette und La Marsa, 1872 vollendet; sie gelangte 1880 mit Auflösung der Gesellschaft an die italienische Dampfergesellschaft Rubattino und im Jahre 1898 in den Besitz der Bône-Guelma-Gesellschaft; diese hatte als Rechtsnachfolgerin der Baugesellschaft Batignolles 1877 mit dem Bei von T. einen Vertrag über den Bau einer Hauptbahn von T. in westlicher Richtung nach der Grenze von Algier abgeschlossen. Diese Bahn wurde als die sog. Medjerdalinie, 196 *km*, über Djedeida und Suk-el-Arba nach Suk-Ahras nebst der östlichen Strecke T.-Hamman-el-Lif, 16 *km*, bis 1888 in Vollspur vollendet. Von Djedeida nach Norden abzweigend wurde die Flügelbahn nach dem Hafen Biserta, 73 *km*, gleichfalls in Vollspur, 1894 erbaut.

Bei dem Bau der übrigen Bahnen handelte es sich im wesentlichen um die Verbindung von T. mit den wichtigsten Häfen Susa und Sfax der Ostküste und um die Erschließung des Innern von diesen Häfen aus vorwiegend in südwestlicher Richtung, um die reichen Erz- und Phosphatgebiete des Landes an die Verschiffungsplätze anzuschließen.

Für die Bahn von Sfax nach Gafsa erhielt die Phosphat- und Eisenbahn-Gesellschaft von Gafsa 1896 eine Konzession auf 60 Jahre mit 30.000 *ha* Domänenland mit der Auflage, die Bahn auf eigene Rechnung zu bauen und zu betreiben. Die Bahn wurde 1900 eröffnet und später über Metlaui nach der Oase Tozeur verlängert (1. März 1913 vollendet); das Unternehmen ist heute eines der bedeutendsten von T.

Durch die Eisenbahngesetze vom 30. April 1902 und 10. Januar 1907 erhielt die tunesische Regierung die Ermächtigung zur Aufnahme von Anleihen von 40 und 75 Mill. Fr. zum Ausbau und zur Ergänzung des Bahnnetzes. Dementsprechend wurden folgende Linien hergestellt: von Pont du Fahs nach Kalaat-as-Senam mit nordwestlicher Abzweigung nach den Salzlagern von El-Kef; von Kairuan nach Sbeitla; von Biserta nach Nefzas; von Susa nach Sfax; von Nebeur über Beja nach Mateur, außerdem eine Anzahl kürzerer Zweig- und Stichbahnen. Eine dritte Schutzgebietsanleihe in Höhe von 90·5 Mill. Fr., laut Gesetz vom 28. März 1912, dient zur Verstärkung des Oberbaues, zur Erweiterung von Bahnhöfen, Verbesserung des Betriebs u. dgl., Deckung von Kostenüberschreitungen bei den früheren Bahnlinien und (mit dem Betrag von 34,950.000 Fr.) zu neuen Bahnbauten, u. zw. den Strecken Metlaui-Tozeur, 55 *km*, Graïba-Gabès (entlang der südlichen Ostküste), 80 *km*, T.-Tebursuk, 145 *km*, und T.-Hamman-Lif (elektrische Bahn).

Die französische Regierung gewährte der Gesellschaft Bône-Guelma ähnlich wie den algerischen Bahnen eine Zinsbürgschaft von jährlich bis zu 4 Mill. Fr., so daß der französische Staat bis 1902 rd. 60 Mill. Fr. Zuschuß leisten mußte. Mit dem 1. Januar 1903 übernahm die tunesische Regentschaft diese Zinsbürgschaft und der französische Staat zahlt nunmehr feste Zuschüsse, bis 1906 jährlich 2 Mill. Fr., von da ab abnehmende Beträge. Seitdem untersteht das Eisenbahnwesen von T. nur noch der einheimischen Regierung, die dadurch freie Hand für den Ausbau ihres Bahnnetzes gewonnen hat; zu ihrer Unterstützung in Eisenbahnangelegenheiten ist ein Eisenbahnrat eingesetzt.

Die Erträge des tunesischen Bahnnetzes der Bône-Guelma-Gesellschaft sind befriedigend.

Am 31. Dezember 1912 waren im Betrieb 410·87 *km* vollspurige und 1339·11 *km* 1 *m*-spurige, zusammen 1749·98 *km* Eisenbahnen und 32·49 *km* städtische Straßenbahnen. Die Betriebsergebnisse für das Jahr 1912 zeigt die nachstehende Zusammenstellung:

Rechnungsjahr 1912	Gesellschaft Bône-Guelma				Gesellschaft von Gafsa	
	Vollspurig		1 *m*-spurige Bahnen	Gesamtnetz	1 *m*-spurig	
	Medjerdabahn	Djedeida-Biserta und Zweigbahnen			Sfax-Gafsa-Metlaui	Grubenbahnen
Betriebslänge . . . . . . *km*	226	108	1017	1350	243	63
Einnahmen:						
Personenverkehr . . . . . Fr.	1,626.471	479.395	2,470.093	4,576.058	244.209	64.471
Güterverkehr . . . . . . „	1,425.778	372.432	11,865.280	13,663.490	9,715.843	941.696
Gesamteinnahme . . . . „	3,347.967	913.276	14,962.669	19,223.912	10,028.554	1,010.365
Beförderte:						
Reisende	1,355.941	320.374	885.939	2,562.254	68.405	30.933
Güter *t*	315.514	127.613	1,554.399	1,997.526	1,255.833	550.920
Zug*km*	759.542	224.997	3,026.427	4,010.960	1,300.337	86.718

Die alten Linien von T. nach La Goulette und Marsa wurden 1905 von der Gesellschaft Bône-Guelma an die Straßenbahngesellschaft von T. verkauft und 1908 für elektrischen Betrieb eingerichtet.

Literatur: Rapport au Présid. de la Républ. sur la Situation de la Tunisie en 1912; Schander, Eisenbahnpolitik Frankreichs in Nordafrika. Jena 1913; Régence de Tunis. Tableaux Statistiques 1912. – Baltzer, Die Kolonialbahnen mit besonderer Berücksichtigung Afrikas. Berlin-Leipzig 1916. *Baltzer.*

Tunnelbau der Eisenbahnen *(railways tunnelling; construction de tunnels de chemins de fer; costruzione di gallerie ferroviarie).*

Tunnel sind unter der Erdoberfläche hergestellte röhrenförmige Bauwerke, die bewegten Massen, namentlich denen des Verkehrs, einen freien, sicheren Durchgang gestatten. Je nach den verschiedenen Verkehrsarten, die durch den Tunnel geführt werden, unterscheidet man Schiffahrts-, Fußgänger-, Straßen- und Eisenbahntunnel. Nur letztere kommen hier in Betracht.

Die Notwendigkeit einer Tunnelanlage ergibt sich aus Hindernissen, die sich der Trassenführung des Verkehrswegs entgegenstellen, wie große Höhen, deren Ersteigung unmöglich oder deren offene Durchschneidung zu kostspielig ist, breite und tiefe Wasserflächen, deren Überbrückung zu teuer oder wegen der Störung des Schiffsverkehrs untunlich ist, oder endlich wertvolles, namentlich städtisches Gebiet, das unverändert erhalten werden soll.

Inhaltsübersicht: Richtungsverhältnisse. – Neigungsverhältnisse. – Längenverhältnisse. – Lichtraumverhältnisse. – Der Stollen: Bohr- und Sprengarbeit; Bohrarbeit; Anordnung der Bohrlöcher; Schutterung; Wertung der Bohrarbeiten für den Richtstollenbetrieb; Hau- und Brecharbeit; Grabarbeit; Stollenzimmerung. – Der Schacht: Stellung der Schächte; Tiefen der Förderschächte; Ausbruch des Schachtes; Größe der Förderschächte; Abstützung oder Zimmerung; Ausmauerung; Abstand der Förderschächte; Verschluß der Förderschächte. – Der zeitweise Ausbau: Holzzimmerung: 1. Längsträgerzimmerung (Langständerbau, Brustschwellenbau, Mittelschwellenbau), 2. Querträgerzimmerung; Eisenzimmerung. – Der dauernde Ausbau: Form und Stärke des Mauerwerks; Nischen und Kammern; Tunnelmündungen. – Die Bauweisen: Erste Bauweise; zweite Bauweise (belgische Bauweise); dritte Bauweise (englische Bauweise); vierte Bauweise; fünfte Bauweise; sechste Bauweise (Firstschlitzbauweise); die Schildbauweise; Bauweisen nach dem Gefrierverfahren. – Förderung. – Lüftung.

Richtungsverhältnisse.

Der Tunnel kann den Richtungen folgen, die für die betreffende Bahnlinie im allgemeinen zulässig sind. Mehrfach hat man zur Verminderung des Krümmungswiderstandes die Bogenhalbmesser im Tunnel gegenüber denen auf offener Strecke vergrößert. Auch Korbbögen sind zulässig.

Größere Unterschiede der Halbmesser sind wegen plötzlicher Änderung der Gleichgewichtslage der Fahrzeuge bei großer Fahrgeschwindigkeit zu vermeiden, da Übergangsbogen zwischen den einzelnen Kreisbögen meist nicht eingeschaltet werden. In stark gekrümmten, längeren Tunneln kann die Lüftung Schwierigkeiten machen. Ausführung, Richtungsbestimmung und Lüftung können oft durch mehr oder weniger geneigte Seitenstollen erleichtert werden.

Lange Scheiteltunnel werden mit Rücksicht auf tunlichste Kürze, leichtere Richtungsbestimmung und Lüftung gerade geführt. Die Überführung in die offene Bahnstrecke geschieht oft im Bogen, da die Tunnelachse häufig senkrecht zu den Tälern liegt, in denen die Bahn weitergeführt wird. In diesen Fällen wird der gerade Tunnel meist behufs Erleichterung der Richtungsangaben mittels eines Richtungsstollens oder Richtungstunnels nach außen verlängert, nur in besonderen Fällen geht man bei langen Tunneln von der Geraden ab, wie z. B. im Lötschbergtunnel (s. d. Bd. VII, S. 122).

Die Achsen der Doppel- oder Paralleltunnel werden meist parallel zueinander geführt; ihr Abstand ist so groß zu wählen, daß zwischen beiden Tunneln ein ausreichend starker Gebirgskörper verbleibt, damit der Bau des zweiten Tunnels durch Bewegungen nicht gefährdet wird. Zu großer Abstand erschwert jedoch das Zusammenführen der Gleise außerhalb des Tunnels auf das kleinste zulässige Maß der offenen Strecke. In der Regel ist der Achsabstand der ein- und zweigleisigen Paralleltunnel mit 17 – 20 *m* und nur ausnahmsweise weniger und mehr bemessen worden.

Neigungsverhältnisse.

Die größte oder maßgebende Steigung der Bahn wird in längeren Tunneln infolge Verminderung des Reibungswertes, daher der Lokomotivzugkraft ermäßigt. In kurzen, gut gelüfteten und trockenen Tunneln (300 – 500 *m*) ist eine Neigungsminderung nicht erforderlich. Unter ungünstigen klimatischen Verhältnissen kann der Reibungswert im Tunnel größer sein wie auf offener Strecke (s. Steigungsverhältnisse, Bd. VII, S. 318).

Die kleinste Neigung des Tunnels ist so zu wählen, daß eine rasche Wasserabführung gesichert und während des Baues auch die Förderung der Ausbruchmassen nach außen erleichtert wird. Sie soll hiernach wenigstens etwa 3‰, besser noch 5‰ betragen, die noch innerhalb der Grenzen der unschädlichen Neigung liegen. Wagrechte Tunnel können nur für ganz kurze Längen in Frage kommen.

Große Scheiteltunnel erhalten daher in der Regel von der Mitte oder richtiger von der wahrscheinlichen Durchschlagstelle der Richtstollen nach den beiden Mündungen Gefällstrecken; zu große beiderseitige Neigungen sind aber, abgesehen von den bereits erörterten Gründen, auch wegen der zu hoch liegenden Knickstelle, wodurch die Lüftung im Scheitel des Tunnels erschwert und überflüssige Lasthebung bedingt wird, zu vermeiden.

Da die zweckmäßige Höhenlage der Mündungen der meisten langen Gebirgstunnel eine verschiedene ist, so ist die angegebene Kleinstneigung nur von einer Mündung bis zum Scheitel durchzuführen, woraus sich das Neigungsverhältnis nach der andern Mündung ergibt, das dann häufig das gewünschte Kleinstmaß, manchmal auch erheblich überschreitet.

Wegen besserer Neigungsausrundung und auch um den Verschiebungen der von vornherein nicht sicher festzustellenden Durchschlagstelle leichter Rechnung tragen zu können, wird an der Knickstelle eine wagrechte oder schwach geneigte Strecke vorgesehen.

Ob und wie weit diese Neigung der Scheitelstrecke eingehalten werden kann, hängt von der Lage der tatsächlichen Durchschlagstelle ab.

Längenverhältnisse.

Im allgemeinen ist mit Rücksicht auf Bau- und Betriebskosten die Länge des Tunnels so kurz wie möglich zu halten. Die Kosten wachsen unter sonst gleichen Verhältnissen mit der Länge. Auf Gebirgsbahnen sucht man die Länge des Scheiteltunnels durch tunlichst hohe Lage der Mündungen einzuschränken; das bedingt aber Verlängerungen der Zufahrtsrampen, größere Hebungen der Züge. Mehrfach ist die Höhenlage der Tunnel durch ungünstige klimatische Verhältnisse begrenzt, die eine Höherführung der offenen Strecke ausschließen.

Die Längen der Scheiteltunnel der Gebirgsbahnen sind trotz großer Höhenlage in vielen Fällen doch noch recht beträchtliche, wie folgende Beispiele zeigen.

Tunnel	Länge in *km*	Seehöhe der Mündung in *m*
Gotthard	14·99	1145
Lötschberg	14·6	1238
Mont Cenis	12·8	1269
Arlberg	10·25	1302
Tauern	8·5	1217
Col di Tenda	8·1	1030
Albula	5·9	1818
Gravehals	5·3	866
Furkabahn-Scheiteltunnel	1·9	2170
Andenbahn-Scheiteltunnel	3·2	3200

Der rd. 20 *km* lange Simplontunnel mündet nordseits im Rhonetal auf 686 *m* Seehöhe und schließt daher unmittelbar an die Rhonetalbahn an.

Hoch gelegene, verhältnismäßig kurze Tunnel mit langen und stark geneigten Zufahrtsrampen, auch Tunnel mit ungünstigen Neigungsverhältnissen hat man bei Zunahme des Verkehrs durch tiefer liegende, schwach geneigte und längere Tunnel mit kurzen und schwach geneigten Zufahrten ersetzt (s. Gebirgsbahnen, Bd. V,

S. 259 u. Art. Hauensteintunnel, Bd. VI, Elmtunnel, Bd. IV, Roncotunnel, Bd. VIII).

Für die Tunnellänge ist auch die Grenze maßgebend, bei der der Tunnel billiger wird wie der Einschnitt oder Abtrag. Es sind hierbei nicht allein die Baukosten, sondern auch die Betriebs- und Bahnerhaltungskosten sowie etwa erforderliche Entschädigungen für Grundstückverschlechterungen über dem Tunnel in Rechnung zu stellen.

Außerdem ist noch in Erwägung zu ziehen, daß die infolge der Verminderung des Reibungswertes erforderliche Steigungsermäßigungen im Tunnel Linienverlängerungen zur Folge haben können, die die Bau- und Betriebskosten der Bahn umsomehr erhöhen, je länger der Tunnel wird.

Die Sicherheit des Betriebs erfordert unter Umständen Verlängerungen der Tunnel über das angegebene Maß namentlich bei Gebirgsbahnen, um Steinstürze, Erdrutsche, Lawinenfälle unschädlich zu machen. Die nachträgliche Verlängerung zu kurzer Tunnel, die so häufig notwendig wird, ist stets mit vermehrten Bau- und erhöhten Betriebskosten verbunden.

Lichtraumverhältnisse.

Die inneren lichten Abmessungen der Tunnel sind zunächst dem Lichtraumquerschnitt oder dem sog. Normalprofil des lichten Raumes der Bahnen, dessen Größe namentlich von den Abmessungen der Fahrzeuge, daher von der Spurweite, sodann von der Gleiszahl und dem Gleisabstand sowie von den Krümmungsverhältnissen abhängig ist, anzupassen. Ein Mehrmaß wegen unvermeidlicher Ausführungsfehler und nachträglicher unvorhergesehener Sackungen der Tunnelverkleidung, wie namentlich der Ausmauerung, ist vorzusehen.

Bei Gebirgstunneln, die in der Regel ausgemauert werden, erfolgt die Umgrenzung des Tunnellichtquerschnitts durch Kreisbogen oder aus solchen zusammengesetzte Korbbogen, die auch an Stelle der Ellipse und Parabel treten. Wenn die Druckverhältnisse, die in einem Tunnel meist wechseln, auf verschiedene Formen des Ausbaues, also der Umgrenzungslinien des Lichtraums hinweisen sollten, wird doch zur Vermeidung von größeren Ausführungsschwierigkeiten und Kosten, die häufiger wechselnde Lichtquerschnitte zur Folge haben müßten, ein einheitlicher Lichtquerschnitt durchzuführen und den wechselnden Druckverhältnissen durch verschiedene Mauerwerksabmessungen Rechnung zu tragen sein. Tunnelquerschnittsformen können außerdem in den meisten Fällen den unsicheren und nur schätzungsweise zu ermittelnden Druckverhältnissen doch nicht richtig angepaßt werden.

Für städtische, meist knapp unter der Straßenoberfläche liegende Untergrundbahnen, wobei die Tunneldecke aus Eisen- oder Betoneisenträgern gebildet wird, erhält der Lichtquerschnitt in der Regel eine den Fahrzeugen angepaßte rechteckige Form (s. Stadtschnellbahnen).

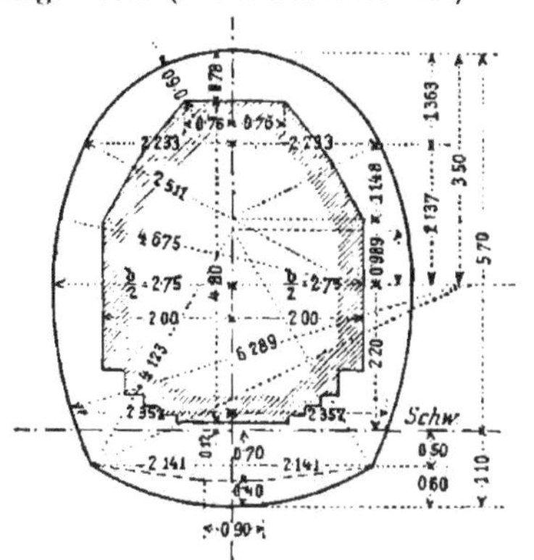

Abb. 330. Österreichische Staatsbahnen. (Tunnel unter 1000 *m*.)

Tunnel können ein und mehrere Gleise erhalten. In der Regel wird der bergmännisch betriebene Tunnel jedoch für nicht mehr wie 2 Gleise ausgeführt. Mehrgleisige Tunnel sind selten und hauptsächlich nur im festen Gebirge erbaut worden. Für mehr wie 2 Gleise werden

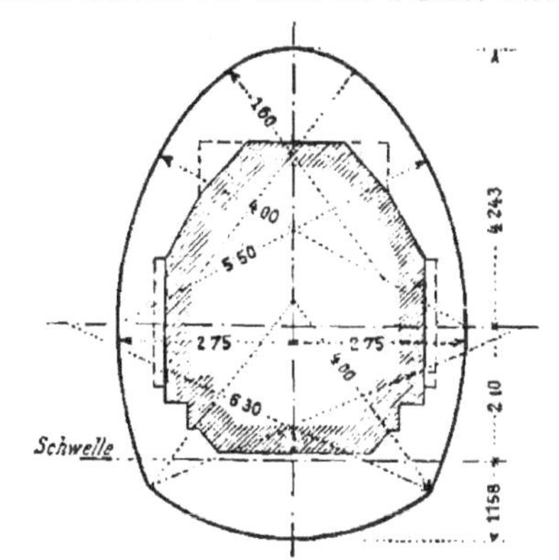

Abb. 331. Elsaß-Lothringen-Bahnen.

Parallel- und Zwillingstunnel vorgezogen. In zweigleisigen Tunneln beträgt der Abstand der Gleise bei Vollbahnen zumeist 3·5 *m*, im Arlbergtunnel nur 3·45 *m*, in einigen englischen Tunneln noch etwas weniger, obwohl der durch die Lichtraumprofile gegebene Abstand 4·0 *m* betragen sollte. Auf den württembergischen Staatsbahnen haben die beiden Pragtunnel bei

Stuttgart 3·7 *m* und 4·0 *m* Gleisabstand, was sehr zweckmäßig und nachahmenswert erscheint.

Es ist ferner Rücksicht zu nehmen auf etwaige größere Einbauten von Leitungen und Signaleinrichtungen, sodann ist es zweckmäßig, namentlich im eingleisigen Tunnel den Lichtraum so

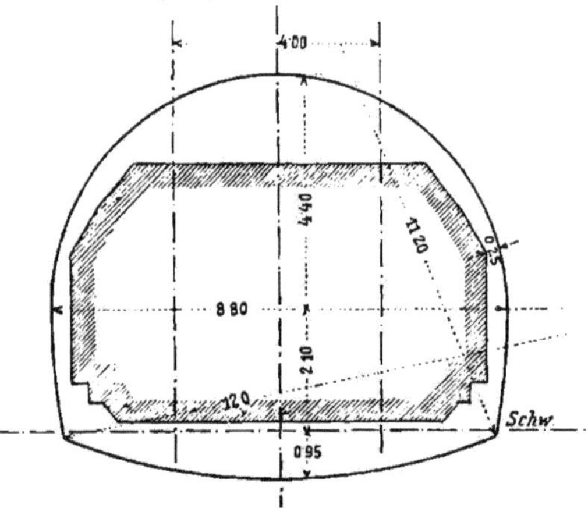

Abb. 332. Württembergische Staatsbahnen (Pragtunnel).

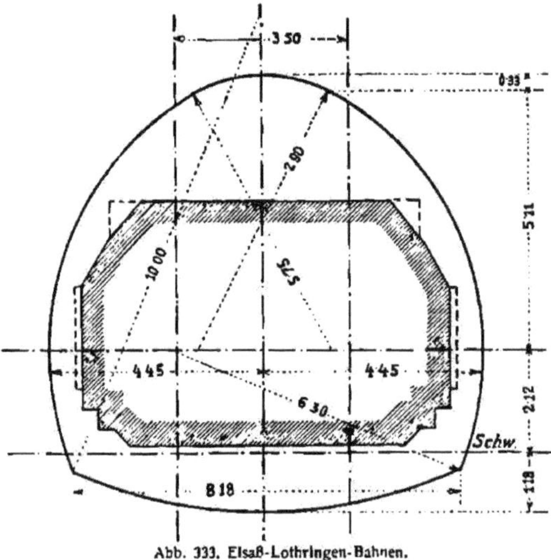

Abb. 333. Elsaß-Lothringen-Bahnen.

groß zu machen, daß zwischen dem Lichtraumprofil und der Tunnelmauerung noch Raum für Rüstungen zu Ausbesserungsarbeiten während des Bahnbetriebs verbleibt. Im zweigleisigen Tunnel kann bei kleinem Gleisabstand der erforderliche Raum durch Einführung des eingleisigen Betriebs für die Zeit der Umbauarbeiten gewonnen werden.

Zumeist bewegt sich die Breite in Kämpferhöhe bei eingleisigen Vollbahntunneln von 5·0 – 5·5 *m*, bei zweigleisigen von 8·0 – 8·8 *m*, die Höhe über den Schienen bei eingleisigen von 5·4 – 6·5 *m*, bei zweigleisigen von 6·0 – 7·5 *m*. Der kleinste Abstand des Lichtraumprofils von den Tunnelwandungen beträgt in den meisten Fällen bei eingleisigen Tunneln 0·3—0·6 *m*, bei zweigleisigen Tunneln 0·15 – 0·35 *m*.

Auf Schmalspurbahnen betragen die größten Breiten bei 1·0 *m* Spurweite ungefähr 3·5 – 4·25 *m*, bei 0·8 – 0·75 *m* Spurweite 3·0 bis 4·0 *m*. Die Höhen über den Schienen im ersten Fall 4·25 – 4·75 *m*, im zweiten 3·75 – 4·5 *m*.

Die TV. sehen im § 16 vor:

„In zweigleisigen Tunneln soll außerhalb der im § 30 vorgeschriebenen Umgrenzung des lichten Raumes überall ein Spielraum von mindestens 300 *mm*, in eingleisigen Tunneln ein solcher von mindestens 400 *mm* vorhanden sein. In diesem Spielraum dürfen die Stromleitungen der elektrisch betriebenen Bahnen untergebracht werden. Die geänderte Lage der Umgrenzung des lichten Raumes durch Spurerweiterung und Überhöhung soll berücksichtigt werden."

Und in den Grundzügen für den Bau der Lokaleisenbahnen wird empfohlen, daß neben der Umgrenzung des lichten Raumes ein Spielraum von mindestens 200 *mm* verbleiben soll.

Nach diesen Vorschriften scheint der Spielraum zwischen dem Lichtraumprofil und der Tunnelwandung zu knapp bemessen; daher die vielfach so großen Schwierigkeiten, Betriebsstörungen und Kosten bei Ausbesserungs- und Umbauarbeiten der Eisenbahntunnel. Für eingleisige Tunnel empfiehlt es sich in allen Fällen, auch für Nebenbahnen diesen Spielraum nicht unter 0·5 *m* anzunehmen.

In den Abb. 330, 331, 332, 333 und 334 sind einzelne Querschnitte wiedergegeben.

In Gleisbögen von kleinen Krümmungshalbmessern unter 1000 *m* wird wegen der Überhöhung des äußeren Schienenstrangs gegenüber dem inneren und der Spurerweiterung eine seitliche Verschiebung der Gleisachse gegen die Tunnelachse und auch wohl eine Vergrößerung des Tunnellichtraums erforderlich. Der Einfluß der Sehnenstellung der Fahrzeuge im Gleisbogen auf die Lichtraumverhältnisse ist bei den immerhin großen Krümmungshalbmessern gering.

Die Verschiebung der Gleisachse um das Maß *a*, Abb. 335, erfolgt in vielen Fällen so, daß die Abstände *b* und b_1 ungefähr gleich werden dem Abstand *c*. Da hiernach aber die Umgrenzungslinien des lichten Raumes für Eisenbahnfahrzeuge der inneren Tunnelleibung näher liegen wie im geraden Tunnel, so ist eine Vergrößerung des Tunnellichtraums um das Maß *c* in denjenigen Fällen erforderlich, in welchen die Abstände der Umgrenzungslinien von der inneren Leibung des geraden Tunnels bereits die zulässige Grenze erreicht haben, umsomehr als die genaue Anpassung des Tunnelmauerwerks an den erforderlichen Lichtquerschnitt im Bogen mit Schwierigkeiten ver-

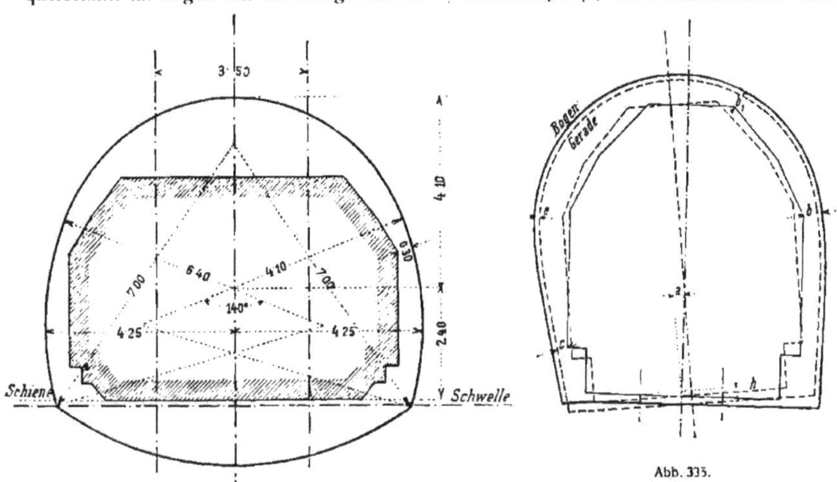

Abb. 334. Preußische Staatsbahnen (Tunnel bei Elm)

Abb. 335.

bunden ist. Das Maß der Verschiebung der Gleisachse $a = \alpha \cdot h$ ist von der Überhöhung h des äußeren Schienenstrangs und von der Form der Umgrenzung des Lichtraums der Fahrzeuge abhängig.

In den Bogentunneln der Gotthardbahn mit Halbmessern von 300 *m* (Abb. 336) wurde z. B. $\alpha = 1·6$ ermittelt; außerdem sind die Lichtquerschnitte gegenüber dem geraden Tunnel um das Maß $e = 0·1$ *m* vergrößert worden. In den Tunneln der österreichischen Alpenbahnen wurde die Tunnelachse von der Gleisachse gegen den Mittelpunkt des Bogens um die Größe α nach folgender Tabelle verschoben:

Halbmesser	Geschwindigkeit *km*/Std.	α in *m*
250 *m*	bis 30	0·08
	von 31 „ 40	0·15
	„ 41 „ 55	0·25
300 *m*	40	0·08
	von 41 bis 50	0·15
	„ 51 „ 60	0·25
400 *m*	40	0·08
	von 41 bis 50	0·15
	„ 51 „ 70	0·25
500 *m*	60	0·08
	von 61 bis 70	0·15
	„ 71 „ 80	0·25

Der Stollen.

Stollen, meist mit 4 – 10 m^2 Größe, sind entweder Teile eines größeren Tunnels oder selbständige Bauten. Tunnel mit größeren Abmessungen, wie Eisenbahntunnel, beginnt man mit einem, zwei, ausnahmsweise auch mehreren

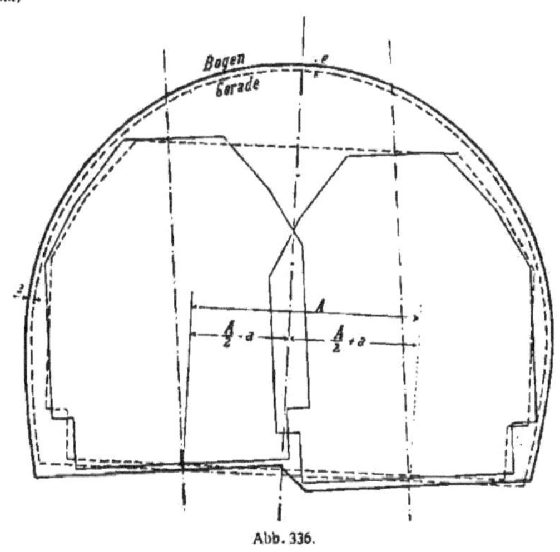

Abb. 336.

Stollen, u. zw. mit einem Firststollen, einem Sohlstollen, einem Sohlstollen, dem der Firststollen folgt; mit 2 Sohlstollen, auch Ortstollen genannt und einem Firststollen; ausnahmsweise auch mit 2 Ortstollen, einem Kernstollen und einem Firststollen. Zur Erleichterung von Lüftung, Förderung und Entwässerung, auch wohl zur Vermehrung von Arbeitsangriffstellen des Tunnels werden auch Parallelstollen in genügend großem Abstand ausgeführt und mit dem Stollen des Tunnels durch Querstollen verbunden, wie z. B. am Simplontunnel (Schweiz) oder im Rogers Paß-Tunnel (Canada).

Es liegen auch Vorschläge vor, den Parallelstollen unter den Sohlstollen des Tunnels zu legen, der dann als Richtstollen dem Tunnelstollen vorauseilen soll, wobei dieser auch als Schlitz hergestellt werden kann.

Zur Vermehrung der Angriffstellen sowie zur leichteren Förderung und Lüftung des Tunnels werden auch Neben- oder Seitenstollen ausgeführt; bei längeren Voreinschnitten finden Mund- oder Voreinschnittstollen Verwendung, namentlich wenn sog. englischer Einschnittsbetrieb mit Stollen und Schächten zweckmäßig erscheint, damit der Tunnelbau vor Fertigstellung der Voreinschnitte in Angriff genommen werden kann.

Zur Entwässerung des Gebirges über oder neben dem Tunnel können auch Entwässerungsstollen Verwendung finden.

Die in der Regel von beiden Mündungen eines Tunnels vorzutreibenden Stollen, womit die Ausbrucharbeiten begonnen werden, heißen Richtstollen; sie erhalten meist Querschnittsflächen von 5 — 10 m^2, können in der Sohle oder in der First liegen und haben den Zweck, Aufschlüsse des Gebirges, Gewinnung von Angriffstellen für die weiteren Ausbrucharbeiten, Wasserabführung, Förderung der Ausbruchmassen und Richtungs- sowie Höhenangaben zu ermöglichen und zu erleichtern.

Die von beiden Mündungen vorgetriebenen Richtstollen treffen an der von den beiderseitigen Arbeitsfortschritten abhängigen Durchschlagstelle zusammen, die von vornherein nicht genau angegeben werden kann. Der baldigste Durchschlag ist anzustreben, da hiernach die übrigen Tunnelarbeiten nennenswert erleichtert und beschleunigt werden können.

Der Ausbruch der Stollen erfolgt je nach Gebirgsbeschaffenheit mittels Bohr- und Sprengarbeit, Hau- und Brecharbeit oder der Grabarbeit von Hand oder durch Maschinen.

Bohr- und Sprengarbeit.

Der Stollenausbruch bedingt nachstehende Arbeitsvorgänge: 1. das Bohren der Löcher in der Stollenbrust; 2. das Aufstellen, Abnehmen und Zurückziehen der Bohrgeräte; 3. das Laden der Bohrlöcher mit Sprengstoffen, die Zündung der Ladungen (Minen) und die darauf folgende Lüftung der Arbeitsstelle am Stollenort; 4. die Fortschaffung der vor der Stollenbrust liegenden Ausbruchmassen und das Verlegen der erforderlichen Gleise.

Bohrarbeit.

Der rasche Fortgang des Ausbruchs im Richtstollen ist besonders wichtig, weil hiervon die Tunnelbauzeit abhängt. Es ist daher zweckmäßig, den Querschnitt für den ersten Vortrieb (Vortriebstollen) tunlichst klein zu halten. Nachträglich wird er auf das erforderliche und namentlich durch die Förderung und Schutterung bedingte Maß erweitert. Der kleine Querschnitt des Vortriebstollens erfordert nicht nur weniger Bohrarbeit, sondern auch im mittelfesten Gebirge keine unmittelbare Abstützung oder Zimmerung, wodurch Zeitverluste vermieden werden. Allerdings ist der Sprengstoffverbrauch unter sonst gleichen Verhältnissen beim kleinen Querschnitt größer wie im großen.

Beispielsweise wurden im Tauerntunnel (Gneisgranit) bei einem Stollenquerschnitt von 4·5 m^2 etwa 5·5 *kg* und bei 6·5 m^2 etwa 4·5 *kg* für 1 m^3 gelösten Gesteins an Sprengstoffen gebraucht. Nach den dortigen Beobachtungen ist bei Maschinenbohrung der Sprengstoffverbrauch bei einem Stollenquerschnitt von 6 – 7 m^2 am günstigsten.

Man unterscheidet: Schlagbohren, Stoßbohren, Drehbohren; hierbei wird entweder von Hand oder mit Maschinen gearbeitet.

Das Schlag- und Stoßbohren erfolgt mit Meißel-, Kreuz- oder Z-Bohrer aus Stahl. Das Naßbohren, d. i. Einspritzen von Wasser in das Bohrloch während der Arbeit, ist wegen längerer Erhaltung der Bohrschneiden, Vermeidung der Staubbelästigung und bei fallenden Löchern wegen günstigerer Bohrwirkung zu empfehlen. Das erforderliche Wasser wird in fahrbaren Behältern oder besser in besonderer Rohrleitung (Druckwasser) vor Ort des Stollens gebracht. Zur Vermeidung von Zeitverlusten wird Wassereinspritzung, namentlich bei steigenden Löchern, wobei das Bohrmehl von selbst herausfällt, vielfach unterlassen.

Das Drehbohren erfolgt im Stollenvortrieb hauptsächlich mit Maschinen, die mit Druckwasser betrieben werden, das auch zum Spülen der Bohrlöcher dient; hierzu werden Kernbohrer aus Stahl verwendet.

Über Gesteinsbohren und die hierzu erforderlichen Geräte s. Art. Gesteinsbohren (Bd. V, S. 314).

Anordnung der Bohrlöcher.

Im Stollen von 5 — 8 m^2 Querschnittfläche werden der Beschaffenheit des Gesteins, der Sprengstoffe und dem Bohrvorgang entsprechend mit Meißel-, Kreuz- oder Z-Bohrern 10 — 24 meist 10 — 20^0 zur Gesteinswand geneigte Löcher von etwa 30 — 70 *mm* Weite und 1 — 2 *m* Tiefe gebohrt. In der Regel werden erst nach Fertigstellung sämtlicher Löcher die Lade- und Sprengarbeiten vorgenommen, u. zw. so, daß meist eine mittlere Gruppe von 3—4 Lochladungen zuerst zur Explosion gebracht wird, um den zur Abminderung der Gesteinsverspannung erforderlichen Einbruch zu erhalten, sodann folgen die übrigen Lochgruppen am Umfang der Stollenwandungen.

Bei Verwendung der Drehbohrmaschinen Brandt mit Kernbohrern von 6—8 *cm* Durchmesser ist infolge großer Lochweite die Zahl der im Stollenquerschnitt erforderlichen Löcher unter sonst gleichen Verhältnissen kleiner wie bei Verwendung der Stoßbohrmaschinen. Bei den üblichen Stollenquerschnitten von 6—8 m^2 wurden, je nach Gesteinsverhältnissen und der Sprengstoffart, 7—12 Löcher von 1—2 *m* Tiefe gebohrt.

Die Bohrlöcher werden mit Sprengstoffen geladen und mit Hilfe von Zündkapseln entweder mittels Zündschnüren oder elektrisch gezündet; im Stollenbau findet fast nur die Zündschnur Verwendung, da die sonst vorteilhafte elektrische Zündung zur Lösung einzelner Minen nicht zweckmäßig zu gebrauchen ist.

Über Sprengstoffe und Zündungen s. Art. Sprengarbeiten (Bd. IX, S. 115).

Schutterung.

Die im Stollen gelösten Massen müssen tunlichst rasch beseitigt werden, damit die Bohrarbeit nicht zu große Unterbrechungen erfährt.

Durch rasche Schutterung wird die Angriffsdauer verkürzt, der Arbeitsfortschritt gesteigert, daher die Wegräumung und Verladung der Ausbruchmassen durch stärkere Sprengladungen, welche bessere Zerkleinerung und weitere Streuung des Gesteins sowie größere Angriffslängen ermöglicht, beschleunigt. Die Widerstände beim Fassen des Ausbruchs mit der Schaufel werden durch auf der Stollensohle verlegte Blechplatten abgemindert.

Bohrung von Hand und namentlich mit Bohrhämmern ermöglicht bei nur teilweiser Beseitigung der Ausbruchmassen die baldigste Wiederaufnahme der Bohrarbeiten, daher besonders günstige Fortschrittsziffern im Stollen.

Bohrwagen mit Stoß- und Drehbohrmaschinen sollen tunlichst schmal und leicht, die Stollenbreite entsprechend groß gehalten werden, damit die Schuttmassen nach Freilegung des Bohrwagengleises zu beiden Seiten des Gleises Platz finden und dann nach Wiederaufnahme der Bohrarbeiten und während dieser ohne Störung fortgeschafft werden können.

Mechanische Schutterungen haben eine Herabminderung der Schutterzeit gegenüber der Handarbeit bisher nicht ermöglichen lassen. Bei richtiger Wahl und Einrichtung der Bohranlagen kann durch Handarbeit die teilweise und zur Wiederaufnahme der Bohrarbeiten erforderliche Freimachung des Stollenorts leicht und rasch erfolgen. Die übrigen, zu beiden Seiten im ausreichend breiten Stollen abgelagerten Massen können dann allmählich während der Bohrarbeit und ohne deren Störung beseitigt werden, wozu sich aber größere und sperrige Maschinenanlagen nicht eignen.

Der Stollenvortrieb im unteren Hauensteintunnel hat gezeigt, daß bei Verwendung von Bohrhämmern, die vom Arbeiter gehalten werden, nur ein kleiner Teil der Schuttmassen vor Ort wegzuräumen ist, um die Bohrarbeit wieder aufnehmen zu können, also die Unterbrechung der Bohrarbeit auf ein sehr kleines Maß eingeschränkt werden kann, was ein Hauptgrund der außergewöhnlich großen Arbeitsfortschritte im Richtstollen dieses Tunnels gewesen ist.

Wertung der Bohrarten für den Richtstollenvortrieb.

Handarbeit mit Schlagbohrer. Für kurze Tunnel, wobei maschinelle Anlagen nicht ausgenutzt werden können, aber auch für längere Tunnel im weichen oder wenig festen Gebirge, das aber noch Bohrarbeit erfordert, ist die Handbohrung in der Regel der Maschinenbohrung wegen geringerer Kosten und des mit abnehmender Gesteinsfestigkeit kleiner werdenden Unterschieds der Vortriebsgeschwindigkeit bei beiden Bohrarten vorzuziehen. Bei Handbohrung können die Löcher sehr zweckmäßig angesetzt werden, so daß Bohr- wie Sprengarbeit mit dem geringsten Kraft- und Sprengstoffaufwand erfolgen kann, wenn auch der Wirkungsgrad der Handbohrarbeit ein geringer ist und 5 % der aufgewendeten Kraft des Arbeiters kaum übersteigt. Auch kann die Unterbrechung der Bohrarbeit durch die Schutterung auf das geringste Maß beschränkt werden, da eine nur teilweise Beseitigung des Schuttes nach erfolgter Sprengung zur Wiederaufnahme der Bohrarbeiten genügt. Infolge Verteuerung der Arbeitslöhne und Verbesserung der Bohrmaschinenarten ändert sich aber das Kostenverhältnis immer mehr zu ungunsten der Handbohrung.

Um mit dem Vortrieb des Richtstollens vor Fertigstellung der Anlagen für den Bohrmaschinenbetrieb, die nicht selten längere Zeit beansprucht, sofort beginnen zu können, wird in der Regel mit Handbohrung vorgegangen, so daß diese fast bei jedem Tunnelbau, der Bohrarbeit erforderte, auch im Richtstollen gebraucht worden ist.

Druckluft-Bohrhämmerarbeit. In längeren Tunneln von weniger festem bis mittelfestem Gebirge ist der Vortrieb des Richtstollens mit Druckluft-Schlagbohrhämmern, die vom Arbeiter gehalten und nicht durch ein Bohrgestell gestützt werden, besonders zweckmäßig. Die Löcher können hierbei wie bei Handbohrung sehr günstig angesetzt und infolge der Maschinenkraft sehr rasch abgebohrt werden; auch die Zeitverluste für die Bohrarbeit durch die Beseitigung der Schuttmassen können bei Nichtverwendung von Bohrgestellen auf das geringste Maß eingeschränkt werden. Die Bohrhämmer können sodann auch für die Erweiterung des Vortriebstollens und den Vollausbruch zweckmäßig Verwendung finden, was namentlich bei Stoßbohrmaschinen auf Gestellen meist nicht der Fall ist.

Allerdings ist der Luftverbrauch ein verhältnismäßig großer, daher der Wirkungsgrad ein kleiner. Im festeren Gestein erhalten die Bohrhämmer großes Gewicht, auch macht das Ansetzen am Beginn der Bohrung Schwierigkeiten, daher erfolgt die Bedienung vielfach durch 2 Arbeiter. Der Bohrstaub belästigt die Arbeiter. Man hat daher versucht, Staubsammler anzuordnen, die von Zeit zu Zeit entleert werden sollen. Infolge mangelhafter Führung durch den Arbeiter findet häufiges Festklemmen des Bohrers statt. Im festen Gebirge sind die starken Rückstöße durch den Arbeiter schwer aufzunehmen und wirken ermüdend. Bei Verwendung eines Bohrgestells fallen aber die Vorteile der ohne Gestell arbeitenden Bohrhämmer zum größten Teil fort. Bei gleichzeitiger Arbeit mehrerer Bohrhämmer im engen Vortriebstollen sind die Luftzuführungsschläuche zu den Hämmern schwierig unterzubringen und störend.

In sehr festem Gestein wird also der Bohrhammer in der Regel nicht zu verwenden sein, dagegen bietet dessen Verwendung für den Vortrieb des Richtstollens im mittel- und wenig festen Gebirge große Vorteile und erlaubt bedeutende Arbeitsfortschritte.

Druckluft - Stoßbohrmaschinenarbeit. Die auf einem Gestell zu lagernden Stoßbohrmaschinen finden auch in sehr festem Gestein vorteilhafte Verwendung. Der Wirkungsgrad der Maschine ist zwar klein, aber immer noch günstiger wie der des Bohrhammers. Die Stöße sind sehr kräftig, die Bohrer erhalten gute Führung, die Rückstöße werden vom Gestell aufgenommen. Die Bauart der neuen Maschinen ist ausreichend kräftig, daher die Reparaturbedürftigkeit gering. Die Bedienung ist einfach; die abströmende Druckluft verbessert die Lüftungsverhältnisse vor Ort.

Dagegen ist der Betrieb ein geräuschvoller, die Staubbelästigung muß durch Wassereinspritzung ins Bohrloch gemindert werden; die häufig verwendeten Wagengestelle (Bohrwagen) bedingen größere Unterbrechungen der Bohrarbeit, da der Schutt vor Wiederbeginn der Bohrarbeit zum größeren Teil beseitigt sein muß. Die Luftleitung erhält größere Abmessungen, ist daher in den Arbeitsstrecken eines längeren Tunnels schwierig unterzubringen und kaum gegen Beschädigungen zu schützen. Auch die Kosten der Maschinenanlagen werden mehrfach recht hohe.

Die Druckluft-Stoßbohrmaschinen, zumal die mit Handvorschub, haben in großen und kleinen Tunneln ausgedehnte Verwendung gefunden. Bei richtiger Handhabung und einem dem Gestein angepaßten Luftdruck sowie bei ausreichend weiter und gut erhaltener Luftleitung sind neuestens beträchtliche Leistungen erzielt worden.

Elektrische Stoßbohrmaschinenarbeit. Die vornehmlich für die Auffahrung der Tunnelrichtstollen gebrauchten Kurbel-Stoßbohrmaschinen mit Federwirkung neuester Bauart haben sich bisher im wenig festen und mittelfesten Gebirge bewährt. Als besonders günstig erscheint die leicht zu schützende Kraftleitung mit geringen Abmessungen und der geringe Kraftverlust. Der Wirkungsgrad der Maschine ist größer wie der der Druckluft-Stoßbohrmaschine. Die Bohranlage ist rasch zu erstellen und verhältnismäßig billig. Dagegen ist die Stoßstärke geringer wie bei den Druckluftmaschinen, Federbrüche kommen nicht selten vor, namentlich bei ungeübter Bedienung, es wird daher auch größere Geschicklichkeit in der Bedienung gefordert.

Die mit diesen Maschinen in den Tunneln der österreichischen Alpenbahnen erzielten Ergebnisse sind günstige.

Drehbohrmaschinenarbeit. Die mit Druckwasser betriebene Drehbohrmaschine kann nur für lange Tunnel mit großer Gesteinsfestigkeit in Frage kommen, wenn rascher Arbeitsfortgang im Richtstollen ohne Rücksichtnahme auf die Kosten gefordert wird. Im wenig festen Gestein und für kurze Tunnel ist sie unvorteilhaft.

Die Vorteile dieser Bohrart bestehen in dem großen Wirkungsgrad von Maschine und Bohrer, in der zufolge hohen Wasserdrucks engen und leicht zu schützenden Kraftleitung, in der stoßfreien, ruhigen und staublosen Arbeit, in der durch den Differentialkolben ermöglichten bequemen Druckregelung und einer geringen Reparaturbedürftigkeit. Infolge der großen Weite ist die Zahl der erforderlichen Löcher in der Stollenbrust gering.

Dagegen bedingen die maschinellen Anlagen hohe Kosten und längere Erstellungszeit, daher deren Verzinsung und Tilgung größere Beträge.

Die weiten Löcher erfordern wegen ungünstigerer Ausnützung höheren Verbrauch an Sprengstoffen.

Die Bohrer müssen aus bestem, härtestem, daher kostspieligstem Stahl erstellt werden; die Erneuerung abgenützter Schneiden ist schwieriger und teurer wie die der Stoßbohrer. Auf die Vorteile des Kernbohrens muß wegen Vermeidung von Zeitverlusten bei Beseitigung der Kerne im raschen Richtstollenbetrieb verzichtet werden. Die rasche Abführung der Abwässer bietet in manchen Fällen Schwierigkeiten. Die Maschinen können nur auf den zwischen den Gesteinswänden festgespannten Säulen verwendet werden, wo solche Gesteinswände in geringerem Abstand vorhanden sind (Stollen, Schlitz oder Schacht).

Die Bohrergebnisse zeigen, daß in sehr festem Gestein gute Fortschritte erzielt werden können.

Die Ergebnisse der Bohrung mit den verschiedenen Bohrmaschinenarten in den Richtstollen neuerer und bedeutenderer Tunnelbauten sind in den nachfolgenden 4 Tabellen zusammengestellt.

Schlagbohrmaschinen.

	Unterer Hauensteintunnel, 8135 *m* lang, Südseite	
	Mai 1913, 25 Arbeitstage 2521 – 2807 = 286 *m*	Oktober 1913, 29 Arbeitstage 3694 – 3934 = 240 *m*
Gebirgsart	Bunte Mergel . . . 18 *m* Schilfsandstein . . 60 „ Gipskeuper . . . . 208 „	Mergelkalke (oberer und mittlerer Jura) . . . 111 *m* Tongestein (mittlerer Jura) . . . 85 „ Oolithische Kalke (Hauptroggenstein) . . . 32 „ Mergelsandsteine und knollige Kalksteine . . . 9 „
Richtstollenquerschnitt . . . m^2	5 – 6	5 – 6
Bohrmaschinen vor Ort . . .	3 Bohrhämmer (Westfalia)	3 Bohrhämmer (Westfalia)
Bohrerstärke . . . *mm*	38 – 45	38 – 45
Lochtiefen . . . *m*	1·3 – 1·7	1·3 – 1·6
Zahl der Angriffe in 24 Stunden . . .	8 – 9	7 – 9
Zahl der Bohrlöcher im Mittel, für 1 Angriff .	11	12 – 17
Zahl der Bohrlöcher im Mittel, für 1 *m* Stollen	9	10
Sprengstoffverbrauch (Gamsit) im Mittel, für 1 Angriff *kg*	14 20	15 – 22
Sprengstoffverbrauch (Gamsit) im Mittel, für 1 *m* Stollen „	11·7	14·3
Fortschritt im Mittel, für 1 Angriff *m*	1·3	1·1
Fortschritt im Mittel, in 24 Stunden „	11·5 (max. 14·7)	8·3 (max. 10·4)

Druckluft-Stoßbohrmaschinen.

	Gotthardtunnel, 14 998 *m* lang, Nord	Monte Cenere-Tunnel (Gotthardbahn), 1673 *m* lang	Brandleitetunnel (preußische Staatsbahn), 3050 *m* lang	Bosrucktunnel (österreichische Staatsbahnen), 4770 *m* lang, Nord	Lötschbergtunnel (Berner Alpenbahn), 14 605 *m* lang			
					Nord		Süd	
Gebirgsart . . .	Quarzitischer Gneis	Gneis	Porphyrkonglomerat	Harter Kalk mit Kalzitadern	Kreide und Jura	Gasterngranit	Kristallschiefer	Granit
Richtstollen . . . m^2	5·8	6 – 6·5	6·5 – 6·75	5·5	6·2	6·2	6·2	6·2
Bohrmaschinenart . . .	Ferroux 160 *kg*	Mac Kean-Seguin 170 *kg*	Frölich 90 *kg*	Gatti	R. Meyer 188 *kg*	R. Meyer 188 *kg*	Ingersoll Rand 170 *kg*	170 *kg*
Zahl der Maschinen vor Ort.	6	4	3	4	4 – 5	4 – 5	4 – 5	4 – 5
Luftspannung vor Ort Atm.	3 – 4	3 – 4	3 – 5	5 – 6	6 – 7	6 – 7	5 – 6	5 – 6
Bohrerstärke . . . *mm*	40	30 – 35	30 – 35	32 – 45	60	60	–	–
Lochtiefe . . . *m*	1·25	1·3	1·3	1·7	1·4	1·4	1·37	1·37
Lochzahl im Querschnitt . .	18	18 – 20	16 – 18	18 – 20	13 – 14	15 – 16	12 – 14	15 – 16
Dynamitverbrauch für 1 *m* Länge . . . *kg*	18 – 20	12 – 15	15 – 16	18 – 22	20 – 23	25 26	–	–
Bohrdauer . . . Std.	2·5	3 – 3·75	3·5	3 – 3·5	1·6	1·3	1·9	2·6
Schutterung . . . „	3·5	2·5 – 3·0	4·5	2·7 – 3·5	2·7	2·1	3	3
Angriffsdauer . . . „	6	6 – 7	8 – 8·5	5·75 – 6·5	4·5	3·6	5	5·7
Fortschritte, für 1 Angriff . *m*	1·0 – 1·2	1·1	1·02	1·5 – 1·7	1·3	1·2	1·1	1·2
Fortschritte, in 24 Stunden . „	3 – 4·0	4·1	2·9	6 – 6·5	7·6	7·5	5	4·7
Fortschritte, max. . . . „	5·0	4·8	4·0	7·5	10·7	10·4	–	–

Elektrische Stoßbohrmaschinen.

	Wocheiner Tunnel, Nord, 6340 *m* lang	Karawankentunnel, Nord, 7976 *m* lang
Gebirgsart	Harter Kalkstein mit Korallenkalk, Kieselkalk mit Hornstein	Grauer Kalk mit Werfner Schichten, Tonschiefer mit Dolomit
Richtstollenquerschnitt . . . *m*²	7	6·5 – 7·5
Bohrmaschinenart	Kurbel-Stoßbohrmaschine, 150 *kg* schwer, Siemens-Schuckert, 2 PS.	
Zahl der Maschinen vor Ort	4	4
Bohrerstärke . . . *mm*	30 – 60	30 – 60
Lochlänge . . . *m*	1·6 – 1·8	1·7 – 2·0
Lochzahl im Querschnitt	18 – 23	12 – 14
Bohrdauer . . . Std.	3·5 – 3·0	3 – 2½
Schutterung . . . „	4·25 – 4·0	3·75 – 4·0
Angriffsdauer samt Zeitverlusten	7·8	7
Sprengstoffe . . . *kg*/*m*	25 – 28	Gelatine und Dynamit 25
Fortschritt in 24 Stunden . . . *m*	4·4 – 5·4 (max. 6·9)	5·3 (max. 7·9)

Drehbohrmaschinen.

	Arlberg, West 10 250 *m* lang	Simplon, Süd 19 770 *m* lang	Albula, Nord 5866 *m* lang	Tauern, Nord 8530 *m* lang
Gebirgsart	Gneis- und quarzreicher Glimmerschiefer	Antigoriogneis	Granit	Gneisgranit
Richtstollenquerschnitt . . . *m*²	6·5 – 7·0	5·7 – 6·0	5·5	6·5
Bohrmaschinenart	Brandt Bauart I	Brandt Bauart 1897	Brandt Bauart 1897	Brandt Bauart 1901
Druckwasser vor Ort . . . Atm.	80	70 – 80	100	–
Zahl der Maschinen vor Ort	3 – 4	3	3	3 – 4
Bohrerstärke (Kernbohrer) . . . *mm*	70	60 – 85	60 – 80	60 – 80
Lochlänge . . . *m*	1·4 – 1·5	1·2 – 1·4	1·4 – 1·5	1·2 – 1·3
Lochzahl im Querschnitt	9 – 10	8 – 11	9 – 10	10 – 11
Bohrdauer . . . Std.	3 – 3·2	2·25 – 2·75	2 – 2·5	2·5 – 3·0
Schutterung . . . „	3 – 4	2·25 – 2·25 1 – 1·2 Verluste	1·45 – 2·45	2·5 – 3·0
Angriffsdauer samt Zeitverlusten . . . „	6 – 7	7 – 7·5	7 – 7·5	6 – 6·5
Sprengstoff (Dynamit) . . . *kg*/*m*	18 – 20	25 – 28 *kg*/Angriff Gelatine	20 – 25	26 – 30 Sprenggelatine und Dynamit
Fortschritt in 24 Stunden . . . *m*	5 – 6	4·5 – 5·2	6·4 – 7·3	5·0 – 6·0

Hau- und Brecharbeit.

Im gebrächen und wenig festen Gebirge wird Bohr- und Sprengarbeit nur ausnahmsweise in Frage kommen. Die Gewinnung erfolgt von Hand, in der Regel mittels der Keilhaue oder der Spitzhaue und Brechstange – Arbeitsvorgänge, die aus dem Erdbau bekannt sind.

Grabarbeit

im milden, weichen und rolligen Gebirge erfolgt von Hand mittels der Breithaue, Schaufel und Spaten, wie im Erdbau, so daß für den Tunnelbau keinerlei nennenswerte Abweichungen zu bemerken sind.

Hau- und Brecharbeit sowie Grabarbeit können im wenig festen, gebrächen und weichen Gebirge auch maschinell und ohne Sprengarbeit erfolgen. Die hierzu gebrauchten Maschinen werden in der Regel Tunnelbohrmaschinen oder Stollenbohrmaschinen genannt. Es liegen auch Vorschläge vor, solche Maschinen im festen Gebirge ohne Sprengarbeit zu verwenden.

Für gebräches und weiches Gebirge würden die fräsend oder schneidend wirkenden Maschinen, wie z. B. die Bauweisen von Brunton, Beaumont und English, Rziha und Reska, Crampton, zu verwenden sein.

Die Maschinen von Beaumont und English, auch die von Brunton arbeiteten im Merseytunnel (roter Sandstein) und in den beiderseitigen Versuchsstollen (Frankreich und England) für den Ärmelkanaltunnel (graue Kreide). Auch die Cramptonmaschine, womit ein voller Tunnelquerschnitt von 10·8 *m* Durchmesser erbohrt werden soll, wurde für den Ärmelkanaltunnel in Aussicht genommen.

Die Verwendung dieser Maschine ist eine sehr beschränkte geblieben, da sie nur im gleichmäßigen Gestein von geringer Festigkeit, das aber nicht unmittelbare Abstützung bedingt, in Frage kommt. Die Beseitigung der Ausbruchmassen ist schwierig und bedingt besondere Einrichtungen; die sehr sperrigen Maschinen erschweren das Zurückziehen vom Stollenort behufs Vornahme von Ausbesserungen, die dann eine Stillegung des Arbeitsbetriebs bedingen.

Für loses und rolliges Gebirge wurden Maschinen nach Art der Eimerbagger oder sog. Bohrschrauben oder Maschinen mit Schwemmwasserbetrieb vorgeschlagen.

Diese Maschinen sind über das Versuchsstadium kaum hinausgekommen; sie haben für den Stollenvortrieb bei Gebirgstunneln noch keine Verwendung gefunden; denn sie können den mehrfach wechselnden Gebirgsverhältnissen nicht rasch genug angepaßt werden; bei Ausbesserungsbedürftigkeit sind längere Arbeitsunterbrechungen unvermeidlich; zudem ist die Handarbeit in solchen Fällen billiger; daher soll an dieser Stelle von einer Schilderung des Arbeitsvorgangs abgesehen werden.

Für den Stollenvortrieb in sehr nassem, schwimmendem Gebirge können die Verfahren mit Eisenschild und Druckluft, das Gefrier- und Zementierverfahren in Frage kommen.

kehr der Arbeiter erforderlich. Für die Förderung (s. d.) der Ausbruchmassen und der im Tunnel erforderlichen Baustoffe wäre die zweigleisige Anlage der eingleisigen mit entsprechenden Ausweichen vorzuziehen; sie bedarf aber durchlaufend größerer Stollenbreiten, also Vergrößerung der Querschnittsflächen und Kosten, ist also nicht zu empfehlen.

Die Entwässerungsgräben werden unter das Fördergleis (Spur 0·6 – 1·0 *m*) oder seitlich gelegt. Erstere Anordnung erschwert Legung und Unterhalt des Fördergleises, sowie die Grabenreinigung, läßt aber mehr Raum für den unbehinderten Verkehr der Arbeiter und die Unterbringung der erforderlichen Leitungen. Der vom Gleis unabhängige seitliche Graben schränkt den Raum aber nennenswert ein und bedingt Vergrößerung der Ständerauflager, namentlich im weniger festen Boden des mit Wasser gefüllten Grabens. Man hat daher auch

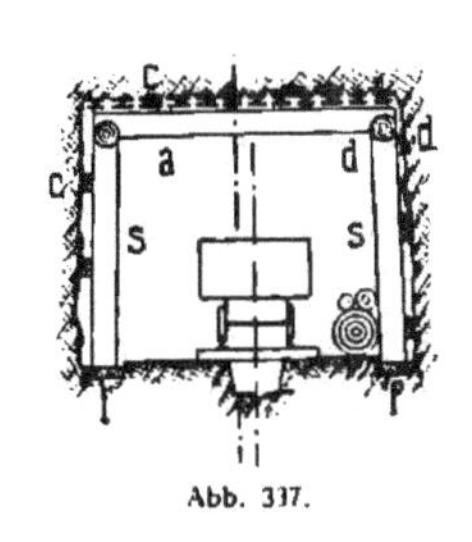

Abb. 337.

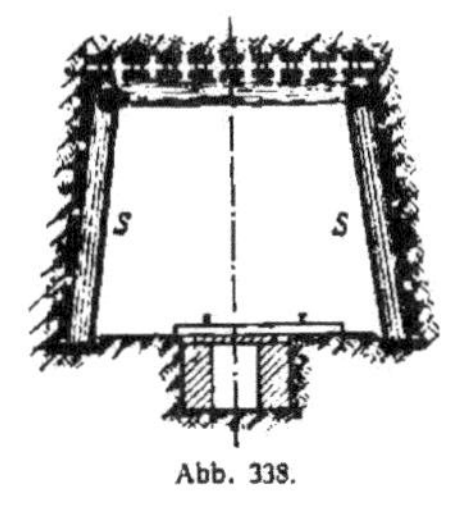

Abb. 338.

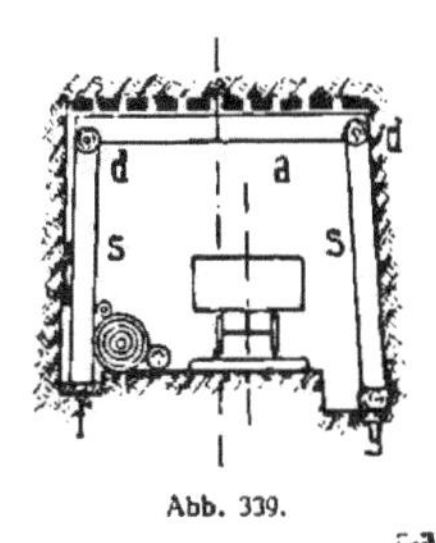

Abb. 339.

Stollenzimmerung.

Im festen Gebirge und bei kleinen Querschnitten kann der Stollen ohne Abstützung oder Zimmerung verbleiben, was namentlich für den raschen Vortrieb des Richtstollens vorteilhaft ist. Meist liegen die Gebirgsverhältnisse so, daß der größte Druck in der First, geringerer Druck an den Stößen und der kleinste Druck in der Sohle auftritt. Dementsprechend würden zuerst die First, dann die Stöße oder Seitenwände und nur im ungünstigen Gebirge auch die Sohle des Stollens abzustützen sein.

Die Art und Stärke der Zimmerung ist also von der Gebirgsbeschaffenheit, den Abmessungen und der Benutzungsdauer des Stollens abhängig; sie erfolgt durch Rundholz, seltener durch Kantholz, auch wohl durch Eisen (Altschienen oder I- und L-Eisen), ausnahmsweise mit Betonzwischenfüllungen. Für dauernde Stollenabstützung wird Eisen, Beton oder Mauerwerk verwendet.

Im Richtstollen des Tunnels müssen Förderwagen, Kraft-, Luft- und Wasserleitungen sowie der Wasserabzugsgraben Platz finden; auch ist ein freier Raum für den ungehinderten Ver-

den seitlichen Graben abgedeckt und ihn vom Ständerfuß der Stollenzimmerung abgerückt. Bei Abdeckung und Befestigung der Wände des Grabens sowie bei Anordnung von Sohlschwellen zur Unterstützung der Ständer können die Übelstände vermindert und die Entwässerungsgräben unter das Gleis gelegt werden. Eine Verschiebung der Gleisachse gegen die Stollenachse ist namentlich im engen Stollen zweckmäßig, um auf einer Stollenseite mehr Raum für den Arbeiterverkehr zu gewinnen.

Im weniger festen Gebirge besteht die Zimmerung des Stollens aus Kappen *a*, die durch Ständer oder Stempel *S* gestützt werden (Abb. 337, 338, 339), die auf Fußbrettern *f* oder Schwellen *g* stehen. Der Abschluß des Gebirges in der First wird durch Bretter *C*, der Längsverband der im Abstand von 1 – 20 angeordneten Rahmen oder Gespärre durch Rundholzbolzen *d* bewerkstelligt.

Im losen und drückenden Gebirge, das auf den Abstand der Stollenrahmen ohne Gefahr des Ablösens nicht standhält, wird der Vortrieb nach Abb. 340 und 341 durch Pfähle *p* (15 – 25 *cm* breit und 2 – 5 *cm* stark, ausnahmsweise vorn mit Eisenblech beschlagen und hinten mit einem Eisenband gegen Aufspalten gesichert) bewerkstelligt, die über den Stollenkappen *a* und, wenn erforderlich, auch seitlich über den Stempeln *S* so vorgetrieben werden, daß der Ausbruch unter dem Schutz dieser Pfähle erfolgen kann. Der Raum zwischen Schwanz des vorderen und Kopf des hinteren Pfahles wird zumeist durch Keile *K* ausgefüllt, die die oberen Pfähle dicht an das Gebirge drücken, den zur Erleichterung des Vortriebs belassenen Zwischenraum ausfüllen und den Unregelmäßigkeiten im Ausbruch Rechnung tragen. Unter den Sohlschwellen *g*, die im weichen Gebirge angeordnet werden, ist ein Bretterbelag zu empfehlen.

Im **stark drückenden Gebirge** werden die Köpfe der Pfähle, Abb. 342 u. 343, auch wohl durch ein Querbrett *q*, **Pfandblatt** genannt, so unterstützt, daß sie gemeinsam in dem zum Nachtreiben der unteren Pfähle erforderlichen Abstand gehalten werden, wodurch infolge Entlastung das Vortreiben der Pfähle zumal in nahezu richtiger Neigung erleichtert, auch beim Herausfallen eines Keiles der darüber liegende Pfahl durch das Pfandblatt gehalten wird. Beim Anstecken der Pfähle über dem letzten Rahmen vor Ort halten die großen Keile K_1 das Pfandblatt in seiner Lage; nach dem Eintreiben werden die Zwischenräume zwischen Pfandblatt *q* und Pfahl *p* durch die kleinen Keile *k* ausgefüllt; hierbei sind die oberen Pfähle von diesen Keilen nicht unmittelbar abhängig, so daß

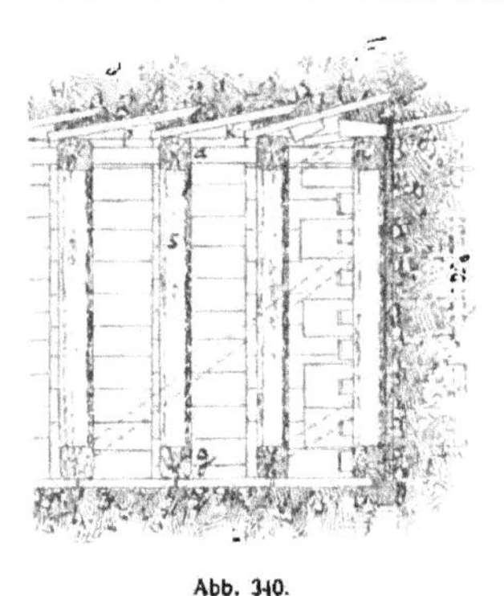

Abb. 340.

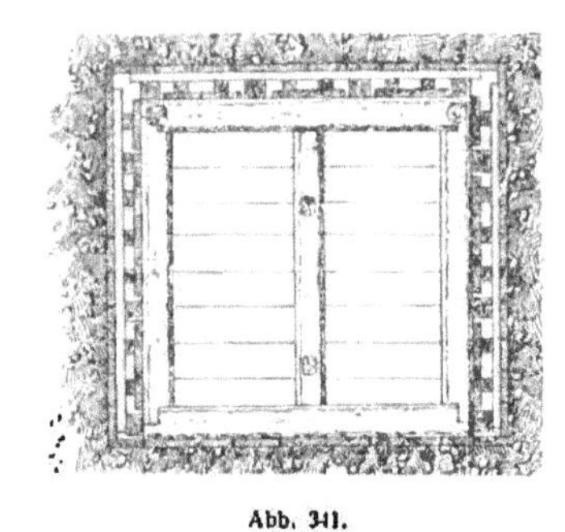

Abb. 341.

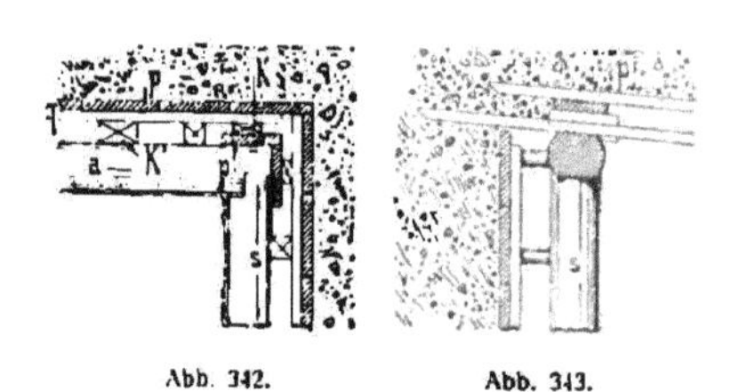

Abb. 342. Abb. 343.

Abb. 344.

Abb. 345.

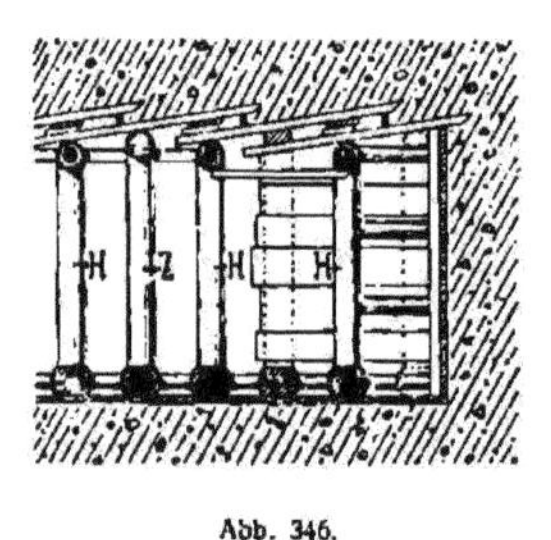

Abb. 346.

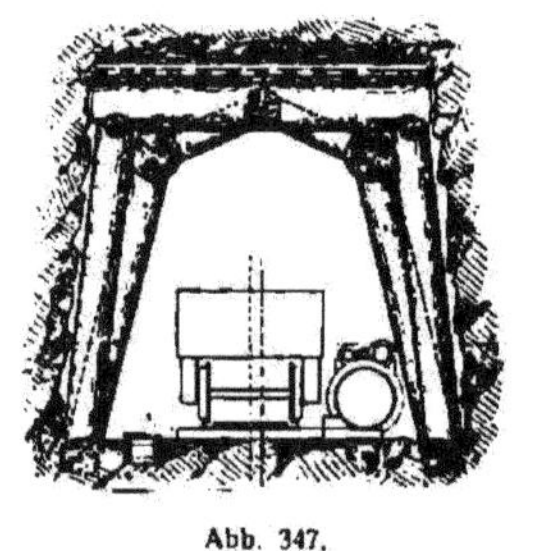

Abb. 347.

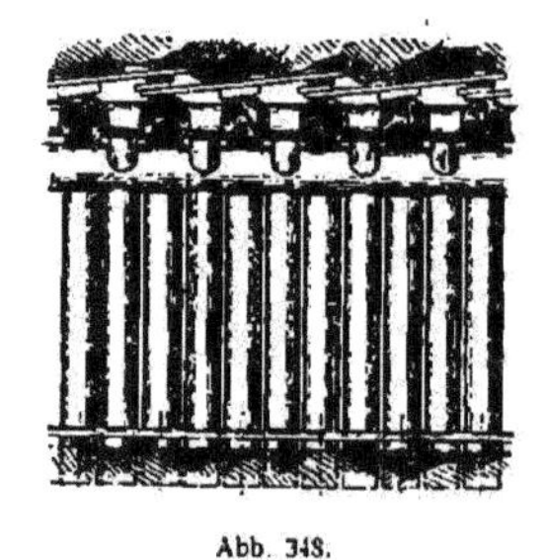

Abb. 348.

die unteren Pfähle ohne Störung der Lage der oberen Pfähle vorgetrieben werden können.

Im druckhaften Gebirge ist dieser Vorgang zweckmäßig, während im wenig drückenden Gebirge die unmittelbare Unterstützung jedes einzelnen Pfahles durch den Keil, also die Fortlassung des Pfandblattes vorzuziehen ist, damit jeder Pfahl unabhängig von den anderen sicher an das Gebirge angeschlossen werden kann.

Bei größeren Abständen der Hauptgespärre *H* werden zur Unterstützung der Pfähle *p* Zwischengespärre *Z* angeordnet (Abb. 344, 345, 346). Man kann hierdurch größeren Druckverhältnissen begegnen und die Pfähle unter den Kappen der vorletzten Gespärre leichter so vortreiben, daß sie mit geringer oder ohne Verschwenkung (Schnappen) in nahezu richtiger Lage sich befinden, wodurch das Eintreiben erleichtert und Gebirgsbewegungen sicherer vermieden werden.

Sind im ungünstigen Gebirge die Pfähle ohne nachherige Drehbewegung einzutreiben, so werden die Zwischengespärre *Z* entsprechend höher und breiter, auch Pfandblätter und Keile stärker gehalten. Die Neigung der Pfähle wird um so größer, je kleiner der Abstand der Hauptgespärre *H* ist. Im Gebirge mit kleinem Reibungswinkel sind bei steiler Lage der Pfähle die großen Zwischenräume zu verschließen, wozu auch Keile oder Zumachbretter verwendet werden.

Die Zahl der Stollenrahmen wird, wenn die Druckverhältnisse es bedingen, so weit vermehrt, daß die Gespärre dicht aneinander stehen.

Die Verstärkung der längeren, auf Biegung beanspruchten Kappen kann durch einen Sprengbock erfolgen; besser jedoch durch Unterzüge (Abb. 347, 348, 349, 350), welche von besonderen Ständern – Nebenständern – gestützt werden. Zur Vermeidung der Stollenverengung werden die Nebenständer zwischen den Hauptständern auch so gesetzt, wie Abb. 347 zeigt.

Die Stollenzimmerung wird auch teilweise oder ganz in Eisen ausgeführt, was die Vor-

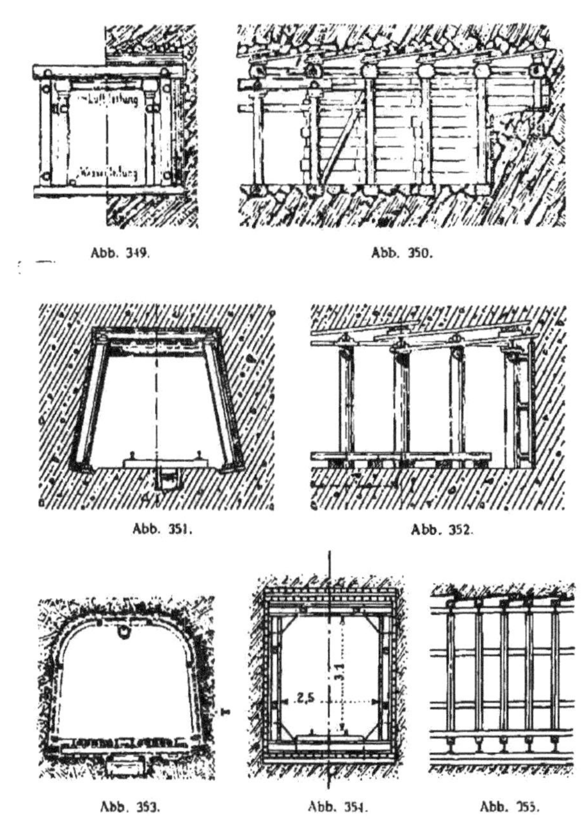

Abb. 349. Abb. 350. Abb. 351. Abb. 352. Abb. 353. Abb. 354. Abb. 355.

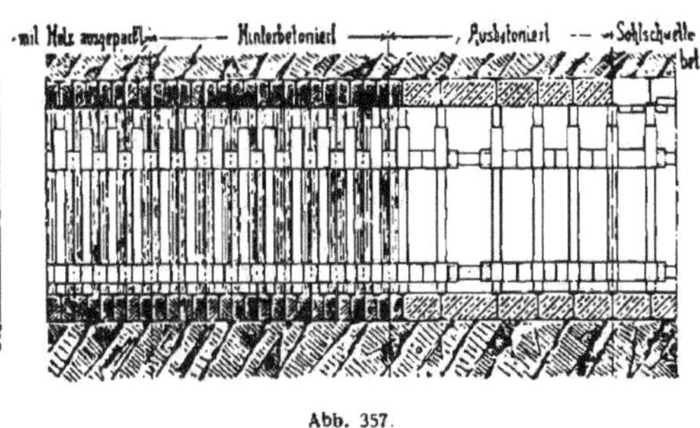

Abb. 356. Abb. 357.

teile kleinerer Abmessungen, leichteren Vortriebs der Pfähle und längerer Dauer, also der Möglichkeit häufigerer Wiederverwendung bietet. Dagegen sind als Nachteile anzusehen das unter Umständen schwierigere Anpassen der fertig gelieferten Eisenrahmen an den Stollenumfang, die nicht leicht lösbaren Verbindungen der einzelnen Teile, namentlich bei kleinen Formänderungen der Stollenrahmen sowie meist die größeren Kosten.

Bei teilweiser Verwendung von Eisen werden die Kappen aus Altschienen oder I-Eisen (Abb. 351, 352), dagegen die Stempel oder Ständer aus Rundholz hergestellt, die oben zur Aufnahme der eisernen Kappen ausgeschnitten werden und zur Vermeidung der Aufspaltung einen Eisenring erhalten. Die Verbindung der Kappen mit den Ständern ist keine günstige.

Die ganz aus Eisen hergestellten Rahmen der Stollenzimmerung (Altschienen, I- oder

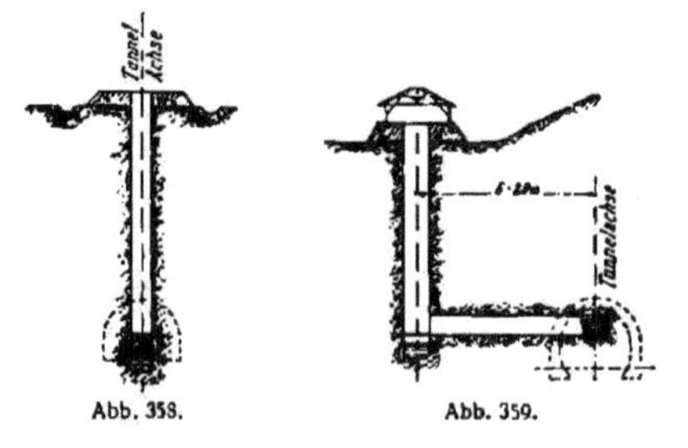

Abb. 358. Abb. 359.

[-Eisen) sind meist 3-, auch 4teilig; die einzelnen Teile werden durch Laschen und Schrauben verbunden; die Füße stehen in der Regel auf Langschwellen. Zum Längsverband wird Rundholz verwendet (Abb. 353).

In stark drückendem Gebirge gebraucht man auch 4teilige Rahmen aus][-Eisen, deren Teile mit Knotenblechen und Schrauben verbunden werden. Der Längsverband erfolgt durch Rundholz (Abb. 354, 355). Auch sind die Eisengespärre dicht aneinandergestellt und die Zwischenräume durch Holz oder Beton ausgefüllt (Simplontunnel, Karawankentunnel), s. Abb. 356, 357.

Der Schacht.

Die Schächte erhalten rechteckige, vieleckige, kreisförmige, auch elliptische Querschnitte. Für Holzzimmerung sind rechteckige oder vieleckige Querschnitte den runden vorzuziehen. Ausgemauerte Schächte erhalten runde Querschnitte.

Der Winkel des Schachtes mit der Bodenoberfläche kann $\beta \lesseqgtr 90^{0}$ sein; dementsprechend heißt der Schacht ein senkrechter (seigerer) oder ein geneigter (tonnlägiger). Bei Herstellung der Schächte sind in jedem Fall das Wasser und die Ausbruchmassen bis an den Schachtmund zu heben, das Aus- und Einfahren der Arbeiter mit den Geräten und den erforderlichen Baustoffen ist zeitraubender und erfordert größeren Kraftaufwand wie im Stollen. Das Vortreiben des für die Wassersammlung erforderlichen Schachtsumpfes beeinträchtigt den Fortgang; dadurch werden die Arbeiten erschwert und verteuert.

Man unterscheidet Förderschächte, Lüftungsschächte, Entwässerungsschächte.

Förderschächte haben den Zweck, die Zahl der Angriffstellen für den T. zu vermehren oder Angriffspunkte überhaupt zu gewinnen, wie bei Unterwasser- oder Städtebahntunneln; sie dienen zur Förderung der Ausbruchmassen aus und der Baustoffe sowie Geräte in den Tunnel, zur Unterbringung erforderlicher mechanischer Einrichtungen und häufig gleichzeitig zur Hebung des zufließenden Wassers.

Mundschächte, die bei langen Voreinschnitten in gewissen Fällen an den Tunneleingängen erstellt werden, um mit dem T. vor Durchschlitzung der Einschnitte beginnen zu können, sind Förderschächte.

Lüftungsschächte dienen zur Lüftung des Tunnels während des Baues oder im Eisenbahnbetrieb. Auch die Förderschächte wirken meist als Lüftungsschächte während des Baues.

Entwässerungsschächte werden entweder in Verbindung mit Stollen zur Entwässerung des Gebirges vor und während des T. oder zur Abführung des Wassers im fertigen Tunnel ausgeführt, wie u. a. bei Tunneln unter Wasser und bei Stadtbahnen, wo andere Vorflut fehlt.

Stellung der Schächte.

Die Schächte werden in der Tunnelachse (Abb. 358) oder in ausreichendem Abstand (etwa 6 – 20 *m*) seitwärts (Abb. 359) angeordnet.

Die erste Anordnung hat die Vorteile der unmittelbaren Förderung, der Vermeidung von Querstollen mit den Gleisverbindungseinrichtungen und Vereinfachung der Absteckungsarbeiten, bei Lüftungsschächten auch des kürzesten Abzugs der Rauchgase; bei der zweiten Anordnung kann größere Sicherheit in der Tunnelförderung und die Fernhaltung des zufließenden Wassers vom Tunnel erreicht werden, auch belastet die nachträgliche Verfüllung oder die Ausmauerung (Lüftungsschacht) des Schachtes das Tunnelmauerwerk nicht. In der Mehrzahl der Fälle wird deshalb der Förderschacht seitlich der Tunnelachse gelegt.

Die Tiefen der Förderschächte sind, abgesehen von der Beschaffenheit und Wasserführung des Gebirges, auch von der Tunnellänge abhängig, da der Schacht so zeitig die Tunnelsohle erreichen muß, daß noch entsprechende Längen des Tunnels beider-

Für raschen Fortschritt im festen Gebirge sind Bohrhämmer oder Stoßbohrmaschinen auf Bohrsäulen zu verwenden.

Bei Bohr- und Sprengarbeit können bei Schächten bis etwa 100 *m* Tiefe und einem Querschnitt von 8–15 m^2 mit Handarbeit (6–8 Mann in 3 achtstündigen Schichten) und Verwendung brisanter Sprengstoffe (Dynamit) Tagesfortschritte angenommen werden:

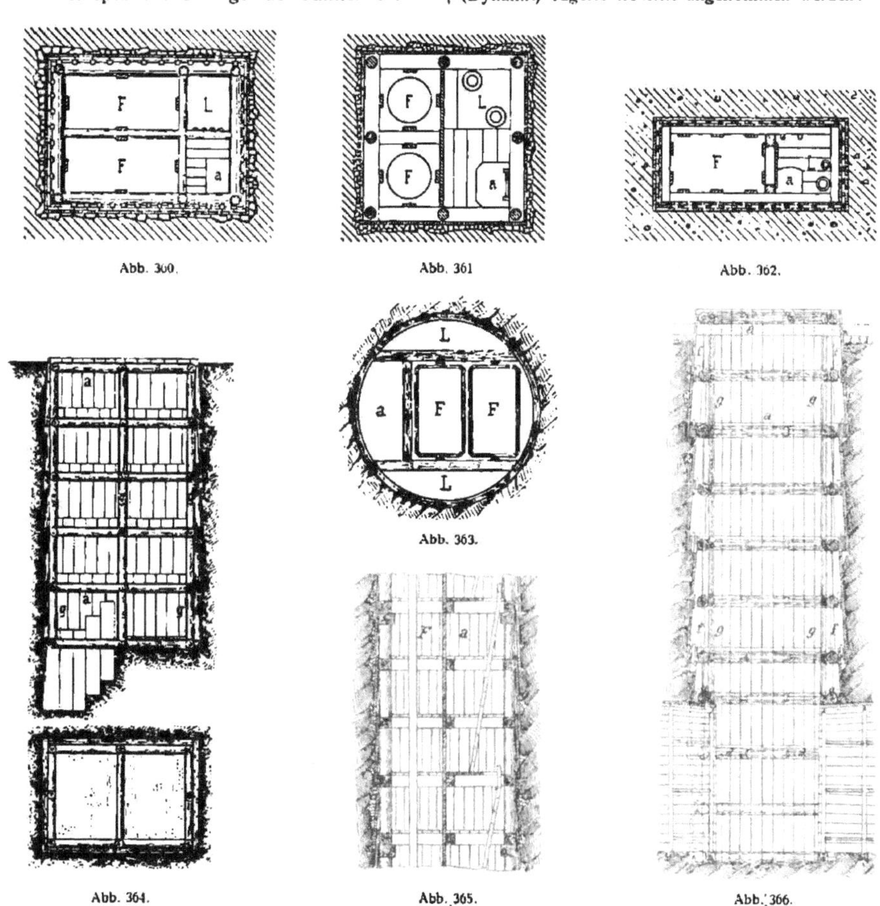

Abb. 360. Abb. 361. Abb. 362. Abb. 363. Abb. 364. Abb. 365. Abb. 366.

seits des Schachtes vorgetrieben werden können. Die Tagesleistungen nehmen mit der Schachttiefe ab; sie sind geringer, die Kosten größer wie unter gleichen Verhältnissen im Stollen. Im T. ist man mit den Schachttiefen kaum über 300 *m* hinausgegangen.

Ausbruch des Schachtes erfolgt wie im Stollen mittels Bohr- und Sprengarbeit, Hau- und Brecharbeit, Grabarbeit von Hand oder mit Maschinen.

im sehr festen Gebirge mit 0·2 – 0·4 *m*
„ festen „ „ 0·4 – 0·8 „
„ gebrächen „ „ 0·8 – 1·0 „

Im wasserführenden und schwimmenden Gebirge werden die Fortschritte kleiner.

Größe der Förderschächte ist für die Förderung der Ausbruchmassen und Baustoffe, die Befahrung durch die Arbeiter, die Unterbringung der Wasser-, Luft-, Licht- und Kraftleitungen ausreichend zu bemessen und beträgt daher meist 5 – 12, ausnahmsweise bis 18 m^2. Die größeren und tieferen Schächte erhalten aus Sicherheitsgründen und zur Vermeidung von Betriebsstörungen in der Regel mehrere Abteilungen (Trume), Abb. 360, 361, 362, 363.

Es bezeichnen: *F* die Abteilungen für auf- und abwärtsgehende Fördergefäße, *a* die Abteilung mit den Leitern und den eingelegten Zwischenböden (Sicherheitsgründe) für die ein- und ausfahrenden Arbeiter, *L* den Raum für die Leitungen. Bei wenig tiefen Schächten begnügt man sich mit 1 oder 2 Abteilungen.

Abstützung oder Zimmerung

der Schächte hängt von der Gebirgsbeschaffenheit ab. Im festen Gebirge reicht eine geringe, nur stellenweise Abstützung aus; im losen und drückenden Gebirge sind stärkere Abstützungen mit Verpfählungen wie im Stollenbau erforderlich, Abb. 364, 365 u. 366. Für die Zimmerung weise im Schacht selbst unterzubringen sind, da diese Anlagen sorgfältigst gegen Störungen und Beschädigungen zu schützen sind, was beim Holzeinbau nicht sicherzustellen ist. Manche Schachtzimmerungen sind schon durch Feuer zerstört worden. Die Ausmauerung des Förderschachts kann auch bei sehr starkem Wasserandrang zweckmäßig sein.

In stark wasserführendem, schwimmendem Gebirge kann die Schachtabteufung durch besondere Verfahren, wie Brunnensenkung (Senkschachtverfahren), Druckluft-, Gefrier- oder Zementierverfahren erfolgen.

Der Abstand der Förderschächte

von den Tunneleingängen und untereinander ist bei gegebener Tunnellänge von den Schachttiefen und den möglichen Arbeitsfortschritten abhängig und so zu bemessen, daß nach Erreichung der Tunnelsohle durch die Schächte

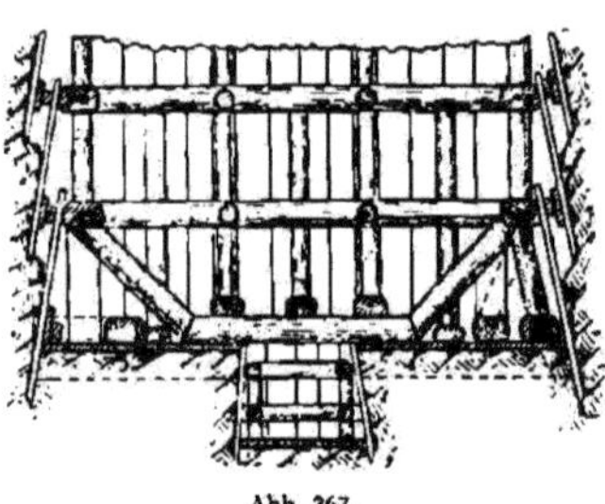

Abb. 367.

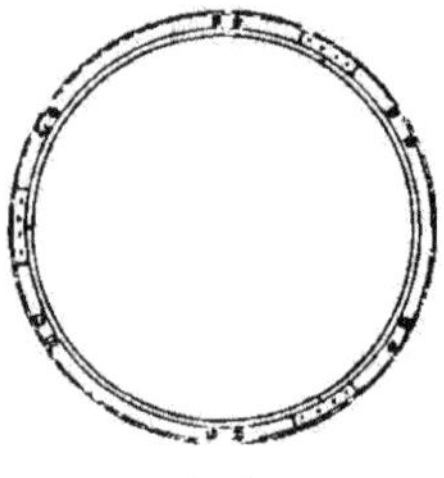

Abb. 368.

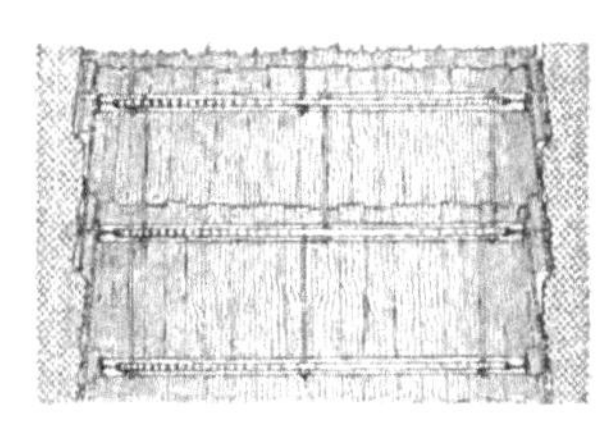

Abb. 369.

ist Rundholz dem Kantholz vorzuziehen. Die Rahmen oder Gespärre *a* werden in Abständen von 0·8 – 2·0 *m* angeordnet und größtenteils durch die Reibung gehalten, welche die Verkeilung erreichen läßt, sowie durch Abstützung auf der Sohle oder auf der Stollen- oder Tunnelzimmerung durch die Bolzen *g*. Genügt das nicht, so hängt man die Rahmen mittels Rundeisen *j* oder durch hölzerne Hängsäulen, die durch Eisenbänder verbunden werden, an das oberste, durch kräftige Querträger unterstützte Gespärre auf. Bei starkem Gebirgsdruck wird die Schachtsohle abgedeckt und gegen Auftrieb des Bodens gesichert, Abb. 367.

Die Schachtrahmen können auch in Eisen, Altschienen, I-, C- oder L-Eisen, hergestellt werden mit kreisförmigem oder rechteckigem Querschnitt, Abb. 368, 369.

Ausmauerung

von Förderschächten geschieht nur ausnahmsweise, u. zw. in Beton, Betoneisen oder Mauerwerk, namentlich wenn wichtige maschinelle Anlagen auf der Schachtsohle oder teil- noch beiderseits entsprechend lange Stollen vorgetrieben werden können.

Die von der Gebirgsbeschaffenheit und den Wasserverhältnissen abhängigen Arbeitsfortschritte im Schacht sind unter gleichen Verhältnissen geringer wie die im Stollen; bei Tiefen bis etwa 100 *m* kann man eine Verminderung der möglichen Leistung um 0·25 – 0·5 annehmen. Ferner erlaubt der im Gefälle auszuführende Stollen unter gleichen Verhältnissen 0·2 – 0·25 geringere Leistungen wie der in der Steigung.

Wichtig ist, daß der Schachtmund leicht zugänglich, durch fahrbare Wege erreichbar und ausreichender Raum vorhanden ist für die erforderlichen Einrichtungen wie für die Ablagerung des Tunnelausbruchs. Geneigte Schächte sind in vielen Fällen den senkrechten vorzuziehen.

Verschluß der Förderschächte.

Förderschächte werden, sofern sie für den Eisenbahnbetrieb nicht als Lüftungs- oder Entwässerungsschächte benutzt werden, nach

Tunnelvollendung geschlossen, d. h. verfüllt, wobei aber namentlich bei den in der Tunnelachse angeordneten Schächten durch Anordnung von Entlastungsmauerwerk eine übermäßige Belastung des Tunnels durch hohe und kohäsionslose Auffüllungen vermieden und auch für gute Wasserabführung Sorge getragen werden muß.

Der zeitweilige Ausbau.

Der zeitweilige Ausbau oder die Tunnelzimmerung, d. i. die Abstützung des ausgebrochenen Raumes, erfolgt in Holz oder Eisen, ausnahmsweise in Mauerwerk.

Holzzimmerung.

Die Hauptträger der Zimmerung werden parallel oder senkrecht zur Tunnelachse angeordnet, hiernach unterscheidet man: 1. Längsträger oder Jochzimmerung, 2. Querträger oder Sparrenzimmerung.

1. Längsträgerzimmerung.

Die Längsträger (Kronbalken, Wandruten) 25 – 60 *cm* stark; kurze, in der Tunnelfirst verlegte Längsträger haben ausnahmsweise auch 70 *cm* Stärke erhalten; sie werden von der First nach der Sohle mit abnehmender Stärke am Umfang des Ausbruchs parallel zur Tunnelachse auf die Länge einer Zone oder eines Ringes, welche meist 3 – 9 *m* beträgt, auch wohl zweiteilig in Abständen von etwa 0·7 – 2·0 *m* verlegt und durch 15 – 25 *cm* starke Rundholzbolzen in diesen Abständen erhalten. Sie werden entweder nur an beiden Enden oder auch dazwischen gestützt, daher die Bezeichnung „Jochzimmerung".

Die Verzugsbretter (Verladung) oder Pfähle, welche das Gebirge gegen das Tunnelinnere abschließen, liegen senkrecht zu den Längsträgern; es findet also Querverpfählung statt. Da die Längsträger in der durch den Tunnelquerschnitt gegebenen Krümmung verlegt werden, so ist im druckhaften Gebirge eine Getriebezimmerung, wie sie im Stollenbau besprochen wurde, nicht durchzuführen; denn die Pfähle können nicht in der angesetzten Lage vorgetrieben, sie müssen gedreht (geschnappt) werden, um sie in die erforderliche Lage zu bringen, und umsomehr, je geringer der Abstand der Längsträger und je stärker die Krümmung ist, was meist nicht durchführbar ist. Allerdings hat man in verschiedener, recht umständlicher Weise auch im starken Druckgebirge, worin der Raum zwischen den einzelnen Trägern auch nicht für kurze Zeit ohne Abstützung gelassen werden konnte, Längsträger mit Querverpfählung gebraucht, wie z. B. im alten Hauensteintunnel I und im Col di Tenda-Tunnel. Das sind aber nur Hilfsmittel in Ausnahmefällen, die von vornherein nicht in Aussicht genommen wurden. Diese schwierigen und nicht ungefährlichen Vorgänge sind tunlichst zu vermeiden. Wenn Getriebezimmerung mit Vortrieb von Längspfählen erforderlich ist, ist der Querträgerbau anzuwenden.

Je nach Art der Unterstützung der Längsträger bezeichnet man die Zimmerung als Langständer-, Brustschwellen- und Mittelschwellenbau.

Langständerbau.

Die Längsträger in Abständen von 1·0 – 1·5 *m* werden unmittelbar durch lange Ständer abgestützt, die auf der Sohle des Bogenorts wie bei der Unterfangungsbauweise oder auf der Sohle des Tunnels stehen (Abb. 370).

Da die auf Druck und Knicken beanspruchten Ständer sehr lang (bis 9 *m*) werden, so erhalten sie große Querschnitte (30 – 50 *cm*) und bedeutendes Gewicht.

Abb. 370.

Das Einbringen der langen und schweren Ständer ist im engen, druckhaften Tunnel schwierig, namentlich wenn nachträglich Zwischenstützung der Längsträger in geringem Abstand, also Verstärkung des Einbaues nötig wird. Im Druckgebirge ist daher der Langständerbau nicht zu empfehlen.

Im festeren Gebirge, das wenige Langträger, meist nur in der Tunnelfirst, daher auch wenige und leichte Ständer benötigt, kann der Langständerbau wohl in Frage kommen, weil er gegenüber dem Schwellenbau immerhin den Vorzug der einfacheren und übersichtlichen sowie der gelenkfreien Anordnung hat; denn durch eine Mittelschwelle werden die Ständer geteilt, wodurch gelenkartige Wirkung geschaffen wird, die durch kräftigen Längsverband tunlichst abgemindert werden muß.

Brustschwellenbau.

Die Längsträger *b* und *c* (Abb. 371 u. 372) werden auf eine Schwelle *S* oder nach Abb. 373 auf 2 Schwellen *So* und *Su*, die auf volle Breite des ausgebrochenen Tunnels reichen und daher 2teilig mit Überblattung und Verschraubung aus Kantholz hergestellt werden, durch Ständer abgestützt. Da diese Schwellen den Gebirgsdruck der Tunnelbrust aufzunehmen haben, heißen sie „Brustschwellen". Bei stärkerem Gebirgsdruck sind sie durch die „Bruststreben" *m* und *n* gegen Ausbiegen zu sichern. Die Brustschwellen werden durch mehrere Ständer gegen die Tunnelsohle gestützt.

Die Zimmerung erfolgt auf Zonenlänge *Z*, so daß die Längsträger nur den beiden Gespärren *EE* oder nach Abb. 374 auf dem fertigen Mauerwerk und dem Gespärre *E* frei aufliegen und dazwischen entweder keine Unterstützung erhalten (englische Zimmerung) oder sie werden noch durch Zwischengespärre *FF* (Abb. 372) gestützt, die entweder nach dem Langständer- oder Mittelschwellenbau angeordnet sein können.

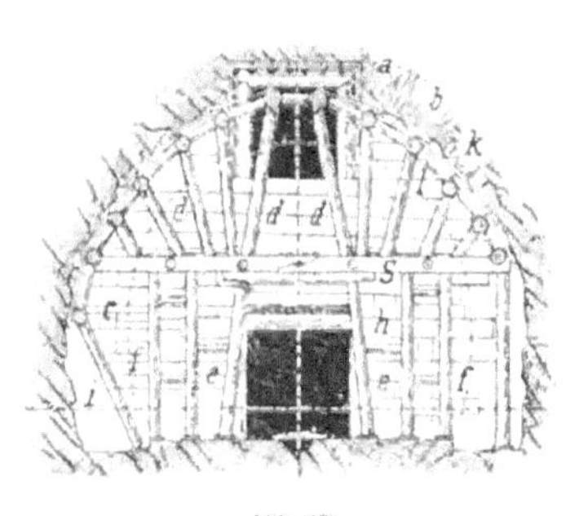

Abb. 371.

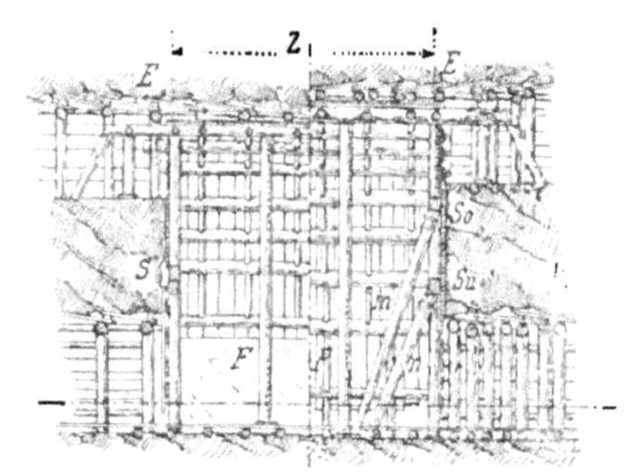

Abb. 372.

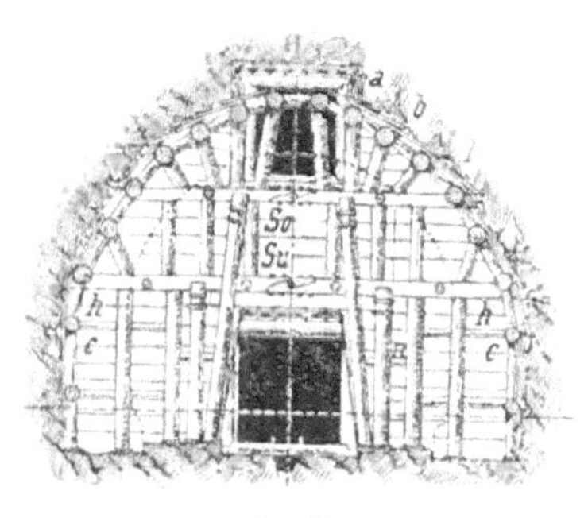

Abb. 373.

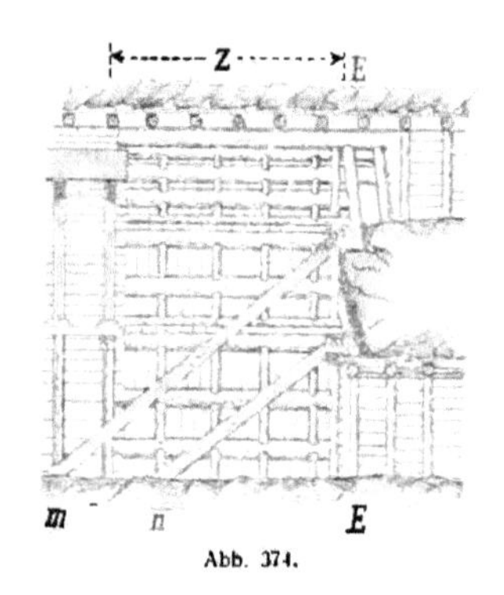

Abb. 374.

Abb. 375.

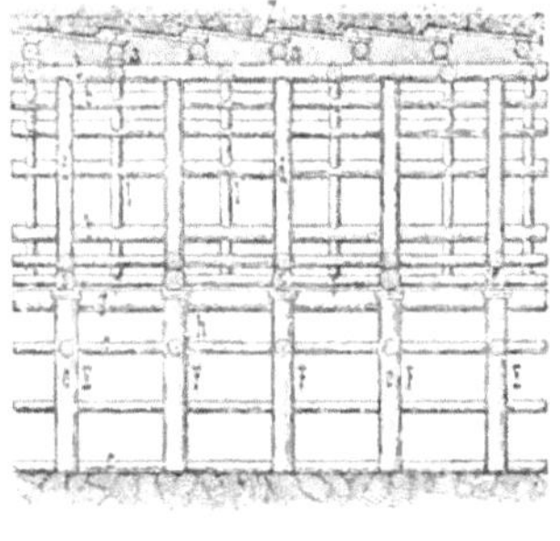

Abb. 376.

Die Brustschwellen sind an beiden Enden namentlich dann zu empfehlen, wenn in den anschließenden Zonen nur die Stollen aufgefahren sind, im übrigen die Tunnelbrust in senkrechter Lage bestehen bleibt und infolge Gebirgsdrucks abzustützen ist.

Bei der sog. „englischen Zimmerung" (Abb. 373, 374) werden die Längsträger außerhalb des dauernden Ausbaues, der Mauerung, so angeordnet, daß das Mauerwerk unter ihrem Schutz ausgeführt werden kann und die Beseitigung der Längsträger, wenigstens in den obersten Teilen, in der Tunnelfirst, erst nach Schluß des Scheitelgewölbes durch Vorziehen erfolgt. Die Längsträger sind hierbei auch bei den kurzen Zonenlängen von 5 – 6 *m* sehr schwer, da Zwischenstützen fehlen. Das Hervorziehen der hinter dem Mauerwerk verbliebenen Längsträger oder Kronbalken ist namentlich im druckhaften Gebirge besonders schwierig, wenn auch durch kleine Mauerwerkspfeiler zwischen dem Gewölbe und dem Gebirge eine Entlastung der vorzuziehenden Längsträger angestrebt wird; das Mauerwerk leidet darunter, eine wasserdichte Abdeckung, ein dichter Anschluß des Mauerwerks an das Gebirge oder eine gut ausgeführte Steinpackung oder Ausmauerung hinter dem Gewölbe kann nicht sicher gestellt werden; daher ist diese Zimmerungsart nicht zu empfehlen trotz der Vorteile der vom Gebirgsdruck namentlich im Gewölbescheitel unabhängigen Durchführung der Mauerungsarbeiten und der sonst während der Arbeiten erforderlichen Beseitigung der Kronbalken in der Tunnelfirst.

Wohl aber kann der Bau mit 1 oder 2 Brustschwellen für die Endgespärre *E* im Druckgebirge, das zonenweisen Vorgang erheischt, bei Anordnung von Zwischengespärren nach der Langständer- oder Mittelschwellenbauweise in vielen Fällen zweckmäßig sein.

Mittelschwellenbau.

Die Längsträger oder Kronbalken *b* (Abb. 375 und 376) werden auf kurze Mittelschwellen *S*, deren Länge in der Regel den Tunnellichtraum nicht überschreitet, durch Ständer *d* abgestützt. Die Schwelle, welche auch später zur mittleren Stützung der Lehrbogen für die Mauerung dient, wird von den Ständern *e f*, deren Zahl auf je 3 – 5 zu beiden Seiten vermehrt werden kann, getragen; sie teilt die Zimmerung in 2 Teile; die hierdurch verursachte Gelenkbildung muß durch Längsverspannung unschädlich gemacht werden.

Die Unterzüge *g* der Schwelle, welche nicht nur einen Längsverband, sondern auch die Anordnung weiterer Stützen zwischen den Gespärren ermöglichen, werden besser über den zweiten Stützen *f* eingebracht, da hierdurch die Unterfangung der Schwelle *S* durch die ersten Stützen *e* sowie die Einbringung des Unterzugs erleichtert wird. Die unteren Längsträger, auch Wandruten genannt, werden durch Bolzen *h* und Streben *i* gestützt.

Abb. 377. Abb. 378.

Im Zonenbau, d. h. völlige Fertigstellung einer Zone (Ring), bevor mit den Nachbarzonen in Ausbruch und Mauerung begonnen wird, werden auf Zonenlänge *Z*, die meist 6 – 9 *m* beträgt, 2 Endgespärre *E*, sodann Mittel- oder Zwischengespärre *F* angeordnet, deren Abstände und Anzahl vom Gebirgsdruck und der Zonenlänge abhängig sind und etwa 1·5 – 3·0 *m* betragen.

Im Druckgebirge erhalten die Endgespärre auch „Brustschwellen" nach Abb. 371 und 372 oder längere Mittelschwellen nach Art der Brustschwellen, die nur zum Teil in das Mauerwerk reichen.

Die Vorteile der Längsträgerzimmerung bestehen in dem sehr guten Längsverband. Die meist auf 6 – 9 *m* Bau- oder Zonenlänge (Ringlänge) ohne Unterbrechung durchlaufenden Längsträger geben dem Ausbau große Standsicherheit gegen Bewegungen und Verschiebungen und ermöglichen günstige Druckverteilung auf die Stützen und die Bausohle. Die Zimmerung erlaubt verhältnismäßig rasches Einbringen der Träger auf die Zonenlänge sowie eine leichte nachträgliche Verstärkung durch Zwischenstützen. Der Arbeitsvorgang ist daher bei nicht großem Gebirgsdruck ein rascher und verhältnismäßig billiger. Die Nachteile dieser Zimmerung sind namentlich die großen Längen, Abmessungen und Gewichte der Träger, die Unterzügen *g* besser über *f* wie über *c* getragen werden. Bolzen *b* vermitteln Längs- und Querverband. Die Pfähle *k* werden über den Querträgern *a* parallel zur Tunnelachse vorgetrieben. Die Mittelschwelle kann entweder auf volle Tunnelbreite reichen (Abb. 377) oder nur auf den mittleren Teil (Abb. 379) und wird dann gegen die Tunnelwände abgestützt, um Seitenbewegungen zu verhindern.

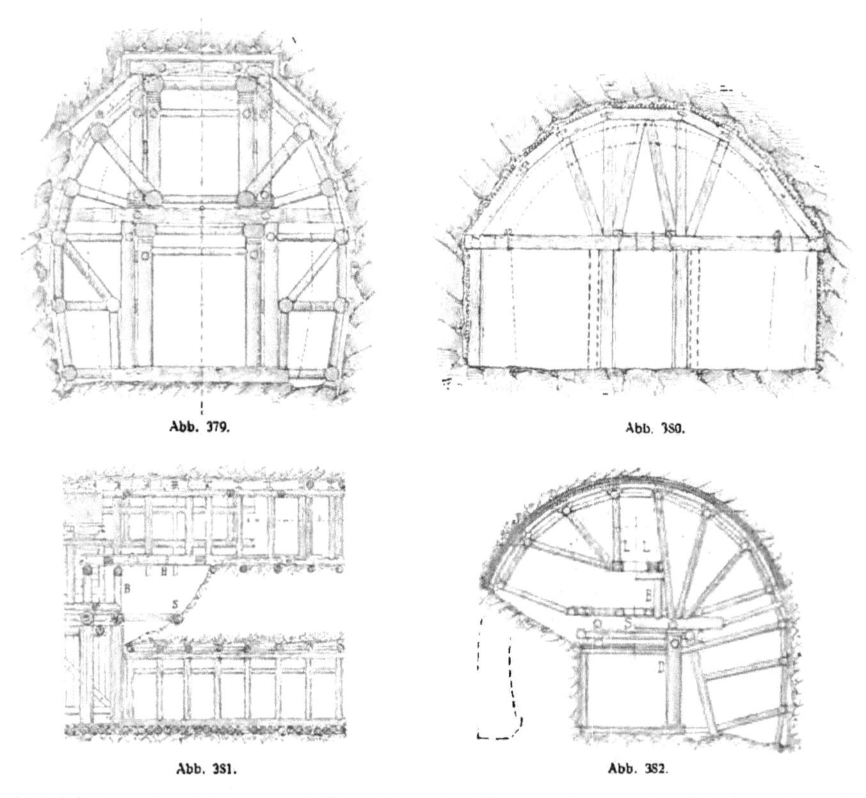

Abb. 379.

Abb. 380.

Abb. 381.

Abb. 382.

Aufschließung des Gebirges auf diese Länge sowie die Undurchführbarkeit einer reinen Getriebezimmerung, d. h. Vortreiben der Pfähle in der Längsrichtung und Einbau der Zimmerung unter dem Schutz der vorgetriebenen Pfähle.

2. Querträgerzimmerung.

Die Querträger oder Sparren auf Abb. 377 und 378 werden am Umfang des Tunnelausbruchs senkrecht zur Tunnelachse verlegt und durch Unterzüge *u* sowie Stempel *d* auf eine Mittelschwelle *s* abgestützt, die wieder durch Stände *c* und *f* durch Vermittlung von

Ein guter Längsverband ist besonders wichtig, damit die einzelnen Gespärre, meist in Abständen von 1·0 – 2·0 *m*, gegen Bewegungen in der Längsachse gesichert sind. Die Querträgerzimmerung wird auch auf einen Teil der oberen Tunnelhälfte beschränkt (Abb. 379), da die Druckverhältnisse in der Regel im Tunnelfirst am ungünstigsten sind. Auch im festeren Gebirge, wobei Verpfählung nicht erforderlich ist, kann Querträgerzimmerung am Platze sein, wie Abb. 380 (amerikanische Zimmerung) zeigt.

Der Querträgereinbau ist bei Anwendung der Getriebezimmerung, die eine Längsverpfählung bedingt, nicht zu entbehren; der

Längsverband ist aber nicht in der Weise möglich wie bei der Längsträgerbauweise, da durchlaufende Unterzüge wegen des nur von Gespärre zu Gespärre, also auf Pfahllänge möglichen stückweisen Vorgangs erst nach Fertigstellung einer längeren Strecke von etwa Zonenlänge eingezogen werden können, es ist daher die Gefahr von Verschiebungen der Gespärre durch Längskräfte größer wie beim Längsträgerbau, wenn auch eine Verspannung der Querträger oder Sparren durch Zwischenbolzen nicht unterlassen wird. Im festeren, wenig druckhaften Gebirge ohne nennenswerten Längsschub erleichtert die Querträgerzimmerung wegen der kleinen und leichten Hölzer den Einbau und dessen Beseitigung nach Fertigstellung des Mauerwerks.

Für Holzzimmerungen werden Querträger oder Sparren auch aus ⊥- oder I-Eisen hergestellt. So bestanden die Querträger im Cochemtunnel (Moselbahn) (Abb. 381, 382) aus gekrümmten I-Eisen von 1·5 – 2·5 *m* Länge, die verlascht und verschraubt wurden; sie erhielten angenietete Schuhe zur Aufnahme der Unterzüge.

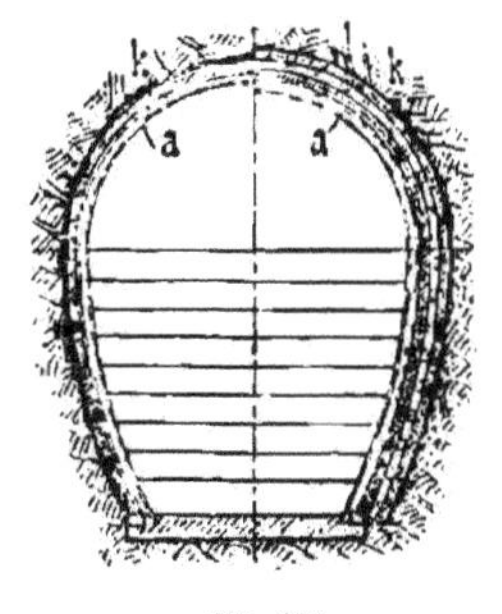

Abb. 383.

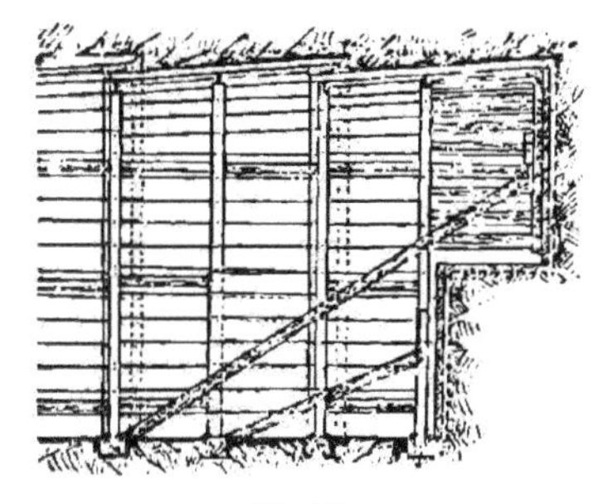

Abb. 384.

Abb. 385.

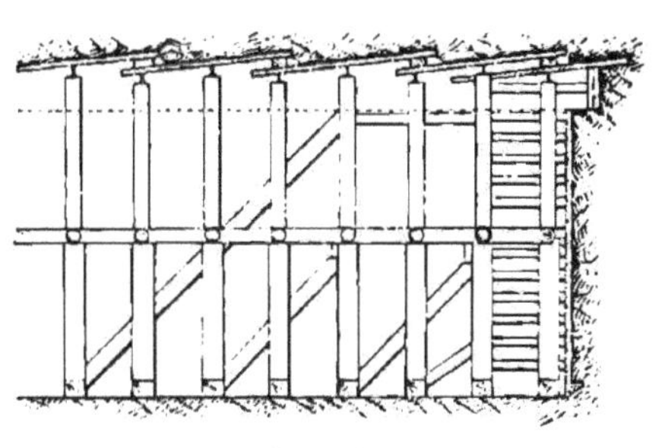

Abb. 386.

Diese Anordnung hat sich aber nicht bewährt, weil infolge von Bewegungen und kleinen Verbiegungen der Träger die verschraubten Laschen schwierig zu lösen waren und die aufgenieteten Schuhe ihren Zweck nicht erfüllten. Man hat daher bei späteren Ausführungen, wie z. B. im Endertunnel, die eisernen Querträger nicht mehr gekrümmt und verlascht, sondern sie gerade und ohne Verbindung auf die Unterzüge verlegt; sie wurden durch den Gebirgsdruck in dieser Lage erhalten.

Eisenzimmerung.

Eisen wird zur Zimmerung in Walzträger-, auch Altschienenformen, sodann als Blechwand und Fachwerksträger, schließlich in Röhrenform verwendet.

Während die Holzzimmerung an Ort und Stelle im Tunnel hergestellt und den jeweiligen Bedürfnissen angepaßt werden kann, auch einfache Verbindungen und billige Ausführung ermöglicht, wird die Eisenzimmerung in den Hauptteilen fertig in den Tunnel gebracht, kann also den Verhältnissen oder den während des Baues eintretenden Änderungen nicht sofort angepaßt werden. Verlaschungen und Verschraubungen der einzelnen Teile sind ungünstig, weil schon bei geringen Formänderungen, die häufig nicht vermieden werden können, das Lösen der Verbindungen besonders schwierig, ja unmöglich werden kann. Dagegen erlaubt die Eisenzimmerung kleinere, weniger Raum sperrende Abmessungen und ist von größerer Dauerhaftigkeit, die aber zumeist nicht ausgenutzt werden kann, da die Möglichkeit der Wiederverwendung bei anderen Tunnelbauten von günstigen Zufälligkeiten abhängt; daher sind auch die Kosten der Eisenzimmerung für einen Tunnelbau hohe und überschreiten die der Holzzimmerung.

Abgesehen von den für kleinere Tunnel zweckmäßigen und billigen I-Eisenrahmen, die erforderlichenfalls durch Holzstützen verstärkt werden, ist die Eisenzimmerung auf wenige Fälle beschränkt geblieben. Eisen hat in der Hauptsache nur in die Querträgerzimmerung Eingang gefunden.

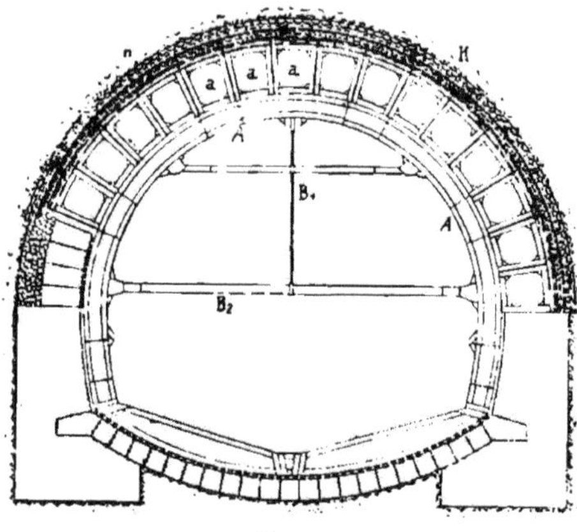

Abb. 387.

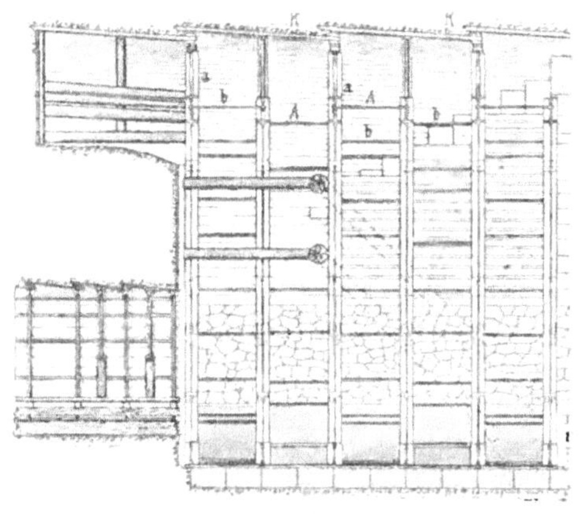

Abb. 388.

Für kleine Querschnitte reichen wie im Stollenbau 3-, auch mehrteilige Eisenrahmen *a* aus (I oder ⊓-Eisen), die verlascht, auf Sohlschwellen versetzt und durch Rundholzbolzen gegen Längskräfte gestützt werden. Die Längsverpfählung liegt auf den Eisenrahmen (Abb. 383, 384). Diese Eisenrahmen hat man bei größeren Querschnitten auch durch Holzständer gestützt (Abb. 385, 386). Bei geringen Überlastungen und stärkerem Druck sind zur Vermeidung von Bodensenkungen bei Ausmauerung die Eisenrahmen häufig nicht entfernt, sondern im Mauerwerk (meist Beton) belassen worden. Eisenzimmerungen für große Querschnitte sind meist nach der Bauweise Ržiha ausgeführt, aber aus den oben angegebenen Gründen auf wenige Fälle beschränkt geblieben. Nach der Bauweise Ržiha besteht die Zimmerung nach Abb. 387 und 388 aus mehrteiligen, der Form der Tunnelausmauerung angepaßten Eisenrahmen *A*, die anfänglich aus Gußeisen, später aber aus Blechwandträgern, deren Teile durch Verschrauben bzw. Verlaschungen und Verschrauben miteinander verbunden werden. Diese Rahmen werden durch Querträger B_1 B_2 abgesteift, die auch als Rüstung für die Mauerung dienten, daher Bühnenträger genannt werden.

Die Eisenrahmen *A* tragen die in den neueren Anordnungen aus verschraubten Winkeleisen gefertigten, mit dem Fortschritt der Ausmauerung einzeln herausnehmbaren Auswechslungsrahmen *a*, deren Höhe etwa gleich der Stärke des Mauerwerks mehr der Schalhölzer ist, und bilden dann die Lehrbogen für die Mauerung.

Über diesen Rahmen wird die Längsverpfählung *K* vorgetrieben. Der Längsverband erfolgt durch Rundeisen *b*, auch wohl Rundholzbolzen zwischen den Querträgerrahmen *A*. Die Querträger werden, wenn Sohlgewölbe nicht erforderlich sind, auch auf Sandunterlagen gestellt, um das Abtragen nach vollendeter Mauerung zu erleichtern.

Der dauernde Ausbau.

Der dauernde Ausbau oder die Verkleidung des Tunnels erfolgt durch Mauerwerk, Eisen und ausnahmsweise Holz. In den meisten Fällen ist der Mauerwerksausbau der zweckmäßigste; er umfaßt das Firstgewölbe mit der Abdeckung und Hintermauerung, die Widerlager, das Sohlgewölbe mit der Abdeckung und dem Entwässerungskanal sowie die Nischen in den Widerlagern. Der Mauerwerkskörper wird in der Regel in einzelnen kurzen, stumpf aneinanderstoßenden Zonen oder Ringen eingebaut. Die Zonenlängen schwanken von 3 – 15 *m*; in der Regel betragen sie 6 – 9 *m*. Im druckhaften Gebirge sind kurze Zonenlängen zu wählen, immerhin so lang (nicht unter 3·0 *m*), damit auch die Standsicherheit gegen Längskräfte gewahrt wird. Das Sohlgewölbe wird auch in kürzeren Zonen von 2 – 2·5 *m* eingebaut. In der Regel wird mit der Aufmauerung der Widerlager begonnen, hierauf das Firstgewölbe und zum Schluß, wenn erforderlich, das Sohlgewölbe und der Tunnelkanal hergestellt. Auch beginnt man mit dem Firstgewölbe, das dann durch die Widerlager unterfangen wird.

Das Mauerwerk wird aus rein oder roh bearbeiteten Quadern, Hau- und Bruchsteinen, Ziegeln (Hartbrandsteine, Klinker), Stampfbeton, Zementkunststeinen ohne oder mit Eiseneinlagen und in Betoneisen hergestellt.

Zum Mörtel verwendet man Zement (Portland-, Erz-, Hochofenschlackenzement), Zementkalk und hydraulischen Kalk. Traßmörtel oder stärkere Traßzusätze zum Zement- oder Zementkalkmörtel haben sich trotz der günstigen Eigenschaften des Trasses in der Mehrzahl der Fälle im Tunnelbau nicht bewährt.

In nassen und druckhaften Tunnelstrecken ist dichter und rascher bindender Mörtel zu verwenden, da das Mauerwerk sofort Gebirgsdruck aufnehmen muß. Die Wasserdichtigkeit des Zementmörtels wird durch fette Mischungen (1 Z., 1 S. bis 1 Z., 2 S.), auch durch verschiedene Zusätze (Zerisit, Kaliseifenlösung, Öl, Alaun, feine Tonerde) etwas erhöht. Auch durch Zusätze von flüssigem Natrium- oder Kaliumsilikat und einer geringen Menge einer Kalziumverbindung kann die Wasserdichtigkeit etwas erhöht werden.

Sauere und salzhaltige Gebirgswässer wirken auf feuchten Mörtel zerstörend ein, ebenso die schwefligen Lokomotivrauchgase infolge der Umwandlung des Kalkes im Zement in schwefelsauren Kalk (Gips). Es sind daher besondere Schutzvorkehrungen zu treffen und nicht langsam bindende Mörtel, wohl aber besondere Zementarten (Erzzement), die keine Tonerde enthalten, aber nicht zu rasch abbinden, zu verwenden. Trockener und erhärteter Mörtel leidet nach den vorliegenden Beobachtungen unter den Lokomotivrauchgasen nicht.

Form und Stärke des Mauerwerks.

Form und Stärke der Ausmauerung sind von dem durch die Abmessungen der Eisenbahnfahrzeuge bedingten Lichtquerschnitt, von der Größe und Richtung des Gebirgsdrucks sowie von der Art des Ausbaues und der hierzu verwendeten Stoffe abhängig.

Die Lichtquerschnitte der Tunnel sind auf das geringste durch die Umgrenzungslinien des Lichtraums der Bahnen mit den erforderlichen Spielräumen zu beschränken, da größere Lichtquerschnitte Mehrausbrüche, daher verstärkten Gebirgsdruck sowie Mehrausmauerung und daher größere Kosten bedingen.

Es ist zu prüfen, ob den Gebirgsdrücken nicht billiger durch entsprechende Vergrößerung der Mauerwerkstärken bzw. Verwendung festerer Baustoffe, die kleinere Abmessungen erlauben, wie durch Tunnelformen zu begegnen sei, welche von den erforderlichen Lichtraumquerschnitten erheblich abweichen und zudem in den meisten Fällen den tatsächlichen Verhältnissen doch kaum richtig angepaßt werden können. In der Regel wird der Lichtraumquerschnitt eines Tunnels einheitlich durchgeführt.

Größe und Richtung des Gebirgsdrucks sind von vielen, meist kaum richtig zu beurteilenden Umständen abhängig, wie von den Festigkeits- und Reibungswerten, dem Streichen und Fallen, den Überlagerungsverhältnissen, der Wasserführung und der chemischen Zusammensetzung des Gebirges, aber auch von der Art, der Zweckmäßigkeit und Raschheit der Ausführung des zeitweiligen und des dauernden Ausbaues.

Je tiefer der Tunnel unter der Erdoberfläche liegt, um so schwieriger wird die richtige Erkenntnis der Gebirgsverhältnisse.

Der Ausbau soll so erfolgen, daß Bewegungen, Loslösungen und Auflockerungen des Gebirges tunlichst eingeschränkt werden; er soll gemeinsam mit dem Zusammenhalt, also der Zug- und Scherfestigkeit des Gebirges, der Schwerkraft, dem Gewicht der Überlagerungsmassen und den seitlichen Gebirgsdrücken tunlichst entgegenwirken.

Die Belastungen des Tunnels erfolgen durch das Gewicht, den Erddruck und den Auftrieb des Gebirges, durch seitliches Ausweichen gepreßter und das Abrutschen einzelner Gebirgsschichten und Gesteinsblöcke, die namentlich bei vorhandenen Hohlräumen ungünstige dynamische Einwirkungen äußern; dann durch Anschwellen und Volumsvergrößerung, „Blähen", des Gebirges infolge Einwirkung von Luft und Wasser.

Der Zutritt von Wasser vermindert die Reibung, teilweise auch die Scher- und Zugfestigkeit. Das Austrocknen verschiedener Gebirgsarten erleichtert dagegen die Rissebildung und daher die Lösung einzelner Teile aus dem Zusammenhang.

Am Tunnelumfang wirken daher an dessen einzelnen Stellen verschieden große Kräfte nach verschiedenen Richtungen, deren Ermittlung nicht oder nur schätzungsweise möglich ist.

Es fehlt nicht an Versuchen, in einigen Fällen, namentlich im gleichartigen Gebirge, die Größe des Gebirgsdrucks zahlenmäßig zu ermitteln, um bei Festsetzung von Form und Stärke des Tunnelausbaues nicht allein auf den empirischen Vorgang angewiesen zu sein. Die Unterlagen für solche Berechnungen können nur durch Schätzungen gewonnen werden, daher auch den Rechnungsergebnissen größeres Gewicht nicht beigelegt werden kann.

Sie geben aber Fingerzeige und Anhaltspunkte für die Wahl der Form und Stärke der Tunnelausmauerung, auf die selbstverständlich nicht verzichtet werden soll.

In sehr festem Gebirge mit großer Kohäsion, das keine Ablösungen zeigt, können Tunnel unausgemauert bleiben; das ist im eingleisigen Tunnel namentlich auf Schmalspurbahnen eher möglich wie im zweigleisigen der Vollbahnen, welche auch im festen Gebirge fast durchwegs ein Verkleidungsmauerwerk mindestens in der Decke erhalten, da infolge der Aufhebung der Gesteinsverspannung, der zerklüftenden Sprengwirkung bei Herstellung des Ausbruchs sowie der erschütternden Wirkung der Eisenbahnzüge nachträglich Gesteinsablösungen vorkommen, die den Betrieb gefährden.

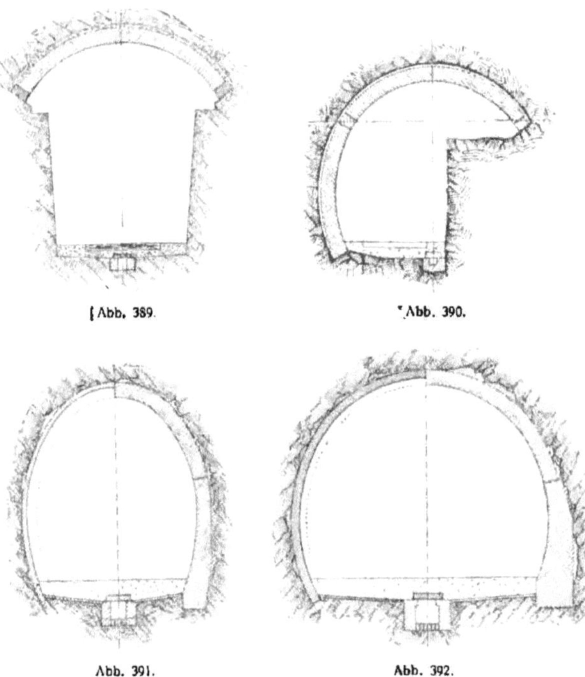

Abb. 389. Abb. 390. Abb. 391. Abb. 392.

Zur Vermeidung der während des Eisenbahnbetriebs besonders schwierigen, für eine nachträgliche Ausmauerung erforderlichen Mehrausbrüche sind diese in zweifelhaften Fällen für vorerst unausgemauerte Tunnel schon während des Baues vorzunehmen. In manchen Fällen kann Deckenverkleidung ausreichen (Abb. 389), auch einseitige Widerlager, namentlich in später auf 2 Gleise zu erweiternden Tunneln (Abb. 390).

Im Gebirge, das nur Verkleidung bedarf, und Gebirge, das nur geringen Druck äußert, erhalten die Querschnitte für ein- und zweigleisige Tunnel Formen nach Abb. 391 und 392. Mit zunehmendem Druck werden Gewölbe und Widerlager verstärkt und erforderlichenfalls Sohlgewölbe ausgeführt. Die Firstgewölbe erhalten für eingleisige Tunnel meist elliptische, bzw. Korbbogengewölbe (Abb. 393, 394, 395). Für zweigleisige Tunnel werden in der Regel halbkreisförmige Gewölbe und nur bei größerem Firstdruck überhöhte Korbbogengewölbe angeordnet (Abb. 396, 397).

Der Raum zwischen Gewölbe und Gebirge wird entweder durch trockene Steinpackung oder zur Erhöhung der Standsicherheit meist besser durch Mörtelmauerwerk oder Beton ausgefüllt, wenn das Gewölbe selbst nicht unmittelbar an das Gebirge angemauert wird, aber durchaus nicht in allen Fällen, wie dies von einigen Seiten vorgeschlagen wird, s. hierüber „Entwässerung"). Firstgewölbe sind wegen der unvermeidlichen Sackungen so zu überhöhen, daß nach Ausrüstung der Tunnellichtraum überall vorhanden ist. Zu dem Zwecke werden die Lehrgerüste überhöht (etwa 15 – 30 *cm*).

Widerlager werden dem Gebirgsdruck entsprechend mit innen, ausnahmsweise auch mit außen geböschten Flächen (Abb. 394) und mit entsprechend großer Sohlenbreite sowie in genügend tiefer Lage ausgeführt. Sohlgewölbe werden bei Auftrieb des Bodens, zur Entlastung der Widerlagerfundamente und Vermeidung der Verschiebung der Widerlager nach innen auszuführen sein. Die Stärke des Sohlgewölbes ist unter sonst gleichen Verhältnissen größer zu wählen wie die des Firstgewölbes, um den Stoßwirkungen der unmittelbar darüber rollenden Eisenbahnzüge Rechnung zu tragen. Über dem Sohlgewölbe wird eine Magerbetonschichte aufgebracht zur Verhinderung der Durchnässung und damit das Wasser von oben in den Tunnelkanal eingeführt werden kann.

Der Einbau von Quadern zum Anschluß des Sohlgewölbes an die Widerlager ist zu empfehlen, auch dann ratsam, wenn vorerst kein Sohlgewölbe ausgeführt wird, aber die Möglichkeit einer nachträglich notwendig werdenden Einziehung nicht ausgeschlossen ist. Anstatt des Gewölbes können auch Balken aus Mauerwerk, Beton oder Betoneisen, sog. Sohlklötze verwendet werden (Abb. 398). Wenn der Beton richtig bereitet und eingestampft wird, ist er sehr wohl in vielen Fällen im Sohlgewölbe zweckmäßig.

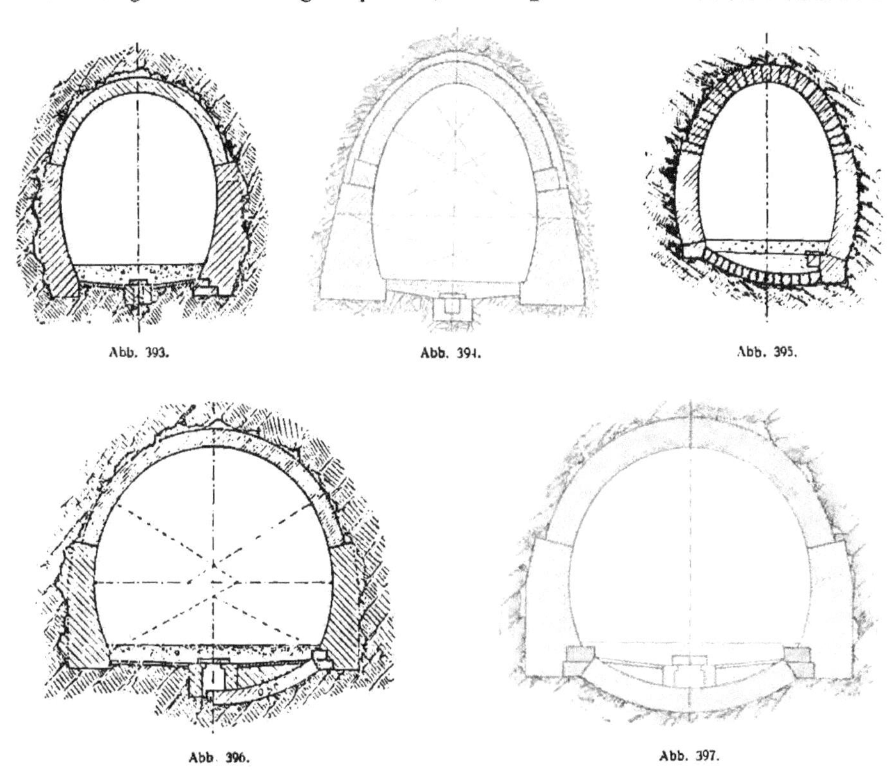

Abb. 393. Abb. 394. Abb. 395. Abb. 396. Abb. 397.

Die Stärken des Mauerwerks in ein und zweigleisigen Tunneln der Vollspurbahnen bewegen sich je nach den Gebirgsverhältnissen und der Mauerwerksgattung, zumeist im Firstgewölbe von 0·4 – 1·0 *m*, im Sohlgewölbe von 0·4 – 1·0 *m*, in den Widerlagern von 0·4 bis 1·3 *m*. In der Regel werden namentlich für längere Tunnel auf Grund der wahrscheinlichen Gebirgsbeschaffenheit die anzuwendenden Mauerungsquerschnitte (Tunneltypen) in ausreichendem Umfang festgesetzt, damit nach Aufschluß des Gebirges, der meist durch den Richtstollen genügend erfolgt, der in jedem einzelnen Fall passende Mauerungsquerschnitt gewählt und mit den vereinbarten Preisen bezahlt werden kann. In Ausnahmefällen sind aber auch wesentlich größere Abmessungen des Tunnelmauerwerks erforderlich gewesen, die nicht vorgesehen waren, allerdings meist infolge von fehlerhaften erstmaligen Ausbauten und der hierdurch hervorgerufenen größeren Gebirgsbewegungen.

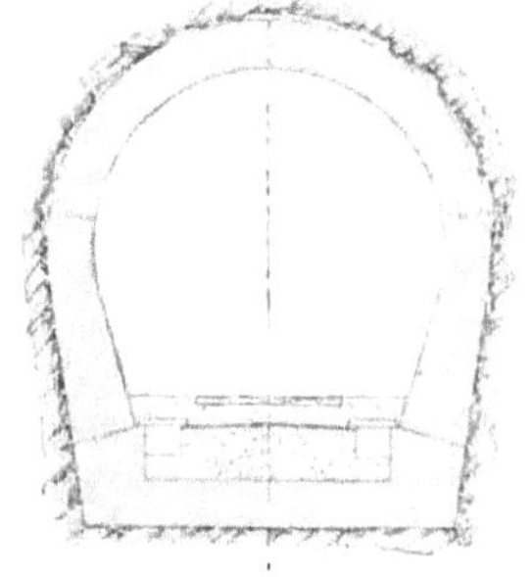

Abb. 398.

So sind z. B. Mauerstärken im Firstgewölbe erforderlich gewesen in den Druckstrecken des zweigleisigen Gotthardtunnels 1·5 *m*, des eingleisigen Simplontunnels 1·67 *m*, des zweigleisigen Roncotunnels und des zweigleisigen Col di Tenda-Tunnels 2·0 *m*.

Betoneisenausmauerungen sind bisher mit Draht- und Flacheiseneinlagen im Tunnelbau nur im beschränkten Maße ausgeführt. Ausbauten mit einbetonierten Eisenfachwerksrahmen sind verwendet worden z. B. im Schönhuter Tunnel (Abb. 399) und im Pragtunnel bei

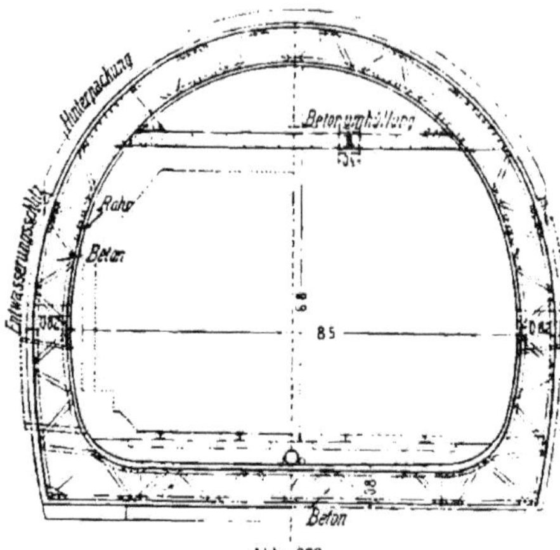

Abb. 399.

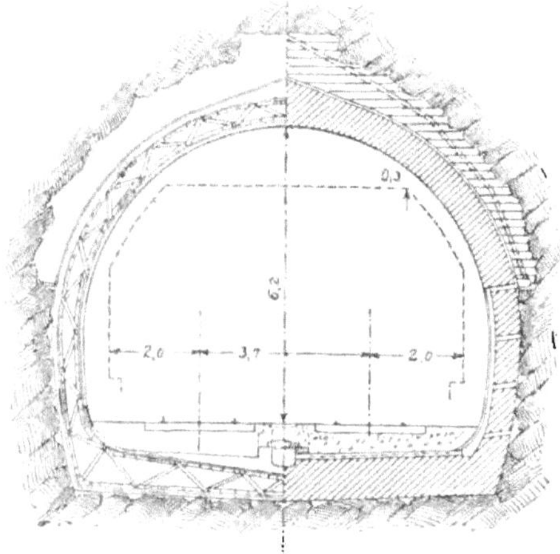

Abb. 400.

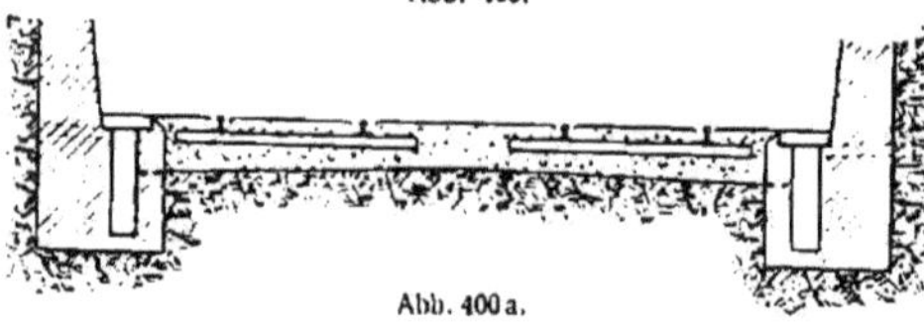

Abb. 400 a.

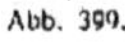

Stuttgart (Abb. 400), auch in den Druckstrecken des Umgehungstunnels bei Elm (Schlüchtern). Hierbei wurden die Eisenfachwerkträger in Abständen von 1·5 *m* angeordnet und mit Beton umgeben.

Eisenausbau. Hierzu wurden anfänglich Rahmen aus Gußeisen verwendet, von der Ansicht ausgehend, daß Gußeisen weniger der Rostgefahr ausgesetzt ist wie Schweiß- und Flußeisen. Gegenwärtig wird Flußeisen gebraucht, weil sich hierbei die bei Gußeisen vorgekommenen Rissebildungen vermeiden lassen. Die Rahmen bestehen aus mehreren nicht zu langen Teilstücken, die durch Verschraubungen oder Vernietungen verbunden werden, wobei die Stoßfugen durch Weichmetalle oder geteerte Stoffe gedichtet werden. In vielen Fällen hat man die Eisenrahmen auch mit einer nicht tragfähigen Betonschicht verkleidet, um sie gegen die Einwirkungen der Feuchtigkeit und Rauchgase der Lokomotiven zu schützen.

Tunnelentwässerung. Bei Wahl der Tunnellinie sucht man wasserführenden Gebirgsschichten auszuweichen; häufig kennt man aber ihre Lage und Ergiebigkeit nicht; erst während des Baues, ausnahmsweise auch erst einige Zeit nach Vollendung des Tunnels, tritt das Gebirgswasser in Erscheinung. Besondere Entwässerungsanlagen durch Stollen über und neben dem zu erbauenden Tunnel erheischen gewöhnlich große Kosten und bieten oft wenig Gewähr einer ausreichenden Entwässerung. In der Regel leitet man das angefahrene Wasser in das Innere des Tunnels und führt es mittels besonderer, in dessen Sohle angeordneter Kanäle nach außen ab. Wasserläufe an der Oberfläche führen bei genügender Überlagerung durch feste, risselose und nicht verworfene Schichten dem Tunnel nur wenig oder kein Wasser zu, andernfalls kann man es in einigen Fällen durch Ableitung oder Herstellung wasserdichter Gerinne an der Oberfläche vom Tunnel fernhalten.

Bei Unterfahrung wasserreicher Bäche, von Flüssen, Seen und Meeresarmen in wasserdurchlässigem Gebirge muß durch Bauvorgang und dichte Verkleidung (Eisenhaut) der Wasserzufluß in das Tunnelinnere überhaupt verhindert werden. Das ist auch in Fällen nötig, in welchen eine Entziehung des Wassers aus der Tunnelüberlagerung zur Vermeidung der Trockenlegung von Brunnen-, Wald- oder Gartenanlagen u. s. w. oder die hierdurch bedingte Auswaschung von weichen und löslichen Teilen des Gebirges, was plötzliche stärkere Druckäußerungen zur Folge haben kann, nicht zulässig ist; denn der Tunnel mit innenliegender Entwässerung wirkt als Saugrohr (Drainrohr), das der Überlagerung oft auf beträchtliche Ausdehnung das Wasser entzieht.

Kanäle. Die zur Abführung des in das Tunnelinnere geleiteten Wassers dienenden Kanäle liegen in der Tunnelsohle entweder in der Bahnachse oder an einem, auch an beiden Widerlagern (Abb. 391 – 395). Im wenig breiten eingleisigen Tunnel ist die Lage des Kanals an den Widerlagern wegen leichterer Zugänglichkeit vorzuziehen. Im breiten zweigleisigen Tunnel ist der in der Bahnachse zwischen den Gleisen liegende Kanal, namentlich bei größerem Gleisabstand (3·7 – 4·0 *m*) wohl erreichbar. Die Anordnung von 2 Kanälen an beiden Widerlagern (Abb. 400a) ist im ein- und zweigleisigen Tunnel vorteilhaft, weil das Wasser unmittelbar in die Kanäle und nicht mehr durch die Gleisbettung fließt, die ohnedies mit der Zeit die Wasserdurchlässigkeit verliert, oder es können die nach dem Kanal führenden, Mehrkosten bedingenden, die Gleisunterstopfung teilweise hindernden Querkanäle vermieden werden. Die Mehrkosten der Doppelkanalanlage werden durch deren Vorteile, namentlich bei Weglassung von Querkanälen größtenteils ausgeglichen. Auch falls sich der an einem Widerlager bereits ausgeführte Kanal im Verlauf der weiteren Arbeit infolge größerer, nicht vorhergesehener Wasserzuflüsse unzureichend erweist, wird ein zweiter Kanal am gegenüberliegenden Widerlager erforderlich. In Strecken mit Sohlgewölben bedingen Doppelkanäle allerdings deren tiefere Lage.

Zur Abführung größerer Wassermengen sind geschlossene, gewölbte oder gemauerte, in Beton oder Betoneisen und mit Stein- oder Betonplatten abgedeckte Kanäle erforderlich, die auch Sicherheit gegen Verstopfungen bieten. Die gedeckten Kanäle, wobei die leicht abnehmbaren Deckel mit freien Stoßfugen ohne Mörtel verlegt und die Seitenmauern mit Schlitzen versehen werden (s. Abb. 401), so daß das Wasser überall von oben in den Kanal gelangen kann, sind den gewölbten Kanälen vorzuziehen; denn die Abnehmbarkeit des Deckels ermöglicht die Zugänglichkeit an beliebiger Stelle. Die meist rauhe und unregelmäßig ausgebrochene Tunnelsohle ist zweckmäßig durch Mörtel abzugleichen und zu glätten, damit das Wasser dem Tunnelkanal möglichst rasch zugeführt wird.

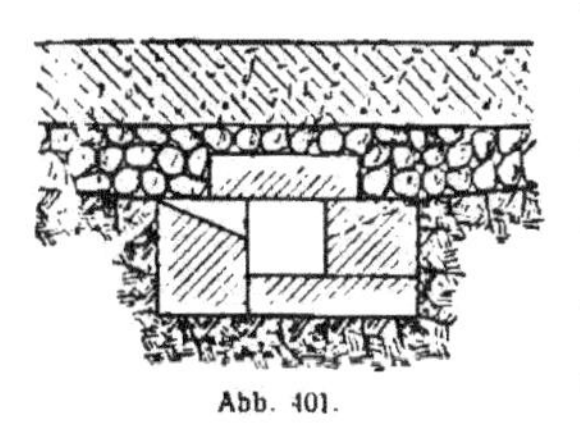

Abb. 401.

Die nachteilige Durchnässung der Bettung wird bei stärkerem Wasserzudrang, wenn nicht Doppelkanäle an beiden Widerlagern ausgeführt werden, durch röhrenförmige oder gemauerte Querkanäle, welche tief genug liegen, um die Oberbauerhaltung nicht zu erschweren, vermieden (Abb. 402). Die Zugänglichkeit und Reinhaltung wird auch bei gedeckten Kanälen durch E i n s t e i g s c h ä c h t e in Abständen von 30 – 50 *m*, die bis auf Schwellenoberkante geführt werden, erleichtert. Wird das Gebirgswasser dem Tunnelinnern zugeführt, so erfolgt die Abführung entweder unmittelbar über dem abgedichteten Gewölberücken oder oberhalb einer Übermauerung des Gewölbes, wodurch dichter Anschluß des Mauerwerks an das Gebirge erreicht wird.

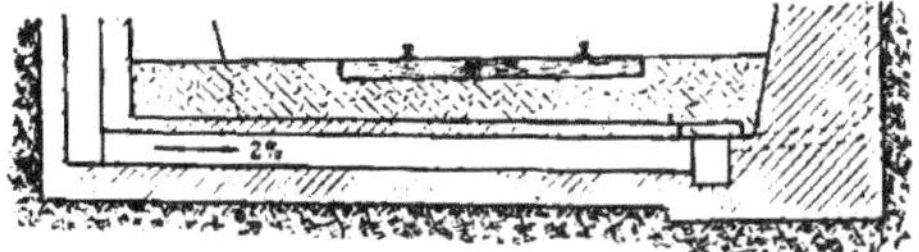

Abb. 402.

Bei Abführung des Wassers auf der äußeren Gewölbeleibung wird der Raum zwischen dieser und dem Gebirge mit entsprechend großen und sehr festen Steinen trocken so ausgepackt, daß die Wasserdurchlässigkeit tunlichst erhalten bleibt, was allerdings nur im festeren Gebirge ohne Ablösungen zu erreichen ist, da im losen und weichen Gebirge die vom Wasser mitgeführten Teile die Steinpackung bald verschlämmen.

Das dem Gewölbekämpfer zufließende Wasser wird in den meisten Fällen in geneigten, in der Hintermauerung der Widerlager hergestellten Rinnen gesammelt, aus welchen es in verschiedener Weise der Tunnelsohle und von dort den Entwässerungskanälen zugeführt wird.

Bei geringen Wassermengen und im festen Gebirge, in dem nennenswerte Ablösungen des Gesteins und daher Verstopfungen nicht zu befürchten sind, werden in den Widerlagern, welche in allen Fällen an das Gebirge anzumauern sind, mit Steinen trocken ausgepackte Sickerschlitze belassen. Bei größeren Wassermengen und im wenig festen und losen Gebirge sind aber geschlossene gemauerte Abfallschächte, auch Ton- oder Eisenrohre hinter oder in den Widerlagern zweckmäßiger, weil diese weniger leicht verstopft oder verschlämmt werden wie die mit Steinen ausgepackten Schlitze.

Es empfiehlt sich, diese Schächte stellenweise so zugänglich zu machen, daß etwa eintretende, hierbei auch nicht ausgeschlossene Verstopfungen unschwer beseitigt werden können.

Das Wasser wird auch vom Gewölbekämpfer unmittelbar durch Schlitze im Mauerwerk in das Tunnelinnere geführt. Die Abführung des den Widerlagern unmittelbar zufließenden Wassers kann durch die für die Ableitung des Gewölbewassers hinter den Widerlagern belassenen, mit Steinen ausgepackten Schlitze erfolgen.

Bei satter Anmauerung des Gewölbes an das Gebirge oder Ausfüllung des Raumes zwischen dem Gewölberücken und Gebirge mit Mauerwerk oder Beton können geringe Wassermengen zurückgehalten werden.

Bei größeren Wasserzuflüssen ist aber die Aufstauung des Wassers über dem Gewölbe und die hierdurch bedingte Steigerung der Druckhöhe zu vermeiden, da Rissebildungen in der Hintermauerung der Gewölbe häufig nicht hintangehalten werden können. Daher sind in der Hintermauer oder zwischen ihr und dem Gewölbe Entwässerungsschlitze oder Saugrohre anzuordnen, die das Wasser sammeln und nach den Gewölbekämpfern abführen.

Die völlige Abhaltung des Wassers vom Tunnelinnern wird bei geringen Zuflüssen durch Anmauern des Gewölbes an das Gebirge oder durch dessen Hintermauerung zu erreichen versucht, was aber infolge der Gewölbebewegungen und der hierbei möglichen Rissebildungen in der Hintermauerung häufig nicht gelingt.

Die Ausfüllung des Raumes zwischen dem Gewölbe und dem Gebirge mit Mauerwerk oder Beton ist der Trockenpackung, deren gute Herstellung kaum zu erreichen ist und die vielfach doch nach einiger Zeit verschlämmt und unwirksam wird, trotz größerer Kosten (Mehrkosten nicht unter 3% der Tunnelkosten) vorzuziehen, weil durch den dichten Anschluß des Gewölbes an das Gebirge günstigere statische Verhältnisse ermöglicht, weitere Abbröckelungen und Auflockerungen des Gebirges sicherer verhindert und außerdem noch besserer Schutz des Gewölbes erreicht werden kann. Nur in stark wasserführendem Gebirge, das in der Regel ohnedies fest ist, also Ablösungen und Auflockerungen nicht zu befürchten sind, auch das Mauerwerk nur geringe Belastungen erfährt, ist die Trockenpackung der Hintermauerung, welche bei Herstellung gegen Durchwaschung nicht geschützt werden kann, vorzuziehen.

Wasserdichte Abdeckung des Mauerwerks ist bei Abführung des Wassers unmittelbar auf dem Gewölberücken erforderlich. Auch bei Hintermauerung des Gewölbes, also Ausfüllung des Raumes zwischen Gewölberücken und dem Gebirge mit Mauerwerk oder Beton ist unmittelbare Abdichtung des Gewölbes zu empfehlen, da die Hintermauerung auch bei Verwendung von dichtenden Mörtelzusätzen selten dicht ist und bei den unvermeidlichen Bewegungen des Tunnelmauerwerks leicht Risse bekommt, durch die das Wasser dem Gewölberücken zugeführt wird, was vermieden werden muß, namentlich wenn sauere, den Mörtel schädigende Gebirgswässer vorhanden sind. Zur Ausführung der wasserdichten Decke muß ein Raum von 0·4 – 0·6 *m* zwischen dem Gewölberücken und dem Gebirge freigehalten werden.

Zur Abdichtung sollen wasserdichte, dauerhafte Stoffe verwendet werden, die gegen Zerstörung durch die Gebirgswässer und Zerreißen bei Bewegungen des Mauerwerks sicher sind.

Man verwendet Eisenbleche, Wellbleche, Zink- und Bleibleche, Zement- und Betoneisenplatten, sodann wasserdichte Stoffe verschiedener Art. Von den Metallabdeckungen sind Bleiplatten, namentlich die mit Asphaltfilzplatten umhüllten (Siebelsche Asphaltfilzplatten) mit ausreichend dicken oder doppelten Bleiblechen die dauerhaftesten und zweckmäßigsten, allerdings auch die kostspieligsten. Zur Abdeckung mit wasserdichten Stoffen werden zumeist leichte, biegsame und dichte Stoffe verwendet, wie z. B. Tektolith, Pachytekt, Ruberoid, Asphaltfilzplatten von Buscher & Hoffmann u. s. w. Bei größeren Gewölbebewegungen erleiden die weniger zugfesten Stoffe Risse, namentlich an den Stoßstellen, die mit besonderen Klebmitteln geschlossen werden. Nach mehreren Jahren verlieren sie meist die Wasserdichtigkeit. Asphaltplatten werden leicht brüchig. Diese Abdeckungen haben sich auch mehrfach nicht bewährt, weshalb man den kostspieligeren, aber dauerhaften Abdeckungen mit geschützten Bleiplatten oder den Siebelschen Asphaltfilzplatten mit Bleieinlagen den Vorzug geben soll.

Die wasserdichten Abdeckungen werden in der Regel auf dem mit Zementmörtel oder einer Ziegelflachschicht geglätteten Gewölberücken verlegt. Die mit 5 – 15 *cm* übergreifenden Fugen werden entweder nicht oder mit einem dem Stoff angepaßten Klebmittel geschlossen. Die Decke soll dann durch eine Zementmörtelschichte oder durch in Mörtel verlegte Flachziegel oder dünne Steinplatten gegen Wunddrücken und Aufreißen durch die Steinhinterpackung oder Hintermauerung geschützt werden. Im letzteren Fall hat man auch zwischen Schutzdecke und Hintermauerung ein Netz von Sickerungen angeordnet.

Wasserdichte Abdeckung durch nachträgliches Einpressen von Zementmörtel unter Anwendung höheren Druckes von etwa 2 – 6 Atm. in den mit Steinen trocken ausgepackten Raum hinter dem fertigen und ausgerüsteten Gewölbe, nachdem Bewegungen und Sackungen kaum mehr vorkommen, erscheint nur im wenig drückenden Gebirge ohne Ablösungen zweckmäßig, weil hierbei eine Verunreinigung des eingespritzten Mörtels nicht zu befürchten ist. Im Gewölbe werden während des Baues die zur Einspritzung erforderlichen Löcher belassen. Die Einspritzung wird an den Kämpfern begonnen und im Scheitel des Gewölbes beendigt. Die Steinhinterpackung wird in Abständen von 5–10 *m* durch kleine, ans Gebirge schließende Quermauern abgeschlossen, um die einzelnen Zonen unabhängig voneinander zu machen. Diese Dichtungsart hat den Vorteil, daß die während des Baues und nach Ausrüstung unvermeidlich eintretenden Bewegungen nicht mehr zerstörend auf die wasserdichte Gewölbeabdeckung einwirken können und

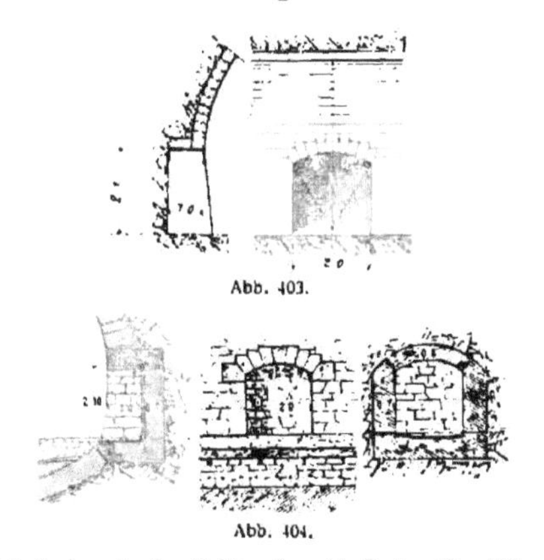

Abb. 403.

Abb. 404.

hierbei auch ein dichter Anschluß des Gewölbes an das Gebirge erreicht wird.

Von dieser Abdichtungsweise wird auch bei Wiederherstellung alter Tunnelgewölbe, die namentlich durch die Feuchtigkeit gelitten haben, mehrfach Gebrauch gemacht.

Nischen und Kammern.

Der Tunnellichtraum reicht meist nicht aus zum sicheren Verkehr zwischen den Eisenbahnfahrzeugen und den Tunnelwandungen. Es werden daher Nischen in Abständen von 20 bis 50 *m* in einem oder in beiden Widerlagern, im letzteren Fall entweder um die Hälfte des Abstandes gegeneinander versetzt oder gegenüberliegend angeordnet. Die gegenüberliegenden Nischen sind aus Sicherheitsgründen namentlich im zweigleisigen Tunnel den versetzten Nischen vorzuziehen.

Die Nischen werden nach Abb. 403 u. 404 angeordnet. Es empfiehlt sich, sie so erkenntlich zu machen, daß sie von den Tunnelarbeitern rasch und sicher aufgefunden werden. Die Umrahmungen erhalten daher häufig weiße Anstriche.

In langen Tunneln sind zur Unterbringung von Geräten für die Bahnerhaltung und von Oberbauersatzstücken, zum zeitweiligen Aufenthalt der Wärter und zur Einrichtung von Signalstationen größere Nischen, Kammern genannt, die meist mit Verschlußeinrichtungen versehen werden (Abb. 405, 406, 407), erforderlich.

Meist wurden kleine Kammern von etwa 3·0 *m* Tiefe und Breite alle Kilometer und

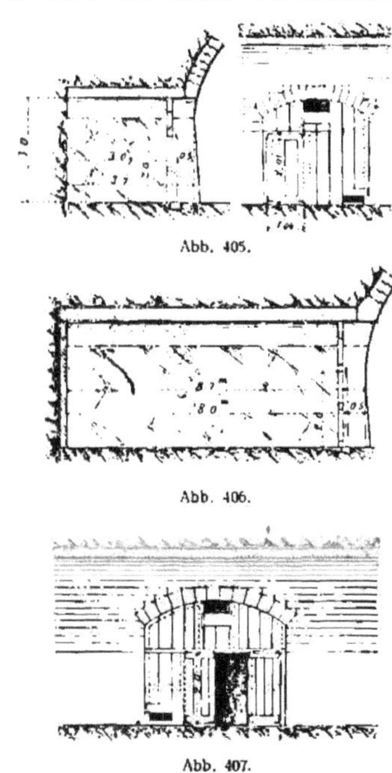

Abb. 405.

Abb. 406.

Abb. 407.

große Kammern von 6—8 *m* Tiefe in Abständen von 3–4 *km* angeordnet.

Tunnelmündungen.

Nur in sehr festem Gebirge münden Tunnel unmittelbar in der Felswand; sofern Gefahr von Abbröckelungen der Gesteinswand besteht, ist eine Verkleidung der Stirnwand vorzusehen.

Im minder festen Gebirge sind zur Aufnahme des Erddrucks Abstützungen der Stirnwände durch Mauern erforderlich, auch mit geböschter Vorderfläche, wobei das Tunnelrohr auch senkrecht zur Vorderfläche aufgebogen wird (Abb. 408, 409, 410, 411).

Die Anschlüsse der Tunnelstirn an die beiderseitigen Böschungen des Bahnvoreinschnitts erfolgen entweder durch Böschungsflügelmauern

(Abb. 412 u. 413), die zur besseren Stützung der Stirnmauern als Strebepfeiler ausgebildet werden können, oder durch Stirnflügel bei geneigter Geländeoberfläche (Abb. 414).

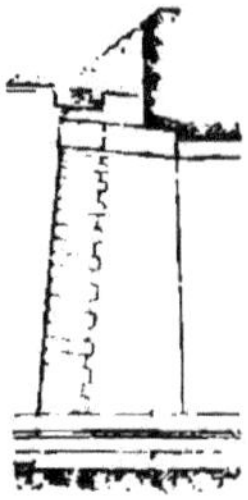

Abb. 408.

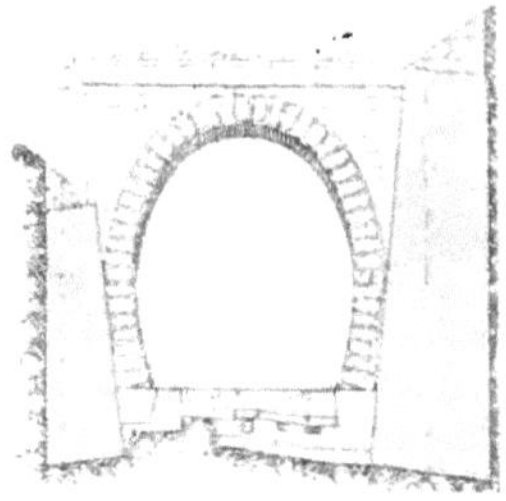

Abb. 409.

Abb. 410.

Abb. 411.

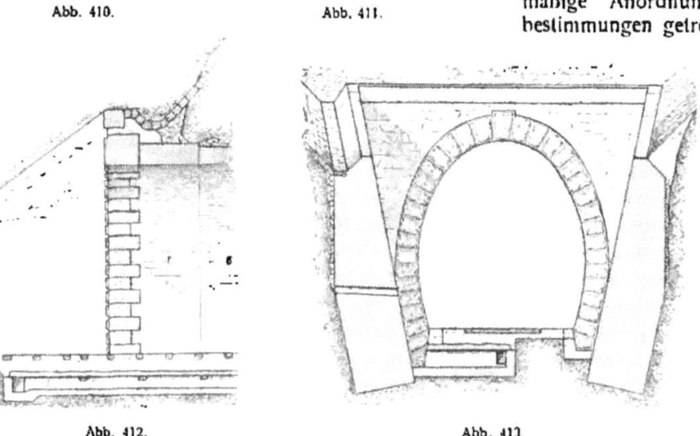

Abb. 412.

Abb. 413.

Zur Aufnahme und Abführung des Wassers sind über der Tunnelmündung Gräben erforderlich, die zur Sicherung der Bahn gegen Erd- und Steinfälle auch durch Mauern begrenzt werden. Tunnel werden vielfach zu kurz ausgeführt. Zur Überführung des Wassers aus dem Tunnelkanal nach den beiderseitigen Einschnittsgräben sind Querkanäle erforderlich, die bei genügender Querschnittsgröße senkrecht zu den Grabenrichtungen geführt werden können. Tunnelmündungen, die an Bahnhöfe so anschließen, daß die Endweichen im Tunnel liegen, erhalten behufs besserer Beleuchtung und größerer Weite größere Lichtquerschnitte (Abb. 415, 416, Gotthardtunnel).

Die Bauweisen.

Art, Umfang und Reihenfolge des Ausbruchs, des zeitweiligen Ausbaues (Zimmerung) und des dauernden Ausbaues (Ausmauerung, Eisenverkleidung des Tunnels) ändern sich mit der Querschnittgröße, der Beschaffenheit des Gebirges, der Länge und dem Zweck des Tunnels sowie mit der zur Verfügung stehenden Bauzeit. Tunnel mit kleinen Querschnitten werden in der Regel wie Stollen ausgebrochen, während bei größeren Tunneln der Ausbruch in Teilen des Querschnitts erfolgt; hierbei wird, abgesehen vom Schildvortrieb, der Ausbruch in der Regel mit einem, ausnahmsweise mit 2 Richtstollen in der Sohle oder in der First des Tunnels begonnen, damit das Gebirge aufgeschlossen und für die weiteren Arbeiten, namentlich für Zimmerung und Mauerung, zweckmäßige Anordnungen und Stärkebestimmungen getroffen, eine größere Zahl von Arbeitsangriffstellen gewonnen sowie die Entwässerung des Gebirges und gesicherte Wasserabführung erreicht, auch Förderung, Richtungs- und Höhenfeststellungen erleichtert werden.

Der Angriff der Ausbrucharbeiten mit dem Sohlstollen hat die Vorteile der Vereinfachung der Förderung, da die Förderbahn während des Baues nahezu unverändert liegen bleiben kann. Die Vermehrung der Arbeitsstellen kann so häufig, als der Arbeitsfortgang es erheischt, erfolgen. Entwässerung und Wasserabführung sind mit geringster Störung für die übrigen Arbeiten möglich.

Da aber die Ausbrucharbeiten zweckmäßig von oben begonnen und nach unten fortgesetzt werden, so werden außer dem Sohlstollen noch ein Firststollen (Abb. 417, 418, 419, 420) oder ein Firstschlitz (Abb. 421, 422) ausgeführt, was immerhin Mehrkosten bedingt, da der Ausbruch des Firststollens oder auch des Firstschlitzes kostspieliger ist wie der des Vollausbruchs.

Man kann annehmen, daß die Kosten des Firststollens im festen Gebirge nahezu das 3fache und des Firstschlitzes etwa das 2fache der des Vollausbruchs betragen.

Der Firststollen kann entweder unabhängig vom Sohlstollen vorgetrieben werden (Abb. 417, 418), was bei maschinellem Vortrieb des Sohlstollens dann zweckmäßig ist, wenn auch der Firststollen, gleichen Schritt mit dem Sohlstollen haltend, maschinell vorgetrieben wird, oder der Firststollen wird vom Sohlstollen aus auch noch durch Aufbrüche (kleine Schächte) erreicht (Abb. 419, 420), was eine Vermehrung der Angriffsstellen des Firststollens und daher rascheren Arbeitsfortgang ermöglicht. Im ersteren Fall können Aufbrüche meist vermieden werden; die Lüftung des Firststollens muß unabhängig von der des Sohlstollens erfolgen, im letzteren Fall macht die Lüftung der Firststollenteile, die vom Sohlstollenteil aus erfolgen muß, Schwierigkeiten. Dagegen ist die Lüftung eines Firstschlitzes wesentlich einfacher.

Wird der Ausbruch mit dem Firststollen als Richtstollen begonnen, so ist ein zweiter Stollen nicht erforderlich; der Ausbruch erfolgt von oben in der Reihenfolge 1 - 4 u. s. w. (Abb. 423). Förderbahn, Entwässerungsgräben müssen aber nach Maßgabe des Fortgangs von 3 und 4 von oben nach unten verlegt werden. Die Verbindung der beiden Förderbahnen im oberen und unteren Teil des Tunnels erfolgt durch Rampen, die nach Maßgabe des Arbeitsfortgangs verlegt werden müssen, oder die Fördermassen werden aus den Wagen des oberen Tunnelteils durch Trichter oder über Rutschen in die Wagen der Sohle umgeleert. Die im Firststollen erforderlichen Baustoffe werden auf den genannten Rampen oder durch Aufzüge gefördert. Die Förderung der Ausbruchmassen

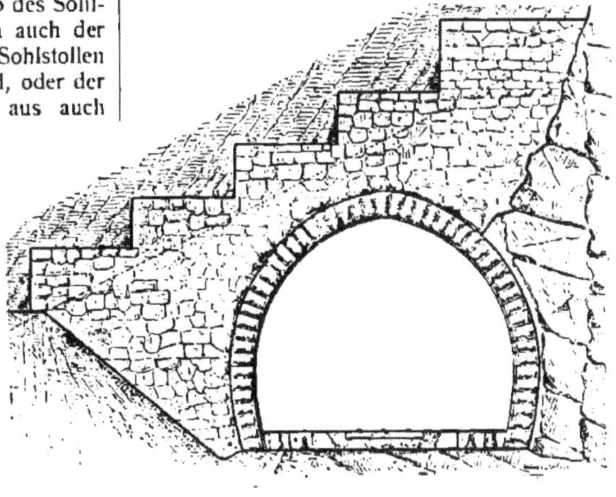

Abb. 414.

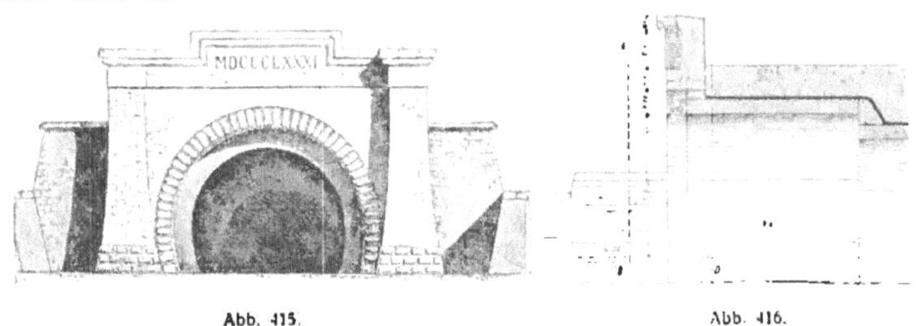

Abb. 415. Abb. 416.

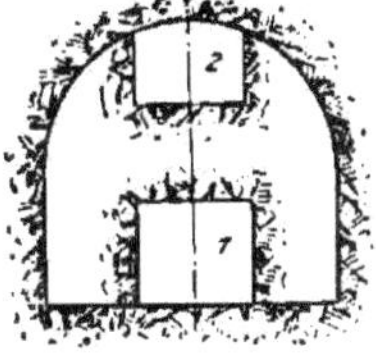

Abb. 417.

Abb. 418.

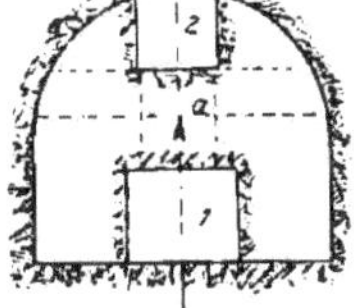

Abb. 419.

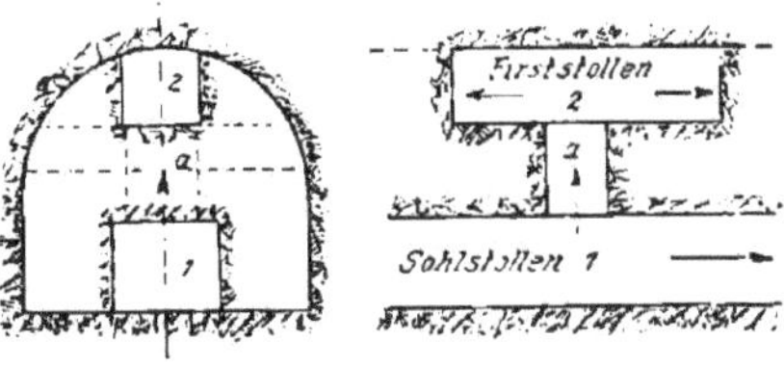

Abb. 420.

aus dem Firststollen ist also eine umständliche. Eine Vermehrung der Arbeitsstellen im Tunnel bei weit vorgeschrittenem Firststollen ist nur durch Absenkungen (Abb. 423, 424), möglich, die aber eine wesentliche Erschwerung und Verteuerung der Förderung und der Entwässerung bedingen. Diese Übelstände wachsen mit der Länge des Tunnels.

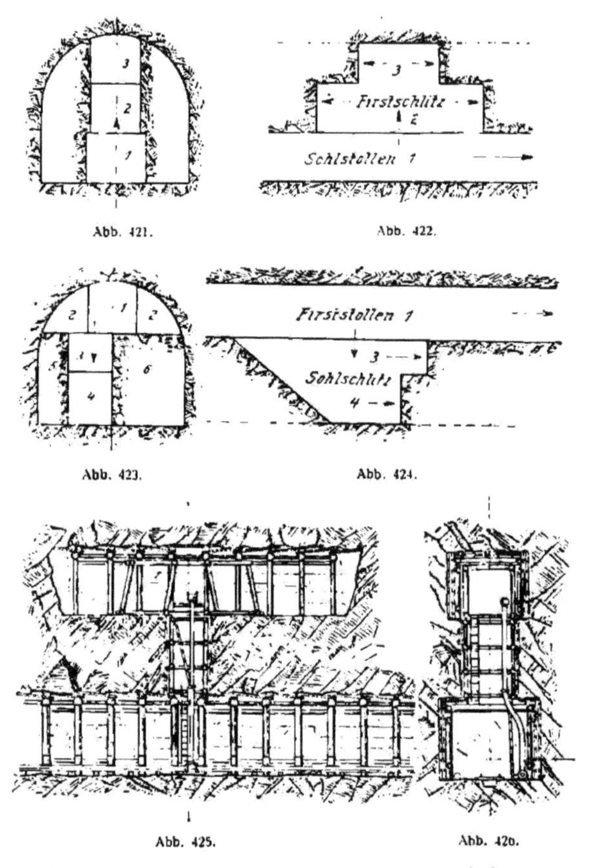

Abb. 421. Abb. 422. Abb. 423. Abb. 424. Abb. 425. Abb. 426.

Die Vorteile des Sohlstollenbetriebs überwiegen dessen Nachteile, so daß, von sehr kurzen Tunneln abgesehen, der Sohlstollenbetrieb dem Firststollenbetrieb vorzuziehen ist.

Im Sohlstollenbetrieb ermöglichen die Aufbrüche eine größere Zahl von Arbeitsangriffstellen nicht nur für den Firststollen, sondern auch für alle anderen Tunnelarbeiten, so daß jeder Aufbruch zur Tunnelbaustelle werden kann. Form und Querschnittsgrößen der Aufbrüche sind so zu bemessen, daß ein leichter Verkehr der Arbeiter sowie die Aufbringung von Baustoffen möglich ist (Abb. 425, 426). Für das Aufbringen längerer Hölzer sind schräge Aufbrüche erforderlich. Der Abstand der Aufbrüche *a* zur Erreichung des Firststollens (Abb. 427) ist vom erforderlichen Arbeitsfortgang, vom Stand des Richtstollens und der Größe des Gebirgsausbruchs abhängig und bewegt sich von 60 – 150 *m* auch darüber.

Nach Herstellung des Firststollens können für Vollausbruch und Mauerung noch Zwischenaufbrüche im Abstand von 4 8 Zonenlängen angeordnet werden.

Die Ausbruchmassen aus dem Firststollen und dessen Erweiterungen werden in der Regel nicht auf besonderer Bahn gefördert, sondern meist, um die Förderwege kurz zu halten, durch 1 – 1·5 *m* weite, nach Erfordernis auch ausgezimmerte, im Abstand von etwa 5 – 30 *m* angeordnete Schüttlöcher *S* (Abb. 427) und nicht durch die Aufbrüche *A* in die im Sohlstollen bereitstehenden Förderwagen geschüttet.

Der Vorgang mit 2 Sohlstollen, Ortstollen genannt, kommt hauptsächlich für die Kernbauweise in Betracht.

Parallelstollen werden außerhalb des Tunnelquerschnitts zu dem Zweck vorgetrieben, um Lüftung, Förderung und Wasserabführung im Tunnel zu erleichtern, auch Angriffstellen für den Bau vermehren zu können.

Im ersten Fall wurde beim Bau des 19.825 *m* langen Simplontunnels nach Abb. 428 im Abstand von 17 *m* von der Achse des eingleisigen Tunnels ein etwa 8·0 m^2 großer Parallelstollen (Hilfsstollen), der im ungünstigen Gebirge ausgemauert werden mußte, hauptsächlich zum Zweck der Lüftung des Tunnels, für den eine Größtwärme von 50° C erwartet wurde und wofür bei geringer Luftpressung große Leitungsquerschnitte erforderlich geworden wären, die im Richtstollen und selbst im eingleisigen, im Bau begriffenen Tunnel keinen Platz finden konnten, dann aber auch zur Entlastung der Förderung und Wasserabführung im Tunnel angeordnet. Dieser Hilfsstollen wurde nach Maßgabe des Fortgangs des Richtstollens in Abständen von etwa 200 *m* durch Querstollen mit diesem verbunden. Der Hilfsstollen wird nun zum zweiten eingleisigen Tunnel ausgebaut, da sich das Bedürfnis der zweigleisigen Anlage geltend machte.

Diese Vorteile des Parallelstollens für den Bau eines sehr langen, warmen, zumal eingleisigen Tunnels sind unverkennbar.

Als Nutzen des Parallelstollens wird weiter hervorgehoben, daß er auch für den Bau des zweiten eingleisigen Tunnels verwertet werden kann. Da sich das Bedürfnis der zweigleisigen Anlage im Simplon sehr bald nach Fertigstellung des ersten Tunnels geltend machte, so kann von Ersparnissen, die durch Vermeidung von Zinsverlusten, welche durch die sofortige Anlage eines zweigleisigen Tunnels gegenüber dem eingleisigen entstanden wären, im vorliegenden Fall keine Rede sein

Zudem kosten unter sonst gleichen Verhältnissen 2 eingleisige Tunnel 15–20% mehr wie ein zweigleisiger; auch ist im eingleisigen langen Tunnel der Luftwiderstand schon beträchtlich, die Aufsicht und Oberbauerhaltung wird in 2 eingleisigen Tunneln kostspieliger wie im zweigleisigen. Allerdings werden größere Umbauten in den beiden eingleisigen Tunneln insofern leichter und sicherer zu bewerkstelligen sein wie im zweigleisigen Tunnel, als der eine Tunnel zeitweise außer Betrieb gesetzt werden kann und die Wahrscheinlichkeit nicht besteht, daß beide Tunnel plötzlich gleichzeitig Umbauten bedürften.

Die Frage, ob der Tunnel von vornherein zweigleisig gebaut werden soll, ist daher nicht in unmittelbarer Verbindung mit der des Hilfsstollens zu entscheiden.

Die Vorteile eines Hilfsstollens für gewisse, namentlich zweigleisige Tunnelbauten haben zu den von Weber und Hennings ausgehenden Vorschlägen eines Unterstollens geführt. Hiernach soll vor dem üblichen Richtstollen ein Unterstollen (Abb. 429, 430) vorgetrieben werden, der zur Lüftung, Wasserabführung, teilweisen Förderung und Unterbringung der erforderlichen Röhren- und elektrischen Leitungen dienen und dauernd bestehen bleiben, daher voll ausgemauert werden soll.

Der sonstige Richtstollen wird dann entweder schlitzartig oder mittels Aufbrüche vom Unterstollen aus vorgetrieben.

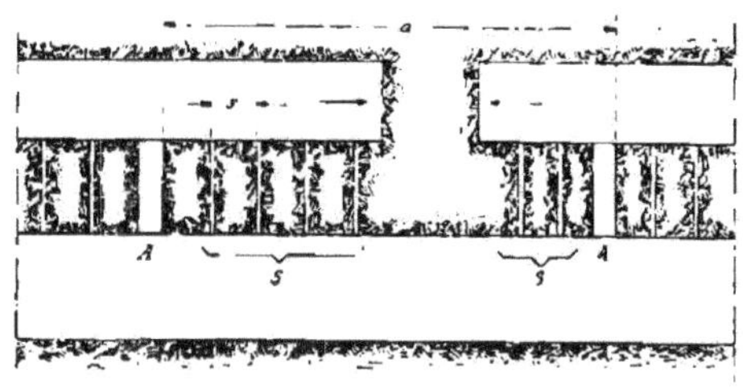

Abb. 427.

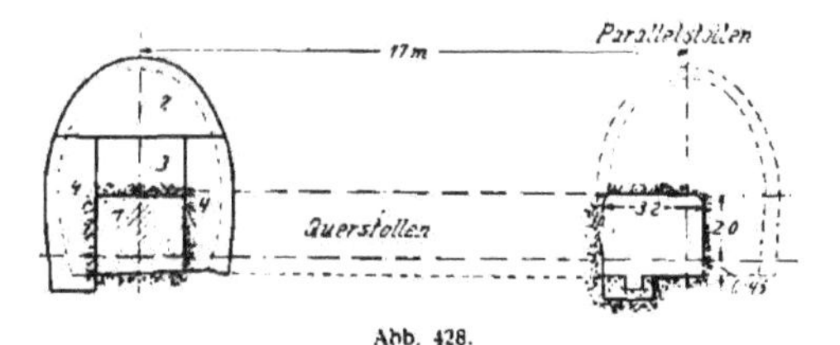

Abb. 428.

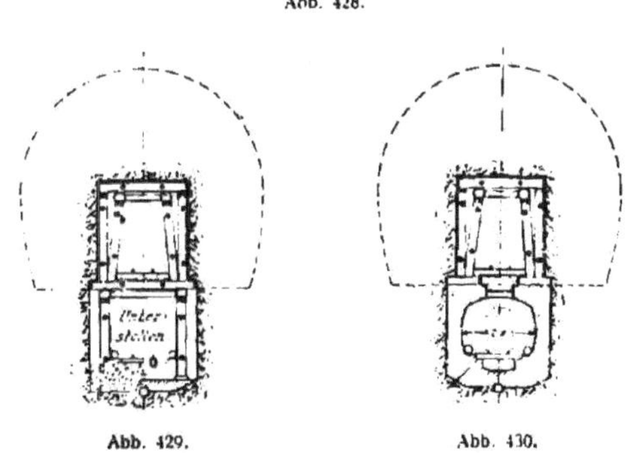

Abb. 429. Abb. 430.

Vorteile dieser Bauweise sind die Vermeidung eines Parallelstollens in größerer Entfernung mit langen Querstollen, die gründliche, immer leicht zugängliche und wirksam zu erhaltende Wasserabführung, die geschützte, unmittelbar unter der Tunnelsohle mögliche Lagerung aller für den Bau und den Bahnbetrieb erforderlichen Leitungen, die ungehinderte Bewegung der Arbeiter während des Baues und Betriebs, schließlich bis zu einem gewissen Grad die durch den ausgemauerten Unterstollen geschaffene Stütze für die darauf ruhende Tunnelzimmerung.

Infolge der geringen Masse und der knapp über dem Stollen eintretenden stoßweisen Eisenbahnbelastung ist eine besonders kräftige, tunlichst auch zugfeste Ausmauerung (Betoneisen) sowie während des Betriebs eine gute Überwachung des Unterstollens erforderlich. Sohlgewölbe des Tunnels sollen bis unter die Sohle des Unterstollens reichen.

Als Nachteile dieser Bauweise sind hervorzuheben die Verlängerung der Bauzeit, namentlich bei schlitzartiger Herstellung des Sohlstollens, die Vergrößerung der Höhe und Fläche des gesamten Baues, was im Druckgebirge ungünstig ist, die Abhängigkeit des Unterstollens von den Gebirgsbewegungen im Tunnel und bis zu einem gewissen Grad die ungünstige Belastung des Unterstollens durch den Tunnel und den Eisenbahnbetrieb. Praktische Erfahrungen mit dieser Bauweise liegen nicht vor.

Der Vollausbruch umfaßt alle übrigen, nicht zu den Stollen gehörigen, meist in einzelnen Teilstücken auszuführenden Ausbrucharbeiten, deren Größe und Anordnung von der Gebirgsbeschaffenheit und der gewählten Bauweise abhängig ist.

Im festen Gebirge kommt Hand- und Maschinenbohrarbeit zur Anwendung, und da meist eine größere Zahl von Arbeitsangriffstellen zur Verfügung steht, so sind auch mit

Handbohrung ausreichende Arbeitsfortschritte zu erreichen. Sind für den Richtstollenvortrieb Preßluftanlagen erforderlich, so können sie zweckmäßig so erweitert werden, daß der Vollausbruch mit Preßluftbohrhämmern erfolgen kann.

Auch Preßluft-Stoßbohrmaschinen auf Gestellen oder Bohrwagen sind in mehreren Fällen und Drehbohrmaschinen Brandt vereinzelt im Vollausbruch zur Verwendung gelangt.

Im Druckgebirge sind kurze Zonen anzuordnen und dem Vollausbruch sowie der Zimmerung die Ausmauerung tunlichst unmittelbar folgen zu lassen. Die Bauweise ist die beste, bei der die Ausmauerung unmittelbar dem Ausbruch und der Zimmerung folgt.

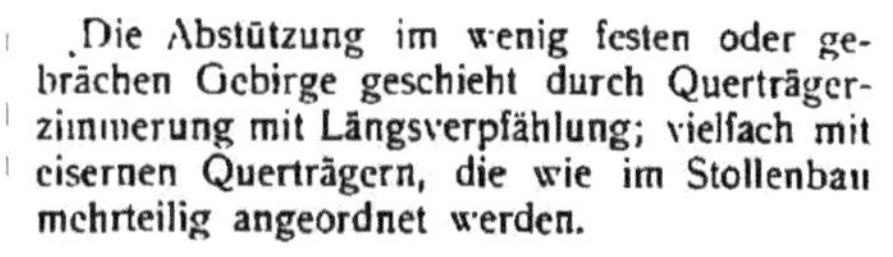

Die Abstützung im wenig festen oder gebrächen Gebirge geschieht durch Querträgerzimmerung mit Längsverpfählung; vielfach mit eisernen Querträgern, die wie im Stollenbau mehrteilig angeordnet werden.

Zweite Bauweise.

Der Ausbruch wird mit dem First- oder mit dem Sohlstollen begonnen. Im ersten Fall wird (nach Abb. 431 u. 432) der Firststollen *1* erweitert und erhöht, *2 – 4*, oder vertieft, *2 – 5*, bis auf Kämpferhöhe des Firstgewölbes (Bogenort). Im zweiten Fall (Abb. 433 u. 434) wird der Firststollen *2* vom Sohlstollen *1*, wenn erforderlich, durch Aufbrüche erreicht. Der weitere Ausbruch erfolgt in der angegebenen

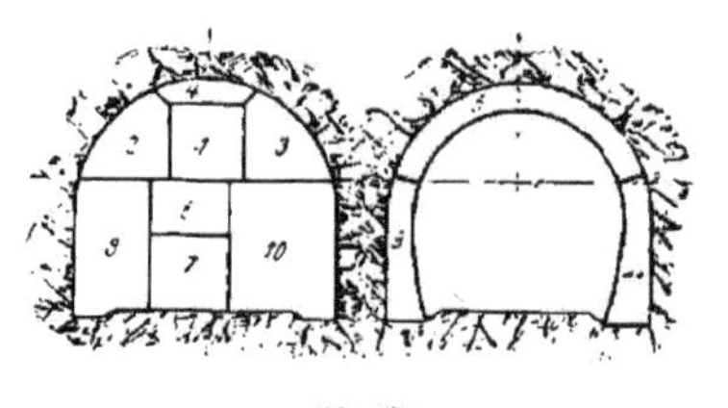

Abb. 431.

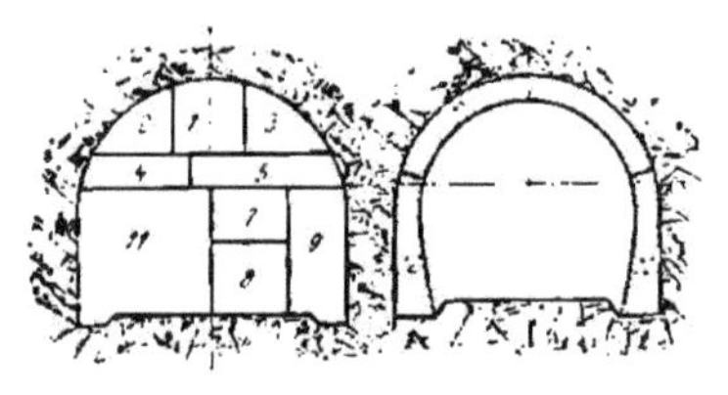

Abb. 432.

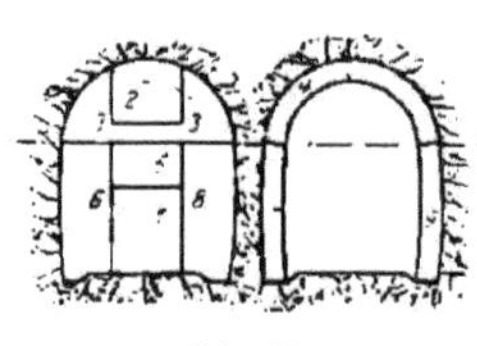

Abb. 433.

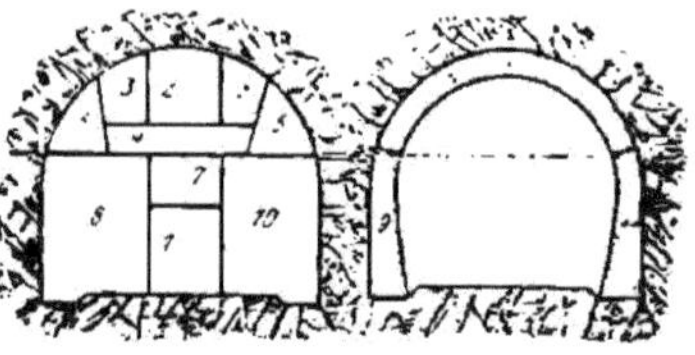

Abb. 434.

Der Bauvorgang ist so zu wählen, daß den vorliegenden Verhältnissen entsprechend die Zeit vom Stollendurchschlag bis zur Tunnelvollendung möglichst kurz ausfällt.

Auf Grund vorliegender Erfahrungen kann zumeist das Zeitmaß vom Sohlstollendurchschlag bis zur Tunnelvollendung mit 6 – 12 Monaten angenommen werden. Beim Firststollenbetrieb ist in der Regel dieses Maß größer.

Erste Bauweise.

Tunnel mit kleinen Abmessungen für Schmalspurbahnen, auch für Ent- und Bewässerungsanlagen werden bei geringer Länge und namentlich im festen Gebirge so wie die Stollen in einem oder 2 Teilen ohne Vortrieb eines Richtstollens ausgebrochen und wenn erforderlich ausgemauert. Die Ausmauerung wird entweder mit dem Sohlgewölbe oder mit den Widerlagern begonnen. Ein etwa erforderliches Sohlgewölbe wird dann zum Schluß eingebaut.

Reihenfolge bis auf Kämpferhöhe. Hiernach wird das Firstgewölbe hergestellt, dessen Kämpfer vorerst auf dem Gebirge ruhen. Der Ausbruch der übrigen Teile des Querschnitts erfolgt in der in den Abbildungen mit Ziffern angegebenen Reihenfolge, wonach zuerst der eine, dann der andere Kämpfer durch Holzständer abgestützt und durch das Widerlager unterfangen wird. Dieser Vorgang ist das Bezeichnende der Bauweise, die daher als U n t e r f a n g u n g s b a u w e i s e bezeichnet werden kann und, da sie zuerst in Belgien gebraucht wurde, auch „b e l g i s c h e B a u w e i s e“ genannt wird.

Der Ausbruch des unterhalb der Gewölbekämpfer liegenden Tunnelquerschnitts kann auch nach Abb. 435 so erfolgen, daß Schächte oder Schlitze *6* und *8* hergestellt werden und ein Gebirgskern *10* bis zur Fertigstellung der beiderseitigen Widerlager verbleibt – ein nur ausnahmsweise eingehaltener Vorgang (s. K e r n b a u w e i s e).

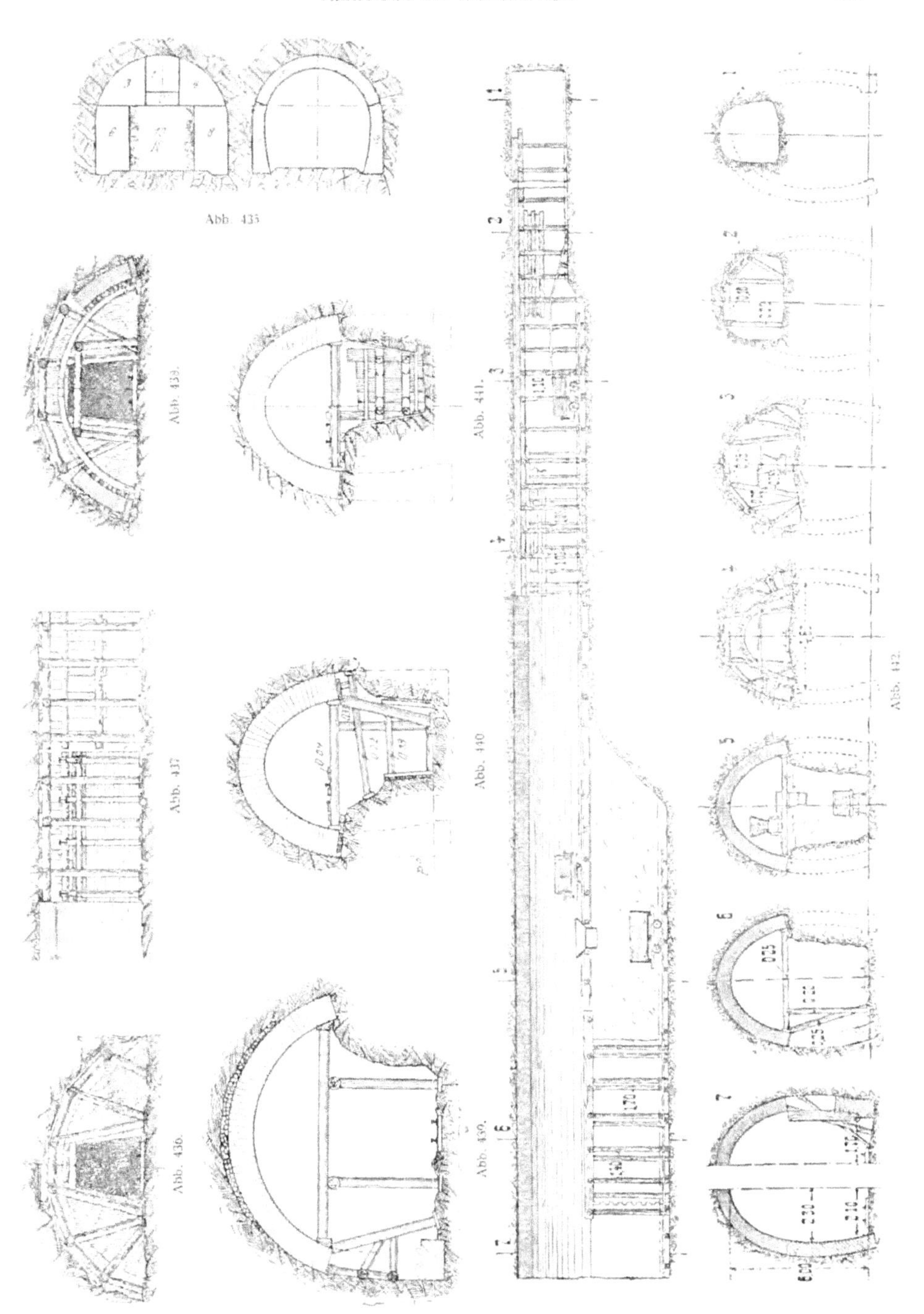

Abb. 435

Abb. 436. Abb. 437. Abb. 438. Abb. 439. Abb. 440. Abb. 441. Abb. 442.

Die Zimmerung des Bogenorts beschränkt sich im festen Gebirge auf Abstützung einzelner Punkte. Im weniger festen und gebrächen Gebirge ist die Längsträgerzimmerung (Abb. 436, 437, 438) zweckmäßig. Gegebenenfalls ist auch die Anordnung kräftiger Sohlschwellen nötig. Im druckhaften Gebirge soll die Unterfangungsbauweise überhaupt nicht mehr angewendet werden.

Die Zimmerung des Bogenorts wird entweder zonenweise (Zonenlänge 6 – 8 *m*) oder durchlaufend ausgeführt. Der Abstand der Gespärre hängt von den Gebirgsverhältnissen ab und bewegt sich von 1 – 2·5 *m*. Zwischen den Gespärren muß ausreichender Platz für die zur Gewölbemauerung erforderlichen Lehrbogen (Holz, Eisen) verbleiben. Die Stärke der Rundholzlängsträger und -ständer beträgt 20 – 35 *cm*, der Abstand der Längsträger 0·8 – 2·0 *m*.

Es ist Vorsorge zu treffen, daß für die Aufmauerung der höher liegenden Gewölbeteile Fußgerüste eingebaut oder aufgestellt werden können. Die Aussteifungen der Holzlehrbogen können bei guter Unterstützung teilweise hierzu dienen.

Beim Firststollenbetrieb sind die Fußgerüste der Förderung und dem Arbeiterverkehr vielfach recht hinderlich.

Da die Gewölbekämpfer auf das Gebirge gesetzt werden, so ist behufs Abminderung des Einheitsdrucks ihre Verbreiterung zu empfehlen. Auch ist ihre Unterstützung durch biegungsfeste, auf größere Längen durchlaufende Holzbalken oder Betoneisenbalken notwendig, um die Abstützung durch Holzständer ohne Gefahr für den Bestand des Gewölbes bei der Unterfangungsarbeit zu ermöglichen.

Die Holzbalken müssen durch Mauerwerk ersetzt, daher vor Anschluß der Widerlager an das Gewölbe entfernt werden, was meist recht schwierig ist, namentlich wenn sie auf volle Gewölbetiefe verlegt sind; daher werden die hinteren Holzbalken besser fortgelassen. Die Betoneisenbalken (aus I-Eisen oder Altschienen) können im Gewölbe auf dessen voller Tiefe verbleiben, das ist ein Vorteil, sie sollen nicht zu große Längen (4 – 6 *m*) erhalten; es besteht aber Gefahr, daß die Vorderkanten brechen, die Balken Risse bekommen und die Eiseneinlagen dem Rosten ausgesetzt werden.

Die Gewölbekämpfer werden bei Ausbruch für die Widerlager durch Holzständer von 25 – 40 *cm* Stärke in Abständen von 1 – 2 *m* unterstützt (Abb. 439 u. 440), die auch gegen Aufspalten des Kopfes durch Eisenringe geschützt werden. Über 4 – 5 *m* Gewölbelänge soll die Unterfangung nicht erfolgen. Die Verschiebung der Gewölbefüße nach innen wird durch Querriegel verhindert.

Zur Verhinderung von Formänderungen während der Unterfangungsarbeiten sind die Gewölbe unter Umständen einzurüsten. Im gebrächen Gebirge ist auch der Sohlschlitz wie auch der Ausbruch für die Widerlager abzustützen oder schachtartig zu zimmern (Abb. 441).

Im Druckgebirge wird nach Herstellung des Gewölbes häufig nicht erst der Sohlschlitz ausgeführt, sondern es werden vorerst die Widerlager in einzelnen Schächten aufgemauert und der Kern zum Schluß beseitigt. In der Druckstrecke des Gotthardtunnels hat man nach Fertigstellung und Einrüstung des Gewölbes Schächte abgeteuft, hierauf den mittleren Teil des Sohlgewölbes und schließlich die Widerlager gemauert. In allen Fällen sollen die beiden gegenüberliegenden Widerlager nicht gleichzeitig ausgebrochen und aufgemauert werden, damit nicht beide, sondern nur ein Kämpfer des Gewölbes auf den Holzständern ruht, und die Mauerung tunlichst beschleunigt werden, um zu lang dauernde Belastungen der Ständer zu vermeiden.

In Abb. 442 ist der Bauvorgang im eingleisigen 3408 *m* langen Crenolinotunnel (Südseite), welcher Mergel, Konglomerate und größtenteils Serpentin durchfährt, dargestellt. Der Ausbruch begann mit den Firststollen als Richtstollen.

Die Vorteile der Unterfangungsbauweise bestehen in der einfachen Zimmerung, die nur kurze Zeit durch das Gebirge belastet wird, in der raschen Sicherung der Tunneldecke durch das Gewölbe, so daß die weiteren Ausbruch- und Mauerungsarbeiten unter dem Schutz der Gewölbedecke, die nicht mehr den ungünstigen Zufälligkeiten wie die Holzzimmerung ausgesetzt ist, vorgenommen werden können.

Als Nachteile sind hervorzuheben, daß die Gewölbekämpfer meist ohne eine der Belastung und der Gebirgsbeschaffenheit entsprechende Auflagerfläche auf das Gebirge gesetzt und an der Vorderkante durch die Ständer gestützt werden, so daß die Belastung an dieser Stelle konzentriert ist; eine Bewegung der Ständer bis zur Erreichung dichter Anschlüsse ist hierbei nicht zu vermeiden, ebensowenig wie die Verschiebung der Kämpfer nach innen, was auch durch Querverspannungen nicht ganz verhindert werden kann. Die Widerlager können infolge unvermeidlicher Sackungen und der Ausführungsschwierigkeiten den dichten Anschluß, der zur Vermeidung von Gewölbesenkungen erforderlich ist, nicht ermöglichen.

Aus diesen Gründen treten meist ungleichmäßige Bewegungen der Gewölbe nach abwärts und deren Kämpfer nach innen ein, so daß im Gewölberücken, in dessen Hintermauerung oder wasserdichter Abdeckung Risse entstehen, deren Folgen erst längere Zeit nach der Tunnelvollendung in Erscheinung treten und dann namentlich im wasserführenden Gebirge zu größeren Ausbesserungen und Umbauten nötigen.

Im festen Gebirge, das gesprengt werden muß, wird das fertige Gewölbe durch die im unteren Tunnelteil erforderlichen Sprengarbeiten vielfach beschädigt.

Im Druckgebirge müssen die Absenkungen für die Widerlager schachtartig erfolgen, wobei für die Gewölbe noch größere Gefahr von Bewegungen besteht; in diesem Fall zeigen sich auch beträchtliche Formänderungen und Risse oft schon während der Ausführung, so daß schwierige und kostspielige Umbauten sofort notwendig werden.

Die Unterfangungsbauweise soll daher im Druckgebirge und im sehr festen Gebirge von vornherein ausgeschlossen sein, im weniger festen, gebrächen und nicht wasserführenden Gebirge ausnahmsweise für eingleisige Tunnel zugelassen werden.

Dritte Bauweise.

Die Teilung des Querschnitts und die Ausmauerung erfolgen in der aus Abb. 443 – 446 ersichtlichen Reihenfolge.

Der Ausbruch wird zumeist mit dem Sohlstollen *1* begonnen, dem Firststollen 2 und die übrigen Ausbruchsarbeiten *3 – 9*, Vollausbruch genannt, folgen; ausnahmsweise folgt dem Sohlstollen sofort der Vollausbruch (Abb. 446). Auch wurde der Firststollen nur auf Zonenlänge *Z* ausgebrochen, in wenigen Fällen auch der Sohlstollen nicht über die in Ausführung begriffene Zone verlängert, was eine Vermehrung der Angriffstellen ausschließt und daher ungenügenden Arbeitsfortschritt sowie unwirtschaftliche Verteilung der Arbeitskräfte zur Folge hat.

Vollausbruch, Zimmerung und Mauerung bleiben auf Zonenlänge *Z* beschränkt. Erst nach Vollendung der Ausmauerung einer Zone wird mit dem Ausbruch der Nachbarzone begonnen.

Der zonenweise Vorgang ist im drückenden Gebirge zweckmäßig, da eine Freilegung des vollen Ausbruchs auf kurze Strecken erfolgt, die Zimmerung nur kurze Zeit bestehen bleibt und jede Zone zu beiden Seiten Stützen gegen Längsbewegungen findet; hat aber die Nachteile, daß an vielen Stellen schwierige Schlüsse und Scheitelabdeckungen der Firstgewölbe beim Anschluß von Zwischenzonen an fertige Zonen erforderlich sind und die Arbeiten kostspieliger werden wie bei durchlaufendem Ausbruch und Mauerung einer größeren Zahl nebeneinander liegender Zonen.

Der zeitweilige Ausbau erfolgt mittels Längsträgerzimmerung (Abb. 447, 448), wobei die Längsträger nur an den beiden Enden, nicht aber dazwischen gestützt werden. Die Endstützen werden entweder durch das fertige Gewölbe einerseits und ein Gespärre mit 2 Brustschwellen anderseits oder in der Aufbruchzone durch 2 Gespärre gebildet.

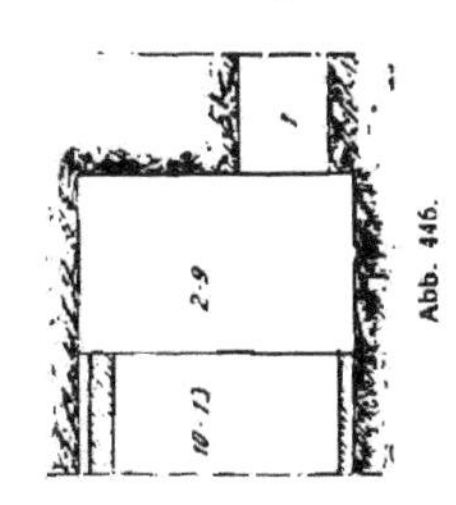

Abb. 446.

Da die Längsträger ohne Zwischenstützen bleiben, so erhalten sie große Abmessungen und die einzelnen Zonen nur kurze Längen von 3 bis 6 *m*; die Mauerung kann allerdings auch mit dem Sohlgewölbe beginnen, was oft vorteilhaft ist; sie wird dann unter dem Schutz der Längsträger mit den Widerlagern fortgesetzt und mit dem Firstgewölbe geschlossen. Die Längsträger in der Nähe des Scheitels, Kronbalken genannt, welche in der Regel die größte Belastung aufzunehmen haben, werden nach Fertigstellung des Firstgewölbes in den vorgetriebenen und entsprechend erweiterten Firststollen vorgezogen, um in der folgenden Zone Verwendung zu finden.

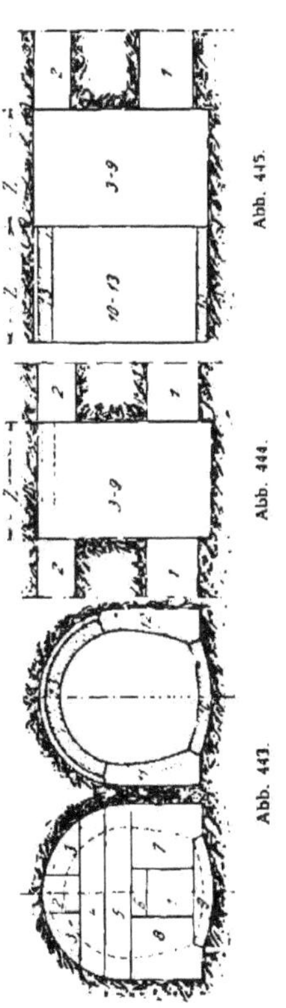
Abb. 445. Abb. 444. Abb. 443.

Zur Entlastung der Gewölbestirn werden zweckmäßig die obersten Kronbalken anschließend an der Auflagerstelle, also an der Stirn der fertiggestellten Zone durch einen Holzbock (Querträger und Langständer) unterfangen, hierdurch die Übelstände der ungünstigen Gewölbebelastung durch die Längsträger abgemindert.

Zur Erleichterung des Vorziehens, das infolge größerer Reibungswiderstände immer schwierig ist, werden zwischen den einzelnen Kronbalken vom Gewölberücken nach dem Gebirge bzw. der hinter der Mauerung verbleibenden Verpfählung Stützpfeiler aufgemauert. Der von den Kronbalken eingenommene Raum wird

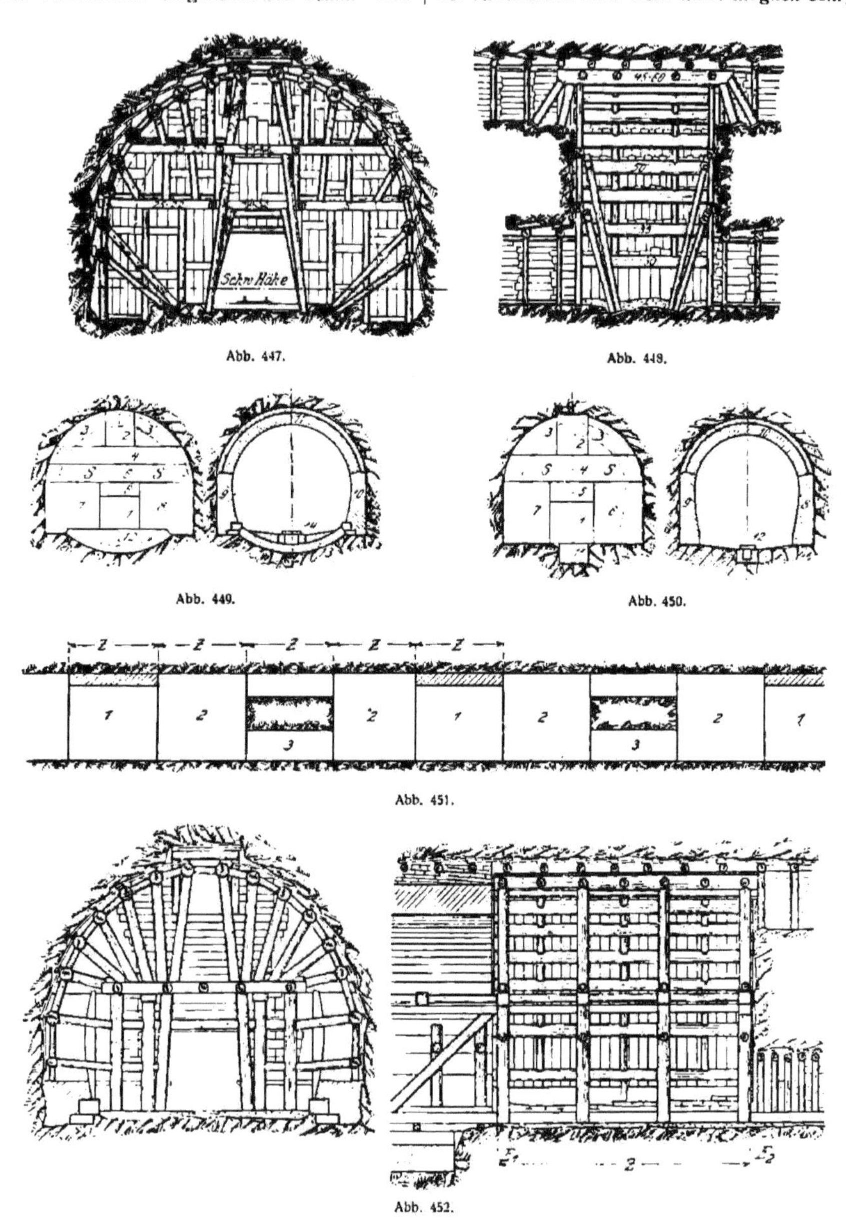

Abb. 447. Abb. 448.

Abb. 449. Abb. 450.

Abb. 451.

Abb. 452.

dann mit Steinen trocken ausgepackt, was bei größeren Zonenlängen von 3 – 6 *m* meist nur unzureichend möglich ist.

Bei sehr großem Druck kann das Vorziehen der Kronbalken auch wohl nicht möglich sein; sie müssen in diesem Fall hinter dem Mauerwerk verbleiben, was nach deren Verfaulen zu Gebirgsbewegungen Veranlassung geben kann.

Dieser Vorgang ist unter der Bezeichnung „Englische Bauweise" bekannt. Diese Bauweise wird in dieser Form wenig mehr verwendet; ihre Vorteile sind aber auf andere Bauweisen übernommen worden.

Vierte Bauweise.

Ist aus Bauweise 3 hervorgegangen. Die Teilung des Querschnitts, die Reihenfolge des Ausbruchs und der Mauerung zeigen Abb. 449, 450. Ausbruch, Zimmerung und Mauerung bleiben wie bei der dritten Bauweise auf Zonenlänge beschränkt, während Sohl- und Firststollen fortlaufen. Die Zahl der Aufbrüche wird so groß angenommen, daß ununterbrochener Arbeitsbetrieb und der verlangte Baufortschritt gesichert sind. Mit Ausbruch, Zimmerung und Mauerung wird in den Aufbruchzonen begonnen, hiernach folgen die beiderseitigen Nachbarzonen und dann die Schlußzone. Hierbei ergibt sich die zweckmäßig größte Zahl von Arbeitsstellen nach Abb. 451, wonach der fertig gemauerten Aufbruchzone *1* die Vollausbrüche der Nachbruchzonen *2* und dann die Schlußzone *3* folgen.

Die Abstützung des ausgebrochenen Raumes erfolgt durch Längsträgerzimmerung mit Zwischengespärren (Abb. 452). An den beiden Enden der Zone werden die Längsträger nicht, wie bei der dritten Bauweise, in einer für das Gewölbe ungünstigen Weise durch das Mauerwerk der Nachbarzone, sondern durch besondere Endgespärre gestützt, die im Druckgebirge in der Regel 3teilige Brustschwellen erhalten, während in Zwischengespärren kurze Mittelschwellen verwendet werden.

Die Auflagerstelle der Mittelschwelle, das Schwellenort, wird von der Sohle des Firststollens je nach den Druckverhältnissen des Gebirges in 1 – 3 Absätzen erreicht. Mit der Zahl der Absätze wächst die Zahl der erforderlichen Auswechslungen der Stützen der Längsträger und daher auch das Maß der unvermeidlichen Sackungen der Zimmerung.

Die Zonenlänge *Z* kann bei dieser Bauweise infolge der Zwischenabstützungen der Längsträger größer gewählt werden wie bei Bauweise 3 und beträgt vielfach 7 – 10 *m*. Auch können die Längsträger wegen der Zwischenstützung aus 2 Teilen von je halber Zonenlänge bestehen.

Die Mauerung wird in der Regel mit den Widerlagern begonnen; ein Sohlgewölbe wird nach Schluß des Firstgewölbes eingezogen. Es ist zweckmäßig, die Ausmauerung nur bis an die Innenseiten der Endgespärre zu führen, damit diese als Endgespärre für die folgende Zone ausgenützt werden können.

Die Bauweise hat die Vorteile des zonenweisen Arbeitsvorgangs; die Längsträger erhalten auch Zwischenstützen, daher geringere Abmessungen oder größere Längen; sie lagern nicht mehr auf dem Gewölbe

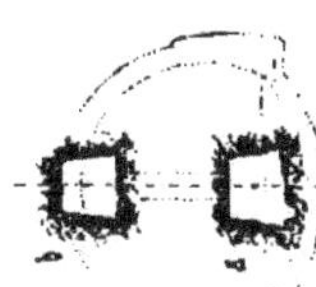

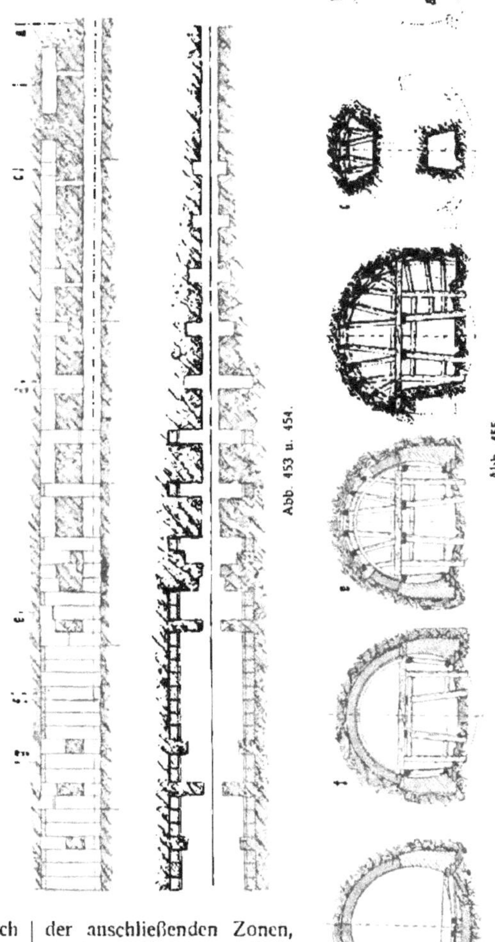

Abb. 453 u. 454.

Abb. 455.

der anschließenden Zonen, sondern auf besonderen Endgespärren; das Ziehen der Kronbalken findet nicht statt; die Längsträger werden nach Maßgabe des Fortschritts des Mauerwerks herausgehoben bzw. in den anschließenden Firststollen vorgezogen. Diese Bauweise kam namentlich bei deutschen und österreichischen

Tunnelbauten zur Anwendung. Eine besondere Ausbildung erfuhr sie beim Bau der Tunnel der österreichischen Alpenbahnen.

Den Bauvorgang im 6339 *m* langen, zweigleisigen Wocheinertunnel der österreichischen Alpenbahnen zeigen Abb. 453—455. Der Tunnel durchfährt die Kalksteine der oberen Trias, des Jura und der Kreide. Der Bau wurde durch Wassereinbrüche sehr erschwert.

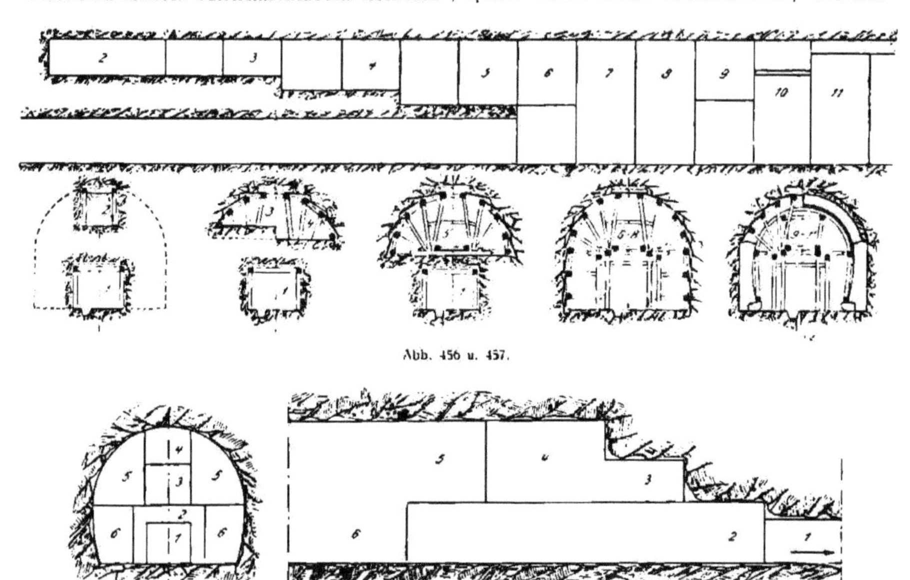

Abb. 456 u. 457.

Abb. 458.

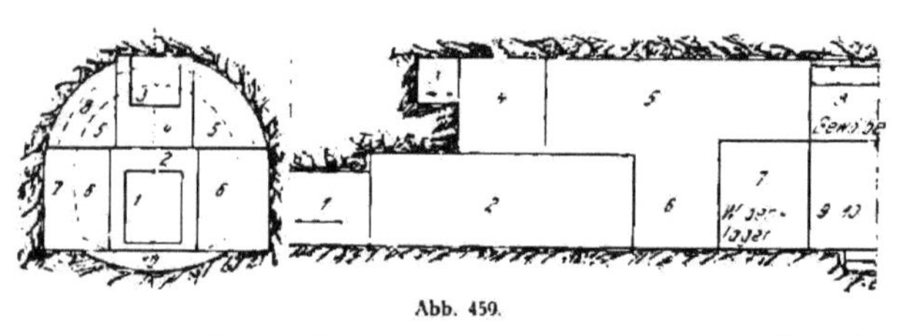

Abb. 459.

Fünfte Bauweise.

Unterscheidet sich von der vierten Bauweise hauptsächlich dadurch, daß der Arbeitsbetrieb nicht mehr auf eine Zone beschränkt bleibt, sondern mehrere unmittelbar aneinander schließende Zonen im Bau sich befinden, was nur in wenig drückendem und festem Gebirge zweckmäßig sein kann. Hierbei wird häufig auch nicht zonenweise, sondern fortlaufend gebaut, namentlich im festen Gebirge, das geringe oder keine zeitweilige Abstützung benötigt. Die Widerlager werden in diesem Fall meist durchlaufend gemauert und nur die Gewölbe auf Zonenlänge stumpf gestoßen. Der Ausbruch wird mit dem Sohl- oder Firststollen begonnen. Namentlich bei längeren Tunneln ist der Sohlstollenbetrieb vorzuziehen.

Der zeitweilige Ausbau erfolgt meist durch Langständer- oder durch Mittelschwellenzimmerung; im letzteren Fall erhalten die Endgespärre meist keine Brustschwellen, sondern wie die Zwischengespärre nur kurze Mittelschwellen.

Den Vorgang eines Ausbaues mit Mittelschwellenzimmerung zeigen Abb. 456, 457. Arbeit und Arbeitsteilung werden durch diesen Vorgang etwas vereinfacht, das Gebirge jedoch auf größere Länge freigelegt, daher Gebirgsbewegungen nicht in dem Maße eingeschränkt werden können wie bei Bauweise 4 und das Gebirge meist zu lange auf der mit der Zeit nachgiebigen Zimmerung ruht, wodurch größere Bewegungen hervorgerufen werden; auch ist die lang stehende Zimmerung durch Zufälligkeiten mehr gefährdet.

Sechste Bauweise.

Der Ausbruch wird mit dem Sohlstollen begonnen, dem nicht der Firststollen, sondern ein Firstschlitz folgt, daher diese Bauweise auch Firstschlitzbauweise genannt wird. Die

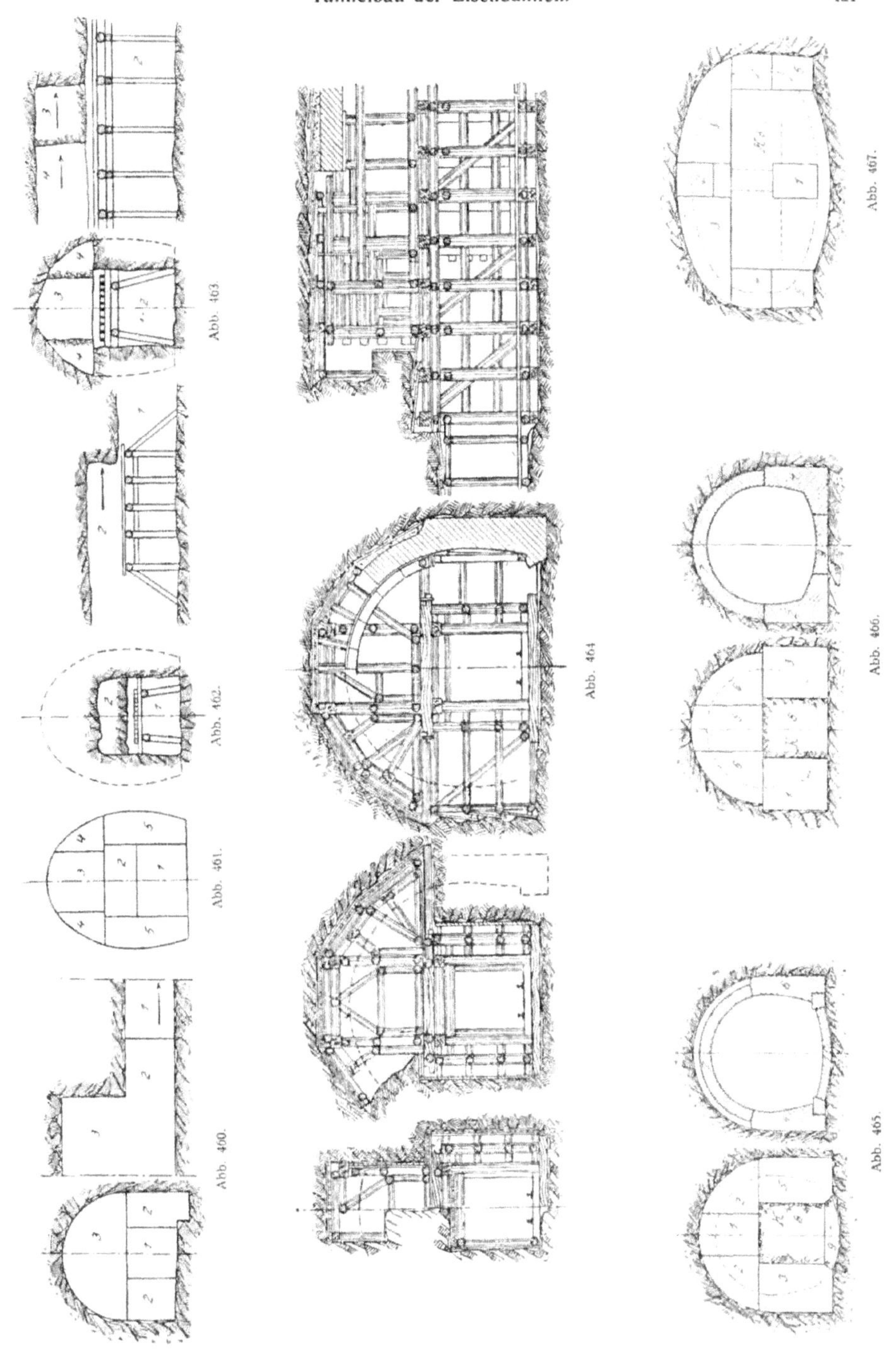

Abb. 460. Abb. 461. Abb. 462. Abb. 463. Abb. 464. Abb. 465. Abb. 466. Abb. 467.

Teilung des Querschnitts kann nach Abb. 458, 459, 460 erfolgen.

Zumeist wird der mit kleinem Anfangsquerschnitt vorgetriebene Sohlstollen *1* auf *2* erweitert, hierauf der Firstschlitz in einem oder zwei Teilen hergestellt. Auch kann zur Erleichterung der Zimmerung ein ganz kurzer Firststollen *3* (Abb. 459) vorgetrieben und hiernach der Firstschlitz *4* ausgeführt werden. Im festen Gebirge und im schmalen eingleisigen Tunnel kann der Sohlstollen *1* auch erst nach *2* erbreitert und dann im vollen Querschnitt *3* in einem oder mehreren Absätzen geschlitzt werden. Die Zimmerung erfolgt nach dem Längs- oder Querträgerbau. Die Ausmauerung beginnt mit den Widerlagern. Die Firstschlitzbauweise hat die Vorteile der geringeren Ausbruchskosten im festen Gestein, der besseren Lüftung und leichteren Übersicht des Baues gegenüber dem Firststollenbetrieb; auch die Einbringung der Zimmerung erfolgt von unten nach oben, daher stärkere Senkungen der Zimmerung, die namentlich bei Unterfangung der

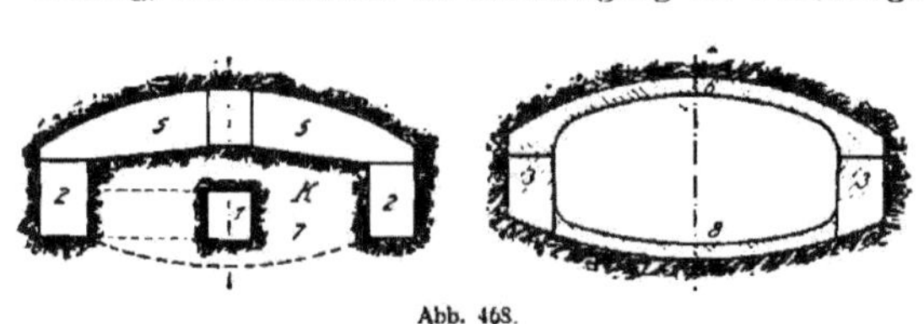

Abb. 468.

Mittelschwelle der vorbesprochenen Bauweisen vorkommen, vermieden werden. Auch kann die Zahl der Arbeitsangriffstellen wie bei den Bauweisen mit dem Firststollen durch Aufbrüche nach Bedarf vermehrt werden.

Dagegen besteht der Nachteil, daß für die Ausführung der Schlitzarbeiten im festen Gebirge, in welchen Zimmerungen nur in geringem Maße oder nicht erforderlich sind, besondere Rüstungen oder Verstärkungen vorhandener Stollenrüstungen, welche zur Aufstellung der Bohrarbeiter, Lagerung der Bohrgeräte und auch des Ausbruchs dienen, notwendig sind, die so angeordnet werden müssen, daß die Förderung aus dem Sohlstollen nicht behindert wird. Auch die Aufstellung der Zimmerungen im hohen Schlitz ist immerhin mit einigen Schwierigkeiten verbunden.

Der 3557 *m* lange eingleisige Wasserfluhtunnel der Bodensee-Toggenburg-Bahn (Schweiz) durchfährt feste Nagelfluh, die stellenweise durch Mergelschichten von geringer Stärke durchzogen sind. Zimmerung war daher nur stellenweise und in geringem Maße erforderlich. Der Sohlstollen wurde mit Druckluft-Stoßbohrmaschinen, der Vollausbruch mit Druckluftbohrhämmern ausgeführt. Abb. 461, 462, 463 zeigen die mehrfach eingehaltene Arbeitseinteilung bei Erhöhung des Sohlstollens *1* auf *2*, des Firstschlitzes *3* und dessen Erweiterung *4*, die mit Bohrhämmern und nach Fertigstellung des Sohlstollens auch mit der freigewordenen Druckluft-Stoßbohrmaschine aufgefahren wurden, wozu die aus den Abbildungen ersichtlichen Rüstungen, die den Raum für die Förderung in der Tunnelsohle freiließen, eingebaut wurden.

Der 904 *m* lange 2gleisige Remsfelder Tunnel durchfährt Schieferton, Röt, Letten und Buntsandstein. Es kam teilweise die Firstschlitzbauweise mit Querträgerzimmerung (Abb. 464) zur Anwendung. Dem Firstschlitz ging ein ganz kurzer Firststollen mit kleinem Querschnitt voran, wodurch das Aufstellen der Zimmerung im Firstschlitz erleichtert wurde. Zonenlängen betrugen 4·5 *m*. Zumeist waren höchstens 3 Zonen gleichzeitig im Bau.

Siebente Bauweise.

Der Ausbruch des Tunnels wird nur in dem für die Herstellung des Mauerwerks erforderlichen Umfang ausgeführt. Es bleibt ein Gebirgskern *K* (Abb. 465, 466, 467, 468) bis nach Vollendung des Mauerwerks stehen, der eine Stütze für Zimmerung und Mauerung bildet, so daß die Zimmerung geringere Abmessungen erhält, daher kleinere Holzmengen benötigt und die Lehrrüstungen für die Gewölbemauerung vereinfacht werden. Ein Sohlgewölbe wird erst nach Beseitigung des Kernes eingezogen. Diese Bauweise wird auch Kernbauweise genannt.

Der Ausbruch beginnt entweder mit einem Firststollen *1* oder mit 2 Sohlstollen (Ortstollen) *1* und *3*, bei sehr großen Querschnitten (für 3- und 4gleisige Tunnel) auch mit einem Kernstollen *1* in der Sohle des Tunnels oder höher, dann mit einem Firststollen *2*, der nach *3* erweitert wird, wonach der Raum für die Aufmauerung der Widerlager *4*, *5* schachartig ausgebrochen wird; der Kern wird nach Fertigstellung von Widerlager und Firstgewölbe beseitigt. Man beginnt auch mit einem Kernstollen *1*, dem die Ortstollen *2*, welche durch Querstollen erreichbar sind, folgen. Nach Ausmauerung der Widerlager *3* auf die Höhe der Ortstollen wird ein Firststollen *4* vorgetrieben, der zur Aufnahme des Gewölbes nach *5* erweitert wird. Nach Einziehung des Gewölbes *6* kann der Kern *7* vom Kernstollen aus beseitigt werden. Ein erforderliches Sohlgewölbe *8* wird zum Schluß eingezogen. Der Kernstollen *1* ist für die Förderung der Ausbruchmassen und auch zur Beschleunigung des Kernausbruchs vorteilhaft.

Bei kleinen Querschnitten und im Druckgebirge ist es schwierig, einen Kern *K* zu erhalten, der sich zur sicheren Abstützung des übrigen Ausbruchs eignet; dann ist der Raum in den Schlitzen *3*, *5* (Abb. 465) so schmal, daß Förderung und Mauerung der Widerlager erschwert und verteuert werden. Aus diesem Grund ist man von der seinerzeit vielfach verwendeten Bauweise für die Eisenbahntunnel, deren Breite gering ist, abgegangen.

In manchen Fällen und namentlich für Tunnel mit großen Querschnitten kann die Kernbauweise doch solche Vorteile bieten, daß sie zweckmäßig erscheint und kaum durch andere Bauweise ersetzt werden kann, denn es ist hierbei eine wesentliche Vereinfachung der Zimmerung möglich, die mit Zunahme des Umfangs mehrteilig sein muß und daher an Verläßlichkeit abnimmt. Bei geringen Überlagerungen des Tunnels empfiehlt es sich, noch vor Vollausbruch die beiderseitigen Widerlager in den entsprechend zu erhöhenden Ortstollen so herzustellen, daß der für das Gewölbe erforderliche Raum sowie die Lehrgerüste nicht nur auf den Kern, sondern auch auf die unnachgiebigen Widerlager abgestützt werden können und Bewegungen der geringen Überlagerungen, die meist große Übelstände zur Folge haben, vermieden werden.

Für die Abstützung des ausgebrochenen Raumes wurde Längsträger- oder Querträgerzimmerung gebraucht. Die Ausmauerung wurde meist mit den Widerlagern begonnen, in einigen Fällen auch mit dem Firstgewölbe, das dann durch die in Schlitzen gemauerten Widerlager wie bei Bauweise 2 unterfangen wurde.

Wenn auch das Sohlgewölbe erst nach Beseitigung des Gebirgskerns eingezogen werden kann, so ist doch in einigen Fällen durch kurze, die beiden Ortstollen verbindende Querstollen das Einziehen einzelner Sohlgewölbegurten schon vor Beseitigung des vollen Kernes möglich geworden.

Bei einem der ältesten Eisenbahntunnel Deutschlands, dem Königsdorfer Tunnel (Köln-Achen), der Druckgebirge, auch Schwimmsand durchfahren mußte, kam die Kernbauweise nach Abb. 469 zur Anwendung. In den beiden erhöhten Ortstollen wurden vorerst die Widerlager gemauert, dann der Firststollen nach beiden Seiten erweitert und durch Längsträgerzimmerung abgestützt, so daß auf die Widerlager das Firstgewölbe gesetzt werden konnte, wobei der Kern als Stütze für die Zimmerung wie für die Lehrbogen diente. Mit Hilfe eines Querstollens wurden einzelne schmale Sohlgewölbegurten eingezogen und nach Beseitigung des Kernes das zwischen den Gurten noch fehlende Sohlgewölbe hergestellt. Die Tunnel der Bahnhöfe der Pariser Untergrundbahn, die etwa 14 *m* lichte Weite und 5,7 *m* Höhe erhielten, wurden mehrfach nach der Kernbauweise ausgeführt, was bei der großen Breite und der geringen Überlagerungshöhe der Tunnel zweckmäßig war. In der Regel wurde (s. Abb. 470) ein Sohlstollen vorgetrieben, von dem aus durch beiderseitige Querstollen Ortstollen herzustellen waren, in welchen die meist 2 *m* starken Widerlager in Beton aufgemauert worden sind. Sodann trieb man einen Firststollen vor, der nach beiden Seiten etwa 2·2 *m* hoch so erbreitert und verzimmert wurde, daß die etwa 0,7 *m* starken Firstgewölbe eingezogen werden konnten. Nachdem der Kern meist vom Sohlstollen aus abgetragen war, konnte das 0·5 *m* starke Sohlgewölbe ausgeführt werden.

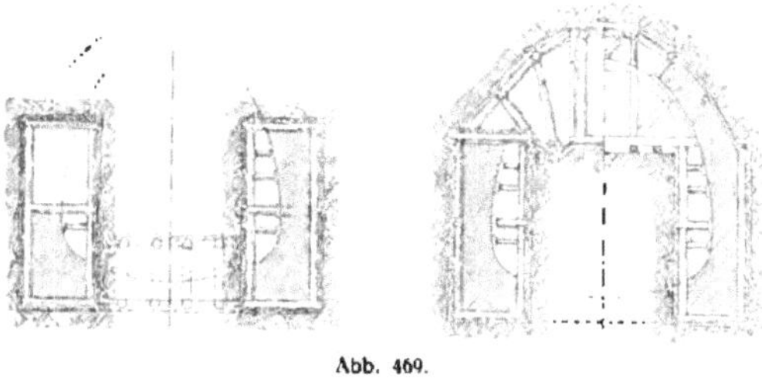

Abb. 469.

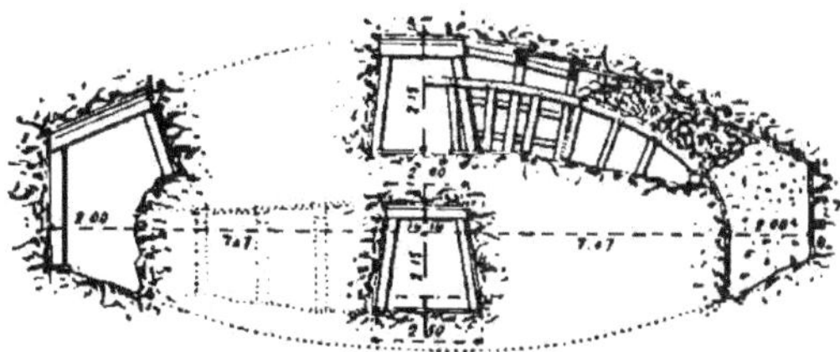

Abb. 470.

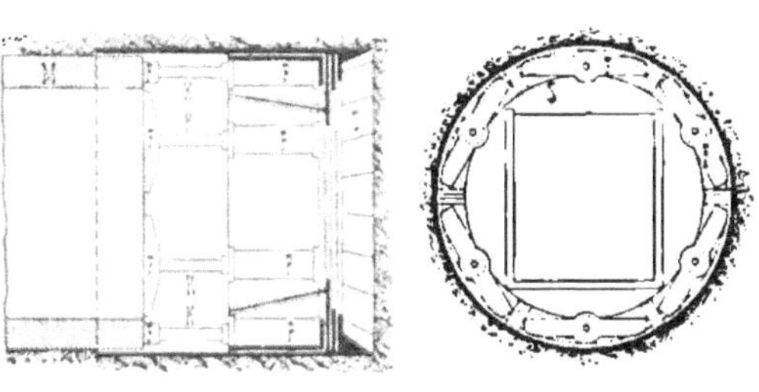

Abb. 471.

Die Schildbauweisen.

An Stelle der Holz- oder Eisenzimmerung tritt der Brustschild, unter dessen Schutz Ausbruch und dauernder Ausbau hergestellt werden. Ausnahmsweise wird ein Richtstollen vorgetrieben und namentlich im ungleichartigen Gebirge, in dem feste und lose Schichten wechseln, auch vor dem Schild ein entsprechend verzimmerter Vorausbruch vorgenommen, wonach ein gleichmäßiger, weniger schwieriger Vortrieb des Schildes ermöglicht wird.

Der Brustschild ist entweder ein geschlossenes, meist kreisförmiges oder elliptisches, mehr oder weniger versteiftes Eisenrohr oder ein Halbrohr, ein Teilschild oder auch nur eine Schutzhaube in der First des Tunnels, die auch mit dem Voll- oder Halbschild verbunden sein kann. An Stelle der Schutzhaube können auch Eisenvortriebspfähle treten.

Der Schild hat eine Schneide *S* (Abb. 471) und wird mit Hilfe von Schrauben oder Wasserpressen *P*, die am Umfang des Schildes angeordnet sind und deren Füße *F* sich gegen den fertigen Tunnel (Mauerwerk oder Eisenverkleidung) oder die mit kräftigem Längsverband versehenen Lehrbogen für die Tunnelverkleidung stützen, knapp an oder in das Gebirge gedrückt und der Boden vor und innerhalb des Schildes gelöst und beseitigt.

Wasserpressen mit Differentialkolben sind den Schrauben durchaus vorzuziehen, da sie eine leichte Regelung und daher gleichmäßigen Vorschub des Schildes erleichtern. In der Regel können die zu Gruppen zusammengefaßten Pressen nicht nur gemeinsam, sondern auch gruppenweise unabhängig voneinander in Betrieb gesetzt werden, damit den verschiedenen Widerständen an den einzelnen Stellen des Umfangs der Schneide Rechnung getragen werden kann.

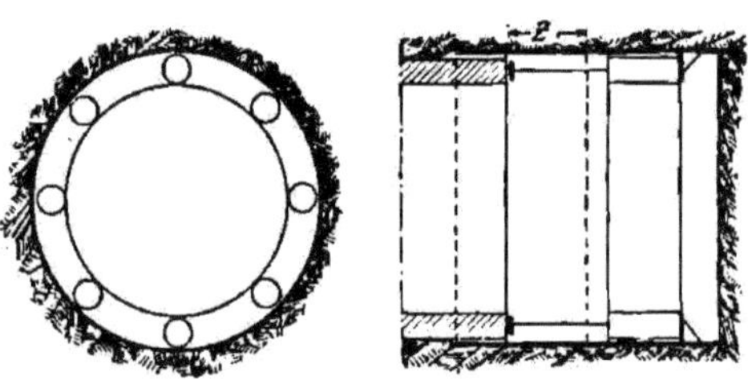

Abb. 472.

Die Einhaltung von Höhe und Richtung des Schildes ist im wechselnden Gebirge und bei stellenweise stärkerem Wasserauftrieb mit Schwierigkeiten verbunden. Es liegen verschiedene Vorschläge zur leichteren Sicherung der Führung beim Schildvortrieb vor, die aber noch keine vollends befriedigende Lösung ergaben.

Die Zahl der Pressen ist tunlichst groß zu halten; sie sind über den Umfang des Schildes entsprechend zu verteilen, so daß den wahrscheinlichen Widerständen Rechnung getragen werden kann.

Die Füße *F* der Pressen sind mit großen Anlageflächen zu versehen und nicht unmittelbar auf Mauerwerk, sondern auf Holzzwischenlagen, auch Holzkränze zu setzen, um den Druck auf die Tunnelverkleidung gleichmäßig zu verteilen und daher den Einheitsdruck zu mindern sowie die den Gebirgsverhältnissen anzupassende Lenkung des Schildes zu erleichtern.

Der Druck der Pressen auf die Tunnelverkleidung, zumal auf frisches Mauerwerk, kann durch Einlegen von Eisenstangen oder durch verspannte Lehrbogen auf größere Tiefe verteilt werden. Für das Mauerwerk wird in der Regel nicht zu rasch bindender Zementmörtel (4 – 5 Stunden Bindezeit) verwendet. Wegen rascher Abbindung des Zements in der warmen Preßluft sind Mörtel und Beton feuchter als gewöhnlich zu halten. Der für Mörtel im Tunnel meist wenig günstige Traßzusatz soll aber bei Schildvortrieb mit Preßluft, weil hierbei die Feuchtigkeit abgehalten wird und rasche Austrocknung des Mauerwerks eintritt, gänzlich unterbleiben.

Es ist die Ansicht vertreten, daß das Mauerwerk durch starkes Zusammenpressen an Festigkeit gewinnt und daher das Anstemmen der Pressen dem Mauerwerk nicht schädlich sei; das kann bei Stampfbetonmauerwerk unter bestimmten Bedingungen der Fall sein. Nach Vortrieb des Schildes auf die Länge einer kurzen Zone (0·5 – 2·0 *m*) wird der Tunnel unter dem Schutz des Schildes ausgemauert oder mit Eisen verkleidet. Es ist nötig, daß der Schild die Tunnelauskleidung *M* genügend weit übergreift.

Mauerwerk wird namentlich bei großen Tunneln mit einer Eisenhaut (früher Guß-, jetzt besser Flußeisen) umgeben, nicht nur zur Erzielung eines wasserdichten Tunnels, sondern auch zur Verminderung der Reibungswiderstände beim Vorschieben des Schildes und der hierdurch hervorgerufenen Beschädigungen des Tunnelmauerwerks, sowie zur Vermeidung des Verlustes an der das Mauerwerk durchdringenden Preßluft.

In einzelnen Fällen hat man einen Eisenmantel an der inneren Fläche der Tunnelausmauerung angeordnet, namentlich wenn Stampfbetonmauerwerk unmittelbar an das Gebirge anschließt und die Hohlräume hierdurch geschlossen werden sollen. Es entfallen aber hierbei die übrigen Vorteile des äußeren Eisenmantels. Für kleine Bauwerke hat man den Eisenmantel auch gänzlich fortgelassen.

Die nach dem Vorschieben des Schildes hinter dem Mauerwerk oder der Eisenverkleidung verbleibenden Hohlräume sind tunlichst rasch auszufüllen, um Bodenbewegungen, die sich namentlich bei geringen Überlagerungen des Tunnels bis auf die Oberfläche erstrecken können, sowie größere Preßluftverluste zu vermeiden auch das Rosten des Eisenmantels zu verhindern.

Zu diesem Zweck wird in der Regel Zementmörtel, auch wohl reiner Sand mittels Preßluft hinter die Tunnelverkleidung, die mit nachträglich gut schließbaren Löchern versehen wird, oder auch von der Stirn des Gewölbes aus, letzteres bei Vortrieb des Schildes eingespritzt. Für kleinere Tunnel hat man in einigen Fällen bei Weglassung der kostspieligen Eisenverkleidung und Vermeidung von Stampfbeton, der durch die Wasserpressen zusammengedrückt wird, gleichzeitig die Hohlräume zwischen Gebirge und Mauerwerk ausgefüllt und dichten Anschluß an das Gebirge erreicht.

Die Blechstärke des Schildes wird tunlichst dünn gehalten, damit der hinter der Verkleidung verbleibende Hohlraum möglichst klein ausfällt. Im übrigen muß das Rohr der Größe des Durchmessers entsprechend ausreichend versteift werden.

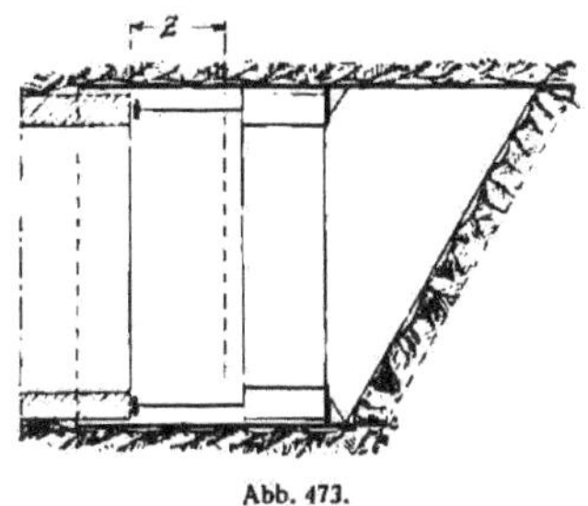

Abb. 473.

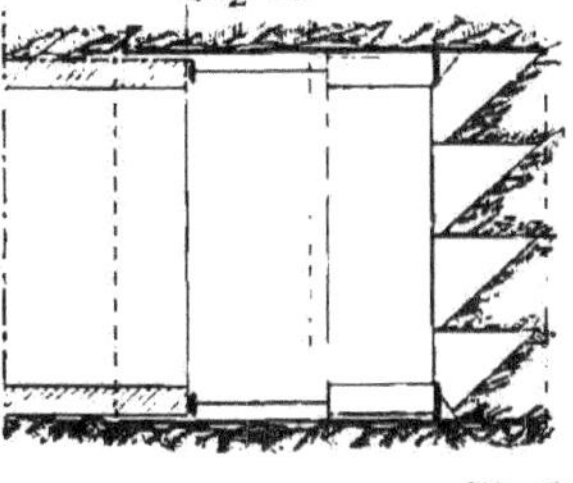

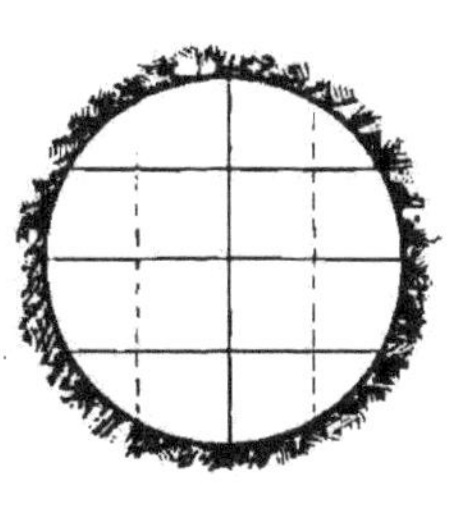

Abb. 474.

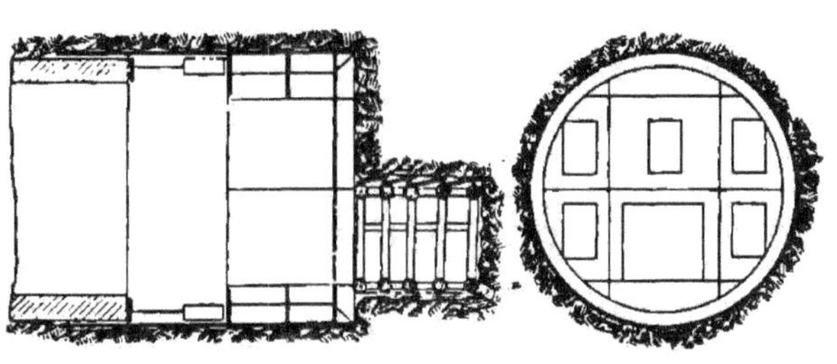

Abb. 475.

Vollends dichter Anschluß des Schildes auf die ganze Länge des die Tunnelverkleidung übergreifenden Teiles ist aber wegen der zur Einhaltung von Höhe und Richtung notwendigen Beweglichkeit des Schildes zu vermeiden. Der Schildvortrieb wird in sehr drückendem und in wasserführendem Gebirge sowie bei geringen Überlagerungen des Tunnels gebraucht, um Boden- und Wassereinbrüche sowie Bodenbewegungen, die sich auf die Oberfläche fortpflanzen, zu verhindern.

Im Druckgebirge mit geringem Wasserzufluß genügt die Anwendung des Schildes ohne weitere Hilfsmittel, während im stark wasserführenden Gebirge, also namentlich für Tunnel unter Wasser, der Schildvortrieb mit Hilfe von Preßluft behufs Zurückhaltung des Wassers zweckmäßig und notwendig wird.

Allerdings darf die Überlagerung nicht zu gering sein, weil die Gefahr besteht, daß hierbei der vom Schild gestaute Boden nach oben ausweicht und im Fall von Verwendung der Preßluft leicht ein Ausblasen der Preßluft, plötzliche Druckminderung im Arbeitsraum und großer Luftverlust eintreten kann.

1. Schildvortrieb ohne Verwendung von Preßluft.

Bei Anwendung eines Vollschildes kann im Gebirge, das kurze Zeit senkrecht stehen bleibt, das Rohr nach Abb. 472, also an der Schneide senkrecht begrenzt sein.

Im Boden, der unter einem kleineren Böschungswinkel in Ruhe bleibt, wird der Schild ungefähr nach dem Böschungswinkel des Erdreichs geschnitten (Abb. 473) oder er erhält wagrechte Abteilungswände, auf welchen der Boden unter dem entsprechenden Böschungswinkel, also mit geringer Fußbreite in Ruhe bleibt (Abb. 474).

Bei größeren Querschnitten werden im Schild noch senkrechte Wände und damit kleinere Abteilungen hergestellt, die außer der Vermehrung der Arbeitsstellen und der leichteren Verbauung der Brustfläche des Gebirges auch eine Versteifung des Schildes ermöglichen.

Im wechselnden Gebirge mit dazwischenliegenden festeren Schichten ist es zweckmäßig, den gleichmäßigen Vorschub des Schildes durch Vortreiben eines Richtstollens oder einer Holzzimmerung im Vollausbruch zu erleichtern oder zu ermöglichen (Abb. 475). Im ungünstigen Gebirge kann der Richtstollen auch mittels eines kleinen Schildes vorgetrieben werden. Der Schild tritt dann an die Stelle des vollen zeitweiligen Ausbaues, unter dessen Schutz der dauernde Ausbau (Mauerung oder Eisenverkleidung) eingebracht werden kann. Falls gezimmerter Vollausbruch vorausgehen muß, wird der Schild innerhalb der Verpfählung, die dann hinter der Tunnelverkleidung verbleibt, vorgetrieben, was oft Schwierigkeiten bereitet.

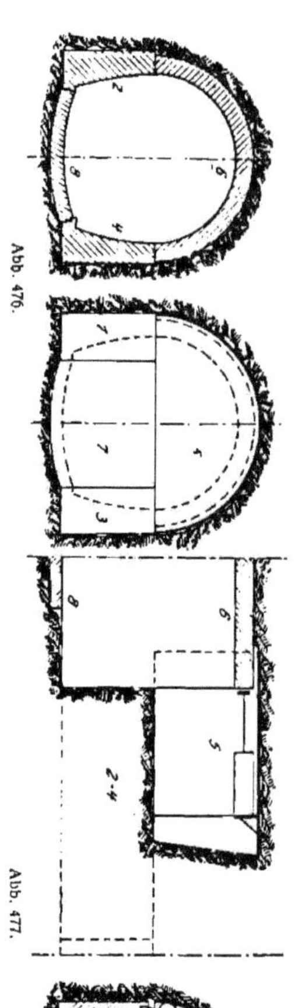

Abb. 476.

Abb. 477.

Je nach der Bodenbeschaffenheit im Querschnitt kann man den Schildvortrieb auf den oberen Teil des Tunnels beschränken und verwendet den Halb- oder Teilschild. Hierbei können (Abb. 476, 477) vorerst in 2 Sohl- oder Ortstollen *1*, *3* die Widerlager *2*, *4* aufgemauert werden. Auf den fertigen, mit Gleitplatten abgedeckten Widerlagern, die dem oberen Tunnelausbruch genügend weit voran sind, wird der Halbschild mit Gleitschuhen oder Rollen aufgesetzt und mit den am Umfang angeordneten Pressen vorgetrieben; hierbei ist die genaue Einhaltung von Richtung und Höhe wegen der feststehenden Widerlager und der gegebenen Führung leichter möglich wie beim Vollschild.

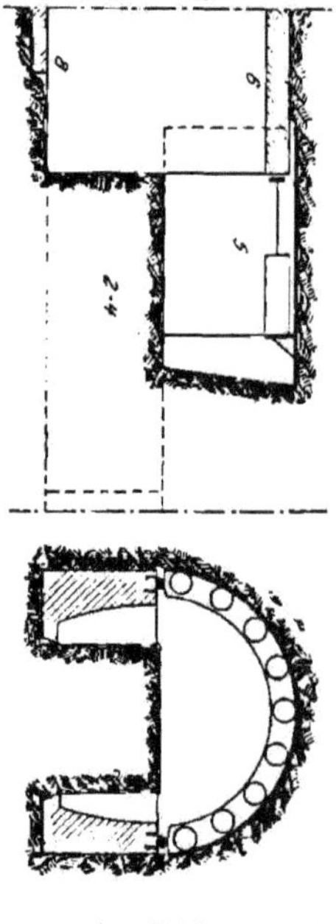

2. Schildvortrieb mit Verwendung von Preßluft.

Der Vortrieb mit Verwendung von Preßluft kommt im wasserreichen und schwimmenden Gebirge zur Anwendung. Die Preßluft hat das Eindringen des Wassers oder Gebirges in den Arbeitsraum und auch in den Raum zwischen der bereits fertiggestellten Tunnelverkleidung und dem Schild zu verhindern, was Schwierigkeiten bereitet, weil die Wasserdruckhöhen an tiefster und höchster Stelle des Tunnels verschieden sind. Zu geringer Luftdruck kann ein Ansteigen des Wassers in der Sohle, zu großer ein Ausblasen der Preßluft und plötzliche Druckverminderung im Arbeitsraum sowie ein Aufwühlen und eine Bewegung des den Tunnel überlagernden Bodens zur Folge haben. Man wird zur Vermeidung eines zu hohen Wasserstandes in der Tunnelsohle den Luftdruck in der First höher halten müssen, als er für die Wasserverdrängung an dieser Stelle erforderlich ist. Dieses Maß wird von dem zulässigen Stand des Wassers in der Sohle, von der Querschnittshöhe des Tunnels sowie von der Stärke und Beschaffenheit der Tunnelüberlagerung, die daher ausreichend groß zu bemessen ist, abhängig sein.

Man hat mehrfach im durchlässigen Boden den Luftdruck so hoch gehalten, daß er dem Wasserdruck im unteren Viertel bis Drittel des Tunnelquerschnitts das Gleichgewicht hält, also das Eindringen des Wassers in der Sohle nicht ganz verhindert. Bei wechselndem Wasserstand über dem Tunnel ist eine Regelung des Luftdrucks schwierig.

Diese Übelstände haben zu verschiedenen Vorschlägen geführt, die aber nur teilweise befriedigten.

Man hat auch den Schildquerschnitt durch wagrechte und senkrechte Wände in einzeln zu schließende Zellen geteilt, so daß bei Arbeit in den unteren Zellen die oberen dicht geschlossen werden konnten und umgekehrt; daher der Luftdruck entsprechend der Höhenlage der in Arbeit stehenden Zelle, also dem jeweiligen Wasserdruck entsprechend, geregelt werden konnte. Dieser Vorgang hatte aber nur im gleichartigen, nicht zu fließenden Boden einigen Erfolg.

Da die im Scheitel des Schildes ausströmende Preßluft die Bodenüberlagerung auflockert, eine Dichtung an dieser Stelle schwierig ist, so versieht man mehrfach die Schilde mit senkrechter Vorderfläche auf $^1/_3 - ^1/_2$ des oberen Schildumfangs mit einem vortretenden Dach, Haube genannt, an deren Stelle man auch eiserne Triebpfähle, die einzeln in der Regel mit Wasserpressen vor Vortrieb des Hauptschildes vorgetrieben werden können, angewendet hat.

Bei Verwendung von Preßluft sind Luftschleusen erforderlich, die die Arbeitsräume vom fertigen Tunnel trennen; sie vermitteln den Verkehr der Arbeiter und die Förderung aus den mit Preßluft gefüllten Arbeitsräumen nach außen und umgekehrt.

Für größere Tunnel werden meist getrennte Luftschleusen für den Arbeiterverkehr und die Materialförderung angeordnet. Sie liegen entweder nebeneinander im unteren Teil des Tunnels oder übereinander, wobei aus Sicherheitsgründen die Schleuse für den Personenverkehr in die Tunnelfirst verlegt wird. Auch sind 3 Luftschleusen angeordnet worden. Die in der Regel gebrauchten, für Personenverkehr und Materialförderung, liegen im unteren Teil, eine dritte Sicherheitsschleuse, die bei raschem Ansteigen des Wassers zu benützen ist, in der First des Tunnels.

Die Schleusen erhalten selbstverständlich dichten Anschluß an die Tunnelwandungen und werden dem Arbeitsfortgang entsprechend verlegt, also nachgeschoben, u. zw. so häufig, daß der mit Preßluft zu füllende Raum zwischen Schleuse und Schild nicht zu groß wird.

In den Querwänden des Schildes werden auch Notschleusen eingebaut, damit den Luftdruckunterschieden in den Arbeitsräumen des Schildes und dem Raum zwischen Schild und Tunnelverkleidung und der Hauptschleuse Rechnung getragen werden kann, namentlich wenn durch Ausblasen der Preßluft eine plötzliche Druckverminderung eintritt, die durch die Notschleusen auf den Schildraum beschränkt werden soll. Ein dauernder Verschluß der Notschleusen ist wegen des Zeitverlustes beim Durchschleusen nicht zweckmäßig, daher Notschleusen an dieser Stelle kaum mehr ausgeführt werden. Auch Taucherglockenanordnungen in den oberen Teilen des Schildes können zur Sicherung der Arbeiter bei plötzlichen Einbrüchen des Wassers zweckmäßig sein.

Zur Einschränkung des Luftverlustes kann der Raum zwischen dem Schildende und der Tunnelverkleidung so gedichtet werden, daß die Beweglichkeit des Schildes erhalten bleibt. In Eisen gefaßte Gummiringe oder Schläuche, die mit Wasser oder Preßluft gefüllt sind, haben dauernd brauchbare Lösungen nicht erreichen lassen.

Zur Abminderung der Luftverluste hat man auch hydraulischen Kalkmörtel unter großem Druck an der Stirn der Tunnelverkleidung zwischen dieser und dem Schildende während des Schildvortriebs eingepreßt, was je nach der Gebirgsbeschaffenheit mehr oder weniger Erfolg hatte.

Da eine Luftpressung von etwa 3 Atm. mit Rücksicht auf die Arbeitsmöglichkeit kaum überschritten werden kann, so ist hierdurch die Tiefenlage eines Tunnels im stark wasserführenden Gebirge begrenzt.

In allen Fällen wird man wie bei Luftdruckgründungen durch Abkühlen der mit Preßluft erfüllten Räume, die oft recht hohe Wärmegrade zeigen, durch kurze Arbeitszeit, langsames Aus- und Einschleusen, Schutzmittel und sofortige ärztliche Hilfe die Übelstände der Preßluftkrankheiten zu mindern sich bemühen. Auch sind besondere Vorsichtsmaßregeln gegen Feuersgefahr wegen der rascheren Verbrennung in der Preßluft erforderlich.

Abb. 478 zeigt einen kreisförmigen Schild mit 2 Mittelwänden m_1 und m_2. Der Arbeitsraum D vor der mit verschließbaren Öffnungen a versehenen vorderen Mittelwand ist durch wagrechte Wände in 3 Abteilungen geteilt. Zur Versteifung sind außerdem senkrechte, aber durchbrochene Wände angeordnet. Die senkrechte Mittelwand m_2, welche den Raum C abschließt, erhält zur Sicherung entweder eine Verschlußtür bei b oder eine Notschleuse S_2, um verschiedenen Luftdrücken in den Räumen B und $C-D$ Rechnung tragen zu können. Die am Schildumfang angeordneten Wasserpressen p, deren Kolben durch die Wand m_2 mit entsprechender Dichtung gehen, stützen sich gegen die Wand m_1 und die fertige Tunnelverkleidung M mit breiten Fußflächen. Die Hauptschleuse S_2 für Arbeiter- und Materialverkehr trennt den mit Preßluft gefüllten Raum B vom fertigen Tunnel A.

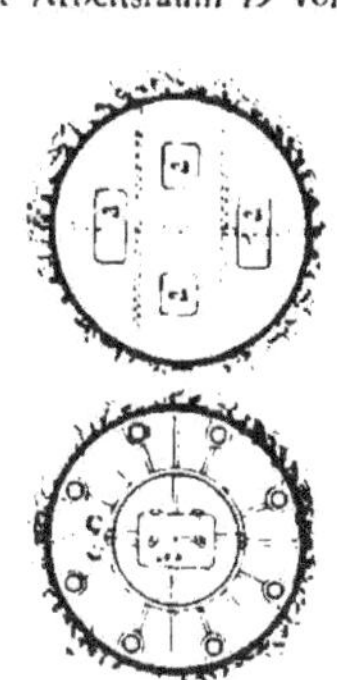

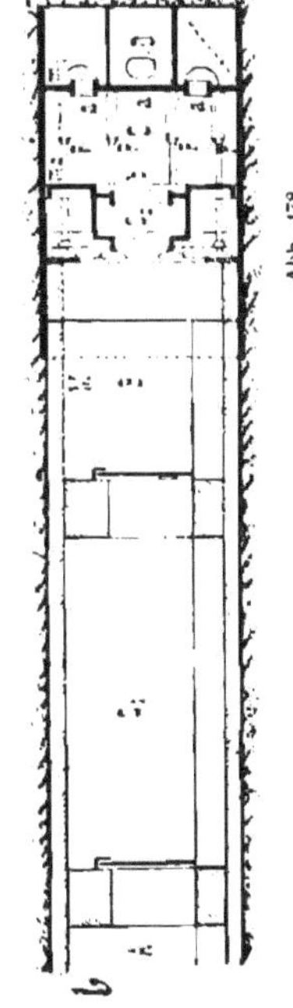

Abb. 478.

Die Vorteile der Bauweisen mit dem Brustschild bestehen in der großen Sicherheit im Ausbruch und Ausbau im rolligen, schwimmenden und wasserreichen Boden, zumal bei geringer Gebirgsüberlagerung des Tunnels, ferner in der Möglichkeit der Einhaltung des kleinsten, für den Tunnel eben erforderlichen Ausbruchquerschnitts, in der leichten und geschützten Ausführung der Tunnelverkleidung, auch in einem den Verhältnissen entsprechenden raschen Bauvorgang.

Die Nachteile dagegen liegen in den Schwierigkeiten bei Durchfahrung ungleichartigen, wechselnden Bodens, der meist besondere Vorausbrucharbeiten und Abstützungen, auch die Anwendung von Getriebepfählen vor dem Schild, namentlich in dessen Scheitel erheischen kann, sowie in der Einhaltung von Höhe und Richtung des Tunnels; ferner mehrfach in der ungünstigen Beanspruchung der Tunnelverkleidung durch die Pressen und beim

Vorziehen des Schildmantels namentlich dann, wenn das Tunnelmauerwerk keine Eisenhaut erhält. Auch die hinter der Tunnelverkleidung verbleibenden Hohlräume sind schwierig dicht zu schließen.

Bei Verwendung von Preßluft treten noch die Erschwernisse und Gefahren infolge der Unterschiede in den Wasserdrücken an der Sohle und in der First des Tunnels hinzu, die mit dessen Abmessungen zunehmen. Der Einbau und Betrieb der Luftschleusen und der übrigen umfangreichen maschinellen Anlagen, auch die Sicherheitsvorkehrungen für die Arbeiter bei plötzlicher Spannungsabnahme der Preßluft bilden weitere Erschwernisse dieser Bauweise.

Verwendung von Preßluft ohne Brustschild.

Diese Bauweise kam nur ausnahmsweise und dann zur Anwendung, wenn beim gewöhnlichen bergmännischen Vorgang ohne Schild Schichten angefahren wurden, die sich druckhafter und wasserführender herausstellten, als von vornherein angenommen werden konnte, und der nachträgliche Einbau eines Schildes meist auf kurze Tunnellängen zu umständlich, schwierig und kostspielig gewesen wäre. Sie erscheint nur zweckmäßig und möglich, wenn das Gebirge bei genügend hoher Überlagerung des Tunnels so weit dicht zu halten ist, daß zu große Druckverluste durch Ausblasen der Preßluft nicht zu befürchten sind. Da der Brustschild fehlt, so ist nicht nur die Brust, sondern auch die Oberfläche des ganzen Ausbruchs, der vom fertigen Tunnel ebenfalls durch dichte Wände abgeschlossen werden muß, im Gleichgewicht zu halten. In die Abschlußwände sind Luftschleusen für Material- und Arbeiterförderung einzubauen. Der ausgebrochene Raum wird in einer den Druckverhältnissen angepaßten Art und Stärke abgestützt oder verzimmert.

Beispiele dieser Bauweise geben der Bau des Emmersbergtunnels bei Schaffhausen und der Bau des Gatticotunnels auf der italienischen Bahn Santhià-Borgomanero-Arona. In dem letztgenannten Tunnel wurden auch einige Strecken von der Oberfläche aus mittels Senkkästen und Preßluft in ähnlicher Weise wie bei Gründung von Brückenpfeilern hergestellt.

Die Bauweisen nach dem Gefrierverfahren.

Das Gefrierverfahren, das vorerst für Schachtabsenkungen zur Anwendung kam, kann auch für den Vortrieb von Stollen und Tunnel in Frage kommen. Es besteht darin, daß das Gebirge auf den Umfang des Tunnels entweder durch Einblasen von kalter Luft oder durch Einführen von Kälteflüssigkeiten mittels Röhren zum Gefrieren daher, in feste Form gebracht wird, wonach in stark wasserführendem und schwimmendem Gebirge der Ausbruch und dessen Abstützung, also der zeitweilige Ausbau erleichtert oder erst ermöglicht wird.

Das Verfahren wird im Tunnelbau vornehmlich dann in Frage kommen, wenn die Schildbauweisen mit Preßluftverwendung nicht mehr anwendbar sind, was namentlich bei größeren Tieflagen des Tunnels infolge hohen Wasserdruckes, der einen für den Arbeitsbetrieb zu hohen Luftdruck erfordert, der Fall ist.

1. Durch Einblasen von kalter Luft (40 – 60° C) in den Tunnel, der gegen die fertige Strecke durch entsprechend starke Wände abgeschlossen wird, kann das Gebirge auf eine gewisse Tiefe zum Gefrieren gebracht und dann gelöst und abgestützt werden.

Die bis zum Eintritt der Frostwirkung erforderliche Zeitdauer der Einwirkung der kalten Luft auf den Hohlraum, also auf die Wandungen der sog. Gefrierkammer, hängt von deren Größe und der Temperatur der verwendeten Luft ab und ist eine verhältnismäßig lange. Bei größerem Querschnitt findet infolge Senkung der kalten Luft eine weit stärkere Abkühlung der Sohle wie der First des Tunnels statt.

Die Luft ist auch bis auf das durch den vorhandenen Wasserdruck im Gebirge bedingte Maß zu pressen und dann in den bekannten Maschinen abzukühlen. Bei hoher Pressung wird die Luft stark erwärmt, so daß länger dauernde Abkühlung mit hohen Kosten erforderlich wird.

Im Tunnelbau kam dieses Verfahren ausnahmsweise zur Verwendung.

Bei Herstellung eines Tunnels in Stockholm von etwa 4 *m* Weite und Höhe, der den unter Gebäuden liegenden, feinen, mit Wasser durchtränkten Kies und Lehm zu durchfahren hatte, wurde auf eine kurze Strecke diese Bauweise verwendet.

Hierbei ist je ein Raum von etwa 6 – 12 *m* Länge, also von 100 – 180 m^3 Größe durch eine 20 *cm* starke Wand vom ausgebauten Tunnel abgeschlossen worden, in den kalte Luft eingeblasen wurde, so daß die Temperatur in dem Gefrierraum – 20 bis – 31° C betrug. Die Luft wurde vorerst auf 3 Atm. gepreßt, dann auf gewöhnliche Temperatur abgekühlt und schließlich in Kältemaschinen auf – 50° C gebracht. Der gefrorene Boden wurde ausgebrochen und der ausgebrochene Raum durch Eisenbögen mit Verpfählung und kräftigem Brustverzug aus Eisenplatten abgestützt, wobei tägliche Fortschritte von etwa 0·15 *m* erreicht werden konnten.

Die Ausmauerung in Beton blieb so weit zurück, daß eine ungünstige Kälteeinwirkung auf das Mauerwerk nicht mehr zu befürchten war.

Auch auf der Interborough Rapid Transit R. R. in New York hat man das Verfahren, jedoch mit ungünstigem Erfolg verwendet, da bei einem Tunneldurchmesser von 4·6 *m* die Länge des sog. Gefrierraumes etwa 60 *m*, daher deren Größe etwa 1000 m^3 betrug und die Abkühlvorrichtungen für diesen großen Raum unzulänglich gewesen sind, daher die Temperatur in der Gefrierkammer sich nur zwischen —5° bis —12° C bewegte. Man hat diese Bauweise nach kurzer Zeit verlassen.

2. Die Einführung von Kälteflüssigkeiten, wie Chlorcalcium- oder besser 25 bis 30%iger Chlormagnesiumlauge, die bei etwa —35° C friert, oder von 95%igem Alkohol, der bei —110° friert, in doppelwandigen Röhren von der Erdoberfläche aus, also in ungefähr senkrechter Richtung, kann in gleicher Weise wie beim Abteufen von Schächten erfolgen. Die Röhren werden bis auf die Tiefe des Tunnels zu beiden Seiten des auszubrechenden Querschnitts versenkt und das vom Tunnel zu durchfahrende Gebirge zum Gefrieren gebracht, wonach der Vortrieb des Tunnels in üblicher Weise erfolgt.

Dieser Vorgang kann nur bei geringeren Überlagerungshöhen des Tunnels in Frage kommen, weil mit der Tiefe der Tunnellage die Schwierigkeiten der Versenkung der Röhren und die Größe des abzukühlenden Erdkörpers zunimmt, daher die Bauzeitverlängerungen und die Kosten ganz bedeutende werden.

3. Die Einführung von Kälteflüssigkeiten durch doppelwandige Röhren am Umfang des Tunnelquerschnitts, also parallel mit der wenig von der Wagrechten abweichenden Tunnelachse, bietet mehrfache Schwierigkeiten, namentlich wenn für längere Strecken Röhrenleitungen, für welche meist die Löcher vorgebohrt werden, erforderlich sind.

Die Bohrarbeiten erfordern bei großen Lochlängen im ungleichartigen Boden namhafte Kosten. Die Röhren müssen stückweise eingesetzt und durch großen Druck, also mittels Pressen vorgetrieben werden.

Wie beim Schachtabteufen kann man die Kälterohre auch im Innern des Tunnels vortreiben und den auszubrechenden Körper unmittelbar zum Gefrieren bringen. Hierbei wird in kurzen Längen vorgegangen, wobei aber im schwimmenden Gebirge vorsichtshalber ein jedesmaliger Verschluß der Tunnelbrust auszuführen ist, was am zweckmäßigsten durch den Vortrieb eines schildartigen, an der Brust mit verschließbaren Öffnungen versehenen Rohres erreicht werden kann, wobei auch rasche und gesicherte Abstützung der ausgebrochenen Tunnelstrecke ermöglicht wird.

Beim Vortrieb eines schildartigen Eisenrohrs mit den kleinen Abmessungen eines Richtstollens kann man die Kälterohre an den Innenwandungen dieses Rohres verlegen, indem nun abermals Gefrierrohre verlegt werden, um die erforderliche Frostwirkung zu erreichen, nachdem der Boden innerhalb des Rohres entfernt ist und auf diese Weise den das Stollenrohr umgebenden Boden auf einem Umkreis zum Gefrieren bringen, der das Nachschieben eines zweiten Eisenrohrs mit entsprechend größerem Durchmesser ermöglicht. Für Tunnel mit großen Querschnitten kann das Verfahren mehrfach wiederholt werden.

Der Vorgang ist zeitraubend und kostspielig, zumal die Frostwirkung nicht unmittelbar vom Kälterohr aus, sondern erst durch die Wandung des Eisenrohrs erfolgt.

Die Förderung.

Die Abfahrung der Ausbruchmassen aus dem Tunnel und ihre Unterbringung auf den vorgesehenen Ablagerungsplätzen, die Zuführung der Geräte und Baustoffe in den Tunnel und bei längeren Bauten auch die Beförderung der Arbeiter erfolgt zumeist und am richtigsten auf Fördergleisen.

Die Gleise erhalten in der Regel Schmalspurweiten von 0·6 – 0·9 *m*, selten etwas weniger oder mehr. Ausnahmsweise sind auch Vollspurgleise mit 1·435 *m* aus besonderen Gründen, wie z. B. im Cochemtunnel und in einem Teil des zweiten Simplontunnels (Nord) angeordnet worden. In den meisten Fällen hat sich eine Spurweite von 0·7 – 0·75 *m* als zweckmäßig erwiesen, da hierbei auch die Förderwagen noch ausreichend großen Fassungsraum erhalten.

Die Schienengewichte bewegten sich von 15 bis 20 *kg*/*m*. Zur Unterstützung eignen sich Holzschwellen besser wie Eisenschwellen. In einigen Fällen hat man Stuhlschienenoberbau verwendet, der den Vorteil hat, daß die auf den Schwellen festsitzenden Stühle ein rasches Umlegen der Gleise ermöglichen.

Es empfiehlt sich, eine einheitliche Spur der Tunnelförderbahnen anzustreben, damit Förderwagen und Maschinen bei weiteren Tunnelbauten wieder verwendet werden können.

Im Interesse raschen Verkehrs und leichter Verteilung der Wagen auf die einzelnen Arbeitsstrecken wäre die zweigleisige Bahn vorteilhaft. Allein die engen Tunnelräume, wie namentlich die Arbeitsstellen im Stollen und auch die durch Zimmerungen eingeengten Tunnelstrecken erschweren die Anlage zweigleisiger Bahnen und bedingen schmale Spur der Gleise und schmale, langgestreckte, wenig zweckmäßige Förderwagen mit immerhin verhältnismäßig kleinem Fassungsraum.

In Fällen, in welchen zweigleisige Förderbahnen ausgeführt wurden, mußten Stollenquerschnitte über das sonst übliche und zweckmäßige Maß vergrößert und besondere Zimmerungsanordnungen getroffen werden. Auch hat sich herausgestellt, daß in einzelnen starken Druckstrecken die zweigleisige Anlage stellenweise unterbrochen werden mußte; sodann ist der zwischen den Förderwagen und den Tunnelwandungen verbleibende Raum doch noch so knapp, daß ein sicherer Verkehr der Arbeiter bei Begegnung zweier Züge kaum möglich ist.

Man hat daher bei den meisten Tunnelbauten für die Arbeitsstrecken eingleisige Förderbahnen und an einigen besonders ausgeweiteten Stellen Ausweichen, auch Nebengleise angeordnet. Bei langgestreckten Tunnelbauten mit vielen Arbeitsstellen und eingleisiger Förderbahn bereitet die Verteilung der einzelnen Wagen, d. s. Leerwagen für die Aufnahme des Tunnelausbruchs und der verbrauchten Zimmerungshölzer und Geräte einerseits sowie der mit neuen Geräten, Hölzern und Mauerungsstoffen beladenen, von außen kommenden Wagen anderseits, mancherlei Schwierigkeiten und erfordert einen wohldurchdachten und streng einzuhaltenden Betriebsplan.

Zumeist wird eine Gleisanlage (Aufstellungs- und Verschiebegleise) vor dem Tunnelmund, sodann an dem jeweiligen Ende des fertiggestellten Tunnelteils, eine sog. Tunnelstation, und schließlich in einem ausreichend großen Abstand vor dem Ort des Richtstollens im besonders erbreiterten Stollen, eine Ausweiche, erstellt. Im übrigen ist die Anlage eingleisig. Im fertigen Tunnelteil, also vom Außenbahnhof bis zur Tunnelstation, kann ein zweites Gleis gelegt werden, was auch in mehreren Fällen geschehen ist.

Die Tunnelstation und die Ausweiche vor dem Stollenort sind so einzurichten, daß eine leichte Verteilung der an den einzelnen Arbeitsstellen erforderlichen Wagen erfolgen kann, sie müssen auch nach Maßgabe des Arbeitsfortgangs verschoben, also verlegt werden. Als Förderwagen werden Kastenwagen, Kippwagen und Plattformwagen verwendet. Die Kastenwagen mit abnehmbaren Seitenwänden behufs Entleerung und niedriger Bauart zwecks leichterer Beladung erhalten im Tunnel kleinere Abmessungen, Fassungsräume von etwa 0·7 – 1·5 m^3, und werden in der Regel für die Förderung im Stollen verwendet. Ihre Entleerung erfordert mehr Zeit und Kraft wie die der Kippwagen. Im übrigen wurde die Förderung des Tunnelausbruchs zumeist mit Kippwagen (Seitenkipper) mit tunlichst großem Fassungsraum von 1 – 3·5 m^3 im Interesse rascher und billiger Entladung bewerkstelligt. Der große Fassungsraum ermöglicht eine Verminderung der Zugzahl und damit der durch den Zugverkehr nicht zu vermeidenden Arbeitsstörungen.

Plattformwagen dienen zur Förderung von Holz für die Zimmerung, großen Steinen (Quadern), auch von Maschinen.

Bei kleinen Tunnelbauten werden vielfach die vom Ausbruch entleerten, in den Tunnel zurückkehrenden Förderwagen teilweise mit den benötigten Baustoffen und auch Maschinen beladen. Bei großen Tunnelbauten mit raschem Betrieb werden aber die Ausbruchwagen ganz oder größtenteils leer in den Tunnel gefahren und die erforderlichen Baustoffe auf besonderen Wagen verladen, die nicht zur Förderung des Ausbruchs verwendet werden, um Zeitversäumnisse zu vermeiden.

Die Bewegung der Förderwagen erfolgt durch Menschen, namentlich für kurze Strecken. Pferde werden gegenwärtig nur für kurze Tunnel gebraucht; sie haben allerdings den Vorteil der Unabhängigkeit vom Gleis und der Wagenstellungen, so daß sie ohne Ausweichgleise an beiden Zugenden angespannt werden können, was bei Maschinen nicht der Fall ist.

Von Maschinen kommen Dampf-, feuerlose, elektrische, Druckluft- und Benzinlokomotiven in Betracht. Dampflokomotiven sind wegen Luftverschlechterung bei den neueren Bauten nur mehr in den fertigen Strecken oder nur außerhalb des Tunnels verwendet worden.

In einzelnen Fällen wurde der Übelstand der Luftverschlechterung durch Dampflokomotiven (Bauart Krauß) vermindert, die während der Tunnelbefahrung nicht nachgefeuert werden.

Zumeist sind nun für längere Tunnel in den Arbeitsstrecken Benzin- oder Druckluftlokomotiven in Gebrauch. Benzinlokomotiven lassen Luftverschlechterung nicht ganz vermeiden, was zu Übelständen Veranlassung gab. Die Druckluftlokomotiven tragen zur besseren Lüftung bei, sind aber insofern unwirtschaftlich, als der im Interesse kleinerer Abmessungen der Luftbehälter erforderliche hohe Sammeldruck von 150 - 200 Atm. auf den Arbeitsdruck von 10 - 12 Atm. herabgesetzt wird und die entsprechende Kompressionsarbeit verlorengeht. Zumeist werden die für den Tunnel bestimmten Leerzüge und die mit Baustoffen und Geräten beladenen Wagen durch kräftige Maschinen bis in die Tunnelstation geschoben und die dort bereits aufgestellten beladenen Züge durch diese Maschinen aus dem Tunnel gezogen.

In der Tunnelstation übernehmen leichte Benzin- oder Druckluftmaschinen, eingeschaltet zwischen den Wagengruppen die Verteilung der Wagen an die einzelnen Arbeitsstellen.

Bei Vortrieb des Firststollens als Richtstollen, wobei ein Sohlstollen fehlt, liegt die Förderbahn im oberen und nach Fertigstellung des Sohlschlitzes im unteren Teil des Tunnels. Die Ausbruchmassen des oberen Teiles werden durch Vermittlung von Schuttrichtern oder

Rutschen in die auf dem unteren Gleis bereitstehenden Leerwagen umgeladen oder es wird das obere Fördergleis durch Rampen, die nach Maßgabe des Arbeitsfortschritts vorgeschoben werden müssen, mit dem unteren Fördergleis verbunden. Beide Anordnungen erschweren und verteuern die Förderung.

In einigen Fällen hat man für die Stollenförderung Gleise mit kleinerer Spurweite angeordnet wie für die übrige Förderung. Allein das erforderliche Umladen ist zeitraubend und kostspielig, daher einheitliche Spurweite vorzuziehen ist.

Beim Bau des zweiten Simplontunnels (Nordseite) wurden wegen der erforderlichen Kreuzung der im Betrieb befindlichen Bahn aus dem ersten Simplontunnel und der raschen Beförderung der Ausbruchmassen nach den Ablagerungsstellen von der Tunnelstation bis an den Tunnelmund und weiter an die Ablagerungsstellen eine Vollspurbahn (1·435 *m*) gelegt, während von den Arbeitsstellen bis zur Tunnelstation das Fördergleis 0·75 *m* Spurweite erhielt. Infolgedessen werden die Kasten der von den Arbeitsstellen kommenden kleinen Wagen mit Hilfe von besonderen, in der Tunnelstation angeordneten Kranen abgehoben und etwa 4 auf die großen vollspurigen Förderwagen gesetzt. In diesem Sonderfall hat sich die Umladung als zweckmäßig herausgestellt.

Lüftung.

Das Maß der Luftverschlechterung im Tunnel und der hierdurch bedingte Frischluftbedarf ist je nach dem Arbeitsbetrieb ein verschiedenes. Wenn in Tunneln mit Druckluftbohrmaschinen- und Luftlokomotivbetrieb schon eine Verbesserung der Lüftungsverhältnisse erreicht wird, so genügt das meist noch nicht.

Natürliche Lufterneuerung genügt nur für ganz kurze Tunnel. Die Länge ist von örtlichen Verhältnissen abhängig. Durch Anordnung von Schächten oder Kaminen kann eine Verbesserung der Luft im Tunnel erreicht werden. Die Schachtlüftung beruht auf den Unterschieden des Luftdrucks und des Wärmegrads im Tunnel und an der Oberfläche, die nicht nur von der Höhenlage, sondern auch von den Windrichtungen abhängig sind. Kurze Schächte kann man durch Schachtaufsätze wirkungsvoller machen.

Durch Unterhaltung eines Feuers im Schacht ist eine Erhöhung der Wirkung zu erreichen, ist aber unwirtschaftlich.

Auf der Nordseite des ersten Simplontunnels hatte man in einem in der Nähe des Eingangs hergestellten, 47 *m* tiefen Schacht ein kräftiges Feuer unterhalten, wodurch die Lüftung auf etwa 1500 *m* verbessert wurde.

Schachtlüftungen sind bei großen Überlagerungen des Tunnels sehr kostspielig und auch bei großen Längen der zwischen den einzelnen Schächten liegenden Strecken nicht ausreichend; anders bei Lüftung der Eisenbahntunnel im Betrieb.

Für lange und hoch überlagerte Tunnel ist während des Baues künstliche Lüftung entweder durch Ansaugen der schlechten Luft oder Eindrücken von guter Luft erforderlich.

Bei Sauglüftung wird die schlechte Luft zumeist nicht unmittelbar abgezogen, sondern nur ein Gemisch aus schlechter und guter Luft, wobei also überflüssige Arbeit geleistet wird, namentlich wenn die Saugleitung nicht unmittelbar an die betreffenden Arbeitsstellen führt. Die am Mont-Cenis- und Gotthardtunnel eingerichteten Sauglüfter haben sich nicht bewährt.

Die Drucklüftung wird so eingerichtet, daß die frische Luft in geschlossenen Leitungen unter genügendem Druck in den Tunnel geführt und an verschiedenen Stellen abgegeben wird, so daß je nach der Luftmenge ein atembares Gemisch von guter und schlechter Luft vorhanden ist. Bei den neueren großen Tunnelbauten wurden Drucklüfter verwendet, die im Bedarfsfall auch als Sauglüfter wirken konnten, was in einigen Fällen erwünscht war.

Als Drucklüfter dienen meist Schleudergebläse der Bauarten Capell, Pelzer, Rateau und Sulzer. Für kleinere Luftmengen werden auch Strahlgebläse gebraucht.

Die Lüfter arbeiten entweder einzeln oder mehrere gemeinsam neben- oder hintereinander geschaltet, je nach geforderter Menge oder erforderlichem Druck.

Der Kraftbedarf der Lüfter kann durch große Leitungsquerschnitte und kurze Leitungslängen eingeschränkt werden; er betrug bei den neueren, über 6 *km* langen Tunneln für die einzelnen Lüfter etwa 50 – 160 PS.

Meist wurden 2 – 4 Lüfter hintereinander verbunden. Die Lüfter hatten einzeln 5 bis 15 m^3/Sek. Luft von 200 – 600 *mm* Wassersäule zu liefern.

Den Antrieb der Lüfter besorgten Turbinen oder Elektromotoren.

Die Leitungsquerschnitte sind durch die engen Stollen- und Tunnelquerschnitte beschränkt. Im Stollen können Leitungen von 200 bis höchstens 500 *mm* verlegt werden, die gegen Beschädigungen, namentlich gegen Sprengwirkungen geschützt werden müssen.

Die Luftleitungen werden meist aus Eisen- oder Zinkblech in den fertigen Strecken für große Weiten auch aus Beton oder Betoneisen hergestellt.

Für große Luftmengen bei geringem Druck sind bedeutende Leitungsquerschnitte erforderlich, für die der Raum in engen, namentlich eingleisigen Tunneln kaum zu gewinnen ist. Man hat daher durch Parallelstollen (Simplontunnel) oder Unterstollen (Vorschlag Hennings, Weber) große Luftleitungen geschaffen, auch hat man in den fertiggestellten Strecken zweigleisiger Tunnel durch den Einbau einer Scheidewand (Lötschbergtunnel) eine Luftleitung großen Querschnitts erreicht.

Im ersten eingleisigen Simplontunnel, in dem größte Wärmegrade bis zu 50° C beobachtet wurden, dessen Richtstollen mit hydraulischen Drehbohrmaschinen aufgefahren wurde, standen auf jeder Seite 2 durch Turbinen angetriebene Lüfter, die je 25 m^3/Sek. Luft bei 250 *mm* Wassersäule lieferten, in Betrieb. Die Lüfter konnten auf Druck oder Menge geschaltet, auch zum Saugen eingerichtet werden. Die Luft wurde in den Parallelstollen (s. Abb. 428) als Leitungsrohr und aus diesem durch den jeweilig letzten der in etwa 200 *m* Abständen hergestellten Querstollen in den Tunnel gedrückt. Mittels Strahlgebläse oder kleinen Lüftern wurde die Luft an den Enden der Querstollen gefaßt und durch Rohrleitungen bis vor Ort des Richtstollens gedrückt. Der Parallelstollen wurde auch zur Wasserabführung und Förderung benutzt und wird nun zum zweiten Tunnel ausgebaut.

Im zweigleisigen Lötschbergtunnel, in dem Druckluftbohrmaschinen arbeiteten, befanden sich auf jeder Seite 2 Lüfter, die je 25 m^3/Sek. Luft von 250 *mm* Wassersäule durch den in der ausgemauerten Tunnelstrecke durch eine Scheidewand hergestellten Luftkanal von 6·3 m^2 Querschnitt drückten. Am Ende dieses Kanals wurde die Frischluft durch eine dort aufgestellte kleinere Drucklüfteranlage in geschlossenen Eisenrohren bis vor Ort des Richtstollens geführt.

Im zweigleisigen zweiten Hauensteintunnel, in dem Druckluftbohrhämmer arbeiteten, drückten 3 hintereinander geschaltete Lüfter 4–5 m^3/Sek. Luft, von 400–600 *mm* Wassersäule in die Tunnelleitung, deren Durchmesser von 1000 auf 330 *mm* im Richtstollen abgemindert wurde.

Im Tauern-, Karawanken- und Wocheinertunnel der österreichischen Alpenbahnen, in denen hydraulische Drehbohrmaschinen und elektrische Stoßbohrmaschinen mit geringer Ausnahme tätig waren, sollten 5·8 m^3/Sek. Luft bei etwa 600 *mm* Wassersäule in die 800–500 *mm* weite Tunnelleitung durch 3 und 4 Lüfter, welche teils von Turbinen, teils von Elektromotoren angetrieben wurden, gedrückt werden.

Literatur: Ržiha, Lehrbuch des Tunnelbaues. Berlin 1872. – Winkler, Vorträge über Tunnelbau. Wien 1875. – Dolezalek, Tunnelbau, Gewinnungsarbeiten. Hannover 1896. – Mackensen, Tunnelbau; Hb. d. Ing. W. I. Leipzig 1902. – Dolezalek, Der Eisenbahntunnel. Berlin-Wien 1918. – Die ausführlichen weiteren Literaturangaben finden sich in den obgenannten Schriften. *Dolezalek.*

Tunnellüftung *(ventilation of tunnels; aérage des tunnels; aerazione delle gallerie).* Die Lüftung der Tunnel im Eisenbahnbetrieb vollzieht sich in kürzeren Tunneln, auch in stärkeren Steigungen meist in natürlicher Weise und ist abhängig von der Lage der Tunnelmündungen, den Wärmeunterschieden an diesen, ihrer gegenseitigen Höhenlage und der herrschenden Windrichtung. Für lange Tunnel mit starkem Zugverkehr genügt natürliche Lüftung zumeist nicht mehr, um der Luftverschlechterung durch die Rauchgase der Lokomotiven und der etwa dem Gebirge entströmenden Gase vorzubeugen, eine Abkühlung der durch die Rauchgase erwärmten Luft und ihre Trocknung im Interesse der Oberbau- und namentlich der Schienenerhaltung, auch des Tunnelmauerwerks, wie der Reibungsverhältnisse und der Sicherungsanlagen zu erreichen; sie muß daher durch andere Mittel und meist durch künstliche Lüftung unterstützt werden. Auch bei elektrischem Betrieb ist die Lüftung des Tunnels zumal zur Trockenhaltung der Luft sehr zu empfehlen. Durch rasches Befahren der Tunnel, tunlichste Vermeidung stärkerer Rauchentwicklung und Verwendung hochwertiger Brennstoffe, wie namentlich Petroleum und Petroleumrückstände zur Lokomotivfeuerung können die Übelstände der Rauchbelästigung etwas abgemindert werden. Die immerhin kostspielige Petroleumfeuerung hatte aber starke Erwärmung der Luft und, zumal bei unvorsichtiger Behandlung, Luftverschlechterung zur Folge, auch die Feuchtigkeit der Luft wurde nicht gemindert und die Reibungsverhältnisse wegen des Niederschlags von Teerteilchen auf die Schienen verschlechtert, wie die Versuche im Arlbergtunnel ergeben haben. Eingleisige, über 1 *km* lange Tunnel, die in stärkeren Steigungen liegen, hat man mit größeren Lichtraumquerschnitten auch von vornherein als zweigleisige Tunnel ausgeführt und die starken Steigungen der offenen Strecke wesentlich ermäßigt, um die natürlichen Lüftungsverhältnisse zu verbessern und die Rauchentwicklung zu vermindern, wie das in letzter Zeit auf französischen Bahnen wiederholt geschehen ist. Zuführung von Druckluft in geschlossenen Leitungen in das Tunnelinnere, namentlich in die Tunnelnischen zur Entnahme durch das Bahnpersonal, oder Mitführung von Druckluftbehältern auf den Lokomotiven haben keine brauchbare und ausreichende Abhilfe ermöglicht. Die Versuche, die auf einigen österreichischen Bahnen gemacht wurden, mittels Sauglüftern die noch weniger verdorbene kühle Luft aus der Tunnelsohle anzusaugen und sie vor dem Lokomotivführer auszublasen, hatten sich stellenweise bewährt; allein eine Tunnellüftung, die auch für die Arbeiter und Wärter im Tunnel sowie für die Trocknung der Luft erforderlich ist, wurde hierdurch nicht erreicht.

Es ist daher künstliche Lüftung des vollen Tunnels erforderlich, die tunlichst so einzurichten ist, daß sie die natürliche Lüftung unterstützt. Künstliche Lüftung kann durch Aussaugen der schlechten oder durch Eindrücken von frischer Luft in den Tunnel erreicht werden, in beiden Fällen erhält man im Tunnel ein Gemisch von frischer und verbrauchter Luft. Hierfür kommen 2 Vorgänge in Frage, u. zw.:

1. Lüftung durch Schächte; 2. Lüftung durch die Mündungen *a)* mit Mündungsverschlüssen, *b)* mit Strahlgebläsen (Bauweise Saccardo).

1. Schachtlüftung.

Die Tunnellüftung durch Schächte kann unter gewissen Bedingungen auch ohne künstliche Mittel erträgliche Verhältnisse ermöglichen. Die Schächte sind mit großen Lichtquerschnitten anzuordnen und bei Anordnung nur eines Schachtes dieser tunlichst an höchste Stelle und in die Mitte des Tunnels zu verlegen. Bedeutende Schachttiefen werden ohnedies wegen zu großer Kosten vermieden. Die Wirkung beruht hauptsächlich auf den Wärme-, daher Druckunterschieden im Tunnel und am Schachtmund. Solange die Wärme im Tunnel und Schacht größer ist wie an der Oberfläche, ist Luftbewegung vom Tunnel nach außen möglich. Andernfalls hört die Luftbewegung überhaupt auf oder es findet solche im umgekehrten Sinne statt. Es sind bei manchen Tunneln Schachtlüftungen in ausreichender Weise ermöglicht worden. Da aber die Bedingungen für genügende Schachtlüftungen unter allen Witterungsverhältnissen kaum zu erfüllen sind, so haben Schachtlüftungen in der Mehrzahl der Fälle nicht befriedigt; allerdings haben auch die zumeist unzureichenden Lichtquerschnitte der Schächte deren Wirksamkeit verhindert. Eine in allen Fällen zweckmäßige Schachtlüftung kann durch Anordnung von Sauglüftern am Schachtmund erreicht werden, die unter günstigen Verhältnissen die natürliche Lüftung unterstützen und bei entsprechend großem Kraftaufwand auch dann Luft aus dem Tunnel saugen, wenn natürliche Lüftung nicht oder im entgegengesetzten Sinn vorhanden ist, so daß ein gleichgerichteter Luftstrom von den Mündungen durch den Tunnel und Schacht nach außen gesichert werden kann. Auch diese Anordnung ist durch die Überlagerung begrenzt, da bei großen Höhen und ungünstigen Gebirgs- und Wasserverhältnissen die Anlage zumal weiter Schächte sehr hohe Baukosten und bei großer Tiefe auch erhebliche Betriebskosten erfordert.

Bei geringer Schachttiefe werden z. B. die Tunnel unter dem Severn- und Merseyflusse (s. Bd. VII u. IX) sowie unter dem Hafen von Boston durch Schächte und Sauglüfter in zufriedenstellender Weise entlüftet; es werden hierbei Windgeschwindigkeiten von 2—2·5 *m*/Sek. erreicht. Für den neuen 8134 *m* langen zweigleisigen Hauensteinbasistunnel (s. Bd. VI, S. 118) hat Wiesmann auf Grund seiner Beobachtungen am Severntunnel eine Lüftungsanlage mit Saugschacht und Sauglüftern entworfen und ausgeführt. Die Verhältnisse des Tunnels und der Schachtanlage zeigen Abb. 479 u. 480.

Mit Rücksicht auf die Überlagerungsverhältnisse wurde der Schacht nicht in der Mitte und auch nicht in höchster Stelle, sondern im Abstand von 3594 *m* vom Nordmund des Tunnels, 5·6 *m* weit, kreisförmig und 133 *m* tief, seitwärts der Tunnelachse ausgeführt. Für normale Verhältnisse bei natürlicher Luftbewegung vom Tunnel durch den Schacht nach außen ist eine Luftgeschwindigkeit von 3 *m*/Sek. und eine bewegte Luftmenge von 132 m^3/Sek.

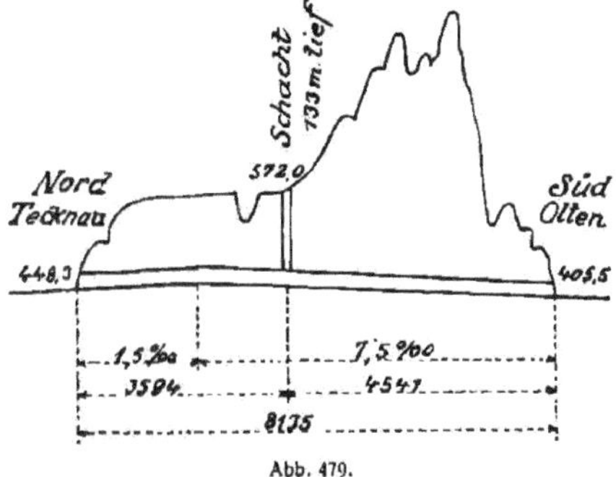

Abb. 479.

vorgesehen. Am Schacht wird daher die bewegte Luftmenge der Nord- und Südstrecke zusammen 264 m^3/Sek. und die Luftgeschwindigkeit im Schacht etwa 10·7 *m*/Sek. betragen. Die vorerst noch nicht ausgeführte Anlage des Lüfters und Motors am Schachtmund ist nach dem Entwurf für eine Fördermenge von 264 m^3 Luft bei —22 *mm* Wassersäule vorgesehen, wofür eine Betriebskraft von 129 PS. und eine Maschinenstärke von 150 PS. angenommen wurde.

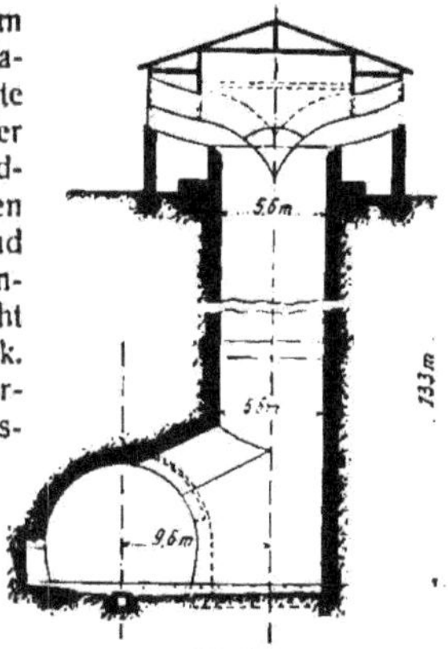

Abb. 480.

Die Kosten für diese Lüftungsanlage werden angegeben wie folgt:

für den ausgeführten Schacht samt Grunderwerb und Entwässerungen	173.000 Fr.
für die noch zu erstellenden 2 Zwillingslüfter mit Vorgelege und 2 Elektromotoren	66.000 „
für gemauertes Gehäuse	20.000 „
für Dienstwohnung und Verschiedenes	21.000 „
zusammen . . .	280.000 Fr.

Die jährlichen Betriebskosten werden mit 30.000 Fr. geschätzt.

Vorerst wird hiernach der neue Hauensteintunnel nur durch natürliche Lüftung ohne maschinelle Sauganlagen gelüftet, wie weit dies unter den gegenwärtigen Verkehrs- und Betriebsverhältnissen genügt, wird nicht mitgeteilt.

Da die Lüftung des 4200 *m* langen zweigleisigen Cochemtunnels der Moselbahn (s. Bd. III, S. 207) mittels der dort angeordneten Anlage (Bauweise Saccardo) nicht genügte, hat man im Abstand von 1135 *m* vom Südende (Eller) einen etwa 230 *m* tiefen, durchschnittlich 5 *m* weiten Schacht eingebaut, durch den entweder die Luft mittels eines Sauglüfters angesaugt oder aber die Frischluft mittels des drückend wirkenden Lüfters einer im Tunnel an der Schachtstelle eingebauten Luftkammer mit Düse zugeführt werden soll. Die Kosten für Luftkammer, Schacht und maschinelle Anlagen sind auf 583.000 M. veranschlagt. Vorläufig dient der Schacht hauptsächlich zur natürlichen Entlüftung.

Die Lüftung durch Vermittlung von Schächten, die ausreichend großen Lichtquerschnitt erhalten müssen, hat den Vorteil, daß der an der Mehrzahl der Tage herrschende natürliche Luftzug aus dem Tunnel durch den Schacht einen geringen Kraftverbrauch der Lüfter ermöglicht oder auch den Betrieb der Lüfter zeitweise entbehrlich machen kann und daß Einbauten im Tunnel wie bei den Lüftungen durch die Mündungen nicht erforderlich sind. Dagegen sind Saugschachtlüftungen nur dort möglich, wo nicht zu weit von der Mitte oder der höchsten Stelle des Tunnels ein Schacht mit großem Lichtquerschnitte, mäßiger Tiefe und im nicht ungünstigen Gebirge, daher ohne zu große Kosten erstellt werden kann, was namentlich bei den tief gelegenen, langen Scheiteltunneln meist nicht der Fall ist.

2. Die Lüftung durch die Tunnelmündungen

kann durch Eindrücken oder Aussaugen der Luft erfolgen; in beiden Fällen wird die Luft im Tunnel in Bewegung gesetzt und aus dem Tunnel gefördert, wobei frische Luft nachströmt. Auch können Druck- und Sauglüftung so verbunden werden, daß beide einander unterstützen. Da die natürliche Lüftung, die von der Höhenlage, den Wärmeunterschieden und den Windrichtungen auf beiden Tunnelmündungen abhängig ist, im Interesse wirksamer Lüftung und Kraftersparnis ausgenützt werden soll, so sind die Lüfter an den Tunnelmündungen dementsprechend tunlichst so anzuordnen, daß die natürliche Lüftung unterstützt und ihr nicht entgegengearbeitet wird, was freilich nicht immer möglich ist.

In Tunneln mit größeren Höhenunterschieden der beiden Mündungen und stärkeren Steigungen wurden Drucklüfter zumeist an den höher gelegenen Mündungen angeordnet, um die Luft dem in der Steigung fahrenden Zug entgegenzudrücken und den Rauch tunlichst rasch vom Lokomotivführerstand zu beseitigen, was allerdings infolge vermehrter Widerstände größeren Kraftaufwand, daher Mehrkosten bedingt. Da die Luftgeschwindigkeit im Tunnel auch im Interesse der darin tätigen Arbeiter 2 – 4 *m*/Sek. selten überschreitet, also geringer ist wie in der Regel die Zugsgeschwindigkeit, so würde auch bei gleichgerichteter Bewegung der Luft und des Zuges im Tunnel eine Rauchbelästigung vermieden werden können. Da das aber nicht immer gesichert ist, so dürfte doch in der Mehrzahl der Fälle das Eindrücken der Luft der Zugrichtung entgegen trotz der hierdurch bedingten Mehrkosten vorzuziehen sein. Am wirksamsten und sichersten würde die Lüftungsanlage sich gestalten durch Anordnung von Lüftern an beiden Tunnelmündungen, die zum Drücken und Saugen eingerichtet und so zu betreiben sind, daß nach Bedarf von der einen Seite gedrückt, an der andern gesaugt wird und umgekehrt, wobei allen Verhältnissen Rechnung getragen werden kann. Ob durch die hierbei mögliche Kraftersparnis die immerhin nicht geringen Mehrkosten der Doppelanlage aufgewogen werden, wäre im einzelnen Fall zu prüfen. Als Lüfter werden in der Regel Schleudergebläse (Zentrifugalventilatoren) der Bauweisen Guibal, Pelzer, Rateau u. a. m., namentlich Capell, gebraucht.

a) Die Lüftung mit Mündungsverschlüssen. Die Luft wird von dem an den Tunnelmündungen aufgestellten Gebläse durch Querkanäle unmittelbar in den Tunnel gedrückt oder aus diesem angesaugt. Um das Entweichen der nahe der Mündung in den Tunnel gedrückten Luft zu verhindern, wird die Mündung während des Betriebs des Lüfters geschlossen, was durch Tore oder besser durch leichte und bewegliche Vorhänge, die für den Eisenbahnbetrieb gefahrlos sind, geschehen kann. Durch selbsttätige Signale wird der Zustand angezeigt, in dem die Verschlußeinrichtungen sich befinden.

Es ist zweckmäßig, den Luftzuführungskanal von den Lüftern nach dem Tunnel bei geöffnetem Vorhang durch Klappen zu schließen, da sonst bei nicht abgestellten Lüftern die Luft durch die benachbarte Mündung mit großer Geschwindigkeit entweicht, was Überlastung des Motors und unangenehmen Luftstrom zur Folge hat. Die verwendeten Vorhänge bestehen aus getränktem Segeltuch, das in Eisenrahmen gefaßt ist; bei richtiger Anordnung können sie auch auf der Höhe der Schienen annähernd dicht anschließen, so daß Luftverluste ziemlich vermieden werden können. Das Heben und Senken der Vorhänge kann von Hand oder maschinell erfolgen. Die an einer Mündung eingedrückte Luft durchströmt den Tunnel und entweicht an der entgegengesetzten Mündung. Auch können an dieser Mündung Sauglüfter und Vorhangverschluß zur Unterstützung des Drucklüfters an der ersten Mündung angeordnet werden.

Eine Anlage dieser Art, wie sie im 8565 *m* langen eingleisigen Grenchenbergtunnel (Schweiz) ausgeführt ist, zeigt Abb. 481 u. 482.

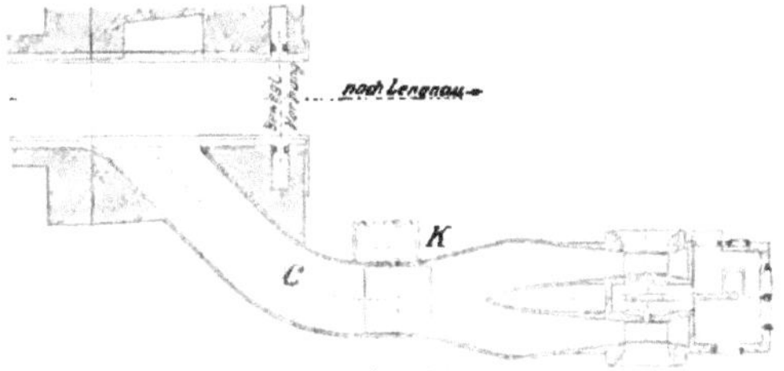

Abb. 481.

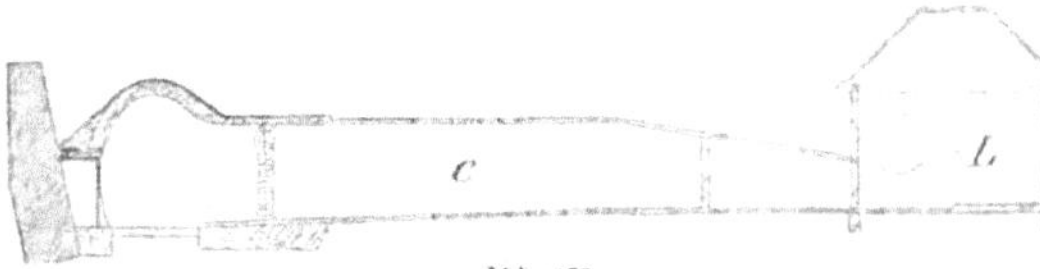

Abb. 482.

An gemeinsamer Welle befinden sich 2 Lüfter *L* mit einseitigem Einlauf, die eine Betriebskraft von 50 PS. benötigen und durch einen 100 PS. starken Elektromotor angetrieben werden. Sie liefern 75 m^3/Sek. bei einem Druck von 30 *mm* Wassersäule und einer Normalgeschwindigkeit der einziehenden Luft mit 3 *m*/Sek. Der bewegliche Vorhang *V* befindet sich unmittelbar an der Tunnelmündung. Der Luftkanal *C* kann bei geöffnetem Vorhang durch eine Klappe *K* geschlossen werden. Der Vorhang wie die Klappe werden durch Elektromotoren bewegt. Die Gesamtkosten der Lüftungsanlage werden mit 124.000 Fr. angegeben. Im seinerzeit eingleisigen, rd. 20.000 *m* langen Simplontunnel (s. Bd. IX) waren nach der alten Anordnung beide Tunnelmündungen mit Vorhängen versehen; hierbei erfolgte das Eindrücken der Luft auf der Nordseite (Brig) und das Ansaugen auf der Südseite (Iselle). Die neue Anlage für beide eingleisige Tunnel wurde auf der Nordseite in Brig erstellt, auf der Südseite fallen Lüftungsanlagen, daher auch die Vorhänge fort.

Als größter Luftbedarf wurde für jeden der beiden eingleisigen Tunnel 90 m^3/Sek. festgesetzt, was eine Luftgeschwindigkeit von 3 – 4 *m*/Sek. ergibt. Es wurden 2 Lüfter von Sulzer von 180 m^3/Sek. Fördermenge bei 130 *mm* Wassersäule Pressung so aufgestellt, daß beide Lüfter hintereinander auf Druck geschaltet werden können. Auch im 14.536 *m* langen zweigleisigen Lötschbergtunnel (s. Bd. VII) wurde eine Lüftungsanlage mit Vorhängen angeordnet.

Die Vorteile der Lüftungsanlagen mit Vorhängen bestehen in dem günstigen Wirkungsgrad und den niedrigen Erstellungskosten, dagegen ist als Nachteil anzusehen, daß die Lüftung nur bei geschlossenem Vorhang wirksam ist, dieser besonders bedient und mit einer Signaleinrichtung verbunden sein muß und infolge des häufigen Öffnens und Schließens des Vorhangs bei stärkerem Verkehr Unterbrechungen und Störungen eintreten.

b) Die Lüftungsanlage des Ingenieurs Saccardo wirkt als

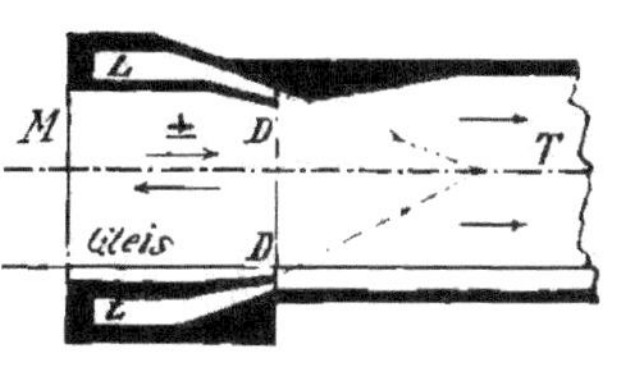

Abb. 483.

Strahlgebläse oder, wie der Erfinder sagt, als Stoßmaschine (s. Abb. 483). Die seitwärts der Tunnelmündung *M* angeordneten Lüfter (Schleudergebläse) drücken Luft in eine um den Tunnelquerschnitt in der Nähe der Mündung *M* ringförmig angeordnete Luftkammer *L* und aus dieser durch Düsen *D*, deren Öffnungsweiten und Winkelgrößen den jeweiligen Verhältnissen anzupassen sind, daher letztere auch verstellbar eingerichtet werden, in den Tunnel. Für eingleisige Tunnel können Luftkammer und Düsen unter dem Gleis weggelassen werden, wodurch die brückenartige, kostspielige Anordnung vermieden wird. Die aus den Düsen tretende Luft stößt auf die Luftsäule im Tunnel und setzt diese mit der Düsenluft in Bewegung durch den Tunnel bis an die Mündung der entgegengesetzten Seite. Unter gewissen Bedingungen erleidet die aus den Düsen kommende Luft beim Stoß auf die Tunnelluft einen Rückstau, so daß Luft, nachdem sie nützliche Arbeit geleistet hat, unmittelbar durch die naheliegende Tunnelmündung zurückfließt. Durch Regelung

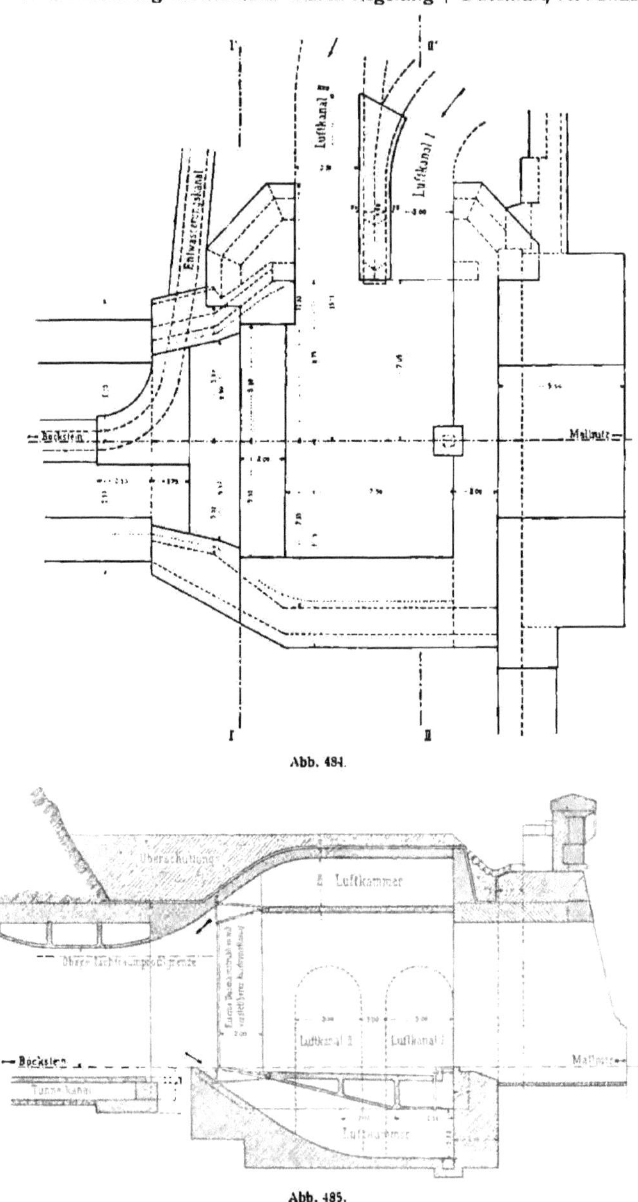

Abb. 484.

Abb. 485.

des Luftdrucks, der Bauart und Abmessungen der Düsen kann der Rückstau eingeschränkt oder in das Umgekehrte, also in ein Einsaugen von Luft durch die Mündung in den Kegel der Düsenluft, verwandelt werden. Es werden in der Regel Windgeschwindigkeiten im Tunnel von 2 – 6 *m*/Sek. eingehalten. Die natürliche Luftbewegung soll tunlichst unterstützt werden. Im Interesse der Kraftersparnisse, also namentlich dort, wo Wasserkräfte nicht oder unzureichend zur Verfügung stehen, kann die Anordnung von Anlagen an beiden Mündungen zweckmäßig sein, auch derart, daß diese Anlagen nicht nur zum Drücken, sondern auch zum Saugen eingerichtet werden, weil in diesem Fall dem natürlichen Luftzug nicht entgegengearbeitet, sondern dieser unterstützt werden kann. Bei einseitigen Anlagen mit Druckwirkung wird diese in steigenden Tunneln vielfach an der oberen Mündung angeordnet, um die Luft dem aufwärts fahrenden Zug entgegenzudrücken. Wie weit dies zweckmäßig ist, wurde bereits oben bei Lüftungsart, 2*a*, besprochen.

Diese Lüftungsart wurde zuerst an dem 2725 *m* langen eingleisigen Prachiatunnel der Appeninenbahn (Bologna-Pistoja), dann an mehreren anderen, auch größeren zweigleisigen Tunneln in Italien, an dem zweigleisigen Gotthard- und Mont-Cenis-Tunnel, auch am Arzweiler- und Cochemtunnel (unzureichend), schließlich an den zweigleisigen Tauern- und eingleisigen Dössentunnel der österreichischen Alpenbahnen sowie an einigen Tunneln in Frankreich und Nordamerika ausgeführt.

Die Anlage am zweigleisigen 8550 *m* langen Tauerntunnel, (s. Bd. IX,) zeigen Abb. 484 bis 487. Als Lüfter werden 2 Schleudergebläse Bauart Capell verwendet, wovon das eine zur Aushilfe dient. Sie sind für eine größte Fördermenge von 260 m^3/Sek. gebaut. Die Flügelräder haben 5·5 *m* Durchmesser und 2 *m* Breite. Für die Grenzleistungen von 3 – 6 *m*/Sek. Luftgeschwindigkeit ist ein Kraftbedarf von 250 – 1100 PS. erforderlich. Der Antrieb geschieht durch Gleichstrommotoren. Die Wasserkraft des Mallnitzbaches bei Lassach erzeugt Drehstrom von 5000 Volt, der im Maschinenhaus des Tunnels in Gleichstrom von 250 bis 500 Volt umgewandelt wird. Die Anlage befindet sich an der höher gelegenen südlichen Mündung des Tunnels, um die Luft dem in der Steigung von 10‰ aufwärts fahrenden Zug entgegenzudrücken. Die Vorteile der Lüftungsart Saccardo bestehen in der Vermeidung von Tor- oder Vorhangseinbauten, wodurch die störenden Unterbrechungen und Bedienungen vermieden werden, gegenüber der Lüftungsart I in der Fortlassung von Schächten, die nur bei nicht zu großen Tiefen und im günstigen Gebirge vorteilhafte Anordnungen ermöglichen; dagegen ist der Wirkungsgrad wie bei allen Strahlgebläsen gering, auch ist bei starker Gegenströmung der Luft im Tunnel die Anlage mit den bisherigen Formen und Abmessungen kaum ausreichend; zweiseitige Anlagen erfordern hohe Erstellungskosten. In dieser Richtung sind noch Verbesserungen möglich. Im Eisenbahnbetrieb hat allerdings die Lüftungsart Saccardo bisher die häufigste Verwendung gefunden.

Literatur: Heine, Tunnellüftung während des Eisenbahnbetriebes. Bulletin d. Int. Eis.-Kongr.-Verb. 1900. – Klodič v. Sabladoski, Studie betreffend künstliche Lüftung des Gotthardtunnels. Aus dem Italienischen. Ancona 1899. – Kemmann, Über Lüftung von Tunneln. Ztg. d. VDEV. 1900. – Hannak, Tunnelbau, in Geschichte der Eisenbahnen Österreichs. Teschen 1909. – Aérotion des Souterrains. Ann. d. ponts 1909. – Schubert, Lüftung im Tunnelbau. Weida 1912. – Schumann, Die Tunnelluftanlagen der Tauernbahn. Ztschr. dt. Ing. 1915. – Rothpletz, Die Ventilationsanlage des Simplontunnels. Schwz. Bauztg. 1919. – Winkler, Die Eisenbahntunnel der Schweiz. 1915. – Wiesmann, Künstliche Lüftung im Stollen- und Tunnelbau sowie von Tunneln im Betrieb. Zürich 1919. – Lucas, Der Tunnel. Berlin 1920. *Dolezalek.*

Tunnelsignale *(tunnel signals; signaux de tunnel; segnali di galleria)* zur Deckung der Züge während der Fahrt im Tunnel sowie zur Verständigung der Tunnelwärter und Arbeiter untereinander und mit den nächstgelegenen Stationen.

In der Regel ist die Bestimmung getroffen, daß sich in einem Tunnel nie 2 oder mehr Züge gleichzeitig hintereinander bewegen dürfen, weil die Züge zur Tageszeit für kleinere Tunnel keine Nachtsignale haben, diese aber in größeren Tunneln, wo sie vorgeschrieben

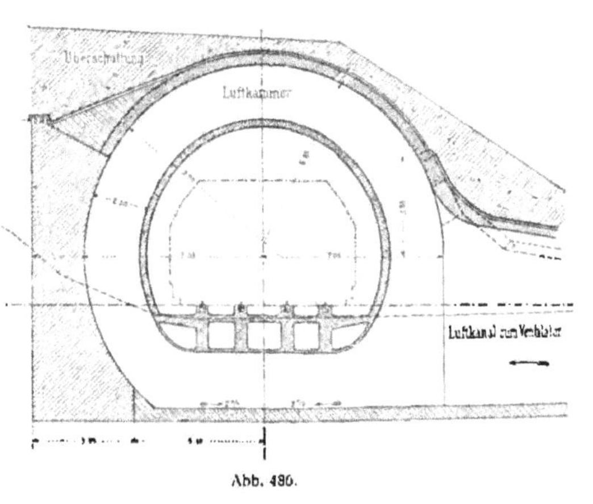

Abb. 486.

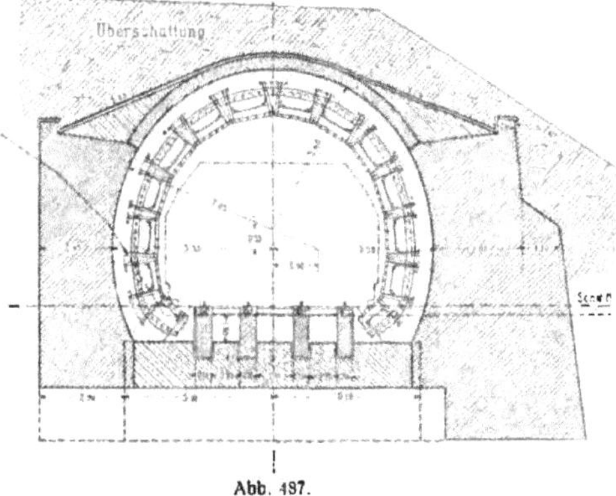

Abb. 487.

sind, infolge des Rauches leicht übersehen werden können.

Für kleinere Tunnel genügt es, die Austeilung der Blockposten so zu treffen, daß der Tunnel ganz in eine Blockstrecke zu liegen kommt; damit ist die Einfahrt eines Zuges in diese allenfalls noch besetzte Blockstrecke verhindert.

Solche kürzere Tunnel bedürfen dann keiner besonderen Signaleinrichtungen. Es genügt die Beleuchtung der Kilometer- und Hektometerzeichen sowie der Neigungszeiger. An besonders wichtigen Gefällsbrüchen wird es sich überdies empfehlen, Rasselwerke aufzustellen.

Bei langen Tunneln wird es zweckmäßig sein, sie als eine besondere Blockstrecke zu betrachten und an beiden Eingängen eigene Blockposten zu errichten. Überdies erheischt aber die Sicherheit des im Tunnel beschäftigten Personals, dieses vom Verkehr der Züge zu verständigen und ihm die Möglichkeit zu bieten, sich untereinander sowie mit den nächstgelegenen Bahnhöfen in Verbindung setzen zu können. Dies erfordert die Anbringung zahlreicher Glockensignale und Telephonstellen im Tunnel. Die Telephone werden am besten in den größeren Tunnelnischen untergebracht.

Die Anlage von Blockposten im Innern langer Tunnel ist nicht immer günstig. Sie erscheint bei elektrischem Betrieb der Bahn weniger bedenklich und läßt sich bei Untergrundbahnen nicht vermeiden.

Im Simplontunnel ist eine Blockstation vorhanden, ebenso im neuen Hauensteintunnel.

Liegt ein Bahnhof so nahe an der Tunnelmündung, daß das Einfahrtssignal nicht in der vorgeschriebenen Entfernung vom Einfahrtswechsel außerhalb des Tunnels angebracht werden kann, so muß es in den Tunnel verlegt werden. In diesem Fall kann das Einfahrtssignal nur als Nachtsignal ausgebildet und muß so gebaut werden, daß es sich den beschränkten Raumverhältnissen anpaßt, jedoch hinreichende Lichtwirkung besitzt.

Vielfach wird heute in solchen Fällen von Blinklichtsignalen Anwendung gemacht.

Da Holz und Eisen in den Tunneln rasch zu grunde gehen, empfiehlt es sich, bei der Herstellung der T. diese Baustoffe tunlichst zu vermeiden und sie durch Messing, Kupfer, Hartbronze und Hartgummi soweit als möglich zu ersetzen. Ferner muß, der nachteiligen Einflüsse der zumeist sehr feuchten Luft wegen, auf guten Abschluß aller Apparate nach außen hin sowie auf sorgfältige Isolierung aller Leitungen und Verbindungsteile gesehen werden.

Tunnelvermessung. Für den Tunnelbau ist die Angabe der Mundlöcher und der Richtungen der Achsenlinie und das Ansteigen erforderlich, damit der Gegenortsbetrieb eingerichtet werden kann. Manchmal sind auch noch Betriebsschächte anzugeben, die von der Erdoberfläche aus abgeteuft und als neue Ausgangspunkte für den Tunnelstollen angesetzt werden sollen, oder Luftschächte, die sowohl abgeteuft als aufgebrochen werden. Beim Vortreiben der Stollen ist die Achsenrichtung jeweils vor Ort anzugeben und von Zeit zu Zeit sind Prüfungen über den Verlauf der ganzen aufgefahrenen Strecke vorzunehmen. Nach erfolgtem Durchschlag ist die Achse zweckmäßig auszugleichen. Bei Verdrückungen sind auch Querprofilmessungen auszuführen.

Die Hauptmessungsarbeiten über Tag bestehen in den Angaben der Achsenrichtung an den Tunnelenden und des Höhenunterschieds beider Eingänge. Der Höhenunterschied wird meist vorläufig weniger genau durch trigonometrische Höhenmessung, darauf genauer durch ein geschlossenes Nivellement ermittelt. Die Achsenrichtung wird nur in einzelnen Fällen durch unmittelbare Angabe über Tage möglich sein. Manchmal ist die Messung eines stark gestreckten Polygonzugs möglich, bei dem die Seitenlängen auf optische Art bestimmt werden können; die Achsenrichtung ist dann durch seitliche Versetzung der Polygonpunkte nach einfacher Rechnung zu erhalten. Zur optischen Längenmessung ist das Tichysche Verfahren mit wagrechter Latte, deren Ablesung an vertikalen Distanzfäden den Logarithmus der schiefen Länge angibt, auch der Streckenmeßtheodolit nach Werkmeister oder nach Pulfrich bei wagrechter oder der Hohennersche Präzisionsdistanzmesser bei lotrechter Latte eingerichtet. Die Zentrierfehler quer zur Achsenrichtung sind möglichst klein zu halten; bei kurzen Zugseiten verwendet man Zwangszentrierung oder Kollimatorenstellung oder, wo angängig, einen entfernteren bekannten Zielpunkt. Ist ein der Achsenrichtung angepaßter Streckenzug nicht durchführbar, so legt man den Zug so, daß man gut meßbare, möglichst lange Seiten erhält, die mit abgeglichenen 5-*m*-Holzlatten mit Schneidenenden bei Verwendung des Gradbogens schief gemessen werden. Dieser Streckenzug wird dann in einem beliebig gewählten Koordinatensystem berechnet. Aus den Koordinaten der Endpunkte in der Tunnelachse ergibt sich die Länge ihrer Verbindungslinie und ihre Richtung in dem Koordinatensystem. Die Unterschiede dieser Schlußrichtung gegen die Richtungen der Anschlußseiten sind die Abgabewinkel für die Achsenrichtung.

Wird der Tunnelstollen auch von Zwischenpunkten in Angriff genommen, so sind über Tage die Ansetzpunkte für die Betriebsschächte anzugeben; nach Abteufen und der Abseigerung bis auf die Tunnelsohle ist durch diese Schächte die Stollenrichtung durch Schachtlotung einzubringen.

Der Absteckung langer, durch mächtige Gebirgsstöcke gehender Tunnel muß eine Dreiecksmessung zu grunde gelegt werden (vgl. Triangulation). Da diese Tunnel in der Hauptsache meist geradlinig geführt werden, wird man die Dreiecksmessung dieser Richtung anpassen, indessen die Dreieckspunkte der Landesvermessung nach Möglichkeit miteinbeziehen. Soll der Bau bald folgen, so genügt für die ersten Baumonate schon eine flüchtige Triangulierung, die die Tunnelrichtung auf etwa 1′ sicherstellt. Eine damit verbundene trigonometrische Höhenmessung ergibt den Höhenunterschied innerhalb weniger *dm* richtig, wenn sie in Hinsicht auf die Refraktion sachgemäß durchgeführt wird. Die nachfolgende genauere Höhenbestimmung, die innerhalb weniger *cm* richtig sein muß, ist durch ein Feinnivellement meist um den Gebirgsstock herum in geschlossener Schleife auszuführen. Man befolgt die Regeln für Feineinwägungen. Möglichst gleiche Zielweiten, nicht über 50 *m*, Instrument mit starker Fernrohrvergrößerung und empfindlicher Libelle. Latte mit $^1/_2$-*cm*-Teilung. Einstellung auf Feldesmitte und Ablesung des Libellenstandes bei flüchtiger Längenbestimmung. Ausreichend genau sind auch die Nivellierinstrumente nach Wild von Zeiß, die ein rascheres Arbeiten bei einspielender Libelle gestatten. Wegen gelegentlich kurzer Zielweiten wird man die Latte auch mit einer 2-*mm*-Teilung versehen.

Für die Winkelmessung ist maßgebend, daß meist 1 *m* Querfehler beim Durchschlag zulässig ist, wovon aber bei langen Tunneln nicht viel mehr als die Hälfte auf die Fehler der Ausgangsrichtungen an den Tunnelenden kommen darf, da die Fehler der Stollenmessungen dazukommen. Die aus der Dreiecksmessung hervorgehenden Richtungsangaben für die Absteckung müssen also auf einige Sekunden, bei 10 *km* Durchschlagslänge schätzungsweise auf $\pm 6''$ sicher sein. Für geradlinige Tunnel ist ein Längenfehler von 3 *m* noch erträglich. Die Längenmessung im Tunnel erfolgt wie über Tage mit abgeglichenen 5-*m*-Schneidelatten und Gradbogen. Die verhältnismäßig weite Fehlergrenze läßt die Form von stark spitzwinkligen Dreiecken in Richtung des Tunnels zu. Diese Form wurde von Tichy für die Tunnelmessungen der zweiten Linie von Wien nach Triest bevorzugt, weil bei nicht allzu weit auseinandergehenden Zielstrahlen eine gleichmäßigere seitliche Refraktion zu erwarten ist und deshalb die Winkelfehler kleiner werden. Wenn bei der Tunneltriangulation im Vergleich zur Großdreiecksmessung auch keine allzu genaue Winkelmessung erforderlich ist, so ist doch große Sorgfalt nötig, weil die äußeren Umstände im Gebirge besonders ungünstig sind. Hauptsächlich die Ungleichheit der Luftverhältnisse beim Übergang vom Gebirgskamm ins Gebirgstal bringt eine Unsicherheit in den Gang der Lichtstrahlen, die eine übergroße Winkelmeßgenauigkeit nutzlos macht; wegen dieser Unsicherheit ist die Winkelmessung der großen Dreiecke nur zu günstiger Witterungs- und Tageszeit – nachmittags an Tagen mit leicht bewegter Luft – auszuführen. Statt der einmaligen Messung mit hoher Sätzezahl sind zeitlich auseinanderliegende Wiederholungsmessungen angezeigt. Eine Verkleinerung der Widersprüche der Winkelsumme in einzelnen Dreiecken durch Berechnung der Lotstörungen bei der Annahme gleichmäßiger Gesteinsdichte hat Rosenmund bei der Dreiecksmessung für den Simplontunnel erhalten. Beim Lötschbergtunnel wurden von Baeschlin die transversalen Komponenten der Lotablenkungen in Rechnung gezogen, die rechnerisch in der Tunnelmitte einen Querfehler von 3 *dm* erzeugt hätten. Auch die gekrümmte Form der Tunnelachse als geodätische Linie auf dem Erdellipsoid hat Baeschlin berücksichtigt.

Die aus der Dreiecksmessung berechnete Länge der Endsignale an den Tunnelausgängen ist auf die stark abgerundete Tunnelhöhe als Vermessungshorizont zu reduzieren. Außer den durch festfundierte Pfeiler zu Instrumentenständen hergerichteten genannten Endsignalen sind nach vor- oder rückwärts in den Vertikalebenen durch die Tunnelachse einige Zielmarken, Miren, festzumachen, die zur Festhaltung der Richtungen der Tunnelachse und zur Absteckung dieser Achse in den Stollen hinein dienen. Von ihnen aus erfolgt auch die durchlaufende Übertagabsteckung der Tunnelrichtung, die zwar für die Bauarbeiten nicht nötig ist, aber bei dem großen Arbeitswerk eine erwünschte durchgreifende Probe gibt. Die Absteckung der vorzutreibenden Stollen geschieht zunächst von den Endpfeilern aus, bei geradlinigem Vortrieb aus den Zielmarken durch Verlängerung der Achslinie mittels eines Absteckinstruments in beiden Fernrohrlagen. Gehen nur die Endstücke des Tunnels in Bogen, so treibt man Richtstollen für die Hauptrichtung. Sind dann einige hundert Meter der Stollen aufgefahren, so verlegt man den Hauptausgangspunkt der Absteckung erst in den Richtstollen, später aber fortschreitend tiefer in den Stollen hinein. Dadurch wird man bei der Absteckung von der Tageshelle frei und vermindert den fehlerhaften Einfluß der seitlichen Refraktion. Man hat nur immer durch übergreifende Messungen ausreichende Proben zur Feststellung von Eigenbewegung einzelner Achsenfestpunkte oder einer Anzahl solcher Punkte durch Schollenverschiebung vorzunehmen. Alle hundert Meter legt man Achsenpunkte fest, dabei in $^1/_2$ *km* Entfernung Hauptpunkte, etwa durch quergestellte Klammern mit Kerbe oder Korn auf Betonklötzen in der Sohle oder im festen Gestein an der First. Bei geradliniger Achse werden diese Punkte durch Verlängern und mehrfaches Einweisen in beiden Fernrohrlagen bei telephonischer Verbindung bestimmt, wobei für die Messung durch geeignete Vorrichtung eine seitliche Verschiebung bei der Auswechslung von Signal mit Instrument auf den Übergangspunkten unmöglich gemacht ist. Für die Absteckung der Stollenachse beim Gotthardtunnel hat Dolezalek vereinfachte und leicht zu handhabende Apparate angegeben, die sich gut bewährt haben. Die Platte auf dem Universalstativ gestattet das sichere Auswechseln von Signal und Instrument, sie ist nur quer zur Achsenrichtung verschiebbar und wird durch eine seitliche Klemmvorrichtung, die zugleich zum Abloten des Mittelpunkts der Platte eingerichtet ist, festgestellt. Für Bogenabsteckung eignet sich die Breithauptsche Steckhülsenvorrichtung und die Freiberger Aufstellung. Man wird einen ungefähr der Achse folgenden Streckenzug abstecken und die Achsenpunkte auf diesen Zug einrechnen. Ebenso kann man bei geradliniger Achse verfahren, wobei die grob eingewiesenen Signalpunkte auf Grund scharfer Winkel- und flüchtiger Längenmessung nach Rechnung seitlich zu verschieben sind. Von Zeit zu Zeit werden an Feiertagen nach genau mit der Bauleitung verabredetem Plan bei völlig ruhendem Betrieb und nach guter Durchlüftung des Stollens Hauptabsteckungen vorgenommen. Einmal im Jahr erfolgt von außen her eine etwa 2 Tage dauernde große Nachmessung, bei der Längenmessung, Nivellement und Richtungsmessung mit gutgeschultem Personal nach einem bis ins einzelne festgelegten Plan gut verteilt auszuführen ist. Bei der Richtungsabsteckung sucht man wegen der Umständlichkeit und der seitlichen Lichtbrechung nicht mehr möglichst lange Sichten von außen her in den Tunnel hineinzubringen, sondern nimmt alle halbe *km* oder wie es die Sichtigkeit der Grubenluft sonst zuläßt, Umstellungspunkte für das Absteckungsinstrument auch bei geradlinigem Tunnelverlauf. Nachstehend sind die beim Durchschlag einiger Tunnel gefundenen Schlußfehler angegeben:

Tunnel	Länge *km*	Querfehler *m*	Höhenfehler *m*	Längenfehler *m*
Gotthard	15	0·33	0·05	7·6
Simplon	20	0·20	0·09	0·8
Lötschberg	14	0·26	0·10	0·4
Albula	6	0·05	0·05	1·1
Tauern	9	0·05	0·06	0·3
Karawanken	8	0·02	0·03	0·4
Wocheiner	6	0·05	0·02	0·8
Bosruck	5	0·15	0·03	0·2

Für die Tunnelvermessungen lassen sich wohl allgemeine Gesichtspunkte, nicht aber feststehende Regeln angeben. Die äußeren Verhältnisse sind so verschieden, daß für jeden Tunnel eine Sonderaufgabe der Vermessung vorliegt, die eine eigene Lösung verlangt.

Literatur: Dolezalek, Hilfsmittel für die Richtungsangabe im Gotthard-Tunnel. Ztschr. d. Hannoverschen Arch. u. Ing.-Vereins 1878; Der Durchschlag und die Richtungsbestimmung im Gotthard-Tunnel. Ebenda 1880. – Koppe, Die Absteckung der Achse im Gotthard-Tunnel. Bd. XXII, Nr. 8 der „Eisenbahn" 1880. – Rosenmund, Spezialbericht der Direktion der Jura-Simplonbahn über den Bau des Simplon-Tunnels. I. Teil, 1901. Auch Ztschr. f. Vermess.-Wesen 1902; Wahrnehmungen bei den Richtungskontrollen am Simplon-Tunnel. Schwz. Bauztg. 1902, Bd. XL. – Gast, Über Luftspiegelungen im Simplon-Tunnel. Ztschr. f. Vermess.-Wesen 1904. – Baeschlin, Über die Absteckung des Lötschbergtunnels. Schwz. Bauztg. 1911, Bd. LVIII. – Tichy, Rationelle Vorgänge der Absteckung bedeutend langer Eisenbahntunnels. Ztschr. d. Österr. Ing.-V. 1914, Nr. 47–52; Das optische Längenmessen nach logarithmischer Methode. Ebenda 1913, Nr. 43–45. – Hohenner, Der Hohennersche Präzisionsdistanzmesser. Darmstadt 1919. – Wild, Neues Nivellierinstrument. Ztschr. f. Instrumentenkunde 1909, H. 11. – Fuhrmann, Photographischer Lotapparat. Mitt. a. d. Markscheidewesen 1901, H. 3. – Wilski, Über einige neuere Schachtlotverfahren. Mitt. a. d. Markscheidewesen 1914. – Schuhmann, Lotstörungen und ihre Anwendung bei Tunnelabsteckungen. Österr. Ztschr. f. Verm.-Wes. 1917. *Haußmann.*

U.

Übergabebahnhöfe s. Übergabegleise.

Übergabegleis *(delivery line; voie de sortie ou de transbordement; binario di transbordo)*, Gleis zum Aufstellen der an eine andere Verwaltung oder Betriebsstelle zu übergebenden beladenen oder leeren Wagen (s. Bahnhöfe u. Anschlußbedienung).

Solche Ü. werden namentlich an solchen Stellen erforderlich, wo die Bahnnetze zweier Eisenbahnverwaltungen aneinanderstoßen, ohne daß dort ein Gemeinschaftsbahnhof mit vollständiger Betriebsgemeinschaft angelegt wäre, d. h. wo entweder jede der beiden Eisenbahnverwaltungen einen besonderen Bahnhof besitzt oder wo zwar ein Gemeinschaftsbahnhof vorhanden ist, die Betriebsgemeinschaft aber für gewisse Betriebszweige, zwischen denen Wagen zu übergeben sind, gar nicht oder nicht vollständig durchgeführt ist, so z. B. schon dann, wenn die den Gemeinschaftsbahnhof der Eigentumsbahn mitbenutzende Bahn eigene, von ihr selbst betriebene Ortsgüteranlagen besitzt. Die Ü. werden in der Weise benutzt, daß die eine Verwaltung die zu übergebenden Wagen in die Ü. hineinsetzt, die andere sie herausholt. Da in der Regel Wagen in beiden Richtungen zu übergeben sind, so empfiehlt es sich, in der Regel hierfür mindestens 2 Ü. anzuordnen. Wo sonst der Betrieb der beiden Bahnnetze hinsichtlich des Güterverkehrs vollständig getrennt ist, werden nur die Ü. von den Lokomotiven beider Bahnverwaltungen befahren.

Ü. sind ferner an solchen Stellen erforderlich, wo ein nicht im eigenen Betrieb der Eisenbahn befindlicher Hafen, eine Zeche, eine industrielle Anlage, ein Steinbruch u. s. w. an die Eisenbahn angeschlossen ist. Nur bei ganz kleinen Anschlüssen begnügt man sich oft damit, daß die Bahnverwaltung die zu übergebenden Eisenbahnwagen unmittelbar in das Anschlußgleis hineinsetzt und die zu übernehmenden Wagen aus diesem wieder herausholt. Bei allen größeren Anlagen empfiehlt es sich schon, um die Haftung genau zu begrenzen, eigentliche Ü. vorzusehen, in die die Eisenbahn die Wagen hineinsetzt und aus denen die angeschlossene Anlage sie herausholt, und umgekehrt. Bisweilen verbinden sich mehrere angeschlossene Anlagen zu einer Betriebsgemeinschaft, mit gemeinsamen Ü. Wo die angeschlossenen Anlagen sehr groß sind, wachsen sich die Ü. zu einem ganzen Bahnhof, einem Übergabebahnhof, aus, in dem die angeschlossene Anlage die übernommenen Wagen für ihre Ladestellen ordnet und in dem bisweilen auch eine Verordnung der an die Eisenbahnverwaltung zurückzugebenden Wagen stattfindet.

Mit dem Namen Ü. belegt man schließlich auch, nicht sehr glücklich, Gleise innerhalb eines Verschiebebahnhofs, die dazu dienen, Eisenbahnwagen vorübergehend aufzunehmen, die dann von ihnen aus nach einer andern Stelle des Bahnhofs oder nach einem andern Bahnhof oder Bahnhofsteil derselben Eisenbahnverwaltung überführt werden sollen. Solche Bezeichnung kommt z. B. vor bei Gleisen für Wagen, die beim Verschiebegeschäft für die Ortsgüteranlagen, für eine Umladebühne, für die Werkstätte ausgesondert werden, ferner auch bei Richtungsgleisen für sog. Umkehrwagen, die auf einem 2seitigen Verschiebebahnhof zuerst bunt ausgesondert werden, um dann auf die andere Bahnhofseite übergeführt zu werden, wo sie zusammen mit den in entgegengesetzter Richtung angekommenen Wagen endgültig geordnet werden (s. Verschiebebahnhöfe). *Cauer.*

Übergabezug *(delivery train; train de transbordement; treno di transbordo)*, ein Zug, der an der Grenze zweier Verwaltungs-, Eigentums- oder Betriebsaufsichtsbezirke von einer betriebsführenden Stelle an die andere übergeben wird. Im Geltungsbereich der deutschen Fahrdienstvorschriften werden allgemein auf Hauptgleisen (s. d.) stattfindende Fahrten zur Überführung von Wagen zwischen benachbarten Bahnhöfen, nach den Anschlußgleisen der Werkstätten und gewerblichen Anlagen (s. Anschlußbahnen) Ü. genannt. Es ist erforderlich, durch diese Bezeichnung die Zugehörigkeit der Fahrten zu den Zügen im Gegensatz zu den beim Verschiebedienst vorkommenden Wagenbewegungen zum Ausdruck zu bringen, um dem Grundsatz der deutschen Signalordnung Geltung zu verschaffen, nach dem bei Zugfahrten eine Bedienung der Hauptsignale stattzufinden hat, während Verschiebebewegungen unter dem Schutz der in Halt- oder Ruhestellung befindlichen Hauptsignale auf Grund besonderer Signale erfolgen sollen.

Ein Beispiel möge dies erläutern. Zwischen 2 Güterbahnhöfen eines Ortes findet auf einem Verbindungsgleis die gegenseitige Zuführung von Wagen statt. Die zu dem Zweck auszuführenden Fahrten können sowohl als Verschiebebewegung als auch als Zugfahrten behandelt werden. Im ersteren Fall ist das Verbindungsgleis als Nebengleis anzusehen, Hauptsignale dürfen nicht angewendet werden. Die Übergabefahrten erfolgen auf Grund der für den Verschiebedienst vorgeschriebenen Signale. Diese Betriebsweise ist die einfachere, aber auch die weniger leistungsfähige. Im zweiten Fall rechnet das Verbindungsgleis zu den Hauptgleisen, denn es wird von Zügen — den Ü. — befahren. Für die Ein- und Ausfahrten können Hauptsignale zur Anwendung kommen. Da die Fahrten sich über den Bereich mehrerer Aufsichts- oder Fahrdienstleiterbezirke erstrecken, so wird durch ihre Behandlung als Zugfahrten die gegenseitige Verständigung erleichtert und bei größerer Leistung eine höhere Sicherheit erreicht.

Wenn die Ü. unter diesen Umständen auch zu den Zügen zu rechnen sind, so ist es doch nicht erforderlich, für ihre Beförderung die sämtlichen für die eigentlichen Zugfahrten vorgeschriebenen Bestimmungen im vollen Umfang zur Anwendung zu bringen. Bei den kurzen Entfernungen, auf denen Ü. verkehren, kann in der Regel die Mitführung eines Gepäckwagens unterbleiben. Ferner genügt außer den auf der Lokomotive befindlichen Signalmitteln die Beigabe einer Schlußscheibe oder einer Schlußlaterne. Die Aufstellung eines Fahrberichts (s. d.) kann meistens unterbleiben, vielfach auch die Führung von Wagennachweisungen. Eine Vereinfachung des Dienstes kann häufig auch dadurch erreicht werden, daß nicht Zugbegleitbeamte (s. d.), sondern Bedienstete des Verschiebedienstes der Bahnhöfe, auf denen die Ü. gebildet oder aufgelöst werden, die Ü. begleiten.

In erheblichem Umfang findet ein Verkehr von Ü. auf großen Personenbahnhöfen statt, wenn die Bildung und Auflösung der Personenzüge nicht innerhalb der den eigentlichen Zugfahrten dienenden Bahnhofsanlagen stattfindet, sondern wenn hierfür besondere Anlagen — Abstellbahnhöfe (s. Bahnhöfe) — hergestellt sind. Diese werden getrennt betrieben, sind besonderen Fahrdienstleitern unterstellt und gegen den Personenbahnhof durch Ein- und Ausfahrsignale abgeschlossen. Die Beförderung der Leerzüge, der Zug- und Verschiebelokomotiven, der Post-, Eilgut- und sonstigen Wagen zwischen Abstellbahnhof und den Bahnsteiggleisen verursacht eine große Anzahl von täglich wiederkehrenden Fahrten, die bei Vereinigung der Abstellgleise mit den Bahnsteiggleisen zu einem Bahnhofsbezirk mit gemeinsamer Fahrdienstleitung unter den Begriff des Verschiebedienstes fallen, die aber bei Trennung der Bezirke oder Anlage besonderer Abstellbahnhöfe zu den Ü. rechnen und als Zugfahrten unter Anwendung der telegraphischen Meldevorschriften für die Sicherung der Züge und unter Bedienung der Blockwerke und der Hauptsignale behandelt werden. Schon mit Rücksicht auf die große Zahl der Fahrten ist in diesem Fall die Anwendung der für Ü. zugelassenen Erleichterungen von besonderer Bedeutung. Je nach den örtlichen Verhältnissen erstrecken sich diese auf vereinfachte Signalgebung an Spitze und Schluß der Ü., auf das Schieben der Ü. ohne führende Lokomotive sowie auf die Anwendung der Vorschriften für den Verschiebedienst bei der Bremsbedienung und Zugbegleitung. *Breusing.*

Übergabsverzeichnisse s. Güterabfertigung.

Übergangsbahnhöfe s. Bahnhöfe.

Übergangsbogen *(curves of adjustement; courbes de raccordement; curve di raccordo)* werden zwischen geradem und gekrümmtem Gleis oder zwischen anschließenden gleichgerichteten Gleisbogen (Korbbogen) zur allmählichen Herbeiführung dieser Richtungsänderungen eingeschaltet, um bei den großen Fahrgeschwindigkeiten die Betriebssicherheit zu erhöhen, die Abnutzung des Materials (s. Schienenabnutzung) zu verringern und um schließlich das Reisen durch weitgehende Behebung des Stoßens und Schleuderns der Wagen angenehmer zu gestalten.

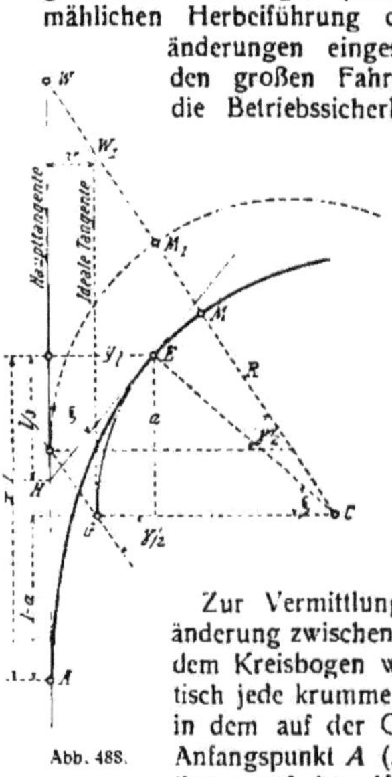

Abb. 488.

Zur Vermittlung der Richtungsänderung zwischen der Geraden und dem Kreisbogen würde sich theoretisch jede krumme Linie eignen, die in dem auf der Geraden liegenden Anfangspunkt A (Abb. 488) und in ihrem auf dem Kreisbogen befindlichen Endpunkt E die Gerade bzw. den Kreisbogen in zweiter Ordnung berührt, demnach in A einen Wendepunkt mit dieser Geraden als Wendetangente besitzt. Hieraus folgt, daß der Halbmesser ϱ des Krümmungskreises im Anfangspunkt des Ü. unendlich groß sein muß und mit dem Fortschreiten auf dem Ü. stetig abzunehmen hat, bis er in deren Endpunkt E den Wert R des Halbmessers des anschließenden Kreisbogens erreicht.

Dieses Fortschreiten auf dem Ü. kann nun in erster Annäherung in der Richtung der wachsenden Abszissen gemessen werden und führt, sobald die Gerade als Abszissenachse und A als Ursprung eines rechtwinkligen Koordinatensystems angenommen werden, zu der grundlegenden mathematischen Beziehung

$$\frac{1}{\varrho} = \frac{\frac{d^2y}{dx^2}}{\left[1+\left(\frac{dy}{dx}\right)^2\right]^{3/2}} = \frac{x}{c},$$

die ausdrückt, daß der Krümmungshalbmesser ϱ in jedem Punkt des Ü. mit dessen Abszisse x in umgekehrtem Verhältnis steht.

Es kann aber, was der Bewegung der Fahrzeuge im Kreisbogen besser entspricht, das Fortschreiten in der Richtung der wachsenden Sehnen s des Ü. oder, im Sinne einer vollkommen strengen mathematischen Auffassung der Aufgabe, in der Richtung des wachsenden Bogens b des Ü. gemessen werden, so daß sich die weiteren Grundgleichungen

$$\frac{1}{\varrho} = \frac{\frac{d^2y}{dx^2}}{\left[1+\left(\frac{dy}{dx}\right)^2\right]^{3/2}} = \frac{s}{c}; \quad \frac{1}{\varrho} = \frac{b}{c}$$

ergeben.

Max v. Leber hat eingehende Untersuchungen über die aus diesen 3 Differentialgleichungen hervorgehenden Kurven angestellt und sie als Abszissen-, Sehnen- und Bogenradioide bezeichnet. Die Abszissenradioide (Abb. 489) besteht aus 2 übereinandergestellten ellipsenähnlichen Ovalen, deren Achsenverhältnis 1 : 0·5990 beträgt, die Sehnenradioide (Abb. 490) ist die bekannte Bernoullische Lemniskate, deren Achse unter 45° gegen die Abszissenachse geneigt ist, und die Bogenradioide (Abb. 491) ist identisch mit der Clothoide, einer Spirale, die in unendlich vielen Windungen den symmetrisch gelegenen Punkten mit den Koordinaten

$$x = y = \pm\sqrt{C\cdot\frac{\pi}{4}}$$

asymptotisch zustrebt. Wichtig ist nun die Erkenntnis, daß im Bereich der praktischen Verwertung dieser 3 Kurven als Ü., d. i. bis zu einer Anomalie von ungefähr 9°, die Kurven voneinander gar nicht abweichen, ja daß sich sogar mit ihnen innerhalb dieser Grenze der allgemein in Verwendung stehende Ü. deckt, dessen Differentialgleichung aus jener der Abszissenradioide durch Vernachlässigung der ersten Ableitung hervorgeht, also wenn

$$\frac{1}{\varrho}=\frac{d^2y}{dx^2}=\frac{x}{c}$$

gesetzt wird. Die zweimalige Integration gibt dann

$$y=\frac{x^3}{6C},$$

die Gleichung der kubischen Parabel. Damit dürfte auch hinreichend erklärt sein, warum Vorschläge, die die Einführung der Lemniskate (Paul Adam in „Annales des Ponts et Chaussées" 1895) oder der Clothoide (d'Ocagne, ebenda 1902; in beiden Aufsätzen werden die Absteckdaten für diese Ü. berechnet) als Ü. befürworten, keinen Erfolg haben.

Da die kubische Parabel in dem Punkt mit den Koordinaten

$$x=\sqrt[4]{0\cdot 8\,C^2}=0\cdot 949741\ldots\sqrt{C}\ \text{und}$$

$$y=\tfrac{1}{3}\sqrt[4]{0\cdot 032\,C^2}=0\cdot 130983\ldots\sqrt{C}$$

einen Scheitel mit dem kleinsten Krümmungshalbmesser

$$\varrho=2\sqrt[4]{5\cdot 0\cdot 6^6\,C^2}=1\cdot 389911\ldots\sqrt{C}$$

hat, so ergibt sich erstens, daß der Halbmesser R des Kreisbogens den vorstehenden, für jedes C zu berechnenden Grenzwert nicht unterschreiten darf und daß zweitens, weil beiderseits dieses Scheitels gleiche Krümmungsverhältnisse bestehen, ein oszillierender Anschluß an einen Kreisbogen vor und nach diesem Scheitel erfolgen kann. Im ersteren Fall berührt der Ü. den Kreisbogen von außen, im letzteren von innen.

Obwohl theoretisch beide Lösungen zulässig erscheinen, wird tatsächlich nur von dem außen berührenden Anschluß Gebrauch gemacht und der innere mit einigen Abänderungen nur in jenen seltenen Fällen verwendet, wo örtliche Verhältnisse der nachträglichen Einschaltung eines Ü. in bestehende Eisenbahngleise besondere Schwierigkeiten bereiten. Hierüber findet man eingehenden Aufschluß in dem unten angegebenen Werk von Leber.

Unerläßlich ist für die Anbringung eines Ü. mit äußerem Anschluß, daß zwischen der Geraden und der zu ihr parallelen Tangente an den Kreisbogen im Punkt O (Abb. 488) ein Abstand v vorhanden ist, der entweder dadurch gewonnen werden kann, daß bei beibehaltenem Kreishalbmesser R der Bogen um den Betrag $WW_1 = v : \cos \gamma/_2$ in der Richtung der Halbierenden des Tangentenwinkels γ nach innen verschoben wird oder dadurch, daß bei beibehaltenem Mittelpunkt C der Kreishalbmesser R_1 um den Betrag v vermindert wird.

Da aus der Grundgleichung $\frac{1}{\varrho}=\frac{x}{C}$ folgt, daß die Abszisse für den Endpunkt E des Ü.

$$x_l = l = \frac{C}{R}$$

und somit bei der kubischen Parabel die Ordinate für E

$$H=\frac{l^3}{6C}=\frac{C^2}{6R^3}=\frac{l^2}{6R}$$

sein muß, so rechnet sich der Abstand v, wie der Abb. 488 entnommen werden kann, mit

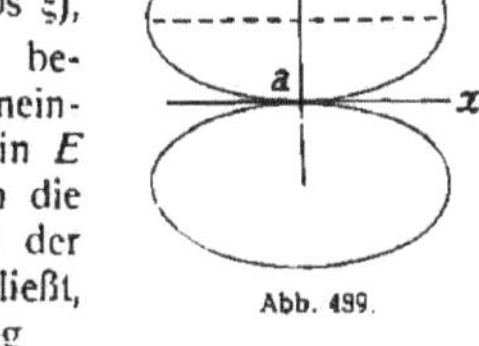

Abb. 489.

$$v = y_l - R\,(1-\cos\xi),$$

wobei ξ den Winkel bezeichnet, den die gemeinschaftliche Tangente in E an den Kreis und an die kubische Parabel mit der Abszissenachse einschließt, für den die Beziehung

$$\operatorname{tg}\xi=\frac{dy}{dx}=\frac{l^2}{2C}=\frac{l}{2R}$$

besteht. Die zur Ordinate v gehörende Abszisse u liefert die Formel

$$u = l - R\cdot\sin\xi.$$

Abb. 490.

Nur in jenen Fällen, in denen der Winkel ξ so klein ist, daß es gestattet ist, seine trigonometrische Tangente mit dem Sinus zu vertauschen, kann, wie sonst allgemein üblich,

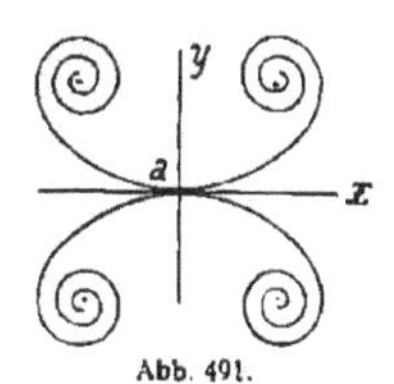

Abb. 491.

$$u=\frac{l}{2}$$

gesetzt werden und weil dann die Ordinate des Punktes E bezogen auf die Kreistangente in O angenähert gleich $\frac{l^2}{8R}$ ist, so berechnet sich v mit

$$v = y_l - \frac{l^2}{8R}=\frac{l^2}{6R}-\frac{l^2}{8R}=\frac{1}{24}\cdot\frac{l^2}{R}\ \text{oder}$$

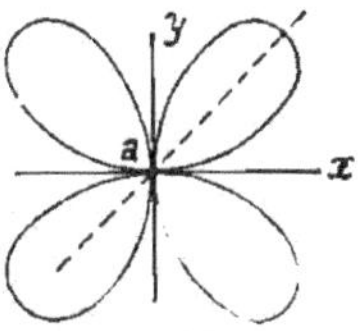

$$v=\frac{1}{4}\cdot y_l.$$

Die Berechnung der Konstanten C folgt aus der Erwägung, daß die der größten Fahrgeschwindigkeit V in km/Std. und der Spurweite s entsprechende Schienenüberhöhung h (s. d.) des äußeren Schienenstrangs über den inneren am Endpunkt E des Ü. im vollen

Ausmaß erreicht wird und daß der Anstieg im Anfangspunkt A des Ü. beginnend sich gleichmäßig auf eine solche Länge l verteilt, daß das Steigungsverhältnis $1/i$ in der Rampe innerhalb der Grenzwerte $i = 300$ und $i = 600$ liegt.

Das Ausmaß der Schienenüberhöhung rechnet sich nach der Formel

$$h = \frac{s \cdot V^2}{127 R} = \frac{k}{R},$$

somit muß die Länge des Ü. in der Abszissenachse gemessen

$$l = i h = \frac{ik}{R} = \frac{C}{R}$$

sein, woraus sich die Beziehung ableitet, daß

$$C = i k$$

anzunehmen ist, und schwankt demnach dieser Wert zwischen 750 und 54.000, da k nach der beim Art. Schienenüberhöhung enthaltenen Tabelle (Bd. VIII, S. 334) zwischen den Werten 2·5 und 90 variiert. Leber empfiehlt für C die Werte 750, 1500, 3000, 4500, 6000, 12.000 und 24.000, von denen die ersten 5 für schmal- und vollspurige Lokalbahnen, die letzten 2 für Hauptbahnen fast allgemein Annahme fanden.

Bei Bogen von größerem Halbmesser, etwa $R > \frac{1}{10} C$, werden Ü. nicht mehr verlegt.

Wird z. B. $C = 12.000$ für eine Hauptbahn angenommen, so beträgt die Abszissenlänge des Endpunktes E des Ü. für einen Bogen mit

$$R = 250\,m,\ l = \frac{12.000}{250} = 48\,m,$$

die Bogenlänge $L = \widehat{AE} =$

$$= l\left(1 + \frac{1}{40}\frac{l^4}{C^2}\right) = 48 \cdot 044,$$

der Winkel $\xi = 5^0 29' 0 \cdot 9''$ und demnach das Maß der Verschiebung $v = 0 \cdot 392\,m$.

Nach den neuesten, vorläufig versuchsweise bei den österreichischen Staatsbahnen in Verwendung stehenden Vorschriften für die Ausführung der Ü. werden folgende Formeln zu grunde gelegt.

$$y = \frac{x^3}{6C},\quad l = \frac{C}{R}\left(1 + \frac{l^4}{4C^2}\right)^{3/2},\quad \operatorname{tg} \varphi = \frac{l^2}{2C},$$

$$a = l - R \sin \varphi.$$

Hierbei ist der Anhaltspunkt des Ü. an die Gerade der Ursprung des Achsenkreuzes und die verlängerte Gerade die positive x-Achse (Abb. 492).

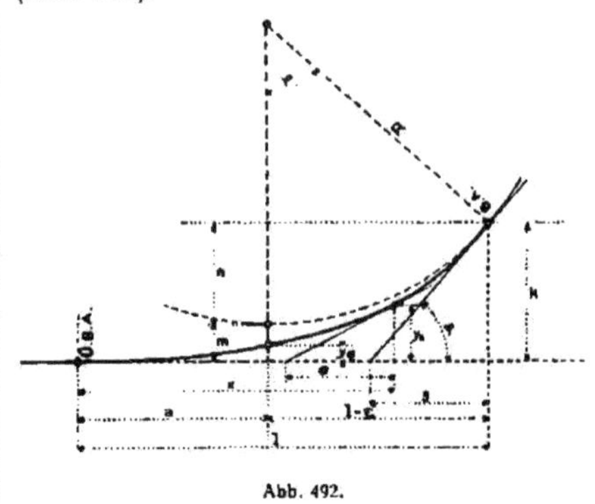

Abb. 492.

C wird der nachstehenden Tabelle gemäß bemessen:

Mindestfestziffer C.

Bogenhalbmesser in m	Fahrgeschwindigkeit in km/Std.			
	$V < 40$	$40 < V < 60$	$60 < V < 80$	$80 < V$
	anzustrebende Mindestfestziffer C			
$R < 140$	3000			
$140 < R < 200$		9000		
$200 < R < 375$			12.000	
$375 < R < 600$		12.000	18.000	30.000
$600 < R < 800$	6000			36.000
$800 < R < 1250$				42.000
$1250 < R < 1750$		15.000	24.000	48.000
$1750 < R < 2250$				54.000
$2250 < R < 4000$				60.000

Literatur: Helmert, Die Übergangskurven für Eisenbahngleise. Aachen 1872. – Maximilian de Leber, Calculs des Raccordements paraboliques dans les tracés de chemin de fer. Paris 1892; Verordnungsblatt des H.M. für Eisenbahn- und Schiffahrt Nr. 102 und 131 vom Jahre 1890. – M. Pernt, Tafeln zum Abstecken von Kreis- und Ü. mit Polarkoordinaten und andere im Art. „Abstecken“ angeführte Tabellenwerke. – H. K. Müller, Tafelbuch für Gleiskrümmungen. Hamburg 1917. *Pernt.*